U0242900

国家出版基金项目
NATIONAL PUBLICATION FOUNDATION

中国中药资源大典

『十三五』国家重点出版物出版规划项目

中国中药资源大典

资源大典

江苏 卷

1

黄璐琦 / 总主编

段金廒　吴啟南 / 主　编

北京科学技术出版社

图书在版编目（CIP）数据

中国中药资源大典 . 江苏卷 . 1 / 段金廒，吴啟南主编 . — 北京 ：北京科学技术出版社，2022.12
ISBN 978-7-5714-2307-0

Ⅰ. ①中… Ⅱ. ①段… ②吴… Ⅲ. ①中药资源－资源调查－江苏 Ⅳ. ①R281.4

中国版本图书馆 CIP 数据核字（2022）第 078997 号

责任编辑：侍　伟　李兆弟　董桂红　吕　慧　庞璐璐
责任校对：贾　荣
图文制作：樊润琴
责任印制：李　茗
出 版 人：曾庆宇
出版发行：北京科学技术出版社
社　　址：北京西直门南大街16号
邮政编码：100035
电　　话：0086-10-66135495（总编室）　0086-10-66113227（发行部）
网　　址：www.bkydw.cn
印　　刷：北京博海升彩色印刷有限公司
开　　本：889 mm × 1 194 mm　1/16
字　　数：1 209千字
印　　张：54.5
版　　次：2022年12月第1版
印　　次：2022年12月第1次印刷
审 图 号：GS京（2023）1758号
ISBN 978-7-5714-2307-0

定　　价：590.00元

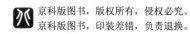

《中国中药资源大典·江苏卷》

编写工作委员会

顾　　问　肖培根（中国医学科学院药用植物研究所）

黄璐琦（中国中医科学院）

曹洪欣（中国中医科学院）

袁昌齐（江苏省中国科学院植物研究所）

周荣汉（中国药科大学）

李大宁（国家中医药管理局）

苏钢强（国家中医药管理局）

李　昱（国家中医药管理局）

陆建伟（国家中医药管理局）

孙丽英（国家中医药管理局）

周　杰（国家中医药管理局）

陈榕虎（国家中医药管理局）

吴勉华（南京中医药大学）

胡　刚（南京中医药大学）

赵润怀（中国中药有限公司）

主 任 委 员　陈亦江（江苏省卫生健康委员会、江苏省中医药管理局）

朱　岷（江苏省卫生健康委员会、江苏省中医药管理局）

段金廒（南京中医药大学）

副主任委员　石志宇（江苏省中医药管理局）

王卫红（江苏省中医药管理局）

吴啟南（南京中医药大学）

谭仁祥（南京中医药大学）

程海波（南京中医药大学）

委　员　毕　磊（江苏省中医药管理局）

　　　　戴运良（江苏省中医药管理局）

　　　　王霞云（江苏省中医药管理局）

　　　　郭兰萍（中国中医科学院中药资源中心）

　　　　张小波（中国中医科学院中药资源中心）

　　　　刘跃光（南京中医药大学）

　　　　史丽云（南京中医药大学）

　　　　陈　军（南京中医药大学）

　　　　胡立宏（南京中医药大学）

　　　　冯　煦（江苏省中国科学院植物研究所）

　　　　曹　鹏（南京中医药大学）

　　　　李　亚（江苏省中国科学院植物研究所）

　　　　孔令义（中国药科大学）

　　　　余伯阳（中国药科大学）

　　　　丁艳峰（南京农业大学）

　　　　王佩娟（江苏省中医药研究院）

　　　　张朝晖（江苏省海洋水产研究所）

　　　　孙成忠（中国测绘科学研究院）

《中国中药资源大典·江苏卷1》
编写委员会

总 主 编 黄璐琦

主　 编 段金廒　吴啟南

副 主 编 （按姓氏拼音排序）

巢建国　陈建伟　丁安伟　冯　煦　谷　巍　郭　盛　李　亚　刘启新
刘圣金　钱士辉　秦民坚　任全进　尚尔鑫　宋春凤　宿树兰　谈献和
唐晓清　田　方　汪　庆　王康才　吴宝成　严　辉　于金平　张　瑜
张朝晖

编　 委 （按姓氏拼音排序）

巢建国　陈国岭　陈建伟　陈佩东　褚晓芳　戴仕林　狄留庆　丁安伟
丁凤清　董晓宇　段金廒　冯　煦　傅兴圣　谷　巍　郭建明　郭　盛
郝振国　胡　杨　黄璐琦　黄一平　季　浩　江　曙　蒋　征　金国虔
居明乔　鞠建明　李会伟　李　琳　李孟洋　李帅锋　李思蒙　李文林
李　亚　李振麟　刘　晨　刘　培　刘启新　刘　睿　刘圣金　刘兴剑
刘训红　刘　逊　陆耕宇　马宏跃　马新飞　欧阳臻　濮春娟　濮社班
钱大玮　钱士辉　秦民坚　瞿　城　任全进　尚尔鑫　史业龙　束晓云
宋春凤　宿树兰　孙成忠　孙晓东　孙亚昕　孙永娣　谈献和　汤兴利
唐晓清　唐于平　陶伟伟　田　方　田　梅　田　荣　万夕和　汪　庆
王康才　王　龙　王　旻　王明耿　王年鹤　王淑安　王团结　王旭红
王一帆　王振中　魏丹丹　吴宝成　吴　闯　吴　刚　吴　健　吴啟南
吴　舟　肖　平　谢国勇　严宝飞　严　辉　杨念云　杨泽东　叶海军
尹利民　于金平　张　芳　张　珂　张　丽　张　森　张兴德　张　瑜
张朝晖　赵　明　赵庆年　郑云枫　周桂生　周　婧　周　伟　周　卫
朱华旭　朱　悦　邹立思

肖 序

　　中华人民共和国成立后，我国先后组织过 3 次规模不等的中药资源专项调查，初步了解、掌握了当时我国中药资源的种类、分布和蕴藏量情况，为国家及各省（区、市）制定中药资源保护与利用策略和中药资源产业发展规划、发展中药材资源的种植养殖生产等提供了宝贵的第一手资料，为保障我国中医临床用药和中成药制造等民族医药事业和产业发展做出了重要贡献。人类社会对高质量生活及健康延寿目标的期冀，以及对源自中药及天然药物资源的健康产品的迫切需求，推动了以中药资源为原料的深加工产业的快速扩张和规模化发展，形成了以中成药、标准提取物、中药保健产品为主的中医药大健康产业集群，中药资源的保护与利用、生产与需求之间的协调平衡问题成为新的挑战。

　　在此背景下，国家中医药管理局牵头组织开展了第四次全国中药资源普查工作，以期了解和掌握当前我国中药资源状况，为国家制定有利于协调人口与资源关系的健康中国战略提供决策依据，为我国中药资源经济可持续发展和区域特色资源产业结构调整与布局优化提供科学依据。

　　《中国中药资源大典·江苏卷》客观反映了目前江苏区域中药资源家底。江苏第四次中药资源普查发现中药资源种类 2 289 种，较第三次资源普查多 769 种，其中，水生、耐盐植物，以及动物、矿物的种类大幅度增加。本次普查系统记录和分析了江苏中药资源的种类、分布、蕴藏量、传统知识、药材生产等中药资源本底资料；在查清药用植物、动物、矿物资源的基础上，提出了江苏中药资源区划方案，并指出其发展道地、大宗、特色药材的适宜生产区；建立了适宜于水生及耐盐药用植物资源调查的方法技术体系，并组织实施了我国东部沿海六省区域水生、耐盐药用植物资源的专项调查研究；完成了江苏药用动物及矿物资源调查，并给出了特色产业发展建议；系统提出了江苏乃至行业中药资源性产业高质量、绿色发展的策略与模式，构建了一套适宜推广应用的方法技术体系；制订了江苏及各地市中药资源产业发展规划等。特别宝贵的是，此次普查任务锻炼、培养了一支多学科交叉、结构稳定的中药资源普查团队，为社会提供了一批中药资源高层次专业人才，显著提升了中药资源学学科建设水平和能力。

　　《中国中药资源大典·江苏卷》是江苏中药资源人近 7 年的野外调查和内业整理汇集成的宝贵资料，不仅为江苏中药农业、中药工业和中药服务业全产业链的构建和战略规划的制订提供了翔实的科学依据，也为服务江苏乃至全国中医药事业和中药资源产业的发展提供了有力的支撑，必将为中药资源的保护与利用和资源的可持续发展做出应有的贡献。

中国工程院院士

中国医学科学院药用植物研究所名誉所长

2022 年 3 月

黄　序

　　中药资源是国家战略资源，是人口与健康可持续发展的宝贵资源，是中医药事业和中药资源经济产业健康发展的物质基础。中国共产党第十八次全国代表大会以来，以习近平同志为核心的党中央高度重视中医药在健康中国建设和保障人口健康中的战略地位和独特价值，制定出台了一系列推动中医药事业和产业高质量、绿色发展的政策措施，有力地推动了中医药各项事业的快速发展，取得了举世瞩目的成就。随着人类社会对源自中药资源的健康产品需求的日益增加，以及中药工业的快速扩张和规模化发展，中药资源的需求量也在不断增加。新时代新需求，中药资源的可持续发展正面临新的挑战。

　　基于此，在国家有关决策部门的高度重视和大力支持下，国家中医药管理局牵头组织协调全国中医药领域高校、科研院所、医疗机构等发挥各自优势，聚集全国中药资源及相关领域的优势资源和优秀人才，系统地开展了我国第四次中药资源普查工作。江苏中药资源普查领导小组本着"全国一盘棋"的思想，紧紧围绕国家中医药管理局的整体部署和目标导向，在全国中药资源普查技术指导专家组的帮助、指导下，委任南京中医药大学段金廒教授、吴啟南教授为项目技术负责人和牵头人，具体组织实施江苏第四次中药资源普查，动员了江苏 10 余家相关单位的百余名专业人员，以及江苏各地市县级中医药管理部门和中医院等医疗部门协同开展工作，历时近 7 年出色地完成了此项国家基础性工作科研任务。

《中国中药资源大典·江苏卷》分为上篇、中篇、下篇、附篇。上篇介绍了江苏的经济社会与生态环境概况，第四次中药资源普查实施情况，中药资源概况，中药资源区划及其资源特点，水生、耐盐药用植物资源特征与产业发展，中药资源循环利用与产业绿色发展，药用动物资源种类与产业发展，药用矿物资源种类与产业发展，中药资源产业发展规划。中篇介绍了 43 种江苏道地、大宗、特色药材品种，涉及植物、动物、矿物类药材，系统地阐述了江苏区域道地、大宗、特色药材资源的本草记述、形态特征、资源情况、采收加工、药材性状、品质评价、功效物质、功能主治、用法用量、传统知识、资源利用等 10 余项内容。每个品种都是基于第四次中药资源普查的第一手资料，并结合编者长期对它的研究积累编写而成。下篇记载了江苏的中药资源物种，包括药材名、形态特征、生境分布、资源情况、采收加工、药材性状、功效物质、功能主治、用法用量、附注等内容，同时附以基原彩色图片。附篇收录了 131 种药用动物、矿物资源。该书充分反映了江苏中药资源学领域深厚的积累和一代又一代中药资源人矢志不渝、辛勤奉献的劳动成果，内容丰富，创新性强。

该书的出版，必将为江苏中药资源的可持续发展和特色产业结构调整与布局优化提供科学依据，为实现健康江苏的目标、培育具有竞争优势的新增长极做出应有的贡献。

付梓之际，乐为序。

中国工程院院士

国家中医药管理局副局长

中国中医科学院院长

第四次全国中药资源普查技术指导专家组组长

2022 年 3 月

前　言

　　资源是人类赖以生存和发展的物质基础。中医药作为我国独特的卫生资源、潜力巨大的经济资源、富有原创优势的科技资源、优秀的文化资源，在经济、社会发展中起着重要作用。中药资源是中医药事业和产业传承发展的战略资源，保护中药资源、发展中药产业对大力发展中医药事业、提高中医药健康服务水平、促进生态文明建设具有十分重要的意义。国家高度重视中药资源保护和可持续利用工作。随着中药资源需求量的日益增加，中药资源的可持续发展面临着新的挑战。

　　在此背景及国家有关决策部门的高度重视和大力支持下，国家中医药管理局牵头组织协调全国中医药领域高校、科研院所、医疗机构等，组成庞大的中药资源普查队伍；中国中医科学院院长黄璐琦院士牵头组织第四次全国中药资源普查技术指导专家组，发布普查指南与规范，编制普查技术方案，督导普查进度和工作质量。通过有效组织、整体部署、督察指导，第四次全国中药资源普查工作得以有序进行和系统完成。

　　江苏第四次中药资源普查工作是全国中药资源普查工作的重要组成部分。江苏中药资源普查领导小组紧紧围绕国家中医药管理局的整体部署和目标导向，在全国中药资源普查总牵头人黄璐琦院士及技术指导专家组的帮助和指导下，在江苏各级政府和江苏省中医药管理局的领导和支持下，委任南京中医药大学段金廒教授、吴啟南教授为项目技术负责人，协调组织江苏省中国科学院植物研究所、中国药科大学、南京农业大学、江苏省中医药研究院等10余家单位的百余名专业人员，组成专业普查技术队伍，历时近7年，圆满地完成了此项国家基础性工作科研任务，取得了一系列研究成果。

（1）首次实现江苏区域中药资源调查全覆盖，为江苏所有县域发展特色生物资源经济产业及优化产业布局提供了第一手资料。江苏第四次中药资源普查共发现中药资源种类2 289种，较第三次普查多769种，其中，水生、耐盐药用植物，以及动物、矿物的种类有大幅度增加。本次普查结果显示，江苏的野生药用植物资源有1 822种，较第三次普查多438种，主要涉及192科850属，其中，水生药用植物220种，耐盐药用植物116种；药用动物资源有401种，较第三次普查多291种；药用矿物资源有66种，较第三次普查多43种；其他类0种，较第三次普查少3种。本次普查调查样地2 715个，样方套11 769个；完成了栽培品种、市场流通、传统知识等信息的收集；采集、制作腊叶标本35 000余份，其中，经鉴定、核查上交国家中药资源普查办公室的有25 829份；上交药材标本7 239份，种质资源品种3 598份；拍摄并提交药用生物资源照片157 600余张。

本次普查在对江苏药用生物资源及其产业发展现状进行系统调查的基础上，创新编制了江苏水生和耐盐药用植物资源管理、保护及开发利用的发展规划；首次系统地提出了江苏所有县域中药资源产业发展规划，为江苏省委、省政府研究制订《江苏省中医药发展战略规划（2016—2030年）》等中药材及医药生物资源产业发展战略规划提供了科学依据；为江苏县以上行政单元根据辖区自然生态特点，研究制定当地自然资源保护与开发利用政策及措施提供了科学依据；结合当地生态条件、经济发展水平、养生文化等实际情况，为具有中药资源特色的乡镇研究制订了一批中医药特色小镇的建设方案，并提供项目咨询和论证服务等，代表性特色小镇有孟河中医特色小镇、射阳洋马菊花小镇、涟水万亩中药小镇、大泗中药养生小镇、溧水康养小镇。上述研究成果为江苏区域中药资源产业的发展与合理布局提供了第一手资料，为地方政府及企业发展中药资源产业提供了有力支撑。

（2）精心组织协调，注重顶层设计，促进了我国东部沿海六省水生、耐盐药用植物资源调查研究专项的顺利实施。在国家中医药公益性行业科研专项"我国水生、耐盐中

2

药资源的合理利用研究"的支持下，项目牵头单位南京中医药大学组织江苏、辽宁、浙江、福建、山东、广东六省的任务承担单位及中医药管理部门负责人充分研讨，并达成注重项目顶层设计，完善水生、耐盐药用植物资源调查方案的共识。项目组与中国科学院南京地理与湖泊研究所、南京大学、中国中医科学院中药资源中心、中国测绘科学研究院等单位协同合作，在江苏第二次湿地调查所用湿地矢量数据的基础上，经数据融合形成了江苏水生、耐盐药用植物资源调查背景区域，并对接现有国家普查信息系统，集成现代空间网络技术，从水体测绘数据制作、水体样方设置、水体样线调查法探索、沿海滩涂地区分层抽样法研究等方面进行研究，探索性地提出并构建了适宜我国东部沿海地区水生、耐盐药用植物资源调查的方法技术体系，为我国水生、耐盐药用植物资源的调查及保护提供了方法支撑。

（3）提出了江苏中药资源区划方案及中药材生产发展规划。在资源调查的基础上，辨明地域分异规律，科学划定中药生产区划，充分发挥地区资源、经济和技术优势，因地制宜，合理布局生产基地，调整生产品种结构，发展适宜、优质药材生产，以实现资源的合理配置，为制定中药资源的保护和开发策略提供科学依据。

江苏中药资源区划实行二级分区，采用三名法，即"地理单元＋地貌＋药材类型"综合命名。全省共分为5个一级区和14个二级区，5个一级区包括宁镇扬低山丘陵道地药材区，太湖平原"四小"药材区，沿海平原滩涂野生、家种药材区，江淮中部平原家种药材区及徐淮平原家种药材区。

（4）创建了国家基本药物所需中药材种子种苗（江苏）繁育基地及江苏中药原料质量监测技术服务体系，服务于国家及区域精准扶贫与产业提质增效。按照国家整体部署，江苏建成了国家基本药物所需中药材种子种苗（江苏）繁育基地，基地育有苍术、银杏、芡实、黄蜀葵、桑、青蒿、荆芥等7个品种，具备了向行业提供优质种子、种苗的能力。在全国现代中药资源动态监测信息和技术服务体系的整体布局下，依据江苏中药资源分布和产业发展特点，江苏建成了江苏省中药原料质量监测技术服务中心及苏南、苏中、苏北3个动态监测站，有效辐射全省中药资源主产区，为区域内中药材生产企业及农户提供近百种药材生产基本信息，为培育区域性中药材交易市场、推动基于网络信息技术的现代市场交易体系建设、提升市场现代化水平提供了重要支撑。

（5）研融于教，中药资源普查工作的实施显著提升了江苏中药资源学学科建设水平和人才团队实力，打造了一支高层次、专业化的中药资源普查团队，有效补齐了该领域人才断档、青黄不接的短板。项目实施过程中研教融合，通过中药资源普查队老中青结合，本科生课程实践、研究生学位论文研究与普查研究的内容有机融合，中药资源调查研究成果转化为教学资源等方法与途径，创新了中药资源人才培养模式，重构了专业人才培养实践体系，创建了中药资源与开发专业教材体系，显著提升了中药资源人才培养质量及中药学学科建设水平。

《中国中药资源大典·江苏卷》基于20余支普查大队的百余人，历时近7年，风餐露宿、不畏困苦的外业调查和艰苦细致、一丝不苟的内业鉴定整理取得的第一手资料，并结合江苏中药资源学等相关领域一代又一代人深厚的积累和辛勤奉献的劳动成果编纂而成。借此著作出版之际，谨对为江苏中药资源事业做出贡献的前辈和专家学者们表示深深的敬意和衷心的感谢！

本书分为上篇、中篇、下篇、附篇。上篇分列9章，介绍了江苏省经济社会与生态环境概况，江苏省第四次中药资源普查实施情况，江苏省中药资源概况，江苏省中药资源区划及其资源特点，江苏省水生、耐盐药用植物资源特征与产业发展，江苏省中药资源循环利用与产业绿色发展，江苏省药用动物资源种类与产业发展，江苏省药用矿物资源种类与产业发展，江苏省中药资源产业发展规划；由段金廒教授、吴啟南教授整体规划顶层设计和主持编写，主要由段金廒、吴啟南、严辉、郭盛、宿树兰、刘圣金、孙成忠等同志执笔起草并数易其稿而成。中篇介绍了江苏道地、大宗、特色药材品种，收录了植物、动物、矿物类药材品种43个，系统地阐述了江苏区域道地、大宗、特色药材资源的本草记述、形态特征、资源情况、采收加工、药材性状、品质评价、功效物质、功能主治、用法用量、传统知识、资源利用等10余项内容。每个品种都是基于第四次中药资源普查的第一手资料，并结合撰写人所在团队对它的长期研究积累编写而成，内容翔实，创新性和实用性兼具。下篇记载了江苏的中药资源物种，包括药材名、形态特征、生境分布、资源情况、采收加工、药材性状、功效物质、功能主治、用法用量、附注等内容，同时附以基原彩色图片。附篇收录了131种药用动物、矿物资源。

资源学是一门研究资源的形成、演化、质量特征、时空分布及其与人类社会发展的相互关系的学科。中药资源调查研究的目的是摸清中华民族赖以生存和发展的独特、宝贵资源的家底，分析发现其与生态环境、人类活动相互作用演替发展的变化规律，化解我国人口基数大、可耕地少、水资源短缺等制约因素与国内外对中药资源性健康产品需求不断攀升之间的矛盾，根据我国国情制定出台有利于协调人口与资源、环境关系的政策措施，制定有利于促进和协调中医药事业与中药资源产业可持续发展的战略任务，选择有利于节约资源和保护环境的产业发展模式与生产方式，为有利于民众健康和社会和谐发展的健康中国建设提供保障，为我国中药资源经济结构调整与配置优化提供科学依据。

我们有理由相信，本书的出版必将为江苏中医药行业乃至整个中医药行业协调中药资源保护与利用的关系、促进区域特色生物医药产业结构调整与布局优化，以及中药资源的可持续发展提供科学依据，必将为健康江苏目标的实现做出应有的贡献。

段金廒　吴啟南

2022 年 2 月于南京

凡 例

（1）本书共收录江苏中药资源1522种，涉及植物药、动物药、矿物药资源，撰写过程中主要参考了《中华人民共和国药典》《中国植物志》《中华本草》等文献。

（2）本书分为上篇、中篇、下篇、附篇，共5册。上篇为"江苏省中药资源概论"，是第四次全国中药资源普查工作中江苏省中药资源情况的集中体现；中篇为"江苏省道地、大宗中药资源"，详细介绍了43种江苏道地、大宗中药资源；下篇为"江苏省中药资源各论"，介绍了江苏藻类植物、菌类植物、苔藓植物、蕨类植物、裸子植物、被子植物等中药资源；附篇为"江苏省药用动物、矿物资源"，共收录131种药用动物、矿物资源。为检索方便，本书在第1册正文前收录1～5册总目录，本书目录在页码前均标注了其所在册数（如"[1]"）。

（3）本书下篇"江苏省中药资源各论"在介绍每种中药资源时，以中药资源名为条目名，主要设药材名、形态特征、生境分布、资源情况、采收加工、药材性状、功效物质、功能主治、用法用量、附注项。上述各项的编写原则简述如下。

1)药材名。记述物种的药材名、药用部位、药材别名。同一物种作为多种药材的来源时，分别列出药材名、药用部位、药材别名。未查到药材别名的药材，该内容从略。

2）形态特征。记述物种的形态，突出其鉴别特征，并附以反映其形态特征的原色照片。其中，药用植物资源形态特征的描述顺序为习性、营养器官、繁殖器官。

3）生境分布。记述物种分布区域的海拔高度、地形地貌、周围植被、土壤等生境信息，同时记述其在江苏的主要分布区域（具体到市级或县级行政区域）。

4）资源情况。记述物种的野生、栽培情况。若该物种在江苏无野生资源，则其野生资源情况从略。同样，若该物种在江苏无栽培资源，则其栽培资源情况从略。当无法概括性评估物种的蕴藏量时，该项内容从略。

5）采收加工。记述药材的采收时间、采收方式、加工方法。当各药用部位的采收加工情况不同时，分别描述。当相应内容在文献记载中缺失时，其内容从略。

6）药材性状。记述药材的外观、质地、断面、臭、味等，在一定程度上反映药材的质量特性。当相应内容在文献记载中缺失时，其内容从略。

7）功效物质。记述物种的化学成分或其化学成分的药理作用。当相应内容在文献记载中缺失时，其内容从略。

8）功能主治。记述药材的性味、归经、毒性、功能、主治病证。当各药用部位的功能主治不同时，分别描述。当相应内容在文献记载中缺失时，其内容从略。

9）用法用量。记述药材的用法和用量。用量是指成人一日常用剂量，必要时可遵医嘱。当各药用部位的用法用量不同时，分别描述。当相应内容在文献记载中缺失时，其内容从略。

10）附注。记述物种的生长习性及其在江苏民间的药用情况等。

目 录

Contents

—◦✦✦◦— **第 1 册** —◦✦✦◦—

上 篇

江苏省中药资源概论

中篇

江苏省道地、大宗中药资源

第 2 册

下 篇

江苏省中药资源各论

第 3 册

第 4 册

第 5 册

附篇

江苏省药用动物、矿物资源

上 篇

江苏省中药
资源概论

江苏省经济社会与生态环境概况

江苏①位于我国东部沿海地区，长江、淮河下游，地处北纬 30°45′~35°08′，东经 116°21′~121°56′，东临黄海，东南与浙江、上海毗邻，西接安徽，北靠山东。江苏拥有丰富的水体资源，呈现出跨江滨海、水网密布、湖泊众多的特征；具有平原、岗地、丘陵、山地等地貌类型，其中平原面积约占土地总面积的 69%，且拥有我国最长的沿海滩涂。江苏属典型的亚热带季风气候和温带季风气候，具有光能充足、热量丰富、无霜期长、降水丰沛、雨热同季等特点。从植被和土壤类型来看，江苏可划分为北亚热带落叶阔叶与常绿阔叶混交林黄棕壤地带和中亚热带常绿阔叶林红、黄壤地带 2 个自然带。生态的多样性孕育了丰富的药用资源，培育出众多苏产道地药材，为中药资源产业的发展奠定了良好的基础。

第一节　江苏省经济社会与中医药产业发展

江苏辖江临海，扼淮控湖，经济繁荣，文化昌盛；地跨长江、淮河两大水系，拥有吴文化、金陵文化、淮扬文化、楚汉文化等多元文化。自古以来，江苏就是鱼米之乡、江南福地。江苏经济社会快速发展，与上海、浙江、安徽构成的长江三角洲城市群已成为六大世界级城市群之一。我国社会长期稳定发展，经济实力持续增强，人们对健康服务的需求和对高品质生活的向往空前迫切，这有力地推动了江苏中医药事业和产业的快速、健康发展。特别值得关注的是，中药现代化进程的加快促进了中药大健康产业的兴盛，推动了以中药材生产加工为标志的中药农业、以消耗药材为特征的中药深加工工业（如中成药生产、含中药的系列功能性产品生产、中兽药生产及饲料添加剂生产等）、以区域性或特色中药资源为研究对象的科学研究和产品研发等的发展，形成了跨行业、跨区域的中药资源产业链，该产业链具有优化产业结构、增加就业和农民收入、服务医改及保护生态等综合优势。

一、江苏经济社会发展现状

江苏地处长江经济带，下辖 13 个地级市，是我国唯一所有地级市都跻身百强城市名单的省份。江苏人均 GDP、综合竞争力、地区发展与民生指数均居我国前列，是我国综合发展水平最高的省份之一。江苏省域经济综合竞争力居全国前列，是我国经济最活跃的省份之一，与上海、浙江、安徽共同构成的长江三角洲城市群已成为六大世界级城市群之一。

江苏土地面积 10.72 万 km²，辖 13 个地级市。截至 2022 年年末，江苏常住人口 8 515 万人，

---

① 本书正文除篇、章、节等标题外，"江苏省"通常简称"江苏"。

是我国人口密度第一大省。据统计资料显示，江苏 2022 年地区生产总值为 122 875.6 亿元，比上年增长 2.8%；人均地区生产总值为 144 390 元，比上年增长 2.5%；固定资产投资比上年增长 3.8%，其中，工业投资、民间投资分别增长 9.0%、2.9%；227 个省重大项目完成投资超 6 400 亿元；社会消费品零售总额比上年增长 0.1%。

江苏区域经济结构持续优化。2022 年，江苏工业战略性新兴产业、高新技术产业产值占规模以上工业比重分别提高至 40.8%、48.5%；高技术制造业、装备制造业增加值比上年分别增长 10.8%、8.5%。

江苏区域经济活力不断增强。2022 年，江苏非公有制经济增加值为 92 402.5 亿元，占 GDP 比重达 75.2%；私营个体经济增加值占 GDP 比重达 54.7%；民营经济增加值占 GDP 比重达 57.7%。截至 2022 年年末，江苏工商部门登记的私营企业达 372.0 万户，全年新登记私营企业 51.0 万户；登记的个体户达 988.8 万户，全年新登记个体户 115.2 万户。

江苏科研投入力度持续加大。2022 年，江苏全社会研究与试验发展（R&D）活动经费投入占地区生产总值比重超 3%，从事 R&D 人员达 77.7 万人。江苏拥有中国科学院院士和中国工程院院士百余人，政府部门属独立研究与开发机构达 451 个；建成国家级和省级重点实验室 190 个，省级以上科技公共服务平台 295 个，工程技术研究中心 4 945 个，院士工作站 156 个。江苏科技进步贡献率达 67.0%。

二、江苏中医药事业和产业发展现状

江苏是我国中医药事业的重要发祥地之一，自古以来就是土地肥沃、降水充沛、物产丰富的江南福地，孕育了众多特色道地药材。江苏丰富的物产、繁荣的经济、深厚的文化使中华民族传统医药的血脉深深根植于此，生生不息，传承发展，造就了如今的中医药大省。江苏中医药事业综合发展实力较强，特色优势突出。随着人民群众健康理念和生活方式的逐步转变，中医药源于自然、天人合一、以人为本的思想更符合人们的追求，人们对中医药健康服务的需求将进一步增加，中医药的传统特色将日益凸显，中医药的潜在优势将得到进一步发挥，中医药事业将迎来空前大好的发展机遇。

江苏中医药事业与产业稳步发展，不断满足日益增长的社会需要。经过长期稳定和持续的发展，江苏中药资源产业形态、规模实现集约创新发展，已从落后、分散的传统产业发展为与时俱进的现代产业，成为我国高新技术产业和重点战略产业的重要组成部分。随着社会健康观念和医疗模式的转变，中医药在人类健康中的地位及其科学性得到国内外业界的广泛认同，尤其是 2015 年屠呦呦凭借青蒿素治疗疟疾的新发现获得了诺贝尔生理学或医学奖后，世界各国对我国传统医药在保障人类健康方面所具有的深刻内涵、科学价值和应用前景给予了高度关注，中医药引起了医药界学者和企业家的极大兴趣，中医药事业和产业的发展迎来了空前的机遇。据不完全统计，我国已与 70 多个国家和地区的政府卫生部门签订了合作协议，中医药已传播到 140 多个国家和地区。从发展趋势来看，未来以药用及药食两用植物资源为原料生产的药品和功能性产品将逐渐成为世界医药保健市场的主流，各国对中药材的需求将快速增长。目前，国际上有 170 多家公司、40 多个研究团体从事传统药物的研究和开发工作，已有 120 个国家和地区从我国进口天然药物。

江苏虽不是中药材生产大省，却是中药产业大省。江苏中药材种植面积基本稳定在 8.67 万 hm²，约占全省适宜种植和发展药材生产区域面积的 10%。目前，江苏中药材加工率仅有 20%，仍有 80% 的开发空间。尽管中药农业板块的体量有限，但基于良好的工业基础和科技支撑，江苏形成了特色优势突出且具有中药材生产、中药饮片加工、中药配方颗粒及中成药制造、中药健康食品生产、中兽药及饲料添加剂制造等众多门类的中药资源产业体系，特别是以中药制药为代表的中药资源深加工产业发展迅速，已处于我国领先地位。近年来，具有土地空间和劳动力价格优势的江苏北部地区将药材种植业与精准扶贫相结合，因地制宜，大力发展中药材生产，如邳州的银杏叶，射阳的菊花，盐城及其周边地区的瓜蒌，宿迁一带的黄蜀葵花、莲，淮安的芡实、益母草、蒲黄，连云港的白首乌、金银花等。这项举措不仅有助于区域经济的特色发展，也开创了土地增收、百姓致富的农村产业结构调整良性发展的新局面。10 余年来，品质上乘的银杏叶及其提取物出口到法国、德国等国家，获得了良好的信誉和品牌效应。

国家制订出台的中医药发展战略规划，保障了江苏中医药事业的健康、可持续发展。在《中医药健康服务发展规划（2015—2020 年）》《中药材保护和发展规划（2015—2020 年）》《中医药发展战略规划纲要（2016—2030 年）》等一系列支持中医药事业的文件的引领下，江苏省委、省政府基于江苏中医药事业和产业整体发展的基础和建设"强富美高"新江苏的要求，制订出台了《江苏省中医药发展战略规划（2016—2030 年）》等文件，为江苏中医药事业和产业的健康、可持续发展绘就了蓝图，为中医药服务于健康江苏的宏伟目标指明了方向并提供了保障，也为今后江苏中医药事业的振兴发展奠定了坚实基础。

《江苏省"十四五"中医药发展规划》明确提出了以下目标，即到 2025 年，中医药优质资源扩容和均衡布局加快推进，中医药服务体系更加完善，初步形成政府保障基本、社会多元参与、全民共建共享的中医药服务供给格局，中医药服务能力和特色优势充分发挥，产业规模逐步扩大，中医药文化自信更加坚定，人人享有更加公平可及、更加系统连续、更加经济有效、更加优质满意的中医药服务，中医药强省建设彰显更高水平。到 2035 年，全面建成结构优化、分工明确、功能完善、优势显著、运行高效的现代化中医药服务体系，中医药特色价值作用更加凸显，中医药产业蓬勃发展，中医药文化深植民心，在全国发挥更加突出的示范引领作用，成为推动中医药国际传播发展的全球策源地之一。一是中医医疗服务能力大幅提升。推动中医医疗机构提档升级，优质资源不断壮大。中医药服务网络更加健全，基层中医药服务实现全覆盖。中医药"五名战略"

深入实施，打造具有全国影响力的中医"名院、名科、名医、名方、名药"。中西医协同防治机制不断健全，重大疑难疾病、传染病、慢性病的中西医联合攻关取得积极成效。中医药应急救治能力进一步提高。二是中医药健康服务供给更加丰富。推进中医治未病工作，推广中医"医养结合""医康结合""医体结合"，建设省级中医治未病中心和中医康复中心，强化中医治未病和康复能力建设，促进中医药在预防、养老、康复等方面的作用全面发挥。开展基层中医药健康干预服务，老年人和儿童中医药健康管理率进一步提升。社会办中医依法健康有序发展。三是中医药传承创新迈上新台阶。江苏地方特色中医学术流派研究和传承深入推进，围绕吴门医派、孟河医派、龙砂医派等流派学术思想、诊疗经验、文化特色等推出一批研究成果并推广应用。中医药产学研用相结合的科技创新体系进一步完善，推动理论创新，突破关键技术，着力解决若干中医临床科研难题，形成一批中医药防治重大疾病的突破性成果。四是中医药人才队伍质量明显提高。中医药人才资源总量稳步增长，人才结构和分布进一步优化。院校教育、毕业后教育、继续教育有机衔接，师承教育贯穿临床实践教学全过程，符合中医药人才成长规律的培养体系不断健全完善。全面构建领军人才、优秀人才、骨干人才相互补充的中医药高层次创新人才队伍，基层中医药人才能力水平进一步提升。五是中医药产业多元化快速发展。中药资源保护利用日益加强，中药材种植和生产规模明显扩大。建立多部门协同的中药质量安全监管机制，促进中药饮片和中成药质量提升。中药产业链进一步完善优化，现代化中药产业集群发展壮大，培育更多中药大品种和知名品牌，中药工业总产值占全省医药工业总产值比重进一步提升。中医药健康旅游等新业态积极发展。六是中医药文化引领作用更加凸显。中医药文化资源保护开发力度进一步加大，推动更多中医药项目列入非物质文化遗产代表性项目名录。中医药文化科普和健康教育广泛深入开展，推进中医药进乡村、进社区、进家庭、进校园，中医药文化惠民覆盖面不断扩大，城乡居民中医药健康素养进一步提高。中医药对外交流合作积极拓展，江苏中医药的社会影响力、国际知名度进一步提升。七是中医药治理能力进一步加强。中医药法治体系更加健全，依法监管持续强化，《中华人民共和国中医药法》《江苏省中医药条例》落实到位。中医药政策保障体系更加完善，发展推动力更加强劲。中医药管理体制健全优化，管理力量不断充实，建设一支符合中医药发展需要、与发展水平相适应的管理人才队伍，推动中医药治理能力和效能水平不断提高。

中医药学是中华民族独特的医学科学，也是护佑人类健康的共同财富。中医药学注重时间演进、整体认知，从宏观、系统的角度揭示疾病的发生、发展规律，深刻体现了中华民族的世界观、价值观和认识论，成为人们治病祛疾、强身健体、延年益寿的重要手段。历史上，中华民族屡遭天灾、战乱和瘟疫，却能一次次转危为安、人口不断增加、文明得以传承，中医药功不可没。新冠肺炎疫情暴发后，中医药的独特疗效被世人认可，中华民族的这一宝贵医药学体系再次散发出耀眼的光芒，重新成为国内外社会关注的焦点，再一次释放出护佑民众健康的无穷魅力，提醒国人和世界重新审视中华传统医学的深刻内涵。中医药是中华文化在生命科学领域结出的瑰丽果实，中医药的发展和突破必将对中华文化和世界文明的未来发展产生巨大的推动作用。

英国学者李约瑟在《中国科学技术史》一书中提出：尽管中国古代对人类科技发展做出了重要贡献，但为什么科学和工业革命没有在近代的中国发生？事实上，科学并非只有一种表现形式，中国的科学并不等同于西方的科学，西方科学采用的方法也不是获取科学知识的唯一方法，不能把西方科学当作衡量科学的唯一标准。中国有自己的科学传统，中医药就是中国传统科学最具代表性的门类之一。与其他中国本土科学一样，中医药学在发展过程中逐步融汇道、气、阴阳、五行等中国哲学思想，逐渐构建了包括阴阳五行、五运六气、藏象经络、气血津液、辨证论治、性味归经等在内的一套完整的理论体系，实现了独具特色的医学与哲学、自然科学与人文科学的融合和统一，在几千年的实践中形成了独树一帜、疗效确切、覆盖人类生命全周期的医学科学。振兴发展江苏中医药事业，必须充分发挥中医药的独特优势，以推进继承创新为主题，以保障人民群众健康为目标，以促进中医药医疗、保健、科研、教育、产业、文化协调发展为重点，以提高中医药防病治病能力和学术水平为核心，推进中医药现代化和国际化。

重视江苏区域中医药资源的优化配置，努力实现健康江苏的目标。江苏省政府十分重视区域中医药事业和产业的基础性建设和资源优化配置，充分发挥中医药在提高人口健康素质和保障人口健康安全方面的独特优势；强调江苏中医药的发展要围绕本省乃至全国面临的重大卫生和健康问题，加强科研联合攻关，形成一批原创性、引领性、前沿性的重大科技成果，打造新的特色优势；坚持传承精华、守正创新的根本要求，创造性转化、创新性发展，按照体现时代性、把握规律性、富于创造性、重在实效性的要求，推动江苏中医药健康事业顺应时代变化和社会需求发展，广泛传播中医药健康养生知识，使古籍中的中医药健康养生智慧、健康理念和知识方法服务于人民群众，增进人民群众健康福祉，助力传承发展中华优秀传统文化。

江苏中医药底蕴深厚，近年来在江苏省委、省政府的高度重视及中医药主管部门的大力支持下，江苏中医药特色优势不断增强，产业发展实力显著提升，必将为实现健康江苏目标和保障区域人口健康做出更大的贡献。我们有理由相信，随着我国乃至世界人口的不断增长和老龄化问题的日益加剧，以及人们对健康长寿和高品质生活的追求更加强烈，民众青睐并购买源于自然资源的健康产品的趋势将会显著增长，这给江苏中医药事业和大健康产业提供了巨大的成长空间。预计到 2030 年，江苏将全面建成规模效益与经济社会发展相适应的现代中医药服务体系；中医药医疗优势明显，中医药健康服务功能健全，基本实现生命周期全覆盖；中医药人才培养和学术传承体系完备，学术繁荣发展；中医药自主创新和协同创新取得重大成果，中医药产业蓬勃发展，全行业监管体系进一步健全；中医药信息化建设取得显著成效，中医药文化和对外合作交流取得积极影响；中医药高地建设卓有成效，在我国形成具有影响力和代表性的江苏中医药品牌和具有示范引领作用的中医药发展高地。

第二节　江苏省生态环境与中药资源产业发展

　　江苏地处我国东部沿海地区，位于长江、淮河下游，省际陆地边界线长 3 383 km，土地面积 10.72 万 km²，占我国土地面积的 1.12%，人均国土面积在我国各省区中最少。江苏跨江滨海，海岸线长 954 km，长江横穿东西，京杭大运河纵贯南北。江苏水网密布，湖泊众多，湖泊面积达 6 260 km²，其中，面积超过 50 km² 的湖泊有 12 个，面积超过 1 000 km² 的有太湖、洪泽湖，两者分别为我国第三、第四大淡水湖。江苏的低山丘陵主要集中于西南部和北部，面积达土地面积的 14%。连云港云台山玉女峰是江苏最高峰，海拔 624.4 m。

一、江苏生态环境及气候特征

　　江苏位于亚洲大陆东岸中纬度地带，属于东亚季风区，处在亚热带和暖温带的气候过渡地带。江苏地势平坦，一般以淮河—苏北灌溉总渠一线为界，分界以北属暖温带湿润、半湿润季风气候，分界以南属亚热带湿润季风气候。江苏东临黄海，海洋对其气候有着显著的影响。在太阳辐射、大气环流以及独特的地理位置、地貌特征的综合影响下，江苏气候呈现出四季分明、季风显著、冬冷夏热、春温多变、秋高气爽、雨热同季、雨量充沛、降水集中、光热充沛等特点。江苏地处长江、淮河下游，属于南北气候过渡带，河湖众多，水系复杂。据统计，江苏乡级以上河道有 2 万余条，其中被列入《江苏省骨干河道名录》（2018 修订）的有 723 条；面积超过 0.5 km²、位于城市城区内、作为城市饮用水源地的湖泊（湖荡）共有 137 个。江苏平原、水域面积分别占土地面积的 69% 和 17%，占比之高居我国首位。水资源调查表明，江苏本地水资源量达 320 亿 m³，多年平均过境水量为 9 492 亿 m³，其中长江径流占 95% 以上，给江苏带来丰富的水资源。

　　江苏年降水量为 715 ～ 1 280 mm，江淮中部至洪泽湖以北地区降水量低于 1 000 mm，以南地区降水量在 1 000 mm 以上，降水分布规律为南部多于北部、沿海多于内陆。与同纬度地区相比，江苏雨水充沛，降水量年际变化小，年降水变率在 12% ～ 24%。夏季 6 ～ 7 月受东亚季风影响，淮河以南地区进入梅雨期，大部地区梅雨期降水量常年在 250 mm 左右，一般在江淮梅雨开始一周后，江苏淮北地区进入淮北雨季，此时往往是江苏暴雨频发、强降水集中的时期。

　　江苏耕地面积 6 875 万亩[①]，人均耕地面积 0.86 亩；海域面积 3.75 万 km²，海岛 26 个；沿海未围滩涂面积 5 001.67 km²，约占我国滩涂总面积的 25%，占比居我国首位。江苏是著名的"鱼米之乡"，农业生产条件得天独厚，农作物、林木、畜禽种类繁多，粮食、棉花、油料等农作物几乎遍布全省。江苏种植利用的林果、茶桑、花卉品种有 260 多个，蔬菜涉及 80 多个种类、1 000 多个品种，蚕桑产业更是闻名全国。江苏森林面积和林木覆盖率持续快速增长，2023 年江苏森林

---

　　① 亩为中国传统土地面积单位，1 亩约等于 667 m²。在生产实践中，亩为常用面积单位，本书未做换算。

面积达 2 340 万亩，林木覆盖率增长到 24.06%。江苏湿地资源丰富，湿地面积为 282.19 万 hm²，其中自然湿地面积 195.32 万 hm²，人工湿地面积 86.87 万 hm²；沿海地区以近海与海岸湿地为主，苏南地区以湖泊、河流、沼泽为主，里下河地区以河流、湖泊为主，苏北地区以人工输水河与运河为主。湿地孕育了种类丰富的药用生物自然资源，也为发展特色道地中药材种植和养殖提供了独特的生态条件。

江苏渔业资源丰富。江苏近岸海域是黄海、东海渔业资源的重要发祥地，沿海有吕泗、海州湾、长江口、大沙四大渔场，盛产黄鱼、带鱼、鲳鱼及虾类、蟹类、贝类、藻类等水产品。江苏内陆水域面积 2 600 多万亩，养殖水域面积 1 140 万亩，河蟹、虾类、河豚等养殖闻名全国。江苏许多水产品是宝贵的药用生物资源。

江苏地跨华北地台和扬子地台两大地质构造单元，已被发现的矿物品种有 133 种，查明资源储量的有 68 种，其中钽铌矿、含钾砂页岩、泥灰岩、凹凸棒石黏土等矿产的查明资源储量居我国前列。江苏的有色金属类、膏盐类、特种非金属类矿产是其矿产资源的特色和优势。海盐、芒硝、石膏、青礞石等矿物资源品种具有药用价值。

生态的多样性造就了生物物种的多样性。江苏多元化的地形地貌、土壤、气候、水系、植被等融合发育成了多样的自然环境，使江苏既具有良好的资源承载基础，又具有发展农业的良好条件，为区域性中药农业特色发展奠定了基础，创造了广阔的发展空间。正确了解和认识这一优势并加以合理利用，必将为构建适宜江苏的中药资源经济产业集群提供新机遇和原动力。

二、江苏中药资源家底与资源产业发展现状

资源普查是国家基础性工作和战略性任务。基于国家的统一部署和安排，江苏先后于 1956 年、1960 年和 1982 年开展了中药资源普查工作，为我国中医药事业发展做出了应有的贡献。自 2012 年起，在国家中医药管理局的整体部署下，在由中国中医科学院院长黄璐琦院士牵头领导的技术指导专家组的支持下，第四次全国中药资源普查工作启动。在国家和江苏省政府的总体策划领导下、在江苏省中医药管理局的高度重视和统一领导下，江苏第四次中药资源普查于 2014 年正式启动，投入专项资金约 5 000 万元，调动了全省相关领域的技术力量和管理资源，投入人力资源超千人，在技术牵头单位南京中医药大学的有力保障下圆满完成了预期目标任务，摸清了江苏中药资源家底，为未来制订不同层级区域性中药资源产业发展规划、因地制宜地调整农村产业结构、培育特色经济、促进江苏中医药大健康产业发展等提供了宝贵的第一手资料和重要的科学依据。

江苏第四次中药资源普查工作立足于健康中国国家战略任务和基础工作，着眼于江苏中医药行业及生物医药产业的高质量发展，以"不忘初心、牢记使命"的责任担当和"咬定青山不放松"的坚韧毅力，通过前后近 7 年的坚持与努力，取得了一批标志性成果：系统地查清了江苏中药资

源种类与构成，发现中药资源种类共 2 289 种；创建了适宜于水生、耐盐药用植物资源调查的方法技术体系，为我国特色生物资源的调查研究提供了示范和思路；建成了江苏中药原料质量监测技术服务体系，为江苏区域农村产业结构调整和科学决策提供了理论支撑，有利于地方中药特色经济发展，促进中药材精准扶贫及产业升级；创建了中药资源循环利用模式与适宜技术体系，通过对药材生产过程中非药用部位资源化利用，以及对药材深加工过程产生的固液废弃物及副产物循环利用，推动我国中药资源全产业链提质增效与绿色发展；寓研于教，将中药资源普查工作与学科建设、平台创建、人才培养有机融合，为江苏打造出在全国领先的中药资源学学科人才团队和产业服务平台。

（一）江苏中药农业概况

江苏是土地肥沃、雨水充沛、物产丰富的江南福地，孕育出众多特色道地药材，镇江、常州、苏州、泰州里下河一带自古以来就是诸多道地药材的产地。目前，依赖于栽培（养殖）生产的大宗、道地、特色药材有 30 余种，主要的植物类药材品种有银杏叶、白果、苏芡实、苏菊花、宜兴百合、浙贝母、黄蜀葵花、泰半夏（邵半夏）、太子参、桑叶、赤灵芝、苏薄荷、苍术、茅山延胡索、莲子、莲子心、荷叶、益母草、蒲黄、瓜蒌、滨海白首乌、野马追、凌霄花、溪黄草、败酱草等，主要的动物类药材品种有水蛭、鳖甲、珍珠、珍珠母、鹿茸、鹿角、蟾酥、蝉蜕、金蝉花、方海等。

值得关注的是，在以药材生产为标志的中药农业领域，因区域经济的强势发展挤占了药材生产的空间，加之生产力诸多要素价值规律的作用，苏薄荷、太子参、宜兴百合、苍术、泰半夏等道地药材丧失或被迫放弃了原有的适宜生产基地，江苏道地药材生产面积不断缩小，供给能力锐减。例如，常用的镇痛中药延胡索在明弘治九年（1496 年）《句容县志》"土产"栏中有记载，这表明在明代江苏句容就已成为延胡索的产区。明代的《本草品汇精要》在延胡索"道地"条下注"镇江为佳"，这说明在明代，今江苏镇江地区就已出产延胡索药材，且药材品质较好。《本草蒙筌》中有"茅山玄胡索"和"西玄胡索"的附图。李时珍《本草纲目》"延胡索"条下记载"今二茅山西上龙洞种之，每年寒露后栽，立春后生苗，叶如竹叶样，三月长三寸高，根丛生如芋卵样，立夏掘起"，这表明延胡索已在茅山地区发展为人工种植；根据形态描述，推测茅山延胡索的基原应为罂粟科植物延胡索 *Corydalis yanhusuo* W. T. Wang。明代晚期《本草原始》曰："始生胡地……以茅山者为胜。"此后，《本草求真》谓"元胡出茅山佳"，《植物名实图考》云"其入药盖以久，今茅山种之"。由此可见，从明代开始"茅山延胡索"即称道于世。从历代本草所载药图及形态描述来看，茅山延胡索应为《中华人民共和国药典》收载的法定基原罂粟科植物延胡索 *Corydalis yanhusuo* W. T. Wang。如今，句容茅山一带现代经济繁荣，延胡索种植面积却大幅缩减，仅有区区百余亩，好在句容尚有野生延胡索种质资源。

又如浙贝母，是清热化痰止咳、解毒散结消痈的常用药材，主产于浙江磐安、东阳一带，为浙江道地药材。江苏南通也是浙贝母的重要产区，其中南通海安是长期供应市场的浙贝母种苗生产基地，保证了浙贝母的品质和生产的稳定。陶弘景《本草经集注》曰："今出近道。形似聚贝子，故名贝母。断谷服之不饥。""近道"应为今江苏镇江句容茅山及周边地区，从《本草经集注》对贝母的形状描述来看，南北朝时期贝母的基原应与现代基原一致。唐代苏敬所著《新修本草》中记载："此叶似大蒜，四月蒜熟时采良……出润州、荆州、襄州者最佳，江南诸州亦有。"润州（今江苏镇江）、江南为浙贝母的产地。宋代苏颂的《本草图经》云："贝母，生晋地，今河中、江陵府、郢、寿、随、郑、蔡、润、滁州皆有之。根有瓣子，黄白色，如聚贝子，故名贝母。二月生苗，茎细，青色；叶亦青。"该书记载的是百合科贝母属植物，从产地记载及书中附图来看，产寿（今安徽寿县）、滁（今安徽滁州）、润（今江苏镇江）者应为浙贝母。贝母药材的历史沿革可以概括为初期为同名异物，后演变为单一类群的植物，最后又根据功效分为川贝母、浙贝母。由"今出近道"（《本草经集注》）、"出润州……者最佳，江南诸州亦有"（《新修本草》）可知江苏自古即为浙贝母的主产地之一。浙贝母基原的拉丁学名为 *Fritillaria thunbergii* Miq.，中文名亦为"浙贝母"。*Thunbergii* 原意是"具间隔网纹的"，意指花被片上的紫色方格。该植物以"浙贝母"为名，可能是瑞典植物学家以采自中国浙江的标本定名之故。

中药农业是中药产业链的基础，为中医药临床、中药工业和大健康产业提供原料支撑。正确地认识和关注中药农业的发展现状与供给关系，把握中药农业的发展趋势，致力于品质提升和生产效率与效益的协调发展，打造具有区域特色优势的大品种、大品牌，坚定不移地发展生态型种植和健康养殖之路，才有可能满足人们日益增长的追求健康生活的美好愿望，才有可能为可持续发展具有中国特色优势的大健康产业提供放心好用的中药材。

（二）江苏中药工业概况

江苏中医药具有较好的历史积淀和应用实践基础，中医医疗、健康保健及中药制药产业发展迅速，中药饮片的需求量逐年增加，中药配方颗粒等新型中药产品展现出勃勃生机。2022 年，江苏医药产业产值达 5 000 亿元，产业规模居我国前列，其中，中药工业约占全省医药产业产值的 1/3。江苏拥有热毒宁注射液、生脉注射液、脉络宁注射液、桂枝茯苓胶囊、黄葵胶囊、胃苏颗粒、银杏叶片、蒲地蓝消炎口服液、蓝芩口服液、小儿豉翘清热颗粒、鸦胆子油乳注射液、三拗片、新生化颗粒、醒脑静注射液、苏黄止咳颗粒、荜铃胃痛颗粒等 20 个销售额过亿元的中药大品种及六神丸、王氏保赤丸、季德胜蛇药片等特色名优产品。同时，随着社会需求的日益增长和科技的进步，江苏中药健康产品研制、配方颗粒生产、标准物提取等深加工产业快速发展，江苏中药工业社会贡献率强劲增长，涌现了扬子江药业集团（以下简称"扬子江药业"）、济川药业集团有限公司（以下简称"济川药业"）、江苏康缘药业股份有限公司（以下简称"康缘药业"）、江苏苏中药业集团股份有限公司（以下简称"苏中药业"）、金陵药业股份有限公司（以下简称"金陵药业"）、江阴天江药业有限公司（以下简称"天江药业"）等一批行业内标志性中药资源深加工制造企业，其企业规模、装备水平、GMP 硬软件配置和产业能力都处于国内外一流水平。

中药工业是通过消耗自然资源、占用大量土地资源和生产力要素来获得有限的具有药用价值的植物、动物和矿物原材料的，这是中药工业的一大特点。当代工业现代化的重要标志是循环经济模式下的产业绿色发展，相较于发达国家采用的循环经济发展模式和生产方式，传统中药工业化模式仍处于大量消费资源且利用率低下、生产过程大量排放污染物导致环境压力加剧的窘境，与我国和国际社会倡导的减量化、再利用、可循环的现代工业经济绿色发展方式格格不入，已经很难适应高质量发展的要求。我国以绿色产业为主要内容的技术革命和产业革命正蓄势待发。加快构建中药工业领域的绿色技术创新体系和加强建设中药全产业链的循环经济体系，是推动中医药领域经济社会与生态环境协调发展的根本途径，对保障现代中药产业在新一轮科技竞争中的领先地位和加快创新型国家建设具有重要的现实意义。江苏率先提出并创建的中药资源产业化全过程循环利用策略、模式与适宜技术体系，为提升中药资源利用效率和效益、推动中药资源产业发展模式和生产方式转变做出了示范和引领。

（三）江苏中医药康养产业方兴未艾

良好的生态环境是保证人类健康的基础，中医"顺应自然"的哲学思想与生态文明理念一致。当前，围绕中医药健康养生的新型商业模式不断形成，中医药康养新业态不断涌现。人们挖掘、传承中华民族传统医药宝藏中的保健、养生、延寿经验知识，积极开展在中医药健康养生、治未病方面的科技创新，中医药正从根本上改变着人们的生活方式、生产模式、社会组织形式，人们形成了亲近自然、呵护自然、顺应自然、与自然和谐相处的生态健康观。

江苏中医文化底蕴深厚，流派众多，为中医药康养产业的兴起提供了强大的支持和保障。近年来，江苏大健康产业发展势头强劲，与之相关的中药旅游、中医药康养产业迅速发展。中医药膳食调补四季有时，药食两用的中药材及其产品成为消费时尚。江苏各地充分利用地产药用生物资源的健康价值、市场价值、科学价值，如泰州大泗镇建成了江苏首批"特色小镇"之一的"中药养生小镇"，射阳洋马镇打造了一二三产业融合的"菊花小镇"，如皋建成了长江药用植物园，涟水陈师镇创建了"万亩中药基地"，溧阳天目湖、句容茅山、无锡阳山等地的康养小镇也已初具规模。

第三节　江苏省中药资源产业结构形成特征及其发展

江苏既有发展中药工业的区域优势，又有区域性药材的生产优势，在农业结构调整过程中，特色产业不断涌现，中药生产基地的发展随着中药生产企业产品的开发开始从无序走向有序。为发挥具有中药资源优势地区的中药产业发展潜力，江苏加强中药产业发展统筹规划，加快建设中药特色产业园区和中药产业基地，着力培育一批全国知名的现代中药制造企业，为企业扩大规模提供支持，加强中药新药研发和大品种的二次开发；推动中药工业的数字化、智能化技术创新和改造，加快中药生产工艺和流程的标准化、现代化建设；帮助江苏知名中药制造企业大品种、大品牌做大做强，拓展国际市场。近年来，为保障江苏大型医疗机构中药方剂和医院制剂所用药材及饮片的质量，江苏省中医院等单位与大宗道地药材生产基地联合建设了药材及饮片保障供给基地，这既保证了医疗单位所需药材的品质和供给量，又推动了药材生产区域脱贫致富和中药农业的健康发展。一系列政策的实施和企业及医疗单位的积极探索，使江苏中药农业、中药工业、中药服务业等中药资源全产业链得到了快速提升和良好发展。

一、中药农业规模总量较小，特色优势突出

在中药农业方面，江苏大力推进常用大宗药材的规范化种植及生态种植基地建设，加强对野生中药资源的保护抚育工作，促进对源于自然的药用生物资源的合理利用。中药农业的发展必须注重传统技术的科学继承与创新。近年来，南京中医药大学中药资源领域的一批专家学者专注于江苏大宗、道地药材资源及其产品的系统研究，致力于产地药材的增产增收和品质提升，他们选择银杏叶、苏芡实、黄蜀葵花、苏菊花、苏薄荷、赤灵芝、滨海白首乌、明党参、泰半夏等苏产道地、大宗药材品种，针对药材合理采收、产地加工、贮藏养护全过程中的关键环节进行系统设计和科学研究，制定了一系列生产技术和质量评价标准，这有效地提高了药材品质，增强了产品竞争力。

中药材规范化生产和品质保证为中药制药等资源深加工产业的可持续发展提供了源头保障。中药材规范化生产既解决了中药资源产品的销售困难，促进了药材的生产，也对中药资源的生产提出了建立符合《中药材生产质量管理规范》（GAP）的基地和实施规范化生产的要求，这将有效地推进中药资源生产向高水平发展。江苏康缘生态农业发展有限公司于2009年开始规范化种植金银花，2015年，其金银花药材生产基地通过了国家中药材GAP基地认证；目前，公司种植金银花7 200亩，芍药、青蒿等共800亩，公司生产的金银花、青蒿药材全部用于江苏康缘集团下属上市公司康缘药业热毒宁注射液等产品的生产。苏中药业成立的江苏现代药用植物种植有限公司，专门负责黄葵胶囊、参麦注射液等企业大品种原料生产基地的建设与管理，在四川建立的麦冬基地、在东北建立的人参原料基地分别于2015年、2016年通过国家中药材GAP基地认证。

盱眙县人民政府充分利用当地中药资源优势，把中药生产作为当地的六大支柱产业之一，从抓生产基地建设到抓制药企业加工和产品开发，形成了以江苏安格药业有限公司为龙头的中药产业格局，通过配套措施构建产业体系框架。邳州的银杏生产形成规模优势后，当地政府以科技带动产品开发，通过建立以银杏产品加工企业集团为龙头的企业产业群体，来支撑银杏产业的发展。射阳在开拓中药产业的指导思想下，积极发展以白菊花为主的药材生产基地，建立了江苏鹤乡菊海现代农业产业园发展有限公司、江苏农宝斋农业科技有限公司等产业龙头，带动了中药产业的

发展。如此等等，都表明在具有药材生产优势的地区建立药材生产基地与加工、运销企业的联系，有利于中药农业逐步走上产业化经营的道路，促进中药产业的形成和发展。

在药材基原新品种的选育方面，南京中医药大学、南京农业大学、中国药科大学、江苏省中国科学院植物研究所药用植物研究中心等高校和科研院所相关领域的专家学者，长期以来围绕苏菊花、苏薄荷、苏芡实、紫丹参、桔梗、莲、瓜蒌等苏产大宗、道地药材品种，开展了系统的品质育种、抗性育种研究，选育方法从混合选择、系统选育，向杂交育种、杂种优势利用育种发展；同时，他们还积极开展分子标记辅助选择育种，取得了一批研究成果，这些成果有效地提升了产品竞争力。

江苏省政府十分重视中药材资源保护和利用工作，在推动贯彻实施《中药材保护和发展规划（2015—2020年）》等一系列国家方针文件的基础上，研究制订并颁布了《江苏省中医药发展战略规划（2016—2030年）》。该规划的实施有力地推动了江苏第四次中药资源普查工作的顺利开展，促进了中药资源监测和信息网络建设，切实加强了江苏自然生态系统的保护及天然野生中药资源的保育和合理利用；加强了对药用植（动）物种植（养殖）的科学引导，加快了常用大宗中药材规范化、机械化、规模化生产基地建设，推动了江苏区域绿色生态型、林药间作型、粮药间作型、植动共济型特色药材的种植（养殖）业的发展；支持了中医机构、中药生产企业建立中药材种植（养殖）基地；通过发展道地药材产地品质保证生产加工技术与流通全过程质量管理和追溯体系，保障了中药材生产质量；改善了中药材及中药饮片贮存流通条件，规范了中药材种植（养殖）、生产、经营、流通和使用行为，确保了中药质量。在政府各部门的高度重视和有力保障下，江苏中药资源普查任务如期、高质量完成。

二、中药工业传承精华，不断创新绿色发展

中药资源产业发展规划的制订是战略性的，不仅要关注中药工业发展自身的局部利益和产业结构调整的方向，而且要考虑中药资源性产品的供给保障和对中药农业的带动作用，以实现原料稳定生产，保证原料品质可控、可溯源。根据区域中药资源的生产基础、市场需求、生产力诸要素等多元系统评价结果，利用资源经济学原理及中药产业系统各因素间的联系和相互作用，以实现在发展过程中经济、社会、生态效益相兼顾，目前利益与长远利益、局部利益与全局利益相统一。江苏中药工业基础较好，雷允上、南京同仁堂均有200多年的历史，一些传统产品，如雷允上的六神丸，南京同仁堂的排石颗粒、大活络丸、石斛夜光丸等在我国香港，以及东南亚地区都具有良好的声誉，在国内外都具有较高的竞争力，每年都大量出口到东南亚国家和地区。

改革开放以来，江苏以地域性国有小型中药厂体制改革为突破口，涌现出了一批有魄力、有担当的现代企业管理者，他们创建了一批资产达数十亿元，甚至过百亿元的中药制造企业，也向

市场提供了一批新中药制剂产品，如扬子江药业的胃苏颗粒、银杏叶片，康缘药业的热毒宁注射液、银杏二萜内酯葡胺注射液、桂枝茯苓胶囊，济川药业的蒲地蓝消炎口服液、三拗片，苏中药业的黄葵胶囊，无锡济民可信山禾药业股份有限公司的醒脑静注射液、黄氏响声丸、穿心莲内酯片，正大天晴药业的甘草酸及其衍生物系列制剂，金陵药业的脉络宁注射液，常熟雷允上制药有限公司的苦黄注射液，精华制药集团股份有限公司（以下简称"精华制药"）的金荞麦片等，为保障民众健康、促进区域发展做出了巨大贡献。这些中药制剂产品在国内市场上占有较大份额，成为江苏特色医药工业的标志性产品。从医药企业实际涉及的中药生产来分析，江苏中药产业在全国中药产业中占有一席之地。区域制药企业通过不断重组，逐步形成了各具产品特色、适应时代要求的药业集团，江苏拥有规模较大的制药企业 14 家；江苏中药饮片加工和中成药制造产业规模以上生产企业共 69 家，总年产值超 390 亿元。

江苏省委、省政府于 2020 年年底印发了《关于促进中医药传承创新发展的实施意见》（以下简称《意见》）。《意见》提出要狠抓中药质量，促进中医药产业发展，加强中药资源保护和利用，开展中药资源普查，建立中药资源数据库和种质库；促进中药饮片和中成药质量提升，加快修订、完善、升级中药材标准和中药饮片炮制规范；改革完善中药注册管理；强化中药质量安全监管；做强做优中药产业；推动中医药健康服务与相关产业融合等。《意见》的出台旨在推进江苏区域中医药事业和产业的高质量发展。

江苏康缘药业、扬子江药业等一批拥有国家级示范生产基地和国家重点实验室的现代中药企业及其管理者，敢为人先，勇于探索，促进了中药工业的转型升级，推进了中药工业数字化、网络化、智能化建设，取得了一批标志性成果，为中药信息化生产提供了范本，引领了中药制药行业的发展。江苏重视中药制药技术集成和工艺创新，凭借在中药制药领域的产学研优势，不断提升中药装备制造水平，加速中药生产工艺和流程的标准化、现代化，不断提升中药工业知识产权运用能力，逐步形成大型中药企业集团和产业集群；以中药现代化科技产业基地为依托，实施中医药大健康产业科技创业者行动，促进中药一二三产业融合发展；开展中成药上市后再评价工作，加大中成药二次开发力度，开展大规模、规范化临床试验，培育一批具有国际竞争力的名方大药；开发一批中药制造机械与设备，提高中药制造业技术水平与规模效益；推进实施中药标准化行动计划，构建中药产业全链条的优质产品标准体系。

实施中药绿色制造工程，形成门类丰富的新型绿色产业体系。2019 年 1 月 23 日，中央全面深化改革委员会第六次会议审议通过了《关于构建市场导向的绿色技术创新体系的指导意见》。该意见的出台强化了科技创新对绿色发展的引领作用，体现了人与自然和谐共生的重要内涵。传统工业化模式已经很难适应高质量发展的要求，加强绿色技术创新是建设绿色低碳循环发展经济体系、推动经济社会和生态环境协调发展的内在要求。绿色技术是指降低消耗、减少污染、改善生态、促进生态文明建设、实现人与自然和谐共生的新兴技术，涉及节能环保、清洁生产、清洁能源、生态保护与修复、城乡绿色基础设施、生态农业等领域，涵盖产品设计、生产、消费、回收利用等环节的技术。要严格执行《中药类制药工业水污染物排放标准》（GB 21906—2008），建立中药绿色制造体系，推动中药资源全产业链绿色发展。绿色技术创新体系中的市场导向主要体现在6个方面。一是针对生态文明建设的重大现实需求，解决绿色发展中的突出问题，通过政策引导，明确绿色技术创新方向，扩展绿色技术创新的需求空间，以市场机制激发绿色技术创新的内生动力。二是强化企业的主体地位，突出企业在绿色技术创新中的主导作用，激发各类创新主体活力，强化市场在资源配置和连接创新各环节中的功能，形成各环节相互衔接、融合的创新体系。三是强调技术标准引领，修订完善一批强制性技术标准并加强贯彻实施，促进企业进行绿色技术创新，采用绿色技术进行升级改造。四是推动绿色技术创新成果转移转化的市场化，通过建立健全市场交易体系，提高公共服务水平，完善激励、风险防范机制，加强市场在绿色技术成果转化中的作用。五是优化绿色技术创新的市场环境，通过加强知识产权保护、规范市场行为、加强金融服务等，为绿色技术创新营造良好的市场环境。六是推进绿色技术创新的对外开放，加强与国际市场的交流合作。

针对中药农业、中药工业大多采用高消耗、低产出、高排放的传统生产方式、处于线性经济模式等制约行业发展的重大问题，江苏省中药资源产业化过程协同创新中心（以下简称"协同中心"）围绕中成药、中药配方颗粒、中药提取物生产加工过程产生的废弃物及副产物的循环利用，主持完成了国家科技支撑计划及技术推广项目10余项。协同中心开创性地提出了中药资源全产业链循环利用及资源价值创新策略，创建了切合中药资源产业经济特点的产业绿色发展工程技术体系。针对中药工业生产过程产生的不同类型废弃物及副产物，创新性地开展了关于黄芪、甘草、丹参、牛膝、通关藤、银杏叶、连翘等10余种药材配方颗粒，以及丹红注射液、黄葵胶囊、脉络宁注射液等中药制剂生产过程产生的副产物的循环利用实践，开发出涵盖医药/生物农药原料、饲料添加剂、功能酶、生物炭等8大类的30余种再生资源性产品，有效地延伸了资源经济产业链，提高了资源利用效率和生产效益。协同中心的创新技术推广应用于全国20余个省市的50余家生产企业。另外，协同中心培训了3 700余人，组织开展学术交流30余场，有力地推动了中药资源循环经济与产业绿色发展。

近年来，江苏围绕中医药事业做大做强和中药产业健康可持续发展，利用在中药产业的领先优势，注重顶层设计，聚焦将产业做大做强的谋篇布局。高校、科研院所转变观念，主动服务于中药农业和中药工业全产业链提质增效、绿色发展的重大需求，促进中药产业向科技型、高效型、节约型发展，取得了一系列理论创新、技术突破、应用广泛的研究成果，构建了中成药临床定位、药效物质整体系统辨析、系统网络药理学、工艺品质调优和数字化全程质控等技术体系，创新形成中药制剂二次开发模式，推动中药产业技术升级换代，中药大品种不断涌现。中药产业的发展壮大也有赖于市场的培育和发展，江苏科研院所和企业不失时机，创新性地开发出一批特色鲜明、优势显著、科技含量和附加值高的中药资源性产品并推向市场服务大众，打造了江苏若干中药龙头产业的大品种、大品牌，这些产品创造了巨大的经济、社会效益。江苏将进一步集聚资源要素，整合比较优势，打造集医疗、保健、康复、营养、健康教育等为一体的发展联盟，将江苏中医药事业发展水平和中药产业创新创造活力推向更高的台阶，使中医药成为区域乃至国家的国民经济可持续发展的新增长极。

三、形式多样的中医药大健康服务体系为健康江苏提供了重要保障

中医药学始终以临床问题为纽带，以为人民治病祛疾、延年益寿、维护健康为目标，历经数千年，在亿万生命的实践、发现、创造、总结、积累和完善中，逐步形成了一套理论体系和方法。实践证明，中医药是保障人民身体健康和生命安全的行之有效的重要手段。中医药的特征与未来医学防重于治、更加关注养生保健的发展方向高度契合，这表明中药保健品、保健食品及具有保健作用的药品在健康服务业具有广阔的发展前景。传统的食药同源等养生理论源远流长，是我国发展中药保健产业得天独厚的特色优势。近些年，我国获批的保健食品中，中药保健食品占比一直保持强劲的增长势头，基于中草药原料生产的保健食品将成为保健行业中极具活力的部分。在中药保健品开发过程中，将现代科学和传统养生理论有机结合起来，积极挖掘新资源、新工艺，开发出科技含量高、拥有自主知识产权的产品，是实现可持续发展的关键。因此，必须加强对中药原料的基础科学研究，以现代科学技术结合传统中药理论研发生产中药大健康系列产品。

从健康管理与服务角度来看，江苏是我国医药大省，医疗卫生单位颇具规模。2020 年，江苏医疗机构数量达 13 699 个，其中医院、卫生院 2 641 个，门诊部、诊所 7 324 个，防治所（站）122 个，卫生防疫站 147 个，妇幼保健所（站）116 个，药品检验所（站）76 个，医学科学研究机构 18 个，疗养院（所）30 个；医疗卫生机构的人员达 3 264 万人，其中卫生技术人员 2 560 万人，每万人口医生 1 607 人；总床位达 1 725 万张，每万人口医院床位 2 242 张。从省到县、乡镇形成了一个完整的医疗、卫生、保健体系，有效地满足了江苏人民治病、防病的需要，保障了人民的身体健康。

要进一步健全中药服务体系，将分散的中药产业链串联成系统、有序的现代中药服务产业网。加快大数据下中药服务业企业信息化建设的步伐，推动以现代中药产业商务平台为基础的中药服务业链条建设。以中药材生产过程与生态景观为背景，形成中药生产、中药文化、健康旅游为一体的中药旅游产业体系，推动中医药健康服务与旅游资源产业相结合，促进特色突出的中药旅游服务业蓬勃发展。

四、中医药科技资源优化配置，服务于中医药事业和产业高质量发展

江苏中医药科学研究、人才培养、学科建设、社会服务、国际合作与交流的整体实力较为雄厚，位居我国前列。江苏不仅拥有南京中医药大学和中国药科大学 2 所药学专业院校，南京大学、南京工业大学、南京农业大学、南京医科大学、江苏大学、徐州医科大学、扬州大学、江南大学、南京林业大学、苏州大学等 10 余所高等院校也设立了药学院或相关生命科学学院。此外，江苏还建有江苏省中医药研究院、江苏省中国科学院植物研究所等若干科研院所。江苏依托这些医药科研单位及建立的国家重点实验室、国家工程技术研究中心、省部级科技创新平台等，培育了基础性科学研究和应用性科技创新纵横交融的中医药科学研究与技术服务创新群体，这有力地保障了江苏在中医药领域的全国领先地位，促进了江苏中药资源全产业链的持续进步和发展。

南京中医药大学始建于 1954 年，是我国建校最早的高等中医药院校之一，是江苏省政府、教育部和国家中医药管理局三方共建的高校，是国家"双一流"学科建设高校，是江苏省高水平大学建设高校，是世界一流中医药大学建设联盟、长三角医学教育联盟创始成员之一，是世界卫生组织传统医学合作中心、原卫生部确定的国际针灸培训中心、全国首批博士和硕士学位授予单位、全国古籍重点保护单位、全国中药特色技术传承人才培训基地、全国中医师资进修教育基地、国家"建设高水平大学公派研究生项目"实施高校、国家"特色重点学科项目"建设高校、国家"卓越医生（中医）教育培养计划"改革首批试点高校、国家级人才培养模式创新实验区、中国政府奖学金来华留学生接收院校。目前，学校有仙林、汉中门和泰州 3 个校区，各类在校生近 2 万名，设有 10 余个二级学院、33 个本科专业，专业涉及医、管、理、工、经、文 6 个学科门类，形成了以中医药为主体、中西医结合、多学科支撑协调发展的办学格局。拥有 6 个直属附属医院、29 个非直属附属医院、4 个中西医结合临床医学院和 3 所附属药业公司。

在学科建设方面，南京中医药大学有中药学、中医儿科学、中医文献学 3 个国家重点学科，中医学、中医内科学 2 个国家重点（培育）学科，中药学、中药资源与开发、中医学、中西医结合、药学、护理学等 10 个国家级一流本科专业建设点，江苏高校优势学科 4 个，省级一流本科专业 17 个，江苏省品牌专业 3 个，江苏省重点学科 10 个，国家中医药管理局中医药重点学科 33 个，其中"中药资源化学"学科建设考评获得优秀。学校有中医学、中药学、中西医结合、护理学 4 个一级学科博士学位授权点，1 个中医学博士专业学位授权点，11 个一级学科硕士学位授权点及 5 个硕士专业学位授权点，3 个博士后科研流动站。迄今，临床医学、药理学与毒理学、化学 3 个学科进入基本科学指标数据库（Essential Science Indicators，简称 ESI）全球排名前 1%。

在科研平台建设方面，南京中医药大学建有省部级及以上各类科技创新和服务产业发展平台 20 余个，其中支撑中药学学科建设和科技创新的"中药资源产业化与方剂创新药物国家地方联合工程研究中心"国家级平台 1 个；国家教育部中药炮制规范化及标准化工程研究中心、国家

中医药管理局中药资源循环利用重点研究室、江苏省方剂高技术研究重点实验室、江苏省中药药效与安全性评价重点实验室、江苏省中药高效给药系统工程技术研究中心、江苏省植物药深加工工程研究中心、江苏省海洋药物研究开发中心等省部级平台10余个。协同中心作为省政府"2011协同创新中心"重大平台建设项目，通过与中国中医科学院中药资源中心、中国药科大学、陕西中医药大学等单位，以及中国中药控股有限公司、康缘药业、江苏济川制药有限公司、苏中药业等现代制药企业协同共建，形成了科研服务于产业需求，产业引导科技发展走向，相辅相成、优势互补的良性发展格局，取得了一批有利于提升区域和行业竞争力、能落地、用得上的科技发展成果。

江苏各级政府十分重视、鼓励、支持各高校和科研院所通过不断增强科技实力和社会服务能力，抢抓机遇，加快国家级和省部级中医药科研机构建设，形成以高等院校、医疗机构和企业为主体，以中医科学研究基地为支撑，多学科、多部门人员共同参与的中医药协同创新体制机制，进一步完善中医药领域科技资源布局。

统筹利用相关科研计划，支持中医药相关科技创新工作，促进中医药科技创新能力提升，加快形成自主知识产权，促进创新成果的知识产权化、商品化和产业化，不断提高中医药科研成果转化效率。开展中医临床疗效评价研究，建立符合中医药特点的疗效评价体系。运用现代科学技术和传统中医药研究方法，开展中医药基础理论研究，阐释中医药理论的科学内涵，丰富发展中医药理论。深化中药药性理论、方剂配伍理论、中药复方药效物质基础和作用机理等研究，建立概念明确、结构合理的理论框架体系。

结合江苏在中医药领域的优势，加强对重大疑难疾病和重大传染病防治、治未病的联合攻关，以及对常见病、多发病、慢性病的中医药防治研究，总结辨证论治规律，完善防治方案，建立科学规范的评价体系，形成一批防治重大疾病和治未病的产品和技术成果。综合运用现代科技手段，开发一批符合中医理论的诊疗仪器与设备，探索适合中药的新药开发模式，推动重大新药创制。鼓励基于经典名方、医疗机构中药制剂等的中药新药研发。针对疾病新的药物靶标，在中药资源中寻找候选药物。

五、中医药合作交流不断扩大，江苏中医药的国际影响力日益增强

江苏各级政府部门十分重视中医药领域的高等院校、科研院所、医疗机构、中药企业等相关单位与港、澳、台及国际社会的广泛交流与密切合作，积极推动中医药事业和产业"走出去"，争取更为广阔的国际发展空间。同时，紧抓"一带一路"倡议，充分发挥江苏中医药特色优势，积极参与双边、多边合作以及友好省州、友好城市交流，积极开展在医疗服务、科学研究、人才培养、养生保健、产业开发、文化发展等方面的对外交流与合作，弘扬中华民族优秀传统医药学

智慧和技能，将茅苍术、赤灵芝、苏菊花等江苏地产道地药材，白果、苏芡实、莲子等药食两用原料，银杏叶、苏薄荷等的标准提取物，品类繁多的中药化妆品、保健食品等中药资源性产品与国际社会共享，让中医药服务于世界人类健康。

江苏积极参与中医药海外发展工程，推动中医药技术、药物、标准，服务走出去，促进国际社会广泛接受中医药。本着政府支持、民间运作、服务当地、互利共赢的原则，探索建设海外中医药中心，在国家援外医疗中进一步增加中医药服务内容。推进多层次的中医药国际教育交流合作，吸引更多的海外留学生来华接受学历教育、非学历教育、短期培训和临床实习，提高江苏中医药的国际影响力。南京中医药大学是世界卫生组织传统医学合作中心、国际针灸培训中心，是教育部批准接收和培养港、澳、台地区学生及外国留学生的首批高等中医药院校之一，已为五大洲培养留学生 3 万余名。1993 年学校与澳大利亚皇家墨尔本理工大学（RMIT）合作开办中医学专业，开我国与西方知名高校合作开展中医学历教育的先河。2010 年 6 月 20 日，国家副主席习近平出席了南京中医药大学与 RMIT 合作建立的中医孔子学院的揭牌仪式并发表重要讲话，对南京中医药大学的办学水平给予了高度评价。2017 年 3 月 23 日，在时任江苏省省长石泰峰和澳大利亚维多利亚州州长安德鲁斯的共同见证下，南京中医药大学与 RMIT 正式签署《江苏—维多利亚中医药中心合作备忘录》，江苏省政府全力支持该中医药中心的建设，让澳大利亚维多利亚州人民共享中医药健康福祉。在教育部的支持下，2019 年 2 月南京中医药大学又与爱尔兰国立大学（高威）签约共建了中医与再生医学孔子学院，该学院的建立是贯彻落实习近平总书记"用开放包容的心态促进传统医学和现代医学更好融合"的指示，推进中医药新时代海外发展的积极探索。目前，南京中医药大学已经与 90 多个国家和地区的高等院校或学术团体及机构建立了广泛交流和合作，先后在大洋洲、欧洲、美洲建立了 8 个海外中医药中心。

江苏省中医药管理局重视和支持中医药机构参与"一带一路"建设，加强同各国在中医药领域的交流与合作。2017 年，由江苏省中医院与法国巴黎公立医院集团共同主办的"2017 巴黎中医药文化周"活动在巴黎举行，该活动的举办进一步推进了中法中医药务实合作。同年，全国首个中医惠侨基地——"海外江苏之友中医惠侨基地"正式落户江苏省中医院，此举进一步扩大了江苏中医药在世界范围的影响；苏州市政府与康斯坦茨市政府在德国康斯坦茨市政厅举办了"天下吴医"——中国传统医学吴门医派欧洲巡展；江苏省中医药研究院与以色列合作开展远程医疗项目等。

江苏以国际市场需求为导向，积极发展中医药服务贸易，鼓励有条件的中医药机构发展境外中医药医疗、养生、保健、教育、文化等服务，加快打造中医药全产业链健康服务的国际知名品牌。扶持一批市场优势明显、特色突出、具有较好发展前景的中医药服务贸易机构、项目，扩大中医药服务贸易范围，进一步加强中医药对外交流合作，推动江苏中医药走向世界。将中医药国际贸易纳入国家对外贸易发展总体战略，构建政策支持体系，突破海外制约中医药对外贸易发展的法律、政策障碍和技术壁垒，加强中医药知识产权国际保护，扩大中医药服务贸易国际市场准入范围，为中医药服务贸易发展提供全方位公共资源保障。鼓励中医药机构到海外开办中医院、连锁诊所和中医养生保健机构。扶持中药材海外资源开拓，加强海外中药材生产流通质量管理。积极发展入境中医健康旅游，承接中医医疗外包服务，加强中医药服务贸易对外整体宣传和推介。

六、中医药传承创新发展，促进江苏中医药事业和产业再上新台阶

随着社会经济的发展，人们对健康的需求日益增加。疾病谱的改变、老龄化社会的到来、生活方式的转变和人们对健康的不断追求，给健康服务业带来了巨大的发展机遇。中医药现代化进程的推进、中医药科研平台的完善和研究水平的不断提升，大大推动了中医药事业和产业的发展，以中药制造为主的中药大健康产业悄然形成。中药大健康产业是以中药农业为基础、以中药工业为主体、以中药商业为枢纽、以中药知识创新为动力的新型产业，形成了包括中药相关产品研发、生产、流通、销售在内的跨行业、跨区域、跨国界的中药产业链。中药大健康产品包括中成药、中药保健品、中药材、中药饮片与提取物、健康食品和饮品、中药日化产品、中药兽药、中药饲料、中药加工设备等。发展中药大健康产业有优化产业结构、增加就业和农民收入、服务医改、保护生态等多重收益。健康服务业是现代服务业的重要组成部分，目前我国健康服务业产值仅占 GDP 的 5% 左右，而发达国家的健康服务业产值占比超过 10%，我国健康服务业的发展潜力巨大，江苏仍有巨大的发展空间和发展潜力可挖掘。

近年来，中医药发展得到了党中央、国务院的大力支持，国务院先后发布了《中医药健康服务发展规划（2015—2020 年）》《中医药发展战略规划纲要（2016—2030 年）》等文件。尤其是《中华人民共和国中医药法》的颁布实施为江苏中医药大健康产业发展提供了法律保障和政策支持，有力地推动了江苏中医药事业和中药大健康产业不断发展壮大，成为健康江苏乃至健康中国建设的重要力量。

2019 年年底，国务院中医药工作部际联席会议联络员会议重点研究了《关于深化医教协同进一步推动中医药教育改革与高质量发展的实施意见》（讨论稿）、《关于进一步推动中药质量提升促进中药产业高质量发展的意见》（讨论稿）、《关于加强中医药科技创新体系建设的意见》（讨论稿）、《中医药传承创新发展行动计划（2020—2022 年）》（讨论稿）等配套文件。会议指出，各部门要立足自身职责，强化横向协同，形成强大合力，构建共抓贯彻落实的大格局；要坚持改革创新，凝聚各方智慧，重点围绕加强中医药人才培养和队伍建设、推进中医药科技创新、完善中医药服务体系、严格中药质量监管等，加快制定符合中医药特点的配套文件，着力完善政策举措，推进"四个建立健全"，促进中医药治理体系和治理能力现代化，确保党中央、国务院关于传承创新发展中医药的重大决策部署不折不扣落地。

2019 年 10 月 25 日，全国中医药大会在北京召开，党和国家领导人对中医药工作做出了重要指示，进一步指出中医药学包含着中华民族几千年的健康养生理念及实践经验，是中华文明的一个瑰宝，凝聚着中国人民和中华民族的博大智慧。中华人民共和国成立以来，我国中医药事业取得显著成就，为保障人民健康做出了重要贡献。要遵循中医药发展规律，传承精华，守正创新，加快推进中医药现代化、产业化，坚持中西医并重，推动中医药和西医药相互补充、协调发展，推动中医药事业和产业高质量发展，推动中医药走向世界，充分发挥中医药防病治病的独特优势和作用，为建设健康中国、实现中华民族伟大复兴的中国梦贡献力量。

中医药学是中华民族的伟大创造。在推进建设健康中国的进程中，要坚持以习近平新时代中国特色社会主义思想为指导，深入贯彻党中央、国务院决策部署，大力推动中医药人才培养、科技创新和药品研发，充分发挥中医药在疾病预防、治疗、康复中的独特优势，坚持中西医并重，推动中医药在传承创新中高质量发展，让这一中华文明瑰宝焕发新的光彩，为增进人民健康福祉做出新贡献。要遵循中医药发展规律，坚定文化自信，深化改革创新，扎实推动《中共中央 国务院关于促进中医药传承创新发展的意见》落地见效，走符合中医药特点的发展路子。完善服务体系，鼓励社会力量创办中医诊所等医疗机构，改革院校和师承教育，提升临床诊疗水平。挖掘民间方药，建设道地药材基地，强化质量监管。深化医保、价格、审批等改革，促进科技创新和开放交流，推动中医药高质量发展。

江苏广大中医药工作者要遵循党和国家及江苏省政府的指示精神，顺应时代发展要求，响应国家战略部署，不负中医药事业发展当前天时、地利、人和的重要历史机遇，充分发挥中医药作为我国独特的卫生资源、潜力巨大的经济资源、具有原创优势的科技资源、优秀的文化资源、重要的生态资源的优势，切实把中医药这一先人留给我们的宝贵财富继承好、发展好、利用好，在建设健康江苏、健康中国，实现中国梦的伟大征程中谱写新的篇章。要进一步结合江苏社会经济、生态发展规划布局及江苏中医药事业和产业发展规划目标，保持地域传统比较优势，围绕大健康产业发展这篇大文章，立足当下求发展，谋篇布局看长远，致力于推动中药农业、中药工业、中药服务业三产联动共同发力，为江苏区域经济高质量发展和生态可持续发展做出独特贡献，也为我国乃至世界人口健康做出应有的贡献。

【参考文献】

[1] 全国人大常委会办公厅. 中华人民共和国中医药法 [M]. 北京：中国民主法制出版社，2016.

[2] 中华人民共和国国务院办公厅. 中医药健康服务发展规划（2015—2020 年）[EB/OL].（2015-05-07）[2023-09-19]. http://www.gov.cn/zhengce/content/2015-05/07/content_9704.htm.

[3] 中华人民共和国国务院办公厅. 中药材保护和发展规划（2015—2020 年）[EB/OL].（2015-04-27）[2023-09-19]. http://www.gov.cn/zhengce/content/2015-04/27/content_9662.htm.

[4] 中华人民共和国国务院. 中医药发展战略规划纲要（2016—2030 年）[EB/OL].（2016-02-22）[2023-09-19]. https://www.gov.cn/gongbao/content/2016/content_5054716.htm.

[5] 中华人民共和国国务院. 国务院关于实施健康中国行动的意见 [EB/OL]. (2019-07-15)[2023-09-19]. http://www.gov.cn/zhengce/content/2019-07/15/content_5409492.htm.

[6] 中国共产党中央委员会, 中华人民共和国国务院. "健康中国2030"规划纲要 [EB/OL]. (2016-10-25)[2023-09-19]. http://www.gov.cn/zhengce/2016-10/25/content_5124174.htm.

[7] 中国共产党中央委员会, 中华人民共和国国务院. 中共中央 国务院关于促进中医药传承创新发展的意见 [EB/OL]. (2019-10-26)[2023-09-19]. http://www.gov.cn/zhengce/2019-10/26/content_5445336.htm.

[8] 国家中医药管理局. 关于加快中医药科技创新体系建设的若干意见 [EB/OL]. (2016-12-23)[2023-09-19]. http://www.natcm.gov.cn/kejisi/zhengcewenjian/2018-03-24/3523.html.

[9] 江苏省人民政府办公厅. 江苏省中医药发展战略规划 (2016—2030年)[EB/OL]. (2017-04-21)[2023-09-19]. http://www.jiangsu.gov.cn/art/2017/4/21/art_46482_2557541.html.

[10] 远志. 中药大健康前景向好 [EB/OL]. (2019-06-25)[2022-2-20]. https://mp.weixin.qq.com/s/TGBJryTx6BPWqkI1yDUmwQ.

[11] 荆芥. 大健康:中药产业突破发展困境的方向之一 [EB/OL]. (2019-06-28)[2022-02-20]. https://mp.weixin.qq.com/s/pmorAMiLcIzkmQKFtFCDjQ.

[12] 国家中医药管理局《中华本草》编委会. 中华本草 [M]. 上海:上海科学技术出版社, 1999.

[13] 中国药材公司. 中国中药资源 [M]. 北京:科学出版社, 1995.

[14] 肖培根, 赵润怀. 迎接中药产业更加光辉灿烂的2012年 [J]. 中国现代中药, 2012, 14(1):1-2.

[15] 黄璐琦. 中医药迎来前所未有的发展机遇 [J]. 中国卫生人才, 2019(10):22-24.

[16] 黄璐琦, 陆建伟, 郭兰萍, 等. 第四次全国中药资源普查方案设计与实施 [J]. 中国中药杂志, 2013, 38(5):625-628.

[17] 黄璐琦, 孙丽英, 张小波, 等. 全国中药资源普查(试点)工作进展情况简介 [J]. 中国中药杂志, 2017, 42(22):4256-4261.

[18] 王国强. 中国中药资源发展报告(2017)[M]. 北京:中国医药科技出版社, 2018.

[19] 黄璐琦. 中国中药资源发展报告(2018)[M]. 北京:中国医药科技出版社, 2019.

[20] 张伯礼, 陈传宏. 中药现代化二十年(1996—2015)[M]. 上海:上海科学技术出版社, 2016.

[21] 张伯礼, 张俊华, 陈士林, 等. 中药大健康产业发展机遇与战略思考 [J]. 中国工程科学, 2017, 19(2):16-20.

[22] 黄璐琦, 李军德, 李哲, 等. 我国现代大中药产业链发展趋势及对策 [J]. 中国科技投资, 2010(5):67-69.

[23] 郭兰萍, 黄璐琦, 谢晓亮. 道地药材特色栽培及产地加工技术规范 [M]. 上海:上海科学技术出版社, 2016.

[24] 黄璐琦. 道地药材品质保障技术研究 [M]. 上海:上海科学技术出版社, 2018.

[25] 肖小河, 肖培根. 关于中药资源的基本形势、科学保护与再调查的几点看法 [J]. 中国中药杂志, 2005(2):6-9.

[26] 段金廒, 钱士辉, 史发枝, 等. 江苏省中药资源生产发展战略研究 [J]. 世界科学技术—中药现代化, 2001, 3(6):42-45, 81.

[27] 严辉, 郭盛, 段金廒, 等. 适宜于我国东部沿海地区水生、耐盐药用生物资源调查方法技术的探讨与实践 [J]. 中国现代中药, 2015, 17(7):637-645.

[28] 张小波, 黄璐琦. 中国中药区划 [M]. 北京:科学出版社, 2019.

[29] 刘启新. 江苏植物志 [M]. 南京:江苏凤凰科学技术出版社, 2015.

[30] 赵润怀, 王瑛, 焦炜. 试论行业协会在推进中药追溯体系建设中的作用 [J]. 中国现代中药, 2017, 19(11):1511-1514.

[31] 吴啟南, 郝振国, 段金廒, 等. 基于多源卫星遥感影像的水生药材芡实遥感监测方法研究 [J]. 世界科学技术—

中医药现代化, 2017, 19 (11): 1787-1793.

[32] 严辉, 郭盛, 段金廒, 等. 江苏地区外来入侵植物及其资源化利用现状与应对策略 [J]. 中国现代中药, 2014, 16 (12): 961-970, 984.

[33] 严辉, 刘圣金, 张小波, 等. 我国药用矿物资源调查方法的探索与建议 [J]. 中国现代中药, 2019, 21 (10): 1293-1299.

[34] 郭盛, 段金廒, 鲁学军, 等. 中药固体废弃物的热解炭化利用策略与研究实践 [J]. 中国现代中药, 2017, 19 (12): 1665-1671.

[35] 段金廒, 唐志书, 吴啟南, 等. 中药资源产业化过程循环利用适宜技术体系创建及其推广应用 [J]. 中国现代中药, 2019, 21 (1): 20-28.

[36] 段金廒, 郭盛, 严辉, 等. 药材生产过程副产物的价值发现和资源化利用是中药材产业扶贫的重要途径 [J]. 中国中药杂志, 2020, 45 (2): 285-289.

[37] 段金廒. 中药废弃物的资源化利用 [M]. 北京: 化学工业出版社, 2013.

[38] 段金廒. 中药资源化学: 理论基础与资源循环利用 [M]. 北京: 科学出版社, 2015.

[39] 段金廒, 宿树兰, 郭盛, 等. 中药资源产业化过程废弃物的产生及其利用策略与资源化模式 [J]. 中草药, 2013, 44 (20): 2787-2797.

[40] 朱华旭, 段金廒, 郭立玮, 等. 基于膜科学技术的中药废弃物资源化原理及其应用实践 [J]. 中国中药杂志, 2014, 39 (9): 1728-1732.

[41] 李洁, 申俊龙, QIAN D. 中药资源产业化过程废弃物资源化的理论与模式分析 [J]. 中草药, 2017, 48 (10): 2153-2158.

[42] 刘昌孝, 张铁军, 黄璐琦, 等. 发展监管科学, 促进中药产业传承创新 [J]. 药物评价研究, 2019, 42 (10): 1901-1912.

[43] 李颖, 李晓琳, 杨光, 等. 关于中药材产业发展的几点思考 [J]. 中华中医药杂志, 2016, 31 (1): 9-12.

[44] 於洪建, 吴春福. 我国中药类保健食品的发展趋势 [J]. 中草药, 2016, 47 (18): 3342-3345.

[45] 康传志, 王升, 黄璐琦, 等. 道地药材生态农业集群品牌培育策略 [J]. 中国中药杂志, 2020, 45 (9): 1996-2001.

[46] 王红阳, 康传志, 张文晋, 等. 中药生态农业发展的土地利用策略 [J]. 中国中药杂志, 2020, 45 (9): 1991-1995.

[47] 郭兰萍, 吕朝耕, 王红阳, 等. 中药生态农业与几种相关现代农业及 GAP 的关系 [J]. 中国现代中药, 2018, 20 (10): 1179-1188.

[48] 郭兰萍, 王铁霖, 杨婉珍, 等. 生态农业——中药农业的必由之路 [J]. 中国中药杂志, 2017, 42 (2): 231-238.

第二章

江苏省第四次中药资源普查实施情况

中药资源是国家战略资源，中药资源普查是摸清这一战略资源家底的国家基础性任务。通过普查可系统地了解和掌握我国药用资源现状，为各级政府制订相关领域的发展规划提供客观、真实的第一手资料，有利于中药资源保护与利用的科学规划和合理布局，有利于中医药事业和产业的健康发展，有利于增强中药大健康产品的国际竞争力。

自中华人民共和国成立至 20 世纪 80 年代，国家先后组织开展了 3 次中药资源普查工作，调查结果显示，我国中药资源已达 12 807 种，其中植物类 11 146 种，动物类 1 581 种，矿物类 80 种。前后 3 次中药资源普查工作摸清了当时我国中药资源家底，为我国中医药事业的发展做出了重要贡献。20 世纪 80 年代开展第三次全国中药资源普查后，我国已有 20 多年未进行系统的中药资源专项调查，导致我们面对国内外社会、经济、生态和健康需求的快速发展，中药材野生资源、栽培（养殖）产区与产量、市场供求等的巨大变化时，缺乏对中药资源家底的全面了解和准确把握。为此，从 2012 年开始，国家中医药管理局以项目为支撑，陆续开展第四次全国中药资源普查工作。在此背景下，江苏开展第四次中药资源普查工作，历时近 7 年，基本查清了江苏中药资源现状，建立了江苏中药资源动态监测体系和机制，提出了省、市、县不同层级中药资源管理、保护及开发利用的总体规划建议，为实现中药资源可持续利用、保障中医药事业顺利发展做出了努力。本次中药资源普查取得的丰硕成果，为制订实施区域发展战略与规划、优化中医药产业布局和各类资源配置提供了科学依据。

第一节　江苏省中药资源普查历史情况回顾

江苏地处长江、淮河下游，属于南北气候过渡带，四季分明，雨热同季，河湖众多。其独特的地理位置和生态物候孕育着丰富的药用植物资源、动物资源及品类各异的药用矿物资源。江南自古名医辈出，他们采集自然万物，辨识其药性利害，护佑着在这风雨变幻无常、蛇虫肆意妄行、时疫瘟病多发之地的南国子民生生不息、繁衍不绝，功莫大焉。江南深厚的中医药文化底蕴也为今日的中药资源普查奠定了基础。

一、江苏中药资源本草记载

早在西汉《淮南子》就有关于江苏地域植物类、动物类药材的记载：南京蒋山（紫金山）所产芍药白而大；苍术、柴胡、京三棱产自江宁。元至正《金陵新志》记载：江宁出产玉竹、黄精、百合、百部、玄参等 50 余种药材。《本草纲目》载：产自郁州（连云港）的茯苓、产自彭城（徐州)的麻黄质佳;镇江盛产莪苈、白鲜、贝母、南星、白前、凌霄花、蒲公英、龙胆草、明党参;溧阳出产吴茱萸、红花、桔梗、刘寄奴、荆芥、山药、柴胡、天门冬、谷精草、穿山甲、款冬花等 56 种药材。明嘉靖《江阴县志》载:江阴出产半夏、枸杞、何首乌、金银花等 52 种药材。明崇祯《泰州志·卷一》载有地产药材三七、白及、牵牛、菟丝子、生地黄、车前子、苍耳、麦门冬、蛇床子、天麻、香附、牛膝、豨莶、紫苏、海螵蛸、葶苈、益母草、皂角针、蒺藜、桑白皮、艾、连翘、玄精石。清康熙五十四年(1715 年),靖江产药材 49 种,包括质量好且数量多的桃仁、白苏、益母草、天花粉、甘菊、忍冬、地骨皮、青黛,质量好但数量少的泽兰、杏仁、藿香,还有生于路边却可入药的野草,如沙参、射干、菖蒲、地肤子、土木香、土牛膝、青蒿、牛蒡子、马鞭草、羊蹄、大黄、鱼腥草、龙葵、商陆等。清嘉庆十五年(1810 年)《扬州府志》载:扬州有天茄子、无花果、前胡、马兜铃、女贞子、大蓝根、甘菊、龟、鳖、牡蛎等 150 多种地产药材。《江苏省志·医药志》载:"光绪三十三年(1907 年)江苏呈解药材类到农事试验场。"药材有白花百合、何首乌、薄荷、南沙参、青木香、血茜草、佩兰叶、龟板、地骨皮、红苏子、青蒿、香附、紫苏、芎术、苍术、孩儿参。《民国泰县志稿》载:泰县地产药材有夏枯草、藿香、白芷、土大黄、山漆(菊科三七草)、茵陈、萎蕤、商陆、王不留行、沙参、苦参、玄参、地榆、五叶梅、远志、白前、芫花、马兜铃、细辛、杜衡、高良姜、柴胡、前胡、薏苡仁、桔梗、问荆、女贞子、胡麻、莱菔子、马兰、青蒿、马齿苋、木耳、胡桃、银杏、佛手柑等。

二、江苏历次中药资源普查概况

自中华人民共和国成立至 20 世纪 80 年代,在国家要摸清各类战略资源家底的整体规划下,江苏先后进行过 3 次规模不等的中药资源专项调查工作,对江苏中药资源的种类、分布、蕴藏量等有了初步了解。然而,受不同时期的经济支撑能力、专业队伍力量、调查方法等因素制约,直到 20 世纪 80 年代的第三次中药资源普查才开展了相对系统的专项调查。第三次中药资源普查为研究制定区域中药资源的保护与利用策略、因地制宜规划发展中药材生产和保障供给工作提供了科学依据,也为第四次中药资源普查工作的科学设计和有序开展奠定了基础。

(一)第一次中药资源普查

1956 年,中国科学院南京中山植物园将本单位药物研究室的科研人员分为苏南、苏北 2 个组,派遣到省内药材主产区市、县,在当地药材(医药)公司的配合下,进行中药资源实地调查。调查人员通过走访中医师和老药农,总结了江苏 14 种主要家种药材的栽培经验;同时,将普查到的中药资源品种按照药用部位分为孢子花粉、皮(根皮及茎皮)、木、茎藤、根茎、根、叶、花、果实、种子、全草十一大类;共调查到商品药材 303 种(以植物的种和变种计算,应为 264 种)、民间验方 55 例、民间草药 46 种,并将每种商品药材的植物名称、土名、学名、产地、植物描述、生药性状、显微性状、采收时间、加工处理方法、收购要求、包装贮藏、购销情况、效用等内容分别记载；将普查所得资料进行加工整理，出版了《江苏省植物药材志》，为中医药工作者提供了一本了解江苏中药资源背景的参考资料。本次中药资源普查是在我国经受严重自然灾害、经济形势十分困难的社会状况下开展的局部性、探索性调查工作，对当时江苏县级政府制订野生药材合理采收规划、引导农民尝试进行少数药用植（动）物的野生变家种（养）起到了推动作用，为发展江苏中医药事业提供了第一手资料。

（二）第二次中药资源普查

1960 年，根据原卫生部下发的《卫生部关于普查野生药源问题的通知》的统一部署，由江苏省卫生厅和江苏省科学技术委员会牵头，组织江苏省卫生厅药政管理局、中国科学院南京植物研究所、南京药学院、南京中医学院、中国医学科学院江苏分院、江苏省卫生厅药品检验所等单位组成药材普查队，于 1960 年 3 月 1 日启动江苏中药资源专项调查工作。在老一辈科研工作者的精心策划、指导下，通过近 3 年的努力，共调查搜集到江苏地产药材 486 种，其中植物类药材 404 种，动物类药材 63 种，矿物类药材 19 种；每种药材按照名称、别名、来源、历史、形态（或形状）、产地、采收加工、性状、化学成分、品质规格、包装贮藏、购销、功效等项分别进行记述。对少数民间药，因无收购习惯，资料较少，主要记述其来源、形态、产地及功效等项。1963 年，江苏省卫生厅组织南京药学院及有关单位，将通过实地药用生物资源调查、走访群众习惯用药等方式收集的实物标本，以及药材来源、产销情况、传统经验等资料进行整理汇总，出版了《江苏药材志》。该书的出版对江苏乃至华东地区的中药资源调查、药材生产、高等药学人才培养工作以及中医药事业的发展都产生了积极的影响。

（三）第三次中药资源普查

1983 年，根据国务院常务会议关于对全国中药资源进行系统调查研究，制订发展规划的统一要求，由原国家医药管理局牵头，联合原农牧渔业部、原卫生部、原经贸部、原林业部、中国科学院、国家统计局共同发出《关于开展全国中药资源普查的通知》，拉开了第三次全国中药资源普查工作的序幕。1984 年，江苏省政府按照国家统一部署和要求，责成江苏省医药总公司、农林厅、卫生厅、对外经济贸易厅、科学技术委员会、统计局联合组成江苏中药资源普查领导小组，下设办公室挂靠在省药材公司，并发出《关于开展全省中药资源普查的通知》，下达江苏中药资源普查实施方案。江苏 11 个省辖市、64 个县（市）相继建立普查工作机构，开展中药资源普查工作。各县（市）医药部门参加普查的专业人员共 773 人，其中 459 人组成 69 个普查队，动员投入普查专项工作共 10 328 人次。

本次中药资源普查工作率先在宜兴、溧阳两地试点，继而扩大至盱眙、吴中、相城、铜山、句容等 26 个县（市区）。1986 年，普查工作在全省所辖县域全面展开，并于 1987 年完美收官。

植物学、中药学、农学、林学、动物学、矿物学领域及从事药材收购、经营等相关工作的老一辈专家和普查队员上山下圩，涉水穿林，风餐露宿，不畏困苦，无私奉献，历时 4 年有余，行程 79 506 km，普查区域涉及 1 615 个乡镇（其中县属镇 140 个），由点及面的踏查路线涉及江苏 79.4% 的区域。本次普查共记录各类药用资源 1 520 种，其中植物类药 1 302 种和 82 变种、变型，动物类药 110 种，矿物类药 23 种，其他药 3 种；采制动物、植物、矿物标本 800 余种，共计 53 076 份；走访老药工、老药农、老生产收购员"三老"人员 1 152 人次；辨析混淆品种 36 组，确认多来源品种 32 组，发现新资源 31 种；收集、整理民间单方、验方 797 例；形成《江苏省中药资源普查总结报告》《江苏省中药资源普查技术报告》《江苏省中药材单品种专题报告》等普查工作总结资料，为江苏乃至全国开展中药资源专项工作提供了宝贵的经验，为江苏及其所辖县域发展中医药事业、开展中药材生产及深加工提供了指导依据。

回顾过往，江苏 3 次中药资源普查工作体现了当时的时代特色和调查水平。在那个缺乏有效交通工具、信息技术手段落后、物资保障匮乏的年代，普查工作的进度、广度和专项研究成果的系统性、完整性都受到了一定的制约。

第二节　江苏省第四次中药资源普查工作概况

江苏第四次中药资源普查工作是在国家中医药管理局的统一部署下，在以黄璐琦院士牵头领导的第四次全国中药资源普查技术指导专家组的帮助支持下，在由江苏省委、省政府挂帅的江苏中药资源普查领导小组的统筹领导下，在依托江苏省中医药管理局设立、由局长陈亦江亲任主任的江苏中药资源普查办公室的直接领导下，在项目牵头单位南京中医药大学的组织协调和有力推动下启动实施的。项目分为普查试点和全面普查 2 个阶段，整体工作历时近 7 年，先后投入 20 余支普查大队、百余名普查专业骨干，动员参加人员千余人，分 4 批次开展工作，实现了对江苏县级行政区中药资源的全域调查。

一、组织实施概况

江苏第四次中药资源普查试点工作（第一批）依托国家中医药公益性行业科研专项"我国水生、耐盐中药资源的合理利用研究"启动，由南京中医药大学牵头，江苏省中国科学院植物研究所、江苏省海洋水产研究所、中国药科大学、南京农业大学、江苏省中医药研究院联合完成。普查试点工作涉及了 20 个县（市、区），于 2018 年 7 月 31 日顺利通过国家验收。2017—2018 年，江苏省中医药管理局以公共卫生专项的方式，支持南京中医药大学作为项目牵头单位，联合省内科研院所和高校启动江苏第二批 16 个县（市、区）的中药资源普查工作，该项工作于 2020 年 1 月

14 日顺利通过国家验收。2018 年 10 月，江苏启动了第三批共 30 个县（市、区）的中药资源普查工作。2019 年 10 月，江苏又启动了第四批共 30 个县（市、区）的中药资源普查工作。至此，江苏通过科研专项支持的形式，分阶段、分批次部署并落实各县级行政区中药资源普查工作任务，实现了江苏辖区内所有县（市、区）的中药资源调查全覆盖（表 1-2-1）。

表 1-2-1　江苏中药资源普查工作分批次部署实施表

部署批次	实施时间 / 年	普查县（市、区）数 / 个	普查县（市、区）
第一批	2014—2017	20	句容、高淳、大丰、宝应、江宁、溧水、铜山、连云、泗洪、洪泽、东台、射阳、盱眙、浦口、兴化、宜兴、吴中、溧阳、海门、启东
第二批	2017—2018	16	金坛、高邮、丹徒、滨海、海安、新沂、赣榆、东海、金湖、泗阳、淮安、邳州、六合、沭阳、丰县、常熟
第三批	2018—2019	30	栖霞、玄武、滨湖、锡山、睢宁、沛县、贾汪、武进、新北、太仓、如东、如皋、灌云、灌南、淮阴、涟水、阜宁、响水、建湖、盐都、亭湖、仪征、润州、丹阳、姜堰、海陵、靖江、泰兴、宿城、宿豫
第四批	2019—2020	30	秦淮、建邺、鼓楼（南京）、雨花台、惠山、梁溪、新吴、江阴、鼓楼（徐州）、云龙、泉山、天宁、钟楼、虎丘、相城、姑苏、吴江、张家港、昆山、崇川、港闸①、通州、海州、清江浦、广陵、邗江、江都、京口、扬中、高港

二、组织实施机构建设

（一）建立管理机构

1. 成立江苏第四次中药资源普查领导小组

为做好江苏中药资源普查工作，在省级层面成立了江苏第四次中药资源普查领导小组，由时任常务副省长任组长，由时任省中医药管理局局长陈亦江任副组长，由省教育厅、省科技厅、省财政厅、省国土资源厅、省农业委员会、省环保厅、省林业厅、省食药监局、省中医药管理局、省知识产权局、南京中医药大学及各地级市分管领导任组员。领导小组负责统一部署并督导协调江苏中药资源普查工作，为该项工作的顺利开展提供重要支撑。

2. 组建江苏第四次中药资源普查领导小组办公室

为加强江苏中药资源普查协调工作，省级普查领导小组下设办公室，办公室设置在江苏省中医药管理局，先后由时任省卫生厅副厅长、省中医药管理局局长的陈亦江和现任省卫生健康委员会副主任、省中医药管理局局长的朱岷，负责江苏普查工作的具体组织实施。

此外，为方便开展工作，项目牵头单位南京中医药大学成立了南京中医药大学项目工作办公室，并在办公室下设工作小组，负责普查工作的具体实施、协作单位之间的协调及日常事务等有关工作。

---

① 港闸现已撤销，并入崇川。

3. 建立县级普查领导 / 工作机构

在省级普查领导小组成立后，江苏省中医药管理局先后下发了《关于开展中药资源普查试点工作的通知》（苏中医政〔2014〕7号）、《关于全面做好第四次全国中药资源普查工作的通知》（苏中医科教〔2018〕6号）、《关于做好2019年度中药资源普查工作的通知》（苏中医科教〔2019〕6号），建立了各县级普查领导小组，由县区分管领导任组长，由县（市、区）政府办公室、卫生局主要领导及普查队队长等任副组长，由县（市、区）科技局、农林局、国土局、旅游局等职能部门领导任组员；领导小组下设领导小组办公室，办公室由县（市、区）卫生局、药监局、中医院、药业公司、科技局、农林局、国土局、旅游局等对口职能科室负责人组成，其中县（市、区）卫生行政部门分管领导为负责人，县（市、区）中医院分管领导为联系人，办公室具体负责各县（市、区）中药资源普查工作的协调管理。

（二）组建多学科、老中青结合的普查技术队伍

1. 成立江苏中药资源普查专家委员会及技术专家组

为保证江苏中药资源普查工作质量，项目组依托技术支撑单位及省内外相关高校、科研院所，组织成立了江苏中药资源普查专家委员会，协助普查办公室提出、制订江苏中药资源普查实施方案，对普查工作进行技术指导与评估。普查专家委员会主任委员先后由国家中医药管理局原副局长李大宁同志、第四次全国中药资源普查技术指导专家组组长黄璐琦院士担任。

此外，项目组组织省内相关领域的专家，成立了普查技术专家组，具体负责江苏中药资源普查的技术指导、组织实施、过程检查及成果整理等工作（如野外调查、标本制作与鉴定、普查信息处理、重点药材动态监测、技术培训、安全保障等）。普查技术专家组组长由江苏中药资源普查工作技术负责人、南京中医药大学教授段金廒担任。

2. 组建普查队

（1）普查试点阶段（2014—2017年）。南京中医药大学作为技术牵头单位，联合江苏省中国科学院植物研究所、江苏省海洋水产研究所、中国药科大学、南京农业大学、江苏省中医药研究院，组织地方中医药医疗机构中具有一定专业背景的人士，组建了由130余名不同学科背景的专业人员组成的10支普查队。每队配备队长、副队长、信息员各1名，由不同单位、不同专业背景的队员构成，以实现优势互补。各队实行队长负责制，安排有丰富专业经验的科研人员担任普查队队长，普查经费划拨到各队长所在单位，由各队长负责支配使用。

（2）全面普查阶段（2017—2020年）。在前期普查试点工作的基础上，为了高质量完成本次普查任务，在江苏中药资源全面普查阶段，对参与单位和组织方式进行了适当优化调整。在江苏省中医药管理局的领导下，项目组充分凝聚各参与单位力量，尽可能吸纳中药资源以及相关专业的乐于参加普查工作的科研人员和研究生，采取不同专业搭配组队的方式，由各普查县（市、区）任务承担单位自行组建普查队，由省级普查领导小组安排专业经验丰富且具有高级职称的专

家担任普查队队长，各队实行队长负责制，在前期督导、考评、验收的基础上，根据前期普查任务完成进度及质量，对各队长人选及其承担的工作任务进行动态调整，每队根据情况负责完成1～4个普查县（市、区）的普查任务。

江苏第四次中药资源普查技术依托单位任务实施情况见表1-2-2。

表1-2-2 江苏第四次中药资源普查技术依托单位任务实施情况

技术依托单位	普查区域（2014—2017年）	普查区域（2017—2018年）	普查区域（2018—2019年）	普查区域（2019—2020年）
南京中医药大学	宝应、大丰、溧水、江宁、兴化、宜兴、溧阳、吴中、海门、启东	常熟、金坛、丹徒、滨海、海安、新沂	丹阳、太仓、武进、新北、栖霞、润州、海陵、靖江、姜堰、如皋	秦淮、虎丘、张家港、昆山、鼓楼（南京）、姑苏、京口、高港、扬中、吴江、通州、崇川、港闸
江苏省中国科学院植物研究所	高淳、句容、连云、铜山、泗洪、洪泽	赣榆、东海、金湖、泗阳、高邮、淮安	睢宁、贾汪、沛县、阜宁、亭湖、盐都、滨湖、锡山、淮阴、玄武、建湖	雨花台、天宁、钟楼、相城、清江浦、鼓楼（徐州）、云龙、海州、惠山、梁溪、江阴
江苏省海洋水产研究所	泗洪、洪泽			
中国药科大学	盱眙、浦口	邳州、六合	仪征、宿城、宿豫、响水	新吴、泉山
南京农业大学	东台、射阳	沭阳	灌云、灌南、如东、涟水	建邺、广陵、邗江
江苏省中医药研究院		丰县	泰兴	江都

三、普查工作组织实施

（一）指导与督查相结合，强化全过程管理

1. 统一工作标准，编制普查实施方案，推动中药资源普查工作有序开展

（1）省级普查实施方案编制。江苏第四次中药资源普查试点工作在江苏省中医药管理局组织领导下，依托2014年国家中医药公益性行业科研专项"我国水生、耐盐中药资源的合理利用研究"精心实施。江苏多丘陵、多湖泊，东临黄海，为此，在普查试点阶段，结合江苏中药资源特点和分布现状，在技术专家组充分讨论的基础上，遴选了江苏境内丘陵山区、平原湖荡区、沿海滩涂区的20个县（市、区）作为普查工作第一批启动的代表性调查区域。针对这20个代表性调查区域，按照《全国中药资源普查技术规范》要求，制订了《江苏省中药资源普查试点工作实施方案》。该方案在2014年3月18日召开的"中国沿海六省中药资源普查试点工作实施方案编制工作会议"（图1-2-1）上，经第四次全国中药资源普查技术指导专家组组长黄璐琦院士，时任国家中医药管理局科技司中药科技处处长陆建伟同志，时任江苏省卫生厅副厅长、江苏省中医药管理局局长陈亦江教授，时任南京中医药大学校长吴勉华教授，以及江苏中药资源普查试点工作技术负责人

段金廒教授和来自江苏、辽宁、浙江、福建、山东、广东六省中医药管理部门的相关负责人及中药资源普查工作技术负责人的集体研讨后，通过第四次全国中药资源普查技术指导专家组的审核。该方案在省级层面分别围绕野生药用植物资源普查、栽培药用植物资源普查、中药材市场调查、医药传统知识调查等任务对 20 个县（市、区）的中药资源普查工作提出了具体要求，为普查试点工作的开展指明了方向，明确了目标。

图 1-2-1　中国沿海六省中药资源普查试点工作实施方案编制工作专家组合影

自 2017 年开始，江苏中药资源普查工作经费以中央对地方转移支付中医药资金、省级中医药发展专项资金的形式下发。省级普查实施方案由技术负责人牵头编制，经江苏省中医药管理局审核后上报，国家中医药管理局组织省级普查实施方案汇报论证会，由省中医药管理局职能部门及省级技术负责人进行汇报，第四次全国中药资源普查技术指导专家组在听取汇报后提出修改意见，修订后的方案再由省中医药管理局上报备案后正式实施。

（2）县级普查实施方案编制及执行。在省级普查实施方案编制完成后，各普查县（市、区）根据省级方案的技术要求，结合各普查县（市、区）中药资源的具体情况，分别编制了县级普查实施方案。省普查专家委员会对县级方案中各项技术指标的制定及实施过程等进行具体指导。编制完成的方案经省级技术负责人批准后，各普查县（市、区）严格按照方案执行，以便全面、准确地获取普查区域的中药资源信息，掌握中药资源现状，提出中药资源管理、保护、开发、利用的建议，为当地政府科学决策、实现中药资源可持续利用提供依据。

在普查试点工作过程中，对于部分普查县因无自然植被而难以生成预设调查样地的问题，省普查技术专家组针对水生、耐盐药用植物资源因其适生环境独特而缺乏专用调查方法技术体系的问题，在第四次全国中药资源普查工作办公室的支持下，与南京大学、中国科学院南京地理与湖泊研究所等单位技术合作，通过在原有普查系统中增加水体（河流、湖泊、湿地、浅海）生态类型，形成水生、耐盐药用植物的调查背景区域，集成现代空间网络技术，率先提出并构建了适宜于我国东部沿海地区水生、耐盐药用植物资源调查的方法技术体系，为我国该类中药资源的调查及保护提供了方法支撑。

该技术体系在2017—2018年各批次普查县进行示范推广，融入县级普查实施方案，有效地保障了江苏水体湖泊、农田沟畔等地形地貌中药资源调查工作的顺利进行，确保了江苏中药资源普查结果的科学性。

2. 工作交流与督导检查贯穿普查工作全过程，有效保障了普查工作高质量完成

为了确保普查工作的顺利进行，保证普查结果的一致性、准确性，省普查办公室与各普查队签署了普查工作任务书，组织省内外专家对省级、县级普查实施方案进行了研讨，并定期进行普查工作阶段汇报、总结交流及工作督导。各普查县在普查过程中，遇到实际问题及时反馈到各技术专家组，技术专家组委派相关专家进行技术指导，及时解决问题，提高普查工作效率。

（1）江苏第四次中药资源普查试点工作启动。2014年4月23日，"江苏省中药资源普查（试点）工作启动会"在南京中医药大学丰盛健康楼报告厅召开。时任国家中医药管理局科技司司长曹洪欣教授，全国中药资源普查试点工作技术指导专家组组长黄璐琦院士，时任江苏省卫生厅副厅长、江苏省中医药管理局局长陈亦江教授，国家中医药管理局科技司中药科技处处长孙丽英，全国中药资源普查试点工作办公室副主任张小波，时任南京中医药大学校长吴勉华教授，江苏中药资源普查办公室主任段金廒教授，以及参加中药资源普查工作的相关专家、普查骨干及各县级普查领导小组代表共计160余人出席会议。会议就第四次中药资源普查工作的重要性、基础性和战略性进行了解读，并对普查工作的总体要求、拟达成目标进行了阐述。会议现场对各普查队进行了授旗，对普查工作任务进行了统一部署，进一步明确了工作责任，为江苏中药资源普查工作的顺利开展奠定了基础。

（2）江苏第四次中药资源普查试点工作阶段的工作交流与督导检查。在本次普查工作中，省普查办公室与各普查队及协作单位分别签订了工作任务书，分阶段先后组织开展了近10次普查工作集中汇报、学术交流及督导检查，保证了普查工作的有序进行。

2014年6月15日，在南京中医药大学举行了"江苏省第四次中药资源普查（试点）工作对接暨普查项目任务书签约仪式"。江苏中药资源普查办公室主任、江苏中药资源普查工作技术负责人段金廒教授，时任江苏省中医药管理局中医医政科教处毕磊主任以及各协作单位项目负责人、承担本次普查任务的普查队队长、各县级普查领导小组代表共计50余人参会。在会议现场，各普查队与省级普查领导小组签署了普查项目任务书，并与地方协作单位进行了沟通交流，进一步明

确了各普查队及协作单位的工作任务，为普查工作的圆满完成奠定了基础。

2014 年 7 月 8 日，"江苏省中药资源普查县级普查方案论证会"召开，后在中国自然资源学会中药及天然药物资源专业委员会第十一届和第十二届学术年会上设置中药资源调查主题分会场，邀请各省中药资源普查先进代表进行交流研讨，同时，就沿海六省普查工作进展进行了汇报交流。

为加快江苏第四次中药资源普查试点工作的进度，保质保量完成普查各项任务，省普查办公室于 2016 年 4 月 24 日召开了"江苏省第四次中药资源普查（试点）工作阶段进展汇报会"，邀请第四次全国中药资源普查技术指导专家组组长黄璐琦院士进行现场指导。2016 年 9 月 7 日至 9 日，普查工作接受了以国家中医药管理局科技司中药科技处处长孙丽英等为代表的国家中药资源普查专家督导组的督导检查。

2017 年年初，江苏中药资源普查试点工作各普查县工作任务基本完成。2017 年 8 月 3 日，在江苏省中医药管理局朱岷局长的主持下，江苏中药资源普查试点工作县级预验收工作开始开展，并于 2017 年 9 月 24 日通过了普查工作现场验收专家组的核查验收，专家组由中国医学科学院药用植物研究所张本刚研究员任组长，孙成忠研究员、康廷国教授、赖小平教授、张永清教授、张水利教授、杨成梓教授、潘超美教授、王冰教授等为专家组成员（图 1-2-2 ～图 1-2-3）。至此，江苏第一批 20 个县（市、区）的中药资源普查试点工作均按要求完成，部分县（市、区）开展的普查方法技术创新工作受到了专家组的高度评价。

2018 年 7 月 31 日，在国家中医药管理局科技司组织召开的 2014 年国家中医药公益性行业科研专项"我国水生、耐盐中药资源的合理利用研究（201407002）"暨我国沿海六省中药资源普查试点工作专题验收会上，由南京中医药大学牵头的"我国水生、耐盐中药资源的合理利用研究"顺利通过国家验收。

图 1-2-2　段金廒和吴啟南教授汇报江苏中药资源普查（试点）工作完成情况

图1-2-3　江苏省中药资源普查（试点）工作县级验收会合影

　　（3）江苏第四次中药资源普查全面实施阶段的工作交流与督导检查。江苏第四次中药资源普查全面实施阶段工作共分为3个批次开展，分别于2017年（16个）、2018年（30个）和2019年（30个）启动。为了确保普查工作的顺利进行，保证普查成果的一致性、准确性，省普查办公室分批次与各普查队签署了普查工作任务书，组织省内外专家对省级、县级普查实施方案进行了研讨，并定期进行普查技术培训、普查工作阶段交流汇报及工作督导（图1-2-4～图1-2-5）。其中，2017年启动的16个县（市、区）的普查工作已于2019年8月31日通过由江苏省中医药管理局组织的

图1-2-4　江苏省中药资源普查工作部署暨技术培训会议合影（2018年3月30日）

图 1-2-5 江苏省中药资源普查（2017—2018）县级普查工作验收会

省级验收，并于 2020 年 1 月 14 日通过由国家中医药管理局在北京组织的国家验收。

2019 年 10 月 24 日，江苏中药资源普查工作接受了以中国中医科学院中药资源中心主任郭兰萍研究员、湖北中医药大学药学院院长吴和珍教授等为代表的国家中药资源普查专家督导组的综合调研评估，专家组对江苏中药资源普查阶段成果给予了高度评价。

江苏第四次中药资源普查工作覆盖了江苏所有县域，实现了全省全域覆盖。2022 年 9 月 25 日，96 个县（市、区）^①的中药资源普查工作顺利完成，并全部通过了国家验收。

（二）全方位开展中药资源普查技术培训

为确保江苏中药资源普查工作的有效落实，保证普查工作质量，自第四次中药资源普查工作启动以来，以理论培训与现场演练相结合的培训方式，先后进行了 5 次普查工作集中技术培训及若干次其他小规模培训。

2014 年 5 月 5 日，江苏第四次中药资源普查（试点）工作暨国家中医药公益性行业科研专项"我国水生、耐盐中药资源的合理利用研究"野外调查技术研讨会在南京中医药大学召开。会议特别邀请安徽第四次中药资源普查骨干成员、安徽中医药大学周建理教授进行中药资源野外普查经验介绍。周建理教授结合野外调查的样方、样线设计及实践中的注意事项，对野外资源普查方案的制订进行了重点阐述，并应用相关软件演示了适宜样方、样线的筛选过程，他指出在调查过程中可根据实际生态情况以及植物蕴藏量选择较好的调查路线。在理论研讨之后，各普查队正、副队长及普查骨干等与会人员在南京中医药大学素山参加了野外资源普查的现场培训。在相关专家的指导下，普查队员有针对性地开展了野外实践操作，并对样方、样线调查及外业采集、数据录入等工作进行了现场实践。（图 1-2-7）

---

① 江苏 96 个县（市、区）中的港闸，现已撤销，并入崇川。江苏目前共有 95 个县（市、区）。

2014 年 5 月 11 日，江苏省中药资源普查（试点）工作数据库系统培训班在南京中医药大学人工智能与信息技术学院实验室开班，30 余名来自各普查队的技术骨干参加了本次培训。江苏中药资源普查办公室严辉博士和尚尔鑫博士阐述了中药资源普查的野外调查方案设计、外业调查和内业整理的内容与方法，对中药资源信息服务平台、中药资源普查信息管理系统（V2 版）的操作方法进行了演示，重点阐述了样地的选择及调整。

2014 年 6 月 15 日，南京中医药大学举行了中药资源普查试点工作技术培训会议，来自全省各个普查任务承担单位的普查队队长、队员共计 90 余人参加了此次培训。会议由江苏中药资源普查试点工作技术专家组丁安伟教授主持。南京中医药大学药学院巢建国教授、谈献和教授和陈建伟教授分别就野外标本采集技术要点及安全注意事项、腊叶标本制作与鉴定经验、传统中医药知识普查进行了讲解和培训，以确保中药资源普查资料的翔实、准确、严谨、全面、科学。

2014 年 6 月 19 日，江苏中药资源普查办公室邀请江西中医药大学中药资源与民族药研究中心主任、国家药典委员会民族医药专业委员会主任钟国跃教授和中国药材公司技术总监赵润怀研究员来南京中医药大学讲学交流。江苏中药资源普查办公室主任、江苏中药资源普查工作技术负责人段金廒教授及各普查队队长、信息员、技术骨干共计 30 余人参加了此次学术交流。钟国跃教授对民族药研究现状、资源分布及调查情况等做了专题讲座。赵润怀研究员结合第三次全国中药资源普查工作的经历，向与会人员介绍了中国药材公司在资源普查、重点中药动态监测方面的工作进展，并就资源普查、动态监测站设置、中药资源开发利用与环境保护中的一些细节问题开展了深入交流。

2014 年 7 月 8 日，江苏省中药资源普查（试点）工作样地设置及县级普查方案论证会在南京中医药大学药学院会议室举行。全国中药资源普查试点工作办公室副主任张小波博士和全国中药资源普查试点工作技术指导专家组成员、中国药材公司技术总监赵润怀研究员等专家受邀出席论证会。江苏中药资源普查办公室主任、江苏中药资源普查工作技术负责人段金廒教授及各普查队队长、信息员、技术骨干共计 70 余人参加了此次会议（图 1-2-6）。

图 1-2-6 江苏中药资源普查技术专家组与部分普查队队员合影

四、工作目标及完成情况

（一）工作目标

江苏第四次中药资源普查工作旨在开展江苏野生及栽培中药材资源调查，掌握江苏重要中药材资源的生产及供需现状，建立中药材资源数据库、动态监测网络和预警体系，达到保障基本药物目录中中药饮片和中成药原药材供应、促进江苏地方经济发展的目的。

首先，掌握江苏中药资源种类、分布、蕴藏量、变化趋势、传统知识、栽培及野生情况、收购量、需求量、质量等中药资源本底资料。其次，建立江苏代表地区常用、大宗和珍稀中药材动态监测与预警体系，实时掌握重点中药材资源的变化情况。最后，提出江苏中药资源管理、保护、开发利用的总体规划建议。

（二）完成情况

2017年9月24日，江苏中药资源普查试点工作顺利通过了第一批20个县（市、区）的县级普查验收，累计调查样地764个、样方套2 380个，预设样地调查完成率达100%；调查上报药用植物资源种类1 275种，其中新发现种1种，调查栽培品种43种，记录个体数量种类571种，记录重量种类181种，调查病虫害种类25种；调查市场主流品种40种，收集传统知识58条；采集压制腊叶标本23 102份，鉴定、核查上交全国中药资源普查工作办公室腊叶标本5 572份、药材标本1 281份、种质资源494份；提交普查工作照片及植物照片88 939张；全部数据和实物标本均已通过核查验收（图1-2-7）。建成中药资源动态监测站3个。

图 1-2-7　江苏中药资源普查外业调查队英姿掠影

2020 年 1 月 14 日，江苏第二批 16 个县（市、区）的中药资源普查工作通过国家验收。本批次普查工作共调查样地 536 个、样方套 2 715 个；记录药用植物种类 1 261 种，调查重点药用植物资源种类 184 种、栽培品种 29 种、市场流通品种 68 种；采集上交腊叶标本 3 598 份、药材标本 1 105 份，收集种子种苗 661 份；调查记录传统知识 36 条，拍摄照片 68 577 张；制订普查县中药材保护和发展规划 16 份。

在此基础上，在全国中药资源普查试点工作办公室的支持下，省普查技术专家组创新性地提出并构建了适宜于我国东部沿海地区水生、耐盐药用植物资源调查的方法技术体系，创建了基于多信源遥感技术的水生药用生物资源动态监测及区划分析系统，为第四次全国中药资源普查工作的顺利开展和相关技术规范的修订完善提供了参考；发表了一系列资源普查相关论文，出版学术专著及科普读物共 10 部；培养形成 1 支近百人的多学科交叉、人员结构稳定的中药资源普查核心团队，一批中青年骨干教师和研究生接受了中药资源普查专业培训，走上资源调查研究工作岗位；

团队成员先后获省部级科技、教学奖励 4 项。

第三节 江苏省第四次中药资源普查主要成果

江苏第四次中药资源普查工作历时近 7 年，着眼于服务健康中国的国家战略和江苏中医药事业、中药资源产业高质量发展，围绕着中医药行业、大健康产业可持续发展的实际需求，立足于江苏区域自然生态和社会经济特点，在全体参与单位及普查队人员的共同努力下，勇于探索，敢于创新，形成了一系列标志性普查成果。

一、首次实现江苏中药资源调查全覆盖，摸清了江苏全域的中药资源家底，为江苏发展中药资源经济产业与优化特色产业布局提供了第一手资料

（一）发现江苏中药资源种类 2 289 种，较第三次中药资源普查增加 769 种，其中水生植物、耐盐植物、动物、矿物种类大幅度增加

江苏第四次中药资源普查结果显示，江苏有野生药用植物资源 1 822 种，涉及 192 科、850 属，其中水生药用植物 220 种，耐盐药用植物 116 种，本次普查到的野生药用植物资源种类较第三次普查多 438 种。江苏区域发现和记录的药用动物资源有 401 种，分属 8 门、26 纲、218 科、328 属，其中多孔动物门 1 种、刺胞动物门 3 种、环节动物门 8 种、星虫动物门 1 种、软体动物门 64 种、节肢动物门 93 种、棘皮动物门 14 种、脊索动物门 217 种；脊索动物门包括鱼纲 93 种、两栖纲 14 种、爬行纲 30 种、鸟纲 50 种、哺乳纲 30 种；本次普查到的药用动物种数与第三次普查的 110 种相比显著增加。江苏区域发现和记录药用矿物资源 66 种，显著多于第三次普查的 23 种（表 1-2-3）。

表 1-2-3 江苏第三次与第四次中药资源普查种数变化统计

基原类型	第三次 中药资源普查种数	第四次 中药资源普查种数	种数变化
藻类植物	9	2	-7
菌类植物	25	11	-14
地衣植物	0	0	0
苔藓植物	5	5	0
蕨类植物	71	70	-1
裸子植物	21	36	+15
被子植物（双子叶植物）	1 060	1 403	+343
被子植物（单子叶植物）	193	295	+102
动物	110	401	+291
矿物	23	66	+43
其他类	3	0	-3
合计	1 520	2 289	+769

本次中药资源普查在南京老山地区发现1新种——老山岩风 *Libanotis laoshanensis* W. Zhou et Q. X. Liu。该植物为伞形科岩风属植物，生于海拔400～600 m的山坡林下或林缘草丛，分布于江苏南京等地。模式植物采自江苏南京江浦老山林场。该植物为多年生草本植物，高可达1 m。根长圆锥形，根颈部分有纤维状叶鞘残余。茎直立，有棱槽，髓部充实，上部多分枝。基生叶及茎下部叶有柄，基部有叶鞘，叶片宽椭圆形或近菱形，长15～26 cm，宽6～16 cm，2（～3）回羽状分裂，末回裂片卵形，长2～6 cm，羽状深裂，边缘具齿，齿端有突尖头；茎上部叶与基生叶相似，2回羽状分裂，向上渐变小，叶柄渐短至无柄，有鞘。复伞形花序顶生与侧生，伞幅3～7（～10）；总苞片无或数枚，披针状线形，易脱落；小总苞片8～10，披针状线形，长约2 mm；花梗长4～6 mm；萼齿狭三角形；花瓣白色，宽卵形，背面有毛，先端凹陷处有内折的小舌片；子房被毛，花柱反曲，长约1 mm。果实卵形，长4～4.5 mm，有短毛；分生果具5棱，稍突出；每棱槽中有油管1（～2），合生面有油管2（～4）。花期8～9月，果期10～11月。（图1-2-8）

图1-2-8　老山岩风 *Libanotis laoshanensis* W. Zhou et Q. X. Liu 植物形态

老山岩风的药用价值尚未见系统研究报道，但岩风属的多种植物有药用记载和化学物质基础研究。例如，陕西太白"七药"之一的长春七（长虫七），即为岩风属植物岩风 *Libanotis buchtormensis*（Fisch.）DC.、条叶岩风 *Libanotis lancifolia* K. T. Fu 和灰毛岩风 *Libanotis spodotrichoma* K. T. Fu 的干燥根，具有疏风散寒、祛风除湿、活络止痛的功效，常用于风寒感冒、周身疼痛、关节肿胀、跌打损伤、风湿筋骨疼痛等。长春七的化学成分研究表明，长春七含有香豆素类、甾醇类、有机酸类等多种化合物；在其石油醚萃取物中分离出 4 个香豆素类化合物，分别为 sesibrcin、异欧前胡素（isoimperatorin）、蛇床子素（osthol）和 7–羟基–8–异戊烯二醇基香豆素。

为研究老山岩风的药用价值，项目组基于药用植物亲缘学原理，运用液质联用（LC–MS）技术，对岩风和老山岩风两者的地上及地下部分中 11 种香豆素类成分进行了定性、定量分析（图 1–2–9），通过比较其化学成分特征，挖掘老山岩风适宜作为中药材使用的部位及功效特点、使用方法等。

结果表明，老山岩风与岩风含有 9 种相同的香豆素类成分，老山岩风地下部分香豆素类成分总量显著高于地上部分，这一特点与岩风相似。老山岩风地下部分中蛇床子素、花椒毒素、异嗪皮啶、异补骨脂素、王草酚的含量与岩风地下部分相近，其蛇床子素含量可达 1.259 mg/g，由此可推测老山岩风的根具有与长春七相近的功效，可疏风散寒、祛风除湿、活络止痛。目前老山岩风的功效评价、功效定位等研究正在进行中，随着对老山岩风化学成分及药用价值的深入研究，使其服

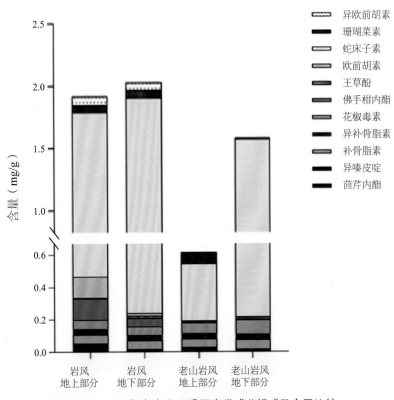

图 1–2–9　岩风与老山岩风香豆素类成分组成及含量比较

务于健康的目标终将会实现。该研究工作是对药用植物新资源药用功效发现的有益尝试，为第四次全国中药资源普查中获得的一批新物种的药用价值研究提供了示范。

除了新物种，本次中药资源普查还发现江苏新分布植物 4 种、新引种资源植物 1 种（表1-2-4），这进一步丰富了江苏药用生物种质库。

表 1-2-4 江苏第四次中药资源普查发现的药用植物资源新类型

种中文名	种拉丁名	科名	类别
老山岩风	*Libanotis laoshanensis* W. Zhou et Q. X. Liu	伞形科	新种
宝华老鸦瓣	*Amana baohuaensis* B. X. Han, Long Wang & G. Y. Lu	百合科	新种
长萼栝楼	*Trichosanthes laceribractea* Hayata	葫芦科	新分布种
野韭	*Allium ramosum* L.	石蒜科	新分布种
山东茜草	*Rubia truppeliana* Loes.	茜草科	新分布种
竹节菜	*Commelina diffusa* N. L. Burm.	鸭跖草科	新分布种

对比江苏第三次和第四次中药资源普查结果发现：①第四次普查发现记录的药用植物较第三次普查的 1 384 种增加了 438 种；②两次普查的共有药用植物有 1 092 种，其余 730 种为第四次普查发现记录品种；③第三次普查的 1 384 种药用植物中尚有 292 种在第四次普查中未被发现。

两次普查时隔近 40 年，呈现出如此巨大的差异，编者对此进行了进一步调查分析，试图阐释消长变化的可能原因。

1. 江苏第四次中药资源普查大幅度新增品种的成因分析

（1）现代信息技术的引入与创新应用，有效地扩大了调查区域，提高了覆盖度。本次中药资源普查样地调查是基于 ArcGIS 随机预设的方式生成样地，需要根据各普查县不同自然植被类型的面积，随机生成 36 个 1 km×1 km 的样地栅格，同时采用全球定位系统（GPS）轨迹记录仪校对校验位点并记录样线轨迹，以确保样地调查和样线调查的完成质量。和第三次中药资源普查相比，本次中药资源普查在覆盖面上的要求有了明显提高，为野外采集物种、发现新物种创造了前提条件。

（2）首次系统开展水生、耐盐药用植物资源调查，发现并记录了一批适生特色资源类群。江苏拥有我国最长的海岸线和丰富的水体资源，为水生、耐盐植物提供了良好的生存环境，孕育着丰富的动植物资源。特别是近年来，江苏沿海老海堤以外的滩涂浅海区泥沙淤积，使土地资源不断增加，随着沿海滩涂围垦和人为开发利用程度的不断提高，整个区域自然生态中野生药用动植物资源类群逐渐壮大。人们利用滩涂荒地积极发展菊苣、甜叶菊、盐地碱蓬、单叶蔓荆、盐角草等耐盐经济植物栽培生产，这不仅可抑制土壤返盐、改善土壤理化性质、提高土地资源的利用效率和效益，又可增加该区域的经济收入。通过专项调查发现记录到水生药用植物 220 种、耐盐药用植物 116 种，大幅度增加了江苏普查资源种类数。

（3）全球性气候变暖对江苏生态环境及植被类型产生明显影响。有研究显示，江苏暖温带落叶阔叶林带、北亚热带落叶阔叶与常绿阔叶混交林带、中亚热带常绿阔叶林带 3 个植被带的北界发生变化，落叶阔叶林、落叶阔叶与常绿阔叶混交林在江苏的分布范围不断扩大。落叶阔叶与常绿阔叶混交林在江苏主要分布在宜兴—溧阳以北的北亚热带地区，常绿阔叶林分布在宜兴—溧阳以南的中亚热带地区。调查发现，气候变化对药用植物物种分布的影响较为明显，蓼科植物拳参 *Polygonum bistorta* L. 等以往少见的北方植物区系品种在江苏已多见分布。

（4）经济发展的全球化及物流方式的多样化，大幅度提升和促进了区域间的物种交流。两次中药资源普查时隔近 40 年，在这期间，改革开放的脚步不断加快，江苏在农林、草业、绿植、花卉等生物资源领域的种质引进、品种创新的科学研究呈现空前活跃的状态，相关领域的资源产业、商贸物流以及经济发展模式和生产方式等均发生了翻天覆地的改变，这有力地推动了生物资源种类的主动引进和频繁交流，使不同区系物种的逆境转移和经济生物种类的集聚增加，无锡的曼地亚红豆杉 *Taxus media* Rehder、南京的美丽月见草 *Oenothera speciosa* Nutt. 等都属于近年引种的经济植物品种。

与此同时，近年来国际国内商贸物流频率的高速增长及交通运输方式的多样化，为区域间生物物种被动交流和相互置换提供了便利途径，也使大量的外来物种进入江苏甚至蔓延全国。例如，本次普查发现的三裂叶薯 *Ipomoea triloba* L. 等新的外来入侵植物，它们或将对本地物种及区域生态构成潜在威胁，或被人们利用，成为新的归化物种，丰富人们的生产与生活。

2. 江苏第四次中药资源普查大幅度减少品种的成因分析

（1）经济社会和城镇的快速发展与扩张，使药用生物资源的生存空间不断被蚕食甚至丧失。近年来，随着江苏经济社会发展方式和产业结构不断优化调整，城镇化建设范围逐年扩大，交通路网纵横交错，尤其是南京、苏州、无锡、常州、镇江等苏产道地药材传统区域的江南低山丘陵地带，除却点状的稀有自然生态保护区外，大部分地域已被开发利用，原生态不复存在。回望昔日，该区域丘陵起伏、湖河众多，容纳孕育了多少植物、动物，呈现出一派生机勃勃、多姿多彩的物种多样性景象。例如，有文献记载南京江宁吉山地区分布有蕨类药用植物瓶尔小草 *Ophioglossum vulgatum* L.，但本次普查难觅其踪影；江苏镇江地区自古以来就是镇痛要药茅山延胡索、道家养生佳品苍术等的自然分布区和道地产地，该地出产药材品质上乘，世所公认，但这些药材今已成镇江的稀少资源；浙贝母今主产于浙江磐安、东阳一带，为浙江道地药材，江苏南通也是浙贝母的重要产区，其中南通海安为长期供应市场的浙贝母种苗的生产基地，保证了浙贝母的品质和生产的稳定，本草考证表明，古润州（今江苏镇江茅山及周边地区）应为浙贝母的历史道地产地。

此外，江苏丘陵山区的一些优势品种因生境被破坏，资源蕴藏量大幅下降，如徐长卿、七叶一枝花、北柴胡、明党参等。黑三棱科植物黑三棱 *Sparganium stoloniferum* Buch.-Ham. 的干燥块茎为破血化瘀要药，历史上主产于南京浦口，20 世纪 50 年代中期，该地黑三棱的蕴藏量超过 10 万 kg，但由于大面积垦荒造田，黑三棱的生存环境遭到破坏，现处于濒危状态。典型沙生耐盐药用植物珊瑚菜 *Glehnia littoralis* Fr. Schmidt ex Miq. 的干燥根为江苏道地药材北沙参，珊瑚菜原为苏北海滩沙生植物群落的建群种，由于沿海滩涂开发而失去了赖以生存的家园，现仅在东西连岛后沙滩尚有残存，处于濒危状态。

（2）在市场经济杠杆调节和生产力诸要素共同作用下，道地药材传统产地调整和迁移。在以药材生产为标志的传统中药农业产区，随着社会经济的快速发展，由于生产力、价值规律等多方面因素的作用，诸如苏薄荷、太子参、宜兴百合、苍术、泰半夏等道地药材丧失或被迫放弃了原有的适宜生产基地，江苏道地药材生产面积不断缩小，供给能力锐减。例如，苏薄荷的道地产地原为苏州及周边地域，但随着苏州经济发展，薄荷产地迁移到南通地区，继而转入盐城东台，至今江苏薄荷种植面积不足千亩，主产地已离开江苏进入安徽、山东等地。同样，江苏道地药材太子参的主产地已迁移到福建柘荣、贵州施秉，但种子种苗源于江苏。宜兴百合号称"太湖人参"，自古受世人青睐，而今之百合药食两用，以湖南、安徽、湖北产者为盛。

（3）气候因素主导的生态环境改变，给区域生物资源种群构成带来严峻挑战。科学研究表明，常绿阔叶林区域的物种丰富度和生物多样性较高，但江苏区域常绿阔叶林多数属于被更替后的次生类型，更新能力较原生类型弱，更易受气候因素影响而发生种群退化，改变原有生态群落结构，特别是被落叶阔叶与常绿阔叶混交林更替后很难恢复。本次普查发现，过去常见于常绿阔叶林的木兰科植物华中五味子 *Schisandra sphenanthera* Rehd. et Wils. 种群，现已散见于落叶阔叶与常绿阔叶混交林中，且较难见到正常开花结果的植株，呈现种群衰退状态。

本次普查还发现，江苏北部沿海滩涂区域因气温升高、干旱少雨，生态荒漠化，群落结构也发生较大的变化，在我国西北荒漠区系分布的建群种蒺藜科白刺属植物西伯利亚白刺 *Nitralia sibolia* Pall.、蒺藜属植物蒺藜 *Tribulus terrestris* Linnaeus 等类群已在江苏北部部分片区形成优势种群。

（4）20世纪80年代推行的中草药种植运动引种的品种已被自然法则和品质评价淘汰。20世纪80年代，江苏和我国其他地区一样大力推行"南药北移""北药南移"引种发展药材生产运动。对比江苏第三次和第四次中药资源普查结果发现，江苏栽培药用植物物种构成已发生了较大的变化，近40种引自我国南北各地的药用生物资源品种由于难以适应江苏区域物候，或是因生产的药材达不到相应的品质要求而被淘汰。例如，从北方引入的乌拉尔甘草 *Glycyrrhiza uralensis* Fisch.、蒙古黄芪 *Astragalus mongholicus* Bunge、党参 *Codonopsis pilosula* (Franch.) Nanrvf. 等，以及从南方引入的雷公藤 *Tripterygium wilfordii* Hook. f.、佛手 *Citrus medica* L. var. *sarcodactylis* (Noot.) Swingle 等。

江苏第三次和第四次中药资源普查数据的比对分析结果，反映了近40年来，在区域自然生态、社会经济等影响因素综合驱动下，中药资源种类的此消彼长及变化规律。生态环境的改变导致道地药材不敷应用，气候诸因子的变化也造成区域生态多样性和生物多样性的重大改变。环境改造生物，生物适应环境。40年一瞬，演绎出令人目不暇接的变化，发人深思，从事药用植物资源工作的我们也需要认真反思和警醒。

（二）首次提出了江苏各县域中药资源产业发展规划，为各级政府制订区域生物医药产业经济战略规划及优化产业结构布局提供了第一手资料

在对江苏药用生物资源及产业发展现状进行系统调查的基础上，创新性地制订了江苏水生和耐盐中药资源管理、保护及开发利用的发展规划。首次提出了江苏各县域中药资源产业发展规划，为江苏省委、省政府研究制订《江苏省中医药发展战略规划（2016—2030 年）》等地级市域和县域中药材及医药生物资源产业发展战略规划文件提供了科学依据；为江苏县级以上行政单元根据辖区自然生态特点，研究制定本地区自然资源保护与开发利用的政策、措施提供了科学依据；为具有中药资源特色的乡镇，切合当地生态条件、经济发展水平、养生文化等实际情况，研究提出或共同讨论制订了一批中医药特色小镇建设方案，并提供项目咨询和论证服务等，其中具有代表性的特色小镇有孟河中医特色小镇、射阳洋马菊花小镇、涟水万亩中药小镇、大泗中药养生小镇、溧水康养小镇。上述研究成果为江苏区域中药资源产业的发展与合理布局提供了第一手资料，为地方政府及企业发展中药资源产业提供了有力支撑。

二、创建适宜于水生、耐盐药用植物资源调查的方法技术体系，为我国区域特色中药资源的调查研究提供了示范和技术辐射

水生、耐盐药用植物资源适生环境独特，目前尚无适宜于此类药用植物资源调查的专用方法技术体系，造成此类资源本底不清、保护与利用矛盾突出。针对这一关键问题，项目组依据第四次全国中药资源普查工作技术要求，基于我国沿海六省中药资源分布区域的现状，对调查背景地域的生态变化情况、区域中药资源的分布特点、县域普查方案的调整制订以及普查技术规范的补充完善等进行分析总结。在此基础上，通过与中国科学院南京地理与湖泊研究所、中国中医科学院中药资源中心、中国测绘科学研究院等单位协同合作，创新性地利用江苏第二次湿地调查所用湿地矢量数据，经数据融合，形成了江苏水生、耐盐药用植物资源调查背景区域，对接现有国家普查信息系统（图 1-2-10）；集成现代空间网络技术，从水体测绘数据制作、水体样方设置、水体样线调查法探索、沿海滩涂地区分层抽样等方面进行研究；探索性地提出并构建了适宜于我国东部沿海地区水生、耐盐药用植物资源调查的方法技术体系（图 1-2-11），首次针对水生、耐盐药用植物资源的适生特点，创新区划方法，率先创建以芡实为代表的水生药用植物资源生产区划系统，为我国水生、耐盐药用植物资源的调查及保护提供了方法支撑。具体技术体系包括：适宜于水生、耐盐药用植物资源调查的水体矢量数据处理关键技术，适宜于水生、耐盐药用植物资源的样带及样线调查技术（图 1-2-12），适宜于水生、耐盐药用植物资源动态监测的多信源遥感技术（图 1-2-13），基于地理信息技术及最大信息熵的水生药用植物区划分析系统。

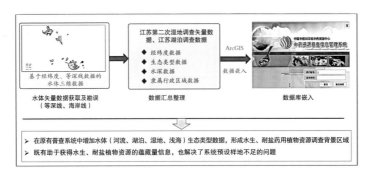

图 1-2-10 水域本底数据整理及数据库嵌入技术

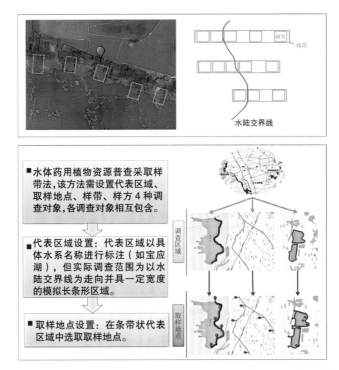

图 1-2-11 适宜于我国东部沿海地区水生、耐盐药用植物资源调查的方法技术体系

图 1-2-12　水生药用植物资源的样带及样线调查

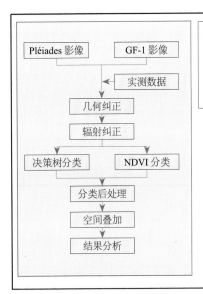

■ 以高邮湖为研究区域，基于普莱亚（Pléiades）和高分一号（GF-1）高分辨率影像的波段特征和影像变化，以及前人的研究成果，提出了基于归一化植被指数（NDVI）、增强型植被指数（EVI）和融合植被指数（FVI）构建的高邮湖芡实的决策树分类模型，较为精确地区分出了高邮湖地区浮水植物的生长区域。

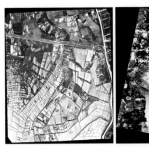

| 普莱亚高邮湖地区（2015 年 7 月 31 日） | 高分一号高邮湖地区（2015 年 6 月 6 日） | 影像叠加分析结果 |

图 1-2-13　适宜于水生药用植物资源动态监测的多信源遥感技术

　　该技术体系可用于水生、耐盐药用植物资源的调查，解决了平原水体区域调查样地生成不足的瓶颈问题。项目组应用该技术体系完成了江苏 20 个试点县（市、区）的调查任务，填报普查数据 34 432 条，数据核查评价得分 98.05 分；发表适宜于水生、耐盐药用植物资源相关调查方法及研究实践论文 7 篇；创新性地建成基于多信源遥感技术的水生药用植物芡实动态监测及生产区划系统。起草了《水生药用植物资源调查技术规范》1 份，为第四次全国中药资源普查工作的顺利开展，以及进一步修订完善相关技术规范提供了参考和示范。

三、创建江苏中药原料质量监测技术服务体系，服务于国家及区域精准扶贫与产业提质增效

（一）构建形成江苏中药原料质量监测技术服务体系，实现中药资源动态监测及网络化数据共享

在我国现代中药资源动态监测信息和技术服务体系的整体布局下，根据江苏中药资源分布和产业发展特点，构建形成江苏中药原料质量监测技术服务体系，该体系包括江苏省中药原料质量监测技术服务中心（以下简称"省级中心"）及苏南（吴中）、苏中（泰州医药城）、苏北（射阳）3个动态监测站，有效辐射江苏中药资源主产区，为区域内中药材生产企业及农户提供近百种药材生产基本信息，为培育区域性中药材交易市场、推动基于网络信息技术的现代市场交易体系建设、提升市场交易的现代化水平提供了重要支撑。

（二）革新中药资源技术服务方式，形成多元主体、多类模式相结合的动态监测站共建共享机制

基于中药资源动态监测站的市场服务属性，充分整合政府、企业、社会团体等社会资源，探索形成在国家及省级中心指导下，由区域政府主管部门、农业技术服务机构、中药资源生产企业、医疗服务机构及行业协会多元主体共同参与，融合产业扶贫政策等多种模式的动态监测站共建共享机制，为监测体系的可持续发展奠定了基础，力求达到"公益服务有保障，专业服务有特色，自身发展有后劲"的发展目标。

（三）拓展动态监测技术服务内容，对接精准扶贫，服务于地方政府、企业、农户多元对象及"农—工—商"中药资源全产业链发展

以地方监测站为基础建立了长效服务平台，为地方政府、企业及农户提供中药产业发展咨询、中药资源评估、中药质量分析等技术服务，提升了地区药材市场交易现代化水平，促进中药资源产业健康稳步发展。编制中药材实用技术教材，有效提升了区域中药材规范化生产水平。江苏省级中心和3个监测站还与射阳县人民政府联合举办了"射阳县菊花药材产业技术专家论坛"；与兴化市人民政府签约共建了中药材种植技术服务站，进行技术服务咨询、开展培训等共20余次，发放宣传手册、培训手册500余本，协助企业新建了四叶草、益母草、栀子等药材基地。2017年12月，由江苏省级中心、苏北动态监测站联合企业开展的菊花药材循环利用产业化示范被中央电视台《中国财经报道》栏目以"中药创新 变废为宝"为题进行专题报道，并于2018年1月被《农民日报》等主流媒体正面报道。

（四）建成江苏种子种苗繁育基地和药用植物种质保存圃，为区域中药产业发展提供优良种质保障及技术服务平台

国家基本药物所需中药材种子种苗繁育基地建设是第四次全国中药资源普查工作的重要内容之一。按照国家整体部署，江苏建成了国家基本药物所需中药材种子种苗（江苏）繁育基地，基地种植了苍术、银杏、芡实、黄蜀葵、桑、青蒿、荆芥7个品种，具备了向行业提供优质种子种苗的能力；建成药用植物种质资源保存圃190亩，新建水生、耐盐药用植物保存圃，建成药用植物种质资源低温、超低温保存库；面向社会开展中药科普活动10余场，大众科普服务8 351人次；为一批企事业单位提供中药种子种苗交换、中药栽培指导、中药鉴定等相关社会服务。

（五）积极开展中药标准制定，为区域中药企业标准化建设及中药大品种提质增效提供技术支撑

积极开展中药标准化及中药经典名方研究相关工作。南京中医药大学相关团队作为技术支撑，支持和配合省内康缘药业、济川药业、苏中药业、雷允上药业集团有限公司（以下简称"雷允上药业"）、江苏融昱药业有限公司（以下简称"融昱药业"）等中药制药企业，承担了国家中药标准化项目，为江苏中药大品种质量提升提供技术服务。同时，江苏联合省内外力量，牵头编制完成19项中药材种子种苗、道地药材、药材商品规格等级等团体标准（表1-2-5）及200余项中药相关企业标准和技术规范，涉及种子种苗—药材—饮片—制剂等中药生产全过程，推动江苏中药龙头企业高质量发展。

表1-2-5　江苏牵头完成并已发布的中药材团体标准

序号	标准名称	标准编号
1	道地药材　第52部分：岷当归	T/CACM 1020.52—2019
2	道地药材　第81部分：苏芡实	T/CACM 1020.81—2019
3	道地药材　第80部分：苏薄荷	T/CACM 1020.80—2019
4	道地药材　第106部分：广香附	T/CACM 1020.106—2019
5	道地药材　第149部分：黄芩	T/CACM 1020.149—2019
6	中药材商品规格等级　当归	T/CACM 1021.5—2018
7	中药材商品规格等级　薄荷	T/CACM 1021.28—2018
8	中药材商品规格等级　桑叶	T/CACM 1021.133—2018
9	中药材商品规格等级　桑白皮	T/CACM 1021.134—2018
10	中药材商品规格等级　桑椹	T/CACM 1021.135—2018
11	中药材商品规格等级　桑枝	T/CACM 1021.139—2018
12	中药材商品规格等级　苍耳子	T/CACM 1021.157—2018
13	中药材商品规格等级　僵蚕	T/CACM 1021.61—2018
14	中药材种子种苗　干姜种苗	T/CACM 1056.103—2019
15	中药材种子种苗　芡实种子	T/CACM 1056.106—2019
16	中药材种子种苗　荆芥种子	T/CACM 1056.105—2019
17	中药材种子种苗　银杏种子	T/CACM 1056.110—2019

序号	标准名称		标准编号
18	中药材种子种苗	黄蜀葵种子	T/CACM 1056.104—2019
19	中药材种子种苗	桑树种苗	T/CACM 1056.107—2019

四、创建中药资源循环利用模式与技术体系，服务于中药资源全产业链的提质增效与绿色发展

针对我国中药资源产业领域存在的药材生产与深加工产业化过程中资源利用效率低下、资源浪费严重、生态环境压力不断加剧等重大经济、社会和生态问题，围绕中药资源全产业链各环节产生的不同类型的废弃物及副产物，开展循环利用研究与转化应用，创新性地提出并构建了中药资源循环利用模式和技术体系。该体系在中药农业、中药工业领域得到有效推广，形成了一系列标志性成果，有力地推动了中药产业的提质增效和绿色发展，促进了中药资源产业化过程由传统线性生产方式向循环经济生态发展方式转变。

（一）创新性地提出中药资源循环利用理论，为我国中药资源产业绿色发展提供了创新思路和方法学

基于中药废弃物及副产物类型多样、组成复杂、资源化利用途径多元等特点，创建并推广了5类中药资源循环利用模式，形成综合效益显著增加、资源浪费与环境压力显著减少的"一增一减"绿色发展样板，为推动我国中药产业提质增效和可持续发展、促进生产方式与发展模式转变，探索出了一条可复制、易推广的有效途径。在长期实践和经验积累的基础上，编纂出版了《中药废弃物的资源化利用》《中药资源化学——理论基础与资源循环利用》专著，为该领域的知识传播做出了应有的贡献。

（二）创新性地构建了适宜于中药废弃物及副产物的生物转化、化学转化和物理转化3套循环利用技术体系，并有效转化和推广应用

创建了基于生物工程及酶工程技术的抗性微生物筛选、工程菌构建、产酶发酵、酶解糖化技术相互耦联嵌套的生物转化技术体系及技术装备，并实现产业化；创建了基于资源性物质富集制备技术单元与热裂解技术单元相互耦合的酶解释放-膜/色谱分离工程-热解炭化炭、液、气联产化学转化技术体系，自主研制出适宜于高含水、难处理中药渣的热循环预处理-干馏炭化技术装备并实现规模化生产；构建形成了适宜于中药固体废弃物理化特性的生物质颗粒、系列板材、栽培基质等制备的物理转化技术体系。中药资源循环利用技术体系的创建与推广应用为我国中药产业绿色发展提供了有力支撑。

（三）创新性地将非药用部位、废弃物及副产物转化为系列资源性产品，践行了"源于农田归于农田，提质增效绿色发展"的循环经济理念

以不同类型中药废弃物及副产物的资源潜力及潜在价值为取向，创新转化形成新医药及健康产品、新资源药材、纤维素酶、低聚糖、生物乙醇、生物炭及碳基复合肥等 8 大类 30 余种资源性产品。研制出以黄芩茎叶为原料的国家五类新药——黄芩茎叶解毒胶囊并达产上市；以生产山楂药材及饮片时废弃的种子为原料，开发出妇科外用药物红核妇洁洗液，并实现炭、气副产物的回收利用及产品升级；发现了可替代丹参药材制备丹酚酸原料的丹参带花茎叶等重要资源，并将其纳入新资源药材；以酸枣仁、芡实等药材生产加工过程中废弃的大量果肉、茎叶等为原料，创制出酸枣多糖铁、原花青素等功能性原料；以甘草、黄芪、丹参等配方颗粒药渣为原料，制备出高品质纤维素酶、低聚糖、生物乙醇等资源性产品；将稳心颗粒等复方的药渣进行热解炭化，形成生物炭、可燃气等资源性产品，实现了能源自给及污染物零排放。这些中药废弃物及副产物的创新转化产生了显著的社会、经济和生态效益。

（四）率先创立中药资源循环利用领域的首个学术组织、产业联盟、行业重点研究室，为推动我国中药资源全产业链的高质量发展做出了开拓性贡献

领衔成立中国中药协会中药资源循环利用专业委员会、中药产业资源循环利用发展联盟，创建了国家中医药管理局中药资源循环利用重点研究室，近 7 年来，以不同形式组织开展全国性的中药资源生产与深加工产业化过程的循环利用与价值创新培训班（图 1-2-14）和学术推广共 20 余次，服务于行业高质量发展和区域精准扶贫，产生了良好的社会效益和影响力。

图 1-2-14　中药资源生产与深加工产业化过程的循环利用与价值创新培训班合影

凭借中药资源产业化过程循环利用模式与适宜技术的研究成果在我国 10 余省的 20 余家药材生产及深加工企业推广应用中取得的突出成效，"中药资源产业化过程循环利用模式与适宜技术体系创建及其推广应用"项目荣获国家科学技术进步奖二等奖，于 2018 年获得江苏省科技进步一

等奖、陕西省科技进步一等奖。相关研究成果还获得中国循环经济协会 2019 年科学技术奖一等奖，这是中医药行业在该领域的第一个标志性成果。

五、研融于教，中药资源调查研究项目实施过程显著提升了江苏中药资源学学科建设水平和人才团队实力

项目实施过程中研教融合，通过中药资源普查队老中青结合、本科生课程实践与普查项目研究有机融合、中药资源调查研究成果转化为教学资源等方法，创新中药资源人才培养模式，重构了专业人才培养实践体系，编制了中药资源与开发等专业系列教材，显著提升了中药资源人才培养质量及中药学学科建设水平。

（一）注重项目顶层设计，考量队伍年龄和知识结构，实现老中青结合传帮带，组建了一支中药资源普查专业化团队

以国家战略与行业需求为导向，创新中药资源现代人才教育理念，强化中药资源人才的科研素养与专业技能。江苏中药资源普查工作技术负责人段金廒教授荣获了全国中医药杰出贡献奖、首届国家中医药领军人才支持计划"岐黄学者"称号，吴啟南教授、郭盛副教授分别荣获了中国自然资源学会"全国优秀科技工作者"荣誉称号；青年教师晋升高一级职称 15 人次，获得各类人才计划 7 人次，邹立思、严辉连续获得国家中医药管理局中药资源管理人才研修班"优秀学员"称号。培养中药资源普查专业技术人员 400 余人，为该领域储备了一批高层次专业人才。

（二）本科生课程实践与普查项目研究有机融合，重构了中药资源专业人才培养体系

率先提出并创建了研融于教的"4+3+4"中药资源人才培养体系，学生全程参与中药资源普查技术培训、野外普查、腊叶标本制作等活动，将普查过程中遇到的科学问题转化为科研项目，重构中药资源专业人才培养实践体系。指导学生申请获得大学生创新计划项目 30 余项，指导研究生及本科生获省部级以上创新创业奖励 7 项，实现"懂传承，善创新，重保护，会利用，通资源"的中药资源人才培养目标。段金廒教授牵头完成的"'研融于教'，面向国家战略的中药资源人才培养体系的构建与实践"教学成果获得 2017 年江苏省教学成果奖二等奖。相关工作也为南京中医药大学中药学入选及建设"双一流"学科做出突出贡献。

（三）中药资源普查研究成果转化为教学资源，编制了中药资源与开发等专业系列教材

南京中医药大学将科研成果转化为虚拟仿真教学内容，形成科研平台与教学平台互通共用的育人培才支撑条件，自主开发"中药资源与鉴定虚拟仿真实验教学系统"虚拟仿真实验平台，成功获批为中药学类国家级虚拟仿真实验教学中心建设点，有效保证了中药资源人才科研素养和技能提升。2017 年，江苏中药资源普查工作技术负责人段金廒教授、吴啟南教授被人民卫生出版社

分别聘为教材建设指导委员会主任委员和秘书长，负责指导编撰全国高等院校中药资源与开发等3个专业的国家卫生和计划生育委员会"十三五"系列规划教材。此外，南京中医药大学组织举办系列教材师资培训研讨班，来自我国52所医药院校的145名教师参加了培训。依托第四次中药资源普查，江苏建成了江苏药用植物重点物种保存圃，引种栽培了500余种区域特色药用植物，完成了525种重点药用植物品种二维码信息联网，为药用植物学、药用植物栽培学、中药学、中药资源与开发综合实验等专业课程提供了便利的实践教学条件。

【参考文献】

[1] 中国科学院植物研究所南京中山植物园药用植物组. 江苏省植物药材志[M]. 北京：科学出版社，1959.

[2] 南京药学院. 江苏药材志[M]. 江苏：江苏人民出版社，1965.

[3] 江苏省人民政府办公厅. 江苏省中医药发展战略规划（2016—2030年）[EB/OL].（2017-04-21）［2023-09-19］. http://www.jiangsu.gov.cn/art/2017/4/21/ art_46482_2557541.html.

[4] 王国强. 中国中药资源发展报告（2017）[M]. 北京：中国医药科技出版社，2018.

[5] 黄璐琦. 中国中药资源发展报告（2018）[M]. 北京：中国医药科技出版社，2019.

[6] 黄璐琦，孙丽英，张小波，等. 全国中药资源普查（试点）工作进展情况简介[J]. 中国中药杂志，2017，42（22）：4256-4261.

[7] 程蒙，杨光，李颖，等.《中国中药资源发展报告》简述[J]. 中国食品药品监管，2020（1）：4-11.

[8] 黄璐琦，陆建伟，郭兰萍，等. 第四次全国中药资源普查试点外业调查情况简报[J]. 中国现代中药，2013，15（7）：535-537.

[9] 黄璐琦，陆建伟，郭兰萍，等.第四次全国中药资源普查方案设计与实施[J]. 中国中药杂志，2013，38（5）：625-628.

[10] 黄璐琦，赵润怀，陈士林，等. 第四次全国中药资源普查筹备与试点工作进展[J]. 中国现代中药，2012，14（1）：13-15.

[11] 李颖，黄璐琦，张小波，等. 中药材种子种苗繁育基地建设进展概况[J]. 中国中药杂志，2017，42（22）：4262-4265.

[12] 阙灵，杨光，黄璐琦，等. 中药资源评估技术指导原则解读[J]. 中成药，2019，41（1）：220-224.

[13] 黄璐琦，张小波. 全国中药资源普查的信息化工作[J]. 中国中药杂志，2017，42（22）：4251-4255.

[14] 赵润怀，周莹.力强宏观调控　促进中药产业健康发展——访中国工程院院士肖培根[J].中药研究与信息，2003，5（5）：5-6.

[15] 赵润怀. 中药材GAP工作的最新进展[J]. 中药研究与信息，2000（9）：4-5.

[16] 张小波，李梦，王慧，等. 全国中药资源普查中位置信息获取和共享应用设计[J]. 中国中药杂志，2017，42（22）：4271-4276.

[17] 成功，黄璐琦，薛达元，等. 中药资源传统知识调查基本程序与关键技术方法[J]. 中国中药杂志，2014，39（24）：4728-4731.

[18] 刘启新. 江苏植物志[M]. 南京：江苏凤凰科学技术出版社，2015.

[19] 钱士辉，段金廒，杨念云，等. 江苏省中药资源与生产现状[J]. 中药研究与信息，2001（12）：20-23.

[20] 钱士辉，段金廒，杨念云，等.江苏省地产地道中药资源的生产现状与开发利用(下)[J].中国野生植物资源，2002（2）：12-17.

[21] 钱士辉，段金廒，杨念云，等.江苏省地产地道中药资源的生产现状与开发利用(上)[J].中国野生植物资源，2002（1）：35-40.

[22] 段金廒，钱士辉，史发枝，等．江苏省中药资源生产发展战略研究 [J]．世界科学技术—中药现代化，2001，3（6）：42-45，81．

[23] 陈科．江苏省中药资源普查工作收获颇大 [J]．中草药，1987，18（11）：4．

[24] 周伟，刘启新，宋春凤，等．中国岩风属一新种——老山岩风 [J]．植物资源与环境学报，2015，24（3）：107-108．

[25] 严辉，郭盛，段金廒，等．适宜于我国东部沿海地区水生、耐盐药用生物资源调查方法技术的探讨与实践 [J]．中国现代中药，2015，17（7）：637-645．

[26] 刘睿，严辉，段金廒，等．洪泽湖区域湿地及人工水体类型中药资源适宜调查方法的探索与建议 [J]．中国中药杂志，2016，41（16）：2975-2980．

[27] 张兴德，陈建伟，吴健，等．基于空间分层随机抽样的平原地区（江苏省启东市）中药资源普查 [J]．中国现代中药，2017，19（11）：1582-1588．

[28] 吴啟南，郝振国，段金廒，等．基于多源卫星遥感影像的水生药材芡实遥感监测方法研究 [J]．世界科学技术—中医药现代化，2017，19（11）：1787-1793．

[29] 严辉，郭盛，段金廒，等．江苏地区外来入侵植物及其资源化利用现状与应对策略 [J]．中国现代中药，2014，16（12）：961-970，984．

[30] 严辉，刘圣金，张小波，等．我国药用矿物资源调查方法的探索与建议 [J]．中国现代中药，2019，21（10）：1293-1299．

[31] 段金廒．中药废弃物的资源化利用 [M]．北京：化学工业出版社，2013．

[32] 段金廒．中药资源化学：理论基础与资源循环利用 [M]．北京：科学出版社，2015．

[33] 段金廒，郭盛，唐志书，等．中药资源循环利用模式构建及产业化示范 [J]．江苏中医药，2019，51（3）：1-5．

[34] 段金廒，唐志书，吴啟南，等．中药资源产业化过程循环利用适宜技术体系创建及其推广应用 [J]．中国现代中药，2019，21（1）：20-28．

[35] 高静，唐于平，张丽，等．中药学硕士专业学位研究生培养模式改革实践与研究 [J]．中国中医药现代远程教育，2017，15（11）：34-37．

[36] 王梅．秦岭"七药"植物中的珍稀濒危植物研究 [J]．中国园艺文摘，2014，30（8）：217-218．

[37] 王梅．秦岭"七药"植物资源及其地理分布格局研究 [D]．咸阳：西北农林科技大学，2014．

[38] 唐欣时，杨丁铭，朱开贤．宽萼岩风挥发油的 GC-MS 分析 [J]．中国中药杂志，1992（1）：40-42，65．

第三章

江苏省中药资源概况

资源是人类赖以生存与发展的物质基础，中药资源为中华民族的发展提供了不可或缺的重要战略物资。随着人口不断增长、生态环境改变，以及国内外经济社会的不断发展和人民对健康需求的日益提升，依赖于自然资源供给中药资源性物质的时代或许一去不复返了。通过占有本就十分短缺的耕地和水资源等生产要素进行药用生物资源人工生产已成为满足当前与日俱增的市场需求的主要方式。面对新问题、新征程，各级政府都在谋划中医药事业与中药资源产业可持续发展的重大战略性部署，协调平衡高质量绿色发展的资源经济产业结构和动力形成机制。江苏处于经济社会快速发展的阶段，提出了健康江苏的人口福利和大健康产业支撑发展的战略目标，以及中药资源的保护与利用、资源产业发展模式和生产方式的调整优化等发展规划，我们相信，江苏第四次中药资源普查的成果必将发挥应有的作用和价值。江苏中药资源普查工作是全国整体性任务的一部分，也将为国家中医药事业和产业的发展布局做出应有的贡献。

第一节　江苏省中药资源分布概况

江苏位于水平气候带，也处于海陆气候的过渡地带，具有温暖湿润、四季分明的气候特点，这种气候既有利于自然界植物的繁殖和演替，也有利于南北植物属种的交流。因此江苏的中药资源既有温带、暖温带的属种，又有不少亚热带的属种，并根据江苏地形地貌、土壤、植被、水文及生态环境条件等呈现出一定的分布特点。

一、江苏中药资源区域分布

（一）低山丘陵区

江苏低山、丘陵及岗地面积约1.52万km²，仅占全省总面积的14.3%，主要包括西南低山丘陵区、东北低山丘陵区及太湖沿湖低山丘陵区，是全省中药资源品种分布较集中的区域。

1. 西南低山丘陵区

本区北起盱眙，南至宜溧山地，位于北亚热带与中亚热带2个生物气候带，其植被属于北亚热带落叶阔叶与常绿阔叶混交林类型和亚热带常绿阔叶林类型。本区既是江苏主要低山丘陵区，也是江苏野生药材的主要产地。

按地貌类型、气候特点、地理位置等特征，本区又分为仪、六、浦、盱丘陵，老山山脉，宁镇—茅山低山丘陵及宜溧低山丘陵。由于仪、六、浦、盱丘陵和宁镇—茅山低山丘陵均处于北亚热带地区，所分布的药用植物、动物种类也大致相同，主要有桔梗、苍术、明党参、夏枯草、草乌、孩儿参、蜈蚣等；但位于长江以北的仪、六、浦、盱丘陵尚分布有一些省境其他地区未见的种类，如盱眙的知母、小叶锦鸡儿等。宜溧低山丘陵地处亚热带，以其得天独厚的自然条件和地理位置成为江苏植物种类最丰富的地区，分布有较多的亚热带药用植物，如白花蛇舌草、绞股蓝、七叶一枝花、淡竹叶、青藤等。

2. 东北低山丘陵区

本区包括江苏东北部由鲁南山脉南延入境的低山丘陵和西北部徐州一带孤岛状分布的石灰岩残丘，地处暖温带，其植被为暖温带湿润气候下的落叶阔叶林和暖温带半湿润气候下的半干旱落叶阔叶林。

由于海洋气候的影响，位于东北海岸的云台山植物种类繁多，拥有不少亚热带种类，植物种类数量仅次于江苏植物种类最为复杂、丰富的宜溧低山丘陵，由于云台山的植物在暖温带地区呈孤岛状分布，因此其类型与邻近地区截然不同；就药用植物资源分布来看，云台山兼有南北方种类分布，主要的药用植物有桔梗、百部、酸枣、枫香树、紫草、野山楂等。位于江苏西北徐州一带的低山丘陵地区距离海洋较远，大陆性气候特征明显，其植物种类较为贫乏，但就药用植物种类分析，有不少北方种类在此分布，主要的药用植物有酸枣、侧柏、茵陈、枸杞、地榆等，主要的药用动物有全蝎等。

3. 太湖沿湖低山丘陵区

本区因位于太湖沿岸，受水体的作用，是江苏水热资源条件最为优越的地区，具有多种亚热带药用植物、动物及矿物，以小药材种类为特色，特产药材有凌霄花、大将军、紫石英、寒水石、无名异等。

（二）滩涂浅海区

江苏沿海滩涂处于由陆向海的过渡区域，高潮滩、中潮滩、低潮滩、浅海水域滩涂的含盐量依次增加，形成耐盐至盐生植物过渡区，潮间带主要分布着适应涨落潮环境的植物、动物，潮下带常年不露滩，生长有浅海生物。江苏沿海滩涂南北虽跨北亚热带和暖温带 2 个生物气候带，但受海洋气候影响，品种差异不大，主要在数量密度上差异明显。中药资源分布特征主要表现为：淤泥质滩涂上主要分布有耐盐植物地肤、藜、芦苇、盐角草、补血草、白茅、枸杞、柽柳、罗布麻、茵陈、绶草、黄花蒿等；沙质滩涂上主要分布有野生北沙参、单叶蔓荆等；浅海药用动物资源较为丰富，浅海区又是广阔的渔场分布区，主要分布有尖海龙、日本海马、盘大鲍、无针乌贼、金乌贼、牡蛎、毛蚶、泥蚶、魁蚶、玳瑁等。

（三）江、河、湖、泊水域

江苏有辽阔的水域，河流纵横，湖泊众多，内陆水域面积达 1.74 万 km^2，所分布的药用植物、动物多具有水生或湿生的生态习性，如莲、芡实、蒲黄、泽泻、芦苇、黑三棱、白茅、水蛭、龟、鳖等。

（四）平原区

江苏以平原为主体，平原面积达 7 万 km²，占全省面积的 70% 以上。江苏平原区南北所跨气候带的差异引起水、热条件的变化，进而影响植物种类分布情况，由南向北植物种类逐渐增多且组成渐趋复杂。近年来，江苏平原地区大部分已被垦殖或用于工业化建设，在残存的荒滩、荒地、宅边、路旁及田埂边多生长草本类药材，主要的植物类药材有蒲公英、马齿苋、紫花地丁、半枝莲、车前等，主要的动物类药材有蟾酥、蝉蜕、地鳖虫、僵蚕等。

（五）城镇、庭园绿化区

部分药用植物兼具园林绿化装饰功能，在城镇、庭园绿化过程中，兼顾林药结合、花药结合的园林绿化和庭园建设，也增加了不少中药资源，如南京浦口老山和盐城射阳种植的杜仲林，城镇绿化种植的女贞、香樟、槐、银杏、无患子、合欢、苦楝等均提供了数量可观的药用资源。

二、江苏中药资源种类概况

江苏第四次中药资源普查结果显示，江苏有药用植物资源 1 822 种，涉及 192 科、850 属，其中水生药用植物 220 种，耐盐药用植物 116 种；药用动物资源 401 种；药用矿物资源 66 种。

（一）植物类中药资源

江苏药用植物有 1 822 种。其中藻类低等植物有 2 种，属 2 科、2 属；菌类低等植物有 11 种，属 5 科、8 属；苔藓类、蕨类、种子植物类高等植物有 1 809 种，分属 189 科、840 属。（表 1-3-1）

表 1-3-1　江苏植物类中药资源科属分布情况

序号	科名	属名	序号	科名	属名
1	念珠藻科	念珠藻属	16	木贼科	木贼属
2	双星藻科	水绵属	17	瓶尔小草科	瓶尔小草属
3	虫草科	棒束孢属	18		阴地蕨属
4	灵芝科	灵芝属	19	紫萁科	紫萁属
5		秃马勃属	20	里白科	芒萁属
6	蘑菇科	鬼伞属	21	海金沙科	海金沙属
7		毛球马勃属	22		姬蕨属
8		马勃属	23	碗蕨科	鳞盖蕨属
9	木耳科	木耳属	24		蕨属
10	羊肚菌科	羊肚菌属	25	鳞始蕨科	乌蕨属
11	地钱科	地钱属	26		水蕨属
12	葫芦藓科	葫芦藓属	27		凤了蕨属
13	金发藓科	小金发藓属	28	凤尾蕨科	金粉蕨属
14		金发藓属	29		凤尾蕨属
15	羽藓科	小羽藓属	30		铁线蕨属

续表

序号	科名	属名	序号	科名	属名
31		安蕨属	73		山核桃属
32	蹄盖蕨科	蹄盖蕨属	74	胡桃科	胡桃属
33		对囊蕨属	75		化香树属
34		毛蕨属	76		枫杨属
35	金星蕨科	针毛蕨属	77	杨梅科	杨梅属
36		金星蕨属	78		杨属
37		卵果蕨属	79	杨柳科	柳属
38	铁角蕨科	铁角蕨属	80		柞木属
39	乌毛蕨科	狗脊属	81		桤木属
40		复叶耳蕨属	82	桦木科	鹅耳枥属
41	鳞毛蕨科	贯众属	83		榛属
42		鳞毛蕨属	84	壳斗科	栗属
43		耳蕨属	85		栎属
44	肾蕨科	肾蕨属	86		糙叶树属
45	骨碎补科	骨碎补属	87	大麻科	大麻属
46		槲蕨属	88		朴属
47	水龙骨科	伏石蕨属	89		葎草属
48		瓦韦属	90		刺榆属
49		石韦属	91	榆科	榆属
50	蘋科	蘋属	92		榉属
51	槐叶蘋科	满江红属	93	杜仲科	杜仲属
52		槐叶蘋属	94		构属
53	苏铁科	苏铁属	95		水蛇麻属
54	银杏科	银杏属	96	桑科	榕属
55	卷柏科	卷柏属	97		橙桑属
56		雪松属	98		桑属
57	松科	松属	99		苎麻属
58		金钱松属	100		糯米团属
59		扁柏属	101	荨麻科	艾麻属
60		柳杉属	102		花点草属
61		杉木属	103		冷水花属
62		柏木属	104		雾水葛属
63	柏科	水松属	105		蓼属
64		刺柏属	106		拳参属
65		水杉属	107		荞麦属
66		侧柏属	108	蓼科	何首乌属
67		落羽杉属	109		萹蓄属
68	罗汉松科	竹柏属	110		虎杖属
69		罗汉松属	111		酸模属
70		三尖杉属	112	檀香科	百蕊草属
71	红豆杉科	红豆杉属	113	商陆科	商陆属
72		榧属	114	紫茉莉科	叶子花属

续表

序号	科名	属名	序号	科名	属名
115		紫茉莉属	156		含笑属
116	粟米草科	粟米草属	157	五味子科	冷饭藤属
117		毯粟草属	158		五味子属
118	马齿苋科	马齿苋属	159	蜡梅科	夏蜡梅属
119	土人参科	土人参属	160		蜡梅属
120	落葵科	落葵属	161		樟属
121		麦仙翁属	162		桂属
122		无心菜属	163		山胡椒属
123		卷耳属	164	樟科	木姜子属
124		蝇子草属	165		润楠属
125		石竹属	166		楠属
126	石竹科	石头花属	167		檫木属
127		孩儿参属	168		乌头属
128		漆姑草属	169		侧金盏花属
129		肥皂草属	170		银莲花属
130		牛漆姑属	171		铁线莲属
131		繁缕属	172		飞燕草属
132		牛膝属	173	毛茛科	翠雀属
133		莲子草属	174		獐耳细辛属
134		苋属	175		白头翁属
135		甜菜属	176		毛茛属
136		青葙属	177		天葵属
137		藜属	178		唐松草属
138		红叶藜属	179	芍药科	芍药属
139	苋科	麻叶藜属	180		小檗属
140		虫实属	181	小檗科	鬼臼属
141		腺毛藜属	182		十大功劳属
142		千日红属	183		南天竹属
143		沙冰藜属	184		木通属
144		猪毛菜属	185	木通科	八月瓜属
145		菠菜属	186		大血藤属
146		碱蓬属	187		野木瓜属
147		刺藜属	188		木防己属
148		仙人掌属	189	防己科	蝙蝠葛属
149	仙人掌科	木麒麟属	190		风龙属
150		仙人指属	191		千金藤属
151		鹅掌楸属	192	莼菜科	莼菜属
152		玉兰属	193	莲科	莲属
153	木兰科	北美木兰属	194	睡菜科	荇菜属
154		厚朴属	195	睡莲科	芡属
155		木莲属	196		睡莲属

续表

序号	科名	属名	序号	科名	属名
197	金鱼藻科	金鱼藻属	238		檵木属
198	三白草科	蕺菜属	239	蕈树科	枫香树属
199		三白草属	240		八宝属
200	胡椒科	草胡椒属	241		伽蓝菜属
201	金粟兰科	金粟兰属	242	景天科	瓦松属
202		马兜铃属	243		费菜属
203	马兜铃科	关木通属	244		景天属
204		细辛属	245	茶藨子科	茶藨子属
205	仙茅科	仙茅属	246	扯根菜科	扯根菜属
206	山茶科	山茶属	247		落新妇属
207		木荷属	248	虎耳草科	金腰属
208		红淡比属	249		虎耳草属
209	五列木科	柃属	250	绣球花科	溲疏属
210		厚皮香属	251		绣球属
211	金丝桃科	金丝桃属	252	海桐科	海桐属
212		紫堇属	253		龙牙草属
213	罂粟科	花菱草属	254		李属
214		博落回属	255		木瓜海棠属
215		罂粟属	256		木瓜属
216	白花菜科	醉蝶花属	257		山楂属
217		拟南芥属	258		蛇莓属
218		南芥属	259		枇杷属
219		芸薹属	260		白鹃梅属
220		荠属	261		草莓属
221		碎米荠属	262		棣棠花属
222		独行菜属	263		苹果属
223		播娘蒿属	264	蔷薇科	石楠属
224		花旗杆属	265		委陵菜属
225	十字花科	葶苈属	266		火棘属
226		芝麻菜属	267		梨属
227		糖芥属	268		鸡麻属
228		菘蓝属	269		蔷薇属
229		涩芥属	270		悬钩子属
230		豆瓣菜属	271		地榆属
231		诸葛菜属	272		珍珠梅属
232		萝卜属	273		花楸属
233		蔊菜属	274		绣线菊属
234		菥蓂属	275		小米空木属
235	悬铃木科	悬铃木属	276		合萌属
236	金缕梅科	蚊母树属	277	豆科	合欢属
237		牛鼻栓属	278		紫穗槐属

序号	科名	属名	序号	科名	属名
279		土圞儿属	320		野决明属
280		落花生属	321		车轴草属
281		黄耆属	322		野豌豆属
282		羊蹄甲属	323		豇豆属
283		云实属	324		紫藤属
284		菰子梢属	325		夏藤属
285		锦鸡儿属	326	酢浆草科	酢浆草属
286		紫荆属	327		牻牛儿苗属
287		山扁豆属	328	牻牛儿苗科	老鹳草属
288		斧荚豆属	329		天竺葵属
289		猪屎豆属	330	白刺科	白刺属
290		黄檀属	331	蒺藜科	蒺藜属
291		细蚂蟥属	332	亚麻科	亚麻属
292		野扁豆属	333		铁苋菜属
293		刺桐属	334		山麻秆属
294		皂荚属	335		石栗属
295		大豆属	336		大戟属
296		甘草属	337	大戟科	野桐属
297		米口袋属	338		白木乌桕属
298		长柄山蚂蟥属	339		蓖麻属
299		木蓝属	340		地构叶属
300		鸡眼草属	341		乌桕属
301		扁豆属	342		油桐属
302		山黧豆属	343		秋枫属
303		胡枝子属	344	叶下珠科	白饭树属
304		马鞍树属	345		算盘子属
305		苜蓿属	346		叶下珠属
306		草木樨属	347		柑橘属
307		含羞草属	348	芸香科	白鲜属
308		油麻藤属	349		吴茱萸属
309		小槐花属	350		花椒属
310		菜豆属	351	苦木科	臭椿属
311		蔓黄芪属	352		苦木属
312		豌豆属	353		米仔兰属
313		葛属	354	楝科	楝属
314		鹿藿属	355		香椿属
315		刺槐属	356	远志科	远志属
316		决明属	357		黄栌属
317		田菁属	358	漆树科	黄连木属
318		苦参属	359		盐麸木属
319		槐属	360		漆树属

续表

序号	科名	属名	序号	科名	属名
361		槭属	402		梵天花属
362	无患子科	七叶树属	403		瑞香属
363		栾属	404	瑞香科	草瑞香属
364		无患子属	405		结香属
365	清风藤科	泡花树属	406	胡颓子科	胡颓子属
366		清风藤属	407	堇菜科	堇菜属
367	凤仙花科	凤仙花属	408	柽柳科	柽柳属
368	冬青科	冬青属	409		盒子草属
369		南蛇藤属	410		冬瓜属
370	卫矛科	卫矛属	411		西瓜属
371		雷公藤属	412		黄瓜属
372	省沽油科	野鸦椿属	413		南瓜属
373		省沽油属	414		绞股蓝属
374	黄杨科	黄杨属	415	葫芦科	葫芦属
375		勾儿茶属	416		丝瓜属
376		枳椇属	417		苦瓜属
377		马甲子属	418		佛手瓜属
378	鼠李科	猫乳属	419		赤瓟属
379		裸芽鼠李属	420		栝楼属
380		鼠李属	421		马㼎儿属
381		雀梅藤属	422	秋海棠科	秋海棠属
382		枣属	423		水苋菜属
383		蛇葡萄属	424		紫薇属
384	葡萄科	乌蔹莓属	425	千屈菜科	千屈菜属
385		地锦属	426		石榴属
386		葡萄属	427		节节菜属
387	杜英科	杜英属	428		菱属
388		秋葵属	429	桃金娘科	红千层属
389		苘麻属	430		露珠草属
390		蜀葵属	431		柳叶菜属
391		田麻属	432	柳叶菜科	山桃草属
392		黄麻属	433		丁香蓼属
393		梧桐属	434		月见草属
394	锦葵科	棉属	435	小二仙草科	小二仙草属
395		扁担杆属	436		狐尾藻属
396		木槿属	437	蓝果树科	喜树属
397		黄槿属	438		珙桐属
398		锦葵属	439	山茱萸科	八角枫属
399		马松子属	440		山茱萸属
400		黄花棯属	441	丝缨花科	桃叶珊瑚属
401		椴属	442	五加科	楤木属

序号	科名	属名	序号	科名	属名
443		五加属	484	柿科	柿属
444		八角金盘属	485	安息香科	安息香属
445		常春藤属	486	山矾科	山矾属
446		天胡荽属	487		流苏树属
447		刺楸属	488		雪柳属
448		鹅掌柴属	489		连翘属
449		当归属	490		梣属
450		峨参属	491	木樨科	探春花属
451		芹属	492		素馨属
452		柴胡属	493		女贞属
453		积雪草属	494		木樨榄属
454		细叶芹属	495		木樨属
455		明党参属	496		丁香属
456		毒芹属	497	马钱科	蓬莱葛属
457		蛇床属	498		尖帽草属
458		芫荽属	499	龙胆科	龙胆属
459		鸭儿芹属	500		獐牙菜属
460		细叶旱芹属	501		罗布麻属
461	伞形科	胡萝卜属	502		秦岭藤属
462		茴香属	503		长春花属
463		岩风属	504		白前属
464		藁本属	505	夹竹桃科	鹅绒藤属
465		水芹属	506		夹竹桃属
466		香根芹属	507		杠柳属
467		山芹属	508		络石属
468		前胡属	509		娃儿藤属
469		茴芹属	510		蔓长春花属
470		变豆菜属	511		水团花属
471		防风属	512		拉拉藤属
472		泽芹属	513		栀子属
473		窃衣属	514		耳草属
474	杜鹃花科	杜鹃花属	515		蛇舌草属
475		越橘属	516	茜草科	鸡屎藤属
476		点地梅属	517		五星花属
477		紫金牛属	518		茜草属
478	报春花科	仙客来属	519		白马骨属
479		珍珠菜属	520		钩藤属
480		假婆婆纳属	521		打碗花属
481		蓝雪花属	522	旋花科	旋花属
482	白花丹科	补血草属	523		菟丝子属
483		白花丹属	524		马蹄金属

序号	科名	属名	序号	科名	属名
525		虎掌藤属	566		牡荆属
526		鱼黄草属	567		辣椒属
527		斑种草属	568		曼陀罗属
528		厚壳树属	569		枸杞属
529		紫草属	570		茄属
530	紫草科	聚合草属	571	茄科	假酸浆属
531		盾果草属	572		烟草属
532		紫丹属	573		矮牵牛属
533		附地菜属	574		酸浆属
534	马鞭草科	马缨丹属	575		洋酸浆属
535		马鞭草属	576		山罗花属
536		藿香属	577		鹿茸草属
537		筋骨草属	578	列当科	松蒿属
538		紫珠属	579		地黄属
539		四棱草属	580		阴行草属
540		大青属	581	母草科	陌上菜属
541		风轮菜属	582		蝴蝶草属
542		鞘蕊花属	583	泡桐科	泡桐属
543		香薷属	584	通泉草科	通泉草属
544		小野芝麻属	585	玄参科	醉鱼草属
545		活血丹属	586		玄参属
546		香茶菜属	587	紫葳科	凌霄属
547		夏至草属	588		梓属
548		野芝麻属	589		十万错属
549		薰衣草属	590		水蓑衣属
550	唇形科	益母草属	591	爵床科	爵床属
551		地笋属	592		观音草属
552		鼠尾草属	593		马蓝属
553		薄荷属	594	芝麻科	芝麻属
554		美国薄荷属	595	苦苣苔科	半蒴苣苔属
555		石荠苎属	596		水马齿属
556		罗勒属	597		毛地黄属
557		牛至属	598		石龙尾属
558		紫苏属	599	车前科	车前属
559		豆腐柴属	600		婆婆纳属
560		夏枯草属	601		兔尾苗属
561		迷迭香属	602	透骨草科	透骨草属
562		黄芩属	603		糯米条属
563		水苏属	604	忍冬科	忍冬属
564		香科科属	605		败酱属
565		百里香属	606		毛核木属

序号	科名	属名	序号	科名	属名
607		缬草属	648		鳢肠属
608		锦带花属	649		一点红属
609		六道木属	650		白酒草属
610		接骨木属	651		泽兰属
611		荚蒾属	652		大吴风草属
612		沙参属	653		天人菊属
613		党参属	654		牛膝菊属
614	桔梗科	半边莲属	655		茼蒿属
615		袋果草属	656		鼠曲草属
616		桔梗属	657		合冠鼠曲属
617		蓝花参属	658		湿鼠曲草属
618		蓍属	659		菊三七属
619		和尚菜属	660		向日葵属
620		藿香蓟属	661		泥胡菜属
621		兔儿风属	662		旋覆花属
622		豚草属	663		小苦荬属
623		香青属	664		苦荬菜属
624		春黄菊属	665		莴苣属
625		牛蒡属	666		稻槎菜属
626		蒿属	667		大丁草属
627		紫菀属	668		橐吾属
628		苍术属	669		母菊属
629		雏菊属	670		假福王草属
630		鬼针草属	671		蜂斗菜属
631		金盏花属	672		毛连菜属
632	菊科	飞廉属	673		金光菊属
633		天名精属	674		风毛菊属
634		红花属	675		蛇鸦葱属
635		矢车菊属	676		鸦葱属
636		石胡荽属	677		千里光属
637		菊属	678		虾须草属
638		菊苣属	679		豨莶属
639		蓟属	680		水飞蓟属
640		飞蓬属	681		蒲儿根属
641		金鸡菊属	682		包果菊属
642		秋英属	683		一枝黄花属
643		野茼蒿属	684		苦苣菜属
644		假还阳参属	685		甜叶菊属
645		大丽花属	686		联毛紫菀属
646		松果菊属	687		兔儿伞属
647		蓝刺头属	688		万寿菊属

序号	科名	属名	序号	科名	属名
689		蒲公英属	730		丝兰属
690		狗舌草属	731	沼金花科	肺筋草属
691		碱菀属	732	百部科	百部属
692		女菀属	733		葱属
693		苍耳属	734		君子兰属
694		黄鹌菜属	735		朱顶红属
695		百日菊属	736	石蒜科	水鬼蕉属
696	猕猴桃科	猕猴桃属	737		石蒜属
697	泽泻科	泽泻属	738		水仙属
698		慈姑属	739		葱莲属
699	花蔺科	花蔺属	740	薯蓣科	薯蓣属
700		黑藻属	741	雨久花科	凤眼莲属
701	水鳖科	水鳖属	742		雨久花属
702		苦草属	743		射干属
703	眼子菜科	眼子菜属	744		雄黄兰属
704		篦齿眼子菜属	745	鸢尾科	番红花属
705		芦荟属	746		唐菖蒲属
706	阿福花科	山菅兰属	747		鸢尾属
707		萱草属	748	灯心草科	灯心草属
708	菝葜科	菝葜属	749		地杨梅属
709		老鸦瓣属	750		鸭跖草属
710		大百合属	751		水竹叶属
711	百合科	贝母属	752	鸭跖草科	杜若属
712		百合属	753		紫露草属
713		油点草属	754	谷精草科	谷精草属
714		郁金香属	755		看麦娘属
715	藜芦科	重楼属	756		黄花茅属
716	秋水仙科	万寿竹属	757		荩草属
717		龙舌兰属	758		野古草属
718		知母属	759		芦竹属
719		天门冬属	760		燕麦属
720		蜘蛛抱蛋属	761		簕竹属
721		绵枣儿属	762	禾本科	茵草属
722		吊兰属	763		孔颖草属
723	天门冬科	玉簪属	764		雀麦属
724		山麦冬属	765		拂子茅属
725		舞鹤草属	766		薏苡属
726		沿阶草属	767		蒲苇属
727		黄精属	768		香茅属
728		吉祥草属	769		狗牙根属
729		万年青属	770		马唐属

续表

序号	科名	属名	序号	科名	属名
771		稗属	811		小麦属
772		穇属	812		玉蜀黍属
773		披碱草属	813		菰属
774		画眉草属	814		结缕草属
775		蜈蚣草属	815	棕榈科	棕榈属
776		野黍属	816	菖蒲科	菖蒲属
777		大麦属	817		海芋属
778		白茅属	818		魔芋属
779		箬竹属	819		天南星属
780		柳叶箬属	820		芋属
781		鸭嘴草属	821	天南星科	浮萍属
782		千金子属	822		半夏属
783		黑麦草属	823		大藻属
784		淡竹叶属	824		紫萍属
785		虎尾草属	825		犁头尖属
786		臭草属	826	香蒲科	黑三棱属
787		芒属	827		香蒲属
788		求米草属	828		三棱草属
789		稻属	829		球柱草属
790		黍属	830		薹草属
791		雀稗属	831		莎草属
792		狼尾草属	832		荸荠属
793		显子草属	833	莎草科	飘拂草属
794		蔄草属	834		水蜈蚣属
795		梯牧草属	835		扁莎属
796		芦苇属	836		萤蔺属
797		刚竹属	837		水葱属
798		苦竹属	838		珍珠茅属
799		早熟禾属	839	芭蕉科	芭蕉属
800		棒头草属	840		地涌金莲属
801		假硬草属	841		姜黄属
802		甘蔗属	842	姜科	姜花属
803		囊颖草属	843		姜属
804		裂稃草属	844	美人蕉科	美人蕉属
805		狗尾草属	845		白及属
806		高粱属	846		独花兰属
807		大油芒属	847	兰科	隔距兰属
808		鼠尾粟属	848		石斛属
809		菅属	849		蝴蝶兰属
810		锋芒草属	850		绶草属

种子植物药用种类有 1 734 种，分属 166 科、798 属，见表 1-3-2。89% 的药用裸子植物属于针叶树种，最主要的为柏科，有 9 属、13 种，其次为松科，有 3 属，9 种，卷柏科和红豆杉科各有 5 种。被子植物中，含有药用植物种类最多的科所含种数达 167 种，最少者仅含 1 种，含 10 种以上的有 45 科，排在前 10 位的科见表 1-3-3。

表 1-3-2　药用苔藓、蕨类、种子植物分类统计

类别	科数	属数	种数
苔藓植物	4	5	5
蕨类植物	19	38	70
裸子植物	7	19	36
被子植物	159	778	1 698
双子叶植物	128	622	1 403
单子叶植物	31	156	295

表 1-3-3　药用被子植物大科统计

科名	属数	种数
菊科	78	167
豆科	50	114
蔷薇科	23	98
禾本科	60	91
唇形科	31	77
莎草科	11	41
蓼科	7	40
十字花科	18	36
毛茛科	11	36
伞形科	25	35

江苏境内海岸线长，是我国海岸滩涂资源较为丰富的省份，且湖泊众多，水网纵横，水生、耐盐药用植物资源较为丰富。该类药用资源也是江苏极富地域生态特点的优势药材资源。据调查，江苏共有水生药用植物 220 种、耐盐药用植物 116 种，其中不乏一些常用、重要的中药资源品种。资源储量大且具有一定优势的特色水生药用植物资源主要有芡实、莲、黑三棱、东方香蒲、泽泻、灯心草、芦苇等，耐盐药用植物资源主要有菊、蒲公英、益母草、罗布麻、牛皮消、浙贝母、栝楼、延胡索、珊瑚菜、枸杞等。这些特色药用资源的产业布局可在江苏区域农业产业结构调整及乡村振兴中发挥重要作用。

《江苏省珍稀濒危药用植物名录》(表 1-3-4) 是基于江苏第四次中药资源普查结果，依据《中国物种红色名录》、《濒危野生动植物种国际贸易公约》（CITES）附录、《世界自然保护联盟濒危物种红色名录》（《IUCN 红色名录》）、《中国珍稀濒危药用植物资源调查》等国内外及行业权威发布的珍稀濒危目录统计分析、遴选编辑而成，以期为制定精准有效的中药资源保护与利用策略和实施办法提供基本参考和依据。

据初步统计，江苏珍稀濒危药用植物共计 113 种（含种下分类等级），隶属 46 科。目前已有标本记录的有 67 种。收载于《中华人民共和国药典》的共计 29 种（其他收载于《中华本草》或《中国中药资源志要》）。收载于《国家重点保护野生药材物种名录》的共计 10 种，均属于 III 级保护品种。收载于《国家重点保护野生植物名录》的共计 41 种，属于第一批名录一级保护的有 1 种，属于二级保护的有 12 种；属于第二批名录（讨论稿）一级保护的有 3 种，属于二级保护的有 25 种。收载于 CITES 附录的共计 32 种，均收载于附录 II。收载于《IUCN 红色名录》的共计 54 种，其中极危 2 种，濒危 4 种，易危 16 种，近危 18 种。收载于受威胁物种信息数据库的共计 24 种。收载于极小种群（狭域分布）保护物种数据库的 1 种。中国特有植物共计 25 种。收载于《中国生物多样性红色名录——高等植物卷》的共计 35 种。收载于《中国植物红皮书》的共计 7 种。收载于《中国物种红色名录》的共计 43 种。收载于《中国珍稀濒危保护植物名录（第一册）》的共计 10 种，其中 I 级 1 种，II 级 4 种，III 级 5 种。收载于《中国珍稀濒危药用植物资源调查》的共计 14 种，其中二级 2 种，三级 1 种，珍稀类 11 种。收载于《国家珍贵树种名录》的共计 2 种，分属于一级和二级。收载于《进出口野生动植物种商品目录》的共计 7 种。江苏省级珍稀植物共计 11 种（表 1-3-4）。

表 1-3-4 江苏珍稀濒危药用植物名录

中文名	拉丁学名	科名	《国家重点保护野生药材物种名录》	《国家重点保护野生植物名录》	CITES附录	《IUCN红色名录》	受威胁物种信息数据库	极小种群（狭域分布）保护物种数据库	中国特有植物	《中国生物多样性红色名录——高等植物卷》	《中国植物红皮书》	《中国物种红色名录》	《中国珍稀濒危保护植物名录（第一册）》	《中国珍稀濒危药用植物资源调查》	《国家珍贵树种名录》	《进出口野生动植物种商品名录》	江苏省级珍稀植物
蛇足石杉	Huperzia serrata	石杉科	二级			EN	√			√				二级			
狭叶瓶尔小草	Ophioglossum thermale	瓶尔小草科											Ⅲ级				
水蕨	Ceratopteris thalictroides	水蕨科		二级		VU	√			√	√					√	
全缘贯众	Cyrtomium falcatum	鳞毛蕨科			II	VU	√			√							
骨碎补	Davallia mariesii	骨碎补科				NT				√							
石韦	Pyrrosia lingua	水龙骨科												珍稀类			
有柄石韦	Pyrrosia petiolosa	水龙骨科												珍稀类			
赤松	Pinus densiflora	松科										√					
金钱松	Pseudolarix amabilis	松科		二级		VU	√		√	√	√	√	Ⅱ级				
杉木	Cunninghamia lanceolata	杉科							√			√					
圆柏	Juniperus chinensis	柏科										√					
刺柏	Juniperus formosana	柏科							√	√		√					
粗榧	Cephalotaxus sinensis	三尖杉科				NT			√	√		√					√
青檀	Pteroceltis tatarinowii	榆科							√		√		Ⅰ级				
大果榉	Zelkova sinica	榆科							√								√
大叶榉树	Zelkova schneideriana	榆科		二级	II	NT											
金荞麦	Fagopyrum dibotrys	蓼科		二级	II	LC										√	
天目木兰	Magnolia amoena	木兰科											Ⅲ级				

续表

中文名	拉丁学名	科名	《国家重点保护野生药材物种名录》	《国家重点保护野生植物名录》	CITES 附录	《IUCN 红色名录》	受威胁物助信息数据库	极小种群（狭分布）保护物种数据库	中国特有植物	《中国生物多样性红色名录—高等植物卷》	《中国植物红皮书》	《中国物种红色名录》	《中国珍稀濒危保护植物名录（第一册）》	《珍稀濒危药用植物资源调查》	《国家珍贵树种名录》	《进出口野生动植物种商品名录》	江苏省省级珍稀植物
华中五味子	*Schisandra sphenanthera*	木兰科	Ⅲ级			NT				√							
樟	*Cinnamomum camphora*	樟科		二级		LC											
薄叶润楠	*Machilus leptophylla*	樟科															√
毛萼铁线莲	*Clematis hancockiana*	毛茛科				NT			√	√							
华东唐松草	*Thalictrum fortunei*	毛茛科				NT			√	√							
莼菜	*Brasenia schreberi*	睡莲科		一级	II	CR	√			√							
萍蓬草	*Nuphar pumilum*	睡莲科		二级	II	VU	√			√							
杜衡	*Asarum forbesii*	马兜铃科				NT			√	√							
细辛	*Asarum sieboldii*	马兜铃科	Ⅲ级			VU	√			√							
软枣猕猴桃	*Actinidia arguta*	猕猴桃科		二级		LC											
中华猕猴桃	*Actinidia chinensis*	猕猴桃科		二级					√								
狗枣猕猴桃	*Actinidia kolomikta*	猕猴桃科		二级		LC											
小叶猕猴桃	*Actinidia lanceolata*	猕猴桃科		二级		VU	√		√	√							
大籽猕猴桃	*Actinidia macrosperma*	猕猴桃科		二级					√								
葛枣猕猴桃	*Actinidia polygama*	猕猴桃科		二级		LC											
对萼猕猴桃	*Actinidia valvata*	猕猴桃科		二级		NT			√								

续表

中文名	拉丁学名	科名	《国家重点保护野生药材物种名录》	《国家重点保护野生植物名录》	CITES附录	《IUCN红色名录》	极小种群（狭域分布）受威胁物种信息数据库	中国特有植物数据库	《中国生物多样性红色名录—高等植物卷》	《中国植物红皮书》	《中国物种红色名录》	《中国珍稀濒危植物保护名录（第一册）》	《中国珍稀濒危药用植物资源调查》	《国家珍贵树种名录》	《进出口野生动植物种商品名录》	江苏省省级珍稀珍贵植物
延胡索	Corydalis yanhusuo	罂粟科				VU	√		√							
牛鼻栓	Fortunearia sinensis	金缕梅科				VU	√	√	√							
垂丝海棠	Malus halliana	蔷薇科									√					
湖北海棠	Malus hupehensis	蔷薇科									√					
海棠花	Malus spectabilis	蔷薇科									√					
单瓣缫丝花	Rosa roxburghii	蔷薇科				NT		√	√							
翅荚香槐	Cladrastis platycarpa	豆科														√
黄檀	Dalbergia hupeana	豆科			II	NT										
野大豆	Glycine soja	豆科		二级	II			√				Ⅲ级				
吴茱萸	Euodia rutaecarpa	芸香科														
椿叶花椒	Zanthoxylum ailanthoides	芸香科											珍稀类			√
西伯利亚远志	Polygala sibirica	远志科	Ⅲ级								√					
远志	Polygala tenuifolia	远志科	Ⅲ级								√					
三角槭	Acer buergerianum	槭树科									√					
青榨槭	Acer davidii	槭树科									√					
建始槭	Acer henryi	槭树科									√					
红柴枝	Meliosma oldhamii	清风藤科														√
雷公藤	Tripterygium wilfordii	卫矛科											珍稀类			
枳椇	Hovenia acerba	鼠李科														√
糯米椴	Tilia henryana	椴树科														√

续表

中文名	拉丁学名	科名	《国家重点保护野生药材物种名录》	《国家重点保护野生植物名录》	CITES附录	《IUCN红色名录》	受威胁物种信息数据库	极小种群（狭域分布）保护物种数据库	中国特有植物	《中国生物多样性红色名录——高等植物卷》	《中国植物红皮书》	《中国物种红色名录》	《中国珍稀濒危保护植物名录（第一册）》	《中国珍稀濒危药用植物资源调查》	《国家珍贵树种名录》	《进出口野生动植物种商品名录》	江苏省省级珍稀植物
南京椴	*Tilia miqueliana*	椴树科			II	VU	✓			✓							✓
野菱	*Trapa incisa*	菱科		二级		DD											
喜树	*Camptotheca acuminata*	蓝果树科		二级		LC		✓	✓								✓
蓝果树	*Nyssa sinensis*	蓝果树科							✓								✓
刺楸	*Kalopanax septemlobus*	五加科													二级		
少花红柴胡	*Bupleurum scorzonerifolium*	伞形科				VU			✓	✓							
明党参	*Changium smyrnioides*	伞形科		二级		VU	✓		✓	✓	✓	✓	II级	二级			
珊瑚菜	*Glehnia littoralis*	伞形科		二级	II	CR	✓			✓	✓	✓	III级			✓	
泰山前胡	*Peucedanum wawrae*	伞形科				NT	✓		✓	✓							
马醉木	*Pieris japonica*	杜鹃花科										✓					
满山红	*Rhododendron mariesii*	杜鹃花科										✓					
羊踯躅	*Rhododendron molle*	杜鹃花科										✓					
迎红杜鹃	*Rhododendron mucronulatum*	杜鹃花科										✓					
马银花	*Rhododendron ovatum*	杜鹃花科										✓					
杜鹃	*Rhododendron simsii*	杜鹃花科										✓					

续表

中文名	拉丁学名	科名	《国家重点保护野生药材物种名录》	《国家重点保护野生植物名录》	CITES附录	《IUCN红色名录》	受威胁物种信息数据库	极小种群（狭域分布）保护物种数据库	中国特有植物	《中国生物多样性红色名录——高等植物卷》	《中国植物红皮书》	《中国物种红色名录》	《中国珍稀濒危保护植物名录（第一册）》	《中国珍稀濒危药用植物资源调查》	《国家珍贵树种名录》	《进出口野生动植物种商品名录》	江苏省级珍稀植物名录
江南越桔	*Vaccinium mandarinorum*	杜鹃花科										√					
条叶龙胆	*Gentiana manshurica*	龙胆科	III级				√										
龙胆	*Gentiana scabra*	龙胆科	III级														
香果树	*Emmenopterys henryi*	茜草科		二级					√				II级		一级		
白花蛇舌草	*Hedyotis diffusa*	茜草科												珍稀类			
紫草	*Lithospermum erythrorhizon*	紫草科	III级														
单叶蔓荆	*Vitex trifolia*	马鞭草科	III级														
夏枯草	*Prunella vulgaris*	唇形科	III级											珍稀类			
黄芩	*Scutellaria baicalensis*	唇形科	III级											三级			
忍冬	*Lonicera japonica*	忍冬科												珍稀类			
黄花蒿	*Artemisia annua*	菊科												珍稀类			
苍术	*Atractylodes lancea*	菊科												珍稀类			
芦荟	*Aloe vera*	百合科			II											√	
天门冬	*Asparagus cochinchinensis*	百合科	III级	二级	II						√	√	III级			√	
华重楼	*Paris polyphylla*	百合科				VU	√			√							
狭叶重楼	*Paris polyphylla*	百合科				NT				√							
多花黄精	*Polygonatum cyrtonema*	百合科				NT			√	√							
玉竹	*Polygonatum odoratum*	百合科							√					珍稀类			
安徽石蒜	*Lycoris anhuiensis*	石蒜科				EN	√		√	√							

续表

中文名	拉丁学名	科名	《国家重点保护野生药材物种名录》	《国家重点保护野生植物名录》	CITES附录	《IUCN红色名录》	受威胁动物信息数据库	极小种群（狭域分布）保护物种数据库	中国特有植物	《中国生物多样性红色名录—高等植物卷》	《中国植物红皮书》	《中国国物种红色名录》	《中国珍稀濒危保护植物名录（第一册）》	《中国珍稀濒危药用植物资源调查》	《国家珍贵树种名录》	《进出口野生动植物种商品名录》	江苏省级珍稀植物
江苏石蒜	*Lycoris houdyshelii*	石蒜科				VU	✓			✓							
长筒石蒜	*Lycoris longituba*	石蒜科				VU	✓		✓	✓							
盾叶薯蓣	*Dioscorea zingiberensis*	薯蓣科		二级	II	LC			✓	✓		✓					
香附子	*Cyperus rotundus*	莎草科												珍稀类			
无柱兰	*Amitostigma gracile*	兰科		二级	II							✓					
大花无柱兰	*Amitostigma pinguicula*	兰科		二级	II		✓					✓					
白及	*Bletilla striata*	兰科		二级	II	EN	✓					✓				✓	
虾脊兰	*Calanthe discolor*	兰科		二级	II	LC				✓		✓					
金兰	*Cephalanthera falcate*	兰科		二级	II						✓	✓					
独花兰	*Changnienia amoena*	兰科		二级	II	EN	✓		✓	✓	✓	✓	II级				
蜈蚣兰	*Cleisostoma scolopendrifolium*	兰科		二级	II							✓					
杜鹃兰	*Cremastra appendiculata*	兰科		二级	II	NT						✓					
建兰	*Cymbidium ensifolium*	兰科		一级	II	VU	✓			✓		✓				✓	
蕙兰	*Cymbidium faberi*	兰科		一级	II							✓					
春兰	*Cymbidium goeringii*	兰科		一级	II	VU	✓			✓		✓					
大花斑叶兰	*Goodyera biflora*	兰科		二级	II	NT				✓		✓					
斑叶兰	*Goodyera schlechtendaliana*	兰科		二级	II	NT				✓		✓					
裂瓣玉凤花	*Habenaria petelotii*	兰科		二级	II	DD						✓					
密花舌唇兰	*Platanthera hologlottis*	兰科		二级	II	LC						✓					
舌唇兰	*Platanthera japonica*	兰科		二级	II	LC						✓					

续表

中文名	拉丁学名	科名	《国家重点保护野生药材物种名录》	《国家重点保护野生植物名录》	CITES附录	《IUCN红色名录》	极小种群（狭域分布）受威胁物种信息数据库	中国特有植物保护物种数据库	《中国生物多样性红色名录——高等植物卷》	《中国植物红皮书》	《中国物种红色名录》	《中国珍稀濒危保护植物名录（第一册）》	《中国珍稀濒危药用植物资源调查》	《国家珍贵树种名录》	《进出口野生动植物种商品名录》	江苏省级珍稀植物名录
尾瓣舌唇兰	*Platanthera mandarinorum*	兰科			II						√					
小舌唇兰	*Platanthera minor*	兰科		二级	II	LC					√					
小花蜻蜓兰	*Tulotis ussuriensis*	兰科			II	NT			√							
朱兰	*Pogonia japonica*	兰科		二级	II	NT			√		√					
绶草	*Spiranthes sinensis*	兰科		二级	II	LC					√					

注：CR 代表极危；EN 代表濒危；VU 代表易危；NT 代表近危；LC 代表无危；DD 代表数据缺乏。

（二）动物类中药资源

动物药是我国传统中医药的重要组成部分，我国对药用动物的研究和利用已有几千年的历史。江苏地处华东，海洋及淡水资源丰富，南部丘陵山区植被丰富，为野生动物的栖息及养殖提供了基础。第四次中药资源普查结果显示，江苏共发现药用动物资源 401 种，分属 8 门、26 纲、218 科、328 属，其中多孔动物门 1 种，刺胞动物门 3 种，环节动物门 8 种，星虫动物门 1 种，软体动物门 64 种，节肢动物门 93 种，棘皮动物门 14 种，脊索动物门 217 种；脊索动物门包括鱼纲 93 种、两栖纲 14 种、爬行纲 30 种、鸟纲 50 种、哺乳纲 30 种（表 1-3-5 ～表 1-3-6）。

表 1-3-5　江苏动物类中药资源科属分类统计表

类别	纲名	科名	属数	种数
多孔动物门	寻常海绵纲	简骨海绵科	1	1
刺胞动物门	钵水母纲	根口水母科	1	1
	珊瑚纲	海葵科	1	1
		银冠海葵科	1	1
环节动物门	多毛纲	沙蚕科	1	1
		沙蠋科	1	1
	寡毛纲	钜蚓科	1	3
	蛭纲	水蛭科	2	3
星虫动物门	方格星虫纲	方格星虫科	1	1
软体动物门	多板纲	隐板石鳖科	1	1
		锉石鳖科	1	1
	腹足纲	鲍科	1	2
		帽贝科	1	1
		马蹄螺科	1	2
		蝾螺科	1	1
		环口螺科	1	1
		田螺科	2	3
		骨螺科	2	3
		蛾螺科	1	2
		盔螺科	1	2
		榧螺科	1	1
		阿地螺科	1	1
		琥珀螺科	1	1
		肋齿螺科	1	1
		巴蜗牛科	2	2
		蛞蝓科	2	2
	双壳纲	蚶科	1	3
		贻贝科	1	3
		蚌科	7	8
		扇贝科	1	1
		牡蛎科	1	4

续表

类别	纲名	科名	属数	种数
		蚬科	1	1
		帘蛤科	4	4
		蛤蜊科	1	3
		竹蛏科	1	2
		截蛏科	1	1
	头足纲	乌贼科	2	2
		枪乌贼科	1	2
		章鱼科（蛸科）	1	3
节肢动物门	软甲纲	浪飘水虱科	1	1
		海蟑螂科	1	1
	蛛形纲	钳蝎科	1	1
		园蛛科	2	2
		壁钱科	1	1
		跳蛛科	1	1
	软甲纲	卷甲虫科（平甲虫科）	2	2
		对虾科	1	1
		长臂虾科	1	1
		蝼蛄虾科	1	1
		活额寄居蟹科	3	3
		梭子蟹科	2	2
		溪蟹科	1	1
		龙虾科	1	2
		鳌虾科	1	1
		方蟹科	2	3
	倍足纲	圆马陆科	1	1
		山蛩科	1	1
	唇足纲	蜈蚣科	1	1
	昆虫纲	衣鱼科	2	2
		蜓科	4	4
		蜚蠊科	2	2
		鳖蠊科	1	1
		螳科	3	3
		蝗科	3	3
		螽斯科	2	2
		蟋蟀科	2	2
		蝼蛄科	1	2
		蝉科	2	4
		蚧科	1	1
		蟒科	1	1
		水黾科	1	1
		刺蛾科	1	1

类别	纲名	科名	属数	种数
		蚕蛾科	1	1
		天蚕蛾科	1	1
		粉蝶科	1	1
		凤蝶科	1	2
		蓑蛾科	1	1
		灯蛾科	1	1
		丽蝇科	1	1
		虻科	2	2
		狂蝇科	1	1
		步行虫科	1	1
		隐翅虫科	1	1
		豉甲科	1	1
		龙虱科	1	2
		芫菁科	4	6
		叩头虫科	1	1
		萤科	1	1
		拟步行虫科	1	1
		天牛科	2	2
		金龟子科	1	1
		鳃金龟科	1	1
		粉蠹科	1	1
		蜜蜂科	1	2
		胡蜂科	2	3
		蚁科	2	2
棘皮动物门	海星纲	海盘车科	1	2
		海燕科	1	1
		太阳海星科	1	1
		槭海星科	1	1
	海胆纲	球海胆科	2	2
		长海胆科	1	1
		刻肋海胆科	1	2
	蛇尾纲	阳遂足科	1	1
	海参纲	刺参科	2	3
脊索动物门	鱼纲	海龙科	4	5
		皱唇鲨科	2	3
		锯鳐科	1	1
		鳐科	1	2
		银鲛科	1	1
		白鲟科	2	2
		鲱科	3	3
		鳀科	1	1

类别	纲名	科名	属数	种数
		银鱼科	3	3
		狗母鱼科	2	2
		鲤科	14	15
		鳅科	2	3
		海鲇科	1	1
		海鳝科	1	2
		海鳗科	1	1
		鳗鲇科	1	1
		鲇科	1	1
		鮠科	2	2
		鳗鲡科	1	1
		鱵科	1	1
		鳕科	1	1
		烟管鱼科	1	1
		飞鱼科	1	1
		合鳃科	1	1
		鮨科	3	4
		鲹科	1	1
		石首鱼科	3	4
		石鲈科	1	1
		鲾科	1	2
		带鱼科	1	1
		鲅科	1	1
		鲳科	1	1
		鲭科	1	1
		鰕虎鱼科	1	1
		弹涂鱼科	1	1
		鳢科	2	2
		鲈科	1	2
		毒鲉科	1	1
		塘鳢科	1	1
		鲂鮄科	1	1
		鲬科	1	1
		杜父鱼科	1	1
		鲽科	1	1
		牙鲆科	1	1
		舌鳎科	1	1
		三刺鲀科	1	1
		单角鲀科	1	1
		革鲀科	1	3
		刺鲀科	1	1

类别	纲名	科名	属数	种数
		翻车鲀科	1	1
		鲅鲢科	1	1
		隐鳃鲵科	1	1
		蟾蜍科	1	1
		蝾螈科	1	1
		盘舌蟾科	1	1
		雨蛙科	1	2
		蛙科	3	8
	爬行纲	平胸龟科	1	1
		龟科	2	2
		海龟科	3	3
		鳖科	2	2
		鬣蜥科	1	1
		壁虎科	1	3
		石龙子科	1	2
		蜥蜴科	2	2
		蛇蜥科	1	1
		游蛇科	5	7
		海蛇科	1	1
		眼镜蛇科	1	1
		蝰科	3	3
		鼍科	1	1
	鸟纲	鹈鹕科	1	1
		鸬鹚科	1	1
		鹭科	1	1
		鸭科	5	8
		鹰科	3	3
		雉科	4	5
		三趾鹑科	1	1
		鹤科	1	1
		秧鸡科	1	1
		鸨科	1	1
		鸥科	1	1
		鸠鸽科	3	3
		杜鹃科	1	2
		鸱鸮科	3	3
		翠鸟科	1	1
		戴胜科	1	1
		啄木鸟科	2	2
		百灵科	1	1
		燕科	2	2

续表

类别	纲名	科名	属数	种数
		椋鸟科	1	1
		鸦科	2	3
		鹟鹟科	1	1
		鹎科	1	1
		鸫科	2	2
		鹀科	1	2
		雀科	1	1
	哺乳纲	猬科	1	1
		鼹鼠科	1	1
		蝙蝠科	3	3
		鲮鲤科	1	1
		兔科	2	2
		松鼠科	1	1
		鼠科	1	2
		淡水豚科	1	1
		犬科	2	2
		鼬科	1	1
		猫科	1	1
		马科	1	3
		猪科	1	2
		鹿科	4	5
		牛科	3	3
		人科	1	1

表 1-3-6　江苏动物类药材品种产地及应用情况

序号	药材名	基原动物	拉丁学名	药用部位或药材来源	功效	产地
1	九香虫	九香虫	*Aspongopus chinensis* Dallas	全体	理气止痛,温中助阳	宜兴、溧阳
2	土鳖虫	地鳖	*Eupolyphaga sinensis* Walker	全体	破血逐瘀,续筋接骨	常州、镇江
3	五倍子	五倍子蚜	*Melaphis chinensis* (Bell) Baker	虫瘿	敛肺降火,涩肠止泻,敛汗,止血,收涩敛疮	丹徒
4	瓦楞子	毛蚶 泥蚶 魁蚶	*Arca subcrenata* Lischke *Arca granosa* Linnaeus *Arca inflata* Reeve	贝壳	消痰化瘀,软坚散结,制酸止痛	连云港、盐城、南通
5	牛黄	黄牛	*Bos taurus domesticus* Gmelin	胆结石	清心,豁痰,开窍,凉肝,息风,解毒	徐州
6	乌梢蛇	乌梢蛇	*Zaocys dhumnades* Cantor	全体	祛风,通络,止痉	泰兴
7	水牛角	水牛	*Bubalus bubalis* Linnaeus	角	化瘀止血,收涩止痢	江苏各地

序号	药材名	基原动物	拉丁学名	药用部位或药材来源	功效	产地
8	水蛭	宽体金线蛭 水蛭 柳叶蚂蟥	*Whitmania pigra* Whitman *Hirudo nipponica* Whitman *Whitmania acranulata* Whitman	全体	破血，逐瘀，通经	南京、扬州、南通、宿迁
9	石决明	杂色鲍 盘大鲍	*Haliotis diversicolor* Reeve *Haliotis gigantea discus* Reeve	贝壳	平肝潜阳，除热，明目	南通、盐城、连云港
10	地龙	通俗环毛蚓 威廉环毛蚓 栉盲环毛蚓	*Pheretima vulgaris* Chen *Pheretima guillelmi* Michaelsen *Pheretima pectinifera* Michaelsen	全体	清热定惊，通络，平喘，利尿	徐州、南通
11	虫白蜡	白蜡虫	*Ericerus pela* Chavannes	由雄虫群栖于木樨科植物白蜡树 *Fraxinus chinensis* Roxb.、女贞 *Ligustrum lucidum* Ait. 或女贞属他种植物枝干上分泌的蜡经精制而成	止血生肌	江苏各地
12	血余炭	健康人	*Homo sapiens* Linnaeus	人发制成的炭化物	收敛止血，化瘀，利尿	江苏各地
13	全蝎	东亚钳蝎	*Buthus martensii* Karsch	全体	息风镇痉，通络止痛，攻毒散结	邳州
14	牡蛎	近江牡蛎 密鳞牡蛎 长牡蛎	*Ostrea rivularis* Gould *Ostrea denselamellosa* Lischke *Ostrea gigas* Thunberg	贝壳	重镇安神，潜阳补阴，软坚散结	南通、连云港及东台
15	龟甲	乌龟	*Chinemys reevesii* Gray	背甲、腹甲	滋阴潜阳，益肾强骨，养血补心，固精止崩	徐州、扬州
16	龟甲胶	乌龟	*Chinemys reevesii* Gray	龟甲经水煎煮、浓缩制成的固体胶	滋阴，养血，止血	徐州、扬州
17	鸡内金	家鸡	*Gallus gallus domesticus* Brisson	砂囊内壁	健胃消食，涩精止遗	江苏各地
18	珍珠	三角帆蚌 褶纹冠蚌	*Hyriopsis cumingii* Lea *Cristaria plicata* Leach	受刺激形成的珍珠	安神定惊，明目消翳，解毒生肌，润肤祛斑	无锡、苏州、扬州
19	珍珠母	三角帆蚌 褶纹冠蚌	*Hyriopsis cumingii* Lea *Cristaria plicata* Leach	贝壳	平肝潜阳，安神定惊，明目退翳	无锡、苏州、扬州
20	海马	大海马 小海马	*Hippocampus kuda* Bleeker *Hippocampus japonicus* Kaup	全体	温肾壮阳，散结消肿	南通、连云港及东台
21	海龙	刁海龙 拟海龙 尖海龙	*Solenognathus hardwickii* Gary *Syngnathoides biaculeatus* Bloch *Syngnathus acus* Linnaeus	全体	温肾壮阳，散结消肿	南通、盐城、连云港

序号	药材名	基原动物	拉丁学名	药用部位或药材来源	功效	产地
22	海螵蛸	无针乌贼 金乌贼	*Sepiella maindroni* de Rochebrune *Sepia esculenta* Hoyle	内壳	收敛止血，涩精止带，制酸止痛，收湿敛疮	南通、连云港及东台
23	桑螵蛸	大刀螂 小刀螂 巨斧螳螂	*Tenodera sinensis* Saussure *Statilia maculata* Thunberg *Hierodula patellifera* Serville	卵鞘	固精缩尿，补肾助阳	江苏各地
24	蛇蜕	黑眉锦蛇 王锦蛇 乌梢蛇	*Elaphe taeniura* Cope *Elaphe carinata* Guenther *Zaocys dhumnades* Cantor	蜕下的皮膜	祛风，定惊，解毒，退翳	溧阳
25	猪胆粉	猪	*Sus scrofa domestica* Brissson	胆汁	清热润燥，止咳平喘，解毒	江苏各地
26	鹿角	梅花鹿	*Cervus nippon* Temminck	已骨化的角	温肾阳，强筋骨，行血消肿	宜兴、淮安
27	鹿茸	梅花鹿	*Cervus nippon* Temminck	雄鹿未骨化的密生茸毛的幼角	重镇安神，潜阳补阴，软坚散结	南京、淮安、苏州、扬州、无锡
28	斑蝥	南方大斑蝥	*Mylabris phalerata* Pallas	全体	破血消癥，攻毒蚀疮，引赤发泡	南京及溧阳
29	紫河车	健康人	*Homo sapiens* Linnaeus	健康产妇的胎盘	温肾补精，益气养血	江苏各地
30	蛤壳	文蛤	*Meretrix meretrix* Linnaeus	贝壳	清热，利湿，化痰，软坚	南通、盐城、连云港
31	蜈蚣	少棘巨蜈蚣	*Scolopendra subspinipes mutilans* L. Koch	全体	息风镇痉，通络止痛，攻毒散结	浦口
32	蜂房	果马蜂 日本长脚胡蜂 异腹胡蜂	*Polistes olivaceous* De Geer *Polistes japonicus* Saussure *Parapolybia varia* Fabricius	巢	攻毒杀虫，祛风止痛	江苏各地
33	蜂胶	意大利蜂	*Apis mellifera* Linnaeus	工蜂采集的植物树脂与其上颚腺、蜡腺等的分泌物混合形成的具有黏性的固体胶状物	补虚弱，化浊脂，止消渴；外用解毒消肿，收敛生肌	南京、连云港、南通
34	蜂蜡	中华蜜蜂 意大利蜂	*Apis cerana* Fabricius *Apis mellifera* Linnaeus	蜡	解毒，敛疮，生肌止痛	南京、连云港、南通
35	蜂蜜	中华蜜蜂 意大利蜂	*Apis cerana* Fabricius *Apis mellifera* Linnaeus	所酿的蜜	补中，润燥，止痛，解毒；外用生肌敛疮	江苏各地
36	蝉蜕	黑蚱	*Cryptotympana pustulata* Fabricius	若虫羽化时脱落的皮壳	疏散风热，利咽，透疹，明目退翳，解痉	徐州及东台
37	蕲蛇	尖吻蝮	*Deinagkistrodon acutus* Güenther	全体	祛风，通络，止痉	泰兴

序号	药材名	基原动物	拉丁学名	药用部位或药材来源	功效	产地
38	僵蚕	家蚕	*Bombyx mori* Linnaeus	4～5龄的幼虫感染（或人工接种）白僵菌 *Beauveria bassiana* (Bals.) Vuillant 而致死的全体	息风止痉，祛风止痛，化痰散结	镇江、南通、南京、淮安
39	蟾酥	中华大蟾蜍	*Bufo bufo gargarizans* Cantor	耳后腺或皮肤的分泌物	解毒，止痛，开窍醒神	启东、兴化
40	鳖甲	鳖	*Trionyx sinensis* Wiegmann	背甲	滋阴潜阳，退热除蒸，软坚散结	苏州、淮安

（三）矿物类中药资源

基于中华人民共和国成立以来出版文献中关于江苏矿物药分布的记载以及江苏第四次中药资源普查的结果，结合江苏省国土资源厅关于江苏矿产资源统计、勘查及年报记载数据统计，江苏共有药用矿物资源约70种，形成矿物类中药110种，按阳离子类型分类如下：钠化合物类8种，钾化合物类1种，镁化合物类8种，钙化合物类23种，铝化合物类13种，硅化合物类5种，锰化合物类1种，铁化合物类14种，铜化合物类9种，锌化合物类1种，砷化合物类1种，汞及其化合物类6种，铅及其化合物类6种，自然元素类3种，其他矿物类11种。

目前，江苏药用矿物资源大多用于建材、轻化工领域，很少作为药用资源进行开发利用。例如，苏州已有近60年的高岭土开采历史，所产高岭土主要用于生产陶瓷、电子产品、纸、橡胶、石油催化剂、涂料、耐火材料等，是国内重要的高岭土产业基地；盱眙凹凸棒石黏土供应了吸附白土、矿物干燥剂和矿物凝胶的生产，主要用于建材、纺织、燃料油脱色、食用油脱色等领域，其中食用油脱色净化用吸附白土国内市场占有率达65%以上，干燥剂国内市场占有率达50%以上。

第二节　江苏省中药资源品种蕴藏量、药材生产情况

江苏是经济大省，同时也是医药工业大省。随着国民经济的快速发展，医疗、保健、轻工、化学等领域对中药资源的需求量猛增。但是第四次中药资源普查结果表明，随着江苏区域经济社会的快速发展，野生药用生物赖以生存的生态环境发生了巨大变化，与20世纪80年代的第三次中药资源普查结果相比，本次普查结果有显著性变化。变化基本趋势是江苏境内野生中药资源蕴藏量大幅下降，部分传统优势特色野生资源（如珊瑚菜、茅山苍术、延胡索等）已近濒危；人工生产中药资源品种和规模发生较大变化，栽培品种和种植基地数量显著减少，但在省内中药制药

企业带动下，邳州的银杏叶、黄蜀葵、苏菊花及南通的浙贝母、金银花、青蒿等栽培品种已形成比较优势和规模效益。

一、江苏道地及重点中药资源品种生产发展概况

（一）伴随着城镇化和产业结构调整，江苏不同区域原生态环境的面积及结构发生了明显改变，导致野生中药资源种类及蕴藏量显著减少

1. 江苏第四次中药资源普查野生药用植物蕴藏量调查方法

传统中药资源调查方法主要有踏查、走访调查、统计报表、详查和样地调查等，这些方法主要是主观、定性地描述中药资源分布范围，对中药资源分布面积和蕴藏量估算缺乏客观、有效的先验知识，使抽样调查的精度和效率受到制约。随着地理信息系统、遥感技术、全球定位系统等空间信息技术的发展，基于传统中药资源调查和空间信息技术的空间抽样方法为野生广布种药用植物资源的调查提供了新思路。第四次全国中药资源普查中野生广布种药用植物资源的调查，充分利用了空间信息技术进行空间对地抽样调查，科学地布设样带位置、计算样带长度、估算野生广布种药用植物资源的适生面积和蕴藏量，这不仅有利于准确获取抽样总体的先验知识，提高调查精度，而且减少了野外样本量，降低了调查成本。

（1）样线及样方布设。调查人员根据可通达情况、历史经验等，在生境分层底图上勾画样线，设置的样线长度不小于各层样线长度的参考值，并尽量使各层的样线在空间上分布均匀，然后在样线内每隔 1 km 布设 5 个样方套，即可得到需要调查的样方套的总数。

每个样方套是由 6 个大小不同的样方组成的总体（10 m×10 m），包括 1 个用于调查乔木类药材的样方（10 m×10 m），1 个用于调查灌木类药材的样方（5 m×5 m）和 4 个用于调查草本类药材的样方（2 m×2 m）。

（2）蕴藏量估算与计算。在完成野外抽样调查工作后，采用样株法分区域计算野生广布种药用植物资源的单株产量、适生面积、单位面积蕴藏量和总蕴藏量。药用植物总的蕴藏量为该植物在代表域内的单位面积蕴藏量与适生面积的乘积。

传统中药资源调查方法耗时、耗力，受人为因素影响大，在估计中药资源总面积时往往存在较大误差，而空间信息技术的引入则大大减小了这种误差。本次中药资源普查在传统中药资源调查方法的基础上，引入空间信息技术，明确了基于多源空间数据提取药用植物分布面积，通过样线布设估算工作量（样线数量），结合地面调查估算野生药用植物资源蕴藏量的方法，使中药资源调查向定量、客观、高效、高精的方向发展，为野生广布种药用植物资源的调查提供了科学、有效的调查方法。

2. 江苏第四次中药资源普查野生药用植物蕴藏量调查结果与分析

根据江苏第四次中药资源普查确定的省内 181 种重点调查野生中药资源品种调查结果显示，江苏境内野生蕴藏量较丰富的品种主要有萹蓄、马齿苋、白茅根、薄荷、南鹤虱、益母草、麦冬等（表 1-3-7），其中麦冬蕴藏量达 187.32 t/km²。

江苏生态环境的改变以及人为因素的影响，导致部分野生优势品种资源量大幅度减少。如江苏多数丘陵山区出产的七叶一枝花、徐长卿、苏贝母、苍术、北柴胡、明党参等野生资源显著减少；黑三棱历史上主产于南京浦口，20 世纪 50 年代中期蕴藏量超过 10 万 kg，但由于大面积垦荒造田，黑三棱的生存环境被破坏，导致黑三棱现处于濒危状态；泰州地区的半夏，因"旱改水"项目的推进，其生境遭到破坏，野生资源急剧减少；典型沙生耐盐药用植物珊瑚菜，原为苏北海滩沙生植物群落的建群种，由于农田开垦以及随意挖沙取沙等，其生境遭到严重破坏，现仅在东西连岛后沙滩尚有残存，处于濒危状态。此外，作为野生药用植物主要分布区的丘陵山区，由于植树造林和大面积栽植桑、果树、茶等经济树种占用了大量丘陵岗地，野生药用植物的生存空间逐年被侵占，造成药用植物资源量减少。

表 1-3-7　江苏第四次中药资源普查植物类野生药材蕴藏量初步统计

序号	药材名	基原中文名	基原拉丁学名	入药部位	单位面积蕴藏量（以干品计，kg/km²）	主要产区
1	矮地茶	紫金牛	*Ardisia japonica* (Thunb.) Bl.	全草	1 856	宜兴、溧阳
2	艾叶	艾	*Artemisia argyi* Lévl. et Van.	叶	12 262	吴中、滨海、海安
3	白扁豆	扁豆	*Dolichos lablab* L.	果实、种子	11 895	滨海
4	白果	银杏	*Ginkgo biloba* L.	果实、种子	2 875	丹徒、兴化、滨海、赣榆、常熟、溧阳、宜兴
5	白马骨	六月雪	*Serissa japonica* (Thunb.) Thunb.	全草	1 207	宜兴
6	白茅根	白茅	*Imperata cylindrica* (L.) Beauv.	根及根茎	184 904	高邮、泗洪、沭阳、洪泽、淮安、东海、赣榆、金坛、邳州、铜山、滨湖、高淳、六合、句容、丹徒
7	白茅花	白茅	*Imperata cylindrica* (L.) Beauv.	花	24 437	泰兴
8	白茅针	白茅	*Imperata cylindrica* (L.) Beauv.	初生未放的花序	24 437	泰兴
9	白毛藤根	白英	*Solanum lyratum* Thunb.	根及根茎	17 500	大丰
10	白毛夏枯草	筋骨草	*Ajuga decumbens* Thunb.	全草	4 400	溧阳
11	白头翁	白头翁	*Pulsatilla chinensis* (Bunge) Regel	根及根茎	930	溧阳
12	白鲜皮	白鲜	*Dictamnus dasycarpus* Turcz.	根皮	248	江宁
13	白蔹	白蔹	*Ampelopsis japonica* (Thunb.) Makino	根及根茎	73 127	丹徒、溧阳、溧水、句容

续表

序号	药材名	基原中文名	基原拉丁学名	入药部位	单位面积蕴藏量(以干品计, kg/km²)	主要产区
14	柏子仁	侧柏	*Platycladus orientalis* (L.) Franco	种子	2 077	江宁、盱眙、东海、常熟
15	百部	蔓生百部	*Stemona japonica* (Bl.) Miq.	根及根茎	10 778	溧阳
		直立百部	*Stemona sessilifolia* (Miq.) Miq.	根	3 883	丹徒、高淳、句容
16	百合	百合	*Lilium brownii* F. E. Brown ex Miellez var. *viridulum* Baker	鳞茎	2 657	句容、溧阳、江宁
17	板蓝根	菘蓝	*Isatis indigotica* Fortune	根	23 550	宜兴
18	半边莲	半边莲	*Lobelia chinensis* Lour.	全草	14 581	高邮、淮安、宜兴、句容、丹徒
19	半夏	半夏	*Pinellia ternata* (Thunb.) Breit.	块茎	46 287	东台、泰兴、滨海、海安、常熟、溧阳、宜兴、溧水、江宁、丹徒
20	半枝莲	半枝莲	*Scutellaria barbata* D. Don	全草	16 999	丹徒、沭阳、溧阳
21	薄荷	薄荷	*Mentha haplocalyx* Briq.	全草	94 578	高邮、兴化、滨海、淮安、东海、常熟、邳州、溧水、六合、江宁、句容
22	北豆根	蝙蝠葛	*Menispermum dauricum* DC.	根及根茎	1 184	句容、宜兴
23	苍耳子	苍耳	*Xanthium sibiricum* Patrin ex Widder	果实	4 639	丹徒、泗洪、姜堰、滨海、吴中、金坛、溧阳、铜山
24	苍术	苍术	*Atractylodes lancea* (Thunb.) DC.	根及根茎	10 526	丹徒、句容
25	侧柏叶	侧柏	*Platycladus orientalis* (L.) Franco	叶枝	7 788	浦口、盱眙、东海、赣榆、常熟、邳州、江宁
26	车前草	车前	*Plantago asiatica* L.	全草	11 152	丹徒、东海、赣榆、常熟、金坛、溧阳
27	车前子	车前	*Plantago asiatica* L.	种子	7 015	丹徒、滨海、东海、赣榆、常熟、金坛、溧阳
28	陈皮	柑橘	*Citrus reticulata* Blanco	果皮	1	吴中、扬中
29	垂盆草	垂盆草	*Sedum sarmentosum* Bunge	全草	2 640	金坛
30	椿白皮	香椿	*Toona sinensis* (A. Juss) Roem.	树皮	370	滨海
31	椿皮	臭椿	*Ailanthus altissima* (Mill.) Swingle	树皮	982	溧阳、东海、赣榆、吴中
32	刺槐花	刺槐	*Robinia pseudoacacia* L.	花蕾	474	江苏各地
33	大蓟	蓟	*Cirsium japonicum* Fisch. ex DC.	全草	6 424	丹徒、滨海、金坛、溧阳、宜兴
34	大青叶	菘蓝	*Isatis indigotica* Fortune	叶	2 250	宜兴

序号	药材名	基原中文名	基原拉丁学名	入药部位	单位面积蕴藏量(以干品计, kg/km²)	主要产区
35	丹参	丹参	*Salvia miltiorrhiza* Bunge	根及根茎	9 140	丹徒、盱眙、宜兴、溧水、句容
36	淡竹叶	淡竹叶	*Lophatherum gracile* Brongn.	叶	10 443	丹徒、常熟、吴中、溧阳
37	灯心草	灯心草	*Juncus effuses* L.	全草	93 771	赣榆、东海
38	地肤苗	地肤	*Kochia scoparia* (L.) Schrad.	全草	8 693	丹徒
39	地肤子	地肤	*Kochia scoparia* (L.) Schrad.	种子	19 143	金坛、滨海、常熟
40	地骨皮	枸杞	*Lycium chinense* Mill.	根皮	4 720	大丰、泰兴、滨海、盱眙、淮安、东海、赣榆、海门、启东、海安、常熟、新沂、江宁、浦口、丹徒、高邮
41	地锦草	地锦	*Euphorbia humifusa* Willd.	全草	12 215	丹徒、滨海、常熟、金坛
		斑地锦	*Euphorbia maculata* L.	全草	12 513	丹徒、东海、赣榆、常熟、溧阳
42	地笋	地笋（硬毛变种）	*Lycopus lucidus* Turcz. var. *hirtus* Regel	块根	79 950	淮安
43	地榆	地榆	*Sanguisorba officinalis* L.	根及根茎	12 910	丹徒、金坛、溧阳、铜山、江宁
44	杜仲叶	杜仲	*Eucommia ulmoides* Oliv.	叶	435	丹徒、浦口
45	断血流	风轮菜	*Clinopodium chinense* (Benth.) O. Kuntze	全草	750	溧阳
46	翻白草	翻白草	*Potentilla discolor* Bunge	全草	2 050	铜山
47	繁缕	繁缕	*Stellaria media* (L.) Cyr.	全草	19 720	海安、东海、赣榆
48	凤仙透骨草	凤仙花	*Impatiens balsamina* L.	全草	20 375	泰兴
49	凤眼草	臭椿	*Ailanthus altissima* (Mill.) Swingle	果序	14 030	赣榆、东海
50	浮萍	浮萍	*Lemna minor* L.	全草	18 919	滨海
		紫萍	*Spirodela polyrrhiza* (L.) Schleid.	全草	9 720	滨海
51	覆盆子	掌叶覆盆子	*Rubus chingii* Hu	果实	991	溧阳
52	附子	乌头	*Aconitum carmichaelii* Debx.	根及根茎	458	丹徒
53	杠板归	杠板归	*Polygonum perfoliatum* L.	全草	7 358	丹徒、洪泽、淮安、赣榆、常熟、吴中、金坛、溧阳、锡山、高淳、句容
54	葛根	葛	*Pueraria lobata* (Willd.) Ohwi	根	18 010	丹徒、盱眙、吴中、溧阳、溧水、江宁、浦口、句容
55	葛花	葛	*Pueraria lobata* (Willd.) Ohwi	花	707	丹徒、吴中
56	狗尾草	狗尾草	*Setaria viridis* (L.) Beauv.	全草	17 037	丹徒、滨海
57	瓜子金	瓜子金	*Polygala japonica* Houtt.	根	370	句容、溧阳

序号	药材名	基原中文名	基原拉丁学名	入药部位	单位面积蕴藏量(以干品计, kg/km²)	主要产区
58	瓜蒌	栝楼	*Trichosanthes kirilowii* Maxim.	果实	24 024	东台、吴中、溧阳、高邮
59	瓜蒌皮	栝楼	*Trichosanthes kirilowii* Maxim.	果皮	1 895	高邮、海安、吴中、溧阳
60	瓜蒌子	栝楼	*Trichosanthes kirilowii* Maxim.	种子	1 495	溧阳、赣榆、海安、常熟
61	贯叶连翘	贯叶金丝桃	*Hypericum perforatum* L.	全草	3 280	句容
62	鬼箭羽	卫矛	*Euonymus alatus* (Thunb.) Sieb.	茎木栓翅	2 720	江宁、溧阳
63	鬼针草	婆婆针	*Bidens bipinnata* L.	全草	601 253	赣榆、东海
64	海金沙	海金沙	*Lygodium japonicum* (Thunb.) Sw.	孢子粉	2 130	丹徒、吴中、溧阳、江宁
65	韩信草	韩信草	*Scutellaria indica* L.	全草	1 475	江宁、溧阳
66	荷叶	莲	*Nelumbo nucifera* Gaertn.	叶	42 213	东海、滨海
67	何首乌	何首乌	*Polygonum multiflorum* Thunb.	根及根茎	71 449	江宁、吴中、金坛、溧阳、宜兴、溧水
68	合欢花	合欢	*Albizia julibrissin* Durazz.	花	574	丹徒、兴化、吴中、金坛、溧阳、江宁、句容
69	合欢皮	合欢	*Albizia julibrissin* Durazz.	树皮	4 082	丹徒、兴化、吴中、金坛、溧阳、锡山、江宁、句容
70	鹤虱	天名精	*Carpesium abrotanoides* L.	果实	6 411	句容、泗洪、启东、六合、浦口
71	虎杖	虎杖	*Polygonum cuspidatum* Sieb. et Zucc.	根及根茎	38 294	句容、淮安、常熟、吴中、溧阳、溧水
72	化香树果	化香树	*Platycarya strobilacea* Sieb. et Zucc.	果实	159	丹徒
73	槐花	槐	*Sophora japonica* L.	花蕾	1 742	丹徒、滨海、常熟、吴中、溧阳、邳州
74	槐角	槐	*Sophora japonica* L.	果实	328	邳州、吴中、溧阳
75	黄精	多花黄精	*Polygonatum cyrtonema* Hua	根及根茎	6 611	江宁、连云
		黄精	*Polygonatum sibiricum* Delar. ex Redouté	根及根茎	7 680	宜兴
76	黄蜀葵花	黄蜀葵	*Abelmoschus manihot* (L.) Medicus	花	480 000	兴化
77	鸡冠花	鸡冠花	*Celosia cristata* L.	花序	5 850	金坛
78	鸡屎藤	鸡矢藤	*Paederia scandens* (Lour.) Merr.	茎木	10 528	海安、滨海
79	急性子	凤仙花	*Impatiens balsamina* L.	种子	4 610	丹徒、滨海
80	绞股蓝	绞股蓝	*Gynostemma pentaphyllum* (Thunb.) Makino	全草	3 910	宜兴
81	接骨木	接骨木	*Sambucus williamsii* Hance	茎枝	37 200	海安

续表

序号	药材名	基原中文名	基原拉丁学名	入药部位	单位面积蕴藏量(以干品计,kg/km²)	主要产区
82	桔梗	桔梗	*Platycodon grandiflorus* (Jacq.) A. DC.	根	9 367	丹徒、连云、溧阳、宜兴、江宁、句容
83	筋骨草	筋骨草	*Ajuga decumbens* Thunb.	全草	4 837	丹徒、滨海、江宁、句容
84	金沸草	旋覆花	*Inula japonica* Thunb.	全草	10 523	溧阳
85	金钱草	过路黄	*Lysimachia christinae* Hance	全草	19 836	江宁、常熟、溧阳
86	金银花	忍冬	*Lonicera japonica* Thunb.	花	4 906	高邮、泗洪、姜堰、滨海、盱眙、赣榆、常熟、吴中、溧阳、邳州、宜兴、溧水、江宁、浦口、句容
87	金樱子	金樱子	*Rosa laevigata* Michx.	果实	34 486	丹徒、常熟、吴中、金坛、溧阳、宜兴、滨湖、溧水、江宁
88	金荞麦	金荞麦	*Fagopyrum dibotrys* (D. Don) Hara	根及根茎	47 252	溧阳、海安
89	京大戟	大戟	*Euphorbia pekinensis* Rupr.	根及根茎	10 687	句容、盱眙、六合、浦口
90	井栏边草	井栏边草	*Pteris multifida* Poir.	全草	6 842	溧阳、常熟、金坛
91	韭菜子	韭	*Allium tuberosum* Rottl. ex Spreng.	种子	250	滨海
92	爵床	爵床	*Rostellularia procumbens* (L.) Nees	全草	19 401	丹徒、滨海、赣榆、金坛、溧阳
93	决明子	决明	*Cassia obtusifolia* L.	种子	29 429	盱眙
94	苦参	苦参	*Sophora flavescens* Ait.	根及根茎	8 291	丹徒、宜兴、江宁、句容
95	苦蘵	苦蘵	*Physalis angulata* L.	全草	3 747	金坛、滨海
96	苦杏仁	杏	*Prunus armeniaca* L.	种子	1 450	吴中
97	苦楝皮	楝	*Melia azedarach* L.	树皮	3 324	大丰、东海、赣榆、吴中、溧阳、邳州、宜兴、锡山、溧水、六合、江宁
98	苦楝子	楝	*Melia azedarach* L.	果实	4 497	丹徒、滨海、洪泽、东海、赣榆、溧水、江宁
99	莱菔子	萝卜	*Raphanus sativus* L.	种子	7 913	金坛、姜堰、滨海、海安
100	老鹳草	老鹳草	*Geranium wilfordii* Maxim.	全草	2 239	溧阳、金坛
101	雷丸	雷丸	*Omphalia lapidescens* Schroet.	菌核	5 497	溧阳
102	荔枝草	荔枝草	*Salvia plebeia* R. Br.	全草	9 114	丹徒、泰兴、吴中
103	连钱草	活血丹	*Glechoma longituba* (Nakai) Kupr.	全草	19 840	句容、吴中、溧阳
104	灵芝	赤芝	*Ganoderma lucidum* (Leyss. ex Fr.) Karst.	子实体	965	南通及吴中

序号	药材名	基原中文名	基原拉丁学名	入药部位	单位面积蕴藏量(以干品计, kg/km²)	主要产区
105	龙葵	龙葵	*Solanum nigrum* L.	全草	5 548	高淳、滨海、海安、常熟、宜兴
106	龙葵子	龙葵	*Solanum nigrum* L.	果实	4 398	赣榆
107	芦根	芦苇	*Phragmites australis* (Cav.) Trin. ex Steud.	根茎	29 399	丹徒、滨海、常熟、金坛
108	路路通	枫香树	*Liquidambar formosana* Hance	果实	12 455	南京及溧阳
109	萝藦	萝藦	*Metaplexis japonica* (Thunb.) Makino	块根	9 356	丹徒、滨海
110	萝藦子	萝藦	*Metaplexis japonica* (Thunb.) Makino	果实	11 096	海安、启东
111	络石藤	络石	*Trachelospermum jasminoides* (Lindl.) Lem.	藤茎	18 055	丹徒、常熟、吴中、金坛、溧阳、滨湖、锡山、高淳、六合、江宁、句容
112	马鞭草	马鞭草	*Verbena officinalis* L.	全草	12 353	滨海
113	马齿苋	马齿苋	*Portulaca oleracea* L.	全草	111 902	丹徒、兴化、滨海、东海、赣榆、海安、常熟、金坛、溧阳
114	马兜铃	马兜铃	*Aristolochia debilis* Sieb. et Zucc.	果实	1 337	丹徒、吴中、溧阳、邳州
115	麦冬	麦冬	*Ophiopogon japonicus* (L. f.) Ker-Gawl.	块根	187 321	丹徒、滨海、淮安、邳州、滨湖、锡山、高淳、溧水、六合、江宁、句容
116	猫爪草	猫爪草	*Ranunculus ternatus* Thunb.	根及根茎	18 923	浦口、溧阳、溧水、江宁
117	毛茛	毛茛	*Ranunculus japonicus* Thunb.	根及根茎	28 815	溧阳
118	蜜柑草	蜜甘草	*Phyllanthus ussuriensis* Rupr. et Maxim.	全草	525	溧阳
119	明党参	明党参	*Changium smyrnioides* Wolff	根	4 846	句容、溧阳
120	墨旱莲	鳢肠	*Eclipta prostrata* (L.) L.	全草	903 095	丹徒、滨海、东海、赣榆、海安、常熟、丰县
121	牡丹皮	牡丹	*Paeonia suffruticosa* Andr.	根皮	10 133	邳州
122	牡荆叶	牡荆	*Vitex negundo* L. var. *cannabifolia* (Siebold & Zucc.) Hand.-Mazz.	叶	1 975	金坛、吴中
123	木防己	木防己	*Cocculus orbiculatus* (L.) DC.	根及根茎	948	溧阳、常熟、吴中、金坛
124	木瓜	木瓜	*Chaenomeles sinensis* (Thouin) Koehne	果实	8 161	吴中、常熟
125	木通	木通	*Akebia quinata* (Houtt.) Decne.	藤茎	2 800	丹徒、溧阳、宜兴、句容

续表

序号	药材名	基原中文名	基原拉丁学名	入药部位	单位面积蕴藏量(以干品计, kg/km²)	主要产区
		三叶木通	*Akebia trifoliata* (Thunb.) Koidz.	藤茎	15 796	江宁、溧水
126	南瓜子	南瓜	*Cucurbita moschata* (Duch. ex Lam.) Duch. ex Poiret	种子	1 070	丹徒、滨海
127	南鹤虱	野胡萝卜	*Daucus carota* L.	果实	87 406	高邮、滨海、盱眙、淮安、海安、溧阳、邳州、滨湖、锡山、高淳、溧水、江宁、浦口、丹徒
128	南沙参	沙参	*Adenophora stricta* Miq.	根	14 218	丹徒、溧阳
		轮叶沙参	*Adenophora tetraphylla* (Thunb.) Fisch.	根	11 429	丹徒、句容
129	南五味子	华中五味子	*Schisandra sphenanthera* Rehd. et Wils.	果实	571	溧阳
130	牛筋草	牛筋草	*Eleusine indica* (L.) Gaertn.	全草	11 977	金坛、常熟
131	牛膝	牛膝	*Achyranthes bidentata* Blume	根	10 752	东台、滨海、盱眙、淮安、东海、赣榆、海安、吴中、邳州、滨湖、锡山、高淳、六合、浦口、句容、丹徒、高邮、大丰
132	女贞子	女贞	*Ligustrum lucidum* Ait.	果实	13 809	大丰、兴化、滨海、盱眙、东海、赣榆、海安、常熟、吴中、金坛、邳州、溧水、六合、江宁、丹徒
133	泡桐花	毛泡桐	*Paulownia tomentosa* (Thunb.) Steud.	花	1 410	海安
134	佩兰	佩兰	*Eupatorium fortunei* Turcz.	全草	530	句容
135	蒲公英	蒲公英	*Taraxacum mongolicum* Hand.-Mazz.	全草或根	7 131	丹徒、滨海、金湖、洪泽、海安、常熟、金坛、溧阳、铜山、宜兴
136	蒲黄	水烛香蒲	*Typha angustifolia* L.	花序	75 613	丹徒、滨海、海安、吴中
137	牵牛子	牵牛	*Ipomoea nil* (Linnaeus) Roth	种子	24 809	赣榆
		圆叶牵牛	*Ipomoea purpurea* (L.) Rath	种子	19 722	丹徒、滨海、东海、常熟、宜兴
138	千金藤	千金藤	*Stephania japonica* (Thunb.) Miers	根、藤茎	1 546	溧阳
139	千里光	千里光	*Senecio scandens* Buch.-Ham. ex D. Don	全草	20 326	丹徒、溧阳、宜兴、江宁、句容
140	青葙子	青葙	*Celosia argentea* L.	种子	1 318	高邮、盱眙、淮安、东海、金坛、溧阳、邳州、溧水、六合、浦口、句容

续表

序号	药材名	基原中文名	基原拉丁学名	入药部位	单位面积蕴藏量(以干品计, kg/km²)	主要产区
141	萹蓄	萹蓄	*Polygonum aviculare* L.	全草	93 722	高邮、沭阳、兴化、滨海、淮安、东海、赣榆、海安、常熟、吴中、金坛、锡山、丹徒
142	忍冬藤	忍冬	*Lonicera japonica* Thunb.	茎叶	14 242	大丰、泗洪、滨海、淮安、赣榆、常熟、金坛、溧阳、宜兴、滨湖、高淳、溧水、六合、江宁、丹徒
143	三棱	黑三棱	*Sparganium stoloniferum* Buch.-Ham.	块茎	38 600	句容
144	桑白皮	桑	*Morus alba* L.	树皮	265	溧阳、吴中
145	桑叶	桑	*Morus alba* L.	叶	42 745	大丰、滨海、东海、赣榆、海安、常熟、吴中、金坛、溧阳、丹徒、宝应
146	桑枝	桑	*Morus alba* L.	茎枝	2 294	丹徒、滨海、溧阳
147	桑椹	桑	*Morus alba* L.	果实	2 223	溧阳、海安、吴中
148	山麦冬	山麦冬	*Liriope spicata* (Thunb.) Lour.	块根	17 597	丹徒、常熟、金坛、溧阳
149	山药	薯蓣	*Dioscorea opposita* Thunb.	根及根茎	26 869	大丰、滨海、吴中、溧阳、丹徒
150	山楂	山楂	*Crataegus pinnatifida* Bunge	果实	270	赣榆
		山里红	*Crataegus pinnatifida* Bunge var. *major* N. E. Br.	果实	15 837	吴中
151	山楂叶	山楂	*Crataegus pinnatifida* Bunge	叶	48	赣榆
152	商陆	商陆	*Phytolacca acinosa* Roxb.	根	12 477	丹徒、泗洪、滨海
		垂序商陆	*Phytolacca americana* L.	根	13 737	高邮、泰兴、淮安、东海、海安、金坛、溧阳、邳州、新沂、滨湖、锡山、高淳、溧水、六合、江宁、句容、丹徒
153	蛇床子	蛇床	*Cnidium monnieri* (L.) Cuss.	果实	174 690	丹徒、滨海、楚州、赣榆、金坛、丰县、滨湖
154	石榴皮	石榴	*Punica granatum* L.	果皮	371	金坛、常熟、吴中
155	石菖蒲	石菖蒲	*Acorus tatarinowii* Schott	根及根茎	3 860	宜兴
156	柿蒂	柿	*Diospyros kaki* Thunb.	宿萼	34	丹徒、滨海
157	首乌藤	何首乌	*Polygonum multiflorum* Thunb.	藤茎	10 414	丹徒、吴中、金坛、溧阳、宜兴、江宁、句容
158	鼠曲草	鼠曲草	*Gnaphalium affine* D. Don	全草	7 123	吴中、海安
159	水红花子	红蓼	*Polygonum orientale* L.	种子	778	六合、淮安、滨湖、锡山

续表

序号	药材名	基原中文名	基原拉丁学名	入药部位	单位面积蕴藏量(以干品计,kg/km²)	主要产区
160	丝瓜络	丝瓜	*Luffa cylindrica* (L.) Roem.	瓜瓤	2 401	金坛、滨海
161	四季青	冬青	*Ilex chinensis* Sims	叶	1	滨湖
162	松花粉	马尾松	*Pinus massoniana* Lamb.	花粉	3 180	溧阳、吴中
163	酸枣仁	酸枣	*Ziziphus jujuba* Mill. var. *spinosa* (Bunge) Hu ex H. F. Chow	种子	3 936	六合、邳州
164	太子参	孩儿参	*Pseudostellaria heterophylla* (Miq.) Pax	根	10 500	句容、溧阳、溧水、浦口
165	桃仁	桃	*Prunus persica* (L.) Batsch	种子	531	丹徒、滨海、东海、赣榆、海安、吴中、金坛、溧阳
166	桃枝	桃	*Prunus persica* (L.) Batsch	幼枝	553	吴中、赣榆
167	天冬	天冬	*Asparagus cochinchinensis* (Lour.) Merr.	块根	7 321	句容、盱眙、金坛、溧阳、溧水、江宁、浦口
168	天花粉	栝楼	*Trichosanthes kirilowii* Maxim.	块根	11 787	大丰、滨海、海安、吴中、溧阳、丹徒
169	天葵子	天葵	*Semiaquilegia adoxoides* (DC.) Makino	根及根茎	23 641	句容、盱眙、连云、常熟、溧阳、宜兴、高淳、溧水、六合、江宁、浦口
170	天名精	天名精	*Carpesium abrotanoides* L.	全草	11 491	大丰、滨海、淮安、常熟、金坛、江宁、丹徒、高邮、宝应
171	天南星	虎掌	*Pinellia pedatisecta* Schott	块根	23 550	常熟
		异叶天南星	*Arisaema heterophyllum* Bl.	块根	2 478	溧阳
172	天仙藤	马兜铃	*Aristolochia debilis* Sieb. et Zucc.	藤茎	3 896	溧阳、常熟、吴中
173	铁苋	铁苋菜	*Acalypha australis* L.	全草	42 093	吴中、东海、赣榆
174	土茯苓	光叶菝葜	*Smilax glabra* Roxb.	根及根茎	661	溧阳
175	王不留行	麦蓝菜	*Vaccaria segetalis* (Neck.) Garcke	种子	840	金坛
176	威灵仙	威灵仙	*Clematis chinensis* Osbeck	根及根茎	1 377	丹徒、铜山、六合、句容
177	委陵菜	委陵菜	*Potentilla chinensis* Ser.	全草	5 927	赣榆、东海
178	乌梅	梅	*Prunus mume* (Sieb.) Sieb. et Zucc.	果实	52	丹徒
179	乌蔹莓	乌蔹莓	*Cayratia japonica* (Thunb.) Gagnep.	块根	8 308	溧阳、金坛
180	乌桕叶	乌桕	*Sapium sebiferum* (L.) Roxb.	叶	15	丹徒
181	五倍子	盐肤木	*Rhus chinensis* Mill.	叶上的虫瘿	138	丹徒
182	五加皮	细柱五加	*Acanthopanax gracilistylus* W. W. Smith	根皮	1 708	江宁、溧阳、溧水、盱眙
183	西河柳	柽柳	*Tamarix chinensis* Lour.	枝叶	11 000	海安

序号	药材名	基原 中文名	基原拉丁学名	入药部位	单位面积 蕴藏量 (以干品计, kg/km²)	主要产区
184	夏枯草	夏枯草	*Prunella vulgaris* L.	全草	23 797	丹徒、金坛、六合
185	夏枯草球	夏枯草	*Prunella vulgaris* L.	果穗	5 151	浦口、溧阳、宜兴
186	夏天无	伏生紫堇	*Corydalis decumbens* (Thunb.) Pers.	块根	58 875	浦口
187	仙鹤草	龙芽草	*Agrimonia pilosa* Ledeb.	全草	43 612	丹徒、溧阳、江宁
188	香附	香附子	*Cyperus rotundus* L.	根及根茎	2 590	高邮、滨海、淮安、海安、常熟、金坛、溧阳、滨湖、锡山、丹徒
189	小贯众	贯众	*Cyrtomium fortunei* J. Smith	根茎	26 801	句容、高淳
190	小蓟	刺儿菜	*Cirsium setosum* (Willd.) MB.	全草	70 477	大丰、泗阳、滨海、常熟、吴中、铜山、丰县、宜兴、丹徒
191	小茴香	茴香	*Foeniculum vulgare* Mill.	果实	4 255	滨海
192	辛夷	玉兰	*Magnolia denudata* Desr.	花蕾	225	丹徒、姜堰、吴中、六合、浦口
193	徐长卿	徐长卿	*Cynanchum paniculatum* (Bunge) Kitag.	根及根茎	17 083	盱眙
194	旋覆花	旋覆花	*Inula japonica* Thunb.	花序	9 531	滨海
195	鸭跖草	鸭跖草	*Commelina communis* L.	全草	8 509	丹徒、滨海、海安、常熟、吴中、金坛、溧阳
196	延胡索	延胡索	*Corydalis yanhusuo* W. T. Wang	块根	9 242	丹徒、浦口
197	羊蹄	羊蹄	*Rumex japonicus* Houtt.	根及根茎	13 890	滨海
198	野艾蒿	野艾蒿	*Artemisia lavandulifolia* DC.	叶	23 984	铜山、滨海、海安、吴中
199	野菊花	野菊	*Chrysanthemum indicum* L.	花序	10 103	丹徒、滨海、赣榆、溧阳、宜兴、高淳
200	野老鹳草	野老鹳草	*Geranium carolinianum* L.	全草	36 061	常熟
201	叶下珠	叶下珠	*Phyllanthus urinaria* L.	全草	5 204	金坛、常熟
202	益母草	益母草	*Leonurus japonicus* Houtt.	全草	87 716	大丰、兴化、滨海、东海、赣榆、常熟、吴中、金坛、溧阳、丹徒
203	茵陈	茵陈蒿	*Artemisia capillaris* Thunb.	全草	14 237	铜山、滨海、东海
204	阴地蕨	阴地蕨	*Botrychium ternatum* (Thunb.) Sw.	全草	14 805	高淳
205	银杏叶	银杏	*Ginkgo biloba* L.	叶	2 894	丹徒、泰兴、兴化、滨海、赣榆、海安、常熟、吴中、金坛、溧阳、宜兴
206	松节	马尾松	*Pinus massoniana* Lamb.	枝干的结节	1 073	高淳
		油松	*Pinus tabuliformis* Carr.	枝干的结节	1 072.6	吴中

续表

序号	药材名	基原中文名	基原拉丁学名	入药部位	单位面积蕴藏量（以干品计，kg/km²）	主要产区
207	鱼腥草	蕺菜	*Houttuynia cordata* Thunb.	全草	27 993	溧阳、海安
208	禹州漏芦	华东蓝刺头	*Echinops grijisii* Hance	根及根茎	3 355	句容
209	玉竹	玉竹	*Polygonatum odoratum* (Mill.) Druce	根茎	64 712	丹徒、溧阳、溧水、江宁
210	预知子	木通	*Akebia quinata* (Houtt.) Decne.	果实	20 760	江宁、溧阳、溧水
211	远志	卵叶远志	*Polygala sibirica* L.	根	13 500	邳州
		远志	*Polygala tenuifolia* Willd.	根	2 404	盱眙
212	月季花	月季	*Rosa chinensis* Jacq.	花	480	常熟
213	泽兰	地笋（硬毛变种）	*Lycopus lucidus* Turcz. var. *hirtus* Regetl	全草	51 502.5	锡山
214	泽漆	泽漆	*Euphorbia helioscopia* L.	全草	5 190	丹徒、海门
215	樟木	樟	*Cinnamomum camphora* (L.) Presl.	木材	391	丹徒
216	浙贝母	浙贝母	*Fritillaria thunbergii* Miq.	鳞茎	3 835	海安、宜兴、淮安
217	紫花地丁	紫花地丁	*Viola yedoensis* Makino	全草	7 702	大丰、泗洪、泰兴、滨海、洪泽、东海、赣榆、吴中、金坛、溧阳、铜山、江宁、丹徒
218	紫花前胡	紫花前胡	*Peucedanum decursivum* (Miq.) Maxim.	根	16 886	丹徒、溧阳
219	紫苏梗	紫苏	*Perilla frutescens* (L.) Britt.	茎叶	56 884	句容、海安、常熟、宜兴、溧水、江宁
220	紫苏叶	紫苏	*Perilla frutescens* (L.) Britt.	叶	15 667	丹徒、滨海、盱眙、海安、常熟、金坛、宜兴、溧水、六合、江宁、浦口、句容
221	紫苏子	紫苏	*Perilla frutescens* (L.) Britt.	果实、种子	44 373	句容、淮安、常熟、吴中、溧水、六合、江宁
222	紫萁贯众	紫萁	*Osmunda japonica* Thunb.	根茎	252 422	宜兴、连云、吴中、溧阳
223	棕榈	棕榈	*Trachycarpus fortunei* (Hook.) H. Wendl.	叶柄残基	8 671	丹徒、滨海
224	芙蓉花	木芙蓉	*Hibiscus mutabilis* L.	花	392	金坛、吴中
225	芫花	芫花	*Daphne genkwa* Sieb. et Zucc.	花	4 757	丹徒、盱眙、赣榆、铜山、溧水、六合、江宁、浦口
226	苎麻叶	苎麻	*Boehmeria nivea* (L.) Gaudich.	叶	2 027	金坛、常熟
227	苘麻	苘麻	*Abutilon theophrasti* Medics	全草	5 153	高邮

续表

序号	药材名	基原中文名	基原拉丁学名	入药部位	单位面积蕴藏量（以干品计，kg/km²）	主要产区
228	苘麻子	苘麻	*Abutilon theophrasti* Medics	种子	56 399	六合、盱眙、淮安、海安、常熟、金坛、邳州、丰县、滨湖、锡山
229	茜草	茜草	*Rubia cordifolia* L.	根及根茎	349	溧阳、吴中
230	茺蔚子	益母草	*Leonurus japonicus* Houtt.	种子	9 763	溧阳、东海、赣榆、吴中
231	菥蓂	菥蓂	*Thlaspi arvense* L.	全草	1 270	金坛
232	菝葜	菝葜	*Smilax china* L.	根及根茎	23 668	丹徒、吴中、溧阳、滨湖、高淳、溧水、江宁、句容
233	葶苈子	播娘蒿	*Descurainia sophia* (L.) Webb. ex Prantl	种子	15 251	洪泽、泗洪
		独行菜	*Lepidium apetalum* Willd.	种子	25 106	赣榆
234	白蒺藜	蒺藜	*Tribulus terrestris* L.	果实	1 040	丰县、滨海、连云
235	薤白	小根蒜	*Allium macrostemon* Bunge	鳞茎	5 288	丹徒、海门、溧阳
236	藜	藜	*Chenopodium album* L.	全草	16 891	金坛、常熟
237	枇杷叶	枇杷	*Eriobotrya japonica* (Thunb.) Lindl.	叶	523	南京及丹徒、滨海、常熟、金坛、邳州
238	栀子	栀子	*Gardenia jasminoides* Ellis	果实	1 970	丹徒、滨海、常熟、吴中、金坛、滨湖
239	枸骨叶	枸骨	*Ilex cornuta* Lindl.	叶	3 911	丹徒、吴中、金坛、溧阳、宜兴、滨湖、高淳、江宁、句容
240	楮实子	构树	*Broussonetia papyrifera* (L.) Vent.	果实	1 750	江宁、东海、赣榆、海安、吴中、铜山
241	瞿麦	石竹	*Dianthus chinensis* L.	全草	11 907	吴中、东海、赣榆

（二）在经济杠杆的调节和驱动下，江苏区域中药材的生产品种和发展规模呈现出诸多新变化、新亮点和新优势

1. 传统大宗道地药材栽培（养殖）品种及生产规模和供给能力等资源优势显著减弱

近30年来，江苏中药栽培（养殖）品种发生较大变化。目前，江苏中药资源栽培（养殖）规模达80余万亩，有60余种中药资源品种形成栽培（养殖）规模，但仅有少数品种拥有较大栽培面积（表1-3-8），栽培面积超过万亩的品种不足10个，主要有银杏、菊花、黄蜀葵、芡实、浙贝母、女贞子、瓜蒌等。目前形成规模优势的品种为银杏、菊花、浙贝母等少数品种，其中，银杏仅成片林就近40万亩，占江苏中药资源栽培总面积的50%。

传统道地药材如苏薄荷、泰半夏、太子参、孟荆芥等已丧失规模优势。苏薄荷曾是江苏道地药材，也是江苏地产栽培大品种，2000年前后，仅在东台新曹镇就有30多万亩的栽培规模，薄

荷油提取是当地重要的经济产业，但受国内外市场冲击，目前盐城地区薄荷栽培面积已大大缩减，只剩农户零星栽培，江苏薄荷产区已迁到泗阳。江苏南部因社会经济发展水平较高，药材栽培（养殖）规模整体呈大幅缩减态势。曾经主产于宜兴（西渚）、溧阳（平桥、陆笪、永和、竹箦、横涧、戴埠、沙河、新昌、上沛、上兴等地）、句容（袁巷）、金坛等的山区的太子参，当时产量达到国内总产量的 20% 以上，目前其栽培面积已缩减至不足万亩。传统"四小品种"产区，目前仅有宜兴、溧阳、句容、溧水尚有一定面积的中药材栽培。当年在苏南地区享有盛誉的蟾酥、土元、珍珠、鳖甲、龟甲等动物药品种，目前只有土元在丹阳地区有一定规模，蟾酥、珍珠、鳖甲、龟甲等已难以形成商品规模产量。

表 1-3-8　江苏主要栽培（养殖）的中药材品种

栽培（养殖）规模	调查品种
＞10 000 亩	银杏叶、菊花、黄蜀葵、芡实（苏芡、北芡）、浙贝母、女贞子、瓜蒌、白首乌
1 000～10 000 亩	荷叶、凌霄花、栀子、水蛭、射干、铁皮石斛、延胡索、溪黄草、败酱草、益母草、藿香、太子参、丹参、灵芝、百合、白芍、牡丹皮、泽兰、白及、板蓝根、半夏、桔梗、玫瑰花、连钱草、金银花、野马追、山楂、薄荷、香橼、蒲公英等
<1 000 亩	苍术、紫花地丁、明党参、金蝉花、木瓜、鬼箭羽、黄精、麦冬、南柴胡、徐长卿、鱼腥草、荆芥、梅花、吴茱萸、西红花、艾、垂盆草、蟾酥、珍珠、土元、全蝎、鹿角等

2. 水生、耐盐类中药资源种植（养殖）品种生产渐成亮点，特色突出，形成比较优势

目前江苏栽培面积较大的品种中，具有水生、耐盐特色的品种占比较大，在我国药材市场有较大影响力，已形成规模优势。菊花、牛皮消、浙贝母等可耐轻度盐碱的品种，在盐碱地较为充裕的沿海滩涂及黄河故道形成较大的栽培面积。江苏自 20 世纪 60 年代末开始，从浙江桐乡引种白菊花和黄菊花，目前已建成以盐城射阳洋马镇为核心产区来带动周边地区的我国最大的菊花栽培基地，菊花种植面积近 20 万亩，药用及茶用菊花产量占我国总产量的 30% 以上，规模优势明显，已初步形成苏菊品牌，射阳获得"中国药材之乡"的称号。盐城滨海为白首乌基原植物牛皮消的主要栽培地区，栽培区域集中于沿海黄河故道地区，目前全县白首乌种植面积已发展到 5 万亩，白首乌鲜品年产量可达 50 000 t，我国 95% 的白首乌产于此。江苏南通地区已有 60 余年的浙贝母种植历史，目前已成为我国浙贝母的主要种源基地，我国 90% 的浙贝母种贝产自南通地区。

此外，江苏充分发挥生态优势，利用江苏面积广大的湖荡，形成芡实、水蛭等品种的规模化生产。江苏高邮湖、洪泽湖以及淮安、金湖等地均大面积栽培芡实，北芡栽培面积约 10 万亩，苏芡栽培面积约 3 万亩。

3. 随着国内外中药及天然药物等资源依赖性制造企业对中药资源的需求改变，原料药材生产品种与发展规模出现适应性调整

江苏为医药工业大省，中成药、中药饮片及中药配方颗粒生产等中药工业规模超过 1 000 亿元，位居我国前列，中医临床及健康产业对中药材及中药饮片的消耗量较大，间接拉动了省内部分中药品种的人工栽培生产。部分中药制药企业实行订单式生产，主动延伸产业链，如黄蜀葵花为苏

中药业黄葵胶囊的主要原料，近年来，江苏地区黄蜀葵年栽培面积稳定在 1.2 万亩以上；康缘药业在东海自建了万亩金银花 GAP 基地、药用青蒿种子基地，以保障其热毒宁注射液原料药材的稳定供应；雷允上药业在南通自建了蟾酥基地以满足其六神丸的生产需要；石家庄以岭药业股份有限公司（以下简称"以岭药业"）在宝应投资建设了近 3 000 亩的水蛭养殖基地，以供应企业生产；天江药业在溧水、句容、宜兴等兴建了一批种植基地，为企业定向生产南柴胡、徐长卿、太子参、栀子、延胡索、白芍、紫花地丁等药材。此外，在项目带动及产学研合作下，江苏已建成菊花、浙贝母、苍术、黄蜀葵、银杏、芡实、桑、荆芥、青蒿等 10 余个中药资源品种种子种苗示范基地。（表 1-3-9）

表 1-3-9　江苏道地及重点中药材生产情况调查

药材名	类别（栽培 / 养殖 / 野生）	年产量（允收量）	生产情况
苍术	野生为主，零星栽培	野生年产量 100 kg；栽培年产量 1 t	野外挖种，根茎繁殖。1962 年收购量约 6 t，1970 年后，因环境被破坏，年收购量仅 1 t 多；引种栽培历史有 40 余年。实际大田栽培中存在植株早衰、坐果率及发芽率低的技术障碍，生长年限长。目前苍术野生抚育、组培快繁、良种选育及规范化栽培等研究取得突破，有望重新恢复道地产区苍术的种植规模；栽培区域在句容、溧阳等，亩产 50 ~ 100 kg
银杏叶（白果）	栽培	2 600 t	就地制种，种子或嫁接繁殖。种植历史有 1 500 余年。由于品种选育不受重视，产出的优质银杏叶比例低，不同品种银杏叶混杂采集。栽培区域在泰州、扬州及邳州等，亩产 150 ~ 200 kg
苏芡实	栽培	50 ~ 60 t	就地制种，种子繁殖。种植历史有近 40 年。主产于苏州、扬州、泰州、盐城、淮安、宿迁等，亩产 40 ~ 60 kg
三棱	栽培	20 ~ 30 t	就地制种，块茎繁殖。20 世纪 60 年代开始引种，种植历史超过 50 年。传统种植方式费工时，劳动力成本高，需要发展半机械化生产。主产于南京、宜兴、溧阳等，亩产 400 ~ 500 kg
蒲黄	野生为主，零星栽培	野生和栽培年产量共 50 ~ 60 t	主产于江苏中部、北部湖泽地区，如淮安、盐城、徐州、泰州、南通等，淮安地区有少量栽培
莲子（荷叶）	栽培	600 t	就地制种，支藕、子藕繁殖。种植历史极长。主产于沛县、盱眙、宝应、高邮等，亩产 150 ~ 250 kg
半夏	栽培	500 t	外省调种或野外挖种，块茎繁殖。20 世纪 60 年代开始野生变家种，1981 年徐州、扬州两地引种成功。种植过程中易发根腐病，严重影响产量，种质退化明显。主产于泰州、南通、徐州等，亩产 80 ~ 150 kg
黄蜀葵花	栽培	750 t	外省调种。种植历史有 20 余年。连作障碍较明显，怕旱、怕涝，亩产低。主产于泰州、扬州、南通、盐城、淮安、徐州等，亩产 50 ~ 80 kg
苏菊花	栽培	20 000 t	就地制种，扦插或分株繁殖。种植历史约有 60 年。种植过程中病虫害问题严重，如根腐病，连作障碍明显。主产于盐城射阳洋马镇及周边地区，亩产 150 ~ 200 kg
苏薄荷	栽培	200 t	就地制种，根茎繁殖。在苏州地区有 500 多年的种植历史。种质退化严重，传统上叶片大而厚的种植品种较少。主产于泗阳、通州、盱眙、句容等，亩产 150 ~ 200 kg
连钱草	栽培	500 t	就地制种，根茎繁殖。种植历史有 20 余年。主产于徐州及盱眙，亩产 180 ~ 220 kg
桑叶（桑椹）	栽培	800 t	就地制种，嫁接繁殖。种植历史极为悠久。生产中亩产较低，蚕桑叶被采集药用。药用桑叶主产于泗阳，江苏南部主要采集果实做食品原料，亩产桑叶 150 ~ 200 kg

续表

药材名	类别 （栽培/养殖 /野生）	年产量 （允收量）	生产情况
夏枯草	野生	10 t	劳动力成本增加，野生收购量逐年减少。主产于句容、盱眙
太子参	栽培	100 t	就地制种，从野外挖块根种植。种植历史有60余年。未选育优良品种，加之根腐病严重，亩产低。主产于句容、溧阳、宜兴等，亩产80～120 kg
青蒿	栽培	200 t	就地制种，种子繁殖。种植历史有近10年。主产于东海，亩产100～150 kg
金银花	栽培	200 t	外省调种，扦插繁殖。种植历史约有30年。栽培中采摘用工量过大，根腐病严重。主产于连云港及句容、宜兴，亩产80～100 kg
栀子	栽培	800 t	外省调种，种子繁殖。种植历史超过25年。栽培中品种较杂，未选育优良品种。主产于句容、溧阳等，亩产150～250 kg
凌霄花	栽培	50 t	就地制种，扦插繁殖。种植历史超过60年。未选育优良品种。主产于连云港南城镇，亩产300～400 kg
宜兴百合	栽培	200 t	就地制种或外省调种，鳞茎繁殖。种植历史有400多年。病虫害严重。主产于宜兴，亩产150～200 kg
南柴胡	栽培	100 t	就地制种，种子繁殖。种植历史有30余年。主产于句容，亩产150～180 kg
淡竹叶	野生	10 t	主产于宜兴、溧阳
蒲公英	栽培	100 t	外省调种，种子繁殖。种植历史有20余年。主产于镇江、南通、徐州及盱眙等，亩产250～300 kg
芦根	野生	200 t	主产于扬州、镇江及盱眙
香附	野生	50 t	主产于徐州、泰州及盱眙等
水蛭	养殖	800 t	就地制种。养殖历史约有25年。主产于盱眙、宝应、射阳等，亩产30～50 kg
地鳖虫	养殖	60～80 t	20世纪60年代养殖成功。养殖过程中雄虫死亡率较高。主产于常州、南通、徐州及丹阳等
鳖甲	养殖	50～60 t	养殖历史有50余年。主产于扬州、南通、镇江、常州及睢宁等
蜈蚣	野生	600万条	主产于徐州及盱眙、句容等

二、江苏中药资源生产的历史变革、发展趋势与适应性调整过程的利弊分析

江苏中药资源种类多，但资源量不丰，且江苏人多地少、土地利用率高，国民经济的发展和人民生活水平的快速提高，使得人均用药量不断增加，这就使江苏中药资源产业呈现出药材资源产量小、消耗量大的特点，这一特点必将贯穿江苏今后中药资源生产的各个环节。

（一）江苏中药资源生产的历史变革

第一阶段：1949—1957年。这一阶段的中药资源生产是野生中药资源的自然增长和自发采收以及家种（养）的自发生产。

第二阶段：1958—1978年。随着农业生产集体化和计划经济发展，中药资源生产步入计划发展的轨道，特别是1958年国务院下达了发展药材生产的指示后，该指示成为江苏发展药材生产的基本方针。一方面，大量的野生中药资源得到利用，年收购量不断增加，1978年年收购量达到

867万 kg，比 1958 年增加 10 倍，但过度采收（即采收量超过自然生长的允许量）导致野生中药资源量减少；另一方面，野生变家种（养）发展迅速，江苏各地相继建立国营集体药材种植场（队）47 个，开始有计划地引种、试种和野生变家种（养），利用耕地种植药材达 4 600 hm²，家种（养）药材收购量稳步增加，在药材总收购量中的比重不断上升，达到 47.66%。这一阶段的基本特点是中药资源的自然生长已受到人工采收的制约，野生中药资源量逐渐减少，而有计划引种、试种和野生变家种（养）发展迅速，使药材的总量较好地满足了社会的需求。

第三阶段：1979 年至今。20 世纪 80 年代后期，市场经济体制改革以及农业综合开发和农业结构调整，使这一阶段中药资源生产呈波动曲折发展的状态。从市场经济体制建立到市场全面放开，药材生产也由计划生产到根据市场需求生产。由于农民市场意识薄弱，难以适应市场需求的变化，加之药材公司的改革及其职能的转换，导致生产与收购脱节，使药材生产走向衰败。农业资源广度开发大规模展开，大面积的荒地被开发利用，使药用植物，特别是草本药用植物失去赖以生存的环境，导致中药资源量减少，部分中药资源甚至处于濒危状态。但与此同时，山丘地区的采收量减少，也使一些野生中药资源得以恢复。90 年代后期，农业结构的战略调整又给药材生产带来了新的生机。一些中药资源较丰富的地区，如宁镇扬低山丘陵道地药材区和沿海平原滩涂野生、家种药材区，由于原有药材生产基础较好，所以把发展药材生产作为该地区农业结构调整的一项重要内容；射阳、邳州等地在市场经济发展过程中，利用本身有利条件，探索中药资源的综合功能利用，发展药材产业化经营之路，在实现中药现代化过程中取得了新发展，建成了具有一定生产规模的药材生产基地，并以当地药材制药加工企业带动的新的中药资源开发利用方式，推动着药材生产的发展。这一阶段的特点是中药资源生态环境的建设和药材生产经营机制的建设并重，以市场经济规律为指导，引导药材生产走上规范化种植、标准化生产的路子，重点突出引种、试种和野生变家种（养）的药材生产格局。

（二）江苏中药资源生产的发展趋势

江苏人增地减，土地利用率和农业生产效益不断提高，野生中药资源若保护不力，必呈减少趋势，而家种（养）药材生产虽历经曲折，但总体呈上升趋势，家种（养）药材的生产量和收购量均超过了野生药材。这意味着发挥江苏道地、大宗药材资源特色，实施野生变家种（养）是江苏中药产业的发展总趋势。

与此同时，提高药材质量，对家种（养）药材实行规范化、规模化生产必将成为实现中药现代化的一条重要途径。这给了我们提示：一是固本求源，对江苏道地中药资源，通过保护其生态环境，保证资源的生态平衡，来保持其道地性；二是在引种外地适种药材和发展本地资源野生变家种（养）时，也必须遵循市场经济规律，按照规范化生产要求，有计划、有步骤地开展。

（三）江苏中药资源生产适应性调整过程的利弊分析

1. 部分依赖于自然资源的中药资源品种，需处理好保护与利用的关系

（1）根据药用植物资源情况采取适当的采收策略，既要营造其适生环境，也避免野生中药资源浪费。夏枯草药材采收期也是植株果穗成熟期，其种子会随着采收、转运而散布，药材采收为夏枯草种群更新及扩大创造了条件。南京江宁地区原先是夏枯草的主要产区之一，但因当地野生夏枯草药材收购减少，加之城镇化快速发展使夏枯草自然生境被压缩，不仅使南京优质的野生夏枯草资源被浪费，其野生资源量也不升返降。另外，部分稀有濒危植物当前的野生分布地和群落条件不一定是其个体和种群发生、发育全部过程的最适条件或某一阶段的最适条件，要结合其区系历史、对群落和种群的动态考察来确定其适合的生境。华东特有的名贵药材——明党参，生长在山地灌木林下或林缘土壤肥厚的地方。根据在紫金山等地的调查发现，在明党参的出苗期，入侵植物波斯婆婆纳、直立婆婆纳和睫毛婆婆纳会成片分布，对其生长有明显影响；同时，气候的变化、阔叶林的发展和群落结构的完善，压缩了明党参的生存空间，在一定程度上影响了明党参的适宜生境。可通过有计划的采挖，为明党参野生资源的就地保护创造适宜条件。

（2）重视封育结合，使宝贵的珍稀野生药用资源得到应有的保护和合理的利用。中药资源是中华民族世代繁衍生息的重要保障，过去的几千年里，中药资源主要来源于自然的馈赠和供给，然而人口剧增、生态环境保护不足，导致野生药材的供给能力锐减，人们不得已开始发展人工种植（养殖）生产以部分替代和补偿野生资源。目前，尽管约有300种药材来源于栽培，但尚约有200种药材的供给依靠野生资源，这也加剧了资源保护与利用的矛盾。

目前农林及自然资源保护部门对药用生物资源演替规律和药材资源利用的辩证关系的认识不足，一封了之，只封不育，任宝贵的药用生物资源自生自灭，这导致孕育着大量药材的生态区未能发挥应有的多元价值。因此，国家及省级主管部门应进行专题研究，并出台相应的政策法规，推动野生药材走采育结合、封育结合的健康生态发展之路。

2. 依赖于土地资源、水资源等生产要素发展的中药资源品种，要向着优质优价高质量发展的生产方式和市场有效调节的良性局面转变

（1）引导当地企业推行生态型农业生产方式，走中药优质优价绿色高质量发展道路。中药材是中医药事业发展的物质基础，其质量优劣直接关系到中医临床疗效的好坏。国家和行业高度重视中药材质量的提升，"优质优价"是市场经济下实现产品质量提升的重要经济规则。但中药材产业优质优价机制尚未完全形成，这严重制约了国家有关中药质量提升战略的实施。编者对中药材产业现状进行分析，认为缺乏行之有效的优质药材判定标准、加工产品未实行优质优价以及中药材的多重属性导致的价格波动是制约中药材优质优价机制形成的重要因素，优质药材价格形成机制重建、优质药材规格等级标准构建、溯源体系建设、品牌塑造及目标市场区分是中药材优质优价机制形成的重要途径。

江苏家种（养）药材生产受多种因素的影响和制约，形成生产不稳定的无序状态，这也导致药材产量和质量的波动。究其原因有以下 3 点：一是家种（养）药材生产技术差，又缺少相关技术指导，特别是从外地引种的中药资源，由于生态环境的改变，又缺乏相应的技术措施，导致药材产量和质量普遍较差；二是生产和科技脱节，江苏中医药科研技术力量较强，但没有形成科技与生产的结合，加之农民分散的小规模生产在市场经济下没有能力寻求科技的支撑，无法进行规范化生产，难以保证药材的产量和质量；三是生产和销售脱节、生产和加工脱节。在市场开放的情况下，解决药材的销路是发展生产的关键。

想要"优价"，必须先"优质"。中药材的药品属性决定了其属于特殊商品，收售双方存在显著的信息不对称，中药材难以像普通商品那样依靠用户的口碑形成可靠的差异化评价。要评判不同产地、不同厂家、不同生产方式生产的中药材的品质优劣，唯有依靠产品质量评价，通过质量标准，把产品的差异化变为标准的差异化。目前实行的中药材标准体系中，《中华人民共和国药典》作为国家强制性标准，是判断中药材是否合格的依据，是中药材质量的底线；市场较为通行的商品规格标准则更多以形貌定质，多认为大个、大条、大片质量较优。但被部分市场认定为质量较差的小统、小条、小片，其指标成分含量却较高，如黄芪药材规格等级愈低，其指标成分黄芪甲苷含量反而愈高。因此，以形貌论质的传统标准与以指标成分论质的现代标准的矛盾，已成为中药材质量甄别的瓶颈，市场缺乏行之有效的中药材优劣判定标准，是目前限制中药材实施优质优价的内在核心因素。

（2）建立有效的市场调节手段和约束机制，从根本上改变药材质量良莠不齐的被动局面。中药材的质量是整个中医药产业链的基石。近年来，随着国家的重视和技术的进步，中药材整体质量得到较大提升，多数中药品种混乱问题得到解决，现在中药市场上少见伪品。但随着中医药产业的快速发展，中药材产业规模逐年扩大，野生资源逐渐减少，多数药材资源转而采用家种（养）的方式供应市场。部分非道地产区盲目引种，致使药材道地性下降；道地产区药材种质混杂，品种退化，药材种植、生产、加工、贮存等分散无序、不规范，使药材质量不稳定。因盲目追求产量，部分产区药材种植过程中滥用农药、化肥、膨大剂的现象较为普遍，人为缩短生长周期，造成药材质量下降；对药材进行人为增重、染色、掺假现象时有发生。

目前，市场用于规范药材质量的法定标准——《中华人民共和国药典》实行的是最低准入标准，除少数品种外，大部分药材未规定其农药残留量、重金属含量等指标。市场销售的部分品种存在虽符合法定标准，但其质量不佳的现象，市场缺乏有效的调节手段和约束机制。在市场经济下，价格是配置资源、调整结构的基本杠杆，"优质优价，优质优先"是公认的市场交易原则。然而，目前影响中药材价格形成的因素中，药材稀缺程度和资本炒作仍是主要因素，药材质量难以成为决定性因素。此外，除少数品种外，多数中药材实行的仍是无差异销售，产品的竞争直接演变为单纯的价格竞争，质—价关联性不强，优质优价评价和调节体系尚未真正形成，"低质—低价—

更低质"的发展趋势日益明显，离"优质优价"的目标尚且较远。

中药材加工产品未实行优质优价，这制约了中药材优质优价机制的形成。作为中药材主要加工产品的中药饮片和中成药，在终端市场实行的仍是统一标准的无差异销售，其定价与质量大多无关。多数中药饮片、中成药需经过医疗机构再销售给患者，虽然医生、患者均有应用优质产品的意愿，但由于使用中药饮片及中成药的医疗机构多实行医药分离管理，中药饮片及中成药的品质由药房监管，但药房无法直接获取中药饮片和中成药的临床疗效评价，所以医疗机构购买优质饮片及中成药的积极性较低。以中药材为原料的中药饮片及中成药未实行优质优价，导致制药企业对优质中药材采购意愿降低，丧失了形成中药材优质优价机制的源动力。

（3）建立中药材优质优价机制。优质产品要实行优价，首先需确定其产品价格构成中优价形成的基础。

中药材属于资源性产品，产品价格由产品价值决定，并受供需关系及政策因素等影响。资源经济学理论指出，广义的资源性产品价格应由资源价格、资源开发加工成本、社会平均利润和税金（除资源税）构成，即：

资源性产品价格（Pk）＝资源价格（Pm）＋资源开发加工成本（v）＋社会平均利润（m）＋税金（t）

其中，资源价格（Pm）是对资源价值的具体反映，资源价值（P）包括直接使用价值［天然价值（N）和人工价值（L）］、生态环境价值（E）和社会价值（S），即：

资源价值（P）＝天然价值（N）＋人工价值（L）＋生态环境价值（E）＋社会价值（S）

与普通商品不同，资源性产品价格的特殊性主要体现在资源价值上。但现实中，作为资源性产品的中药材，其价格仅反映了资源价值的一部分，而忽略了生态环境价值与社会价值，即：

中药材价格（Pk）＝直接使用价值（N＋L）＋资源开发加工成本（v）＋社会平均利润（m）＋税金（t）

相对于普通药材而言，优质药材往往出产于具有独特生态环境的道地产区，多为生态种植且经过精细加工，具有较好的临床效用。因此，从价值形成理论来看，优质药材较普通药材在生态环境价值、人工价值、天然价值等方面均存在一定的价值增量，这些价值增量在价格形成过程中必然得到体现。此外，基于均衡价格理论，优质药材道地产区的地域限制性及优质药材的有限性，决定了其在价格形成过程中整体出现产品供给相对短缺的现象，这进一步助推了优质药材与普通药材的价格差异。

综上所述，中药材属于资源性产品，要建立反映市场供求、资源稀缺程度、环境成本的中药材产品质—价关联价格形成机制，必须重新认识其资源价值属性及价格构成，真实反映中药材的生态价值、优效价值。只有能反映优质药材全部真实价值的价格构成才能体现其优价。中药材的商品属性决定了其实行分等论价、优质优价，这是市场的必然选择，也是调动市场各主体提升中药材质量积极性的重要经济杠杆。但中药材的药品属性及收售双方的信息不对称性，决定了其优质优价机制形成的复杂性。中药材的质量是生产出来的，只讲终端产品评价而不讲过程评价，在目前缺乏行之有效的优质中药材评价标准的现状下是不全面的。而作为中药材加工品并直接面对消费终端的中药饮片及中成药目前尚未形成优质优价机制，要实现中药材的优质优价尚不现实。因此，在国家高度重视中药质量提升的时代背景下，中药产业应统筹产业各主体，打通产业链上下游，从行业关注度高、已形成较为公认的分级评价标准的个别品种入手，构建从种子种苗到中药材，再到中药饮片、中成药的全链条产品优质优价关联形成机制，并形成示范效应，由易及难，以点带面，分步、分层次推进，逐步形成全社会公认的、覆盖主要中药材品种的优质优价机制。

（4）重视深加工工业原料需求性药材的生产信息及市场变化，加强药材生产质量和发展规模的提升与技术壁垒性标准的建立。优质中药材品牌塑造是政府与企业共同关注和投入的重点。品牌不仅是商品的标志，更是企业核心竞争力的综合体现。塑造优质中药材品牌不仅可有效提高中药材产品的知名度，提升其无形资产价值，也可从品牌角度实现差异化竞争，提高产品利润率，是实现优质优价机制形成的重要抓手。因此，应积极实施优质药材品牌战略，从优质药材商标注册、道地中药材地理标志申报、绿色产品认证、有机产品认证等角度，塑造优质药材品牌效应，以知名品牌反映产品的优秀品质，从而带动优质药材的优价销售。

目标市场区分是药材生产规划与商品合理流通的重要方法。目前，中药材广泛用于医疗保健产品、畜禽饲用产品、日用轻化工产品等不同领域。不同目标市场及不同需求对象对中药材规格等级划分及质量的要求差别较大。高端医馆诊所及中药珍品店对中药材品相要求较高；中药注射剂生产企业除了要求药材符合药典标准外，还对农残成分进行特殊要求，且药材原料不同批次之间质量要稳定，有的还需药材达到其注射剂标定的功效组分含量要求；提取物生产企业最关注的是其目标成分含量的高低，这些企业会基于药材目标成分含量实行分层定价、优质优价。因此，针对不同市场需求建立相应的分级方法与评判标准，进行有针对性的优质药材供应，是实现中药材优质优价机制形成的重要途径。

第三节　江苏省中药材市场流通与中药贸易

江苏中药资源产业具有资源产量小、需求量大的特点，这决定了其中药材产地市场除少数品种外，大部分品种收购流通量较少、市场规模小而分散的特点。近年来，依托第四次全国中药资源普查工作建立的省级中心及动态监测站，对江苏中药材市场流通与中药贸易现状进行动态监测与产业指导，为江苏中药材有序流通及产业健康发展提供了帮助。

一、江苏中药材市场流通与中药贸易现状

（一）江苏中药材市场现状调查

自 2014 年以来，围绕苏产特色中药资源苍术、蟾蜍、水蛭、菊花等品种，通过对江苏大型中药制药企业、医院、药店等药材消耗及药品使用部门，中药材收购及零售企业、个体商户，以及中药材种植基地和个体采药人员等开展走访调查，基本掌握了这些品种及其加工产品在江苏主要中药材市场的销售情况，为中药材合理利用和资源调配提供了指导和相关依据。

据统计，江苏地区临床常用中药品种有 800 余种；江苏中药饮片、中成药及中药配方颗粒生产等中药工业的规模超过 1 000 亿元，位居我国前列，中医临床及健康产业对中药材及中药饮片的消耗量较大。江苏有较好的经济基础，且民间对中医药传统文化也有良好的认知度，在当前大健康产业蓬勃发展的形势下，中药产业拥有十分广阔的发展前景。

但江苏中药材产地收购流通量偏少，市场规模小而分散，仅在部分产地形成季节性的专业市场。例如，在射阳洋马镇、盱眙河桥镇、句容天王镇等地，多数药材在当地农贸市场交易流通（表1-3-10）。由于市场规模小，且多数中药品种属于农副产品免税，对地方经济贡献不大，地方政府多不重视中药材市场建设，投入资源偏少，缺乏专门机构针对检测、养护等环节进行监管和培训，市场规范程度有待提高。曾被中央电视台曝光的硫黄熏蒸菊花就出自射阳洋马镇菊花市场。近年来，随着经营理念的改变，市场规范性得到较大提升。

表 1-3-10　江苏中药材交易市场现状调查

市场名称	类型	主要交易品种	交易量	价格	备注
句容天王镇农贸市场	产地市场	栀子	500 t	29 元 /kg	统货
		凌霄花	10 t	22 元 /kg	统货
		太子参	80 t	98 元 /kg	统货
		明党参	2 t	60 元 /kg	统货
		金蝉花	5 t	160 元 /kg	统货
		春柴胡	10 t	3 元 /kg	统货
射阳洋马镇集贸市场	产地市场	菊花	3 000 t	45 元 /kg	饼花
		丹参	800 t	10 元 /kg	大条
		白术	600 t	15 元 /kg	统货
		玄参	100 t	8 元 /kg	统货
盱眙河桥镇集贸市场	产地市场	败酱草	500 t	5.5 元 /kg	统货
		蜈蚣	500 万条	2.5 元 / 条	皮
		薄荷	200 t	3.5 元 /kg	全棵
		连钱草	500 t	4 元 /kg	统货
		石见穿	100 t	15 元 /kg	统货
		延胡索	10 t	70 元 /kg	统货
		佩兰	100 t	3 元 /kg	统货
		金银花	50 t	95 元 /kg	统货

续表

市场名称	类型	主要交易品种	交易量	价格	备注
		半枝莲	50 t	6.5 元 /kg	头茬
		葛根	100 t	6 元 /kg	柴大丁
		白英	50 t	7 元 /kg	统货
		香茶菜	500 t	12 元 /kg	统货
		明党参	5 t	58 元 /kg	统货
		仙鹤草	200 t	2.8 元 /kg	统货
		野马追	200 t	4.5 元 /kg	统货
		紫苏梗	50 t	3 元 /kg	统货
		大蓟	100 t	6 元 /kg	统货
		决明子	50 t	3.9 元 /kg	统货
		益母草	300 t	2.3 元 /kg	大花
		泽兰	200 t	6.5 元 /kg	统货
海安角斜镇集贸市场	产地市场	浙贝母	500 t	95 元 /kg	统货
		丹参	100 t	11 元 /kg	大条
		白术	100 t	13 元 /kg	统货
		薄荷	200 t	4.5 元 /kg	全棵

（二）江苏中药材市场流通与中药贸易现状分析

根据调查结果分析，江苏中药材收购流通环节呈现以下特点。

1. 原有产区野生药材蕴藏量日益减少，野生药材难以形成稳定货源

自 20 世纪 90 年代以来，随着江苏大规模、有计划的土地整治和农业综合开发，四荒（荒地、荒山、荒水、荒滩）不断被开发利用。江苏地区城镇化进程不断加快，导致原有的自然生态环境不断被人工生态环境取代，一些自然生长的药用植物、动物失去了生存环境，加之缺乏对中药资源的保护，使大部分野生药用植物、动物的资源蕴藏量大幅减少。主要药材品种的总体蕴藏量相对减少，甚至部分道地药材资源（如苍术）面临濒危。总体上说，江苏药材资源蕴藏量较少，药材收购量时高时低，不易形成稳定的药材货源。

2. 社会经济因素导致江苏药材收购产业日益没落，从业人员数量显著减少

社会经济因素对药材收购流通造成了很大影响，如第三次中药资源普查资料显示，江苏野生夏枯草的蕴藏量较大，我国药材市场每年可从江苏收购到 1 000 t 夏枯草，以传统收购地江宁为例，近年来随着劳动力成本增加，加之原江宁县医药总公司改制等原因，自 2000 年后再无收购。动物类药材如僵蚕、蜈蚣、蝉蜕等也面临这种情况。江苏南部传统药材产区药材栽培（养殖）规模整体呈大幅缩减态势，传统"四小品种"产区，目前只有宜兴、溧阳、句容、溧水尚有一定面积的中药材栽培和药材收购；同时江苏南部中药材生产投资出现结构性变化，中药材基地投资以企业为主，投资的中药材以名贵品种、工业企业原料需求品种为主，如铁皮石斛、西红花、鹿茸等。

江苏北部部分县市野生中药资源蕴藏量迅速减少，中药材栽培发展态势较好的仅有射阳、盱眙等少数地区。

目前，江苏从事中药材收购的人员整体年龄偏大，主要集中在 45～70 岁，多数为原有药材公司从业人员或其子女。由于药材收购行业具有一定技术要求，且江苏经济较为发达，就业选择较多，多数人认为药材收购行业辛苦、社会地位不高而不愿入行，原先"师带徒""子承父业"的模式难以为继。同时，绝大部分中药资源相关行业技术人才更愿意选择到医药企业的质检、研发、销售等岗位工作，而不愿到基层从事药材产销工作，因此中药材收购从业人员数量显著减少。

3. 不同类型地产中药资源产销量变化较大，整体呈现产不供需的特点

经过近 30 年的发展，江苏地产草本类中药资源骤减，无论是野生还是家种，产量均已远远无法供应省内医药工业的需求，特别是传统优势草本类药材，如荆芥、薄荷、夏枯草、紫花地丁等，现在已处于有名无实的状态（表 1-3-11）。目前，仅在江苏北部还有少数草本类药材有一定产量，如败酱草、连钱草、益母草等。

花果类中药资源仍然是江苏中药资源的优势种类，但具体品种已改变，传统上产量较大的玳玳花、玫瑰花、梅花、月季花等已丧失优势，目前江苏在我国有较大影响力的花果类药材为芡实、菊花、黄蜀葵花、白果、凌霄花、女贞子等。

动物类药材产量下降明显。调查显示，江苏目前具有商品养殖规模的动物类药材主要有蟾酥、水蛭、鹿茸、地鳖虫等，但由于生产技术问题，动物类药材的产量和品质不高。此外，由于城市化建设和农药的广泛使用等，蟾蜍、蝉等野生动物资源量下降明显。

江苏矿物药资源几乎无产出，多数品种的市场地位已被他省取代。通过对江苏矿物药资源的初步调查发现，江苏矿物药资源品种较多，有近 70 种，但部分药用矿产资源临床几无应用，作为药用资源开发利用的较少。

表 1-3-11　江苏中药材品种收购情况变化

药材名	第三次中药资源普查	第四次中药资源普查	药材收购变化分析
苏薄荷	江苏道地药材。南通为我国最大的产区，所产药材畅销国内外。薄荷种植业为江苏的重要经济产业	产量下降，与之相关的产业也外迁	薄荷栽培效益低，江苏劳动力价格升高，种植规模缩小
苏荆芥	江苏道地药材，年产量超300 t，产品大量销往省外	主产区早已转移至河北安国，江苏道地荆芥种质资源已无迹可寻	荆芥曾经主产于江苏常州孟河一带，称"孟荆芥"，因江苏南部城镇化和工业发展，荆芥种植的发展失去基础
苍术	江苏道地药材，蕴藏量50～100 t，每年有一定量供应国内及东南亚国家市场	蕴藏量不足 5 t，已无商品供应市场	资源过度开发，苍术赖以生存的丘陵、山区生态环境逐渐恶化
夏枯草	蕴藏量超过 1 000 t，南京江宁为我国主产区，产品销往东南亚各国	年产量不到50 t，江宁蕴藏量急剧减少，无商品供应市场，夏枯草种植业也未得到发展。江苏北部有一定产量	江宁城镇化快速发展，使夏枯草的生存环境不复存在；同时，夏枯草产品价值较低，被工业化生产抛弃

续表

药材名	第三次中药资源普查	第四次中药资源普查	药材收购变化分析
丹参	年产量超 1 200 t。盐城为我国重要产区	年产量下降，品质难以被市场认可，在我国的影响力下降	江苏产丹参品质与山东产丹参相差较大，生产成本较高
明党参	江苏道地药材，蕴藏量100～500t，以野生资源为主，产品出口东南亚各国	野生资源充裕，但年产量持续下降	明党参中医配方使用极少，主要用于以食品、保健品生产，近年明党参研究开发滞后，原料需求下降

二、江苏中药原料质量监测技术服务体系建设

2015 年 4 月 27 日，国务院办公厅发布《中药材保护和发展规划（2015—2020 年）》（国办发〔2015〕27 号）（以下简称《规划》），为加强中药材保护、促进中药产业科学发展指明了方向。《规划》提出"建立全国中药资源动态监测网络。建立覆盖全国中药材主要产区的资源监测网络，掌握资源动态变化，及时提供预警信息"。省级中心及下辖的 3 个中药资源动态监测站就是在此背景下，根据《国家中医药管理局办公室关于建立国家基本药物中药原料资源动态监测和信息服务体系的通知》（国中医药办科技发〔2012〕44 号）、《关于国家基本药物中药原料资源动态监测和信息服务站建设有关事项的函》（国中药资源普查办〔2012〕3 号）的文件精神，在江苏设立的用以落实《规划》任务的基本单元和中药材质量监测信息网络基本节点，是我国中药资源动态监测网络的末端环节，起到信息收集和专业技术服务的双重作用。

（一）江苏中药原料质量监测技术服务体系建设概况

江苏省级中心是国家基本药物中药原料资源动态监测和信息服务体系下辖的 28 个省级中心之一，中心主任为段金廒教授。省级中心在江苏省中医药管理局的领导下开展工作，依托南京中医药大学建设运行，联合射阳县洋马镇人民政府、泰州医药城国科化物生物医药科技有限公司、苏州市中医医院，分别在射阳洋马镇、泰州医药城、苏州吴中建成苏北（简称"苏北站"）、苏中（简称"苏中站"）和苏南（简称"苏南站"）3 个动态监测站，3 个监测站分别负责江苏北部、中部、南部地区，在各县（市、区）设立监测点，构建了覆盖全省的产地信息网络，重点围绕菊花、银杏叶、水蛭、黄蜀葵花、栀子、太子参、凌霄花、芡实、蟾酥、浙贝母 10 种重要中药原料资源的产量、流通量、质量、价格等信息进行监测，并提供技术服务，向国家中心平台报送有关信息。

江苏中药原料质量监测技术服务体系围绕省内中药原料资源的产量、流通量、质量、价格等信息进行监测工作，省级中心及 3 个监测站均已按照国家要求购置了 LED 显示屏、视频会议系统、相机、电脑等办公设施，拥有符合标准的办公场地及进行中药材技术服务所需的全部仪器设备。省级中心及苏北、苏中、苏南 3 个监测站于 2018 年 12 月顺利通过国家中医药管理局组织的验收。

在江苏中药原料质量监测技术服务体系的建设过程中，省级中心及监测站积极参加国家中心平台组织的各种培训和交流活动，加强组织建设及业务培训，并制作宣传、技术培训材料，积极

服务于江苏中药资源产业的信息动态监测及技术服务与普及。

（二）江苏中药原料质量监测技术服务情况

省级中心和 3 个监测站配合国家中心平台开展有关调研与服务、中国合格评定国家认可委员会（CNAS）多场所标准实验室认证等工作，并自主开展江苏水生药材生产区划研究等，积极做好面向省内药农、药商、药企的信息收集和技术服务。

1. 江苏中药原料质量监测信息收集与上报

省级中心构建了江苏"监测站—监测点—药材种植基地—种子种苗基地"中药资源信息收集网络，掌握了江苏中药材产业基本数据。省级中心根据国家中心要求，结合江苏中药资源特点，选择菊花、银杏叶、水蛭、黄蜀葵花、栀子、太子参、凌霄花、芡实、蟾酥、浙贝母 10 种地产道地药材，每周审核上报这些药材的市场调查、产地调查信息。截至 2019 年，累计完成菊花、水蛭等 10 个品种的 402 条流通量调查数据、2 566 条价格调查数据的审核上报。此外，省级中心还对江苏中药资源主要品种的产销信息进行动态监测，实时掌握其产销情况及价格变化趋势，可即时发布价格调控预警等信息，为江苏中药资源产业的健康发展提供了重要支撑。

2. 技术服务

（1）服务于区域中药材生产技术培训。省级中心及监测站积极对省内药农、药商、药企提供信息和技术服务，编制形成《江苏省常用中药材栽培技术手册》，进行技术咨询或开展培训共 16 次，发放宣传、培训手册 1 000 余本。

（2）服务于区域中药材栽培技术咨询与技术攻关。省级中心整合资源及技术优势，积极开展技术服务。通过向省内中药制药企业提供资源评估服务、原料药材基地建设指导等方式，积极开展运营机制探索及自我"造血"能力培养，为江苏动态监测体系的良性发展提供了重要基础和经验积累。

近年来，省级中心联合监测站先后赴泰州海陵、连云港东海开展药材病虫草害应急处理工作，协助企业建成了四叶草、益母草、栀子、浙贝母、延胡索等药材基地。受江苏省中医药管理局委托，赴涟水、丰县等地开展中药材产业扶贫技术指导工作，并为溧水康养小镇建设提供技术咨询。为省内济川药业、康缘药业、江苏龙凤堂中药有限公司、融昱药业、江苏承开中药有限公司等大型中药制药企业提供原料药材资源评估、优质药源基地建设指导等技术服务，为江苏中药制药企业的快速发展提供了技术保障。

（3）服务于区域中药材产销对接及品牌塑造。省级中心依托自身学术优势，联合地方政府及龙头企业，以技术考察、产业发展论坛等多种形式积极服务于省内地产特色中药资源的产销对接和品牌塑造。2017 年 10 月 20 日，省级中心联合射阳县人民政府举办"射阳县菊花药材产业技术专家论坛"，邀请国内 20 余位中药材专家对射阳洋马镇菊花基地进行考察，致力于苏菊品牌的塑造。2017 年 12 月 23 日，省级中心与苏北监测站开展的射阳菊花资源循环利用实践被中央电视台财经频道专题报道，对中药材资源的综合开发利用起到了示范带动作用，在国内产生了一定影响，进一步树立了苏菊品牌，为江苏菊花产业的高质量发展提供了澎湃动力。

江苏中医药事业具有深厚的历史积淀和应用实践基础。中医医疗、健康保健及中药制药产业发展持续走强，中药饮片的需求量逐年增加，中药材资源保障显得尤为重要。人口老龄化推动大健康产业发展，江苏中药制药产业更显勃勃生机。中医药医疗服务与大健康产业的发展迫切要求提升中药饮片及中药配方颗粒的质量，因此，加强中药材生产基地及商贸流通体系建设，对江苏中医医疗、健康保健及中药制药产业可持续发展具有重要意义。

江苏中药原料质量监测技术服务体系在江苏省中医药管理局的领导和支持下开展相关工作，目前已组建了中药材基原及真伪鉴定、中药材质量检测、中药材有害物质检测、种子种苗质量检测、中药材种植技术指导、中药材病虫害防治技术指导、中药材采收加工指导等 7 个功能性服务平台，充分利用从第四次全国中药资源普查工作中获得的产地药材专业合作社、本地药材经销大户信息，以及从政府科技部门、农林部门获得的药材种植、经营企业信息，增大信息填报点的覆盖面并提升专业素质，进一步完善江苏中药资源动态监测信息网络，充分做好中药资源相关资源的整合，以便更好地为政府主管部门及企事业单位服务，为江苏中药产业发展提供助力。

第四节　江苏省外来植物特征分析及资源化利用策略

生物入侵现象遍及全球，已成为威胁全球生态与生物安全的严重问题，引起了各国政府的高度重视。近年来，外来入侵植物已经对我国的生态环境、经济发展及人类健康产生了一定的影响，引起国家资源与环境部门、卫生与健康管理部门以及各级政府和全社会的关注，对部分危害较为严重的品种，相关部门已采取了一些抑制其蔓延或化害为利的措施，但成效甚微。随着国际贸易、科学研究、资源产业、国际旅游等相关领域的全球性开放交流和往来，主动引入和意外入侵我国的外来物种数量将会呈快速增长的趋势，需要政府及全社会给予更多关注，采取更主动有效的应对策略。

一、江苏外来植物特征分析

江苏位于我国东部沿海中心，水陆交通便利，对外开放度较高，科学研究与商业贸易交流频繁，通过各种途径主动引入或意外入侵的外来物种十分丰富。在开展江苏第四次中药资源普查外业调查的过程中，发现江苏外来入侵植物种类繁多且种群繁衍与扩张速度惊人，有的物种甚至在部分地区形成优势种群，对当地生态及原有植物类群造成较大影响。鉴于此，本团队在结合野外调查结果和文献报道的基础上，对江苏地区外来入侵植物的品种及其相关生物学特性进行整理，以期引起业内乃至社会的广泛重视，做好外来入侵植物的预警和防范工作。同时，基于中药资源化学的研究思路，就外来入侵植物的资源化利用现状及策略进行探讨，以期在有效控制外来入侵植物蔓延的基础上实现其资源化利用，化害为利，变害为宝。

（一）外来植物类群基本构成

从种类构成来看，江苏外来植物中低等的蕨类植物只有速生槐叶蘋1种，主要为高等有花植物。外来植物种类丰富的科为菊科、豆科、禾本科、苋科、大戟科、茄科和十字花科，包含120多种，约占外来植物总种数的60.95%，构成江苏地区外来植物的主体，其中，菊科种类最多，达46种（约占外来植物总种数的21.90%），豆科26种（约占外来植物总种数的12.38%），禾本科18种（约占外来植物总种数的8.57%），苋科14种（约占外来植物总种数的6.67%），大戟科9种（约占外来植物总数的4.28%），茄科8种（约占外来植物总种数的3.81%）。外来植物超过5种的科还有十字花科、玄参科、柳叶菜科。从属的层面分析，苋属占有优势地位，达10种之多，且分布广、入侵性强。从植物类型来看，外来植物涉及草本、灌木、乔木、藤本，其中草本种类占主体地位，灌木有14种，乔木有7种，藤本有4种。（表1-3-12）

表1-3-12 江苏外来植物目录

序号	科名	种数	物种名
1	槐叶蘋科 Salviniaceae	1	速生槐叶蘋 *Salvinia adnata* Desv.
2	满江红科 Azollaceae	1	细叶满江红 *Azolla filiculoides* Lam.
3	木麻黄科 Casuarinaceae	1	木麻黄 *Casuarina equisetifolia* Forst
4	桑科 Moraceae	1	大麻 *Cannabis sativa* L.*
5	荨麻科 Urticaceae	1	小叶冷水花 *Pilea microphylla* (L.) Liebm.
6	蓼科 Polygonaceae	2	竹节蓼 *Muehlenbeckia platyclada* (F. Muell. ex Hook.) Meisn.、小酸模 *Rumex acetosella* L.
7	商陆科 Phytolaccaceae	1	垂序商陆 *Phytolacca americana* L.*
8	紫茉莉科 Nyctaginaceae	1	紫茉莉 *Mirabilis jalapa* L.
9	番杏科 Aizoaceae	1	番杏 *Tetragonia tetragonioides* (Pall.) Kuntze*
10	马齿苋科 Portulacaceae	2	大花马齿苋 *Portulaca grandiflora* Hook.、土人参 *Talinum paniculatum* (Jacq.) Gaertn.
11	落葵科 Basellaceae	2	落葵薯 *Anredera cordifolia* (Tenore) Steenis*、落葵 *Basella alba* L.*
12	石竹科 Caryophyllaceae	5	球序卷耳 *Cerastium glomeratum* Thuill.、鹅肠菜 *Stellaria aquatica* (L.) Scop.*、肥皂草 *Saponaria officinalis* L.*、无瓣繁缕 *Stellaria pallida* (Dumortier) Crepin、麦蓝菜 *Gypsophila vaccaria* (L.) Sm.*
13	藜科 Chenopodiaceae	4	小藜 *Chenopodium ficifolium* Smith、灰绿藜 *Chenopodium glaucum* L.*、土荆芥 *Chenopodium ambrosioides* L.*、刺沙蓬 *Salsola tragus* L.*
14	苋科 Amaranthaceae	14	喜旱莲子草 *Alternanthera philoxeroides* (Mart.) Griseb.*、刺花莲子草 *Alternanthera pungens* H. B. K.、凹头苋 *Amaranthus blitum* Linnaeus*、老枪谷 *Amaranthus caudatus* L.、老鸦谷 *Amaranthus cruentus* Linnaeus、绿穗苋 *Amaranthus hybridus* L.、千穗谷 *Amaranthus hypochondriacus* L.、长芒苋 *Amaranthus palmeri* S. Watson、反枝苋 *Amaranthus retroflexus* L.*、刺苋 *Amaranthus spinosus* L.*、苋 *Amaranthus tricolor* L.*、皱果苋 *Amaranthus viridis* L.、鸡冠花 *Celosia cristata* L.*、千日红 *Gomphrena globosa* L.*

续表

序号	科名	种数	物种名
15	仙人掌科 Cactaceae	2	仙人掌 *Opuntia dillenii* (Ker Gawl.) Haw.*、梨果仙人掌 *Opuntia ficus-indica* (L.) Mill.
16	毛茛科 Ranunculaceae	4	飞燕草 *Consolida ajacis* (L.) Schur*、田野毛茛 *Ranunculus arvensis* L.、刺果毛茛 *Ranunculus muricatus* L.、欧毛茛 *Ranunculus sardous* Crantz
17	睡莲科 Nymphaeaceae	1	竹节水松 *Cabomba caroliniana* A. Gray
18	胡椒科 Piperaceae	1	草胡椒 *Peperomia pellucida* (L.) Kunth*
19	罂粟科 Papaveraceae	2	蓟罂粟 *Argemone mexicana* L.*、虞美人 *Papaver rhoeas* L.*
20	十字花科 Brassicaceae	7	辣根 *Armoracia rusticana* (Lam.) P. Gaertner et Schreb.*、荠 *Capsella bursa-pastoris* (L.) Medic.*、弯曲碎米荠 *Cardamine flexuosa* With.、臭荠 *Coronopus didymus* L.、北美独行菜 *Lepidium virginicum* L.*、豆瓣菜 *Nasturtium officinale* R. Brume*、新疆白芥 *Sinapis arvensis* Linnaeus
21	豆科 Fabaceae	26	银荆 *Acacia dealbata* Link、黑荆 *Acacia mearnsii* De Wilde、阔荚合欢 *Albizia lebbeck* (L.) Benth.、紫穗槐 *Amorpha fruticosa* L.*、木豆 *Cajanus cajan* (L.) Millsp.*、距瓣豆 *Centrosema pubescens* Benth.、山扁豆 *Chamaecrista mimosoides* Standl.*、圆叶猪屎豆 *Crotalaria incana* L.、菽麻 *Crotalaria juncea* L.*、野青树 *Indigofera suffruticosa* Mill.、银合欢 *Leucaena leucocephala* (Lam.) de Wit、南苜蓿 *Medicago hispida* Gaertn.*、紫苜蓿 *Medicago sativa* L.*、白花草木樨 *Melilotus alba* Medic. ex Desr.*、印度草木樨 *Melilotus indica* (Linn.) All.*、草木樨 *Melilotus officinalis* (L.) Pall.、含羞草 *Mimosa pudica* L.*、刺槐 *Robinia pseudoacacia* L.*、钝叶决明 *Senna obtusifolia* (L.) H. S. Irwin & Barneby、望江南 *Cassia occidentalis* Linn.*、槐叶决明 *Cassia sophera* Linn.、田菁 *Sesbania cannabina* (Retz.) Poir.*、绛车轴草 *Trifolium incarnatum* L.*、红车轴草 *Trifolium pratense* L.*、白车轴草 *Trifolium repens* L.、长柔毛野豌豆 *Vicia villosa* Roth
22	酢浆草科 Oxalidaceae	2	大花酢浆草 *Oxalis bowiei* Lindl.、红花酢浆草 *Oxalis corymbosa* DC.
23	牻牛儿苗科 Geraniaceae	1	野老鹳草 *Geranium carolinianum* L.*
24	大戟科 Euphorbiaceae	9	猩猩草 *Euphorbia cyathophora* Murr.、齿裂大戟 *Euphorbia dentata* Michx.、白苞猩猩草 *Euphorbia heterophylla* L.*、飞扬草 *Euphorbia hirta* L.*、斑地锦 *Euphorbia maculata* L.*、美洲地锦草 *Euphorbia nutans* Lagasca、匍匐大戟 *Euphorbia prostrata* Ait.、匍根大戟 *Euphorbia serpens* H. B. K.、蓖麻 *Ricinus communis* L.*
25	漆树科 Anacardiaceae	1	火炬树 *Rhus typhina* L.
26	凤仙花科 Balsaminaceae	1	凤仙花 *Impatiens balsamina* L.*
27	葡萄科 Vitaceae	1	五叶地锦 *Parthenocissus quinquefolia* (L.) Planch.
28	锦葵科 Malvaceae	3	苘麻 *Abutilon theophrasti* Medics*、野西瓜苗 *Hibiscus trionum* L.、赛葵 *Malvastrum coromandelianum* (L.) Gurcke
29	千屈菜科 Lythraceae	1	轮叶节节菜 *Rotala mexicana* Cham. et Schltdl.
30	桃金娘科 Myrtaceae	1	桉 *Eucalyptus robusta* Smith
31	柳叶菜科 Onagraceae	6	小花山桃草 *Gaura parviflora* Douglas、月见草 *Oenothera biennis* L.*、黄花月见草 *Oenothera glazioviana* Mich.、裂叶月见草 *Oenothera laciniata* Hill.、粉花月见草 *Oenothera rosea* L' Her. ex Ait.、待宵草 *Oenothera stricta* Ledeb. et Link
32	伞形科 Umbelliferae	3	细叶旱芹 *Cyclospermum leptophyllum* (Persoon) Sprague ex Britton & P. Wilson、野胡萝卜 *Daucus carota* L.*、南美天胡荽 *Hydrocotyle vulgaris* L.
33	夹竹桃科 Apocynaceae	1	长春花 *Catharanthus roseus* (L.) G. Don*
34	萝藦科 Asclepiadaceae	1	马利筋 *Asclepias curassavica* L.*
35	茜草科 Rubiaceae	1	阔叶丰花草 *Spermacoce alata* Aublet

序号	科名	种数	物种名
36	旋花科 Convolvulaceae	5	瘤梗甘薯 *Ipomoea lacunosa* L.、牵牛 *Ipomoea nil* (Linnaeus) Roth、圆叶牵牛 *Ipomoea purpurea* (L.) Roth*、茑萝 *Ipomoea quamoclit* L.*、三裂叶薯 *Ipomoea triloba* L.
37	紫草科 Boraginaceae	1	椭圆叶天芥菜 *Heliotropium ellipticum* Ledeb.
38	马鞭草科 Verbenaceae	1	马缨丹 *Lantana camara* L.*
39	唇形科 Lamiaceae	2	罗勒 *Ocimum basilicum* L.*、田野水苏 *Stachys arvensis* L.
40	茄科 Solanaceae	8	毛曼陀罗 *Datura innoxia* Mill.、洋金花 *Datura metel* L.*、曼陀罗 *Datura stramonium* L.*、假酸浆 *Nicandra physalodes* (L.) Gaertn.*、苦蘵 *Physalis angulata* L.*、喀西茄 *Solanum khasianum* C. B. Clarke、牛茄子 *Solanum surattense* Burm. f.、珊瑚樱 *Solanum pseudo-capsicum* L.*
41	玄参科 Scrophulariaceae	6	野甘草 *Scoparia dulcis* L.、直立婆婆纳 *Veronica arvensis* L.*、常春藤婆婆纳 *Veronica hederaefolia* L.、蚊母草 *Veronica peregrina* L.、阿拉伯婆婆纳 *Veronica persica* Poir.*、婆婆纳 *Veronica didyma* Ten.
42	车前科 Plantaginaceae	3	芒苞车前 *Plantago aristata* Michx.、长叶车前 *Plantago lanceolata* L.、北美车前 *Plantago virginica* L.
43	菊科 Compositae	46	藿香蓟 *Ageratum conyzoides* L.*、熊耳草 *Ageratum houstonianum* Miller、豚草 *Ambrosia artemisiifolia* L.、三裂叶豚草 *Ambrosia trifida* L.、钻叶紫菀 *Aster subulatus* Michx*、婆婆针 *Bidens bipinnata* L.*、大狼杷草 *Bidens frondosa* L.*、鬼针草 *Bidens pilosa* L.*、矢车菊 *Centaurea cyanus* L.、菊苣 *Cichorium intybus* L.*、小飞蓬 *Conyza canadensis* (L.) Cronq.、金鸡菊 *Coreopsis basalis* (A. Dietr.) S. F. Blake*、大花金鸡菊 *Coreopsis grandiflora* Hogg.、剑叶金鸡菊 *Coreopsis lanceolata* L.、两色金鸡菊 *Coreopsis tinctoria* Nutt.*、秋英 *Cosmos bipinnatus* Cavanilles*、硫磺菊 *Cosmos sulphureus* Cav.、野茼蒿 *Crassocephalum crepidioides* (Benth.) S. Moore*、鳢肠 *Eclipta prostrata* (L.) L.*、一年蓬 *Erigeron annuus* (L.) Pers.*、香丝草 *Erigeron bonariensis* L.、小蓬草 *Erigeron canadensis* L.、春飞蓬 *Erigeron philadelphicus* L.、粗糙飞蓬 *Erigeron strigosus* Muhl.、苏门白酒草 *Erigeron snmatrensis* Retz.*、大麻叶泽兰 *Eupatorium cannabinum* L.、牛膝菊 *Galinsoga parviflora* Cav.*、粗毛牛膝菊 *Galinsoga quadriradiata* Ruiz et Pav.、蒿子杆 *Glebionis carinata* (Schousboe) Tzvelev*、茼蒿 *Glebionis coronarium* L.*、南茼蒿 *Glebionis segetum* (Linnaeus) Fourreau、堆心菊 *Heleniun bigelovii* L.*、菊芋 *Helianthus tuberosus* L.、滨菊 *Leucanthemum vulgare* Lam.、欧洲千里光 *Senecio vulgaris* L.*、水飞蓟 *Silybum marianum* (L.) Gaertn.*、包果菊 *Smallanthus uvedalia* (Linnaeus) Mackenzie、加拿大一枝黄花 *Solidago canadensis* L.、裸柱菊 *Soliva anthemifolia* R. Br.*、花叶滇苦菜 *Sonchus asper* (L.) Hill.、苦苣菜 *Sonchus oleraceus* L.*、万寿菊 *Tagetes erecta* L.*、孔雀草 *Tagetes patula* L.*、肿柄菊 *Tithonia diversifolia* A. Gray.、刺苍耳 *Xanthium spinosum* L.、多花百日菊 *Zinnia peruviana* (L.) L.
44	百合科 Liliaceae	1	凤尾兰 *Yucca gloriosa* L.
45	石蒜科 Amaryllidaceae	2	葱莲 *Zephyranthes candida* (Lindl.) Herb.*、韭莲 *Zephyranthes carinata* Herbert*
46	雨久花科 Pontederiaceae	1	凤眼蓝 *Eichhornia crassipes* (Mart.) Solme
47	鸭跖草科 Commelinaceae	1	紫竹梅 *Tradescantia pallida* (Rose) D. R. Hunt

续表

序号	科名	种数	物种名
48	禾本科 Poaceae	18	节节麦 *Aegilops tauschii* Coss.、野燕麦 *Avena fatua* L.*、扁穗雀麦 *Bromus catharticus* Vahl.、香根草 *Chrysopogon zizanioides* (Linnaeus) Roberty、多花黑麦草 *Lolium multiflorum* Lam.、黑麦草 *Lolium perenne* L.、毒麦 *Lolium temulentum* L.、田野黑麦草 *Lolium temulentum* L. var. *arvense* (Withering) Liljeblad、铺地黍 *Panicum repens* L.*、两耳草 *Paspalum conjugatum* Berg.、毛花雀稗 *Paspalum dilatatum* Poir、象草 *Pennisetum purpureum* Schum.、梯牧草 *Phleum pratense* L.*、加拿大早熟禾 *Poa compressa* L.、石茅 *Sorghum halepense* (L.) Pers.、苏丹草 *Sorghum sudanense* (Piper) Stapf、互花米草 *Spartina alterniflora* Lois.、大米草 *Spartina anglica* Hubb.
49	天南星科 Araceae	1	大薸 *Pistia stratiotes* L.*
50	莎草科 Cyperaceae	1	香附子 *Cyperus rotundus* L.*
51	竹芋科 Marantaceae	1	再力花 *Thalia dealbata* Fraser

注：带 * 标志者为有传统药用记载的物种。

（二）外来植物的原产地分析

通过对外来植物原产地的统计分析发现，江苏外来植物原产地分别为北美洲、南美洲、欧洲、亚洲、非洲和大洋洲。210 种植物的原产地共计 235 频次，其中南美洲（包括热带美洲）的频次最高，为 64 次（约占 27.23%）；其次为欧洲，共 53 次（约占 22.55%）；亚洲居第三位，共 50 次（约占 21.28%）；北美洲为 42 次（约占 17.87%）；非洲为 21 次（约占 8.94%）；大洋洲为 5 次（约占 2.13%）。

统计结果显示，江苏地区的外来植物中，原产于南美洲的植物比例最高，并且很多物种的生态适应性强，已经成为我国的恶性入侵植物。这一现象的主要原因可能是两地的气候比较相似。在原产于南美洲的入侵植物中，多数物种来自南美洲的东南部亚热带季风气候和季风性湿润气候区域，而江苏位于我国沿海地区，降水丰富，气候温暖湿润，为亚热带湿润性季风气候和温带季风气候。相似的气候特点使气候因子对外来入侵植物的限制相对较弱，有利于外来入侵植物的繁殖和扩散。

（三）外来植物的类型构成分析

分析表明，江苏的外来入侵植物以草本植物为主，且多数为一年生陆生植物，尤其是危害严重的物种基本都是草本植物。草本植物具有幼苗生长速度快、单位时间内开花次数多、生活史短、繁殖能力强、种子数量多、个体小、易扩散、繁殖方式多样等特点。这些生活特征使草本植物在竞争中具有明显的优势。多年生草本可以进行无性繁殖，在人工水体和自然水体内的繁殖和扩散能力都很强，并且其繁殖速度随水体的富营养化而加快，能在短时间内形成单优群落，覆盖整个水面，造成水体缺氧，严重威胁其他水生生物的生存，对生态环境造成严重危害。江苏外来入侵植物中，偏好于湖泊、沼泽、沟塘边分布的有 12 种，这些种类将对江苏的水产养殖业、种植业等造成巨大威胁。

（四）外来植物的来源途径分析

外来植物的来源主要包括主动引入（有意）和意外入侵（无意）2 条途径。

据统计，我国约有 50% 的外来植物属于政府、科学家或企业家主动引入，通常作为牧草或饲料、观赏绿化植物、纤维植物、药用植物、蔬菜等经济作物或科学研究材料。江苏现已查明的 210 种外来植物的入侵途径也基本相同。江苏的常见外来植物中，作为药用植物引入的有望江南、土人参、落葵薯等；作为蔬菜引入的有苋、茼蒿等；作为观赏花卉植物引入的有紫茉莉、红花酢浆草、圆叶牵牛、孔雀草、加拿大一枝黄花、凤眼蓝等；作为饲料引入的有喜旱莲子草、反枝苋、紫苜蓿、大藻等；为保护和改善海岸滩涂及其生态环境而引入的有互花米草等；作为栲胶植物引入的经济作物有黑荆等。

另有近 50% 的外来植物为意外入侵，主要通过国际农产品、粮食贸易和货物运输等国际贸易和人员往来等途径无意引入。常见意外入侵品种有长芒苋、刺花莲子草、飞扬草、北美车前、大狼杷草、石茅等。小蓬草、一年蓬等菊科植物，由于其种子质量小且具有能帮助种子随风传播的冠毛，通过风力、气流等自然传播方式从周边国家传播输入。

二、江苏外来植物资源化利用现状及应对策略

通过上述分析可以看出，江苏的外来入侵植物数量多、分布广，部分物种危害严重，已引起政府管理部门、科研机构和社会民众的广泛关注。目前，国内有关外来入侵植物的治理措施主要是通过人工、机械以及生物防治等方式进行消除，存在治理成本高、可持续性差等弊端。通过系统的基础性研究，挖掘外来植物的多元化资源利用价值，走主动开发利用的资源化之路，化害为利，变害为宝，将中华民族化敌为友的哲学思想运用到外来入侵植物转化利用上当属智慧之策。目前，我国中药资源品种中就有许多种类是外来归化品种，它们不仅丰富了博大包容的中医药体系，也为人类的健康事业贡献着特有的资源价值。

（一）作为医药资源的开发与利用

1.归化为传统中药品种或开发为制药原料

垂序商陆 *Phytolacca americana* L. 的干燥根为中药商陆，具有逐水消肿、通利二便的功效，外用可解毒散结；飞扬草 *Euphorbia hirta* L. 的干燥全草入药具有清热解毒、利湿止痒、通乳之功；野胡萝卜 *Daucus carota* L. 的干燥成熟果实为常用中药南鹤虱，具有杀虫消积之功；小飞蓬 *Conyza canadensis* (L.) Cronq. 的干燥全草入药具有清热利湿、散瘀消肿之功。因此，以药材传统药用功效及临床应用为出发点，揭示其功效物质基础，进行医药产品开发与利用，实现其产业化发展。如有研究以小飞蓬为原料，在深入挖掘其传统功效的基础上，对其抗癌化学组分进行分离富集，开发出小飞蓬抗癌胶囊。

2. 挖掘原产地传统应用或现代研究发现医药价值

部分入侵植物虽在我国未见传统药用记录，但在原产地已有药用记载，或经活性评价显示其具有显著的生物活性，也可作为医药产品进行开发利用。

菊科植物加拿大一枝黄花 *Solidago canadensis* L. 于 1935 年从加拿大引进我国，作为观赏植物栽培于庭园，20 世纪 80 年代逸生为自然生态有害植物。由于其生长速度快、繁殖力强、适应性强、对生态环境潜在威胁大而被列为我国重要外来有害生物。目前，加拿大一枝黄花在我国主要分布于华东地区，且在江苏省内分布范围广、危害面积大。然而，该植物在欧洲已有近 700 年的药用历史，主要用于治疗糖尿病、慢性肾病、膀胱炎、风湿病、尿道结石等，也可作为抗炎剂用于临床。近年的研究还发现，加拿大一枝黄花中含有的二萜类化合物当归酰克拉文酸和巴豆酰克拉文酸对肿瘤细胞具有较强的抑制活性，且毒性较低；含有的羽扇豆烷型三萜类化学成分可抑制 DNA 聚合酶和蛋白质合成酶活性，有望作为抗癌药物的前体物质加以开发。

禾本科植物互花米草 *Spartina alterniflora* Lois 原产于美国东南部海岸。我国于 1979 年引进，用于防浪护堤，保护滩涂不受海水侵蚀。但由于其繁殖力极强，现已覆盖了江苏沿海的大片滩涂，导致航道淤塞、滩涂养殖受阻、海洋生物窒息死亡。现代研究表明，互花米草含有丰富的多糖类和蛋白质类大分子物质，以及维生素和微量元素等可利用物质，是提取活性多糖的理想原料。有研究采用双酶水解和超低温冷冻升华干燥新工艺提取互花米草中的多糖类资源性物质，用于多糖类药物、保健饮品等医药产品及食品添加剂的开发，创造了较好的经济效益。

苋科莲子草属植物喜旱莲子草 *Alternanthera philoxeroides* (Mart.) Griseb. 原产于巴西，别名空心莲子草、空心苋、水雍菜、革命草、水花生，1930 年传入我国，被列为我国首批外来入侵物种，多生于池沼和水沟内。由于其生命力极强，在我国许多地区滋生蔓延，成为堵塞水道、侵占耕地的恶性杂草。药理实验表明，喜旱莲子草提取物对化学性肝损伤和免疫性肝损伤均有保护作用，对乙型肝炎病毒具有一定抑制作用，其含有的齐墩果酸-3-*O*-*β*-D-吡喃葡萄糖醛酸苷、反式阿魏酰基二甲氧基酪胺和空心苋素 B 等对肿瘤细胞具有较强的抑制作用，可作为抗肿瘤前体药物开发。

藜科植物土荆芥 *Chenopodium ambrosioides* L. 是我国常见的入侵植物之一，江苏各地均有分布。现代研究表明，土荆芥全株富含挥发性物质，且具有抑菌、杀虫、抑制癌细胞生长、治疗胃溃疡的作用，现作为中药荆花胃康胶丸的主要组成药味发挥着其药用的资源价值。

（二）作为生物农药、农肥的开发与利用

研究显示，外来入侵植物多可分泌抑制其他生物生长繁殖的化学物质，表现出较强的化感作用。因此，以外来入侵植物资源为主要原料，提取分离其含有的化感物质，开发为生物农药或除草剂，一方面可实现其资源化利用，另一方面也可减少化学农药的使用，减少环境污染。

菊科豚草属植物豚草 *Ambrosia artemisiifolia* L. 是世界公认的危害性入侵杂草，在江苏全省乃至我国大部分地区均有大面积分布，其花粉的传播不仅影响人类健康，而且给农牧业带来严重的危害。研究显示，豚草提取物对多种常见林木病原菌具有杀灭作用，其主要抑菌物质为酚酸类、聚乙炔类、倍半萜烯内酯类等化学成分。因此，以豚草为主要原料，提取其主要活性物质用于开发适宜于林木害虫防治的植物源生物农药，不仅可实现其资源化利用，也可有效解决豚草大面积扩张问题。

原产于热带美洲的土荆芥，目前广泛分布于我国大部分地区。研究显示，土荆芥提取物及其挥发油对多种植物病原真菌具有抑制作用，且抑菌谱宽，是开发农药产品的潜在植物杀菌剂。

垂序商陆果实和枝叶含有的三萜皂苷类化学成分对烟草花叶病毒具有显著抑制增殖的作用，可用于开发具有抗病毒活性的生物农药。喜旱莲子草茎叶干燥粉末的水浸液具有明显抑制钉螺运动的作用，与其他灭螺药合用时，可使钉螺螺轴肌收缩，厣甲关闭而不能运动，被迫没于药液之中，从而减少钉螺对药物的逃逸现象，提高药物的杀螺效果，增强其他灭螺药的杀螺作用，但对鱼类毒性较小，可用于灭螺药物的资源化开发。小飞蓬具有除草活性，可用于开发除草剂。

（三）作为天然色素类产品的开发与利用

天然色素是指从天然资源中获得的食用或工业用色素，其中植物性着色剂占多数。由于天然色素具有环境相容性好、可生物降解等优点，甚至部分产品具有一定保健及抗紫外线作用，社会需求量日益增大。因此，从富含色素类资源性物质的外来入侵植物中提取色素，开发天然色素类资源性产品，不仅可满足天然色素的市场需求，也可在实现外来入侵植物资源化的过程中达到控制其进一步扩张的目的，降低其对生态的危害。

垂序商陆现全国均有分布，是江苏常见的入侵植物，常生于林缘、路旁、田野。该植物的果实成熟时呈紫黑色，一年生长周期内可采收若干批浆果，产量高，可达 $30 \sim 40 \ t/hm^2$。研究发现，垂序商陆浆果富含常用天然色素甜菜红苷，鲜浆果中的甜菜红苷含量约为 1.75 g/kg，其产量高于传统甜菜红苷主要资源植物红甜菜。甜菜红苷色泽鲜艳，无毒副作用，目前作为天然食用红色素广泛应用于食品的着色。以垂序商陆浆果为原料提取的商陆红色素粗品的得率可达浆果质量的8.96%，色价达 22，实现了垂序商陆果实的资源化利用。

雨久花科植物凤眼莲 *Eichhornia crassipes* (Mart.) Solme 亦名水葫芦，原产于巴西东北部，1901 年作为花卉引入我国台湾，20 世纪 50 年代曾作为猪饲料推广。凤眼莲繁殖能力强，在很多国家已经造成严重的生态入侵，是目前世界上危害最严重的多年生水生杂草之一。据调查，凤眼莲在江苏部分水域已泛滥成灾，阻断航道，影响航运，破坏水体生态环境。研究显示，凤眼莲中的色素类物质含量丰富，主要为顺式-β-类胡萝卜素、脱镁叶绿素 a、脱镁叶绿素 b、叶绿素 a、叶绿素 b、叶黄素及叶绿素衍生物，其中，脱镁叶绿素 a 在提取的色素组分中的质量占比高达28%，其次是类胡萝卜素（9%）。凤眼莲为理想的生物质天然色素源，可用于食用或纺织用天然色素的开发。

（四）作为生物质能源的开发利用

外来入侵植物多具有植株高大、繁殖快、产量大等特点，是发展生物质能源的理想原料。以喜旱莲子草作为沼气原料生产沼气，具有操作方便、产气量大、沼气质量高、产气周期短等优点，可解决沼气发展过程中原料匮乏的问题，也实现了喜旱莲子草的资源化利用。另外，凤眼蓝繁殖能力强，用于沼气发电取得了较好的经济效益，实现了凤眼蓝有效治理与资源化利用的有机统一。

（五）作为畜牧饲料添加剂或饲草的开发利用

喜旱莲子草营养较为丰富，可以作为猪、牛、羊的饲料，也可制成草浆饲喂鱼苗。江苏南通九华镇梅花鹿养殖场用喜旱莲子草饲养梅花鹿，该植物具有适口性好、经济价值高等特点，适宜作为青贮饲草利用。此外，喜旱莲子草还是麋鹿的喜食饲草，江苏溱湖的麋鹿驯化养殖基地主要是采收新鲜喜旱莲子草饲喂麋鹿，麋鹿种群长势良好。

分析测定显示，喜旱莲子草鲜草全株含蛋白质 1.28%、脂肪 0.15%、粗纤维 2.03%、无氮浸出物 4.29%，还含有钙、磷、铁、钾、镁等矿物质元素。有学者对禾本科大米草属的多种入侵植物进行研究，发现该属植物具有较高的营养价值，可用于大规模的畜禽饲料、宠物饲料的开发，以实现其高值化深加工利用。

（六）用于生态环境治理的开发利用

水体富营养化问题是当今世界面临的最主要的水污染问题之一，具有发展快、危害大和治理难等特点。利用水生植物净化富营养化水体，具有投资少、运转费用低、节省能源、基本无二次污染等特点，还可以保护表土、减少侵蚀和水土流失。

喜旱莲子草作为一种淡水水生植物，对富营养化水体、有机废水、生活污水等多种不同程度污染的水体均有一定的净化作用，这种净化作用不仅能降低水体中的总氮、总磷、氯、叶绿素 a 等的含量，还能有效降低化学需氧量（COD），去除悬浮物颗粒，抑制藻类生长。还有实验表明，喜旱莲子草可净化萘污染的水体，可以吸附除去水中的镍、锌、铬，对铅的吸收富集能力也较强。因此，可在受污染水体中适度种植喜旱莲子草，以达到净化水体的目的。

也有研究报道，利用凤眼蓝可吸收及分解水中氮、磷等营养元素和污染物的特性，在受污染水体中养殖凤眼蓝，通过控制凤眼蓝的数量来调控净化能力的大小，从而达到净化和保持水质的作用。

（七）作为纤维材料资源的开发利用

加拿大一枝黄花、互花米草、飞扬草等外来植物的茎枝是丰富的纤维经济资源。加拿大一枝黄花的纤维素含量达到了 42.63%，总纤维含量达到了 81.86%，高于小黑杨（76.69%）和其他典型阔叶树木（74% 左右）等木材，其木质素含量为 18.86%，与竹类纤维资源相似，为理想的纤维资源原料，可以其为主要原料造纸或制造纤维板材。

综上所述，江苏乃至全国的外来入侵植物分布广且扩张速度快，部分物种危害严重。目前有关外来入侵植物的防治措施仍以防为主，治理手段单一，治理成本较高。基于中药资源化学的研究思路，以价值为导向，根据外来入侵植物的生物学特性、可利用物质类型及潜在生物活性，开展资源化利用研究，形成外来入侵植物综合、高效利用的产业链，这不仅可解决外来入侵植物的有效治理问题，降低治理成本，同时也可实现入侵植物资源化开发，具有巨大的经济及生态效益。

资源科学是研究资源形成、演化、质量特征、时空分布及其与人类社会发展的关系的学科。中药资源调查研究的目的是摸清中华民族赖以生存发展的这一独特宝贵资源的家底，揭示其与生态环境、人类活动相互作用演替发展的变化规律，找到化解我国人口基数大、可用耕地少、水资源短缺等制约因素与国内国际社会对中药资源性健康产品需求不断攀升之间的供需矛盾的方法。根据国情，我国制定出台了有利于协调人口与资源和环境关系的政策措施，制定有利于促进、协调中医药事业和中药资源产业可持续发展的战略任务，选择有利于节约资源、保护环境的产业发展模式与生产方式，为实现健康中国和社会和谐发展的根本任务提供保障，为我国中药资源经济结构调整与优化配置提供科学依据。江苏第四次中药资源普查工作历时近 7 年，取得了较为丰硕的研究成果，为第四次全国中药资源普查任务的圆满完成做出了应有的贡献。江苏处于气候带过渡交汇地带，具有复杂多元的生态系统，孕育着丰富的药用植物、药用动物。但长期以来，由于经济快速发展、土地开垦、森林砍伐、围滩围湖造田，以及工业化水平的逐年升高，自然生态面积缩减、生态环境不断恶化，部分野生药用植物及动物资源种类消失或处于濒危状态，一些药用生物种群蕴藏量明显减少，导致江苏中药资源整体呈现出野生资源种类多、蕴藏量少，原有宝贵的道地、特色药材优势减弱等特点，这不利于江苏大健康产业的可持续发展，应引起各级政府的高度重视。

【参考文献】

[1] 中国共产党中央委员会，中华人民共和国国务院. 中共中央　国务院关于促进中医药传承创新发展的意见 [EB/OL].（2019-10-20）[2023-09-19]. http://www.gov.cn/zhengce/2019-10/26/content_5445336.htm.

[2] 张伯礼，陈传宏. 中药现代化二十年（1996—2015）[M]. 上海：上海科学技术出版社，2016.

[3] 黄璐琦，孙丽英，张小波，等. 全国中药资源普查（试点）工作进展情况简介[J]. 中国中药杂志，2017，42（22）：4256-4261.

[4] 黄璐琦，彭华胜，肖培根. 中药资源发展的趋势探讨[J]. 中国中药杂志，2011，36（1）：1-4.

[5] 王国强. 中国中药资源发展报告（2017）[M]. 北京：中国医药科技出版社，2018.

[6] 黄璐琦. 中国中药资源发展报告（2018）[M]. 北京：中国医药科技出版社，2019.

[7] 江苏省人民政府办公厅. 江苏省中医药发展战略规划（2016—2030 年）[EB/OL].（2017-04-21）[2023-09-19]. http://www.jiangsu.gov.cn/art/2017/4/21/ art_46482_2557541.html.

[8] 刘启新. 江苏植物志[M]. 南京：江苏凤凰科学技术出版社，2015.

[9] 钱士辉，段金廒，杨念云，等. 江苏省中药资源与生产现状[J]. 中药研究与信息，2001（12）：20-23.

[10] 钱士辉，段金廒，杨念云，等. 江苏省地产地道中药资源的生产现状与开发利用(上)[J]. 中国野生植物资源，

2002（1）：35-40.

[11] 钱士辉，段金廒，杨念云，等.江苏省地产地道中药资源的生产现状与开发利用(下)[J].中国野生植物资源，2002（2）：12-17.

[12] 郭兰萍，王铁霖，杨婉珍，等.生态农业——中药农业的必由之路 [J].中国中药杂志，2017，42（2）：231-238.

[13] 詹志来，郭兰萍，金艳，等.中药材品质评价与规格等级的历史沿革 [J].中国现代中药，2017，19（6）：868-876.

[14] 段金廒，钱士辉，史发枝，等.江苏省中药资源生产发展战略研究 [J].世界科学技术—中药现代化，2001，3（6）：42-45，81.

[15] 赵润怀，王瑛，焦炜.试论行业协会在推进中药追溯体系建设中的作用 [J].中国现代中药，2017，19（11）：1511-1514.

[16] 韩娜，殷军.中药材及饮片质量的现状和思考 [J].世界科学技术—中医药现代化，2017，19（10）：1613-1618.

[17] 宗世贤，袁昌齐，金九宁.江苏省稀有濒危药用植物的现状和保护 [J].中国野生植物资源，1996（1）：3-7.

[18] 严辉，郭盛，段金廒，等.江苏地区外来入侵植物及其资源化利用现状与应对策略 [J].中国现代中药，2014，16（12）：961-970，984.

[19] 宋春凤，吴宝成，胡君，等.江苏野生珊瑚菜生存现状及其灭绝原因探析 [J].中国野生植物资源，2013，32（4）：56-57，69.

[20] 吴宝成，刘启新，胡君，等.江苏东台市不同时期围垦区滩涂植物群落特征变化 [J].河海大学学报（自然科学版），2015，43（6）：548-554.

[21] 严辉，周荣汉.水生药材资源调查的理论和实践探讨 [J].中国现代中药，2012，14（12）：1-3.

[22] 马卫峰，张小波，郭兰萍，等.基于空间信息技术的野生广布种药用植物资源蕴藏量估算方法研究 [J].中国中药杂志，2013，38（8）：1130-1133.

[23] 金国虔，居明乔，吴闯，等.江苏省沿海野生栝楼资源分布特点与评价 [J].中国现代中药，2015，17（7）：651-655.

[24] 李柯妮，王康才，梁永富，等.江苏省盐城地区沿海滩涂野生枸杞资源调查与质量分析评价 [J].中国现代中药，2015，17（7）：646-650.

[25] 吴啟南，徐飞，梁侨丽，等.我国水生药用植物的研究与开发 [J].中国现代中药，2014，16（9）：705-716.

[26] 严辉，刘圣金，张小波，等.我国药用矿物资源调查方法的探索与建议 [J].中国现代中药，2019，21（10）：1293-1299.

[27] 冯小雨.十里菊香写《本草》——江苏省射阳县洋马镇中药材产业发展的调查 [J].农产品市场周刊，2012（48）：42-44.

[28] 曹军伟，顾海.江苏省中药产业竞争力发展对策研究 [J].中国现代中药，2006，8（2）：39-40，46.

[29] 李颖，黄璐琦，张小波，等.中药材种子种苗繁育基地建设进展概况 [J].中国中药杂志，2017，42（22）：4262-4265.

[30] 王慧，张小波，黄璐琦，等.中成药国家基本药物保障监测分析系统的设计与实现 [J].中国中药杂志，2017，42（22）：4310-4313.

[31] 赵润怀，段金廒，高振江，等.中药材产地加工过程传统与现代干燥技术方法的分析评价 [J].中国现代中药，2013，15（12）：1026-1035.

[32] 段金廒，赵润怀，宿树兰，等.对硫磺熏蒸药材的基本认识与建议 [J].中国现代中药，2011，13（4）：3-5，14.

[33] 孙成忠, 赵润怀, 陈国岭, 等. 中国药材资源地图集网络化共享系统研究 [J]. 中国现代中药, 2009, 11 (9): 4-6, 20.

[34] 肖培根, 赵润怀, 龙兴超, 等. 中药资源可持续发展产销情况的宏观分析 [J]. 中国中药杂志, 2009, 34 (17): 2135-2139.

[35] 段金廒, 肖小河, 宿树兰, 等. 中药材商品规格形成模式的探讨——以当归为例 [J]. 中国现代中药, 2009, 11 (6): 14-17.

[36] 魏丹丹, 常相伟, 郭盛, 等. 菊花及菊资源开发利用及资源价值发现策略 [J]. 中国现代中药, 2019, 21 (1): 37-44.

[37] 闫小玲, 寿海洋, 马金双. 中国外来入侵植物研究现状及存在的问题 [J]. 植物分类与资源学报, 2012, 34 (3): 287-313.

[38] 马金双. 中国外来入侵植物调研报告: 上卷 [M]. 北京: 高等教育出版社, 2014.

[39] 万方浩, 刘全儒, 谢明, 等. 生物入侵: 中国外来入侵植物图鉴 [M]. 北京: 科学出版社, 2012.

[40] 吴晓雯, 罗晶, 陈家宽, 等. 中国外来入侵植物的分布格局及其与环境因子和人类活动的关系 [J]. 植物生态学报, 2006, 30 (4): 576-584.

[41] FENG J M, ZHANG Z, NAN R Y. The roles of climatic factors in spatial patterns of alien invasive plants from America into China [J]. Biodiversity and Conservation, 2011, 20 (14): 3385-3391.

[42] FANG J B, JIA W, GAO W Y, et al. Antitumor constituents from *Alternanthera philoxeroides* [J]. Journal of Asian Natural Products Research, 2007, 9 (6): 511-515.

第四章

江苏省中药资源区划及其资源特点

中药资源区划研究是一项涉及特定区域经济、社会与生态诸多层面的系统性工作，具有战略性和动态性的特征。因此，需要在中药资源调查获取的充分的本底数据的基础上，以中药资源和中药生产地域系统为研究对象，通过对中药资源区域分布与中药生产特征的分析，根据区域相似性、区际差异性，将目标区域划分成不同级别的中药资源保护管理、开发利用和中药生产的区域。中药资源区划可揭示中药资源生产的地域分异规律，有利于实现资源的合理配置，充分发挥区域性药用生物资源优势，为区域性中药资源保护与开发利用提供科学依据。

第一节　江苏省中药资源区划系统及分区论述

根据区域相似性、区际差异性以及资源经济与社会发展诸多要素，对江苏中药资源区域分布与中药生产特征进行分析，形成具有战略意义的不同级别的中药资源保护管理、开发利用和中药生产区域，以科学规划和合理开发利用江苏独特的药用生物资源。根据江苏第四次中药资源普查工作获取的第一手科学数据，分析其中药资源区域分布与中药生产规律，从自然条件、社会经济、技术水平等多角度进行生态环境、地理分布、区域特征、历史成因、时空变化、区域分异，以及与中药资源数量、质量相关的因素的综合评价研究。制定江苏中药资源区划将有利于江苏因地制宜协调和布局中药资源的保护与开发利用，有利于进行中药生产分区规划、分类指导、分级实施，有利于按市场机制调整中药生产与流通，创造符合区域资源特点的经济、社会和生态效益，对促进中医药事业的健康发展具有十分重要的战略价值。

一、江苏中药资源区划的目的与意义

随着生态环境的变化以及中药资源的长期开发利用，中药资源蕴藏量日渐减少。要保护中药资源、尊重自然规律、加强宏观控制，就需要开展中药资源区划的调查研究，对国家战略资源和江苏区域性资源经济的发展进行科学规划与合理布局。江苏中药资源区划的目的在于揭示中药资源生产的地域分异规律，因地制宜，合理规划和布局中药材生产基地，正确选建优质药材商品生产基地，合理配置资源，充分发挥江苏药用生物资源优势，为江苏中药资源保护与开发利用提供科学依据。

二、江苏中药资源区划系统

考虑到江苏综合农业区划的现行状况与分区的衔接，根据上述依据和原则，江苏中药资源区划实行二级分区，采用三名法，即"地理单元＋地貌＋药材类型"综合命名。全省共分为 5 个一级区和 14 个二级区，具体分区如下。

Ⅰ 宁镇扬低山丘陵道地药材区

　Ⅰ 1 宜溧低山丘陵区

　Ⅰ 2 宁镇茅山丘陵区

　Ⅰ 3 江北丘陵区

Ⅱ 太湖平原"四小"药材区

　Ⅱ 1 苏州市区丘陵野生药材区

　Ⅱ 2 太湖平原药材生产区

Ⅲ 沿海平原滩涂野生、家种药材区

　Ⅲ 1 滩涂浅海区

　Ⅲ 2 沿海平原区

　Ⅲ 3 云台山区

Ⅳ 江淮中部平原家种药材区

　Ⅳ 1 通海沿江平原区

　Ⅳ 2 通扬高沙土平原区

　Ⅳ 3 里下河低洼平原区

Ⅴ 徐淮平原家种药材区

　Ⅴ 1 徐宿淮平原区

　Ⅴ 2 东新赣丘岗区

　Ⅴ 3 铜邳丘陵区

三、江苏中药资源区划系统分区

（一）宁镇扬低山丘陵道地药材区

1.区域自然、社会经济条件

本区北以洪泽湖南岸为界，南至宜溧山地，东与太湖平原"四小"药材区和江淮中部平原家种药材区接壤，西抵安徽。本区包括南京、镇江 2 市的市区和六合、浦口、溧水、高淳、句容、丹徒、丹阳、金坛、溧阳、宜兴、仪征、盱眙 12 个县（市、区）。本区土地总面积 18 061 km²，占全省土地总面积的 17.60%；耕地面积 82.293 万 hm²，占全省耕地面积的 16.38%；共辖 342 个乡镇，5 638 个行政村。本区总人口 1 207.63 万人，占全省总人口的 16.37%，其中农业人口 647.82 万人，农业劳动力 199.77 万人，人均占有耕地 0.072 hm²（1.08 亩），每农业劳动力负担耕地 0.41 hm²（6.15 亩）。

本区地貌类型复杂，地形多变，是低山丘陵比重最大的区域，低山丘陵岗地面积达 9 592 km²，占全区土地总面积的 53.11%。

本区农业生产有以下特点。①特定的区域条件使本区形成了领域广、门类齐全的农业生产，既有以粮油为主的种植业，又有正在兴起的园艺业、林业，还有多种类的畜牧业和水产业，建有多种农副产品的生产基地；②农业生产和农村经济发展较快，依托城市加工业和市场的发展，农业生产迈向产业化经营的道路；③农业生态环境得到较好保护，工矿企业"三废"污染源实行达标排放，在农村结构调整中重视林地建设、发展牧草种植，大部分地区水土流失逐渐减少，在较好的生态环境中农药结合、林药结合，有发展中药资源生产的环境条件；④农业结构尚不合理，资源类型结构和生产门类结构尚有距离，大部分岗坡地区仍处于低效益状态。

本区南北狭长，东西较窄，气候、水热条件由北向南的渐变趋势比较明显，其中宜溧山区为江苏降水、热量资源最为优越的中亚热带气候区，具有热量丰富、降水充沛的特点，常绿植被生长繁茂。本区由于地势变化大，地貌类型复杂，低山、丘陵、岗地、河谷、平原、洼地、湖库等交替分布，构成了多种类中药资源的生态环境，药用植物、动物种类为江苏最多。

2. 中药资源生产现状及特点

本区是江苏野生药材的主要产地，道地药材资源较多，是药材生产的老区，具有丰富的中药生产经验。据《茅山志》记载，本区早在汉唐时代就出产很多药材，如苍术、繁阳石脑、太保黄精、何首乌等。药材生产已成为本区传统性骨干副业。中华人民共和国成立后，本区药材生产发展较快，既有以道地药材为主的野生药材采收，又有野生变家种（养），据 1983 年的第三次中药资源普查统计，本区收购药材品种 258 种，野生药材 230 种，总收购量 386.1 万 kg，家种（养）品种 40 余种，种植面积 1 170 hm²，许多地产药材不仅销往省外，还出口至东南亚，如明党参、苍术、夏枯草、百合、白果等。改革开放后，本区野生中药资源曾因过度采收而减少，遂生产重点为野生变家种（养）方面，20 世纪 80 年代的药材生产处于稳定状态。20 世纪 90 年代前期，随着计划经济向市场经济体制转轨，药材市场全面放开，本区药材生产受到很大冲击，一些药农随行就市，因药材收购无保障而弃种药材，甚至连原有的药材种植场也纷纷改种农作物。

近年来，随着区域自然生态面积缩小和保护式封育，本区原有的野生特色药材品种不断减少甚至濒临灭绝。在政府鼓励发展康养小镇、培育发展门类众多的保健系列产品等大健康产业的推动下，本区加快调整农村农业结构，因地制宜发展中药材及药食两用型资源产业。广大农民把药材生产作为多种经营的组成部分，大力发展药材规模化种植和开发，这使本区药材生产面积在

2000 年就超过了 1 400 hm²；盱眙良好的生态条件孕育了较为丰富的中药资源类群，野马追（林泽兰）药材生产及野马追糖浆等特色中药制剂的产业化为当地资源经济发展做出了应有的贡献。

（二）太湖平原"四小"药材区

1. 区域自然、社会经济条件

本区位于江苏长江以南东部地区，东临上海，西接宁镇扬低山丘陵道地药材区，南与浙江为邻。本区包括苏州、无锡、常州 3 市的市区和太仓、昆山、常熟、吴江、张家港、江阴、武进、扬中 8 个市（区）。本区土地总面积 13 296 km²，占全省土地总面积的 12.96%；耕地面积 53.008 万 hm²，占全省耕地面积的 10.55%；共辖 282 个乡镇，5 315 个行政村。本区总人口 1 136.20 万人，占全省总人口的 16.21%，其中农业人口 675.35 万人，农业劳动力 122.02 万人，人均占有耕地 0.047 hm²（0.7 亩），每农业劳动力负担耕地 0.43 hm²（6.5 亩）。本区为人多地少、土地资源紧缺的地区。

本区农业生产条件优越，生产水平较高，工业基础雄厚，第三产业发达，是江苏综合实力最强、农村经济最富庶的地区，也是我国农业生产最发达的地区之一。本区农业生产的基本特点是：土地资源紧缺，非农产业和农业的争地矛盾突出，也导致了农、药之间的用地矛盾；土地肥沃，农业生产基础设施好，形成了传统农业技术精华和先进科技结合的生产技术体系，建有一系列农业科技示范推广基地，土地产出水平高；农业生产面向市场，商品化程度高，产业化经营活跃，农民人均纯收入达到江苏最高水平。

2. 中药资源生产现状及特点

本区中药资源开发利用历史悠久，名医辈出，药业兴盛，中药资源生产成为经济文化发达地区药业的特色。本区以苏州市区为中心，出产的小草药、小花果、小动物、小矿物闻名全国，成为本区药材生产的代表。本区道地药材有苏薄荷、苏芡、荆芥、灯心草、苏枳壳、僵蚕、土鳖虫、珍珠、乌梢蛇、鳖甲等。20 世纪 80 年代中前期是本区药材生产的高峰期，不仅野生药材有很大发展，引种、试种和野生变家种（养）方面也取得了一定的进展，建成了专业药材种植场，形成了收购网络，保障了药材生产。1983 年江苏第三次中药资源普查结果显示，本区收购药材品种约 273 种，总收购量达 29 424 万 kg，其中野生药材收购量占 65%，特别是作为野生药材主产区的苏州市区丘陵野生药材区，野生药材收购量占本区药材收购量的 42.2%；家种（养）药材生产多集中在昆山、武进、江阴、太仓等地，种植面积近 467 hm²，所产药材除自给外，许多品种还销往外地。本区经济发达，随着计划经济向市场经济的转变，药材生产效益低以及用地矛盾大等问题，使药材生产规模出现了不同程度的缩减，但一些特色品种的生产也呈现发展势头，如土鳖虫、珍珠、蛇，以及张家港的牡丹、江阴的灵芝和铁皮石斛、太仓的细柱五加等。

（三）沿海平原滩涂野生、家种药材区

1.区域自然、社会经济条件

本区位于江苏东北部沿海地区，东邻黄海，西与江淮平原和徐淮平原接壤，北起苏鲁交界的绣针河口，南至长江口北支。本区包括连云港市区和启东、如东、东台、大丰、射阳、滨海、响水、灌云 8 个县（市、区）以及海门、通州、海安、赣榆 4 个市（区）的滩涂。本区土地总面积 17 141 km²，占全省土地总面积的 16.71%；耕地面积 83.352 hm²，占全省耕地面积的 16.59%；共辖 256 个乡镇，4 286 个行政村。本区总人口 891.1 万人，占全省总人口的 12.43%，其中农业人口 668.04 万人，农业劳动力 217.42 万人，人均占有耕地 0.101 hm²（1.52 亩），每农业劳动力负担耕地 0.383 hm²（5.75 亩）。本区是土地资源较宽裕、农—药矛盾较小的地区。

本区农业生产和农村经济有以下特点。①农业资源有特定的优势，土地资源丰富，滩涂广阔且不断淤涨，后备土地资源充足；生物资源具有区域特殊性，堤内以耕作植被为主，滩涂以盐生、沙生植被为主，浅海有海洋水生植物、动物，沿海滩涂建有丹顶鹤自然保护区和麋鹿自然保护区，且幅员广大；资源生态环境以自然为主，人为干预较其他区少，药材资源蕴藏量较大；矗立在海边的云台山区中药资源种类繁多，也是江苏中药资源集中的区域。②农业生产发展快，以粮棉为主，海洋水产具有独特优势，畜牧业具有一定规模，多种经营发展比重大，本区不仅是江苏的海洋水产基地，也是江苏主要的粮棉基地和重要的畜牧和林业基地。③南北跨度大，区域经济差异大，从南向北的过渡性明显，总体上工业基础较差，但南部优于北部；农村经济水平较低，南部也明显优于北部，南部启东农民人均纯收入达 3 770 元 / 月，而北部灌云、响水、滨海 3 县农民人均纯收入仅 2 900 ~ 3 000 元 / 月，相差约 800 元。

本区是江苏沿海的狭长地带，南北长约 740 km，东西宽不到 50 km，为海洋性气候，土地资源丰富，滩涂海域广阔，形成独特的中药资源分布区域。本区已成为江苏耐盐药用植物资源特色分布区和适宜生产区，具有发展沙生、耐盐药材的巨大潜力。

2.中药资源生产现状及特点

本区与内陆地区相比，土地开垦历史较短，大部分地区在中华人民共和国成立前基本没有药材种植，但也有少部分地区有较长的栽培历史，如滨海的白首乌种植、云台山区药材生产、东台的薏苡仁和决明子种植等。1957 年以后，本区逐步形成了家种（养）药材的新产区，即云台山区和沿海滩涂的野生中药资源生长区和产区、浅海海洋药材资源区、内陆家种药材种植区。云台山区是江苏暖温带地区中药资源种类最多的地区，凭借其特有的海洋性气候优势和有利的地势条件，成为仅次于宜溧山区的药材集中生长地，20 世纪 50 年代末，这里建立了从事野生变家种（养）工作的朝阳药材种植场，云台山区是较为理想的药材生产和试验驯化的地区。沿海滩涂是江苏唯一的盐生药材集中地，地产药材品种较多，但利用尚不充分，缺少有序采集和收购系统，目前已利用的有罗布麻、芦苇、沙蚕、经济贝类。紧靠滩涂的内陆平原既是目前药材生产主区，又是野

生变家种（养）的后方基地，从射阳、滨海、大丰到东台、如东、启东，均有一定规模的家种药材生产，射阳洋马镇已经成为江苏药食两用菊花规范化、规模化生产基地，其菊花种植面积达4 000 多 hm²，洋马镇被誉为"中国药材之乡""中国菊花生产基地"，形成了"苏菊"品牌；东台以新曹镇为中心，形成了以薄荷为主的药材生产基地，其生产规模达到 2 万 hm²；滨海白首乌也形成了一定规模的生产基地，生产面积达 330 hm²；盐城大丰、东台等地目前约有 600 hm² 浙贝母、100 hm² 延胡索栽培，以向浙江等地供应种苗为主。与此同时，本区形成了一批药材生产的专业村、专业户以及药材营销经纪人，为今后药材生产的发展奠定了较好的基础。

（四）江淮中部平原家种药材区

1. 区域自然、社会经济条件

本区位于江苏中部，江淮之间，北邻徐宿淮平原区，南抵长江，东靠沿海平原，西与宁镇扬低山丘陵道地药材区和安徽天长接壤。本区包括扬州、南通、泰州、盐城 4 市的市区和江都、高邮、宝应、靖江、泰兴、姜堰、兴化、通州、海门、如皋、海安、盐都、建湖、阜宁 14 个县（市、区）。本区土地总面积 23 359 km²，占全省土地总面积的 22.77%；耕地面积 122.901 万 hm²，占全省耕地面积的 24.46%；共辖 563 个乡镇，10 964 个行政村。本区总人口 1 852.48 万人，占全省总人口的 26.43%，其中农业人口 1 369.05 万人，农业劳动力 405.59 万人，人均占有耕地面积 0.066 hm²（0.99亩），每农业劳动力负担耕地 0.303 hm²（4.55 亩）。

本区农业资源条件好，既有里下河低洼圩区，又有南部高爽的长江三角洲平原，土地资源质量较好，土壤肥沃，热量充裕，光、热、水匹配协调，具有作物多宜性，是生物资源培育驯化的良好区域。本区农业生产条件改善快，通过农业开发，原来大面积的中、低产耕地被改造成稳产、高产农田，农业生产水平取得很大提高；农业资源优势得到较好发挥，基本形成了粮棉油、银杏、花卉、水产、水生经济作物、蚕桑、畜禽等规模基地；农业生产结构在调整中日趋合理，既有稳定的以粮棉油为主的种植业，又有较为发达的水产业，以猪、禽为主的规模畜牧业发展很快，传统的花卉、银杏、水生经济作物产业方兴未艾，农、林、牧、渔趋向全面发展；农业生产商品化、市场化程度较高，农村经济较活跃，多种经营发展快，农民收入不断提高，已成为江苏农业较为发达的区域。

本区自然环境有 3 个基本特点：①地势低平，为周高中低的碟形洼地，土壤理化性状好，土地质量较高；②海洋性季风气候明显，气候温暖湿润，气象要素匹配同步，有利于农业生产，但洪涝、台风发生频繁；③水系发达、河网密布、湖泊众多，水面面积大，这使本区既具水生、湿生中药资源优势，又具有发展引种、试种和野生变家种（养）的良好条件。

2. 中药资源生产现状及特点

本区生产中药材的历史较早，明代《嘉靖惟扬志》（公元 1542 年）中就有关于中药蒲黄、莲、银杏、莳萝、半夏等的记载；《嘉靖通州志》记载了 33 种本区东部南通一带出产的药材；《万历通州志》则载有半夏、薄荷、瓜蒌等 57 种地产药材，可见当时药材生产利用较为广泛。但中华人民共和国成立前后本区药材种植较少。1957 年以后，特别是 20 世纪 80 年代前中期，本区药材种植面积超过 666 hm²，栽培品种有荆芥、半夏、红花、地黄、白菊花、延胡索、浙贝母、玉竹、白术、川芎等 40 多种，各县均有分布，其中通州、海门一带成为全国延胡索、浙贝母第二大生产基地。本区野生药材以水生、湿生药材为主，如苏薄荷、蒲黄、泽兰、香附、黑三棱、荆三棱、芦根、莲子、荷叶、龟甲、鳖甲、水蛭等；道地药材有苏薄荷、荆芥穗、延胡索、浙贝母、白果、半夏、芡实、兴化茡荠、蒲黄、泽兰、蜣螂虫等；有一定规模的家种药材有苏薄荷、荆芥穗、延胡索、浙贝母、白果、半夏、芡实、莲子、荷叶、玉竹等。江苏第四次中药资源普查发现，南通的海门、海安、通州等地有较大规模的浙贝母、延胡索和半夏等小块茎类药材种植，目前稳定有 1 500 hm² 浙贝母、400 hm² 延胡索和 100 hm² 半夏栽培，可为省内外供应种苗及药材。近年来南通着力恢复发展地产道地药材，目前苏薄荷种植面积已恢复到 100 余 hm²。

（五）徐淮平原家种药材区

1. 区域自然、社会经济条件

本区位于苏北灌溉总渠以北，东与沿海平原滩涂野生、家种药材区相邻，西临安徽，北接山东，南与江淮平原接壤。本区包括徐州、淮安、宿迁 3 市的市区和涟水、丰县、沛县、铜山、邳州、睢宁、新沂、泗洪、泗阳、宿豫、沭阳、东海、灌南 13 个县（市、区），以及赣榆除滩涂以外的地区。本区土地总面积 30 716 km²，占全省土地总面积的 29.94%；耕地面积 160.898 万 hm²，占全省耕地面积的 32.02%；共辖 479 个乡镇，8 953 个行政村。本区总人口 2 001.65 万人，占全省总人口的 28.56%，其中农业人口 1 601.37 万人，农业劳动力 560.21 万人，人均占有耕地 0.08 hm²（1.20 亩），每农业劳动力负担耕地 0.287 hm²（4.3 亩）。本区是江苏面积最大的药材区，人口密度相对较低，耕地相对宽裕，但经济实力较差，农民人均收入为江苏最低，每月仅 2 987 元，比太湖地区低 2 400 多元，比全省农民人均收入低 1 000 多元。

本区自然环境的基本特点如下：①以高爽倾斜平原为主，兼有孤丘、岗岭分布；②气候温和，光能资源丰富，潜在生产力较高，水资源相对不足；③土地资源比较丰富，森林覆盖面积大，生态环境较好。

2. 中药资源生产现状及特点

本区中药资源开发利用历史悠久，早在东汉后期，名医华佗就曾在徐州一带游学行医采药。中华人民共和国成立后，本区药材生产有较大发展，1983 年江苏第三次中药资源普查结果显示，本区药材种植面积达 1 000 多 hm²，栽培种类有地黄、牛膝、白芍、山药、麦冬、红花等，家种药材种植集中连片，主要分布在丰县、沛县、新沂、东海、涟水、淮阴、灌南、沭阳等；自 20 世纪 90 年代至今，虽然单纯的药材生产发展缓慢，但结合食品、花卉、化工等方面的开发利用较多，涌现出了品类繁多的药食兼用产品，这些产品的开发推动了当地特色中药资源经济产业的发展。

本区代表性的特色资源是邳州的银杏，邳州以铁富、港上 2 镇为核心生产区，生产的优质银杏叶不仅满足了国内制药企业银杏制剂的原料需求，10 余年来还作为金纳多等银杏健康产品的原料持续供应英、法等国，此外，国际认可的银杏黄酮及内酯标准提取物和银杏干燥叶已成为江苏最具代表性的中药资源性产品。

丰县、沛县、赣榆、灌南等县域形成的特色品种主要为药食两用或多用途特色资源品种，例如，发展成规模的牛蒡、芦笋、水山药等特色保健类蔬菜；铜山的山楂、玫瑰花等健康饮品和食物原料品种。

本区的野生药材主要分布在东新赣丘岗区和铜邳丘陵区。本区道地药材品种包括半夏、银杏叶、白果、全蝎、玫瑰花、丹参、葛根等。近几年，涟水陈师镇（现陈师街道）积极发挥本地机场附近土地资源充裕的优势，引入安徽亳州药材商会资源，大力推进万亩中药材种植基地建设，引种品种有玫瑰、丹参、菊花、葛根、射干等，种植面积达千亩。

第二节　江苏省药材生产适宜区分析及发展建议

江苏区域中药资源产业的合理规划与生产布局关系到区域特色生物医药经济的健康发展和当地从事药材生产民众的收入保障，关系到土地空间等生产力要素投入产出比，直接反映生产的效率和效益。因此，必须根据区域生态条件、产业基础、产品质量、生产力要素、市场需求预测和社会经济技术条件等，因地制宜，科学分析，差异化发展。以江苏中药资源区划一级区的自然生态背景和二级区的生物资源类群构成为基础，科学研究，精准施策，进行江苏中药资源生产与产业发展布局。

一、宁镇扬低山丘陵道地药材区

本区适宜发展的特色道地药材品种为苍术、太子参、明党参、百合、野马追、女贞子、夏枯草、连钱草、丹参、桔梗、南柴胡、京三棱、杜仲、玫瑰花、槐米、白头翁、蜈蚣等。根据生物气候带的过渡性分别在宜兴、溧阳、溧水、江宁、句容、浦口、盱眙等地建立以特色种类为主的家种（养）药材生产基地。

（一）宜溧低山丘陵区

1. 基本情况

本区位于江苏南部，东临太湖，南与浙江、安徽交界，包括宜兴、溧阳 2 市，土地总面积 3 574 km²，耕地面积 13.661 万 hm²，辖 79 个乡镇、1 422 个行政村。本区总人口 186.37 万人，其中农业人口 129.10 万人，农业劳动力 41.69 万人，人均占有耕地 0.073 hm²（1.10 亩），每农业劳动力负担耕地 0.33 hm²（4.95 亩）。本区尚属土地资源宽松的区域，低山丘陵面积占全区土地总面积的 33.78%，平原面积占全区土地总面积的 66.22%。

本区农业生产发展较快，农村经济比较活跃，是宁镇扬低山丘陵道地药材区中农业发展最好的区域，农民人均纯收入 3 571 元 / 月，高于宁镇扬低山丘陵道地药材区总体平均水平近 300 元 / 月。本区低山、丘陵、岗地、河网平原、湖泊等多种土地资源兼备，农、林、牧、渔门类齐全，农业结构相对合理，既有基础较好的农副产品加工业，又有以旅游为主的第三产业，低山丘陵区林木、竹、茶、果园成片，是江苏毛竹、刚竹、茶叶、板栗等林特产品基地。本区林木覆盖率较高，建有龙池山森林公园和自然保护区。

2. 中药资源生产特点

（1）自然条件优越，中药资源种类丰富。本区位于中亚热带北缘，热量、水资源丰富；丘陵山区林竹繁茂，常绿阔叶林和落叶阔叶林混交分布；平原区河网稠密，有较多湖塘，水生生物资源较多。多种类的地形构成适合多种类生物资源生长的良好环境，使本区成为江苏药用植物、动物种类最多且分布最集中的区域，以亚热带药用植物、动物为特点。江苏第四次中药资源普查结果显示，本区共有药用植物 1 032 种，药用动物 115 种，药用矿物 8 种。大宗药材资源有太子参、桔梗、南沙参、紫丹参、紫苏、卫矛、枳椇等；道地药材资源有太子参、明党参、百合、桔梗、苍术、浙贝母、金蝉花等；菌类药材资源有灵芝、金蝉花、马勃等。

（2）具有引种中亚热带药材和南方药材的环境条件。本区气候条件为江苏最优，光、热、水等要素能满足中亚热带药用植物生长发育的需求；土地资源条件较好，山岗起伏，地形复杂，丘陵区土层相对较厚，土壤有机质含量较高，土壤呈酸性至强酸性，适于中亚热带药用植物和南方药用植物生长。本区从浙江、江西、安徽、湖北、四川等省及国外引种的一些名贵种类生长良好。在宜兴太华镇，山茱萸在移植后 3 ～ 4 年能开花结果，杜仲在移栽后约 10 年就能成材，引种曼地亚红豆杉、药用玫瑰、白芍等也获得成功。因此，本区具有发展中亚热带药用植物和南方药材的条件，具备建立中亚热带药用植物和南方药材实验基地的基础。

（3）独特的地形小气候，为多种药用植物、动物提供生长的特定环境。本区地形复杂，山体较高，不同地形小气候差异明显，晴天地面温度高，雨天地面湿度大，最高气温时阳坡与阴坡温度相差 15 ℃左右，阴坡直接辐射少，蒸发量和气温变幅小，土壤具有较好的水分条件，适合多种生于阴湿环境的药用植物生长，如龙胆草、七叶一枝花、异叶天南星、玉竹、丹参、杜衡、万年青等。

3. 发展方向和途径

发挥种类优势，以发展低山丘陵药材为主，兼顾平原圩区药材生产，突出道地药材，兼顾大宗药材，以保护野生中药资源为主，积极引种、试种中亚热带中药资源和南方名贵木本中药资源，实现引种、试种、研究、生产、发展的结合，药材生产和农林生产的结合，中药资源开发利用和保护的结合，使本区成为江苏中亚热带药材和南方药材的生产供应基地。

（1）加强野生中药资源保护和抚育。目前本区野生中药资源种类多，但部分物种已濒危，保护野生中药资源刻不容缓。因此，应利用已建立的龙池山森林公园和自然保护区，扩大药用植物、动物保护范围，严禁猎捕、采挖，以利于野生中药资源生长繁衍。在一些生态环境较好的林区，要将封山育林和封山育药相结合，促进药用植物、动物资源的恢复和演替更新。在野生中药资源集中的小区域，如溧阳的平桥村、横涧村和宜兴的太华村、茗岭村等地，实行有计划的抚育和采收，以实现药用植物、动物生态平衡为宗旨，采用定点、划片的方式，限量采收，在药用植物、动物分布稀少的地区要限制采收，逐步提高野生中药资源的自然生长能力。

（2）利用区域优势，开展特色中药资源品种的种植和驯化养殖。本区分为低山丘陵区和平原圩区2大区域，区域优势差异明显。低山丘陵区自然环境适宜多种木本药材（如杜仲、紫花玉兰、厚朴、银杏、番木瓜、山茱萸等）生长，应结合造林和林木更新大力发展木本药材。平原圩区土地肥沃，水源充足，适宜浅根性草本药用植物（如紫花地丁、蒲公英、紫苏、薄荷、荆芥、菊花等）生长，可利用房前屋后的空地发展一年生、二年生草本药材，面积较大、水质较好的水面宜发展水生、湿生药用植物、动物，如芡实、东方香蒲、泽泻、黑三棱、水蛭、龟、鳖等。此外，近年在宜兴有合作社成功养殖梅花鹿，存栏规模已达数百头。

（3）因地制宜，分类指导，有序推进和大力提倡道地药材的生态化种植（养殖）。根据低山丘陵区不同地形的小气候条件，因地制宜地分类培育和发展药用植物、动物资源，丘陵阳坡适宜发展山栀子、太子参、桔梗等，阴坡适宜发展黄精、玉竹、明党参等；山区竹林下宜发展金蝉花；山间阴湿处宜发展东北南星、明党参、丹参、百部等；溧阳山体阳坡宜发展苍术、白毛藤、牛蒡等；宜兴沿太湖地区最适宜种植百合。为了加快中药资源引种、试验和野生变家种（养）进程，应选择太华或平桥低山丘陵区，按地形建立引种实验区，开展研究实验和野生变家种（养）的就地推广工作，道地药材的家种要按其生态适宜性和品质要求进行标准化生产，如宜兴百合、苍术、太子参等。此外，还应充分利用本地现有资源，大力推广生态种植模式，目前已形成板栗林—半夏套种、茶园—百合轮作等效果较好的种植模式。

（二）宁镇茅山丘陵区

1.基本情况

本区位于宁镇扬低山丘陵道地药材区中部，地处长江以南，包括南京、镇江2市的市区和溧水、高淳、句容、丹徒、丹阳、金坛等6个市（区），土地总面积8 955 km²，耕地面积41.572万 hm²，辖177个乡镇、2 953个行政村。本区总人口732.60万人，其中农业人口360.65万人，农业劳动力104.35万人，人均占有耕地0.057 hm²（0.86亩），每农业劳动力负担耕地0.40 hm²（6.00亩）。本区属城镇人口较多的区域，全区土地总面积中丘陵岗地占54.76%，平原占45.24%。

本区自然资源丰富，农业生产门类齐全，依托城市辐射，农业生产和农村经济发展迅速，种植业以稻、麦为主，随着农业综合开发的深入，多种经营发展加快，林、牧、渔和园艺业逐步形成规模。本区林地面积大，盛产薪炭材、木材、毛竹、茶叶、果干等林特产品，南部固城湖、石臼湖低洼平原圩区水产业发达，食草畜禽养殖有一定基础，建有粮油、花卉、蔬菜、畜禽、水产、林特产品等多种商品生产基地，一、二、三产业结构逐步趋向合理。

2. 中药资源生产特点

（1）自然条件较好，野生中药资源丰富。本区丘陵岗地面积大，地形变化多，以宁镇山脉与茅山山脉为主体，山体连续分布，海拔多为200～400 m。本区地处北亚热带南部，水热条件尚充足，小气候明显，地带性植被类型为落叶阔叶与常绿阔叶混交林，阔叶林占优势，药用植物、动物种类多，宝华山自然保护区已成为本区药用植物资源的集中地区。江苏第四次中药资源普查结果显示，本区药用植物、动物资源仅次于宜溧低山丘陵区，有较多道地野生药材资源分布，如苍术、明党参、夏枯草、太子参等，这些野生中药资源成为本区发展药材资源生产的基础优势。

（2）药材生产基础好，家种药材起步早。本区不仅是江苏野生药材主产地，也是中药资源生产老区，药材生产是本区农民的传统副业，基础好，本区拥有一批专业性强、经验丰富的生产人员。本区早在20世纪50年代就开始了引种、试种和野生变家种（养），各地相继办起药材种植场（队），规模较大的有摄山药材种植场、铁心桥药材种植场等，种植面积均在67 hm² 以上；溧水东屏镇及开发区共和村、句容磨盘乡、天王镇、袁巷镇，丹徒高桥镇江心洲等地均有较好的种植基础。1983年，本区药材种植面积达732 hm²，主要栽培品种有白术、玄参、紫丹参、板蓝根、红花等。20世纪80年代后期至90年代前期建立市场经济体制后，本区药材生产与市场脱节，处于停滞状态，而句容茅山种植场及袁巷乡等地仍有一定种植，随着农业结构调整，江宁、溧水等地又有了规模化生产，其中江宁丹阳镇药材种植面积达250 hm²，溧水柘塘镇药材种植面积达200多hm²。

（3）具有水域优势，但水生、湿生中药资源利用不充分。本区有秦淮河圩区和石臼湖、固城湖低洼圩区，水域资源优势突出，水面面积大，水质较好，具有水生植物、动物生长繁衍的良好条件，适宜水生或湿生药材莲、芡实、龟、鳖、芦苇、蒲黄、紫梢花、半枝莲、鱼腥草等生长。本区目前已经成为水产养殖和水生经济作物商品基地，但水生药材产量不高。

3. 发展方向和途径

加强野生中药资源保护，实现资源种类抚育和发展，实行道地药材有计划采收和生产，坚持野生和家种（养）并举方针，以丘陵山区药材生产为主，兼顾水生、湿生药材生产，加快引种、试种和野生变家种（养），提倡规模种植和分散种植相结合，有计划地建立中药资源生产基地，全面发展以基地带农户的药材生产，以满足供应本区和出口的需求。

（1）强化对野生道地中药资源的保护，保证中药资源的稳定发展。本区林草地面积大，建立了多个森林公园和自然保护区，采取林草、药草结合的方式，保护野生中药资源。实行有计划收购，根据不同区域资源量的分布状况，定点、划片控制采收量，维持药材生长与采收的平衡，特别是对苍术、明党参、桔梗等道地药材，要严格采取保护措施，巩固和发展本区的优势。溧水推进"康养小镇"建设，利用无想山丰富的自然生态资源，采取就地保护与迁地保护相结合的方式，建设道地药材药用植物保存圃，实现道地药材种质资源保存、养生科普、旅游等功能。

（2）合理规划，突出重点，有计划地发展药材生产。本区地形差异较大，城镇发展迅速，要按区域地形及药材生长的适宜性进行全面规划。以宁镇、茅山山脉为主干的丘陵山区应作为本区野生道地中药资源生产、抚育的重点区；丘陵山区待开垦和已开垦的地区应作为野生变家种（养）的重点实验和生产区；平原地区按土地资源条件，发展适宜的草本药用植物；石臼湖、固城湖低洼平原圩区应重点发展水生、湿生药用植物、药用动物；四旁绿化地应根据林药兼顾的原则，发展适宜的木本药用林木；花卉林木园地应坚持花药兼顾，发展药用植物的花卉盆景。

（3）积极发展中药资源引种、试种和野生变家种（养）。根据区域的适宜性，有计划、有目的地安排中药资源的引种、试种和野生变家种（养），要利用原有的生产基础，引导农民进行药材生产，实行按区域发展不同品种的道地药材和大宗药材，在用地矛盾较小的地区逐步建立药材生产基地。与此同时，要探索和改革药材的收购经营机制，保证市场对药材的收购量，解决药材生产的后顾之忧，促进药材生产的发展。江苏茅山地道中药材种植有限公司、南京市蛙鸣农业科技有限公司采用野生抚育、组培生产等现代方式，大力发展苍术药材栽培，目前已形成 60 hm² 的栽培规模，有望恢复茅山苍术的道地产区产能。

（三）江北丘陵区

1. 基本情况

本区位于宁镇扬低山丘陵道地药材区北部，南以长江为界，北抵洪泽湖南岸，东与江淮中部平原家种药材区相接，西与安徽为邻，天长将本区分为南北两块，包括浦口、六合、仪征、盱眙 4 个县（市、区），土地总面积 5 532 km²，耕地面积 27.06 万 hm²，辖 86 个乡镇、1 263 个行政村。本区总人口 288.66 万人，其中农业人口 185.07 万人，农业劳动力 53.73 万人，人均占有耕地 0.118 hm²（1.77 亩），每农业劳动力负担耕地 0.50 hm²（7.50 亩）。本区属人少地多的区域，农—药生产矛盾小。

本区土地资源丰富，土地类型较繁杂，丘陵山区面积占比大，占本区土地总面积的 63.24%，平原占本区土地总面积的 36.76%。与宜溧低山丘陵区和宁镇茅山丘陵区相比，本区土地质量较差，农业生产发展快且门类较多，但生产水平较低，农业内部结构尚欠合理；种植业以稻、油为主，多种经营发展规模尚小；农村经济条件较差，农民人均纯收入较低。

2. 中药资源生产特点

（1）处于气候过渡带，药用植物、动物种类构成特点差异显著。本区属于北亚热带，药用植物、动物种类多，北部为北亚热带向暖温带的过渡区，故气温较南部仪征、六合、浦口低，积温低 20 ℃以上，年降水量为 911 ~ 1 040 mm，降水稳定性差，亚热带植物多小面积分布，药用植物也少。江苏第四次中药资源普查结果显示，盱眙有药用植物 549 种，以北方药材区系资源种类居多，常见品种有酸枣、侧柏、知母、锦鸡儿、米口袋等；浦口药用植物种类相对丰富，已发现879 种，种类构成特点与江南亚热带植物区系相似。

（2）因生态条件差异，中药资源种群与分布各具特色。本区丘陵岗地面积大，而丘陵面积比重较小，仅占土地总面积的 7.9%，丘陵与岗地面积比为 1 : 7。丘陵岗地是野生中药资源的主要分布区，野生药材的收购量占药材总收购量的 90% 以上，大部分野生中药资源集中在高丘陵地带，其中浦口狮子岭，六合芝麻岭，仪征青山、铜山，盱眙铁山寺国家森林公园、杨郢乡、马坎镇马岗村和棋盘山中药资源种类较丰富，本区重点药材品种有明党参、南沙参、桔梗、松花粉、侧柏叶、猫爪草、白果、山楂、白头翁、蜈蚣、全蝎等 300 余种。本区平缓岗地、滁河沿岸平原和沿江平原资源量较少。

（3）具有长期收购和发展药材生产的传统与经营意识。本区药用生物资源种类较为丰富，长期以来当地群众就有采收、加工、销售药材的习惯，药材生产也是当地群众增收的重要途径。随着野生资源日渐减少，当地农民尝试通过人工种植药用植物来发展药材生产，积累了较为丰富的生产经验，促进了当地药材产业的发展，并逐步形成了以道地、大宗、特色药材生产为重点的具有一定规模的区域经济体系。例如，盱眙甘泉药材种植场种植了明党参、桔梗、杜仲、柏子仁、京三棱等，还养殖了蜈蚣、土鳖虫等；浦口老山山脉的星甸街道等种植了杜仲、银杏、明党参，目前杜仲基地面积 825 hm²，杜仲基地建设被列入了江苏省农林厅的发展规划，星甸的 3 棵"无心银杏"已被列入名木保护。在当前农业结构调整中，盱眙把药材生产作为当地的六大支柱产业之一；河桥镇、马坝镇、天泉湖镇（王店社区、龙山村）等发展以草本药材为特色的药材种植，种植面积超过 650 hm²，目前规模较大的栽培品种有野马追、紫苏、益母草、败酱草等，种植规模均已达数百亩以上。

江苏第四次中药资源普查发现，分布于我国华中、华东、华南和西南地区，生于林缘、路边或灌丛中的五加科植物细柱五加 *Acanthopanax gracilistylus* W. W. Smith 在盱眙有野生分布且蕴藏量较丰富。细柱五加为灌木，有时呈蔓生状，高 2 ~ 3 m；枝无刺或在叶柄基部单生扁平的刺；掌状复叶在长枝上互生，呈倒卵形至披针形。其多年生的根皮具有祛风湿、强筋骨、舒筋活络等多方面的功效。其药材又是制备五加皮酒等中成药的法定原料。细柱五加的果实成熟时呈黑紫色，含有丰富的花青素及类型多样的有机酸类、糖类、蛋白质类、脂肪酸类及氨基酸类等有益健康的资源性化学成分，适合开发成系列健康产品，从而形成当地特色资源经济产业。目前，细柱五加已被当地企业大规模栽培，并加工成符合《中华人民共和国药典》规定的"五加皮"药材，逐步以之替代江苏地区以往习用的具有一定毒性的萝藦科植物杠柳的根皮（香加皮）。细柱五加的大规模栽培值得鼓励与扶持,以助力当地经济产业特色发展。

3. 发展方向和途径

以具有中药资源优势的浦口、盱眙为重点,加强自然生态区域中药资源的保护和抚育更新,实行轮采轮育、封育结合,促进宝贵的自然药用资源服务于民众健康和社会发展。因地制宜,在丘陵岗地和不适宜发展经典农业生产的区域,积极探索、推动仿生种植,发展生态农业模式的药材生产,充分利用药用生物对环境的适应能力和在逆境胁迫下资源性化学物质的积累,减少化肥、农药的使用,生产高品质绿色有机药材,走品牌化和优质优价之路。本区适宜发展生产的药材品种有丹参、明党参、益母草、连钱草、野马追、败酱草、五加皮、杜仲、侧柏叶、柏子仁、蜈蚣等。推行农—药、林—药兼作的方式,有计划、有步骤地发展道地药材和大宗药材生产,以点带面形成规模,稳定发展,走出一条规范化、规模化、绿色生产的可持续发展之路,逐步建成有品牌、有口碑、有特色、有标准、高品质、信息化有序发展的药材生产基地。

(1)因地制宜,合理布局,建立稳定的道地特色药材生产基地。针对丘陵岗地面积大的有利条件,坚持按地形、土壤、气候条件进行适地种植,做到药材品种生产的合理布局。在土壤瘠薄的丘陵岗地,宜种植耐风、耐旱的木本药材,如马尾松、山楂、狭叶山胡椒等,结合灌丛草地面积大的特点,可种植耐旱的草本药材,如紫丹参、忍冬、玫瑰等。盱眙、六合、仪征日照充足但降水条件差,平岗多但土质差,适宜于松花粉、柏子仁、槐米等木本药材和夏枯草、连钱草、猫爪草、柴胡、茵陈等草本药材的生产。间隙、阴湿草地适宜蜈蚣生长。浦口丘陵岗地气候较温暖,雨水充沛,日照充足,老山山脉海拔为 200 ~ 400 m,生态环境较好,适宜发展杜仲、桔梗、明党参、百部、丹参等道地药材。

(2)封育结合,轮采轮育,推动野生中药资源的有效保护与合理利用。政府主管部门在强调保护的基础上,要研究生态演替规律,采取更为主动、有效的封育结合、采育结合的生态保护与有序利用模式,既能促进自然生态条件下生物种群的更替与恢复,又能释放药用资源自身造福人类的特有价值,不能一封了之,任其自生自灭,造成资源的浪费。在南京老山国家森林公园、铁山寺森林保护区等,要按森林和自然保护区的规定,充实并明确药用植物、动物的保护内容,对中药资源种类较多的林地实行封山育药。对野生药用植物、动物资源,进行有计划采收,做到定点、划片,轮采轮育。在资源调查的基础上,明确主要大宗品种资源允收量,实行专管—专采—专收—专育的模式,建立有序、合理、科学的药用生物自然资源保护与利用模式。在盱眙铁山寺森林保护区内,通过当地政府和保护区的共同努力,不仅促进了保护区内自然种群的恢复,还建立了药材品种园,使保护区逐步走上科学发展的道路。

(3)以市场为导向,依托药材加工企业,发展家种药材生产。发展家种药材生产既能弥补野生药材资源量的不足,又能解决用药短缺问题。面对市场经济下药材价格多变的现实情况,发展家种药材生产必须掌握市场信息、开拓销售渠道,尤其应把生产重点放在紧俏道地药材品种上,建立稳定的药材销路，或是依托药材加工厂，通过签订购销合同，有计划地开展生产。针对本区中药资源种类多的优势，建立多种野生中药资源野生变家种（养）生产基地以应对市场的变化，可以保证家种药材生产的稳定。

二、太湖平原"四小"药材区

本区以发展"四小"药材为主，兼顾发展水生、湿生药材，主要发展的药材种类为白花蛇舌草、荆芥、灯心草、半枝莲、芡实、荷叶、莲子、珍珠、珍珠母、龟甲、鳖甲、土鳖虫、乌梢蛇等。在无锡市区、苏州市区及武进、张家港、常熟等地建有以特色种类为主的家种（养）药材生产基地。

（一）苏州市区丘陵野生药材区

1. 基本情况

本区位于太湖东部沿岸，主要为苏州市区，土地总面积 4 044 km²，其中丘陵面积 170 多 km²，耕地面积 6.499 万 hm²，辖 38 个乡镇、880 个行政村。本区总人口 205.90 万人，其中农业人口 100.31 万人，农业劳动力 15.36 万人，人均占有耕地 0.032 hm²（0.48 亩），每农业劳动力负担耕地 0.42 hm²（6.3 亩）。本区为土地资源紧缺、人多地少的地区。

本区经济发达，一、二、三产业结构较为合理，区域农业以种植稻米为主，园艺、养殖业也颇具规模，建有特种水产、亚热带常绿果树、水生蔬菜、花卉苗木、碧螺春生产基地，又是我国旅游观光胜地，太湖西山建有农业高科技区，农业商品化程度高，农村经济实力强，农民较为富裕，人均纯收入已超过 5 000 元 / 月。

2. 中药资源生产特点

（1）水热资源丰富，适宜多种亚热带药用植物、动物生长。本区地处亚热带南缘，为江苏水热条件最优越的地带之一，且受太湖大面积水体的调节，水域周围的气温变化较小，气温日较差和年较差也较小，寒潮袭击时，洞庭山区形成了一个天然的"避难"场所。本区年平均气温 16 ℃，年极端最低气温-8 ℃，无霜期 235 ～ 244 天，土壤肥沃，降水充沛，适宜多种亚热带药用植物、动物生长。本区小药材品种和数量在江苏占比较大，特产药材有凌霄花、梅花、蜡梅花、枇杷叶、白花蛇舌草、谷精草、香橼、橘皮、马勃、乌梢蛇、花蜘蛛、紫梢花、紫石英、寒水石、无名异等。

（2）重点小药材产地相对集中，有利于提高集约化经营水平。本区以地势平坦的水网平原为主，丘陵面积不到土地总面积的 10%，沿湖丘陵海拔为 100 ～ 300 m，主要有东洞庭山、西洞庭山、穹窿山、渔洋山和潭山等。低山丘陵区的东山镇、西山镇、光福镇等地为花果集中区，很多果实或其副产品（如花、核、皮、蒂）都是药材，如枇杷叶、橘叶、橘核、橘络、陈皮、青皮、香橼、银杏、杏仁、碧桃干、桃仁、石榴皮、柿蒂、玫瑰、梅花等。苏芡主要分布于苏州市郊的长青、虎丘、娄葑等乡镇；灯心草主要分布于苏州东郊的车坊、郭巷、斜塘、娄葑等乡镇；龟、鳖主要分布于吴中太平山及湘城镇等地。由于药材产区相对集中，集约化经营程度也较高，对提高经济效益、形成拳头产品、增强行业竞争力非常有利。

（3）药材生产有较好的基础。历史上本区不仅有专业药材种植，还有丰富的药材采收和种植经验，更有较为完整的药材收购网络。本区每年收购的药材品种平均约300个，其中以丘陵山区最集中，其收购量约占全区的50%，且有就地采收、就地收购、就地作坊式加工的习惯。目前本区已有制药生产能力较强的药材集团公司，为发展药材生产提供收购和加工支撑。

3. 发展方向和途径

充分利用本区水土条件优越、资源集中、生产加工技术先进的优势，加强环境治理和建设，继续发挥"四小"药材生产的特色，通过建立适应市场经济规律的运行机制，结合"美丽乡村""特色小镇"建设，创建一条康养结合、药业兴旺的发展路子。

（1）合理利用、保护、抚育野生中药资源，大力发展小药材品种。本区"四小"药材主要集中在丘陵地区，由于多年来人们只采不育，丘陵地区野生中药资源量有所下降，部分物种甚至已达濒危，应采取以保护抚育促生产采收的方式。对濒危的种类，应加强野生变家种（养），促进其稳定发展；对某些多年生小草本药材，如半枝莲、白花蛇舌草、白及等，可收集其成熟种子，人工撒播于山地草丛中，使其自然生长；小花果药材可结合旅游度假区环境建设和园林绿化开展种植，如梅花、合欢、辛夷、桂花、香樟、杨梅等，既可美化环境，又可提供药源；根据具有药用价值动物的种类及其生活习性，合理布局，发展养殖，利用水面资源饲养龟、鳖、蛙等，还可发展某些特种小动物养殖的专业户。

（2）紧抓重点品种，形成道地特色药材新优势。本区自然条件优越，适宜亚热带药用植物、动物生长，针对这一特点要对原有的道地药材（如龙脑薄荷、灯心草、苏芡、苏枳壳、青皮等）有计划地进行恢复和发展。原苏州市郊栽培的龙脑薄荷在省内外享有盛誉，要尽可能恢复优良种质并发展生产；灯心草是本区具有悠久栽培历史的品种，应根据市场供求关系和药食两用深加工产业发展情况等，重点规划健康发展；苏芡曾是苏州的出口商品，江苏南部所产芡实品质优良，形成了市场公认的"苏芡"品牌，因种植生产苏芡经济收益较好，目前苏州相城等地苏芡栽培面积超过400 hm²。此外，还应根据目前的市场行情，引进和发展资源价值高、能形成产业链的药材资源品种。

（二）太湖平原药材生产区

1. 基本情况

本区包括无锡、常州2市的市区和吴江、昆山、太仓、常熟、张家港、江阴、武进、扬中8个县（市、区），土地总面积9 252 km²，耕地面积46.509万hm²，辖244个乡镇、4 435个行政村。本区总人口930.30万人，其中农业人口575.04万人，农业劳动力106.66万人，人均占有耕地0.05 hm²

（0.75亩），每农业劳动力负担耕地0.44 hm²（6.6亩）。本区属人多地少的区域。

本区是江苏农村经济发达区，历来是农业稳产高产区，有较雄厚的工业基础和发达的旅游业，一、二、三产业结构较合理。农业生产以粮、油为主，农、牧、渔业发展较快，基地建设规模不断扩大。种植业多种经营发展模式和结构尚欠合理，发展潜力较大。本区农业现代化水平较高，是江苏农民人均纯收入最高的区域，人均纯收入超过5 100元/月。

2. 中药资源生产特点

（1）水生小品种多，特色鲜明。本区地势平坦，以湖荡水网平原为主。野生药材主要为小草本和少数木本，如益母草、车前草、萹蓄、艾叶、地肤子、天名精等，分布较分散，密度小。在房前屋后、水边路旁常见楝、香椿、臭椿、女贞、玉兰、枇杷等木本植物，以及一些绿化观赏植物，如月季花、蜡梅、冬青、银杏等。本区水网纵横，水域面积大，发展水生、湿生药用生物资源条件优越，主要有水蛭、珍珠、龟甲、鳖甲、地龙等动物类药材，以及灯心草、芦根、蒲黄、芡实、莲子等水生植物类药材。

（2）人工生产药材基础较好，但规模较小。本区药材生产发展历史较长，种植经验和技术水平较好。如武进孟河镇有悠久的药材种植历史，自宋代以来，形成了孟荆芥等一些传统道地药材；太仓新毛镇种植小叶黄种薄荷已有百余年的历史，素有"薄荷之乡"的称号。本区不同阶段发展种植和养殖的药材有薏苡仁、番红花、板蓝根、浙贝母、延胡索、僵蚕、土鳖虫等40余个品种，且在僵蚕、土鳖虫、鳖的人工养殖和番红花等的引种方面取得较大突破；现尚有一些专业户从事土鳖虫、地龙、乌梢蛇等特色药材资源的生产。最近，张家港在农业结构调整中，根据市场发展需要发展牡丹种植，种植面积达400 hm²。

3. 发展方向和途径

充分发挥原有药材生产经济技术力量和区域资源优势，以引种、试种和野生变家种（养）发展生产，重点突出传统品种，增加科技投入，实行标准化生产，提高药材质量，打造新的生产优势。

（1）巩固发展特色药材优势。本区历史上种植和养殖的特色道地药材资源素以质优而著称，如孟荆芥、苏薄荷、瓜蒌、紫苏、僵蚕、土鳖虫、鳖等。利用已有生产地和专业户基础，进一步巩固发展成果，扩大产品生产规模，提高药材品质。通过提高科技生产水平，推行规范化生产，重造特色药材优势。

（2）突出区域重点药材资源，形成适度生产规模。充分利用本区原有的生产基础，实行以区域重点品种为主的生产布局，以重点带一般，促进药材生产发展。水域面积大的中南部地区，重点发展苏芡、水蛭等品种，在生产经济动物的同时注重药用部位采收加工技术的提升，保证质量，促进鳖、龟、蚌等中药资源产业提质增效。武进历史上就是孟荆芥、板蓝根等特色药材的生产地，具有良好的适宜性，宜在孟河镇发展药材生产。太仓苏薄荷种植历史悠久，栽培面积大，所产苏薄荷在我国有较高声誉，应在老产区新毛镇发展苏薄荷生产。土鳖虫、地龙以常州及丹阳近郊产量大，养殖经验丰富，宜在原养殖地进一步发展土鳖虫、地龙生产。

三、沿海平原滩涂野生、家种药材区

本区重点发展特色道地药材、盐生药材、海洋药材，主要特色道地药材有苏薄荷、白菊花、白首乌、决明子、丹参、蟾酥等；主要盐生药材有罗布麻、茵陈、益母草等；主要海洋药材有海星、文蛤、瓦楞子、牡蛎、沙蚕、海藻等。在云台山区和射阳洋马镇建立了中药资源种质园，作为进行引种、试种和野生变家种（养）的研究和生产基地，并在连云港及滨海、射阳、东台、启东等地建成具有一定规模的以特色种类为主的家种（养）药材生产基地。

（一）滩涂浅海区

1. 基本情况

本区位于沿海平原东部，即以老海堤为界，南起长江北口，北至绣针河口的滩涂浅海区域，包括启东、海门、通州、如东、东台、大丰、射阳、滨海、响水、灌云、赣榆及连云港市区的滩涂浅海，土地总面积 4 863 km^2，耕地面积 4.454 万 hm^2，辖 39 个乡镇、383 个行政村，有 5 058 家企业。本区总人口 57.01 万人，其中农业人口 44.80 万人，农业劳动力 15.96 万人，人均占有耕地 0.078 hm^2（1.17 亩），每农业劳动力负担耕地 0.279 hm^2（4.19 亩）。

本区为老海堤以外的滩涂浅海区，人少地多，土地资源不断增加，基本上整个区域均属自然生态环境，海洋野生药用植物、动物资源丰富。随着沿海滩涂围垦，药用资源的开发利用程度不断提高。由于本区土地含盐量大，主要生长耐盐作物，发展种植业在一定程度上需要有一个脱盐改土的过程。目前本区农业生产水平不高，主要产业为水产业，尤以海洋水产突出，是江苏独有的海洋水产基地。

2. 中药资源生产特点

耐盐药用植物和海洋药材资源是滩涂浅海区的资源特色。本区的海螵蛸、蛤壳、牡蛎、瓦楞子、鱼脑石等海洋药材资源丰富，分布较广；海龙、海马等主要分布在连云港沿岸浅海区。盐渍化区域分布有罗布麻、地骨皮、蔓荆子、益母草、芦根、茵陈、白首乌、香加皮等 230 余种药材。本区处于逐步成陆的过程中，因此资源利用程度低，除少数药用植物外，大部分植物处在自生自灭的演替状态。作为药材资源，大多数植物、动物的药用价值尚未得到有效开发利用，特别是海洋药材资源。本区药材资源有着广阔的开发前景。

3. 发展方向和途径

紧抓盐生、海洋中药资源特色，发挥滩涂浅海中药资源优势，保护天然资源。依托沿海平原资源优势，加强耐盐植物资源的基础科学研究，不断发现其蕴含的资源性物质并使之转化为资源性产品，创造特色生态区域特色资源产业模式，这不仅有利于逐步改善盐渍化区域的生态条件，也能为海洋生态经济增添新的亮点。

（1）合理开发和利用海洋滩涂特色中药资源。本区滩涂中药资源丰富，但利用率较低，如罗布麻、地骨皮、瓦楞子、牡蛎、蛤壳等，蕴藏量大，具有较大的开发潜力。今后一方面要加强有计划采收、开拓销路、发展加工等一系列基础性工作，提高野生中药资源的利用率，另一方面要结合滩涂综合开发，农药兼顾，发展特色经济产业。在探索广阔的滩涂自然保护区及滩涂生态系统的过程中，发展具有较高经济价值的药用植物（动物）的人工种植（养殖）。利用滩涂荒地引种耐盐性较强的药用植物，如紫菀、徐长卿、牛皮消、珊瑚菜、龙胆草、蒲公英、苦苣菜、菊苣、东方香蒲等。科学利用泌盐性植物、排盐性植物的生物学特性，既可增加可利用资源的产量，又能起到抑制土壤返盐、改善土壤理化性质、提高土壤肥力的作用。近年来，在江苏各级政府的高度重视和大力推动下，江苏沿海滩涂生态得到了有效改善，滩涂耐盐植物的栽培生产不断发展，种植面积较大的品种有菊苣、甜叶菊、盐地碱蓬、单叶蔓荆、盐角草等，这些植物的栽培生产产生了良好的社会经济和生态效益。

（2）不断挖掘和提升海洋药用生物资源价值。江苏有大面积的浅海水域，海洋水产资源丰富，近年来，海洋捕捞业发展快，但药用资源深加工产业化发展较缓慢。本着水产与药业兼顾的原则，理顺渔药结合发展思路，加强相关领域的资源化学研究，挖掘水产品生产加工过程中副产品的多途径利用价值，形成特色资源经济产业链，走绿色可持续发展之路。江苏海州湾水域分布有尖海龙、日本海马、盘大鲍、黄海葵等许多特色海洋药用生物资源；东牛山、平山、达山海区是江苏重要的海产品养殖基地。

（3）加强科学研究，深入挖掘海洋生物的药用价值，发展海洋药业。要依托高校和科研院所的科技力量，加强海洋生物的药用研究，开拓海洋生物的药用功能，发展新兴的海洋药业。目前江苏已在连云港和盐城两地建立了海洋药材和滩涂药材生产的科研指导机构，如依托盐城师范学院建设的江苏省盐土生物资源研究重点实验室和江苏滩涂生物农业协同创新中心、依托江苏省农业科学院建设的江苏省农业科学院农业资源与环境研究所盐土农业研究中心、依托江苏省中国科学院植物研究所建设的江苏省盐土生物资源研究重点实验室、依托中国科学院南京土壤研究所建设的中国科学院南京分院东台滩涂研究院。江苏省政府积极引种盐生植物，重点发展滩涂经济作物栽培，并大力开展药用原料、功能食品等产品的研发，使盐生植物成为"海上苏东"的特色产业。江苏省政府依托南京中医药大学建立的江苏省海洋药物研究开发中心，近年来围绕海洋低值贝类生物资源的药用价值进行研究，从杂色蛤、文蛤等多种海洋贝壳类动物以及三角帆蚌等淡水贝壳类经济动物的软体组织中开发出具有调节血糖、增强免疫等功能的健康产品。

（二）沿海平原区

1. 基本情况

本区位于江苏东部沿海地区，与滩涂浅海接壤，西部与江淮平原和徐淮平原相接，北抵云台山区，南至长江北岸，包括启东、如东、东台、大丰、射阳、滨海、响水、灌云 8 个县（市、区）的滩涂以外的区域，土地总面积 11 454 km²，耕地面积 77.537 万 hm²，辖 207 个乡镇、3 815 个行政村。本区总人口 775.20 万人，其中农业人口 610.01 万人，农业劳动力 197.07 万人，人均占有耕地 0.100 hm²（1.55 亩），每农业劳动力负担耕地 0.393 hm²（5.96 亩）。本区是江苏人均占有耕地最多的区域。

本区自然和资源条件优越，土地资源丰富，人地矛盾小，平原地势低平，大部分地区海拔不足 5 m，自西向东土壤依次为水稻土、潮土、盐土，以壤土为主，加上沿海湿润的季风气候，适宜多种农作物的生长。本区农业生产发展快，种植业以稻、麦、棉为主，多种经营发达，其产值已超过农业总产值的 50%，农业结构不断优化，沿海的林业、水产、畜牧、粮棉、蔬菜基地日趋规模化，已经形成农、林、牧、渔较为协调发展的态势。随着乡镇工业的发展，农村劳动力得到较大的转移，农村经济实力不断提高，农民人均纯收入不断增加，但本区北部几个县发展较慢。

2. 中药资源生产特点

（1）具备发展中药资源生产的良好条件。本区土壤呈过渡性分布，温暖湿润的海洋性季风气候、疏松的土壤可进行多种作物和药用植物的栽培。东部地区是盐渍化程度较严重的区域，荒草地、林地较多，既有较多的耐盐药用植物资源分布，又具有药材生产不与农业争地的优势，是滩涂浅海野生中药资源进行野生变家种（养）的良好场所。目前在射阳、滨海、东台、如东、启东均建有一定规模的栽培生产和驯化养殖基地，有效促进了当地特色资源产业的形成和发展。

（2）具有药材规范化和规模化生产的基础。本区具有种植生产药材的传统和适宜生产药材的环境。滨海已有百余年的白首乌种植加工历史；东台已有 50 余年的薄荷、决明子、甜叶菊、水飞蓟等的种植历史；射阳种植生产菊花、丹参等药材已有 60 余年，并形成了一定规模，打造出了"苏菊"品牌，也积累了丰富的生产经验。近 30 年来，本区享受到了药材生产带来的民众致富、集体增收的红利，各地涌现出一大批药材生产专业乡（镇）、专业村和专业户。例如，滨海临淮镇、振东乡，射阳黄尖镇、洋马镇，启东北新镇、民主镇、新港乡，如东岔河镇等，均有一定面积的药材种植。本区已成功引种并形成一定规模的药材品种有苏菊花、薄荷、瓜蒌、白术、白芷、薏苡仁、北沙参、丹参、决明子等 20 余个；在堆堤荒地上发展引种的木本药用植物有银杏、西河柳、杜仲、黄檗、山楂、女贞、槐、桑、榆等。

值得关注的是江苏盐城射阳，该县以洋马镇为中心持续发展和打造药材种植生产基地。江苏第四次中药资源普查结果显示，射阳药材种植以苏菊花、瓜蒌、丹参、薄荷等品种为主，种植面积达 6 000 hm²，已探索出药材生产规范化、规模化产业经营道路。近年来，通过与江苏省中药资源产业化过程协同创新中心、南京农业大学等单位进行多种形式的产学研合作，射阳致力于打造"苏菊"品牌，推进"中国药用菊花特优区"建设，为沿海平原地区发展药材生产提供了成功的经验和示范。

3. 发展方向和途径

以本区良好的自然条件为基础，重点突出发展盐生药材，加强白菊花、白首乌、薄荷、蟾酥、决明子等特色道地药材的开发利用，兼顾大宗药材，抓住环境优势条件，推行规模化生产和农户生产相结合，通过扩大规模，以白菊花规范化生产带动其他品种生产，使本区成为既具单品种名优特色，又具有盐生药材生产特色的多品种药材规范化生产基地。

（1）实行分区规划，分类指导。本区为沿海狭长带，按南北区域条件、资源特点和生产适宜性，实行分区、分类指导，突出重点，区域联动，共同发展。苏北灌溉总渠以北为白首乌、玄参等适宜区，灌云、响水、滨海3县均为平原，黏壤土适宜发展白首乌，砂壤土适宜发展北沙参、玄参等；灌溉总渠以南为白菊花、地骨皮、决明子、蟾蜍等适宜区，射阳、大丰、东台等县（市、区）应重点发展白菊花、决明子等，如东、启东应突出"启东蟾酥"优势，发展蟾蜍、浙贝母、延胡索、薄荷等。

（2）市场引领，品质保证，有计划种植。发展家种（养）药材，既要考虑市场需求，又要兼顾本地优势条件和传统品种，应以传统老品种为基础，根据市场需求，有计划地扩充家种（养）药材品种。特别是对一些种植面积不大但有发展前途的品种，如射干、知母、柴胡等，应加强规范化和规模化生产基地建设，在药材品质上下功夫，结合当地生态特点发展仿生种植，走生态农业发展道路，才能实现优质优价的良性发展，为中药材市场所认可和接受。

（3）统一种源，规范田间生产，统一药材加工。优良的种子种苗是保证药材质量的前提，规范田间生产全过程管理，减少化肥的使用，特别是要杜绝农药的使用，这是保证药材质量的基础。射阳菊花品牌的成功说明药材集中采收、统一加工，走机械化规范加工的生产方式，也是保证药材出好产品的重要环节。

目前，药材生产存在规模生产和分散生产2种模式，需要建立药材生产全过程的质量管理，引导生产走集约化、规模化之路。让以射阳洋马白菊花、滨海白首乌、东台薄荷为主的规模生产走药材规范化种植和产业化经营的发展道路，让分散农户自己在市场经济中提高市场意识，逐步走向联合，向药材生产产业化方向发展。

（三）云台山区

1. 基本情况

本区位于江苏沿海平原北部，东临黄海，北濒海州湾，与滩涂浅海相接，南与沿海平原交界，西至徐淮平原，包括连云港大部分市区，土地总面积824 km²，低山丘陵面积171.2 km²，占土地总面积的20.78%，耕地面积1.361万 hm²，辖10个乡镇、88个行政村。本区总人口58.89万人，其中农业人口13.23万人，农业劳动力4.39万人，人均占有耕地0.023 hm²（0.35亩），每农业劳动力负担耕地0.31 hm²（4.65亩）。

本区土地资源的农业利用以林地为主，林业、园艺、水产、畜牧多种经营占主导地位，耕地面积只有林地面积的 2/3，种植业以粮、棉为主。由于本区农村紧靠城区，甚至农村与城区交错分布，乡镇工业比较发达，农业商品化程度较高，农民人均纯收入达到 3 771 元 / 月，较江苏平均水平高 300 元，农村经济比较活跃。

2. 中药资源生产特点

（1）生态多样性孕育着种类丰富多样的中药资源。本区地貌多样，低山丘陵、平原、河流、岛屿、海岸兼有，其中低山丘陵面积较大，由锦屏山及前、中、后云台山组成的低山丘陵海拔高度差异较大，加之沿海的位置特点，形成了许多独特的小地形、小气候，为汇集和孕育南北方药用植物、动物提供了良好的生态环境。本区中药资源种类较多，仅次于江南宜溧山区，既有南方的无患子、化香树、苦树、山胡椒、枫香树、刺楸、乌桕、野鸦椿、紫金牛等，又有北方的赤松、酸枣、铃兰、北柴胡、百里香、楼斗菜、东北南星、侧金盏花、紫草等，主要中药有北沙参、蔓荆子、紫草、灵芝等 20 多种。

（2）地处气候交汇过渡带，为发展特色药材提供了条件。本区位于亚热带向暖温带过渡的区域，海洋性气候特征明显，小地形、小气候较多，具备各种药材资源的生长环境。本区冬季不寒冷，夏季不酷热，气温变化缓和，年平均气温 14 ℃左右，极端最低气温-14.7 ℃，无霜期 220 天，平均年降水量 961.6 mm，日照时数 2 501 小时，即使在严寒的冬天，小地形也可为中药资源引种驯化提供良好的气候环境。本区先后引种过天麻、山茱萸、杜仲、黄檗、忍冬、芍药、菊花等 50 多种中药资源，大部分引种的中药资源已在云台山落脚，长势良好。因中药资源种类较多，可将本区规划建设成江苏北部药用生物资源种质保存及引种驯化繁育基地，为区域特色中药资源经济产业发展提供重要支撑。

3. 发展方向和途径

以加强中药资源保护及合理开发利用为基础，进一步加强药材研究和生产队伍建设，通过完善药材生产经营机制，增加科技投入，实现药材生产的新发展。重点是发挥地方特色药材优势，发展重点品种，形成拳头产品，以朝阳药材种植场为基础，努力使本区成为淮北地区药材种质的保存库和优良种子种苗的繁育供应基地，拉动江苏北部区域药材生产的发展。

（1）珍惜自然资源，处理好保护与利用的关系。生态多样性决定了物种多样性，本区中药资源种类较为丰富，历史上的无序生产和过度采挖使有些药材品种资源量大幅减少，有的甚至面临濒危、灭绝，如紫草、珊瑚菜、单叶蔓荆等。因此，要切实做好本区自然资源的保护工作，特别是对具有重要资源价值的药用生物资源品种，要与农林、资源环境部门密切配合，在已建立的保护区内强化中药资源保护措施，对药材资源蕴藏量少且分布面积不大、种类较集中的地区，实行封山育药的措施，以促使资源生长繁育。在旅游地区，要与旅游部门协作建立旅游保护条例制度，防止资源被盗采和破坏。在此基础上，有计划、有步骤地开展中药资源的开发性生产，实施分区分片轮采、采大留小、采密留疏的采集制度，维持区域生态平衡，保证自然生态环境条件下的中药资源种群得到有效保护和恢复，实现资源的良性循环和可持续利用。

（2）利用有利条件，加强药材种质园建设。本区自然条件优越，具有生物气候过渡性和小地形、小气候多样性的特点，是引种驯化比较理想的区域。要充分利用这一优势，加强引种驯化基地建设，使本区成为江苏北部家种（养）药材的供应源地。一是加强对云台山自然保护区的保护工作，强化中药资源保护内容，在周边地区开展引种驯化，使保护区向药用植物种质园的方向发展。二是在山区选择具有代表性、生态环境好的地点，如朝阳、宿城、东磊、花果山等，建立药材引种驯化实验基地。三是加强稀有濒危种类的保护性研究，采取就地保护和迁地保护相结合的方法，使珍稀濒危中药资源种群得到有效恢复和发展。

四、江淮中部平原家种药材区

本区以发展水生、湿生药材品种为重点，兼顾发展沿江特色道地药材，主要生产的植物类药材有芡实、珍珠、珍珠母、莲子、荷叶、蒲黄、泽泻、莳萝、薏苡仁、荆芥、半夏、浙贝母、延胡索、玉竹、银杏等，动物类药材有龟甲、鳖甲、水蛭、地龙、僵蚕、金蝉花等。在里下河地区、三泰地区、通海地区分别建有以特色种类为主的家种（养）药材生产基地。

（一）通海沿江平原区

1.基本情况

本区位于江淮平原东南部，南临长江，北部与东部接沿海滩涂平原，西部与通南高沙土区相邻，包括南通市区和通州、海门2区，土地总面积2 299 km²，耕地面积16.138万 hm²，辖90个乡镇、1 745个行政村。本区总人口312.20万人，其中农业人口191.72万人，农业劳动力71.14万人，人均占有耕地0.052 hm²（0.78亩），每农业劳动力负担耕地0.227 hm²（3.4亩）。本区是江苏典型的人多地少地区，后备土地资源贫乏。

本区距上海较近，区位优势突出，是历史悠久的特种经济作物区，优良的土地资源和气候资源使本区农业生产无后顾之忧。本区种植业发达，农业生产门类多，形成了一系列多熟间套种耕作制度，这种制度有利于多种经济作物和药材资源的种植。本区受城市经济辐射，农业生产商品化程度高，农村劳动力转移较快，农村经济发达，是南通经济繁荣的代表性区域，农民生活水平较高，生产力要素在一定程度上制约了原有道地药材生产的发展。

2.中药资源生产特点

（1）自然条件优越，适宜发展高附加值资源性产品。本区地处长江三角洲北翼，为滨海临江的冲积平原，受江海水体调节，气候温暖湿润，热量较丰富，光照充足，水资源丰沛，土壤多为轻壤土，少数为黏壤土，且大多已经脱盐，具有多种特种经济作物的适宜性。20世纪80年代第三次中药资源普查结果显示，通州、海门的药用植物、动物资源有近千种，其中药用植物近600种，药用动物近 400 种。受城市经济辐射，多种经营发展迅速，种植业占绝对优势，尤其是特种经济作物，在江苏占有重要地位。2000 年，江苏道地药材苏薄荷在一方经济发展的驱动下从苏州一带转移至南通，在南通形成规模和特色种植及薄荷精油加工产业，造福于当地经济。然而，随着南通经济的快速发展，薄荷产业又离开南通，进入生产力成本较低的区域。

（2）药材生产与品种选择受经济效益和市场调节。本区家种药材生产历史较长，中华人民共和国成立前就有农民种植药材，种植品种为红花、地黄、玉竹、瓜蒌、红旱莲等。中华人民共和国成立后，特别是 1957 年后，药材种植种类和面积迅速增加，至 1985 年本区的药材种植面积达 800 hm²，药材种类达 27 个，药材收购量达 89.93 万 kg，药材生产集中于海门的德胜、厂洪、天补等 7 个乡镇和通州的张芝山、姜灶、南兴等 9 个乡镇。本区的栽培重点品种有延胡索、浙贝母、白术、玉竹、麦冬等，这些品种的商品率都在 90% 以上，经济效益较高。本区是我国延胡索、浙贝母第二生产基地，每年向国家提供商品 30 万 kg，所产药材远销全国 20 多个省市，成为当地药材市场的拳头商品。迄今，本区已经形成浙贝母、延胡索、板蓝根等药材生产的专业基地。

3. 发展方向和途径

利用区域环境优势，积极发展中药资源引种、试种和野生变家种（养），加强药材生产的科学研究和生产队伍建设，扩大生产品种，以提高药材质量为核心，逐步推行规范化生产，提高生产水平，确保药材优质、稳产、高产，提高市场竞争力，把本区建设成江苏家种药材规范化生产基地。

（1）维护道地品种，加强生产全过程的规范化、规模化管理和生产基地建设。一是品种上要紧跟市场需求，充分利用延胡索、浙贝母、玉竹、板蓝根等品种的优势，在栽培技术上下功夫，特别是推广标准化生产，强化优势，提高市场知名度；二是要紧紧依靠市场信息，合理安排种植品种和种植规模，提高市场应变能力；三是加强引种、试种，扩大栽培品种，使本区向多品种方向发展，以解决自需药材的供给问题，并适应市场变化求发展；四是要开拓销售渠道，完善农户药材生产经营机制，发展产业化经营，保证药农的收益。通过以上生产建设，本区可向现代化生产基地发展。

（2）加强技术培训，提高药材生产的规范化水平和产品质量。提高药材生产质量的关键在于生产技术和生产管理水平的提高，要在原来良好的生产基地的基础上，进行生产技术管理队伍建设，特别是要提高规范化生产水平，培养掌握规范化生产技术的骨干人员，实行生产技术管理和指导；要以规范化生产为目标，对药农进行技术素质培训，提高他们的技术素养，提高药材生产的总体水平，从而保证药材规范化生产基地不断发展。

（二）通扬高沙土平原区

1. 基本情况

本区位于里下河以南、长江以北，东接通海地区（今南通南部），西与江北丘陵区相邻，包括扬州、泰州 2 市的市区和江都、泰兴、姜堰、靖江、如皋、海安 6 个市（区），土地总面积 8 195 km²，耕地面积 44.173 万 hm²，辖 261 个乡镇、4 462 个行政村。本区总人口 804.26 万人，其中农业人口 595.73 万人，农业劳动力 156.93 万人，人均占有耕地 0.055 hm²（0.83 亩），每农业劳动力负担耕地 0.281 hm²（4.22 亩）。本区属人多地少、耕地较为紧张的地区。

本区人多地少，土地资源较紧缺，土壤以高沙土、潮土为主，中心部位为高沙土，面积占土地总面积的 42%，土壤环境总体较差，持水能力差，土体结构松散，表现为典型的"沙、瘦、板、漏"，水土流失严重。本区气候条件较好，属北亚热带季风气候，农业生产发展较快，但受土壤环境制约，农业生产水平一般。本区种植业以粮食为主，熟制结构比较复杂，旱作比重较大，传统的养猪业尚有一定规模，蚕桑、银杏生产是本区的一大特色，经营门类较多，蔬菜、花卉已经形成基地。农村工业有一定的基础，农民生活水平在江苏属中上游，然而本区"三废"污染比较严重，对农业生产有一定的影响。

2. 中药资源生产特点

（1）鱼米之乡，药业鼎盛。本区自然环境优良，土地肥沃，水系纵横，自古以来就是鱼米之乡，生产水平较高。随着农业的发展，本区开发利用当地野生药材的同时，也种植和养殖具有高附加值的药用生物，这不仅增加了当地民众的收入，也形成了传统医药文化氛围，奠定了若干特色道地药材资源品种优势。江都、三泰一带的土壤疏松湿润，具有一定的夜潮性，适合半夏、荆芥等药材的生长，20 世纪 80 年代以来，该地所产半夏、荆芥、延胡索、白果等药材的品质为行业称道，泰兴、姜堰是半夏、荆芥的主产地。建立市场经济体制以来，银杏生产的效益较高，发展迅速，已形成较大规模，泰兴是我国著名的"银杏之乡"。近年来，本区锦葵科植物黄蜀葵得到大面积种植，其花是治疗慢性肾炎的黄葵胶囊的重要原料。依托区域资源优势和深厚的传统医药文化底蕴，本区一批现代药企蓬勃发展，享誉全国的江苏济川药业、苏中药业、扬子江药业等制药企业以及中国医药城等医药研创基地均坐落于此。

（2）品种繁多，潜力巨大。本区虽是平原地区，但药用植物资源丰富，有近 500 种药用植物，由西向东种类逐渐增加，江都、泰兴、姜堰约有 250 种药用植物，如皋有 363 种药用植物，海安的药物植物超过 400 种。20 世纪 80 年代，本区药材生产有了较大发展，形成了一定的区域资源特色，产生了良好的带动示范效应，为本地中成药制药产业提供了原料保障。例如，已形成规模经济标志的银杏资源产业保证了扬子江药业大品种银杏叶片的原料供给；黄葵胶囊产能的不断扩大，有力地拉动了泰州及其周边地区黄蜀葵的种植生产，黄蜀葵种植业的发展不仅保障了制药原料的品质和供给，也为当地民众创造了经济收入。本区医药产业的进一步发展，必将会有效带动当地中药资源的生产和利用，提升特色资源经济产业的发展水平。

3. 发展方向和途径

加强道地药材生产，开发利用东部中药资源，处理好药—农争地的矛盾，充分利用熟制类型多的有利条件，合理安排药材生产，着眼于中药资源的高效利用，提高药材生产效益，逐步恢复药材生产优势。

（1）开发利用资源与保护培育发展相结合，走可持续发展道路。江都、三泰地区要把药材生产的重点放在半夏、荆芥、黄蜀葵、银杏等品种上，通过完善农户药材生产经营机制、开拓销售渠道，达到发展生产的目的。同时通过加强科技研究，解决半夏、荆芥规范化生产过程中若干瓶颈问题，维护好道地性品质，走优质优价发展之路，保证生产效益稳定提高。高沙土地区是银杏的适宜区，重点要解决污染问题，降低银杏叶的污染物残留量，实施标准化生产，从而提高药材质量；药食两用品种白果的加工生产要充分吸收最新研究成果，通过程序升温干燥技术，有效解决白果原始毒性问题，保证食用和药用的安全有效。中华大蟾蜍耳后腺和皮肤腺体的分泌物是贵重中药蟾酥的原料，近年来随着生态环境受农药、化肥等化学品的干扰和影响，蟾蜍的自然种群数量明显减少，导致药材严重短缺，价格不断攀升；同时，蟾蜍是维护生态平衡的重要物种，本区是蟾蜍生存繁衍的适生区，当地政府应给予高度关注并研究制定有效的生态保护措施，营造有利于恢复和扩大蟾蜍种群的环境，这必将造福于当地生产生活，产生巨大的经济、社会和生态效益。

（2）探索和发展林药间作、粮药套种、水体高效利用的多元化生产模式。以海安和如皋等药材生产老区为主，开展小药材野生变家种，使药材生产得到恢复。尤其是东部小药材种类较多的地区，由于土地垦殖率高，野生资源迅速减少，应结合林草恢复等生态修复计划，实施林药间作和粮药套种的立体种植模式，有效提升生产效益。例如，在规划叶用的银杏生产基地，可在行间布局种植半夏、延胡索、连钱草、蒲公英、紫花地丁、孩儿参等低矮草本药用植物。在生态型粮食或蔬菜生产基地，引入中华大蟾蜍种群，既可建立生物防虫的有效体系，又可增加土壤肥力；还可与雷允上药业等蟾酥需求量大的制药企业合作，建立蟾酥规范化生产基地，以保证贵重药材原料的供应。充分利用本区水资源丰富的优势，恢复和发展水蛭（宽体金线蛭）仿野生养殖，既可有效提高水体的生产效率和经济效益，又可减缓水蛭药材的供给压力。

（三）里下河低洼平原区

1. 基本情况

本区是江淮平原的核心地区，东接沿海平原滩涂野生、家种药材区，西南抵江北丘岗区和安徽，南接高沙土平原区，西北和北部与徐淮平原相邻，包括盐城市区和高邮、宝应、金湖、洪泽、兴化、建湖、盐都、阜宁 8 个县（市、区），土地总面积 12 865 km²，耕地面积 62.590 万 hm²，辖 212 个乡镇。本区总人口 736.02 万人，其中农业人口 581.60 万人，农业劳动力 177.52 万人，人均占有耕地 0.085 hm²（1.28 亩），每农业劳动力负担耕地 0.353 hm²（5.3 亩）。本区为耕地条件较为宽松的区域。

本区土地资源较为丰富，水域面积比重大，有众多大中型湖泊和荡滩，受海洋性气候影响和水体调节，气候条件较好，热量较为充足，光、热、水配合协调。本区农业生产比较发达，资源优势得到充分发挥，种植业以粮、棉、油为主，是目前江苏优质粮、棉、油的生产基地。本区以水产品、水生林木、水禽和水生经济作物生产为区域特色，农村经济发展较快，农民收入较高，已经成为江苏比较发达的农业生产区。

2. 中药资源生产特点

（1）水域广阔，水生、湿生中药资源优势突出。本区河网密布、河渠纵横，湖泊、荡滩集中，水域面积大，加上良好的光、热、水条件的配合，中药资源种类相对较多。本区的药用植物、动物大多具有水生、湿生的生态习性，形成水生、湿生中药资源优势。本区主要资源种类有东方香蒲、芡实、莲、泽兰、芦苇、黑三棱、龟、鳖、水蛭、地龙等，资源蕴藏量较丰富，本区是江苏水生、湿生中药资源最集中的地区。特别是近年来，苏芡实的价格居高不下，产地种植面积不断扩大，产生了良好的经济效益。水蛭药材价格连年攀升，供不应求，当地政府应重视水蛭的培育和规模化发展，真正形成水生中药资源特色优势，打造水乡特有经济品牌，造福一方经济。

（2）进一步挖掘中药资源多途径利用价值。本区的水生、湿生药材生产发展较慢，资源种类和蕴藏量多而利用率不高，造成资源浪费。例如，本区过去大力发展香蒲生产，蒲田数量多，但群众以采收蒲草为主，而不采收蒲黄，造成了资源浪费。目前，本区大面积种植莲藕，大量的藕用于加工出口，而藕节及刮下的藕皮被作为下脚料丢弃，殊不知藕节是常用药材，藕皮除含有一定量的淀粉及多糖类物质外，还含有白桦脂醇等三萜类活性成分以及丰富的纤维素类等资源性化学物质；此外，采藕时节部分荷叶尚充满生机，是好的荷叶药材，可用于生产以荷叶为原料开发的系列调血脂健康产品。

本区家种药材生产大多集中在一些重点乡镇，如江都大桥镇、高邮汤庄镇、兴化昌荣镇（翁果村）和垛田街道、建湖沿河镇、宝应氾水镇（石桥村）、盐都大纵湖镇、盐城南洋镇、阜宁羊寨镇等，这些乡镇栽培品种较多，栽培面积较大，产量较高。

3. 发展方向和途径

充分利用资源优势，按照农药兼顾的原则，加强药材资源的综合开发利用，以水生、湿生药材为重点，突出道地药材，兼顾大宗药材，加强科技投入，发展药材生产，提高中药资源生产综合效益，通过合理改革生产经营机制，把本区逐步建设为江苏水生、湿生药材基地。

（1）抓住区域特色，发展水生、湿生药材资源生产。本区的自然条件和环境适合水生、湿生中药资源生长，应建立水生、湿生药材生产基地，形成区域特色。水生、湿生中药种类较多，主要有蒲黄、芡实、藕、泽兰、莳萝子、薏苡仁、水蛭、珍珠、龟甲、鳖甲等，在这些药材生产发展的基础上，可逐步增加种类，适应市场需求的变化，向以水生、湿生药材为主的多品种药材基地发展。如淮安车桥镇引入了苏州创德兴芡实有限公司，拓展了芡实的销售渠道，近几年，淮安车桥镇芡实栽培面积已达 6 000 hm²；高邮界首镇的高邮康健芡实有限公司大力培育芡实新品种，目前已通过系统选育的方法成功培育出"新芡一号""新芡二号"等品种，显著提高了芡实的产量，其种子已销售至安徽芜湖及天长、湖北黄石、江西鄱阳湖等多个芡实产区。

（2）延伸资源经济产业链，以农业综合开发带动药材生产。本区的药材资源大多具有多种经济价值，要充分利用资源可交叉利用这一特点，实现总体效益的提高，做到食药兼顾、合理利用，在深度综合开发上加大力度，如本区种植了大面积的莲藕，在加工藕产品的同时，应加大对藕节、荷叶的药用开发；在开发利用蒲黄的同时，也应关注蒲草的药用开发，以提高经济效益；此外，龟、鳖、蚌、芡实等都具有多种开发价值。因此，必须从综合开发着手，探索药用功能开发的新路子。

五、徐淮平原家种药材区

本区以发展地产特色药材和北方药材为重点，主要生产的药材种类为银杏、邳半夏、玫瑰、板蓝根、瓜蒌、柏子仁、山楂、酸枣仁、地黄、北沙参、玄参、麦冬、芍药、芦笋、牛蒡子、全蝎等。在邳州、丰县、沛县、东海、灌南、涟水等地建立了以特色种类为主的家种（养）药材生产基地。

（一）徐宿淮平原区

1. 基本情况

本区位于徐淮平原的西部和东南部，苏北灌溉总渠以北，沿海平原滩涂以西，中部被铜邳丘陵区隔开，分为两部分，西部包括丰县、沛县，东部包括淮安、宿迁 2 市的市区和涟水、灌南、宿豫、沭阳、睢宁、泗洪、泗阳 7 县（区），土地总面积 20 863 km²，耕地面积 105.922 万 hm²，辖 324 个乡镇、5 989 个行政村。本区总人口 1 273.38 万人，其中农业人口 1 042.85 万人，农业劳动力 380.50 万人，人均占有耕地 0.083 hm²（1.25 亩），每农业劳动力负担耕地 0.278 hm²（4.2 亩）。

本区农村工业基础薄弱，农业发展较快，是江苏农村经济欠发达地区，农民纯收入为江苏最低，仅 2 881 元 / 月。农业生产以种植业为主，旱作占有一定比重，农作物以粮、棉、油为主，农业结构调整力度大，多种经营发展较快，区域林网控制面积比重高，林业和畜牧业发展势头强劲，是江苏主要的粮食基地、林业基地、畜牧基地、重要的棉花和油料基地。

2. 中药资源生产特点

（1）气候的过渡性为药用生物资源提供了独特条件。本区位于暖温带南缘，是北亚热带向暖温带过渡的地区，独特的自然生态条件孕育着丰富的药用植物和动物资源种群。许多小气候生态环境既适宜北方中药资源生长，又适合部分亚热带中药资源生长。例如，北方药用植物芍药、牡丹、地黄、红花、牛膝、乌头等和南方山茱萸科、杜仲科、防己科、姜科、棕榈科、仙人掌科及芦荟属等的中药资源在本区均具有良好的生态适应性。

（2）中药资源小品种多为野生，大宗常用药材品种发展较快。本区以潮土为主，但区域差异明显。西北部丰县、沛县为高沙土平原，土壤沙性重，为半湿润气候，药材生产以北方药材为主，其中唐楼乡、栖山镇、郝寨镇、天泉湖镇等是该地区药材生产重点区，生产品种多，种植面积大。东部黄河故道沿线砂土平原以砂壤土为主，低洼地区为淤土，并具有一定盐化潮土（花碱土），既有耐盐碱药材生长，如蒲黄、益母草、蒲公英、苍耳子、地骨皮、泽兰、苦荬菜、马兰、碱蓬等，又是淮山药、牛蒡子、芦笋等特色资源的主产区。本区砂壤土可耕性较好，适宜多种深根性作物和根及根茎类药材生长，重点药材品种有瓜蒌、板蓝根、白芍、山药、地黄、牛蒡子等。淮阴、涟水、沭阳、泗洪等均有药材生产种植，涟水种植面积较大，并建有药材种植场。

3. 发展方向和途径

保护野生药材资源，重点发展家种药材，按区域差异因地制宜，并根据市场需求，选择适宜品种，通过建立药材基地，依托药材种植场，大力开展引种、试种，以增加品种，提高对市场的应变能力；同时增加科技投入，加强技术培训，提高药材产量和质量，推进药材生产的发展。

（1）突出区域特点，加强分类指导，推进家种药材生产。充分利用原有基础和黄河故道沿线土地资源较丰富的优势，总结栽培经验，探索建立规范化、规模化药材生产方式，走集约化发展之路。鉴于徐淮平原面积大，东部与西部气候、土壤差异明显，要根据不同区域微观条件，选择适生种类，实行分类指导。丰县、沛县的高沙土平原区应重点发展地黄、白芍等药材；东部淮阴、宿迁的平原区应以瓜蒌、板蓝根、丹参、山药、丹皮等药材为主；本区还有部分地区位于苏北灌溉总渠以南，该地区是里下河地区的组成部分，应以芡实、莲子、荷叶、蒲黄、水蛭等水生、湿生药材为主。要进一步加强对药农的技术指导和培训，以提高药材产量和品质。

（2）结合平原绿化，发展木本药材，探索林药间作的生产模式。本区林网控制面积大，绿化较好，林地较多，应充分利用这一有利条件，在发展林业时，根据林药结合的原则，统一规划。利用四旁绿地发展木本药材，种植槐、臭椿、合欢、楝、无花果、无患子、女贞、紫花玉兰等药用经济树种。利用沿路、沿河林带，进行立体种药，如种植月季、玫瑰、牵牛、蜀葵、射干等小灌木和草本药用植物。在沭阳花卉苗木集中的地区，发展一些花卉观赏药用植物。

（二）东新赣丘岗区

1. 基本情况

本区位于江苏东北部，北邻山东，南抵徐淮平原区，东接沿海平原滩涂野生、家种药材区，西与铜邳丘陵区为邻，包括东海、新沂2县（市）和赣榆沿海滩涂以外的其他地区，土地总面积4 728 km²，耕地面积26.979万 hm²，辖72个乡镇、1 528个行政村。本区总人口290.12万人，其中农业人口259.14万人，农业劳动力86.39万人，人均占有耕地0.093 hm²（1.25亩），每农业劳动力负担耕地0.312 hm²（4.2亩）。

本区土地资源较丰富，但多岗岭坡地，丘陵岗地面积占土地总面积的41.46%，丘岗区砂石多，水土流失严重，土地质量较差；距海洋近，受海洋性气候影响，降水较江苏西部地区多，光照条件充足，有利于喜光药用植物生长。本区农业生产以种植业为主，旱作比重较大，南部平原圩区以粮食生产为主，林果、畜牧、蔬菜业发展较快，具有一定规模，是江苏重要的花生、水果、畜牧基地。多种经营在农村生产中的占比不断提高，农民收入不断增加。

2.中药资源生产特点

（1）中药资源较丰富，是南北方药材生产区。本区土地资源较丰富，丘陵岗地面积较大，受海洋气候影响，气候条件较江苏西部地区好，森林覆盖率较高。本区野生中药资源较丰富，约有300种，主要品种有地榆、茵陈蒿、酸枣、桔梗、沙参、北柴胡、射干等。本区兼具南北方中药资源的生产条件，多年来，引种的南北方中药资源达40多种，这些中药资源普遍生长良好，本区是南北方中药资源生长较适宜地区。

（2）药材生产有一定基础。本区无论是野生药材还是家种药材，都具有一定的生产基础，农民素有采集野生药材的习惯，并有组织地进行收购。家种药材生产从20世纪50年代末逐渐发展起来，从南北方引种的药材包括山茱萸、白芍、丹皮、桔梗、太子参、玄参、北沙参、板蓝根等50多种，引种成功并进行生产的有30多种，拥有了当地家种药材生产的成功经验。从1958年至今，东海药材种植场一直从事引种研究和家种药材生产，是江苏药材生产的老基地，生产规模较大，技术力量较强。

3.发展方向和途径

以保护野生中药资源为基础，合理开发利用，努力做好引种、试种和野生变家种（养）工作，巩固发展已引种成功的品种，积极发展木本药材，使本区成为以地产药材为主、南北药材兼备的药材生产区。

（1）加强中药资源保护，发展木本药材生产。要有计划地采取保护措施，使资源量走上恢复和平稳发展的道路。对于中药资源比较集中的地区，特别是赣榆的吴山、夹山和东海的羽山，应实行季节性限采或划片轮采，以保证资源量的稳定。鉴于丘陵岗地林木覆盖条件尚差，要进一步通过植树造林，创造良好的生态环境，结合造林计划，按地形地貌条件，发展木本药材，采取林药兼顾的方式，种植杜仲、山茱萸、厚朴、木瓜、黄柏等。

（2）因地制宜发展适宜品种，保持特色优势，稳定市场供给。本区自然环境适宜家种药材生产，要依靠药材生产的老基地东海药材种植场的有利条件，积极开展道地、大宗品种的种质优化培育，利用本区丘陵山地和生态环境的有利条件，科学规划发展仿生药材种植，建立生态农业基地，致力于提升产品质量，培育产品品牌，走优质优价的健康发展之路。特别是对市场接受度高、产品价值大、效益好的品种，要在第四次中药资源普查的基础上，研究制订具有战略性的区域中药资源产业发展规划，通过顶层设计和基地建设，遴选若干大宗药材种类，如金银花、苦参、北沙参、板蓝根、玄参、白芍、半夏、地黄、桔梗等，做大、做优、做强，真正形成比较优势，提高市场占有率，为区域特色经济发展带来可持续动力。

（三）铜邳丘陵区

1. 基本情况

本区位于徐淮平原北部，北邻山东，南抵安徽，地处新沂、宿豫、睢宁以西，丰县、沛县以东，包括徐州市区和邳州、铜山，土地总面积 5 125 km²，耕地面积 27.967 万 hm²，辖 83 个乡镇、1 436 个行政村。本区总人口 438.15 万人，其中农业人口 299.38 万人，农业劳动力 93.32 万人，人均占有耕地 0.064 hm²（0.96 亩），每农业劳动力负担耕地 0.3 hm²（4.5 亩）。

本区是农村经济发展较快的地区，农业生产以种植业为主，旱作占较大比重，多种经营比较发达，以棉花、花生、蔬菜生产为主，畜牧业和林业具有一定规模。由于本区矿藏资源较丰富，农村工业有一定基础，是徐淮平原农村经济较好的地区，农民收入相对较高，人均纯收入达3 234 元 / 月，但较江苏平均水平还差 200 多元。

2. 中药资源生产特点

（1）丘陵面积较大，耐寒耐旱中药资源较为集中。本区是鲁南山地的延续部分，丘陵岗地面积占土地总面积的 20.96%，是野生中药资源集中分布区，主要野生药材有柏子仁、地榆、酸枣仁、山楂、玫瑰、全蝎、土鳖虫等，矿物类药材有磁石、石膏等。丘陵岗地林果种类较多，如槐、柿、桃、李、杏、核桃、银杏、酸枣等，这些林果的副产品均为药材。鉴于本区林地面积较大，林网较密，宜林地较多，发展木本药材潜力较大。

（2）道地药材优势突出，已形成规范化、规模化发展样板。本区道地中药资源具有一定品种和数量优势。铜山的全蝎、玫瑰、柏子仁等药材自古有名，适宜在丘陵岗地规模化发展。20 世纪90 年代，本区的玫瑰种植面积曾达到上千公顷。邳州半夏曾闻名于省内外，为道地药材，迄今优势尚存。经过近些年的发展，邳州银杏资源已经形成规模效益，邳州成为国内外认可的优质银杏叶生产基地，产品不仅供应我国，还长期出口法国、德国等国家；邳州银杏叶生产基地已建设成为国家认证的我国唯一的银杏规范化生产基地，其中采叶圃面积达 6 600 hm²。目前，以银杏叶为原料的各种健康产品不断涌现，银杏产业链不断延伸，白果营养健康系列产品、银杏嫩芽系列保健茶、银杏花粉保健品等资源性产业苗壮成长。西北山区是优质矿物类药材磁石的产地。在市场经济条件下，本区具有发展这些知名道地药材的较大潜力，易形成市场竞争的优势。

3. 发展方向和途径

本着因地制宜、扬长避短、发展优势、按需生产的原则，重点发展道地药材资源，积极发展木本药材资源，打造新的发展优势，提倡农药兼顾，加强科技投入，逐步推行标准化生产，以提高药材质量，提高市场竞争力，增加药材供给和对外出口。

（1）以发展道地药材重点品种带动大宗药材的发展。本区的药材生产要立足于重点道地药材品种，凭借地产药材特色优势加大市场竞争力，对邳州的银杏、半夏和铜山的全蝎、玫瑰，一方面要加强野生资源保护，另一方面应努力做好野生变家种（养）工作，要在规范化种植和标准化生产上下功夫，形成道地药材的质量优势，通过发展道地药材，探索药材生产的新路子，逐步带动地产大宗药材的发展。

（2）保护野生中药资源，发展木本药材生产。要切实加强保护措施并采取合理的采收措施，保障资源量的稳定。丘陵山区重点保护全蝎、半夏、京大戟等资源，并结合荒山绿化，发展木本药材，重造野生中药资源的良好生态环境。在布局上，山体上部应以侧柏、槐、臭椿等为主；山体中部、下部选种酸枣、山楂、核桃、柿、玫瑰等；山脚土层深厚，可种植山茱萸、连翘等。

【参考文献】

[1] 中国药材公司. 中国中药资源区划 [M]. 北京：科学出版社，1995.

[2] 张小波，黄璐琦. 中国中药区划 [M]. 北京：科学出版社，2019.

[3] 黄璐琦，郭兰萍. 中药资源生态学研究 [M]. 上海：上海科学技术出版社，2007.

[4] 陈士林. 中国药材产地生态适宜性区划（第二版）[M]. 北京：科学出版社，2017.

[5] 黄璐琦，陆建伟，郭兰萍，等. 第四次全国中药资源普查方案设计与实施 [J]. 中国中药杂志，2013，38（5）：625-628.

[6] 张小波，郭兰萍，黄璐琦. 中药区划研究进展 [J]. 中国农业资源与区划，2010，31（3）：64-69.

[7] 张小波，郭兰萍，周涛，等. 关于中药区划理论和区划指标体系的探讨 [J]. 中国中药杂志，2010，35（17）：2350-2354.

[8] 孙成忠，郝振国，张静华，等. 中药资源区划分析系统的设计与实现 [J]. 世界科学技术—中医药现代化，2020，22（1）：176-183.

[9] 朱寿东，张小波，黄璐琦，等. 中药材区划20年——从单品种区划到区域区划 [J]. 中国现代中药，2014，16（2）：91-95，99.

[10] 冉懋雄. 试论中药区划与中药区划学的建立与发展（下）[J]. 中药材，1992（2）：40-41.

[11] 孙成忠，陈士林，赵润怀，等. 地理信息系统与中药资源信息化建设 [J]. 中国现代中药，2006，8（10）：4-7.

[12] 郭兰萍，黄璐琦，吕冬梅，等. 基于3S技术的中药道地药材空间分析数据库的构建及应用 [J]. 中国中药杂志，2007，32（17）：1821-1824.

[13] 段金廒，钱士辉，袁昌齐，等. 江苏省中药资源区划研究 [J]. 江苏中医药，2004（2）：5-7.

[14] 郭兰萍，黄璐琦，蒋有绪，等. 2种不同模式中药适宜性区划的比较研究 [J]. 中国中药杂志，2008，33（6）：718-721.

[15] 卢有媛，郭盛，严辉，等. 甘遂生态适宜性区划研究 [J]. 中国现代中药，2018，20（12）：1471-1475，1482.

[16] 孙成忠，赵润怀，陈士林，等. 基于聚类的空间数据挖掘技术在中药资源分析中的应用 [J]. 测绘通报，2008（9）：46-49.

[17] 周应群，陈士林，赵润怀，等. 低空遥感技术在中药资源可持续利用中的应用探讨 [J]. 中国中药杂志，2008（8）：977-979.

[18] 陈士林，魏建和，孙成忠，等. 中药材产地适宜性分析地理信息系统的开发及蒙古黄芪产地适宜性研究 [J]. 世界科学技术—中医药现代化，2006，8（3）：47-53.

[19] 严辉，段金廒，孙成忠，等. 基于TCMGIS的当归生态适宜性研究 [J]. 世界科学技术—中医药现代化，2009，11（3）：416-422.

[20] 严辉，段金廒，孙成忠，等. 基于TCMGIS的明党参产地适宜性研究 [J]. 南京中医药大学学报，2012，28

（4）：363-366.

[21] 严辉，张小波，朱寿东，等.当归药材生产区划研究 [J].中国中药杂志，2016，41（17）：3139-3147.

[22] 张小波，王慧，景志贤，等.基于全国中药资源普查（试点）阶段成果的中药资源种类丰富度空间差异性分布特征研究 [J].中国中药杂志，2017，42（22）：4314-4318.

[23] 冉懋雄，周厚琼.中药区划与中药材 GAP 和区域经济发展 [J].中药材，2015，38（4）：655-658.

[24] 扬戈逊，班道雷切.生态模型基础（第三版）[M].何文珊，陆健健，张修峰译.北京：高等教育出版社，2008.

[25] 张康聪.地理信息系统导论（第 3 版）[M].陈健飞译.北京：清华大学出版社，2009.

[26] 孙成忠，刘召芹，陈士林，等.基于 GIS 的中药材产地适宜性分析系统的设计与实现 [J].世界科学技术—中医药现代化，2006，8（3）：112-117.

[27] 孙成忠，郝振国，朱寿东，等.地理信息技术在中药资源生产区划研究中的应用 [J].测绘通报，2016（12）：96-99，123.

[28] 赵玉洋，孙成忠，杨泽东.中药资源信息空间数据库构建 [J].中国中药杂志，2015，40（6）：1219-1222.

[29] 郭兰萍，黄璐琦，蒋有绪，等.苍术挥发油组分的气候主导因子筛选及气候适宜性区划 [J].中国中药杂志，2007，32（10）：888-893.

[30] 孙宇章，郭兰萍，黄璐琦，等.基于道地产区生境特征提取的苍术生产适宜性区划研究 [J].世界科学技术—中医药现代化，2008，10（4）：88-92，111.

第五章

江苏省水生、耐盐药用植物资源特征与产业发展

水生、耐盐药用植物资源是一类在富盐、多水的特殊生态环境下适应进化形成的具有明显生物活性和药用价值的特色中药资源。本章所述水生药用植物资源是指分布于我国内陆地域的淡水水体及其沿岸湿生环境中的药用或药食两用植物资源；耐盐药用植物是指分布于我国沿海滩涂及盐渍化区域的药用植物资源。水生、耐盐植物资源类型独特、种群结构复杂、种类丰富、分布广泛，常常形成建群种，蕴藏量较大，具有一定的药用价值和生态价值。在江苏第四次中药资源普查试点阶段承担的"我国水生、耐盐中药资源的合理利用研究"专项工作的基础上，围绕水生、耐盐药用植物资源的生态区域特点开展调查研究与具体实践，探索性地提出了适宜于我国东部沿海地区水生、耐盐药用植物资源的调查方法、技术，这些调查方法、技术在我国沿海六省中药资源专项调查中得到了应用和实践。

第一节　水生、耐盐药用植物资源概述

通过水生、耐盐中药资源国家专项研究发现，在江苏沿海滩涂及海水浸蚀地域形成了独特的耐盐生物区系；江苏水网纵横、淡水资源丰沛，孕育形成了庞大的水生生物区系。这里蕴藏的类型多元、种群多样的水生、耐盐药用植物资源，为广大民众的生产生活提供了重要保障，为社会经济的可持续发展提供了重要的载体。在开展资源调查的基础上，对水生、耐盐药用植物的资源特点、蕴藏量、资源价值及开发利用状况进行深入分析与挖掘，为江苏水生、耐盐药用植物资源的开发、利用、保护提供参考，为特色区域经济产业结构优化调整与合理布局提供科学依据。

一、水生植物类群与水生药用植物资源

水生植物并非分类学概念，它是生态学范畴的类群界定。植物分类主要是应用细胞学、化学、形态学和解剖学等各方面的资料，比较分析植物的相同点，判断植物的亲缘程度。例如，根据植物有无根、茎、叶的分化，雌雄生殖器官有无颈卵器，合子是否形成胚等形态特征，将植物分为高等植物和低等植物；再根据有无维管束、配子体占优势还是孢子体占优势、是否产生种子、种子是否被果实或子房包被、有无导管等特点，将高等植物分为苔藓植物门、蕨类植物门、裸子植物门、被子植物门。以此类推，各大门的植物又可以细分为不同的纲、目、科、属、种。

在植物生态学中，根据特定生境中植物群落的特征（如群落外貌、结构、种类组成、层片结构、盖度、优势种、建群种等），将生长于不同生境中的植物群落进行分类的方法称为植被分类。《中国植被》（吴征镒主编，1980 年出版）介绍了我国的植被分类系统，该系统以群落本身的综合特

征作为分类依据，包括群落本身的特征以及它们与一定生态条件的联系。该书将我国植被分为 3 个等级，即植被型（高级单位）、群系（中级单位）、群丛（低级单位），其中高级单位侧重于群落外貌、结构和生态地理等特征，中级以下单位则侧重于群落优势种和种类组成。这种分类依据群落生态学原则，在该系统中，根据水分这一生态因素将植物群落生态型分为水生植物、沼生植物、湿生植物、中生植物和旱生植物。按照上述分类原则，水生植物这一概念属于生态学植物群落的分类概念，它包含了从低等植物到高等植物的不同门、科、属。刁正俗在《中国水生杂草》一书中统计的水生植物，既包括大型藻类群体，如绿藻门水网藻科水网藻属的水网及双星藻科水绵属的普通水绵和单一水绵、轮藻门轮藻科的部分低等植物，也包括高等植物，如苔藓植物门前苔科植物，蕨类植物门水韭科、木贼科、水蕨科、苹科、槐叶蘋科、满江红科植物，被子植物门双子叶植物纲原始花被亚纲三白草科、毛茛科、金鱼藻科、睡莲科以及合瓣花亚纲茜草科、菊科、龙胆科植物，还有单子叶植物纲的几乎所有科、属。上述植被分类系统表明，湿生植物、沼生植物和水生植物分属不同的植物群落型（或植被型），这些都是生态学范畴的概念。在实际生态学研究中，由于真正的水陆系统总是有过渡地带，因而不同的植物生态型所包含的植物类群会有交叉。

（一）水生植物类群生态学的发展概况

随着应用生态学尤其是湿地生态学的发展，一些具有陆生特征的植物在水生态系统中得到应用和发展，因而人们所理解的水生植物的范围也有所扩展。《高级水生生物学》中对大型水生植物的定义是依附于水环境、至少部分生殖周期发生在水中或水表面的植物类群，即除了小型水生植物以外所有水生植物类群，主要包括水生维管束植物和高等藻类两大类。该定义只是从生理特征上加以阐述，却未能对水生植物所包含的范围进行具体的种类界定。

在应用生态学领域，有很多沼生、湿生植物应用于水生态系统的生态治理中。据报道，滇池草海生态修复工程的植物中就有芦苇 *Phragmites australis* (Cav.) Trin. ex Steud.、东方香蒲 *Typha orientalis* 等类群，它们更常见于水边沿岸带或沼泽地。人们通常所说的水生植物既包括生长在真水域环境中的各类水生植物，又包括沼生植物和湿生植物等具有水生特性的植物类群。

（二）水生植物类型与代表性水生药用植物类群

《中国植被》中的植被分类系统，将水生植被与沼生植被视为 2 个不同的植被型，与中药资源类群关联程度高的是水生植被。水生植被是指生活于水环境中形成了一系列对水环境的典型适应性特征的植物群落，主要体现在形态结构及其功能上。从形态上来看，由于水体的浮力，水生植物的根系明显退化，多为须根系，根的固着、支持作用远不如陆生植物；由于生长于水环境中，水分易得，水生植物的茎不具有陆生植物的防止水分蒸发的角质层，其输导组织的维管束都表现出不同程度的退化；除了直立茎，还有匍匐茎、根茎、球茎等；水生植物的叶具有挺水、浮水和沉水 3 种基本形态。

1. 水生植物生态与植物生理功能

由于水中含有很多植物生长所需的营养盐，部分或全部沉没于水中生活的植物体，其各营养器官几乎都可以直接从水体环境中吸收水分和其中的营养盐，或从水底淤泥中吸取营养物质。例如，低等植物中大型藻类轮藻的叶状植物体和只有茎、叶分化的苔藓类植物的茎、叶，它们均能直接从水中吸收营养。与陆地环境相比，水环境具有光照弱、氧气供给不足的特点，为适应这种环境，水生植物进化出了一套与陆生植物不同的通气组织。典型的如莲，从叶片的气孔到叶柄、茎及地下茎形成完整的通气组织，这是一类开放型的通气组织，拥有这种通气组织的一般是挺水植物、浮叶植物。还有一类是封闭型的通气组织，它不与大气接触，而是将光合作用释放的氧气储存起来供给呼吸作用，将呼吸作用释放的二氧化碳供给光合作用，拥有这种通气组织的一般是沉水植物，如金鱼藻。

中药资源类群中有部分种类从生态学角度看属于湿生植物，这类植物通常生长在水池或小溪边湿润的土壤中，根部一般不经常浸泡在水里。我国常见的具有药用价值的草本类湿生植物类群有蓼科蓼属、唇形科薄荷属和石荠苎属、桔梗科半边莲属、禾本科白茅属等，以及少数湿生木本类植物类群，如杉科水杉属等。

2. 水生植物与代表性药用植物资源类群

（1）挺水植物（emergent macrophyte）。该类群植物的根生长在泥中，下部或基部在水中，茎、叶等光合作用部分暴露在空气中。茎一般直立，维管束发育相对良好，能有效进行输导作用。该类群有些植物挺水叶、浮水叶、沉水叶均有，如药食两用资源植物莲。该类群植物处于水陆过渡地带，因而叶表现出同陆生植物相似的结构，具有表皮毛、角质层、气孔，代表性植物有芦竹、莲子草、慈姑等。常见的具有药用价值的挺水植物类群有禾本科芦苇属和菰属、香蒲科、泽泻科、睡莲科莲属、木贼科、雨久花科、莎草科莎草属和荸荠属、灯心草科等。

（2）浮水植物（floating macrophyte）。该类群植物又可分为浮叶（floating-leaved）植物和漂浮（free-floating）植物2种类型。浮叶植物通常扎根基底，光合作用部分中仅叶漂浮于水面或仅部分叶漂浮于水面，如药用植物芡实 *Euryale ferox* Salisb.、莕菜 *Nymphoides peltatum* (Gmel.) O. Kuntze 等。浮叶植物的叶有浮水叶和沉水叶之分。浮水叶具有背腹两面结构，上表皮有气孔，叶内气室发达。沉入水中的叶为沉水叶，在形态上一般为细长，行吸收水体营养的功能。该类群植物常有细长而柔软的叶柄，不但可以减小对水流的机械阻力，而且可以随水位的升降自动卷曲或伸长，使叶片始终浮于水面。常见的水生药用植物类群有睡莲科（睡莲属、萍蓬草属、芡实属等）、菱科（菱属）、睡菜科等。漂浮植物又称完全漂浮植物，是根不着生在底泥中，整个植物体漂浮在水面上的一类浮水植物。这类植物的根通常不发达，体内具有发达的通气组织，或具有膨大的叶柄（气囊），以保证与大气进行气体交换。

（3）沉水植物（submerged macrophyte）。该类群植物大部分生活周期内营养体全部沉没水中，有性繁殖部分可沉水、浮水或挺立于水面，植株扎根基底。常见的沉水植物资源类群有眼子菜科、金鱼藻科、水鳖科、茨藻科、水马齿科、小二仙草科（狐尾藻属）、毛茛科（梅花藻属）、轮藻科等。

从生态角度来看，同一水体中的各生活型水生植物的分布呈一定规律性，即自沿岸带向深水区依次为挺水植物、浮叶植物、漂浮植物、沉水植物。从挺水植物、浮叶和漂浮植物到沉水植物，水这一生态因子的作用依次增强。对挺水植物而言，它们分布于水陆过渡地带，气生茎和挺水叶的形态及生理结构表现出很多与陆生植物相似的生态适应特征。

二、耐盐植物类群与耐盐药用植物资源

耐盐植物是指具有较强的抗盐能力、可以在盐渍环境中良好生长的植物。盐生植物基本都是耐盐植物，而耐盐植物却不一定是盐生植物，因为有些植物特别是人工培育的耐盐植物抗盐性强，在盐渍环境中具有较高的生产力，却不一定能完成其生活史。因此，耐盐植物的范畴要比盐生植物大。但实际应用中，两者有时也没有十分严格的区分。

（一）耐盐植物类群及类型

根据耐盐能力将植物分为盐生植物（halophyte）和非盐生植物（non-halophyte），非盐生植物又称甜土植物（glycophyte）。盐生植物耐盐程度高，有的可以耐受高于海水 2 ~ 7 倍的盐度。盐生植物分布极广，浅水区域、海滨、盐沼、荒漠、草甸等都可以生长，在不同环境中形成不同植物类型。植物生态学家一般将盐生植物分为泌盐盐生植物、真盐生植物、假盐生植物 3 大类。

（1）泌盐盐生植物（recretohalophytes）。泌盐盐生植物又可分为向外泌盐植物（exo-recretohalophytes）和向内泌盐植物（endo-recretohalophytes）。前者具有盐腺，可通过盐腺将吸收到体内的盐分分泌到体外；后者叶表面具有囊泡，可将体内的盐分分泌到囊泡中暂时贮存起来。

（2）真盐生植物（euhalophytes）。真盐生植物又可分为叶肉质化真盐生植物（leaf succulent euhalophytes）和茎肉质化真盐生植物（stem succulent euhalophytes）。前者体内的盐离子积累在叶片肉质化组织及绿色组织的液泡中；后者体内的盐离子积累在绿色组织的液泡及肉质化中柱中。

（3）假盐生植物（pseudohalophytes）。假盐生植物将盐离子积累在薄壁细胞的液泡和根木部薄壁组织中。

以上 3 大类盐生植物在我国沿海滩涂生态环境中的盐碱土地上均有分布。

（二）耐盐植物类型与代表性耐盐药用植物

据文献记载，当今世界上分布有 6 000 余种盐生植物类群。据我国科学家调查记录，目前我国耐盐碱植物种类有 500 余种。因此，我国耐盐碱植物资源在世界该植物类群中占有重要地位。

我国耐盐碱植物资源有八大分布区，分别为内陆盆地极端干旱盐渍土分布区、内陆盆地干旱盐渍土分布区、宁蒙高原干旱盐渍土分布区、东北平原半干旱半湿润盐渍土分布区、黄淮海平原半干旱半湿润盐渍土分布区、滨海盐渍土分布区、西藏高原高寒和干旱盐渍土分布区、热带滨海盐渍化沼泽分布区。

1. 耐盐植物的分级

根据植物的耐盐程度，将耐盐植物分为 4 级。①特耐盐植物：能够在含盐量超过 0.6% 的土壤中正常生长的植物。②强耐盐植物：能够在含盐量为 < 0.4% ~ 0.6% 的土壤中正常生长的植物。③中度耐盐植物：能够在含盐量为 < 0.2% ~ 0.4% 的土壤中正常生长的植物。④轻度耐盐植物：能够在含盐量为 0.1% ~ 0.2% 的土壤中正常生长的植物。

特耐盐植物和强耐盐植物具有适应沿海地区盐土环境的能力，在江苏沿海地区乃至我国盐渍化区域呈点状分布。因此，保护和发展特耐盐植物和强耐盐植物是沿海滩涂生态修复和特色生态景观产业发展的需要，少数药用植物类群也生长在沿海滩涂。

2. 江苏区域耐盐植物类群与代表性药用植物资源

在江苏地区耐盐植物研究中，我国著名生态学家、南京大学教授仲崇信先生从美国引进耐盐植物大米草，并在江苏沿海地区试种成功。该植物可用于防洪固堤、围海造地。随后，江苏又引进了可在盐碱地生长、改良盐土、产生经济效益的互花米草、三角叶滨藜、海滨锦葵、紫花苜蓿等多个耐盐优良品种，并在射阳、东台、大丰等地开展了生态盐土农业种植。

近 20 年来，江苏大力推动沿海土地开发，积极发展盐土农业，除从国外引进北美海蓬子、海滨锦葵、三角叶滨藜、黄秋葵等经济物种外，还从国内引种并推广了盐角草、蓖麻、碱蓬、菊芋、菊苣等。具有代表性的耐盐药用植物有薄荷、茵陈蒿、枸杞、薏苡、知母、罗布麻、马齿苋等。（表 1-5-1）

当前我国耐盐植物资源类群的保护措施有 3 种：①建立盐生植物园，如山东东营建立的盐生植物园、天津滨海的耐盐碱植物科技园等，针对耐盐碱植物建设专类科技园区，包括耐盐碱植物园、科学研究基地、耐盐碱植物繁殖基地与示范基地；②建立耐盐碱植物种质基因库，如天津滨海建立的耐盐碱植物种质资源基因库，该基因库已经收集约 160 种种质基因；③建立以盐生植物为重点的自然保护区，如海南岛红树林自然保护区等。

表 1-5-1　江苏区域耐盐药用植物及其耐盐碱特性基本信息

植物名称	江苏适宜分布区域	耐盐碱程度	
		pH	含盐量（%）
盐地碱蓬	沿海滩涂	8.5 ~ 10.0	2.00
柽柳	沿海滩涂	8.0 ~ 10.0	2.00
费菜	沿海滩涂、黄泛平原丘陵地区	8.5	1.20
单叶蔓荆	沿海滩涂	7.5 ~ 8.5	1.00
罗布麻	沿海滩涂、黄泛平原丘陵地区	7.8 ~ 9.4	1.00

植物名称	江苏适宜分布区域	耐盐碱程度	
		pH	含盐量（%）
白刺	沿海滩涂	8.0 ~ 10.0	0.80
二色补血草	沿海滩涂	10.5	0.60 ~ 0.80
菊苣	沿海滩涂	5.5 ~ 8.5	0.78
马齿苋	沿海滩涂、黄泛平原丘陵地区	7.8 ~ 8.5	0.30 ~ 0.70
马蔺	沿海滩涂、黄泛平原丘陵地区	7.9 ~ 8.8	0.70
盐角草	沿海滩涂	适应范围广	0.50 ~ 0.65
耐盐玫瑰	沿海滩涂、黄泛平原丘陵地区	7.5 ~ 9.0	0.60
海滨锦葵	沿海滩涂	7.5 ~ 9.0	0.60
楝树	黄泛平原丘陵地区	6.5 ~ 10.0	0.30 ~ 0.60
千屈菜	沿海滩涂、黄泛平原丘陵地区	7.5 ~ 9.5	0.50
侧柏	黄泛平原丘陵地区	适应范围广	0.30 ~ 0.50
构树	黄泛平原丘陵地区	适应范围广	0.30 ~ 0.40
枸杞	沿海滩涂、黄泛平原丘陵地区	8.0 ~ 10.0	0.40
紫穗槐	沿海滩涂	8.0 ~ 9.0	0.40
菊花	沿海滩涂、黄泛平原丘陵地区	7.5 ~ 8.5	0.20 ~ 0.40
剑麻	沿海滩涂、黄泛平原丘陵地区	6.0 ~ 7.5	0.35
紫花苜蓿	沿海滩涂、黄泛平原丘陵地区	6.5 ~ 8.0	0.30
美国凌霄	黄泛平原丘陵地区	8.5 ~ 10.0	0.20 ~ 0.30

第二节　江苏省水生、耐盐药用植物资源生态区域

水生、耐盐药用植物资源分布的生态环境主要为湖泊、河流、沼泽等淡水水域及洲滩地区和沿海滩涂地区，这些区域从生态属性来看，均属于湿地生态系统。江苏是我国海岸滩涂资源较为丰富的省份，大部分滩涂属于淤涨型滩涂，水生、耐盐药用植物资源较为丰富，这些资源是江苏极富地域生态特点的优势药材资源，了解、掌握江苏中药资源普查区域淡水水域及海岸滩涂药用生物资源的种类构成、生境特点、分布情况、蕴藏量、药材生产历史与现状等，可以为江苏乃至全国利用此类生态条件发展特色水生、耐盐药材提供借鉴，为该特殊区域药用资源的保护利用提供数据支持，为该类特色药用资源品种的产业布局提供背景依据，也可为我国沿海区域农业产业结构调整提供科学依据。

一、江苏水生、耐盐药用植物资源生态区域背景概况

江苏跨江滨海，平原辽阔，水网密布，湖泊众多。省内海岸线长 954 km，长江横穿东西，京杭大运河纵贯南北；有淮河、秦淮河、苏北灌溉总渠等大小河流 2 900 多条；我国五大淡水湖，江苏得其二，太湖居第三，洪泽湖居第四；此外，还有高邮湖、邵伯湖、骆马湖等大小湖泊 290

多个，其中面积超过 50 km² 的湖泊有 12 个。江苏淡水水域面积占土地总面积的 17%，比例之高居我国首位。江苏平原由黄淮平原、江淮平原、滨海平原和长江三角洲平原组成，平原面积占土地总面积的 69%。同时，江苏人口稠密，经济发达，土地利用率高，随着多年持续的经济高速增长和发展迅速的城镇化，江苏境内的自然景观已发生了较大的变化。江苏平原及丘陵地区土地增值快，土地开发利用率较高；淡水水域围网养殖业发展迅速，湖泊、河流堤岸化程度较高；沿海滩涂围垦改造工作进展较快，区域内鱼塘、良田面积不断增加。江苏生态环境的变化及生态区域特点，给第四次中药资源普查项目组在调查方案制订和实施过程中带来困难。

二、江苏湿地分布状况

水生、耐盐药用植物资源的调查，必须有机地结合湿地调查的相关基础与经验开展。江苏作为我国首批开展湿地资源调查的省份之一，于 2009 年组织完成了全省湿地调查工作。江苏 2009 年的第二次湿地资源调查的相关资料显示，江苏有湿地 5 类 16 型，其中自然湿地有近海与海岸湿地、河流湿地、湖泊湿地、沼泽湿地 4 类，共 12 型，人工湿地有库塘、运河和输水河、水产养殖场、盐田 4 型。《2022 年江苏省湿地保护年报》显示，2022 年江苏湿地保有量 282 万 hm²。江苏湿地概况与水生、耐盐药用植物资源分布情况见表 1-5-2。

表 1-5-2 江苏湿地与水生、耐盐药用植物资源分布对应表

湿地类	湿地型	湿地型面积（hm²）	湿地型比例（%）	湿地类面积（hm²）	湿地类比例（%）	药用植物资源类型
近海与海岸湿地	浅海水域	444 875.62	15.77	992 175.89	35.16	耐盐类
	岩石海岸	188.45	0.01			耐盐类
	沙石海滩	15 109.64	0.54			耐盐类
	淤泥质海滩	418 622.12	14.83			耐盐类
	潮间盐水沼泽	41 958.59	1.49			耐盐类
	河口水域	47 655.40	1.69			水生类/耐盐类
	三角洲（沙洲、沙岛）	23 766.07	0.84			水生类/耐盐类
河流湿地	永久性河流	353 668.18	12.53	389 294.02	13.80	水生类
	洪泛平原湿地	35 625.84	1.26			水生类
湖泊湿地	永久性淡水湖	536 505.87	19.01	536 505.87	19.01	水生类
沼泽湿地	草本沼泽	27 763.99	0.98	27 957.35	0.99	水生类/耐盐类
	森林沼泽	193.36	0.01			水生类
人工湿地	库塘	44 457.77	1.58	875 928.25	31.04	水生类
	运河和输水河	244 290.88	8.66			水生类
	水产养殖场	482 787.64	17.11			水生类/耐盐类
	盐田	104 391.96	3.70			耐盐类

注：因数据进行舍入修约，各比例之和可能不等于 100%。

　　根据《全国湿地资源调查技术规程（试行）》，将江苏划为 74 个湿地区，其中单独区划湿地区 12 个，零星湿地区 62 个。在单独区划湿地区中，湿地面积最大的是盐城滨海湿地区，南通滨海湿地区次之，太湖湿地区居第三。近海与海岸湿地主要分布在连云港滨海湿地区、南通滨海湿地区和盐城滨海湿地区；河流湿地主要分布于长江湿地区；湖泊湿地主要集中于太湖湿地区、泗洪洪泽湖湿地区、高宝邵伯湖湿地区、石臼湖湿地区、白马湖湿地区、滆湖湿地区几个单独区划湿地区中；沼泽湿地主要集中于太湖湿地区、长江湿地区及高宝邵伯湖湿地区；人工湿地在各个湿地区中皆有分布，其中盐城滨海湿地区分布面积最大。江苏第四次中药资源普查第一批 20 个区县涉及湿地区概况见表 1-5-3。

表 1-5-3　江苏第四次中药资源普查湿地区域类型及分布

序号	湿地区名称	主要湿地类型	湿地面积（hm²）	中药资源普查区域
1	连云港滨海湿地区	近海与海岸湿地	112 479.01	连云
2	南通滨海湿地区	近海与海岸湿地	378 009.52	海门、启东
3	盐城滨海湿地区	近海与海岸湿地	635 313.03	东台、大丰、射阳
4	长江湿地区	河流湿地	168 431.01	江宁、浦口、句容、海门、启东
5	太湖湿地区	湖泊湿地	246 053.03	吴中、宜兴
6	泗洪洪泽湖湿地区	湖泊湿地	170 819.23	洪泽、泗洪、盱眙
7	高宝邵伯湖湿地区	湖泊湿地	89 152.16	宝应
8	石臼湖湿地区	湖泊湿地	11 934.19	溧水、高淳
9	白马湖湿地区	湖泊湿地	10 870.80	洪泽
10	滆湖湿地区	湖泊湿地	25 657.53	宜兴
11	宝应县零星湿地区	零星湿地	20 216.03	宝应
12	大丰区零星湿地区	零星湿地	19 432.53	大丰
13	东台市零星湿地区	零星湿地	17 936.89	东台
14	高淳区零星湿地区	零星湿地	25 206.78	高淳
15	海门区零星湿地区	零星湿地	4 167.81	海门
16	洪泽区零星湿地区	零星湿地	7 982.56	洪泽
17	句容市零星湿地区	零星湿地	7 780.19	句容
18	溧水区零星湿地区	零星湿地	6 779.00	溧水
19	溧阳市零星湿地区	零星湿地	20 109.07	溧阳
20	连云港市市辖区零星湿地区	零星湿地	32 054.67	连云
21	南京市市辖区零星湿地区	零星湿地	27 483.25	江宁、浦口
22	启东市零星湿地区	零星湿地	4 007.57	启东
23	如东县零星湿地区	零星湿地	13 908.03	如东
24	射阳县零星湿地区	零星湿地	19 755.70	射阳
25	泗洪县零星湿地区	零星湿地	15 556.91	泗洪
26	苏州市市辖区零星湿地区	零星湿地	21 179.31	吴中
27	铜山区零星湿地区	零星湿地	12 962.95	铜山
28	兴化市零星湿地区	零星湿地	60 453.75	兴化
29	盱眙县零星湿地区	零星湿地	27 445.55	盱眙
30	宜兴市零星湿地区	零星湿地	18 904.07	宜兴

第三节　江苏省水生、耐盐药用植物资源分布特征

江苏海岸滩涂资源丰富，大部分属于淤涨型滩涂，且江苏境内海岸线长，湖泊众多，故水生、耐盐药用植物资源较为丰富，这些资源是江苏极富地域生态特点的优势药材资源。要完成水生、耐盐药用植物资源调查的目标，应注意收集当地区域内的水文背景资料，并结合普查试点区域的湿地背景情况，合理制订普查方案。

一、水生、耐盐药用植物资源调查方法建立

为实现水生、耐盐药用植物资源的调查目标，对接现有国家普查信息系统，在第四次全国中药资源普查办公室技术专家的支持下，调查区域数据库增加了江苏第二次湿地调查所用湿地矢量数据，在此基础上，形成新的调查背景区域，随机生成基于水生、耐盐药用植物资源分布生态特点的调查样地。此举既解决了缺少水生、耐盐药用植物资源分布背景资料的问题，有助于获得水生、耐盐药用植物资源蕴藏量信息，又补齐了系统预设样地不足的短板。

（一）增加水体矢量数据，形成基于水生、耐盐药用植物资源分布生态特点的代表性调查样地

生态类型分析表明，江苏的湖泊全属于浅水湖，多数湖泊的平均水深不到 2 m，个别湖泊的平均水深不到 1 m，仅骆马湖、太湖和阳澄湖 3 个湖泊的平均水深在 2 m 以上。江苏第四次中药资源普查试点工作所涉及的面积大于 20 km² 的主要湖泊中，除太湖平均水深为 2.12 m 外，其余湖泊的平均水深都在 2 m 以下，详见表 1-5-4。

表 1-5-4　江苏第四次中药资源普查试点工作涉及的主要湖泊及湖泊基本信息

序号	水体名称	水面面积（km²）	平均水深（m）	中药资源普查区域
1	太湖	2 425	2.12	吴中、宜兴
2	洪泽湖	1 597	1.77	泗洪、盱眙、洪泽
3	高邮湖	674.7	1.44	宝应
4	石臼湖	210.4	1.67	高淳、溧水
5	滆湖	146.5	1.19	宜兴
6	白马湖	108.0	0.97	洪泽、宝应
7	洮湖	89.0	1.10	溧阳
8	宝应湖	42.8	1.13	金湖、宝应
9	陆湖	34.0	1.05	盱眙
10	大纵湖	28.0	1.02	兴化
11	固城湖	24.5	1.56	高淳
12	宜兴三氿	23.2	1.85	宜兴

　　将江苏第二次湿地调查所涉及的湖泊、湿地、沼泽、河流等区域加入普查信息系统的代表性调查区域中，结合水生、耐盐药用生物资源分布生态特点，对调查区域进行归类合并，将小型湖泊或池塘、湿地、沼泽、河流等归为一类，与陆地背景区域同类处理。通常，大型湖泊中央湖区水深超过 2 m 时，水生药用植物分布较少，考虑到芡实等重点调查品种的分布水深范围一般在 1.5 ～ 2 m，故大型湖泊样地调查区域需进行扣除湖心深水区技术处理。考虑到水生、耐盐药用生物资源分布的特殊性，在实地踏查过程中，将已人工开发利用的区域在代表性样地中标记并去除；将江苏境内的运河及渠道化河流等不满足样方调查要求的区域标记并去除；对大、中型湖泊矢量数据进行修订处理，结合江苏湖泊的构造特点和项目组实地踏查结果，参照大型湖泊等深线，在基础矢量地图上只保留距离河岸 1 km 的湖面范围作为代表性区域。同时，考虑到水位涨落对三棱、木贼、泽泻等湿生植物及挺水植物分布的季节性影响，将调查区域拓展至距河岸线 100 m 的陆地范围。

　　1. 以宝应为示范的水生中药资源样地设置

　　宝应境内河湖密布，主要有潼河、朱马河、宝射河等 42 条河流，河流总长约 652 km。面积较大的湖荡有白马湖、氾光湖、射阳湖、广洋湖、和平荡、獐狮荡等，总面积约 257.69 km²。宝应是具有代表性的水生中药资源分布区域，芡实、水蛭等分布广、产量大、质量优。

　　在原有系统数据库条件下，宝应预设样地数为 0，在增加了水体矢量数据后，宝应在中药资源普查信息系统中可自动生成样地 49 个，其中永久性淡水湖 17 个，运河 3 个，永久性河流 29 个。结合实地踏查结果，初步筛选出湖泊湿地样方 14 个，河流及零星湿地 22 个（见图 1-5-1）。

图 1-5-1　增加水体矢量数据后的宝应系统样地设置示意图

2.以大丰为示范的耐盐药用植物资源样地设置

大丰地处江苏东部沿海地区，东临黄海，有长达 112 km 的海岸线，沿海滩涂面积位列全国之首，全区滩涂面积超过 1 000 km²，大丰的蒲黄、三棱、水蛭、蔓荆子、罗布麻、菊苣等水生、耐盐药用植物资源均较为丰富。此外，大丰还有麋鹿等珍稀保护动物。

在增加了水体矢量数据后，大丰在中药资源普查信息系统中可自动生成样地 54 个，其中草甸样地 17 个，潮间盐水沼泽 9 个，洪泛平原湿地 2 个，阔叶林 4 个，盐田 3 个，永久性河流 12 个，沼泽 5 个。增加水体矢量数据大大丰富了调查的代表性区域。结合实地踏查结果，初步筛选出草甸样地 11 个，潮间盐水沼泽 6 个，洪泛平原湿地 2 个，阔叶林 3 个，盐田 3 个，永久性河流 8 个，沼泽 3 个（见图 1-5-2）。

图 1-5-2　增加水体矢量数据后的大丰系统样地设置示意图

（二）基于水生、耐盐药用植物资源特点，补充完善相关普查技术规范

1.代表性样地选择及样方套设置

在同一湖泊水体中，水生植物的分布呈一定规律，自沿岸带向深水区基本呈同心圆式分布，各生活型带间也是连续的，依次为挺水植物、浮叶植物、漂浮植物、沉水植物。但在传统水生植物调查中，生物蕴藏量计算主要采用估算的方法，可参考的资料极少。因此，在实践过程中设置各样地的样方套时，为便于和中药资源普查系统样方数据库对接，实现计算重点品种蕴藏量的目的，项目组在调查过程中主要参照现行技术规范的操作方法及计数方法。在预设样地范围内实际操作时，在保证相邻样方套间隔不小于 100 m 的前提下，酌情选择沿岸植被较为丰富的区域，合理设置样方套。

2.样线设置

不同区域的地貌类型和植物群系特点不同，加之地形变化引起的水热状况再分配的影响，导致不同地区湿地类型差异显著。在同一湿地类型中，也可能因自然及人为影响导致植被分布差异。在制订调查方案时，要充分考虑湿地植被分区差异，设计合理路线，以免遗漏。如洪泽湖东侧堤岸化严重，但西侧水生植被生境保存较为完整，可作为重点调查区域。

基于水生、耐盐药用植物资源的分布特点，结合水生生物调查的经验，通常小型湿地可采取与陆地一样的处理方法；大型湖泊可采取环湖随机采样调查、断面采样调查或复合采样调查的方法，以保证水生、耐盐药用生物资源样线调查的代表性和全面性。

3. 调查时间的选择

水生植物多为一年生植物，其萌发、生长、生殖、死亡通常在一年内完成。植株在生长后期会全部或大部分死亡，翌年从上一年的种子或无性繁殖体开始萌发。虽然植株萌发时间早晚和生活周期长短不同，但季节生长一般以春、秋型为主。因此，调查采样一般在 3 ~ 11 月逐月进行或按季节多次进行。江苏水域、滩涂所分布的多数植物的花果期或生物量最大时期在 6 ~ 10 月，此阶段为植物标本采集的关键时间，外业调查工作应集中在这段时间完成；水生植物常以无性繁殖为主，对无性繁殖体的调查宜选择冬季或枯水位时进行，药材的采集调查工作一般也在此时间段进行。

4. 调查资料的收集、水体环境作业相关安全教育及调查工具与设备的选择

水生、耐盐药用植物资源调查前要注意收集当地区域内的水文背景资料，结合普查试点区域的湿地背景情况，才能制订出合理的普查方案。

因湿地的特殊生态环境，为保证人员安全，外业调查应尽量避开汛期，避免在大型湖泊、河湾的淤泥汇集处作业。开展乘坐船舶的安全教育，上船调查人员装备救生衣，选择适宜的交通工具，确保安全。水中作业人员要留意避免水蛭、钉螺、蜱虫等有害生物附着。

水体作业通常需租赁汽艇、木船、水泥船等交通工具，如需至深水区开展调查工作，建议选择吨位较大的木船、水泥船或轮船，以保证安全。除正常陆生植物调查的工具外，水生、耐盐药用生物资源调查还需配备一些常用的专用器具，如带网采草器、水下镰刀、采泥器、直尺（或软尺）、水草袋、透明度盘、水草耙等。此外，还需为外业人员购买或租赁救生衣、连体雨裤等装备。

5. 水生、耐盐药用植物资源名录确定

随着湿地生态学等应用生态学的发展，一些具有陆生特征的植物在水生态系统中得到应用和发展，这使水生植物的范围也有所扩展。基于水生、耐盐药用植物资源的生态学及生物学特点，名录采用了广义的水生植物的概念，即水生植物包含湿生植物、挺水植物、浮叶植物、漂浮植物、沉水植物。项目组在调查过程中对水生、耐盐药用植物资源种质基原的确定常参考《中国湿地植被》《中国水生高等植物图说》《中国水生维管束植物图谱》《中国水生杂草》《中国水生植物》《中国淡水藻类——系统、分类及生态》《中国盐生植物》《中国盐生植物资源》《中华海洋本草》《江苏植物志》及地方湖泊志等著作。

二、洪泽湖区域湿地及人工水体中药资源适宜调查方法的探索

野外调查是中药资源研究的重要内容，它是在理论学习的基础上对中药资源的亲历与实践，是掌握中药资源核心与内涵的必要实践手段。水生药用植物资源的调查是以野外实地调查为基础，应用现有先进调查技术，以获得水生药用植物资源种类组成、资源物种生长的生境及群落特征资料的活动。开展水生药用植物资源量与质的分析，可为其合理开发应用提供支持。因水生药用植物资源生活环境的特殊性，此类资源的调查方法宜单独设计，但有关水生药用植物资源调查的报道较少。江苏第四次中药资源普查试点工作期间，项目组立足于区域特色药材，围绕水生药用植物资源调查的理论和技术，开展了江苏水生药用植物资源调查探索。

（一）区域生态特点

江苏平原辽阔，湖泊众多，水网密集，淡水水域面积占土地总面积的 17%，比例之高居我国首位，主要淡水湖有太湖、洪泽湖、高邮湖、骆马湖、微山湖、白马湖等。洪泽湖属过水性湖泊，淮河由洪泽湖西南部盱眙注入洪泽湖后，经入江水道最终汇入长江；沂沭泗水系的新沂河、老沭河、沭河、中运河等河流由泗洪与淮阴汇入洪泽湖；入江水道、苏北灌溉总渠、入海水道为洪泽湖的主要出湖河流。洪泽湖周边及相邻水网区域的生态环境在近 30 年发生巨大变化，给第四次中药资源普查方案的制订与实施带来了较大困难。为此，江苏成立第四次中药资源普查试点工作办公室，根据第四次全国中药资源普查的指示与要求，在位于洪泽湖东西两岸的洪泽与泗洪开展中药资源普查试点工作，探索洪泽湖区域湿地及人工水体中药资源调查的适宜方法，为洪泽湖区域中药资源普查提供方案制订依据。

洪泽湖位于北纬 33° 06′ ~ 33° 40′，东经 118° 10′ ~ 118° 52′，地处北亚热带与南暖温带的过渡地带，是江苏第二大湖泊，也是我国第四大淡水湖，水面面积为 1 597 km²。洪泽湖西北接泗洪，北临泗阳，东北部部分水域隶属淮阴，东部及南部分别归洪泽与盱眙，以淮河入湖口划分盱眙与洪泽地界。20 世纪 50 年代初，三河闸、二河闸、三河入江水道及洪泽湖大堤等一系列水利工程的修建，使洪泽湖成为一座以防洪调蓄为主，兼有灌溉、供水、水产养殖和航运等多种功能的综合性水库。

洪泽湖区域属季风气候，年日照率 52%，年平均气温 14.8 ℃，年平均水温 15.6 ℃，年降水量 926.7 mm。洪泽湖区域降水量年内分布不均，年际差异大，且 6 ~ 7 月梅雨季节常有洪涝灾害发生。泗洪与洪泽为江苏第四次中药资源普查试点工作的调研对象，其植被及生态基本情况为：泗洪植被覆盖率为 12.7%，水域面积占土地总面积的 24.7%，土地利用强度为 73.58%，湿地面积占土地总面积的 25.6%，年降水量 894 mm，年平均气温 14.2 ℃；洪泽植被覆盖率为 8.8%，水域面积占土地总面积的 40.7%，土地利用强度为 51.3%，湿地面积占土地总面积的 48.2%，年降水量 913 mm，年平均气温 14.8 ℃。在洪泽与泗洪境内，人类活动对自然资源与植被的影响较大，通过踏查走访洪泽的老子山镇、蒋坝镇及洪泽湖大堤，泗洪的双沟镇、城头乡（现临淮镇）临淮镇、半城镇、太平镇

（现界集镇）、龙集镇（表 1-5-5）发现，以乔木、灌木、草本等为主的大面积自然生态系统很少，取而代之的为农田、道路及建筑物等，原始野生植被生态情况受人类活动的影响较大，表现为零散、破碎分布。

1. 泗洪、洪泽的沼泽湿地及植被分布特点

（1）成子湖湿地。成子湖位于洪泽湖的西北部，其东岸属泗洪，西岸属泗阳，湖中多滩涂、岛屿，自然条件优越。成子湖为洪泽湖最大的湖湾，生态环境复杂多样，既有以乔木、灌木为优势的陆生植被，又有以芦苇、菱等挺水植物为优势的湿生植被。野生植物与栽培植物交替分布，陆生植物与水生植物交替分布。成子湖的优势植物包括香蒲科、禾本科、莎草科、蓼科、菊科、十字花科、伞形科、唇形科、豆科、玄参科、桔梗科、苋科、毛茛科等的植物。

（2）泗洪洪泽湖湿地国家级自然保护区。泗洪洪泽湖湿地自然保护区于 2006 年 2 月 11 日被国务院批准为国家级自然保护区，位于洪泽湖西侧，包括安河湾、溧河湾及临淮镇在内的湖区与湖滨区域。该保护区有浮游植物、水生和湿生高等植物、陆生植物等，保护区内的优势种有芦苇、菰、莲、李氏禾、水蓼、喜旱莲子草、荇菜、菱、竹叶眼子菜、金鱼藻、穗状狐尾藻、菹草、苦草、水鳖等。其中浮游植物涉及金藻门、黄藻门、甲藻门、隐藻门等 8 个门。保护区内被子植物占主要地位，其中又以双子叶植物为主，珍稀水生高等植物野菱和莲为野生种，两者均属于国家二级保护植物。

（3）老子山镇淮河入湖口湿地。老子山镇的滩涂是由淮河入湖携带的泥沙冲积而成，土壤肥沃，生物资源丰富。淮河的水体状况与洪泽湖水环境密切相关，因此入湖口滩涂湿地的生物资源类群及生态环境对洪泽湖整个水体的资源生态情况影响较大。老子山镇滩涂中，芦苇与菱构成优势种群，东方香蒲为群落的亚优种群，菰、竹叶眼子菜、莲等则以主要伴生种出现；其他物种，如槐叶蘋、浮萍、喜旱莲子草、荇菜、菹草、鸡矢藤、水葱、蒋菜、葎草、杠板归等在老子山镇滩涂较常见。淮河入湖口的滩涂物种相对较单一，多样性不显著，构成植物群落的物种多以水生植物为主，构成植被主体的湿生植物较少。

（4）洪泽湖大堤沿岸。洪泽湖大堤的建设初衷是为了屯田、防治淮河水患，大堤全长 70.4 km，北起淮阴马头镇，南至洪泽蒋坝镇。踏查过程中发现，在洪泽湖大堤内侧与大堤平行南北走向的一片人工生态林中，生物多样性较高。该生态林中不仅有杨树、水杉、构树等木本植物，还有常见植物芦苇、白茅、狗尾草、葎草、虎掌、鸡矢藤、四叶葎、紫苏、牛膝等，此外，还栽培了芡实和莲。（表 1-5-6）

2. 洪泽湖区域生态及植被现状

（1）围垦造田影响湿地生态面积。自 20 世纪 70 年代起，洪泽湖湿地经历了大规模的围湖造田运动与圈圩开发，天然湿地面积大幅度缩减，自 1973 年至 2006 年，湿地面积减少了约 500 km²，主要表现为敞水区和湿地植被面积减少，养殖场、农田面积显著增加。原先沿湖的浅水滩、湿地等

的植被主要为湖泊挺水植物和漂浮植物，围垦后湖面面积急剧缩小，水生植物资源储量大幅下降。

（2）城镇化干扰湿地生态系统。人口迅速增长、经济多元化发展、农村城镇化等因素严重影响了湿地生态系统多样性及生物资源总量。自然植被的人工化和土地利用强度的增大使得原有整体自然生态系统面积大幅减少。江苏第四次中药资源普查试点工作开展过程中发现，经济发展及城镇化进程加快，导致中药资源普查系统中泗洪境内的地理信息与实际现状不一致，如系统自动生成的普查区域为沼泽湿地，但实际考察发现，该区域已经变为水稻田，野生植被面积已经严重缩减。

（3）湿地自然植被区域呈零散分布。在围垦造田、城镇化建设等因素的影响下，野生植被区域变得零散、破碎，这对资源普查影响较大。自然植被的局部片区化使普查工作开展过程中出现新问题——调查区域零散导致样地无法生成，样地生成数量少，缺乏代表性，不足以反映整个调查区域的自然物种数量、分布及储量信息，给资源调查带来极大困难。

（二）泗洪、洪泽普查方案设计

洪泽湖的主要入湖河流包括西部的新汴河、濉河、怀洪新河、溧河洼，北部的安东河和徐洪河，南部的淮河，这些河流的汇入对洪泽湖的水质、生态影响显著。洪泽湖区域湿地类别多，包括湖泊、河流、沼泽（森林沼泽和草本沼泽）、滩地（河滩、湖滩和沿海滩涂）、盐湖、盐沼等。为了完成第四次中药资源普查试点工作任务，根据踏查走访的结果，针对洪泽湖生态环境特点和泗洪、洪泽的近湖畔湿地的特点，制订湿地陆域普查与湿地水域普查方案。

1. 普查方案的设计与制订

虽然在洪泽湖沿岸走访踏查时发现的植物超过150种，但该区域存在湿地自然植被分布零散、人工干预程度较高的问题，针对泗洪系统预设样地与实际情况不符、洪泽无法预设样地的问题，急需根据实际情况制订泗洪、洪泽的普查方案。根据两地的自然植被与人工植被特点进行样线、样地及样方套设置，同时针对不同样本设计合理的调查时间。

（1）样线设置。洪泽湖区域湿地与人工水体样线的选择应以不同地域背景下的地貌类型和植物群系特点为依据。根据洪泽湖区域湿地与人工水体分布特点进行湖滨样线设置，洪泽湖西岸以湿地自然保护区及人工水体为主，洪泽湖南岸、老子山镇淮河入湖口区域则以浅滩湿地为主，洪泽湖东岸为人工堤坝与人工林。因此，针对西侧的泗洪洪泽湖湿地国家级自然保护区，应充分考虑湿地植被分区差异，尽可能涵盖西岸洼地湿地的所有植被类型，并结合人工植被分布情况，设计合理的调查路线，如从泗洪洪泽湖湿地国家级自然保护区开始，沿西侧，经双沟镇、城头镇、临淮镇、半城镇、龙集镇至太平镇（现界集镇）设置调查路线。样线设置除自然植被外，还应考虑人工林、耕地边缘、田埂、人工养殖围塘的分布特点。对于小型湿地，如老子山镇浅滩湿地，样线设置与陆域相似，只是交通工具为快艇或渔船。洪泽湖东岸沿湖大堤的植被由人工种植的乔木、灌木、草本等植物群落构成，可采用复合采样调查的方法，以保证样线调查的代表性与全面性。此外，对洪泽湖湖泊内可采取环湖随机采样调查、断面采样调查等方法。

（2）样地及样方套设置。对洪泽湖西部及南部湿地（包括溧河湾、安河湾、成子湖，以及老子山镇、临淮镇的湿地等）的栽培物种及自然分布物种进行调查，收集数据，采集标本，选择具有代表性的浅滩、河湾、泥沙冲积滩样地，设置样方套，计算重点品种蕴藏量，注意保证相邻样方套间隔100 m以上，选择植被丰富的区域。洪泽湖东岸虽为堤岸，但木本、草本植物丰富，植物多样性高，可参照现行技术规范中的操作方法及计数方法合理设计样地及样方套。

（3）普查时间。江苏水域、滩涂所分布的多数植物的花果期或生物量最大时期通常在6～10月，此阶段为植物标本采集的关键时间，外业调查工作应集中在这段时间完成。水生植物的调查宜选择冬季或枯水位时进行，药材的采集调查工作一般也在此时间段进行。

（三）基于泗洪、洪泽资源现状的普查方案探索与建议

1. 更新并补充中药资源普查系统数据库

在泗洪境内，经济发展及大规模城镇化建设、湿地开垦、围网养殖等是导致自然植被大量减少的主要原因，自然植被大量转化成人工植被，洪泽湖天然湿地植被面积从1984年至2006年减少了66%，湖区芦苇等湿地植物大量减少。国家中药资源普查信息系统数据库中根据行政区划矢量信息、生态区地理信息及中药资源分布信息生成的泗洪样地与实际踏查情况相去甚远，因此需要对数据库进行更新补充，根据现有湿地自然植被与人工植被的分布情况重新预设样地，以获得中药资源的分布、蕴藏量等数据，并解决系统预设样地不足的问题。

2. 增加区域内水体矢量数据

洪泽在中药资源普查系统中生成的预设样地数为0，同项目的宝应在资源普查过程中同样存在预设样地数为0的问题。在第四次全国中药资源普查办公室技术指导专家的支持下，通过在系统数据库内增加湿地矢量数据，宝应在中药资源普查信息系统中共生成46个样地，其中永久性淡水湖17个，永久性河流29个。因此，通过新增湿地矢量数据，形成新的调查背景区域，更新水体矢量信息，随机生成符合湿地生态系统、水生药用植物资源分布生态特点的调查样地，可解决洪泽、泗洪代表性样地不足的问题。

3. 代表性样地的选择

以泗洪、洪泽的水体系统为例，泗洪境内有新汴河、怀洪新河、溧河洼、安东河、徐洪河、濉河、汴河、淮河等，洪泽有淮沭河、苏北灌溉总渠、淮河入江水道。泗洪、洪泽均位于少丘陵的平原地带，人工干预及城镇化对生态环境影响较大，野生生态系统少，人工水体与人工湿地丰富，河网密集，植物生长环境跨度大，分布于此的植物有陆生植物、湿地植物、水生植物等。为调查、评价植物类型与物种情况，应选择合适、合理、具有代表性的样地，如洪泽湖大堤沿岸的人工林与半野生生态环境可作为堤岸边陆生植被代表性样地；洪泽湖湿地自然保护区、老子山镇淮河入湖口的浅

滩可作为湿地、浅滩代表性样地进行陆生植物、挺水植物的调查；洪泽湖沿岸的人工水体或湖内的自然水体，可开展水体样地的调查，充分调查浮叶植物、漂浮植物、沉水植物的分布与储藏情况。此外，老子山镇淮河入湖口湿地、洪泽湖东岸大堤防护林、河流两岸等区域，由于样地较窄，宽仅 500 ~ 1 000 m，建议预设代表性区域时在网格中心点周边 1 km² 范围内非正方形区域设置非常规形态的样地。

4. 制定符合湿地生态特点的中药资源普查技术规范

陆生植物的调查与现有中药资源普查技术规范方案一致，对水生植物的调查，需制定符合湿地生态特点的技术规范要求，根据水陆分界区域、湿地及湖泊水体沿岸的多种生态特点预设样地，有针对性地进行水生与水域植被的采样、样方设置。如挺水植物莲的调查，莲子、莲心的采集与调查需要有满足水体作业要求的汽艇、木船等装备，莲藕的采集与调查则需要配以深水区采样装备，如水下镰刀、采泥器等。此外，水质、水温、水体污染物与化学特征、平均年降水量等参数对水生中药资源影响较大，应增加与水生植物密切相关的生态因子及相应的考察参数。

三、江苏水生、耐盐药用植物资源种类及群落特征

江苏是我国海岸线最长的省份，沿海滩涂资源十分丰富，大部分滩涂属于淤涨型滩涂，这有利于培育和发展耐盐药用植物资源。江苏湖泊众多，水生、耐盐药用植物资源类型多样、蕴藏量大，其独特的生态环境是特色生物进化繁育的理想场所，为特色资源经济的战略规划和产业布局奠定了基础。

（一）江苏水生、耐盐药用植物资源种类

水生、耐盐药用植物资源生长环境独特，为掌握本地资料，江苏中药资源普查区域覆盖了江苏沿海滩涂全部县、市、区及省内主要湖泊、湿地周边的县、市、区。调查结果表明，江苏有水生药用植物 220 种，耐盐药用植物 116 种，涉及一些常用、重要的中药品种，如芡实、荷叶、三棱、蒲黄、泽泻、灯心草、芦根、香附、半夏、黄蜀葵、金银花、菊花、蒲公英、益母草、蔓荆子、苏薄荷、罗布麻、白首乌、白茅根、牛蒡、板蓝根、黄花蒿、浙贝母、玫瑰、香橼、瓜蒌、延胡索等。这些特色药材品种的产业布局可在江苏区域农业产业结构调整及乡村振兴中发挥重要作用。江苏水生、耐盐药用植物主要品种见表 1-5-7。

表 1-5-5　泗洪与洪泽常见药用植物资源分布情况

优势种	拉丁学名	老子山镇	蒋坝镇	洪泽湖大堤	双沟镇	城头乡（现临淮镇）	临淮镇	半城镇	太平镇（现界集镇）	龙集镇
莲	*Nelumbo nucifera* Gaertn.	++	++	+++	++	++	++	++	+++	+++
芡实	*Euryale ferox* Salisb.	++	+	+++	+	+	+	+	+	+
芦苇	*Phragmites australis* (Cav.) Trin. ex Steud.	++++	+++	++++	+++	++++	+++	+++	+++	+++
青葙	*Celosia argentea* L.	++	++	+	+	+	+++	+	++	++
旋覆花	*Inula japonica* Thunb.	++	++	+	++	+	+++	++	++	+
茜草	*Rubia cordifolia* L.	+	+++	++	++	++	++	++	+	++
地笋	*Lycopus lucidus* Turcz. var. *hirtus* Regel	++++	+	+	++	+	+	+	+	++
鸡矢藤	*Paederia scandens* (Lour.) Merr.	++	+	+	++	+	+	+	+	+
狗尾草	*Setaria viridis* (L.) Beauv.	+++	+++	++	+++	+++	++	+++	+++	++
葎草	*Humulus scandens* (Lour.) Merr.	++	+++	++	+	+	++	++	+	++
刺儿菜	*Cirsium arvense* var. *integrifolium* C. Wimm. et Grabowski	++	+++	+++	++	+++	++	++	++	++
老鹳草	*Geranium wilfordii* Maxim.	+	+++	++	++	++	+	+	++	+
天名精	*Carpesium abrotanoides* L.	+	+++	++	+	++	+	+	++	+
婆婆针	*Bidens bipinnata* L.	+	++	++	++	++	+	+	++	+
牛膝	*Achyranthes bidentata* Bl.	++	+	++	+	+	++	++	++	+
三脉紫菀	*Aster ageratoides* Turcz.	+	++	+	+	+	+	++	+	+
白茅	*Imperata cylindrica* (L.) Beauv.	+++	++	++++	++	+++	++	+++	+++	+++
益母草	*Leonurus japonicus* Houttuyn	+	+++	+	+	+	+	+	+	+
一年蓬	*Erigeron annuus* (L.) Pers.	+++	++	++	++	++	++	++	++	+
枸杞	*Lycium chinense* Mill.	+	+	+	+	+	+	+	++	+
虎掌	*Pinellia pedatisecta* Schott	+	-	+++	-	-	-	-	-	-
半边莲	*Lobelia chinensis* Lour.	++	-	-	++	+	-	-	+	+
垂序商陆	*Phytolacca americana* L.	++	+	+	+	+	+	+	+	+
龙葵	*Solanum nigrum* L.	+	+	++	+	+	+	+	+	+
毛茛	*Ranunculus japonicus* Thunb.	+++	-	+	+	+	+	+	++	+
野艾蒿	*Artemisia lavandulaefolia* DC.	++	+++	++	+++	++	++	+	++	++
构树	*Broussonetia papyrifera* (L.) Vent.	+++	++	++	+	++	+	+	+	+

续表

优势种	拉丁学名	老子山镇	蒋坝镇	洪泽湖大堤	双沟镇	城头乡（现临淮镇）	临淮镇	半城镇	太平镇（现界集镇）	龙集镇
楝	*Melia azedarach* L.	+	++	++	+	+	++	++	++	++
桑	*Morus alba* L.	++	+	++	++	++	++	+	++	++
女贞	*Ligustrum lucidum* Ait.	+	++	++	++	++	+	+	++	+
银白杨	*Populus alba* L.	++	++	+++	+	++	+	++	+++	++
垂柳	*Salix babylonica* L.	++	+	++	++	++	+	+	+	+

注：++++代表多见；+++代表较多见；++代表可见；++代表少见；+代表偶见；－代表未见。

表1-5-6 泗洪与洪泽主要湖滨湿地常见药用植物类群分布情况

行政区划	地点	湿地类型	植被情况	常见药用植物类群分布
洪泽	老子山镇	入湖河口滩地型湿地	耕地、人工林、围垦	木本植物：以柳树、杨树*为主。草本植物：单子叶植物以香蒲科、禾本科、莎草科植物为主；双子叶植物以蓼科、菊科、十字花科、伞形科、唇形科、豆科、玄参科、桔梗科、苋科、毛茛科植物为多
	蒋坝镇	入湖河口滩地型湿地	耕地、人工林、围垦	木本植物：以杨树*为主。草本植物：单子叶植物以禾本科、莎草科植物为主；双子叶植物以蓼科、菊科、十字花科、唇形科、豆科、玄参科、蔷薇科、苋科植物为多
	洪泽湖大堤	人工防护堤坝	人工林、灌木、挺水植物	木本植物：以杨树、水杉、构树为主。草本植物：单子叶植物以禾本科植物为主；双子叶植物以桑科、菊科、茜草科、十字花科、唇形科、豆科、蔷薇科、苋科植物为多。水生植物：芡实*、莲*
泗洪	双沟镇	滨湖河漫滩型湿地、入湖河口滩地型湿地	挺水植物、耕地、围垦	草本植物：单子叶植物以禾本科、莎草科植物为主；双子叶植物以蓼科、菊科、苋科植物为多。水生植物：以莲*为主
	城头乡（现临淮镇）	滨湖河漫滩型湿地	耕地、人工林	木本植物：以杨树*为主。草本植物：单子叶植物以禾本科、莎草科植物为主；双子叶植物以菊科、蓼科、桑科、十字花科、唇形科、豆科、玄参科、桔梗科、苋科植物为多
	临淮镇	滨湖河漫滩型湿地	人工林、挺水植物、耕地、围垦	木本植物：以杨树*为主。草本植物：单子叶植物以禾本科、莎草科植物为主；双子叶植物以蓼科、菊科、桑科、十字花科、唇形科、豆科、玄参科、旋花科、苋科植物为多。水生植物：以莲*为主

续表

行政区划	地点	湿地类型	植被情况	常见药用植物类群分布
	半坡镇	滨湖漫滩型湿地	挺水植物、耕地、围垦、人工林	木本植物：以杨树*为主。草本植物：单子叶植物以禾本科、莎草科植物为主；双子叶植物以蓼科、菊科、桑科、十字花科、伞形科、唇形科、豆科、玄参科、旋花科、苋科植物为多。水生植物：以莲*为主
	太平镇（现界集镇）	岗注型湿地、人工围垦	耕地、人工林、围垦、挺水植物	木本植物：以杨树*为主。草本植物：单子叶植物以禾本科、莎草科植物为主；双子叶植物以蓼科、菊科、桑科、十字花科、伞形科、唇形科、豆科、玄参科、旋花科、苋科植物为多。水生植物：以莲*为主
	龙集镇	岗注型湿地、人工围垦	耕地、人工林、围垦、挺水植物、水植物	木本植物：以杨树*为主。草本植物：单子叶植物以禾本科、莎草科植物为主；双子叶植物以蓼科、菊科、十字花科、旋花科、伞形科、唇形科、豆科、玄参科、苋科植物为多。水生植物：以莲*为主

注：*为人工种植。

表1-5-7　江苏常见水生、耐盐药用植物

序号	科名	属名	种名	拉丁学名
1	地钱科	地钱属	地钱	*Marchantia polymorpha* L.
2	葫芦藓科	葫芦藓属	葫芦藓	*Funaria hygrometrica* Hedw.
3	金发藓科	金发藓属	金发藓	*Polytrichum commune* L. ex Hedw.
4	卷柏科	卷柏属	江南卷柏	*Selaginella moellendorffii* Hieron.
5	木贼科	木贼属	问荆	*Equisetum arvense* L.
6	木贼科	木贼属	节节草	*Hippochaete ramosissima* (Desf.) Boerner
7	紫萁科	紫萁属	紫萁	*Osmunda japonica* Thunb.
8	阴地蕨科	阴地蕨属	阴地蕨	*Botrychium ternatum* (Thunb.) Sw.
9	里白科	芒萁属	芒萁	*Dicranopteris pedata* (Houttuyn) Nakaike
10	蕨科	蕨属	蕨	*Pteridium aquilinum* (L.) Kuhn var. *latiusculum* (Desv.) Underw. ex Heller
11	凤尾蕨科	凤尾蕨属	井栏边草	*Pteris multifida* Poir.
12	凤尾蕨科	凤尾蕨属	蜈蚣草	*Pteris vittata* L.
13	蹄盖蕨科	介蕨属	中华介蕨	*Dryoathyrium chinense* Ching
14	金星蕨科	针毛蕨属	雅致针毛蕨	*Macrothelypteris oligophlebia* (Baker) Ching var. *elegans* (Koidz.) Ching
15	金星蕨科	卵果蕨属	延羽卵果蕨	*Phegopteris decursive-pinnata* (van Hall.) Fée
16	铁角蕨科	铁角蕨属	铁角蕨	*Asplenium trichomanes* L.
17	鳞毛蕨科	鳞毛蕨属	棕边鳞毛蕨	*Dryopteris sacrosancta* Koidz.
18	水龙骨科	瓦韦属	瓦韦	*Lepisorus thunbergianus* (Kaulf.) Ching
19	三白草科	三白草属	三白草	*Saururus chinensis* (Lour.) Baill.
20	三白草科	蕺菜属	蕺菜	*Houttuynia cordata* Thunb.
21	荨麻科	冷水花属	冷水花	*Pilea notata* C. H. Wright
22	荨麻科	冷水花属	透茎冷水花	*Pilea pumila* (L.) A. Gray
23	蓼科	蓼属	红蓼	*Polygonum orientale* L.
24	蓼科	蓼属	香蓼	*Polygonum viscosum* Buch.-Ham. ex D. Don
25	蓼科	蓼属	酸模叶蓼	*Polygonum lapathifolium* L.
26	蓼科	蓼属	绵毛酸模叶蓼	*Polygonum lapathifolium* L. var. *salicifolium* Sihbth.
27	蓼科	蓼属	愉悦蓼	*Polygonum jucundum* Meisn.
28	蓼科	蓼属	蚕茧草	*Polygonum japonicum* Meisn.
29	蓼科	蓼属	水蓼	*Polygonum hydropiper* L.
30	蓼科	蓼属	春蓼	*Polygonum persicaria* L.
31	蓼科	蓼属	丛枝蓼	*Polygonum posumbu* Buch.-Ham. ex D. Don
32	蓼科	蓼属	长鬃蓼	*Polygonum longisetum* De Br.
33	蓼科	蓼属	杠板归	*Polygonum perfoliatum* L.
34	蓼科	蓼属	刺蓼	*Polygonum senticosum* (Meisn.) Franch. et Sav.
35	蓼科	蓼属	箭叶蓼	*Polygonum sieboldii* Meisn.
36	蓼科	酸模属	酸模	*Rumex acetosa* L.
37	蓼科	酸模属	羊蹄	*Rumex japonicus* Houtt.
38	蓼科	酸模属	齿果酸模	*Rumex dentatus* L.
39	石竹科	狗筋蔓属	狗筋蔓	*Cucubalus baccifer* L.
40	石竹科	漆姑草属	漆姑草	*Sagina japonica* (Sw.) Ohwi

序号	科名	属名	种名	拉丁学名
41	苋科	苋属	皱果苋	*Amaranthus viridis* L.
42	苋科	莲子草属	喜旱莲子草	*Alternanthera philoxeroides* (Mart.) Griseb.
43	睡莲科	莲属	莲	*Nelumbo nucifera* Gaertn.
44	睡莲科	芡属	芡实	*Euryale ferox* Salisb.
45	金鱼藻科	金鱼藻属	金鱼藻	*Ceratophyllum demersum* L.
46	毛茛科	毛茛属	扬子毛茛	*Ranunculus sieboldii* Miq.
47	毛茛科	毛茛属	禺毛茛	*Ranunculus cantoniensis* DC.
48	毛茛科	毛茛属	茴茴蒜	*Ranunculus chinensis* Bunge
49	毛茛科	毛茛属	小毛茛	*Ranunculus ternatus* Thunb.
50	毛茛科	毛茛属	毛茛	*Ranunculus japonicus* Thunb.
51	毛茛科	毛茛属	石龙芮	*Ranunculus sceleratus* L.
52	十字花科	碎米荠属	碎米荠	*Cardamine hirsuta* L.
53	十字花科	碎米荠属	弹裂碎米荠	*Cardamine impatiens* L.
54	十字花科	碎米荠属	弯曲碎米荠	*Cardamine flexuosa* With.
55	十字花科	碎米荠属	白花碎米荠	*Cardamine leucantha* (Tausch) O. E. Schulz
56	十字花科	豆瓣菜属	豆瓣菜	*Nasturtium officinale* R. Br.
57	十字花科	蔊菜荠属	广州蔊菜	*Rorippa cantoniensis* (Lour.) Ohwi
58	十字花科	蔊菜属	风花菜	*Rorippa globosa* (Turcz.) Hayek
59	十字花科	蔊菜属	蔊菜	*Rorippa indica* (L.) Hiern
60	十字花科	蔊菜属	沼生蔊菜	*Rorippa islandica* (Oed.) Borb.
61	十字花科	蔊菜属	无瓣蔊菜	*Rorippa dubia* (Pers.) Hara
62	虎耳草科	扯根菜属	扯根菜	*Penthorum chinense* Pursh
63	虎耳草科	虎耳草属	虎耳草	*Saxifraga stolonifera* Curt.
64	蔷薇科	地榆属	地榆	*Sanguisorba officinalis* L.
65	蔷薇科	地榆属	长叶地榆	*Sanguisorba officinalis* L. var. *longifolia* (Bertol.) Yü et Li
66	豆科	车轴草属	白车轴草	*Trifolium repens* L.
67	豆科	大豆属	野大豆	*Glycine soja* Sieb. et Zucc.
68	豆科	野豌豆属	广布野豌豆	*Vicia cracca* L.
69	豆科	合萌属	合萌	*Aeschynomene indica* L.
70	牻牛儿苗科	老鹳草属	老鹳草	*Geranium wilfordii* Maxim.
71	大戟科	铁苋菜属	铁苋菜	*Acalypha australis* L.
72	大戟科	大戟属	通奶草	*Euphorbia hypericifolia* L.
73	藤黄科	金丝桃属	地耳草	*Hypericum japonicum* Thunb. ex Murray
74	堇菜科	堇菜属	堇菜	*Viola verecunda* A. Gray
75	千屈菜科	千屈菜属	千屈菜	*Lythrum salicaria* L.
76	菱科	菱属	四角菱	*Trapa quadrispinosa* Roxb.
77	菱科	菱属	野菱	*Trapa incisa* Sieb. & Zucc. var. *quadricaudata* Glück
78	柳叶菜科	柳叶菜属	柳叶菜	*Epilobium hirsutum* L.
79	柳叶菜科	丁香蓼属	假柳叶菜	*Ludwigia epilobioides* Maxim.
80	柳叶菜科	丁香蓼属	黄花水龙	*Ludwigia peploides* (Kunth) P. H. Raven subsp. *stipulacea* (Ohwi) P. H. Raven

续表

序号	科名	属名	种名	拉丁学名
81	柳叶菜科	丁香蓼属	丁香蓼	*Ludwigia prostrata* Roxb.
82	小二仙草科	狐尾藻属	穗状狐尾藻	*Myriophyllum spicatum* L.
83	小二仙草科	小二仙草属	小二仙草	*Haloragis micrantha* (Thunb.) R. Br. ex Sieb. et Zucc.
84	伞形科	天胡荽属	天胡荽	*Hydrocotyle sibthorpioides* Lam.
85	伞形科	天胡荽属	破铜钱	*Hydrocotyle sibthorpioides* Lam. var. *batrachium* (Hance) Hand.-Mazz. ex Shan
86	伞形科	香根芹属	香根芹	*Osmorhiza aristata* (Thunb.) Makino et Yabe
87	伞形科	芹属	细叶旱芹	*Apium leptophyllum* (Pers.) F. Muell.
88	伞形科	水芹属	水芹	*Oenanthe javanica* (Bl.) DC.
89	伞形科	泽芹属	泽芹	*Sium suave* Walter
90	伞形科	蛇床属	蛇床	*Cnidium monnieri* (L.) Cuss.
91	杜鹃花科	杜鹃属	满山红	*Rhododendron mariesii* Hemsl. et Wils.
92	报春花科	点地梅属	点地梅	*Androsace umbellata* (Lour.) Merr.
93	报春花科	珍珠菜属	金爪儿	*Lysimachia grammica* Hance
94	报春花科	珍珠菜属	小茄	*Lysimachia japonica* Thunb.
95	报春花科	珍珠菜属	过路黄	*Lysimachia christinae* Hance
96	报春花科	珍珠菜属	轮叶过路黄	*Lysimachia klattiana* Hance
97	报春花科	珍珠菜属	狭叶珍珠菜	*Lysimachia pentapetala* Bunge
98	报春花科	珍珠菜属	红根草	*Lysimachia fortunei* Maxim.
99	报春花科	珍珠菜属	临时救	*Lysimachia congestiflora* Hemsl.
100	报春花科	珍珠菜属	虎尾草	*Lysimachia barystachys* Bunge
101	报春花科	珍珠菜属	泽珍珠菜	*Lysimachia candida* Lindl.
102	龙胆科	莕菜属	莕菜	*Nymphoides peltatum* (Gmel.) O. Kuntze
103	夹竹桃科	络石属	络石	*Trachelospermum jasminoides* (Lindl.) Lem.
104	紫草科	附地菜属	朝鲜附地菜	*Trigonotis coreana* Nakai
105	唇形科	黄芩属	韩信草	*Scutellaria indica* L.
106	唇形科	黄芩属	半枝莲	*Scutellaria barbata* D. Don
107	唇形科	藿香属	藿香	*Agastache rugosa* (Fisch. et Mey.) O. Kuntze
108	唇形科	水苏属	水苏	*Stachys japonica* Miq.
109	唇形科	鼠尾草属	荔枝草	*Salvia plebeia* R. Br.
110	唇形科	石荠苎属	小鱼仙草	*Mosla dianthera* (Buch.-Ham.) Maxim.
111	唇形科	石荠苎属	石荠苎	*Mosla scabra* (Thunb.) C. Y. Wu & H. W. Li
112	唇形科	地笋属	地笋	*Lycopus lucidus* Turcz.
113	玄参科	玄参属	玄参	*Scrophularia ningpoensis* Hemsl.
114	玄参科	通泉草属	弹刀子菜	*Mazus stachydifolius* (Turcz.) Maxim.
115	玄参科	通泉草属	通泉草	*Mazus japonicus* (Thunb.) O. Kuntze
116	玄参科	通泉草属	早落通泉草	*Mazus caducifer* Hance
117	玄参科	母草属	母草	*Lindernia crustacea* (L.) F. Muell
118	玄参科	母草属	陌上菜	*Lindernia procumbens* (Krock.) Philcox
119	玄参科	婆婆纳属	水苦荬	*Veronica undulata* Wall.
120	玄参科	婆婆纳属	北水苦荬	*Veronica anagallis-aquatica* L.

续表

序号	科名	属名	种名	拉丁学名
121	玄参科	婆婆纳属	蚊母草	*Veronica peregrina* L.
122	紫葳科	凌霄属	厚萼凌霄	*Campsis radicans* (L.) Seem.
123	爵床科	水蓑衣属	水蓑衣	*Hygrophila salicifolia* (Vahl) Nees
124	车前科	车前属	车前	*Plantago asiatica* L.
125	车前科	车前属	平车前	*Plantago depressa* Willd.
126	茜草科	拉拉藤属	蓬子菜	*Galium verum* L.
127	忍冬科	忍冬属	金银忍冬	*Lonicera maackii* (Rupr.) Maxim.
128	桔梗科	半边莲属	半边莲	*Lobelia chinensis* Lour.
129	菊科	泽兰属	林泽兰	*Eupatorium lindleyanum* DC.
130	菊科	泽兰属	异叶泽兰	*Eupatorium heterophyllum* DC.
131	菊科	泽兰属	大麻叶泽兰	*Eupatorium cannabinum* L.
132	菊科	鳢肠属	鳢肠	*Eclipta prostrata* (L.) L.
133	菊科	鬼针草属	狼杷草	*Bidens tripartita* L.
134	菊科	蒿属	野艾蒿	*Artemisia lavandulaefolia* DC.
135	菊科	蒿属	矮蒿	*Artemisia lancea* Van
136	菊科	泥胡菜属	泥胡菜	*Hemistepta lyrata* (Bunge) Bunge
137	菊科	稻槎菜属	稻槎菜	*Lapsana apogonoides* Maxim.
138	香蒲科	香蒲属	水烛	*Typha angustifolia* L.
139	香蒲科	香蒲属	东方香蒲	*Typha orientalis* Presl
140	黑三棱科	黑三棱属	黑三棱	*Sparganium stoloniferum* (Graebn.) Buch.-Ham. ex Juz.
141	眼子菜科	眼子菜属	菹草	*Potamogeton crispus* L.
142	眼子菜科	眼子菜属	鸡冠眼子菜	*Potamogeton cristatus* Regel et Maack
143	眼子菜科	眼子菜属	篦齿眼子菜	*Potamogeton pectinatus* L.
144	泽泻科	泽泻属	东方泽泻	*Alisma orientale* (Samuel.) Juz.
145	泽泻科	泽泻属	窄叶泽泻	*Alisma canaliculatum* A. Braun et Bouche.
146	泽泻科	慈姑属	野慈姑	*Sagittaria trifolia* L.
147	水鳖科	水鳖属	水鳖	*Hydrocharis dubia* (Bl.) Backer
148	禾本科	早熟禾属	早熟禾	*Poa annua* L.
149	禾本科	芦竹属	芦竹	*Arundo donax* L.
150	禾本科	芦苇属	芦苇	*Phragmites australis* (Cav.) Trin. ex Steud.
151	禾本科	鹅观草属	鹅观草	*Roegneria kamoji* Ohwi
152	禾本科	千金子属	千金子	*Leptochloa chinensis* (L.) Ness
153	禾本科	狗尾草属	皱叶狗尾草	*Setaria plicata* (Lam.) T. Cooke
154	禾本科	狗尾草属	大狗尾草	*Setaria faberii* Herrm.
155	禾本科	狗尾草属	金色狗尾草	*Setaria glauca* (L.) Beauv.
156	禾本科	米草属	大米草	*Spartina anglica* Hubb.
157	禾本科	梯牧草属	鬼蜡烛	*Phleum paniculatum* Huds.
158	禾本科	棒头草属	棒头草	*Polypogon fugax* Nees ex Steud.
159	禾本科	棒头草属	长芒棒头草	*Polypogon monspeliensis* (L.) Desf.
160	禾本科	求米草属	求米草	*Oplismenus undulatifolius* (Arduino) Beauv.

续表

序号	科名	属名	种名	拉丁学名
161	禾本科	稗属	西来稗	*Echinochloa crusgalli* (L.) Beauv. var. *zelayensis* (H. B. K.) Hitchc.
162	禾本科	雀稗属	雀稗	*Paspalum thunbergii* Kunth ex Steud.
163	禾本科	马唐属	紫马唐	*Digitaria violascens* Link
164	禾本科	马唐属	马唐	*Digitaria sanguinalis* (L.) Scop.
165	禾本科	荻属	荻	*Miscanthus sacchariflorus* (Maxim.) Nakai
166	禾本科	白茅属	白茅	*Imperata cylindrica* (L.) Beauv.
167	禾本科	莠竹属	竹叶茅	*Microstegium nudum* (Trin.) A. Camus
168	禾本科	薏苡属	薏苡	*Coix lacryma-jobi* L.
169	莎草科	藨草属	荆三棱	*Scirpus yagara* Ohwi
170	莎草科	藨草属	扁秆藨草	*Scirpus planiculmis* Fr. Schmidt
171	莎草科	藨草属	海三棱藨草	*Scirpus × mariqueter* Tang & Wang
172	莎草科	水葱属	水葱	*Schoenoplectus tabernaemontani* (C. C. Gmel.) Palla
173	莎草科	荸荠属	羽毛荸荠	*Heleocharis wichurae* Bocklr.
174	莎草科	飘拂草属	长穗飘拂草	*Fimbristylis longispica* Steud.
175	莎草科	飘拂草属	短尖飘拂草	*Fimbristylis makinoana* Ohwi
176	莎草科	飘拂草属	复序飘拂草	*Fimbristylis bisumbellata* (Forsk.) Bubani
177	莎草科	莎草属	香附子	*Cyperus rotundus* L.
178	莎草科	莎草属	碎米莎草	*Cyperus iria* L.
179	莎草科	莎草属	异型莎草	*Cyperus difformis* L.
180	莎草科	扁莎属	球穗扁莎	*Pycreus globosus* (All.) Reichb.
181	莎草科	薹草属	无喙囊薹草	*Carex davidii* Franch.
182	莎草科	薹草属	条穗薹草	*Carex nemostachys* Steud.
183	莎草科	薹草属	垂穗薹草	*Carex brachyathera* Ohwi
184	莎草科	薹草属	皱果薹草	*Carex dispalata* Boott ex A. Gray
185	莎草科	薹草属	长梗薹草	*Carex glossostigma* Hand.-Mazz.
186	莎草科	薹草属	江苏薹草	*Carex kiangsuensis* Kük.
187	莎草科	薹草属	青绿薹草	*Carex breviculmis* R. Br.
188	莎草科	薹草属	长颈薹草	*Carex rhynchophora* Franch.
189	莎草科	薹草属	翼果薹草	*Carex neurocarpa* Maxim.
190	莎草科	薹草属	仙台薹草	*Carex sendaica* Franch.
191	莎草科	薹草属	披针薹草	*Carex lancifolia* C. B. Clarke
192	天南星科	菖蒲属	菖蒲	*Acorus calamus* L.
193	天南星科	菖蒲属	石菖蒲	*Acorus tatarinowii* Schott
194	浮萍科	浮萍属	浮萍	*Lemna minor* L.
195	浮萍科	紫萍属	紫萍	*Spirodela polyrrhiza* (L.) Schleid.
196	谷精草科	谷精草属	长苞谷精草	*Eriocaulon decemflorum* Maxim.
197	鸭跖草科	紫露草属	紫露草	*Tradescantia ohiensis* Raf.
198	鸭跖草科	鸭跖草属	鸭跖草	*Commelina communis* L.
199	鸭跖草科	水竹叶属	水竹叶	*Murdannia triquetra* (Wall.) Bruckn.
200	雨久花科	雨久花属	鸭舌草	*Monochoria vaginalis* (Burm. f.) Presl

续表

序号	科名	属名	种名	拉丁学名
201	灯心草科	地杨梅属	多花地杨梅	*Luzula multiflora* (Retz.) Lej.
202	灯心草科	灯心草属	野灯心草	*Juncus setchuensis* Buchen.
203	灯心草科	灯心草属	灯心草	*Juncus effusus* L.
204	灯心草科	灯心草属	扁茎灯心草	*Juncus compressus* Jacq.
205	灯心草科	灯心草属	翅茎灯心草	*Juncus alatus* Franch. et Savat.
206	百合科	葱属	细叶韭	*Allium tenuissimum* L.
207	百合科	葱属	葱	*Allium fistulosum* L.
208	百合科	萱草属	黄花菜	*Hemerocallis citrina* Baroni
209	石蒜科	葱莲属	葱莲	*Zephyranthes candida* (Lindl.) Herb.
210	鸢尾科	鸢尾属	鸢尾	*Iris tectorum* Maxim.
211	鸢尾科	射干属	射干	*Belamcanda chinensis* (L.) DC.
212	兰科	白及属	白及	*Bletilla striata* (Thunb. ex A. Murray) Rchb. f.
213	兰科	绶草属	绶草	*Spiranthes sinensis* (Pers.) Ames

（二）江苏水生、耐盐药用植物群落特征

江苏境内海岸线长，海岸滩涂资源丰富，大部分滩涂属于淤涨型滩涂，且湖泊众多，水生、耐盐药用植物资源较为丰富。水生、耐盐药用植物生长环境独特，具有其独特的群落特征。

1. 水生药用植物类型和分布

通过对江苏中药资源野外调查资料进行整理，按湿生植物、挺水植物、浮水植物和沉水植物划分代表性水生药用植物群落生态类型。

（1）湿生植物群落。水杉群系 Form. *Metasequoia glyptostroboides*：江苏各地均有栽培，常在湖边形成优势群落；常见伴生种有喜旱莲子草、狗牙根等。水松群系 Form. *Glyptostrobus pensilis*：江苏中部的湖泊、湿地等常见；常见伴生种有喜旱莲子草、香附等。垂柳群系 Form. *Salix babylonica*：江苏各地均有分布，多为人工栽培，湖岸、河边常见，一般高 4 ~ 5 m；常见伴生种为芦苇、荸草、薹草、喜旱莲子草。黄香草木樨群系 Form. *Melilotus officinalis*：为长江以北常见群系，可见于河滩、湖堤，高 1 ~ 2 m；常见伴生种有紫菀、小蓬草、狗尾草等。甜茅群系 Form. *Glyceria acutiflora*：为江苏湖泊、江滩、河荡湿地常见群系之一，路旁湿地及水边常见，高 50 cm 左右；常见伴生种有薹草、毛茛等。

（2）挺水植物群落。芦苇群系 Form. *Phragmites australis*：江苏湖泊、沼泽以及江河滩地均有分布，高 1 ~ 2.5 m，易形成单一优势种群落；伴生种较少，群落边缘常见小蓬草、白茅、喜旱莲子草等植物。芦竹群系 Form. *Arundo donax*：江苏各地均有分布，多生长于河流土质堤岸及鱼塘埂，易形成单一优势种群落，高为 3 ~ 5 cm；常见伴生种有小蓬草、一年蓬、狗尾草等。荻群系 Form. *Miscanthus sacchariflorus*：江苏各地均有分布，主要生长于浅水处，高可达 2 m；常见伴

生种有芦苇、喜旱莲子草、水芹等。菰群系 Form. *Zizania caduciflora*：江苏各地均有分布，主要分布于近岸浅水区，可形成单一优势种群落，高约 1.5 m；常见伴生种有喜旱莲子草、水鳖、满江红等。水葱群落 Ass. *Schoenoplectus tabernaemontani*：分布于湖水较浅的地方，平均高约 1 m；很少有伴生种，为单一优势种群落。莎草属群系 Form. *Cyperus*：碎米莎草 *Cyperus iria* L.、扁穗莎草 *Cyperus compressus* L. 等在江苏各地均有分布，主要生长于浅水及水岸滩地，高可达 30 cm 左右，易形成单一优势种群落。藨草群系 Form. *Scirpus triqueter*：主要生长于江苏中部的浅水及水边滩地，易形成单一优势种群落，高约 70 cm。荆三棱群系 Form. *Scirpus yagara*：江苏各地均有分布，主要生长于近岸浅水区与河滩地，高约 60 cm，易形成单一优势种群落；常见伴生种有水葱等。荸荠群系 Form. *Heleocharis dulcis*：江苏各地均有分布，主要生长于浅水及沼泽区域，高约 5 cm；常见伴生种有菰、东方香蒲等。喜旱莲子草群落 Ass. *Alternanthera philoxeroides*：江苏各地均有分布，水生、湿生直至陆生，适应性极强，盖度 20% ～ 90%；常见伴生种有苦草、水绵、水鳖、菹草、满江红、芦苇、菰等。

（3）浮水植物群落。芡实群落 Ass. *Euryale ferox*：栽培或野生，池塘、湖泊中常见；常见伴生种有菱、竹叶眼子菜、槐叶蘋、轮叶狐尾藻等。菱群系 Form. *Trapa bispinosa*：栽培或野生，江苏各地均有分布，静水池塘、湖泊中常见；常见伴生种有浮萍、满江红、槐叶蘋、轮叶狐尾藻等。金银莲花群系 Form. *Nymphoides indica*：江苏各地均有分布，主要分布于石臼湖、固城湖、宝应湖、白马湖等，盖度可达 70%；常见伴生种有莼菜、苦草、竹叶眼子菜等。水鳖群落 Ass. *Hydrocharis asiatica*：分布于池塘、湖泊中；伴生种有水绵、喜旱莲子草、轮叶狐尾藻、莼菜、菱等。浮萍群落 Ass. *Lemna minor*、满江红群落 Ass. *Azolla imbricata*：分布于池塘、湖泊中，常与喜旱莲子草、水鳖、芦苇、慈姑、菹草、轮叶狐尾藻、菰、红蓼等组成立体混生结构。

（4）沉水植物群落。菹草群系 Form. *Potamogeton crispus*：江苏各地均有分布，主要生长于湖沼的静水区；常见伴生种有水鳖、菱等。穗状狐尾藻群系 Form. *Myriophyllum spicatum*：江苏各地均有分布，主要生长于湖沼的静水区；常见伴生种有苦草、金鱼藻、竹叶眼子菜等。

2. 耐盐药用植物类型和分布

江苏耐盐药用植物主要分布在沿海滩涂地区和江苏北部黄泛平原地区，两者分别属于滨海盐渍土分布区和黄淮海平原半干旱半湿润盐渍土分布区。根据 Breckle 分类系统，将盐生植物分为真盐生植物、泌盐盐生植物、假盐生植物。在科研工作中，人们还常将药用植物对盐碱的耐受程度划分为特耐盐（土壤含盐量＞ 0.6%）、强耐盐（土壤含盐量＜ 0.4% ～ 0.6%）、中度耐盐（土壤含盐量＜ 0.2% ～ 0.4%）、轻度耐盐（土壤含盐量 0.1% ～ 0.2%）。

（1）真盐生植物。盐地碱蓬群系 Form. *Suaeda salsa*：生长于沿海滩涂湿地，通常分布于大米草群系以外的淤泥质滩涂上，高 15 ～ 30 cm；常见伴生种为盐角草、碱蓬、补血草等。碱蓬群系 Form. *Suaeda glauca*：生长于沿海滩涂湿地，为单一优势种群落，高约 40 cm；常见伴生种有盐角草、盐地碱蓬、补血草等。盐角草群系 Form. *Salicornia europaea*：生长于沿海滩涂湿地，群落总盖度变化较大，高约 20 cm；常见伴生种为碱蓬等。灰绿藜群系 Form. *Chenopodium glaucum*：生长于沿海滩涂湿地，主要分布于高潮带以上的滩地，高 40～80 cm；常见伴生种有补血草、芦苇等。

（2）泌盐盐生植物。柽柳群系 Form. *Tamarix chinensis*：主要分布于江苏沿海滩涂，高 1～2 m；主要伴生种为碱蓬、盐角草。补血草属群系 Form. *Limonium*：分布于近海与海岸湿地，生长于碱性较强的潮湿土壤中，在碱性极强的地方单独成丛，形成单一优势种群落，在碱性较弱的地方则与白茅、狗牙根等相伴而生，高 10～70 cm。互花米草群系 Form. *Spartina alterniflora*：生长于沿海滩涂湿地，为人工引种，群落外貌结构整齐，平均高约 160 cm，形成单一优势种群落，且在近海与海岸湿地中占绝对优势；常见伴生种为碱蓬、盐角草等。大米草群系 Form. *Spartina anglica*：江苏盐城、南通的沿海滩涂有零星分布，为人工引种，高 30～100 cm，形成单一优势种群落；常见伴生种为碱蓬、盐角草等；该群系已逐渐被互花米草群系取代。

（3）假盐生植物。芦苇群系 Form. *Phragmites australis*：为沿海滩涂最常见的湿地植被群系之一，分布广泛，高 1～2.5 m，易形成单一优势种群落；常见伴生种为白酒草、碱蓬等。桑群系 Form. *Morus alba*：江苏各地均有分布，栽培或野生，南通、盐城等多有栽培；伴生种有苦荬菜、刺儿菜、喜旱莲子草、芦苇等。紫穗槐群系 Form. *Amorpha fruticosa*：江苏盐城大丰有分布，高 2～3 m；常见伴生种有芦苇、小蓬草、鬼针草等。枸杞群系 Form. *Lycium chinense*：江苏各地均有分布，可耐中度、轻度盐碱，常见于滩涂、河堤，高 30 cm 左右；常见伴生种有狗尾草、蒲公英等。茵陈蒿群系 Form. *Artemisia capillaris*：生长于沿海滩涂，植株高可达 10～30 cm；常见伴生种有狗尾草、苍耳等。白茅群系 Form. *Imperata cylindrica*：生长于沿海滩涂湿地，主要分布于盐碱度较低滨海土壤中，盖度可达 90%，植株高可达 100 cm；常见伴生种为狗尾草、小蓬草等。

第四节　江苏省水生、耐盐药用植物资源发展建议及适宜生产品种

江苏拥有我国最长的海岸线，滩涂资源丰富，加之湖泊众多、淡水资源丰沛、生态环境独特，孕育着门类众多、品种繁盛的水生、耐盐药用植物资源，这些资源是江苏极富地域生态特点的优势药材资源种类。第四次中药资源普查结果表明，江苏有水生药用植物 220 种，耐盐药用植物116 种，其中大宗道地药材品种有芡实、荷叶、三棱、蒲黄、泽泻、灯心草、芦根、香附、半夏、黄蜀葵、地骨皮、金银花、菊花、蒲公英、益母草、蔓荆子、苏薄荷、罗布麻叶、白首乌、女贞子、白茅根、浙贝母、瓜蒌等。江苏因地制宜，选择适宜发展的特色药用品种进行合理规划布局，以实现区域农村产业结构优化、特色药用植物资源产业发展，进一步促进区域性康养产业发展，改善当地经济、社会和生态面貌。

一、水生、耐盐药用植物资源发展建议

根据江苏水生、耐盐药用植物资源分布和生产特点，确立江苏水生、耐盐药用植物资源生产发展战略的指导思想：以科技创新、组织创新、机制创新为手段，遵循因地制宜、利用优势，农药兼顾、多功能开发的原则，协同创新，聚集企业、技术、资源优势，形成独具特色的水生、耐盐中药产业布局，依托产业推动水生、耐盐药材生产规范化，立足江苏，面向全国，打造苏产水生、耐盐药材品牌，使江苏水生、耐盐中药走向世界。

（一）通过建立与中药资源保护和合理开发利用相协调的生产发展机制，促进水生、耐盐药用植物资源持续发展

中药资源的保护和合理开发利用机制，就是从资源保护和开发利用两个方面寻求控制资源数量的平衡点，其核心就是保持水生、耐盐药用植物资源自身的繁殖能力，实现资源的持续发展。

对日趋稀少、濒危的中药资源采取就地保护和迁地保护，建立保护区和品种园，保护品种资源，此外，还可采取野生变家种的办法，使资源量得以增加；对临床用量多而又紧缺的大宗水生、耐盐药材资源，有计划地进行引种和试种，以迁地保护的形式为药材生产提供种源。

水生、耐盐野生中药资源的利用，应坚持采收量不超过自然增长能力的原则，保证中药资源的持续利用。对家种药材品种的生产，实行适时适地栽培生产，采用与品种相适应的技术、工艺等措施，达到栽培一种、成功一种，发展一块、成功一块，特别是要根据药材品种本身的生态特性，采取相应的技术、工艺，甚至采取生物技术手段，提高药材产量和品质，实现药材生产的稳定发展。

（二）通过科技创新，推动中药资源生产规范化，形成药材生产优势

如今，栽培技术水平不断提高，市场经济飞速发展，药材的质量优势成为市场竞争力的关键。科技创新就是根据区域的环境条件和资源优势以及品种的特性，科学地运用各种先进的配套技术，形成一整套各种水生、耐盐药用植物资源的技术体系（包括品种培育、质量监控、生产栽培和采收等），使水生、耐盐药材的生产质量达到较高水平。这一套技术体系是在继承传统技术精华的基础上，形成的以现代技术为主要内涵的规范化栽培技术模式。对江苏在历史上就有优势地位、目前又具有一定生产规模且较为紧缺的大宗药材品种如芡实、水蛭、蟾酥等，要参照国家在其他地区建设的 GAP 基地或通过制药企业提出的要求，打造江苏水生、耐盐药材品牌，逐步开展规范化生产，以保证药材质量，赢得市场和销路，从而形成江苏水生、耐盐药材生产的质量优势。

通过建立市场信息网络，开拓国内外流通渠道，打造江苏水生、耐盐药材品牌，保证药材生产的稳定发展。水生、耐盐药材极具独特性，易于打造品牌。可以结合各水生、耐盐药材品种自身特点，深挖内涵，凝聚特色，通过国家地理标志认证、有机农产品认证、绿色食品认证，打造一批知名品牌。在发展药材生产的同时，必须立足于品牌建设，掌握国内外的信息和市场动向，要通过建立市场信息网络，全面掌握国内外市场信息变化，赢得生产主动权。开拓流通渠道，首

先要吸引大中型制药加工企业或集团在江苏建立生产基地，或是通过合同挂钩生产，打造药材生产和制药加工的直通渠道；其次要充分利用农民药材流通经纪人的纽带作用，开拓药材销售空间；最后要重视市场建设和医药公司药材收购系统建设，对一些特殊的药材品种，应在大、中型城市设立国内外的贸易窗口，从而形成有序的药材销售体系，促进药材生产的发展。

二、水生药用植物资源适宜生产品种

（1）芡实 *Euryale ferox* Salisb.

芡实为睡莲科植物，其干燥成熟果仁可作芡实入药，芡实为药食两用中药。江苏是芡实的道地产区，芡实栽培历史悠久，所产芡实以颗粒饱满、粉性足、色白而闻名。芡实分为北芡和苏芡，北芡多为药用，苏芡多作为食品使用。芡实主产于扬州、徐州、苏州及淮阴、洪泽、盱眙、泗洪、吴中、相城。

扬州宝应、高邮等湖荡地区所产芡实为北芡，总产量在 25 t 以上。宝应的芡实集中产于安宜镇和氾水镇，两地种植面积在 3 000 亩以上，产量超过 20 t，高邮的芡实总产量在 5 t 以上。苏州所产芡实为苏芡，历来是苏州的出口商品，苏州市郊常年种植芡实 3 000 ~ 4 000 亩，年产芡实 100 t 以上。由于农村产业结构的调整和苏州工业园区的发展，目前苏芡产区已经很小。但淮安车桥镇的芡实种植颇具规模，目前，该地种植芡实达 25 000 亩，车桥芡实综合加工暨贸易中心初具规模，为芡实产业的发展奠定了很好的基础。

芡实是原卫生部规定的常用药食两用品种，除药用外，还可用于酿酒、加工副食。此外，芡实也可作为保健食品的原料，是出口创汇的品种之一。芡实是江苏水乡重要的经济作物，也是未来中药大健康产业的区域性特色品种。芡实的品质提升及综合利用被列为国家"十二五"重点研究计划项目，吴啟南教授团队对其进行了深入系统的研究和资源化利用开发，具有扎实的工作基础，建议加快成果转化，使研究成果服务于芡实资源产业的增质增效和绿色发展。

（2）莲 *Nelumbo nucifera* Gaertn.

莲为睡莲科植物，其根茎、茎、叶、花、果实、种子等均可药用或食用，可生产藕、藕节、荷梗、荷叶、荷花、莲须、莲房、莲衣、莲子、莲子心等药材或食物。在传统医学中，莲具有解热、镇静、止泻和止血等功效。现代药理研究表明，莲具有调脂减肥、降血糖、抗氧化、抗病毒、抑菌抗炎、抗焦虑、抗抑郁等作用。莲子、荷叶已被列入中华人民共和国国家卫生健康委员会公布的药食两用中药名单和可用于保健食品的中药名单中。以荷叶为主要成分的降脂减肥食疗制品和药物越来越多，这些产品主要用于防治冠心病、动脉粥样硬化及高脂血症。以莲为原料生产的多种食品也深受人们的喜欢，其中，藕汁饮料是目前国内工业化生产较多的产品，比较著名的品牌有江苏的千纤、荷仙等。

根据江苏区划分析发现,江苏各地均可种植莲,目前,宝应湖、大纵湖、白马湖等栽培面积较大。莲全身都是宝,具有很好的开发价值和商业价值。此外,对莲产业化过程中废弃物的资源化利用研究,为莲产业健康可持续发展提供了强有力的科技支撑。

(3)水烛香蒲(狭叶香蒲)*Typha angustifolia* L.

水烛香蒲为香蒲科植物,其花粉可作为蒲黄入药。此外,江苏还分布有东方香蒲 *Typha orientalis* Presl、长苞香蒲 *Typha angustata* Bory et Chaub.、达香蒲 *Typha davidiana* Hand.-Mazz.、无苞香蒲 *Typha laxmannii* Lepech. 等多种香蒲属植物,这些植物的花粉也可作为蒲黄入药。蒲黄是江苏大宗道地药材,畅销国内外。《神农本草经》将蒲黄列为上品,谓其"主心腹膀胱寒热,利小便,止血,消瘀血"。《本草汇言》中有"蒲黄血之上者可清,血之下者可利,血之滞者可行,血之行者可止"的记载。自古以来蒲黄的临床应用就遵循"破血消肿生使,补血止血炒用"的药性法则。现代研究表明,蒲黄的主要药效物质是黄酮醇型、黄酮型、二氢黄酮型和黄烷醇型黄酮类物质,其中黄酮醇类化学成分含量相对较高。香蒲新苷和异鼠李素-3-*O*-新橙皮糖苷是蒲黄中含量较高的黄酮醇类化学成分。

《本草图经》记载:"蒲黄生河东池泽,而泰州者良。"泰州即指今扬州、泰州地区。江苏湖荡、池沼众多,河网纵横,特别是里下河地区的扬州、泰州和洪泽湖地区的淮阴等,是江苏蒲黄药材采集的主要区域。

水烛香蒲的药用部位为花粉,而该植物花期仅有约15天,此时正值农村夏忙季节,劳动力紧张,且花期内易发生暴风雨等自然灾害,难以保持稳产,加之蒲黄收购价格偏低,群众不愿采收。近年来,不少蒲田改为稻田、麦田或养鱼池,同时,因缺乏管理,蒲田老化,蒲黄产量降低。

(4)黑三棱 *Sparganium stoloniferum* Buch.-Ham.

黑三棱为黑三棱科植物,其根茎作为三棱入药。三棱始载于《本草拾遗》,药用历史悠久。在传统医学中,三棱用于各种癥瘕痞块、瘀血经闭。《日华子本草》记载三棱"治妇人血脉不调,心腹痛,落胎,消恶血,补劳,通月经,治气胀,消扑损瘀血,产后腹痛、血运并宿血不下"。现代医学认为,三棱在治疗肝脾肿大、肝硬化、腹腔包块及恶性肿瘤等方面具有较好疗效;此外,三棱具有抗凝和抗血栓形成作用,对组织缺血有一定保护作用,且能增强平滑肌收缩,抑制 B 淋巴细胞转化,促进肿瘤细胞凋亡等。近期研究还发现三棱含有的咕吨酮和三棱内酯 B,可选择性地阻断巨噬细胞 MyD88 与 Toll 样受体 2(TLR2)、Toll 样受体 4(TLR4)的结合,是一个 TLR2 和 TLR4 拮抗剂,还能提高炎症刺激的神经元存活率,减轻脑出血后神经功能缺损,降低脑出血后脑组织含水量,抑制炎症细胞因子表达。

三棱为江苏道地药材,主产于浦口、江宁、六合、盱眙等地,集散于南京,故有"京三棱"之称。京三棱以其质坚、体重、色黄、带粉性被列为佳品,曾畅销全国各地并出口。据历史资料记载,江浦(即今浦口)1957 年三棱收购量为 8 924 kg,1965 年为 7 770 kg,1978 年为 13 585 kg。随着江苏经济社会快速发展，开荒造田，兴修水利，原有荒滩被改造，生态条件的改变导致水生植物急剧减少，黑三棱蕴藏量从 20 世纪 50 年代的近 100 t，减少至目前的不足 1 t。

三棱为常用的活血化瘀类特色药材，中医临床调剂及中成药生产对三棱的需求量均较大。浦口具有丰富的黑三棱种植经验和扎实的生产基础，可考虑有计划地安排栽培生产，恢复原有优势。

三、耐盐药用植物资源适宜生产品种

依据江苏沿海滩涂盐渍化区域的盐度情况，以及市场需求和江苏中药制药原料供给能力、生产力要素投入产出比等多重要素综合分析，适宜发展的耐盐中药品种有牛皮消、苏菊花、北沙参、地骨皮等。

（1）牛皮消 *Cynanchum auriculatum* Royle ex Wight

牛皮消为萝藦科植物，其块根作为白首乌入药。白首乌是江苏特色中药材，主要产于盐城滨海滩涂。本草考证表明，首乌自古以来就分赤、白 2 种，赤者为蓼科植物何首乌的块根，白者为萝藦科牛皮消属的多种植物的块根。据记载，地处黄海之滨的江苏连云港滨海种植白首乌已有300 多年的历史，该地具有偏碱富钾的土壤条件、上淡下咸的特质水系、昼夜温差大的海洋性季风气候，形成了适宜白首乌生长发育、使白首乌优质高产的自然环境条件。

近年来，滨海的滨海港、八滩、临滩、八巨等乡（镇）已发展成为特产道地白首乌药材的主产区。滨海的白首乌生产正向产、加、销一条龙生产模式发展，已相继开发出了白首乌饮料、白首乌食品（糖果、粉和糕点）、白首乌制剂、白首乌酒四大系列产品。目前，滨海白首乌栽培面积为 5 000 亩，其中滨海县农业科学研究所示范园种植白首乌 500 余亩。

近年来，白首乌的基础研究不断深入。研究表明，牛皮消中的甾体酯苷类化学成分具有抗肿瘤、促凋亡的作用；苯乙酮类化学成分可提高抗氧化酶的活性，减轻氧自由基对机体的损害，从而延缓机体衰老；白首乌多糖可降血脂，预防冠心病和动脉粥样硬化，促进胃肠蠕动、保护胃黏膜等。这些研究成果的转化应用必将为白首乌特色资源产业发展带来新机遇。目前，滨海已将白首乌系统开发列为科研重点，并得到了江苏省科学技术厅的支持，相关项目被列入了江苏星火计划项目，盐城将其列为农业产业化项目加以扶持发展。

建议进一步加强产学研合作，从大健康产品、特殊功能生物多糖材料等多方面进行深入研究，发掘牛皮消多元化资源潜力，让这一耐盐植物资源服务于社会人民健康，提升以滨海为代表的连云港区域特色生物资源产业经济。

（2）菊花 *Chrysanthemum morifolium* Ramat.

菊花为菊科植物，其花序为江苏药食两用的大宗药材。江苏自 20 世纪 60 年代末就开始从浙江桐乡引种白菊花和黄菊花，但受生产技术和市场等因素的制约，80 年代以前，江苏菊花生产一直保持在 1 000 ～ 2 000 亩的规模，且主要集中在射阳洋马镇；90 年代后，洋马镇把发展药材生产作为该镇农业产业结构调整的重点；至 2000 年，洋马镇及毗邻的黄尖镇的菊花生产规模已达 25 000 多亩，产量超 3 000 t，占我国菊花药材年需求量的 50% 以上。1997 年，据江苏省环境监测中心监测，菊花生产地区的水、气、土等主要环境要素均符合绿色食品生产的要求。同年，该地区生产的主要药材白菊花被中国绿色食品发展中心认定为绿色食品。90 年代后，随着农村产业结构的调整，加之菊花在沿海盐渍化生态条件下具有较好的适应性，这类环境下生长的菊花品质上乘，有良好的市场认可和经济效益，苏菊生产规模不断扩大，现已逐渐辐射到周边的阜宁、滨海、响水、淮阴及江苏南部的张家港、吴江等地。

江苏所产菊花主要有白菊花和黄菊花 2 种。2000 年，江苏白菊花基地建设被中华人民共和国科学技术部列为"白菊花规范化种植研究"的基地建设项目。在开发利用方面，除供应传统的药、茶及菊花晶外，近年射阳有关企业还以绿色基地生产的白菊花为主要原料，开发出了菊花饮、菊花八宝茶、菊花袋泡茶、菊花米酒、菊花精油等产品，其中，甘露牌菊花茶已获国家绿色食品认证。

值得关注的是，在收获菊花的同时也获得了大量的根、茎、叶，这些宝贵的生物资源含有丰富的黄酮类、酚酸类、倍半萜内酯类以及大分子生物多糖类等资源性化学物质。研究表明，这些化学物质具有良好的抗菌、抗病毒、增强免疫等作用，除深度开发医药健康产品外，尚可用于研究开发中兽药及饲料添加剂等资源性产品。此举可有效地延长苏菊资源经济产业链，提高苏菊产业利用效率和资源效益，同时可避免大量废弃物造成的生态环境污染。

（3）珊瑚菜 *Glehnia littoralis* Fr. Schmidt ex Miq.

珊瑚菜为伞形科植物，生于沿海滩涂耐盐碱地区，其干燥根为江苏特色药材北沙参。北沙参具有养阴润肺、益胃生津的功效；常用于肺热燥咳、虚劳久咳、阴伤咽干、口苦口渴等。化学研究表明，北沙参主要含有香豆素类、聚炔类、单萜类、多元醇类、脂肪酸类等化合物。药理研究表明，北沙参具有镇咳、祛痰、抗肿瘤、抗菌、抑制酪氨酸酶、镇痛、镇静和免疫抑制等多方面的活性。北沙参不仅可以直接入药，也可经过深加工开发成相应的酒类产品、饮料产品、保健品等系列健康产品。因此，野生北沙参资源的抚育更新和人工栽培研究具有十分重要的社会经济意义和生态价值。

连云港沿海滩涂是江苏北沙参的传统道地产区，但由于围海造田、滩涂改造以及大规模的经济建设，北沙参丧失了生长繁育的适宜生态环境，导致自然种群严重萎缩，资源储藏量锐减。

目前北沙参药材的供给主要来自栽培生产，相信随着人们对北沙参医疗和养生保健价值的认识不断加深，以及以北沙参为主的大健康产品开发和产业链的不断延伸，北沙参的市场需求量将会大幅增加，价格也将进一步上涨，北沙参药材适宜生产区的种植积极性也会得到激发。

（4）枸杞 *Lycium chinense* Mill.

枸杞为茄科植物，其根皮作为地骨皮入药；其嫩茎叶被称为枸杞头，是江苏的特色蔬菜；其成熟果实在一定区域也作枸杞子使用。地骨皮始载于《外台秘要》，具有凉血止血、清热退蒸、清泄肺热、滋阴解毒的功效。现代研究表明，地骨皮主要含生物碱类、酰胺类等功效物质，具有降血压、调血脂、降血糖、解热、抗菌、抗病毒等活性。

第四次中药资源普查发现，江苏大丰、滨海、盱眙、淮安、东海、赣榆、海门、启东、海安、常熟、新沂、江宁、浦口、丹徒、高邮等盐渍化程度不等的生态区域均有天然枸杞群落分布，资源蕴藏量较大。此外，江苏民众有春采枸杞苗作为蔬菜食用的习惯，常在房前屋后栽培枸杞。

地骨皮药材长期依赖自然资源供给，但在我国西北、华北地区的枸杞资源分布区，因长期不合理采挖，枸杞资源量大幅度减少，资源紧缺导致地骨皮药材价格节节攀升。适度开发江苏盐渍化区域枸杞资源，并结合枸杞种植生产实际情况，科学论证，合理规划，有计划地发展地骨皮药材基地，既可增加该药材的供给，又可促进该区域特色资源产业的发展。

地骨皮作为常用清虚热要药，用于骨蒸劳热、阴虚发热导致的血糖、血脂、尿酸代谢异常等疾病，是中医临床处方调剂和中成药制造的重要原料。民众喜食的枸杞头自古就有"长生草"的美誉，可入药或食用。因此，在江苏沿海滩涂和盐渍化区域发展枸杞资源生产、深度开发枸杞系列健康产品，将是一篇因地制宜发展特色生物资源产业的大文章，建议当地政府和企业给予关注和重视。

（5）罗布麻 *Apocynum venetum* L.

罗布麻又称茶棵子、茶叶花等，为夹竹桃科植物，能够在盐碱沙荒地等恶劣的自然环境下生长，具有改土保水等良好的生态效用，也可作为观赏植物种植。江苏滨海、射阳、大丰等有大面积野生罗布麻分布，罗布麻叶可以入药，也可制作保健茶，具有平肝安神、清热利水的功效。现代研究表明，罗布麻含有黄酮类、鞣质、有机酸类等化合物，具有降血压、抗氧化和抗抑郁等多种药理活性。罗布麻纤维又是一种不可多得的天然纤维材料，具有抗菌、防臭、防霉、防紫外线等优良特性。随着罗布麻科学研究的不断深入，其社会、经济价值潜力巨大，具有广阔的市场前景。

目前，罗布麻资源的深加工产业发展滞后于资源的供给能力，这一耐盐碱植物宝贵的多用途资源化价值没有充分释放。建议江苏沿海滩涂区域政府加强与医药健康领域、轻化工领域专家的合作，深度开发罗布麻系列健康产品和高附加值天然纤维材料及其系列产品，助力区域经济和健康中国发展。

（6）桑 *Morus alba* L.

桑为桑科植物，其叶片为中药桑叶，嫩枝条作为桑枝入药，干燥根皮称为桑白皮，成熟果穗为桑椹，是药食两用的药材。桑主产于江苏，主要分布于苏州、无锡、丹阳、镇江及如皋、海安等。栽桑养蚕是我国重要的经济业态，也是我国较为完整的经济产业链。

桑叶始载于《神农本草经》，位列中品，自古即有"止消渴"的功效。桑叶中的 1-脱氧野尻霉素（DNJ）及其衍生物等多羟基生物碱类成分具有明显的降血糖活性和显著的抗病毒活性；市

场上销售的 α-葡萄糖苷酶抑制剂阿卡波糖即为 DNJ 修饰物产品；桑叶中的黄酮类成分亦具有降血糖、降血脂、降血压、抗病毒等多种生理活性。桑叶具有丰富的药理活性，现已开发出系列产品以及桑叶复方制剂产品。此外，桑叶还有较高的营养价值，利用桑叶已开发了桑叶茶、桑叶面条、桑叶保健饮料（如桑叶桑椹菊花复合颗粒饮料等）、桑叶粉、苦瓜桑叶片等多种功能食品。桑叶多酚也已开发成抗氧化和保护肝脏的功能食品。桑叶含有丰富的糖、蛋白质、昆虫蜕皮激素、维生素、矿物元素、天然活性物质，作为饲料添加剂可有效地提高畜产品的质量和产量，在出栏前 4 周的肉鸡的饲料中添加桑叶，可提高产肉率、改善鸡肉品质；桑叶可作为泌乳奶牛的补充饲料，能够提高奶牛产奶量。

桑枝富含黄酮类、生物碱类、多糖类、蛋白质类、氨基酸类、有机酸类以及维生素等多种药食两用的活性物质，其资源化利用途径广泛。桑枝中的黄酮类、生物碱类化合物具有显著的降血糖、降血压、抗氧化、降血脂等生理活性，在临床上用于治疗糖尿病，尤其是糖尿病关节病变和周围神经病变，可显著降低血糖、缓解糖尿病症状，其疗效确切。由桑枝中的纤维素制备的膳食纤维素，作为食品添加剂，具有改善人体肠道蠕动功能的效果。桑枝皮含有丰富的果胶（抽提液每升含 222 mg），可以通过碱提、过滤、酸化、沉淀等操作提取。

桑白皮具有止咳平喘、利尿、降血压、安神等功效。桑白皮中的黄酮类、生物碱类、多糖类成分可用于预防糖尿病制剂或辅助降血糖制剂的开发。

桑椹始载于《新修本草》，具有补肝益肾、滋阴养血、黑发明目、祛斑延年的功效。桑椹富含花青素等色素类成分，以及有机酸类、黄酮类、氨基酸类、果糖、维生素等资源性化学成分，这些成分具有清肝明目、增强免疫、抗衰老等作用，桑椹广泛应用于医药行业，现已研发出的系列产品有桑杞脑康颗粒、桑龙利肝颗粒、复方桑椹合剂等。除药用外，桑椹还用来制备果汁、桑果露酒、桑果白酒、桑果酒、果冻、果酱等健康饮料及食品。桑椹对眩晕、失眠、消渴、便秘及类风湿关节炎等有一定的改善和调节作用，已开发的保健产品主要有桑椹保健酒、桑椹饮料、桑椹糖、桑椹蜜饯、桑椹蜜膏等。桑椹富含桑色素类物质，是一种具有开发价值的天然植物色素资源。桑色素属芳香酮类化合物，呈橙黄色，可用作羊毛或棉织物的染料，在染料工业中具有重要的应用价值。桑色素在醇溶液中与铝离子络合成绿色荧光化合物，是铝离子的灵敏试剂。

综上所述，桑浑身是宝，具有较高的资源价值。需要注意的是，面对现代社会消费趋向对传统业态的冲击，桑产业要及时根据市场变化进行产业结构调整优化，充分释放桑资源在大健康产业中的养生保健价值，以及在色素、纤维、饲料添加剂生产等方面的经济价值，让我国古老的桑丝产业焕发出新的活力，造福一方。

（7）蒲公英 *Taraxacum mongolicum* Hand.-Mazz.

蒲公英为菊科蒲公英属多年生草本植物。作为一种药食兼用品种，蒲公英富含蛋白质、碳水化合物、维生素（维生素 A、维生素 B）和矿物元素等多种营养成分，具有较高的营养价值。同时，蒲公英含有蒲公英萜醇类、黄酮类、有机酸类、糖类等多种活性物质，具有消炎利尿、清热解毒、杀菌抗癌、消食健胃等功效。蒲公英作为中药"八大金刚"之一，临床上可以代替抗生素。

第四次中药资源普查发现，江苏宜兴、洪泽、溧阳、铜山等地均有蒲公英分布，资源蕴藏量达 6 920.105 kg/km²。由于野生蒲公英活性物质含量高，药材质量好，相对于家种蒲公英，药企更愿意采购野生蒲公英，野生蒲公英的需求量不断增大，但由于滥采滥挖等原因，野生资源产量连年下降，供求有一定失衡。

蒲公英虽有极强的抗病虫害和抗旱能力，但对水分和肥料有极高的要求，如果水分控制不当就会导致蒲公英的根部腐烂，如果施肥不当就会失去很多药效成分，降低功效。随着医药企业对药材品质的要求不断提升，家种蒲公英质量的不稳定性成为制约蒲公英栽培产业发展的一大难题。蒲公英春、夏、秋三季随时播种（冬季可以采用大棚种植），无污染，无病虫害，适应性强，每年可以收获 4 ~ 5 茬，产量超过 1.5 kg/hm²。同时，蒲公英具有耐盐碱的特性，还可改善沿海滩涂盐碱地环境，具有非常可观的经济效益和生态效益。

近年来，国家对蒲公英资源生产进行扶持，给蒲公英产业发展带来了空前的机遇。除了药用和食用外，蒲公英还可制作成蒲公英茶、蒲公英酒、蒲公英根粉、蒲公英咖啡、蒲公英橡胶等多种产品。因此，建议今后扩大蒲公英栽培面积，加强蒲公英栽培技术研究，提高栽培蒲公英的品质，延伸蒲公英资源经济产业链，以满足医药、化工、保健品行业市场对蒲公英资源的需求。蒲公英可与苹果树、玫瑰、樱桃树等进行套种，形成一种新型的特色种植基地，既能高效利用土地资源，又能带来可观的收益。

【参考文献】

[1] 颜素珠. 中国水生高等植物图说 [M]. 北京：科学出版社，1983.

[2] 中国科学院武汉植物研究所. 中国水生维管束植物图谱 [M]. 武汉：湖北人民出版社，1983.

[3] 刁正俗. 中国水生杂草 [M]. 重庆：重庆出版社，1990.

[4] 李伟，钟扬. 水生植被研究的理论与方法 [M]. 武汉：华中师范大学出版社，1992.

[5] 王苏民，窦鸿身. 中国湖泊志 [M]. 北京：科学出版社，1998.

[6] 刘建康. 高级水生生物学 [M]. 北京：科学出版社，1999.

[7] 中国湿地植被编辑委员会. 中国湿地植被 [M]. 北京：科学出版社，1999.

[8] 赵可夫，李法曾. 中国盐生植物 [M]. 北京：科学出版社，1999.

[9] 胡鸿钧，魏印心. 中国淡水藻类：系统、分类及生态 [M]. 北京：科学出版社，2006.

[10] 管华诗，王曙光. 中华海洋本草 [M]. 上海：上海科学技术出版社，2009.

[11] 吴振斌. 水生植物与水体生态修复 [M]. 北京：科学出版社，2011.

[12] 赵可夫，冯立田. 中国盐生植物资源 [M]. 北京：科学出版社，2001.

[13] 陈耀东，马欣堂，杜玉芬，等. 中国水生植物 [M]. 郑州：河南科学技术出版社，2012.

[14] 黄璐琦，王永炎. 全国中药资源普查技术规范 [M]. 上海：上海科学技术出版社，2015.

[15] 王建. 江苏省海岸滩涂及其利用潜力 [M]. 北京：海洋出版社，2012.

[16] 崔心红. 水生植物应用 [M]. 上海：上海科学技术出版社，2012.

[17] 黄璐琦，陆建伟，郭兰萍，等.第四次全国中药资源普查方案设计与实施[J].中国中药杂志，2013，38（5）：625-628.

[18] 崔心红，陈家宽，李伟.长江中下游湖泊水生植被调查方法[J].武汉植物学研究，1999，17（4）：357-361.

[19] 汤庚国，李湘萍，谢继步，等.江苏湿地植物的区系特征及其保护与利用[J].南京林业大学学报，1997，21（4）：47-52.

[20] 段金廒，钱士辉，史发枝，等.江苏省中药资源生产发展战略研究[J].世界科学技术—中药现代化，2001，3（6）：42-45，81.

[21] 严辉，周荣汉.水生药材资源调查的理论和实践探讨[J].中国现代中药，2012，14（12）：1-3.

[22] 严辉，郭盛，段金廒，等.适宜于我国东部沿海地区水生、耐盐药用生物资源调查方法技术的探讨与实践[J].中国现代中药，2015，17（7）：637-645.

[23] 吴启南，徐飞，梁侨丽，等.我国水生药用植物的研究与开发[J].中国现代中药，2014，16（9）：705-716.

[24] 张凤太，王腊春，冷辉，等.近40年江苏省湖泊形态特征动态变化研究[J].灌溉排水学报，2012，31（5）：103-107.

[25] 彭建，王仰麟.我国沿海滩涂景观生态初步研究[J].地理研究，2000，19（6）：249-256.

[26] 杨桂山，马荣华，张路，等.中国湖泊现状及面临的重大问题与保护策略[J].湖泊科学，2010，22（6）：799-810.

[27] 徐娜，贾建华，罗菊花，等.江苏省湖泊遥感监测及10年动态变化分析[J].长江流域资源与环境，2014，23（4）：468-474.

[28] 王芳，朱跃华.江苏省沿海滩涂资源开发模式及其适宜性评价[J].资源科学，2009，31（4）：619-628.

[29] 刘伟龙，胡维平，陈永根，等.西太湖水生植物时空变化[J].生态学报，2007，27（1）：159-170.

[30] 刘淮兵，关元林.洪泽湖东部湿地保护与利用对策[J].湿地科学与管理，2011，7（3）：43-44.

[31] 纪涛.洪泽湖湿地国家级自然保护区物种多样性与生态规划研究[D].南京：南京林业大学，2007.

[32] 熊亮.江苏沿海重盐土区土壤盐分动态与耐盐植物筛选研究[D].南京：南京林业大学，2008.

[33] 吴向华.苏北海滨盐土对3种耐盐植物种植的响应研究及其微生物资源化利用探索[D].南京：南京大学，2012.

[34] 朱莹.盐城滩涂湿地维管植物群落类型及植物资源调查与分析[D].南京：南京农业大学，2014.

[35] 夏双，阮仁宗，颜梅春，等.洪泽湖湿地的景观动态变化分析[J].南京林业大学学报（自然科学版），2013，37（4）：179-182.

[36] 刘家明.中国海涂土壤资源系统分类探讨[J].资源科学.1998，20（4）：77-84.

[37] 冯义.沿海滩涂土壤的盐分分布特征[J].江苏农业科学，1989（9）：15-17.

[38] 苟富刚，龚绪龙，杨磊，等.江苏沿海地区土体含盐特征及指示作用[J].长江流域资源与环境，2018，27（6）：1380-1387.

[39] 赵庆庆，白军红，高永超，等.黄河三角洲湿地土壤盐离子沿水盐梯度的变化特征[J].农业环境科学学报，2019，38（3）：641-649.

第六章

江苏省中药资源循环利用与产业绿色发展

中药资源是国家重要的战略资源，是保障国民健康、发展民族医药的物质基础。面对 14 亿人民的健康需求，如何使有限的中药资源满足与日俱增的社会需求，促进中医药事业和产业的可持续发展，是摆在各级政府和人民群众面前的重大经济社会和民生问题。

从人与自然的关系来看，人类的生存和发展依赖于自然。生态环境没有替代品，人类活动必须尊重自然、顺应自然、保护自然，否则会遭到大自然的报复。从可持续发展来看，保护环境就是保护生产力，改善环境就是发展生产力。环境就是民生，青山就是美丽，蓝天就是幸福，绿水青山就是金山银山。因此，我们一定要树立大局观、长远观、整体观，不能寅吃卯粮、急功近利。绿色发展是在资源承载力和环境容量下的发展。要以绿色发展为基调，开展生态设计，实行清洁生产，减少有毒、有害原辅料的使用；加强绿色供应链管理，形成固体废物产生量小、循环利用率高的生产方式；发展节能环保产业、清洁生产产业、清洁能源产业，实施国家节水行动，大力发展循环经济，在中高端消费、绿色低碳、共享经济、现代供应链等领域培育新的增长点。

国家中医药管理局出台的《中医药发展"十三五"规划》指出："加强中药资源保护和利用。促进中药制剂原料精细化利用和生产过程资源回收利用，有效提升中药资源利用率。"《中医药发展战略规划纲要（2016—2030 年）》中进一步提出："实施中药绿色制造工程，形成门类丰富的绿色新兴产业体系……建立中药绿色制造体系。"因此，转变资源利用方式，保护生态环境，循环经济、绿色发展已成为经济社会高质量发展的着力点和行动纲领。

江苏作为中医药大省，近年来中医药产业保持稳步较快增长，产值年增幅均在 10% 以上，对于中药材资源的需求量也在不断增长。然而，野生中药资源短缺，引种、栽培品种退化，濒危药材抚育、替代品种研发面临种种困难，这些都制约了产业发展。随着中医药产业的快速发展和资源产业链的拓展延伸，中药资源紧缺问题更加突出，中药材生产和中成药制造过程中副产物或废弃物处理和再利用已成为行业发展面临的新问题，引起业内的广泛关注。中药资源全产业链循环利用与产业绿色发展已成为必然的发展趋势。

江苏省政府依托南京中医药大学建设了江苏省中药资源产业化过程协同创新中心，该中心的科研团队与中药资源产业链上的各生产企业，长期围绕中药材的非药用部位及生产过程中产生的下脚料、固 / 液体废弃物的资源价值创新和产业绿色发展进行系统的探索性工作。研究成果"中药资源产业化过程循环利用模式与适宜技术体系创建及其推广应用"荣获 2018 年国家科学技术进步奖二等奖，这也是继 2011 年"中药资源化学研究体系建立及其应用"获奖之后，形成的涉及科学生产药材与合理利用资源两大板块的中药资源循环利用标志性成果。同时，"中药资源全产业链循环利用适宜模式与技术体系创建及其推广应用"科技成果也荣获中国循环经济领域中药资源全产业链循环利用绿色发展一等奖。这些研究成果为我国中药产业循环经济和绿色发展做出了重要贡献。

第一节　江苏省药材生产与产业绿色发展

中药资源作为中医药产业的物质基础，是中药资源产业链的源头，是资源产业化的基础和核心。目前，自然生态提供的野生药用生物资源种类和数量已不能满足社会需求，百余种常用药材生产现状分析表明，大约 30% 的药材品种和 70% 的药材商品要通过人工生产进行替代和补偿以保障供给。据初步统计，我国有 300 余种常用中药材要依靠人工生产供给，全国的药材种植面积近亿亩，每年药材生产直接产生非药用部位约 8 000 t，加上药材及饮片加工产生的下脚料，每年产生的废弃物有近亿吨。在药材的采收及初加工环节产生的大量废弃物被随意丢弃在生产环境中，这不仅造成了严重的资源浪费，还增加了农田连作障碍和生态环境污染，成为大生态系统和产业绿色发展面临的重大问题。同时，药材生产加工过程中产生的巨量非药用部位和下脚料等若不能进行有效的回收利用和循环发展，不仅会造成中药资源的极大浪费，还会进一步加剧生态环境压力。目前，江苏药材种植面积有逐渐增长趋势，而在药材生产过程中产生的非药用部位及下脚料的生物量巨大，其资源价值创新、处置技术和再生资源化利用已成为行业发展亟待解决的重大问题，也引起了业内的广泛关注和重视。因此，药材生态种植与产业绿色发展成为中药资源可持续发展的重要方向。

一、江苏药材生产及产业绿色发展概况

江苏药材栽培生产有着悠久的历史，但近 30 年，江苏中药农业产业受市场经济影响较大。据统计，2018 年江苏中药材种植面积约 95 万亩。江苏基于其水网纵横、滩涂广阔的独特生态环境，培育了一批水生、耐盐特色品种，其中苏芡实、茅苍术、菊花为《全国道地药材生产基地建设规划（2018—2025 年）》中华东道地药材产区的主要品种，苏芡实和茅苍术还是该规划倡导恢复生产的传统知名药材。目前江苏已形成苏芡实、茅苍术、菊花等道地药材产业区域发展集聚，产量处于稳中略增的发展态势。江苏药材栽培生产的重点区域主要包括射阳、邳州、海安、盱眙、句容、东海、溧水、东台、高邮、宝应等。江苏在国内市场占有率超过 50% 的优势大宗药材品种有菊花、苏芡实、黄蜀葵；药食同源品种包括苏芡实、菊花、白果、薄荷、桑叶、牛蒡、荷叶等。根据江苏第四次中药资源普查结果，主要大宗栽培中药材包括银杏（约 40 万亩）、苏芡实（约 20 万亩）、菊花（约 15 万亩）、瓜蒌（约 5 万亩）、浙贝母（约 2 万亩）、黄蜀葵（约 1.2 万亩）。江苏药材资源丰富，在药材生产过程中也产生了大量的非药用部位废弃物，造成了严重的资源浪费和生态环境污染。例如，菊花为菊科植物菊 *Chrysanthemum morifolium* Ramat. 的干燥头状花序，在实

际生产中仅开放的头状花序被药用，茎、叶、根等非药用部位常被丢弃在田头或被焚烧、掩埋，随意丢弃非药用部位造成了巨大的资源浪费；研究表明，菊花茎、叶、根富含挥发油类、黄酮类、酚酸类、多糖类等资源性化学成分，具有抗菌、抗炎、抗氧化、抗惊厥、调理肠道功能等多种生物活性，开发利用前景广阔。再如，银杏 *Ginkgo biloba* L.的传统药用部位为种仁或叶片，非药用部位落叶、外种皮、花粉、根皮等均含有丰富的资源性化学物质，具有良好的资源利用价值，可开发成具有辅助降血脂、抗肿瘤、防治心脑血管疾病的功能性食品。芡实生产加工过程中废弃的茎叶、果壳，黄蜀葵花生产过程中产生的茎叶等均具有潜在的资源价值和开发前景。

二、药材栽培生产过程产生的废弃物及其分类

药材生产加工过程产生的固体废弃物主要包括采收过程中废弃的传统非药用部位，药材产地加工、饮片加工过程中产生的根头、尾梢、栓皮、果核及破碎组织、碎屑粉渣等下脚料，所有药用生物生长过程中产生的未被有效利用的废弃组织器官、分泌物等，饮片加工过程中产生的不合格品等。

废弃物按其理化性质和特点可分为纤维素类、脂（烃）类、生物大分子类废弃物等；按材料特性可分为草本类、木本类、菌类废弃物等；按所属组织器官可分为根及根茎类、全草类、茎木类、果实种子类、真菌子实体类、动物体或组织类废弃物等；按材料的功用特性可分为补益类、活血类、有毒类废弃物等。

废弃物依据潜在资源价值及资源化途径可分为：①可供药用的废弃物，如非药用部位或富含药用资源性化学成分的中药渣等，可开发成新资源药材、医药产品或原料；②可供食用的废弃物，如部分药食两用中药的非药用部位，可开发成具有一定保健功能及食疗作用的功能性食品；③可转化为高附加值生物基平台化合物的废弃物，经生物转化可将废弃物中的纤维素、半纤维素类成分高值化转化为生物基平台化合物；④可供饲料化的废弃物，经生物发酵转化，可开发高品质饲料或饲料添加剂；⑤可供肥料化的废弃物，经生物发酵转化和元素生物阻控可开发成全元生物有机肥；⑥可供生物质能源化的废弃物，经热化学转化废弃物中的木质纤维素类成分可降解为生物质燃料、生物炭、木醋液等产品。（图1-6-1）

此外，废弃物依据可回收性分为可回收废弃物、不可回收废弃物；依据安全性可分为不含有毒中药的废弃物、含有毒中药的废弃物。中药废弃物大多为一定程度上可回收利用的废弃物，部分含有毒中药的废弃物或发霉变质、存在安全风险的废弃物需经无害化处置后再进行资源化。

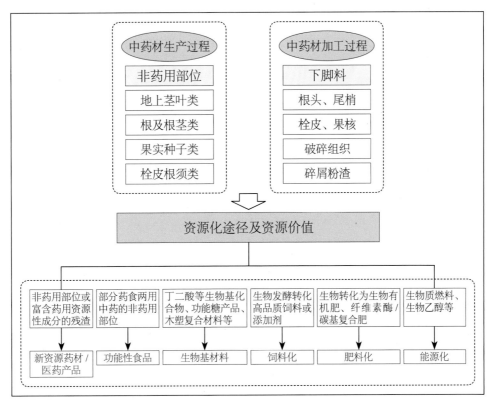

图 1-6-1　中药材生产加工过程废弃物的分类及其资源化途径

三、药材生产过程产生的废弃物及副产物资源化利用与产业绿色发展

在中药农业生产领域，科学规划大宗常用中药材生产区域，实行机械化、规模化生产，可有效提高生产力水平，改变目前生产方式千差万别、产品质量良莠不齐的局面，提升资源生产效率，节约宝贵的土地空间。同时，药材种植过程中因间苗、疏枝、疏果产生的植株、枝条、茎叶、幼果等废弃组织器官，以及药材初加工过程中因去栓皮、去核、去木心等产生的大量非药用部位，尚具有多方面的应用价值，深入挖掘废弃物的潜在利用价值，可减少资源消耗、减少排放，进而节约土地空间、减轻生态负担。

从资源经济学角度来看，中药材生产加工过程产生的非药用部位及下脚料是一类具有特殊形态且蕴含巨大利用潜力的农业固体废弃物，充分加工转化不但能有效发掘利用其资源价值、减少环境污染，而且对改善中药材种植加工基地的生态环境具有十分重要的社会、经济和生态效益，也是依据循环经济原理构建生产、生活、生态、生命一体化协调发展的富裕、健康、文明的社会主义新农村的必然要求。

目前，江苏多数中药材品种缺乏符合 GAP 要求的中药材生产基地，这给中药制药企业中药大品种的质量带来潜在隐患，难以保障企业市场竞争力，进而影响了江苏中药产业的可持续发展。近年来，在国家中药标准化建设、中药溯源体系建设等项目的支持下，部分医疗机构及制药企业已开始着手原料药材基地建设，并取得了一定成效。结合《中药材产业扶贫行动计划（2017—2020 年）》要求，药材基地建设在为江苏中药产业发展提供优质药材的同时，还积极推动了中药农业产业的绿色发展。

下文以江苏道地药材银杏、菊花、丹参、黄蜀葵、栝楼资源的综合利用与产业绿色发展分析为例，进一步阐述中药资源循环利用与产业绿色发展的内涵与发展趋势，推动中药产业资源循环经济发展。

（一）银杏资源生产利用与产业绿色发展

银杏 *Ginkgo biloba* L. 为多用途的经济树种。中国是银杏资源的主产区，种植面积超过 2 000 hm²，占全球的 80% 以上。中国银杏资源主要分布在江苏、山东、安徽、河南、浙江、湖北、广西等地，其中，江苏银杏产业的规模和效益均位居全国之首。江苏有着悠久的银杏种植历史，银杏种植也是建设绿色江苏的重要内容之一，其中江苏泰州、徐州又是银杏种植相对集中的地区，形成了重要的银杏资源生产中心和产品集散地。

2005 年，江苏邳州银杏规范化种植基地通过国家中药材 GAP 认证，随后，邳州又建成了省级银杏生物医药科技产业园，这有力地促进了银杏产业发展，加快了银杏全产业链的延伸，一批银杏精深加工产品应运而生；同时也推动了银杏资源的规模化发展，现已育成银杏成片林 1.6 万 hm²，散生栽培植株 2 000 余万株。据统计，江苏泰兴银杏种植面积达 20 余万亩，白果产量占全国总产量的 1/3。此外，江苏依据各地的自然条件、资源状况、社会经济基础以及发展潜力，确定了 4 个银杏产业优势区域：①淮北产区，以发展叶用银杏、果材两用银杏、花用银杏为主；②里下河产区，以发展果材两用银杏、花用银杏为主；③环太湖产区，以发展果材两用银杏、绿化观赏用银杏为主；④沿海产区，以发展材用银杏、绿化观赏用银杏为主。

从产业发展分析来看，江苏银杏叶作为国内外银杏制剂的主要原料，除了用于我国中药制药企业生产银杏叶片、银杏内酯注射液、银杏酮酯分散片等活血化瘀益气的药物和保健系列产品外，还以银杏叶标准提取物或干叶原料出口德国、法国的制药企业。然而，银杏外种皮、银杏落叶、银杏花粉等资源则被废弃或处于资源化程度较低的状态，亟须提升这类资源的利用效率和效益。

1. 银杏药材生产与开发利用

银杏叶富含黄酮类、萜内酯类、聚戊烯醇类、酚酸类等功效成分，已开发成医药产品、保健品及化妆品等。银杏叶单味制剂产品有银杏叶片、银杏叶颗粒、银杏叶滴丸、银杏叶口服液、银杏叶提取物注射液等，配伍制剂产品有复方银杏叶颗粒、银杏露等。现代研究表明，银杏叶提取物具有扩张血管、改善脑循环、抑制血小板活化因子、抑制肿瘤细胞增殖等作用，可治疗心血管疾病，外用具有抗菌、抗炎等作用。除药用外，银杏叶在化妆品领域也有广泛应用。银杏叶提取物有促进毛发生长的效果，可以添加在洗发液、发乳、美发液等护发生发化妆品中，添加量为 0.1% ~ 1%；银杏叶提取物含有黄酮类化学成分，能消除体内自由基，降低脂质过氧化的速度，还具有超氧化物歧化酶（SOD）活性，添加到乳液、霜膏、水液、面膜、洗面奶中，能使皮肤滋润，富有光泽，减少黑色素的形成，添加量为 0.01% ~ 5%；银杏叶中的双黄酮类化学成分具有拮抗磷酸二酯酶的作用，能减少局部沉着的脂肪，故可用以配制减肥化妆品。

白果富含银杏内酯类、银杏双黄酮类、银杏酚酸类、脂肪酸类、氨基酸类、蛋白质类、多糖类化学物质以及钠、镁、磷、钙、铁、锌、锰、铜、镍等微量元素，具有抑菌、抗过敏、通畅血管、改善大脑功能、延缓衰老、增强记忆力、改善脑供血不足等多种生物活性。白果在医药领域的应用主要集中在心脑血管疾病、湿疹、荨麻疹、皮炎、臭汗症、性传播疾病、妇科病和肛周疾病等方面。此外，白果还可制成饮料、糖果、酒等。

2. 银杏非药用部位资源价值发现与循环利用

（1）银杏外种皮。银杏外种皮中含有近 20 种银杏酚酸类化学成分，且含量较高。研究发现，银杏酚酸类成分具有致敏性、胚胎毒性、免疫毒性和细胞毒性等生物毒性，被认为是银杏叶提取物中最主要的毒副作用成分，但同时也具有较好的抑菌、杀虫效果，被作为植物杀菌剂、杀螺剂、杀虫剂等生物农药广泛应用，具有高效、广谱、无毒、无残留的优良特性。因此，探索银杏外种皮中银杏酚酸类资源性化学成分对农作物病原菌的抑制效用和特色优势，可为银杏外种皮资源的开发利用及在农业生产上的推广应用奠定基础。

（2）银杏落叶。银杏落叶含有萜内酯类与黄酮类资源性化学成分，但是含量偏低，如果在提取精制工艺方面进行改进，可制备银杏落叶提取物，为银杏落叶的开发利用奠定基础。银杏落叶中聚戊烯醇类化学成分含量较高，达 1% ~ 1.5%，有的甚至可达 1.96%。聚戊烯醇及其磷酸酯作为 N-糖蛋白生物合成的载体，对细胞具有修补和双向调节作用，还具有抑制肿瘤、抗病毒、降血糖、护肝和促进造血等功能，因此，可利用银杏落叶制备聚戊烯醇用于医药产品开发。此外，银杏落叶中还含有丰富的莽草酸。据报道，莽草酸是合成抗禽流感药物的重要原料，还具有抗菌、抗肿瘤等生物活性。目前莽草酸主要从八角中获取，我国银杏落叶资源丰富，有望将其开发成制备莽草酸的新资源。

（3）银杏花粉。银杏花粉除含有一定量的银杏黄酮类和银杏内酯类成分外，还富含人体必需的蛋白质、氨基酸、维生素、脂类等多种营养成分，具有提高免疫力、延缓衰老的作用。国内市场上由银杏花粉开发的产品有银杏花粉膏、银杏花粉冲剂、银杏花粉口服液等，这些产品受到消费者青睐，但与市场上其他成熟的花粉系列产品相比，尚需系统研究与开发。结合市场需要和银杏花粉本身的特点，应重视银杏花粉保健品以外的药品、化妆品、促生长剂等产品的开发。

（4）银杏根皮。据统计，仅江苏邳州地区，每年园林绿化、树木移栽会产生约 20 t 的银杏根皮，这些根皮多被丢弃在土壤中任其腐烂分解，无形中造成了资源浪费。银杏根皮中含有丰富的银杏内酯类资源性化学成分，银杏内酯是血小板活化因子（PAF）受体的特异拮抗剂，具有广泛的药理活性。因此，银杏根皮中银杏内酯的开发与利用可为银杏根皮资源的高值化利用提供有效途径。

（二）菊花资源生产利用与产业绿色发展

菊花为菊科植物菊 *Chrysanthemum morifolium* Ramat. 的干燥头状花序，是我国传统常用中药材之一，有 2 000 多年的应用历史，公元 7 世纪传播到日本，是国内外药材市场的重要药材商品。药用菊花主产区分布于安徽、浙江、江苏、河南、河北、福建、江西、贵州等。杭白菊主产于江苏射阳、湖北黄冈、浙江桐乡、安徽亳州、河南武陟等。江苏菊花主产区在射阳洋马镇，洋马镇已经有 50 年的菊花种植历史，其杭白菊栽培面积约 80 000 亩，产量占全国的 60%，洋马镇菊花已获得国家地理标志保护产品认证。目前，射阳已建成全国最大的药用菊花生产基地和国家级白菊花标准化示范区，并成功打造风景独特的十里菊香景区和全国农业旅游示范点。

菊花传统药用部位为开放的头状花序，采收花序后的茎、叶、根常被丢弃在田头或被焚烧、掩埋，造成了巨大的资源浪费与严重的环境污染。

1. 菊花药材生产与开发利用

菊花主要用于药品、化妆品和保健食品的开发和利用。其中，产品种类占比最大的为药品，占比 69.1%；其次为化妆品，占比 16.6%；最后为保健食品，占比 14.3%。自古以来，菊花常与薄荷、连翘、桔梗、苦杏仁、芦根等辛凉解表药配伍，用于感冒、咳嗽、咽喉肿痛及头目不利等；此外，菊花还与地黄、枸杞子、泽泻、茯苓、牡丹皮等配伍，这种配伍多见于杞菊地黄组合，用于肝肾阴虚所致的眼目昏花；菊花与山楂的配伍多见于现代研究，用于降血压。

2. 菊花非药用部位资源价值发现与循环利用

除作为药用部位的花序外，菊花的茎、叶、根在历代本草中也有大量药用或食用的记载。菊花始载于《神农本草经》，位列上品，该书明确指出菊花"正月采根，三月采叶，五月采茎，九月采花，十一月采实，皆阴干"。《食疗本草》记载甘菊"其叶，正月采，可作羹；茎，五月五日采；花，九月九日采"。《本草乘雅半偈》中指出菊花"久服利血气，轻身耐老延年。茎叶根实并同"。关于菊花的药用部位，李时珍在《本草纲目》中指出"有全用者，枸杞、甘菊之类是也"，同时记载"其苗可蔬，叶可啜，花可饵，根实可药，囊之可枕，酿之可饮，自本至末，罔不有功"。《本草纲目》引用《肘后备急方》称菊花可治疗疔肿垂死，言"菊花一握，捣汁一升，入口即活，此种验方也。冬月采根"；又引《世医得效方》称菊嫩苗可治疗妇女阴肿，以"甘菊苗捣烂煎汤，先熏后洗"；引《外台秘要》称菊花可治疗酒醉不醒，"九月九日真菊花为末，饮服方寸匕"。由此可知菊花的花、根及嫩苗除有清热解毒、平肝明目的功效外，还可以用于酒醉、疔肿垂死危重症候，外用可消肿解毒。近 10 年来，菊花的非药用部位资源化利用在日用品、化妆品、畜牧生产等领域的研究日益广泛，并取得了一定的成果。

（1）菊花茎叶。菊花茎叶中含有多种化学成分，研究发现，神农香菊茎叶中侧柏酮（萜类化合物）的含量较高，相对含量达到了 55.18%，侧柏酮的香气与薄荷相似，是一种有香料价值的成分，可加强神农香菊在香料方面的应用研究，制备香囊或空气清新剂类产品。菊花茎叶含有黄酮类、挥发油类等活性成分，给动物喂食菊花茎叶可增强其生长性能。研究表明，喂食菊花茎叶的动物体重高于喂食稻草的动物，并且动物体重随着喂食菊花茎叶量的增加而增加，因此，可进一步探索菊花茎叶在绿色安全的动物饲料方面的应用。此外，菊花茎叶中的挥发性成分也可应用于护肤化妆品和驱蚊、清新空气的日用品中。

（2）菊花根。菊花根中的多糖含量可达 30% 左右，高于花；菊花根还含有大量的氨基酸、核苷酸等营养成分。此外，动物实验表明，菊花根中的多糖能够有效地调节肠道菌群的结构和功能，增加短链脂肪酸含量，从而改善多种诱因引发的结肠炎。

目前，菊花的非药用部位的资源化利用和产业化开发并未形成规模，尚需更为深入、细致的研究。为使菊花的非药用部位资源化利用达到效益最大化，可对其进行多层次、多途径的分类分级利用（图 1-6-2）。一级利用：对菊花采收过程中产生的废弃物（茎、叶、根）进行资源性成分分析与资源价值发现等基础研究，构建挥发性成分、多糖类成分的分离、纯化、富集制备技术体系，进一步开发制备高品质精油、多糖保健产品或原料等。二级利用：利用提取后的菊花茎叶、菊花根残渣进行发酵产酶，将其转化为纤维素酶、木糖醇、生物乙醇等，或将其热解炭化形成生物炭、木醋液等转化产物。三级高值化利用：采用非水相高效生物转化技术，实现资源性成分的生物转化结构修饰，提高转化产物的水溶性和生物活性，提升资源性产品的附加值，实现菊花茎叶的清洁分级利用及耦合高值化利用，为菊花生产过程固体废弃物的资源化利用与产业化开发提供可行的技术方案，延伸资源经济产业链，实现废弃物的零排放，解决菊花生产过程废弃物资源化利用与环境污染等问题。

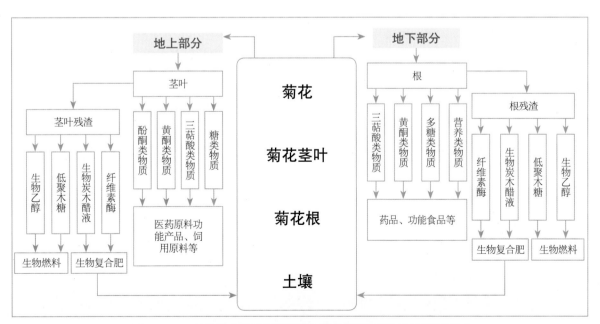

图 1-6-2　菊花的非药用部位的资源价值创新及循环利用发展模式

（三）丹参资源生产利用与产业绿色发展

丹参是唇形科植物丹参 *Salvia miltiorrhiza* Bunge 的干燥根及根茎，是中医临床常用的大宗药材品种，具有活血祛瘀、通经止痛、清心除烦、凉血消痈的功效，也是中成药制剂的重要原料。目前丹参药材几乎全部来源于人工栽培，种植面积达 30 余万亩。种植 2 年的植株的根及根茎作丹参入药，但地上茎叶及花序几乎未被利用，这不仅造成丹参药材生产过程资源利用效率和效益低下，茎叶等非药用部位被随意丢弃在田间地头还会污染生态环境，导致土壤的连作障碍。

野生丹参在江苏分布较广，主要分布于江苏南部丘陵地区，包括镇江、南京、常州等地。根据江宁、溧水、句容等地样方调查结果，丹参在江苏苏南丘陵山地最为常见。丹参在江苏有一定栽培规模，主要分布于涟水、射阳、滨海、东海、淮安、海陵等地，每年种植面积约 2 000 亩。

1. 丹参药材生产与开发利用

现代研究表明，丹参主要的资源性化学成分为丹参酮类、丹参酚酸类，具有强心、抗血栓形成、改善微循环、促进组织修复与再生、抑制过度增生、保肝、抗菌、降血脂等多种生物活性，可用于治疗心脑血管疾病，由此研制出的系列产品有复方丹参口服液、复方丹参注射液、复方丹参胶囊、复方丹参滴丸等。

丹参经水提醇沉工艺所得的沉淀物以及制备丹酚酸注射液的废液中，含有丰富的水苏糖类物质，该类物质具有促进双歧杆菌增殖、改善脾胃功能、调节免疫力、降血糖、降血脂、瘦身美容等作用，可制备成速溶粉末、颗粒、口服液等形式的功能食品；此外，丹参富含维生素 E 和多种微量元素，亦可用于美容美发产品中。

2. 丹参非药用部位资源价值发现与循环利用

随着人口老龄化及心血管疾病发病率的逐年增长，依赖于野生资源的丹参药材已逐渐被人工种植药材所取代。在丹参传统药用部位根及根茎的采收过程中，产生了大量的地上部分废弃物，造成了资源浪费和环境污染。早在清代《医方守约》中就有丹参叶的药用记载"丹参叶捣烂，合酒糟敷乳，肿初起立消"；《山东药用植物志》中记载"丹参茎叶具有活血化瘀，清心除烦之功效"。目前，丹参茎叶已被收录于《陕西省中药材标准》。现代研究表明，丹参茎叶具有抗菌、抗病毒、抗肿瘤、抗氧化、活血化瘀等多种生物活性，可用于冠心病等心血管疾病以及糖尿病糖代谢紊乱等；丹参花可制成丹参花露饮品，具有扩张血管、预防心血管疾病的保健功效。

（1）丹参茎叶资源价值与开发利用。丹参茎叶生物量约占全株的 67%。茎叶中总酚酸的含量等于或高于根，其中含量较高的为丹酚酸 B、迷迭香酸，此外还有丹酚酸 A、丹参素、咖啡酸、阿魏酸等资源性化学成分。活性评价表明，丹参茎叶具有抗艾滋病病毒、抗癌、抗菌、抗炎、抗氧化等作用，还可升高白细胞及血小板，用于原发性或继发性血小板减少性紫癜，以及因化疗或放疗引起的白细胞及血小板减少等。此外，丹参茎叶中钾、锌、铜、铁的含量也明显高于根，并且还含有镁、锰、钴、铬、镍等多种微量元素，可降血压，改善人体胆固醇的异常代谢，对冠心病具有一定防治作用。

丹参茎叶（地上部分）注射液的开发利用。取 2 500 g 丹参地上部分（干品）洗净，切细，用蒸馏水冲洗 2 次，置煎锅中，加入注射用水没过药材。煎煮 2 次（第 1 次 1.5 小时，第 2 次 1 小时），合并 2 次药液，浓缩至每毫升相当生药 2 g，冷却后加入乙醇，边加边搅拌，至含醇量达 75%，冷藏 40 小时，过滤。滤液减压回收乙醇，并浓缩至每毫升相当生药 6 g。冷却后，边搅拌边加入乙醇至含醇量达 85%，冷藏 40 小时过滤。滤液减压回收乙醇，并浓缩至每毫升相当生药 6 g。加入 6 倍量的注射用水搅匀，调节 pH 至 6.5 左右，冷藏约 40 小时，过滤。滤液用 10%NaOH 溶液调 pH 至 6.8 左右，加热煮沸 0.5 小时，加入约 0.5% 活性炭，保温处理 15 分钟，稍冷后滤过。最后用注射用水稀释至每毫升相当生药 1.5 g[浓度与丹参（根）注射液相同]，调节 pH 至 6.8，精滤至澄明，灌封于 2 ml 的安瓿中，100 ℃高温灭菌 0.5 小时即得。

丹参茎叶富含酚酸类成分，其丹参素的含量约为根的 2 倍，因此丹参茎叶可作为提取丹参酚酸类成分的优良原料。有研究采用响应面法优化了超声波辅助提取丹参茎叶总酚酸的工艺参数，确定为：乙醇浓度 63%、浸提时间 43 分钟、温度 50 ℃、液料比为 33 ∶ 1（ml/g）。在此条件下，总酚酸提取率达到 7.78%。此外，有专利以丹参茎叶为原料，经水提取、冷藏及离心过滤、调 pH 值、大孔吸附树脂分离、干燥等工艺制备得到资源性成分丹参素及丹酚酸 B，充分利用了丹参茎叶资源。

丹参叶经超纯水浸提后，加入木糖醇、柠檬酸、蜂蜜等辅料，可制成丹参叶保健饮料。其制备工艺流程为：将丹参叶清洗，用超纯水浸泡，切碎，用水煎煮 2 小时，过滤，滤渣进行二次提取，合并 2 次提取液，放置澄清，取澄清液，加入木糖醇等调配风味，均质，灌装灭菌。

丹参叶采收后经萎凋、杀青、揉捻、干燥处理即得丹参叶茶。丹参叶茶具有调节血脂、改善微循环、抗氧化、延缓衰老、安神利眠的保健作用。

丹参叶配伍芍药花、黄芪、枸杞子可制成具有延缓衰老、美白肌肤的保健食品或药品。

综上所述，丹参茎叶资源具有广泛的应用前景。

（2）丹参花资源价值与开发利用。丹参花为轮伞花序组成的顶生或俯生的总状花序，丹参的花期在 5 ~ 10 月。丹参花中含有烷烃、烯烃、酮醇类等成分。丹参花中的挥发油主要由倍半萜类和脂肪酸类化合物构成，如石竹烯、棕榈酸、杜松二烯、降姥鲛酮-2 等，其中 β-石竹烯是丹参花的主要挥发性成分。丹参花中还含有丰富的丹酚酸类成分，其迷迭香酸的含量远高于叶和根。

丹参花质轻，气香，具有解表散邪、辟秽解毒、疏肝和胃、下气化痰等功效。以丹参花蕾为主要原料，经采收、阴晾、杀青、揉捻、烘干、筛分等工艺程序可以制得丹参花茶，该茶茶色淡雅、茶味微苦而甘、香气清高持久、口感清凉，具有调节血压、降血脂、降血糖、保护心脑血管、消除疲劳、增强免疫力、促进食欲、提高睡眠质量的作用。丹参花中加入薄荷、刺梨汁、甜蜜素等可制成丹参花露饮品，具有扩张血管、预防心血管疾病的保健功能。

（3）丹参须根。丹参的地下须根与根所含的化学成分类型基本相同，主要为丹参酮、隐丹参酮、原儿茶醛及丹参素等。

3. 丹参药材深加工产业化过程下脚料资源价值发现与循环利用

丹参药材既是中医临床常用的活血化瘀的调剂饮片，又是中药配方颗粒、标准提取物、中成药制药等深加工产业中需要的大宗原料，因此长期以来丹参药材的需求量居高不下。经过水提醇沉的丹参药渣中含有丰富的丹参酮类成分和少量丹参酚酸类成分，可从中获得高纯度的总丹参酮（纯度大于 60%）和丹参酮ⅡA、丹参酮ⅡB、隐丹参酮等（纯度大于 95%）。同时，剩余的药渣可进一步发酵转化为纤维素酶，应用于医药及化工行业；丹参药渣亦可直接经热解炭化为生物炭，进一步制备生物炭菌剂，用于土壤改良，使丹参药渣成为再生资源。此外，丹参药渣作为肉猪和肉牛的饲料，能提高肉猪和肉牛的生产性能。

（四）黄蜀葵资源生产利用与产业绿色发展

黄蜀葵 *Abelmoschus manihot* (L.) Medicus 为锦葵科秋葵属植物，其干燥花冠作为黄蜀葵花入药，具有清利湿热、消肿解毒的功效。黄蜀葵花为黄葵胶囊的主要原料，同时也应用于中医临床制剂以及医院制剂的生产。目前，黄蜀葵在江苏泰州、扬州、南通、盐城、淮安、徐州等有一定规模的种植生产，年种植面积约 12 000 亩。然而，黄蜀葵地上茎叶和地下根的生物量为花冠的 10 余倍，这些非药用部位未被有效利用而丢弃，造成资源的浪费和环境的污染，亟需对该类资源进行深度开发和利用。

1. 黄蜀葵药材生产与开发利用

黄蜀葵以花冠入药，内服可用于湿热壅遏、淋浊水肿等，外用可用于痈疽肿毒、烫火伤等。黄蜀葵花也是治疗慢性肾炎药物黄葵胶囊的主要成分，用于慢性肾炎湿热证所致的浮肿、腰痛、蛋白尿、血尿、舌苔黄腻等。黄蜀葵花富含黄酮类资源性化学成分，黄酮类成分含量约为 6%，主要以槲皮素、杨梅素、棉皮素为母核，具有抗菌消炎、保护心脑血管等作用，可通过提高大鼠红细胞免疫黏附能力，促进免疫复合物的转运与清除，抑制系膜细胞的增殖，减轻由循环免疫复合物介导的肾组织免疫损伤，改善肾功能，达到治疗湿热型慢性肾小球肾炎的作用，为黄蜀葵治疗肾炎的主要活性成分。除花冠外，黄蜀葵的其他部位也可入药：种子具有补脾健胃、生肌之功效，常用于消化不良、不思饮食等；叶具有清热解毒、接骨生肌之功效，常用于热毒疮痈、尿路感染、烫火伤、外伤出血等；茎具有清热消肿、滑肠润燥之功效。

2. 黄蜀葵非药用部位资源价值发现与循环利用

（1）黄蜀葵茎叶植物胶的开发利用。黄蜀葵茎叶富含植物胶类物质，经干燥、切割粉碎、磨粉等工艺处理后可制得黄蜀葵胶质原粉，该胶质原粉可进一步通过沉淀法提取黄蜀葵植物胶。植物胶可用于食品、药品、日化、纺织、涂料、造纸、石油、选矿等工业领域。从黄蜀葵茎叶中提取的黄蜀葵胶可用作中药凝胶剂基质，这一应用在扩大中药凝胶剂基质的制取途径、降低成本、减少废弃物污染的同时，还可获得对阴道炎、宫颈炎等妇科疾病具有较好辅助疗效的中药凝胶剂基质。

（2）黄蜀葵茎纤维的开发利用。脱胶后的黄蜀葵茎纤维经漂洗、中和、水洗、染色、皂洗、再水洗、烘干，可得到色泽鲜艳的黄蜀葵纤维，故可将黄蜀葵茎作为麻类的替代资源进行开发，以提高黄蜀葵茎的资源利用价值。

（3）黄蜀葵秸秆的开发利用。以黄蜀葵秸秆为主要原料，经粉碎、电辅加热高速混合、除湿、造粒、挤出、加工成型等步骤制备的塑木材料，具有强度高、握钉力强、木质纤维含量高、抗冲击强度高等特点。

（五）栝楼资源生产利用与产业绿色发展

瓜蒌为葫芦科栝楼属植物栝楼 *Trichosanthes kirilowii* Maxim. 的干燥成熟果实；瓜蒌皮为成熟果实除去果瓤及种子的干燥果皮；瓜蒌子为干燥成熟种子；天花粉为除去外皮的干燥块根。

目前全国栝楼栽培面积超过 50 万亩，每年生产鲜果约 90 万 t，果实主要用于加工食用瓜蒌子，每年瓜蒌子生产可产生约 8 万 t 的干果皮，而全国药用瓜蒌皮的需求量仅约 2 200 t，这导致干燥果皮供过于求。同时，瓜蒌子加工过程产生的鲜果瓤约占其重量的 30%，年产量不少于 30 万 t，这些果瓤不仅没有被利用，还被直接排入生态环境，造成环境污染。此外，栝楼的地下块根经刮皮等加工后作为天花粉入药，然而医药行业对天花粉药材的年需求量在 3 500 ~ 4 000 t，还有大量的块根有待寻求新的利用途径。栝楼生长旺盛，具有大量的地上茎叶，这些地上茎叶也未得到有效利用。栝楼资源生产过程中非药用部位的巨量废弃，不仅造成资源利用率低，浪费严重，也导致了生态环境污染，加大了生态环境的压力，成为产业发展中亟待解决的重要问题，引起社会的广泛关注。

1. 栝楼药材生产与开发利用

（1）在医药领域中的应用。瓜蒌具有涤痰导滞、宽胸理气的作用，用其治胸阳不振、痰阻气滞所致胸痛彻背、咳唾短气之胸痹证，常与薤白、半夏、白酒配伍以通阳散结、行气祛痰，如瓜蒌薤白白酒汤、瓜蒌薤白半夏汤；用其治痰热互结所致胸膈痞闷、按之则痛、吐痰黄稠之结胸证，则可配伍黄连、半夏等清热化痰、散结消痞之品，如小陷胸汤。此外，全瓜蒌甘寒清润，既能清热化痰，又能宣利肺气，用其治痰热阻肺所致咳嗽痰黄、黏稠难咯之证，常与黄芩、枳实、胆南星等清肺化痰药同用，如清气化痰丸。瓜蒌还具有散结消肿之效，配伍清热解毒、消肿排脓的芦根、桃仁、鱼腥草等，可治肺痈胸痛、咳痰腥臭或咳吐脓血；与蒲公英、浙贝母、乳香等清热解毒、活血散结之品同用，可治乳痈肿痛之证。

瓜蒌皮具有清肺化痰、利气宽胸散结之功效，常用于肺热咳嗽、胸胁痞痛、咽喉肿痛、乳痈等；现代药理研究表明，瓜蒌皮能够扩张冠状动脉、抗急性心肌缺血、抗缺氧、抗心律失常。瓜蒌皮在中成药中应用广泛，有化痰散结、活血化瘀功效的丹蒌片中一味重要的原料就是瓜蒌皮；此外，还有以瓜蒌皮为原料的瓜蒌皮注射液，该注射液对于心血管疾病疗效显著，有行气除满、开胸除痹的功效，用于痰浊阻络之冠心病、稳定型心绞痛。

瓜蒌子能扩张冠状动脉，增加冠状动脉流量，对急性心肌缺血具有明显的保护作用；对高血压、高脂血症、高胆固醇血症也有辅助作用，能提高机体免疫力；瓜蒌子质润多脂，有润肠通便、瘦身美白之功效，可与火麻仁、郁李仁等配伍治疗肠燥便秘。

天花粉主要有 3 个方面的用途：①制成中药饮片，煎煮入药；②与其他中药配伍制成中成药，如消渴丸等；③制成天花粉蛋白制品，如天花粉蛋白注射液。

（2）在保健领域中的应用。瓜蒌子中含不饱和脂肪酸、蛋白质、亚油酸及多种氨基酸，以及三萜皂苷、多种维生素和钙、铁、锌、硒等多种微量元素，具有较高的营养价值。栝楼籽油对羟自由基的有效中浓度为 0.23 mg/ml，而玉米油、芝麻油对羟自由基的有效中浓度分别为 0.51 mg/ml 和 0.27 mg/ml，栝楼籽油与芝麻油、玉米油相比，具有更好的羟自由基去除效果，可作为理想的保健性食用油。而炒熟的栝楼种子（吊瓜子），是一款深受消费者欢迎的功能性休闲食品。

以栝楼果实不同部位开发的健康产品类型多样，功效各异。以全瓜蒌配伍白芍、金银花、甘草、香附、僵蚕等，可制成治疗带状疱疹的膏药；以瓜蒌、红枣、桂圆、牛奶为主要原料，加入山药、枸杞子等材料，可制备瓜蒌低糖发酵饮品，该饮品可以帮助肾脏排出体内毒素，促进血液循环；以瓜蒌、枸杞子、红豆等为原料制备的瓜蒌奶茶粉，具有清肺化痰、行气宽胸、补血、促进睡眠的功效。瓜蒌皮中的三萜皂苷提取物具有抗真菌作用，以其为原料可制备治疗脚气的药物；以瓜蒌皮配伍桂花、陈皮、桑椹、甘蓝提取物、蓝莓提取物等制备的营养保健饮料，对长期胃痛反酸、高血压、腰膝酸软、咽喉肿痛有一定的治疗效果；以瓜蒌子或瓜蒌皮为主要原料制备的胃漂浮缓释胶囊，能有效延长制剂在胃中的滞留时间，延长内容物中药效分子的释放时间，从而提高药效分子的生物利用度，减少服药次数；瓜蒌皮配伍半夏、牵牛子、荷叶、山楂、决明子、枸杞子等制备的瓜蒌皮减肥茶，可排毒养颜、减肥降脂；以瓜蒌皮为原料制得的栝楼果脯，有润肺止咳、利咽降火等多种保健功能；以瓜蒌皮、杜果皮和枇杷花为原料，经发酵等工艺可制得保健酱油。以栝楼果瓤为原料可制备栝楼瓤天然防腐剂，向瓜蒌皮水提液及醇提液中加入该防腐剂，可制得栝楼天然植物牙膏，该牙膏清洁效果明显，抗菌效果佳，安全性高，成本低；以栝楼果瓤为原料制备的栝楼瓤美白霜，不仅能保持皮肤水分平衡，还能补充重要的油性成分、亲水性保湿成分和水分，并能作为活性成分的载体，使之为皮肤所吸收，达到调理和营养皮肤的目的；将栝楼果瓤、干葛粉、菊花粉末、金银花粉末混合搅拌均匀，烘干后慢火炒热，可制备成瓜蒌茶，该茶具有祛暑解毒的功效，用于肺燥热渴、大肠秘结等；栝楼果瓤配糯米、粳米、红糖等制备的栝楼瓤糕，具有清肺化痰、利气宽胸、散结消肿的功效；采用双酶法破坏细胞壁中的胶质和纤维素，释放栝楼果瓤细胞内的黄色素，可制得栝楼黄色素。栝楼果瓤、果皮中富含糖类资源性成分，利用分离纯化技术制备的多糖、寡糖或单糖可应用于医药、保健、轻工业等各类资源性产品的开发。研究表明，瓜蒌多糖可显著提高免疫抑制小鼠的脏器指数、巨噬细胞吞噬能力和淋巴细胞增殖能力，具有良好的增强免疫、抗氧化和保护心脏等活性。瓜蒌子的多糖提取率可达 3.60%，该多糖对羟自由基的清除能力强于柠檬酸和抗坏血酸。

以栝楼根开发的健康产品类型较少，功效各异。以雄栝楼的根或下脚料发酵制备的天花粉饮料，具有增强抵抗力、保护胃肠功能、防治心脑血管疾病、美容护肤、减肥瘦身、延缓衰老的功效。天花粉中的三萜类成分可用于制备治疗糖尿病的功能食品及药物。天花粉配伍茯苓、山药、瞿麦等可用于前列腺炎。天花粉配伍桔梗、半夏、瓜蒌等可用于乳腺炎、乳癌。另外，以天花粉、菱苦土、介孔磷酸铁锂、红线虫干粉、丝瓜络、川槿皮、西红花、土壤调节剂等配伍制成的西府海棠专用肥料，能提高西府海棠的抗病性和免疫力。以天花粉为原料制备的杀虫剂具有绿色环保、无毒副作用、杀虫效果较好的特点。以天花粉为原料，探讨提取溶剂、时间、温度等因素，可优化出最佳提取瓜氨酸的方法。

2. 栝楼非药用部位资源价值发现与循环利用

栝楼果瓤、栝楼叶、绿茶、柚子皮、茉莉等经发酵制备的栝楼茶醋饮料，具有降血脂的功效。以百香果提取液熏蒸制备的栝楼叶茶具有水果清香，成茶滋味醇厚而不苦涩。栝楼叶配伍瓜蒌子、山楂等制成的饮品具有开胃、消食的功能。栝楼叶与桂花经发酵等工艺制备的发酵型桂花栝楼茶，具有排便通肠、美容养颜等功效。将栝楼卷须及栝楼嫩茎密封腌制，可得栝楼腌渍菜，这提高了栝楼资源的利用率。栝楼叶经 2 次发酵、均质、干燥等工艺可制备栝楼叶速溶粉，该制备方法简单，可进行批量生产，能增加栝楼叶的应用途径，使种植农户的经济收入提高 18.3%。

栝楼果实，特别是废弃的果瓤以及剩余的果皮，经高温热裂解后可制成生物炭，或者利用微生物厌氧发酵技术将富含淀粉等的多糖类成分转化为乙醇、沼气等生物质能源以及肥料资源，从而部分替代煤炭、石油、无机肥料。果瓤中富含糖类、核苷、氨基酸、蛋白质等营养物质，可开发成动物饲料或饲料添加剂，减轻环境污染的同时还可给畜牧养殖业提供新型保健饲料。

栝楼根提取三萜、多糖、蛋白质等资源性成分后的残渣，可进行发酵处理，转化成高活性的纤维素酶，也可经热解炭化生产生物炭及碳基复合肥料的原料，形成源于农田、归于农田的中药资源循环利用模式。栝楼根中的多糖类成分可作为原料，搭配增塑剂等材料，经均质、糊化、乳化、消泡等工艺制备生物降解的地膜，这种地膜可有效减少降解后化学试剂等残留引起的不良后果，具有重要的经济价值和环保价值。栝楼根中富含糖类、蛋白质等营养成分，也可开发成动物饲料或饲料添加剂。

栝楼茎叶中的纤维素类成分可经酶解转化为聚合度不同、可吸收利用的糖类物质，利用微生物发酵技术或固定化技术可将来源于植物半纤维素的木糖转化为木糖醇，提高茎叶的经济效益。获取黄酮、多糖等资源性成分后的栝楼茎叶残渣，多富含纤维素、半纤维素或者木质素，是一种具有开发潜力的生物质资源。废弃的栝楼茎叶经腐熟处理后，可作为基质用于中药材、蔬菜或果苗的无土栽培，该基质充分利用茎叶所含的营养成分，避免了土壤中重金属、农药等有毒物质对中药材、蔬菜或水果的污染，也能避免长期使用化肥等造成的土壤板结、有机质低以及灰钙土等问题。通过生物质热解技术可将栝楼茎叶等废弃物降解成生物炭、生物质焦油、生物质醋液和生物质燃气等；栝楼茎叶亦可经纤维解离、板坯成型和无胶轻质纤维板的胶合等工艺制备成纤维板。

四、中药农业生产过程产业绿色发展的必然性

《中共中央关于坚持和完善中国特色社会主义制度、推进国家治理体系和治理能力现代化若干重大问题的决定》中指出，全面建立资源高效利用制度，健全资源节约集约循环利用政策体系，普遍实行垃圾分类和资源化利用制度，推进能源革命，构建清洁低碳、安全高效的能源体系。《中华人民共和国国民经济和社会发展第十三个五年规划纲要》指出大力发展循环经济，实施循环发展引领计划，推进生产和生活系统循环链接，加快废弃物资源化利用。2016年发布的《"十三五"国家科技创新规划》指出：发展资源高效循环利用技术，重点推进大宗固废源头减量与循环利用、生物质废弃物高效利用等关键技术与装备研发。

我们应该看到，我国有着全世界22%的人口，却仅有全世界7%的耕地，且由于水土流失及环境污染，导致可耕种土地面积不断减少。国内外市场对中药资源性健康产品的需求量大幅增长，也将进一步加剧天然药用生物资源种类和数量日趋紧缺或濒于枯竭，为满足市场对中药资源的需求，人工生产的药材品种日益增多，药材的种植面积不断扩大，种药与种粮争夺土地和水资源的矛盾也不断加剧。

利用效率的提升是实现资源节约型和环境友好型循环经济、保障医药事业可持续发展的重要途径。有限的资源依赖于科技进步和社会发展带来的更为高效的利用方式，而资源的无限性则正是这种进步与发展的永恒。其目的是科学合理地生产和利用中药资源，有效地延伸和发展中药资源经济产业链，构建中药农业生产过程资源循环利用和经济产业绿色发展模式，推动实施中药产业可持续发展的生产方式。由此可见，发展中药农业生产与资源循环利用、产业绿色发展具有重大而深远的战略意义和社会意义。

江苏省中医药发展战略规划（2016—2030年）中提出，开展中药材品种资源普查，建设中药材资源监测和信息网络，切实加强对中药材资源的有效保护、研究开发和合理利用。发展绿色中药材种植养殖业，加强对中药材种植养殖的科学引导，加强常用大宗中药材规模化、规范化、产业化种植养殖基地建设，支持中医机构、中药生产企业建立中药材种植养殖基地。加强中药材生产技术创新研究，发展道地中药材产地深加工技术，保障中药材生产质量安全，建立中药材生产流通全过程质量管理和追溯体系。加大中药材市场监督检查力度，依法严厉打击制售假劣中药

材、中药饮片等违法犯罪活动。改善中药材及中药饮片贮存保管条件，规范中药材种植、生产、经营、流通和使用行为，确保中药质量安全。

第二节　江苏省中药工业生产与产业绿色发展

2019 年 1 月 23 日，中央全面深化改革委员会第六次会议审议通过了《关于构建市场导向的绿色技术创新体系的指导意见》，该意见的出台强化了科技创新对绿色发展的引领作用，体现了人与自然和谐共生现代化的重要内涵，是建设绿色低碳循环发展经济体系、推动经济社会和生态环境协调发展的内在要求。近年来，随着社会需求的日益增长和科技进步，我国以消耗中药及天然药物资源为特征的资源经济产业得到快速发展，社会贡献率强劲增长，中药资源产业的贡献率已占全国医药产业总额的 1/3，同时中药资源产业的发展也造就了一大批年产值超过 10 亿元、50 亿元，乃至百亿元的标志性中药资源深加工制造企业。然而，这些生产企业大部分仍采用大量生产、大量消耗、大量废弃的传统生产方式，表现为依赖于自然生态提供的宝贵天然药物资源，或是通过占有大量的生产力要素生产药材，资源利用率平均低于 30%，约 70% 的剩余物和副产物被作为废弃物排放或简单转化为低附加值产品。

一、江苏中药工业生产与产业绿色发展现状

（一）江苏中药工业生产现状

江苏中药制药产业发展迅速，中药材资源及中药饮片需求量逐年递增，中药配方颗粒等新型中药产品显现勃勃生机。2018 年，江苏医药产业总产值已达 5 000 亿元，位居全国前列，其中中药工业约占 1/3，拥有热毒宁注射液、生脉注射液、脉络宁注射液、桂枝茯苓胶囊、黄葵胶囊、胃苏颗粒、银杏叶片、蒲地蓝消炎口服液、蓝芩口服液、小儿豉翘清热颗粒、三拗片、新生化颗粒等 20 个销售额过亿元的中药大品种以及六神丸、王氏保赤丸、季德胜蛇药片等特色名优产品。同时，随着社会需求的日益增长和科技进步，江苏以中药健康产品、配方颗粒、标准提取物等为主的深加工产业得到快速发展，社会贡献率强劲增长，造就了扬子江药业、济川药业、康缘药业、苏中药业、金陵药业等一批行业内标志性中药资源深加工制造企业，其企业规模、GMP 软硬件设施、产业能力均处于国内外先进水平。然而，分析其经济发展模式和生产方式发现，大多数企业仍处于大量消耗资源性原料、大量排放固液废弃物、资源利用效率低下、再生利用能力及再生产业发展薄弱的传统线性生产阶段，这滞后于现代经济产业发展的范式和循环经济产业结构的要求。

分析表明，药材作为中药深加工制造产业的原料，经水提、醇提或其他方式进行富集、纯化，进入口服制剂或标准提取物等各类型资源性产品生产阶段，其利用率平均低于 30%，约 70% 的剩

余物和副产物被作为废弃物排放或简单转化为低附加值产品。中药注射剂在中药资源产业体系中占有举足轻重的地位，然而其终端产品中资源性化学物质的含量仅为药材原料质量的1%～10%，也就是说用于中药注射剂生产的药材资源利用率大多不足10%，90%的物质量被废弃，造成了中药资源的大量浪费，生产过程中废渣、废水的排放也给生态环境带来了巨大压力。因此，若不能有效推进中药资源产业化过程的循环利用和再生产业发展，那结果必然是中药资源产业的GDP越大，中药资源经济活动中的实物流量和资源消耗量就越大，生产过程产生的废渣、废水、废气等中药废弃物就越多，环境压力就越大。这种传统工业的"高投入、高消耗、高排放、低产出"的落后经济发展方式和经济形态将受到更多的社会与环境制约，面临更大的资源消耗和环境保护问题。

（二）中药工业生产过程产生的废弃物及其分类

1. 中药工业生产过程产生的固体废弃物

该类废弃物主要为中药提取物制备过程中或以消耗中药及天然药用生物资源为特征的资源性产品制造过程中产生的废渣、沉淀物等，或获取某一类或某几类资源性物质后废弃的其他类型可利用物质等。例如，丹参类注射液制备生产过程主要采用水提醇沉工艺，而脂溶性的丹参酮类成分残留在药渣中不能得到充分利用，导致丹参资源性化学成分的浪费和资源利用效率低，同时造成环境污染。

中药配方颗粒产量增长迅速，消耗了大量的药材和中药饮片，其制备工艺以水提为主，产生的废弃药渣保留了丰富的次生小分子脂溶性成分和大分子初生产物等可利用物质，值得进一步开发利用。

中药复方制剂生产过程中产生的巨量的药渣或沉淀物，目前尚未得到有效利用和无害化处理，给生态环境带来了巨大压力，其潜在资源化前景广阔。例如，生脉注射液由人参、麦冬、五味子3味药组方，经水提、精制等工艺制成注射剂，其制备过程中产生的药渣、沉淀物等废弃物及副产物含有丰富的多糖类、纤维素及半纤维素类、木脂素类、脂肪酸类等成分，具有制备成家畜家禽免疫调节剂、饲料添加剂等资源性产品的潜力。

2. 中药工业生产过程产生的液体废弃物

该类废弃物主要为中药原料提取、精制过程中产生的液态废弃物，其中含有丰富的有机酸类、多酚类、氨基酸类、肽类、水溶性蛋白质及多糖类物质，以及生产过程产生的水解产物、氧化聚合产物等。目前，工业化生产中常采用大孔吸附树脂、聚酰胺树脂、离子交换树脂等分离材料和陶瓷膜、有机膜等超滤材料进行中药水提物精制处理，该过程形成大量的洗脱废水等，这些制药废水多呈现水量小、有机物浓度高、色度高、冲击负荷大、成分复杂的特性。

3. 中药工业生产过程产生的气体废弃物

该类废弃物主要为中药资源产业化过程中未回收利用的具有挥发性或升华性的单萜、倍半萜等小分子混合物。富含易挥发化学成分的芳香全草类药材有薄荷、荆芥、佩兰、青蒿等，花类药材有辛夷、金银花、玫瑰花、丁香等，果实种子类药材有小茴香、豆蔻、砂仁、葫芦巴等，这些药材在水提取过程中易产生气体废弃物。此外，大黄、羊蹄等富含蒽醌类物质的药材及饮片在干燥过程也会产生易升华产物等。

（三）中药废弃物分类资源化利用及产业绿色发展

针对废弃物的特性和资源化潜力，加强对有毒有害废弃物和可回收废弃物在收集、贮存与运输过程中的管理，采取必要的污染防治措施。建立中药废弃物产生、收集、贮存、运输、回收利用等处理及处置环节的管理台账，建立健全的资源化利用过程中污染控制标准体系，强化废弃物产生环节污染控制技术工艺要求，建立健全的污染防治责任制度，制定污染防治措施和应急预案，杜绝环境污染现象和事故发生。

中药工业生产过程产生的中药废弃物具有一定的潜在资源价值，可通过不同的资源化途径提高资源利用率（图1-6-3）。应用生物转化技术可将废弃物转化为高附加值的生物基平台化合物，或将废弃物中的纤维素类、半纤维素类成分高值转化为高附加值转化产物；应用生物发酵转化可开发高品质饲料或饲料添加剂；应用生物发酵转化和元素生物阻控技术可将废弃物开发成全元生物有机肥；可供生物质能源化的废弃物，经热化学转化技术，可将废弃物中木质纤维素类成分降解为生物质燃料、生物炭、木醋液等产品。

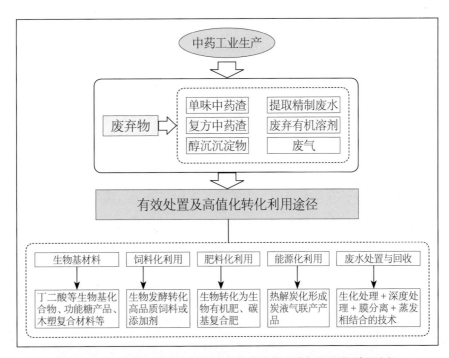

图 1-6-3　中药工业生产过程产生的废弃物分类与资源化利用途径

中药废弃物进行分类资源化利用时，应采用清洁的原料、清洁先进的生产工艺技术和装备及各种综合利用措施，最大限度减少废弃物排放带来的资源能源浪费和环境污染，变废为宝。首先，研发中药固体废物分类资源化利用的关键共性技术和重点装备，高效提取、生物质转化利用，包括固体废物饲料化、肥料化、能源化、工业基料化利用等。其次，推广应用创新技术，建设重大试点示范工程；完善资源再生产品的质量标准体系，推动产品顺利进入市场。最后，逐步构建中药废弃物分类分级资源化利用体系，实现资源能源消耗最小化、资源利用最大化，最终实现中药产业"零排放"的长远目标。

由于对中药废弃物资源价值认识的局限性，加之经济利益驱使，以往对中药废弃物的重视度不够。随着科学技术的不断进步和生态环境保护意识的提高，形成中药废弃物的分类管理、分类分级利用及循环利用模式的良性机制，制定有利于中药废弃物资源化、无害化处置的系统管理方法将成为必然趋势。

二、江苏中药工业生产过程产业绿色发展实例分析

江苏是中药制药大省，目前拥有近 20 个单品种年销售额过亿元的中成药品种，近 10 个单品种年销售额超过 5 亿元的中成药品种。但江苏中药产业发展模式仍属于大量生产、大量消耗和大量废弃的传统生产方式，这造成中药资源的严重浪费，给生态环境带来巨大压力。对中药废弃物实行分类处理、资源化利用及产业绿色发展势在必行。因此，通过提高中药制药过程资源利用效率，提升资源性产品品质和产业竞争力，是增强江苏中药企业综合竞争能力的内在需求，也是转变产业发展模式的重要途径。

中药工业生产过程产生的废弃物来源复杂，组成多样，理化特性差异较大，资源化程度不一，因此开展中药资源产业化过程废弃物的循环利用与产业化开发具有复杂性和连续性。中药资源循环经济体系的构建不仅取决于科学技术的发展程度，还受配套政策法规建设的影响，现有政策法规在一定程度上制约了中药废弃物多元化利用研究成果的有效转化。因此，实现中药资源产业循环经济模式的构建亟须政府、社会和企业共同支持，在充分论证的前提下，基于循环经济发展理念，从政策保障层面拓宽中药废弃物资源化利用途径，以全面推动中药资源产业循环利用与绿色发展。

（一）单味中药提取物及配方颗粒生产过程废弃物的资源价值创新与产业绿色发展

江苏中药提取物及配方颗粒产业发展势头强劲，中药配方颗粒以其使用方便、计量准确的优势赢得了广大消费者的青睐。配方颗粒虽隶属中药饮片，但其近年的增长速度却远超中药饮片的整体增速，年复合增长率近 30%，是医药行业为数不多的保持超高速增长的细分领域。据统计数据，江苏天江药业中药配方颗粒的市场份额约为全国的 50%，红日药业中药配方颗粒产业增长

较快，2016年市场份额上升至19.94%，华润三九医药股份有限公司中药配方颗粒的市场份额为17.23%，位居第三。

以丹参为例，目前在以消耗丹参资源为主的产品的生产过程中多采用水提醇沉工艺，这会产生大量的丹参药渣及醇沉沉淀物。丹参药渣中含有丰富的丹参酮类成分和少量丹参酚酸类成分，通过研究，采用从丹参药渣中快速分离获得丹参酮类成分的中、高压制备液相技术，可获得高纯度的总丹参酮（纯度大于60%）和丹参酮ⅡA、丹参酮ⅡB、隐丹参酮等（纯度大于95%）；利用光合细菌生物转化技术对丹参药渣中丹酚酸类成分进行转化，提高总丹酚酸含量；剩余药渣进一步转化为生物炭，制备生物炭菌剂，用于土壤改良。以上资源利用方法使得丹参药渣成为再生资源以生产再生产品，提升了丹参资源的利用价值和利用效率，推动了丹参资源循环利用和循环经济的发展。同时，通过建立固体废弃物生物炭-热-肥联产的生产技术与质量标准，解决了废弃物造成的生态环境污染问题。此外，丹参药渣中存在大量的植物蛋白、纤维素及糖类等成分。丹参水提醇沉沉淀物中主要含有寡糖类成分，其中具有重要资源价值的水苏糖含量较高。

（二）复方中药制剂生产过程固体废弃物的资源价值创新与产业绿色发展

江苏是中医药大省，近年来中医药产业保持稳步、较快增长，年增幅均在10%以上。江苏有中医药企业100多家，产值超百亿元的企业有1家，超十亿元的企业有4家，其中泰州的中药制剂产值占全省三成以上。江苏现有银杏叶片、生脉注射液、脉络宁注射液、桂枝茯苓胶囊等超亿元的大品种20个，其中超10亿元的品种有4个，位居全国前列。

1.中药废弃物的生物炭化及联产气、液关键技术

针对中药制药过程中的高含水中药复方药渣排放等环境难题，创新热解炭化工艺，研制适宜技术装备，将之应用于以稳心颗粒为代表的复方药渣资源化利用与有效处置中，将中药复方药渣转化成清洁燃气、生物炭等资源性产品，所产生的清洁燃气／蒸汽可为工业生产提供清洁能源，热解炭化／气化后的生物炭／草木灰可作为复合有机肥料用于中药材种植，实现中药渣无害处理与伴生能源收集／转化利用的集成创新，以及循环利用和处置过程零排放。

基于中药废弃物的炭化、气化的多联产技术是指以中药废弃物为主要原料，制备生物炭，同时联产生物质可燃气、生物质提取液（活性有机物和焦油），并将三相产品分别加工开发成多种产品的技术。通过炭化多联产技术，不仅可有效消耗中药药渣等中药废弃物，减轻环境承载压力，同时也可制备生物炭、生物质可燃气、生物质提取液等资源性产品，实现中药资源产业的循环经济发展。

生物炭含有大量的碳和植物营养物质，可作为土壤改良剂提高土壤肥力，进一步提高农作物产量；同时生物炭具有较大的比表面积，且表面含有较多的含氧活性基团，可吸附土壤或污水中的重金属及有机污染物等。中药固体废弃物作为新型生物炭来源，由其生产的生物炭对碳、氮具有较好的固定作用，可有效增加土壤碳源，有利于土壤微生态的稳定和平衡，减少药材种植过程

多发的连作障碍和土壤板结问题，在中药农业和生态环境修复中具有广阔的应用前景。

2. 中药废弃物的生物转化技术

通过微生物发酵法将废弃药渣或沉淀物转化为菌体蛋白饲料，用于畜牧业、家禽养殖业等，既可变废为宝，又可节约成本。该方面的有关研究较多，如利用白腐菌对中药复方药渣（经浸提煎煮后的野菊花、忍冬、夏枯草等）进行固态发酵，发现在经过白腐菌 3 ~ 5 天的静态发酵后，发酵产物的真蛋白质量分数可达 19.05%，是原料本身真蛋白质量分数的 1.7 倍；粗纤维质量分数由 29.14% 降到 17.42%，经发酵后的药渣可作为蛋白饲料资源。

利用微生物处理废弃药渣或将废弃药渣与家禽粪便混合处理，可获得农业用绿肥，用于农业生产或中药材生产，可实现中药废渣的良好生态循环。中药废渣富含有机质及氮、磷、钾等养分，质轻，通气性好，是一种优质的有机肥和轻基质原料，同时可改善土壤的通透性。脉络宁的药渣与适量的无机肥和生物菌肥配合施用，可快速提高生土活性与生土供养能力，促进生土团粒结构形成，使生土快速熟化，实现当年熟化当年丰产；在与鸡粪投入成本相当的情况下，脉络宁注射液药渣的改土、增产效果优于鸡粪。

以中药废渣为主要原料，工厂化制作食用菌栽培基质是目前较为成熟的药渣利用途径。回收食用菌使用过的栽培基质，经 pH 调节后直接种植草菇或加入少量的牛粪、碳棒灰进行高温好氧发酵处理，可制作蔬菜育苗基质、蔬菜栽培基质、有机无机肥及生物有机肥；草菇使用过的栽培基质、有机肥及育苗基质可随秧苗定植回田，能改良土壤。这套模式对中药废渣进行了三级循环利用，实现了资源利用最大化和环境污染最小化，促进了农业环境的可持续发展。

此外，尚有多方面的中药废渣开发利用：将中药废渣制成花肥；利用工业纤维素酶使中药废渣中的纤维素降解为 β-葡萄糖；日本公司利用中药废渣制造包装纸，用于药品的包装；以中药废渣作絮凝剂，处理造纸废水，与无机絮凝剂、有机絮凝剂对比，中药废渣具有良好的絮凝效果，并且作为天然高分子絮凝剂的中药废渣制备简单，对造纸废水具有良好的处理效果；板蓝根药渣能快速吸附大量的铅，对低浓度的铅溶液吸附率更高，吸附速度更快；甘草药渣纤维可作为烟草薄片原料等。

（三）中药工业生产过程液体废弃物的回收利用与产业绿色发展

中药标准提取物及以消耗中药及天然药用生物资源为特征的资源性产品生产过程中产生大量含有天然有机物的液体废弃物，其主要含有纤维素、半纤维素、糖类和蛋白质等各种天然产物，以及分离纯化过程使用的各种有机溶剂等。中药液体废弃物主要来源于前处理车间清洗原料废水、提取车间提取废水和部分提取液以及过滤后的污水、浓缩制剂车间废水、蒸汽冷凝水、处理离子交换树脂酸碱液的中和水、清洗罐体及管道和地面的冲洗水等。中药液体废弃物通常属于较难处理的高浓度有机废水，因提取物产品、生产工艺的不同而差异较大，水质波动较大，化学需氧量（COD，即废水用化学药剂氧化时所消耗的氧量）可高达 6 000 mgPL，生物需氧量（BOD，即废水用微生物氧化所消耗的氧量）可达 2 500 mgPL。

我国早在 1973 年就颁布了《工业"三废"排放试行标准》（GBJ 4—73），该标准对排入地面水中的工业废水中 19 项污染物或有害因素的排放标准进行了规定。1988 年国家环境保护局重新修订颁布了《污水综合排放标准》（GB 8978—88），该标准适用于排放污水和废水的一切企事业单位。目前执行的标准是 1996 年 10 月 4 日批准，并于 1998 年 1 月 1 日开始实施的《污水综合排放标准》（GB 8978—1996），中药提取行业废水的排放依照该标准执行。

1. 中药提取物生产过程中中药液体废弃物回收利用的基本方法

根据污染物在治理过程中的变化，废水治理可以分为分离治理和转化治理 2 大类。分离治理是指通过各种外力（物理或物理化学）的作用，使污染物从废水中分离出来，一般不改变污染物的化学本性；转化治理是通过化学或生物化学方法，改变污染物的化学本性，使其转化为无害的物质或可分离的物质，后者再经分离予以去除。按照废水治理手段划分，废水治理方法主要有化学法、传质法及生物处理法。化学法包括混凝法、中和处理法、氧化法等；传质法主要有汽提法、吹脱法、吸附法（离子交换）、膜分离法等；生物处理法主要包括活性污泥法、生物膜法和厌氧生物处理法等。因为植物提取物生产过程中的液体废弃物因提取物产品和生产工艺不同而差异较大，因此在治理过程中，通常会用到几种不同的处理方法或是几种方法的不同组合。在以上方法中，应用最为广泛的是生物处理法。据统计，全世界用生物法处理的废水量占处理废水总量的 65%。

2. 中药提取物生产过程中中药液体废弃物回收利用流程

中药提取物生产过程中的废水，不仅因为目的产物不同、工艺不同而水质不同，同一企业用同一工艺生产同一目的产物的不同工段，废水水质差异也甚大。较为先进的治理方法是将不同性质的废水分类收集、分类处理。对于中药提取业清洗原料的废水和各种工业设备的冷却水，可采用相对简单的冷却、过滤、沉降等物理方法处理，降低水温，除去其中的植物原料枝叶及泥沙后即可循环使用；提取车间、制剂车间的废水及罐体、管道的冲洗水，可根据其废水的特性（含酸、含碱、含植物提取残渣、含有机溶剂、含难生化降解有机物、含对微生物有抑制作用的植物天然产物等情况）采用中和、混凝、氧化及生物处理等相应的行之有效的方法，使其中资源性化学成分得以利用，提高中药资源利用率。

3. 中药制药废水的再生利用与无害化处置

中药资源性产品制造过程中产生的固体废弃物含水量为 50% ~ 80%，易腐烂变质，有些呈弱酸碱性，是环境污染源之一。中药废渣常富含纤维素、蛋白质或木质素，是一种具有发展潜力的生物质资源，通过脱水干燥、燃烧发电、气化发电以及集成乙醇发酵、沼气发酵的复合转化等技术可使其转化利用。中药废渣与木屑类似，其热解气化性能优良，产气率约为 2 m^3/kg，燃气热值为 1 100 ~ 1 200 kcal/Nm^3，燃气燃烧稳定，清洁度高。将柑橘加工废弃物作为甲烷生产原料，用侧孢霉属、曲霉属真菌及镰刀菌和青霉菌选择性菌种在固体状态发酵条件下预处理，可提高沼气和甲烷的产率。

中药制药过程各环节产生的中药废水差异较大、组成不稳定、有机污染物种类复杂，属于较难处理的高浓度有机废水。建立中药废水资源化循环利用的应用模式，形成针对高有机物浓度废水、高色泽废水、含油废水的膜法分级处理技术，回收小分子有效成分，实现中水回用。

针对脉络宁注射液生产废水中含有的资源性化学物质，如绿原酸、β-蜕皮甾酮等药效成分，使用合适孔径的陶瓷膜处理，可大幅降低其中淀粉、果胶、蛋白质、鞣质等高分子物质的浓度，使 COD、BOD、总有机碳（TOC）下降 30% 以上，大幅降低了后续资源化利用的难度；同时，较好地保留了绿原酸、β-蜕皮甾酮等化学成分，每升废水可回收含 6.10 mg β-蜕皮甾酮、122.36 mg 绿原酸的固体粉末 23.13 g。陶瓷膜坚固耐用，可反复多次使用，降低了材料维护成本。

第三节 中药资源循环利用策略与绿色发展模式建立

改革开放以来，我国经济的强劲增长备受世界瞩目。特别是 2002 年以来，我国经济连续 4 年保持两位数的增长速度，无疑成为推动世界经济持续增长的发动机。然而，在取得辉煌成就的同时，经济发展也面临着重大挑战——资源环境对经济发展的瓶颈约束日益加重。如果继续沿袭粗放型的经济增长方式，资源将难以为继，环境将不堪重负，经济发展将因失去支撑而不可持续。在这样的背景下，发展循环经济显得越发迫切和重要。认识循环经济并着力推行中药产业循环经济，是当前摆在我们面前的一个重要课题。

在 2013 年举行的生态文明贵阳国际论坛上，社会学家、生态学家、经济学家和社会管理者共同指出：世界上许多地区包括中国，都已出现"生态赤字"。人类消耗的资源已经需要 1.5 个地球提供，远远超过生态承载能力。因此，"转变发展方式"已成为社会共识，也是当前我国乃至全球都无法回避的重大课题，"绿色转型"已到了关键时期。论坛上，专家还提出了"要将产业链向高端延伸，而不是停留在产业链的前端、价值链的低端"，以提高生产效率、保护自然资源、引导资源流向、促进绿色融资、转变消费模式、加强机制建设为发展目标，实现"绿色转身"，改变"生态赤字"。

一、中药资源全产业链资源循环利用与绿色发展的必要性与发展趋势

1. 中药资源循环利用是提升资源利用效率、节约资源的需要

围绕中药资源生产过程的减量化、再利用和资源化开展深入系统的科学研究，深入研究发展循环经济的技术支撑和保障，开发出一系列适宜中药资源深加工产业化过程的环境无害化、资源节约化的科学技术体系，有效推进中药资源的高效利用和循环利用，从根本上转变中药农业和中

药工业的经济增长方式，改变长期以来依赖自然资源的粗放、廉价、低效的资源耗竭式发展方式和层次结构相对较低的发展模式，缓解我国经济发展对资源的需求量大而资源又相对短缺的矛盾，减少庞大的经济规模和经济总量所带来的巨量废弃物，减轻环境承载压力。循环经济作为新型经济模式，具有节约材料、节约土地空间、节水环保、低碳、创新资源价值和经济增长点、延伸资源经济产业链、增加就业等综合效益。资源循环利用对于建立和发展循环经济社会、推进向循环经济产业模式的转变具有重要意义，没有资源循环利用产业的发展，就不可能建立真正意义上的循环经济和循环型社会。

在中药资源产业化过程中，通过现代提取分离、精制纯化等工业技术集成和材料科学的有效运用，实现深加工过程的工程技术革新与工艺条件优化；通过生物活性系统评价，发现药用生物资源的多宜性价值和新用途，实现综合利用，减少资源投入和消耗，降低生产成本，提升资源利用效率，节约生产力成本；通过适宜技术集成和工艺条件优化，促进药材中资源性物质的有效转移，提高产率，减少资源投入；对药用生物资源各类物质利用价值的不断研究发现，逐步实现有限资源的多元化、精细化利用，已成为减少资源消耗、推进低碳经济发展的推广模式；通过降低原料成本来提升产品竞争力，可实现资源节约型和环境友好型的循环经济发展目标。

2. 中药循环经济发展是保护生态环境、减少排放的需要

在传统的线性经济发展模式中，社会经济运行体系主要由生产系统和消费系统构成，自然资源通过生产系统转变为产品，产品又通过消费系统转变为废弃物，废弃物进入环境会对生态造成污染和破坏。线性经济运行模式的最终结果必然是自然资源的枯竭和环境的恶化，这是一种不可持续的发展模式。随着经济社会转型升级，我国的经济发展方式也在发生着转变，循环经济和绿色产业逐渐兴起。循环经济的内涵是减少资源的消耗、提高资源的利用效率和效益，通过节约资源、减少排放，实现环境保护、绿色发展的现代经济社会可持续发展。中药资源的再利用、资源化和绿色产业发展的核心思想和主体内容包括：在中药农业生产过程中建立生态中药农业规程，减少资源投入和废弃物排放，实现资源回收利用；在中药工业生产过程中推行和实施工业废水的自然处理技术、水体富营养化的生态处理工程、固体废弃物的无害处理以及污染治理生物技术等绿色企业标准。其目的是推动中药农业、中药工业及中药产品等产业链在循环经济理念的引领下走向"绿色""无害"，促进资源节约型和环境友好型中药资源产业循环经济的发展。

中药循环经济的建设与发展是一个复杂系统的工程，既涉及中医药领域，又涉及农业、工业、服务业等行业。基于系统化的思维对整个中药产业与资源生态系统进行分析设计，明确产业经济与生态经济的关系，以及其相关方面各自承担的责任和义务，强化生产责任制度，通过立法等约束手段强调生产者的责任，敦促生产责任方改变生产工艺、改进产品设计，采取绿色生产和循环利用的生态型经济模式，大力开发环境低负荷的产品，延伸资源经济产业链，产生新的经济增长点，构建代表先进社会管理和经济发展模式的循环经济体系，促进中药资源产业结构按照循环发展、

绿色发展的区域性资源经济布局、单元性行业集聚、结构性产业链延伸等方式进行调整和变革。通过资源循环利用策略的引导和推行，从根本上转变中药农业和中药工业的经济增长方式，推进中药资源经济产业发展模式和生产方式的变革，改变中药产业"高投入、高消耗、高排放、低产出"的线性经济发展模式和生产方式，推进资源节约型和环境友好型中药资源循环经济体系的构建，保障中医药事业的可持续发展。

二、中药资源全产业链资源循环利用与绿色发展策略

中药资源作为中医药产业的物质基础，是中药资源产业链的源头，是资源产业化过程的基础和核心。因此，在围绕大中药健康产业的产业化过程中，中药资源利用效率提升、资源多途径利用、废弃物的再利用和产业化等（图1-6-4），是实现中药资源循环利用的重要途径和内容，也是构建我国中药循环经济产业及其可持续发展的迫切要求。

基于中药资源产业化过程中存在的诸多制约产业发展的科学问题和关键技术，为中药资源产业发展的重大需求提供服务，如药材生产与饮片加工等中药原料资源产业化过程、中药资源性产品深加工制造产业化过程、中药资源利用效率提升及循环经济发展过程等面临的需求，通过中药资源化学及相关多学科互补交融形成的综合能力和集成优势，为中药行业及生物医药产业发展提供有效支撑，为循环经济发展做出贡献。

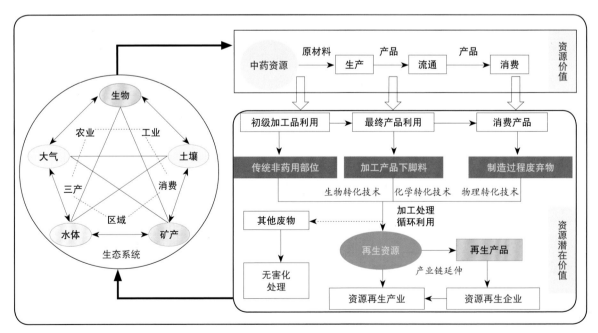

图1-6-4　中药资源产业化过程废弃物及副产物的循环利用与产业链构成

1. 加强药材原料生产产业化过程资源循环利用

药材生产涉及优良的种质资源（种子、种苗）、适宜的生态环境（土地及光、热、水等生态因子）、规范的栽培生产技术（不同物候期适时的水肥施用、病虫害防治等）与药材产地加工（初加工）技术等多环节和多学科的知识，这反映出药材生产过程的复杂性和系统性。药材的商品属性是农副产品，需要根据应用目的和用途以及中医临床对其药性的要求等将药材炮制加工成中药饮片，具备了药物属性的中药饮片可用于配方调剂或是作为制药等深加工产业化所需原料。因此，基于中药资源化学的研究范畴与任务，服务于中药材生产及中药饮片加工过程，具有丰富的科学内涵和社会经济意义。

2. 加强中药资源性产品深加工制造产业化过程资源循环利用

中药资源深加工产业化是一项系统工程，有效的资源产业化能促使资源价值得到充分释放，资源利用效率和效益得到同步提升，形成较为系统的资源经济产业链。中药资源化学研究的重要特征就是通过促进多学科交融互补、适宜技术集成创新，促进药材原料中资源性化学成分的有效转移并提高其收率，通过对药用生物资源中各类物质利用价值的深入系统研究，不断挖掘、发现其资源利用价值或潜在利用价值，逐步实现有限资源的多元化和精细化利用。

3. 中药循环经济产业链的构建与发展

中药资源综合利用效率提升是一个复杂的系统工程，既涉及中医药领域，又涉及农业、工业、服务业等行业。中药资源综合利用过程体现了资源的多途径、多层次利用价值，应用现代科学方法和集成技术，结合中药资源及其废弃物的特点，促进中药资源产业化过程由传统工艺向生态工艺转化，建立"生产—利用—回收—再资源化"的循环经济理念，系统综合地开发利用有限的中药资源，提高资源利用效率，减轻生态环境压力，以达到循环利用、可持续发展的目的。循环经济发展模式要求实现中药资源产业从数量型物质增长到质量型效益增长的变革、从中药资源经济产业链环状末端的终端治理到整个环状系统全过程生态与经济双效益协调发展的过程设计与控制的变革，从而实现在中药资源产业化整个经济流程中系统的节约资源和减少废弃物排放，实现资源经济增长的减物质化。中药资源循环经济的本质是生态经济，强调经济与生态的协调发展，注重整个资源产业链各环节物质的循环利用和生产、流通、消费全过程的资源节约，逐步实现中药资源产业向着强调生态系统与经济系统相互促进、相互协调的生态经济发展模式转变。

中药循环经济体系的构建与发展，不仅要注重中药资源的综合系统利用，还要强调资源减量使用与高效利用，才能实现资源节约和环境友好。发展循环经济不应依赖于行政命令和计划手段，而是要依靠市场机制和经济手段来推动和实施。循环经济是全过程、系统化的对其经济产业链进行规划和管理的经济活动方式。中药资源循环经济不仅包括中药工业环节及其产业形态，还包括中药农业原料生产的产业发展及服务流通环节；它不仅涉及中药资源产业化过程的生产领域，还涉及中药资源性产品的消费领域以及整个社会的资源循环利用；构建中药资源循环经济，不仅需要符合循环经济发展模式和生产方式的规划设计和科学管理，还需要政府和相关行业的统筹协调、市场经济的驱动和社会公众的积极参与。

通过对中药资源产业化过程产生的副产物及废弃物所蕴含的资源价值或潜在价值进行挖掘，重新规划、构建循环利用再生经济产业链，合理调整资源配置，实现资源创新价值的发现及资源最大限度的利用，进一步实现取自自然资源或人工替代资源的中药原材料使用的"减量化"；逐步通过实施精细化、高值化科技产业发展策略，推动中药资源利用效率的有效提升，充分体现其"资源化"的客观价值；逐步将中药资源产业化过程各环节产生的尚未被有效利用的"废弃物"纳入循环利用体系中加以拓展延伸，直至物尽其用。在此过程中，既体现了"再利用"的循环经济再生资源价值创新策略，又提升了产业效益，实现了节约资源、维护生态、绿色发展的目的。

中药资源循环利用再生资源价值创新策略主要表现在以下几个方面。

（1）基于中药资源产业经济的特点和客观条件，因地制宜、因资源品种制宜、因产业基础和再生利用能力制宜，围绕中药资源产业化过程产生的非药用部位、初加工下脚料及深加工产业化过程产生的废渣、废水、废气中资源性化学物质，创新多途径、多层次的多元化再生利用策略，创建各具特色的适宜的中药资源循环经济产业发展模式。

（2）基于精细化、高值化资源价值提升策略，在现代医药制造产业及其集成性工程技术体系的支撑下，对资源消耗量大和产品规模大的中药资源性原料及其深加工产品进行提质增效和升级改造，以优化生产工艺和工程化过程，提高资源性化学成分的提取、富集和转化利用率；通过拆分和解析传统药材多元功效及物质组分（成分），以及资源产业化过程产生的理化性质各不相同的废弃物，构建形成由复杂混合物—组分（群）—成分（群）—结构改造（修饰物）等不同科技含量、不同资源价值、不同产品形态、体现资源循环经济发展特征的中药资源新型产业结构，以有效提升资源利用效率和效益。

（3）基于良好的生态环境本身就是生产力、保护生态环境就是保护和发展生产力的循环经济发展理念，针对中药深加工产业化过程产生的固体或液体废弃物具有可生化性较好的特点和潜在的再生资源价值，采用生物转化-化学转化-物理转化的联用手段，既要通过循环利用获得高附加值的资源性物质并延伸为再生产业，又要满足达标排放的要求，不能造成二次污染。由此推进中药资源产业向绿色产业转型发展，逐步实现经济发展与生态保护相伴而行、和谐共生的生态经济发展模式。

因此，通过中药资源产业化全过程各环节推行资源循环利用发展理念和生产方式，有效延伸和拓展资源经济产业链，系统深入挖掘中药资源中对人类健康及其相关领域具有应用价值或潜在价值的资源性化学物质，不断创新再生资源价值与发展模式，是实现中药资源产业可持续发展的必由之路。

三、中药资源全产业链资源循环利用与绿色发展模式

"中国将按照尊重自然、顺应自然、保护自然的理念，贯彻节约资源和保护环境的基本国策，更加自觉地推动绿色发展、循环发展、低碳发展，把生态文明建设融入经济建设、政治建设、文化建设、社会建设各方面和全过程，形成节约资源、保护环境的空间格局、产业结构、生产方式、生活方式，为子孙后代留下天蓝、地绿、水清的生产生活环境"。这既是我国政府向国际社会做出的承诺，也是我国经济社会未来发展的方向。

（一）中药循环经济体系建设与发展的基础

目前，以消耗中药和天然药物资源性原料为主的中药制药、多类型健康产品、标准提取物、配方颗粒等深加工产业化过程存在着资源利用效率不高、产出单一、不能形成有效的循环利用再生产业等问题，亟待通过循环经济发展理念的引导和政府经济政策的激励，改变目前高投入、低产出的传统落后生产方式，推动产业改造升级，实现经济效益和生态效益的同步提升与健康发展。

人类社会的进步和科学技术的飞跃加快了工业生态文明的到来，我国的中药资源产业发展模式和生产方式也必将顺应循环经济的发展方向发生根本性的转变。资源经济学家与工业经济学家均认为，现代工业生产中最大的商机来自对传统工业废弃物的有效利用，将资源产业化过程产生的各类废弃物分门别类回收利用并循环生产，不仅可创造良好的经济效益，还能带来含金量更高的生态环境效益。从循环经济发展的角度分析评价一家中药资源深加工企业是否具有可持续发展潜力和远大前景，其资源产业化过程中废弃物的资源化利用程度和再生产业能力是重要的考量指标，因为这不仅反映了企业的经济发展模式是否属于循环经济先进生产力的发展方向，也体现了企业在生产方式上是否由传统落后的线性经济产业向循环经济产业发展模式转变，更可看出企业在"减量化、再利用、资源化"循环经济方面是否承担了社会责任与公共义务。

因此，大力开展中药资源产业化过程废弃物的资源化利用与再生产业发展，不仅可节约资源、有效降低企业生产成本、增加收益，同时可遏制废弃物对生态环境造成的负担和压力，也是增强企业综合竞争力的内在要求。

（二）中药资源循环经济发展模式的构建

循环经济按照自然生态系统中物质循环共生的原理设计生产体系，将一个企业的废弃物或副产物，用作另一个关联企业的生产原料，通过废弃物交换和再生利用将不同企业联系在一起，形成"自然资源—产品—资源再生利用"的物质循环过程，将生产和消费过程中投入的自然资源降到最少，将人类生产和生活对环境的危害或破坏降到最低。按照工业生态学原理，通过企业间的物质集成、能量集成和信息集成，形成产业间的代谢和共生耦合关系，建立共生型生态工业发展模式。中药资源循环利用过程体现了资源的多途径、多层次利用价值，结合中药资源及其废弃物的特点，促进中药资源产业化过程由传统线性生产方式向循环经济生态发展方式转变。

依据社会需求、行业及区域经济发展水平，基于中药资源全产业链各环节产生的废弃物及副产物的形成背景、利用现状、生态压力等因素，通过长期探索实践和理论创新，形成了转化增效、精细高值化、粗放低值化的多层级利用策略；基于不同类型废弃物的理化性质、资源化潜力等特点，形成了5类中药资源循环利用模式：针对具有潜在药用价值的非药用部位，创建"基于药材生产过程传统非药用部位的新资源药材、医药产品开发模式"；针对具有生物转化潜质的中药废弃物，形成"基于中药固废物及副产物的生物酶、低聚糖、生物醇等系列产品开发模式"；针对具有热解炭化价值的中药废弃物，创建"基于中药固废物的炭-液-气联产产品开发模式"；针对具有药食两用资源特点的非药用部位，创建"基于药材生产过程传统非药用部位的功能食品开发模式"；针对具有材料化性能的中药废弃物，创建"基于中药固废物的功能材料制备及产品开发模式"。（图1-6-5）

图1-6-5 中药资源循环经济发展多元模式与绿色发展方案

1.基于药材生产过程传统非药用部位的新资源药材、医药产品开发模式

中药材采收加工过程中产生的非药用部位大多含有与其药用部位相似的化学成分，部分非药用部位在民间尚有药用记载。针对部分具有潜在药用价值的非药用部位，探索形成"基于药材生产过程传统非药用部位的新资源药材、医药产品开发模式"，并推广应用于丹参茎叶、苦参种子等10余种大宗药材非药用部位的资源价值发现与资源化利用。

丹参为常用的活血化瘀药材，我国每年丹参药材种植过程产生的20余万t废弃茎叶因缺乏有效利用途径而被废弃。研究发现，丹参茎叶中富含以丹酚酸、迷迭香酸为代表的酚酸类成分，且具有显著的活血化瘀功效。据此研究制定了丹参茎叶药材质量标准，丹参茎叶作为新资源药材已被收录于《陕西省药材标准》。建立以丹参茎叶为丹酚酸医药／化工原料的高值化利用的制备工艺，实现了丹参药材生产过程废弃物及副产物的循环利用，提升了丹参药材的生产效率和效益。

以苦参素为代表的苦参碱类生物碱是目前用于医药临床、畜禽用药和生物农药生产的重要资源性化学成分。传统上，该类成分主要以荒漠植物苦豆子为原料进行提取制备，随着其需求量逐年增加，苦豆子资源逐年减少，严重威胁荒漠地区的自然生态。研究发现，苦参药材种植过程中被废弃的苦参种子的生物碱类成分组成及含量与苦豆子高度相似，据此，采用现代分离纯化技术创建形成以苦参种子资源为原料制备苦参素类生物碱成分的规模化生产工艺。这一苦参素原料新资源的发现与有效利用，增加了苦参药材种植的综合效益，实现了废弃资源的循环利用，同时也减少了苦豆子的资源消耗，间接保护了我国近万公顷沙生荒漠区域的脆弱生态。

2. 基于中药固废物及副产物的生物酶、低聚糖、生物醇等系列产品开发模式

中药资源产业化过程中产生的非药用部位及药渣中除含有次生代谢小分子产物外，尚含有大量的纤维素、木质素等大分子类资源性物质。开展富含纤维素类物质中药废弃物的再生利用，不仅可有效消耗中药制药过程中产生的大量非药用部位及药渣废弃物，减轻环境承载压力，同时也可实现资源循环利用，实现中药工业的可持续发展。研究显示，富含纤维素类物质的生物质经微生物转化可用于制备纤维素酶、生物乙醇等资源性产品。在其生物转化过程中获得高效的功能菌种是其转化利用的源头和核心技术。与传统转化底物相比，多数中药废弃物及副产物含有抑菌物质，部分资源尚残留有机溶剂，市场缺少有效转化菌种。因此，构建具有高抗逆性、能够将中药废弃物及副产物中的资源性物质进行有效转化，尤其是将纤维素、木质素进行有效转化的微生物菌种资源库尤为重要。

针对不同品种及来源的中药废弃物及副产物独特的理化特性及潜在资源化价值，采用现代高通量筛选技术，成功筛选并驯化得到适宜于纤维素酶发酵的草酸青霉菌和扩展青霉菌、适宜于制备植物多糖的中间苍白杆菌、具有耐醇／酯等有机溶剂高抗逆性的解淀粉芽孢杆菌和地衣芽孢杆菌等。在此基础上，利用基因工程菌构建形成系列高产菌株，推广应用于甘草药渣、丹参药渣、黄芪药渣等 10 余种中药废弃物及副产物的转化利用，形成生物酶、低聚糖、生物醇等系列产品开发模式。如以甘草、丹参等富含纤维素类物质的中药药渣为原料，采用高压热解法使中药药渣中的半纤维素类物质降解为木糖液，经固液分离、脱色纯化等得木糖；固废物利用经多次诱变的高产纤维素酶菌株发酵、固液分离分别得到纤维素酶液和发酵菌渣；发酵菌渣进一步与富含纤维素类物质的中药药渣混合发酵后，加入产乙醇酵母可发酵提取工业乙醇，发酵后剩余的渣料可制备生物肥料。该技术体系通过连续成套工艺实现了以富含纤维类物质的中药废弃物及副产物联产低聚木糖、纤维素酶、工业乙醇、生物有机肥等资源性产品，降低了生产成本，实现了资源高值化利用。

3. 基于中药固废物的炭-液-气联产产品开发模式

以农林废弃物为代表的生物质在缺氧条件下经高温热解形成生物炭、木醋液、可燃气是目前用于生物质处理和转化利用的有效方式。中药资源产业化过程产生的固废物及副产物在一定程度上与农林废弃物具有较高的相似性，但也存在物料来源多样、理化性质差异较大等特性，导致传统热解工艺及装备不适于中药废弃物的炭化处理。在革新炭化工艺的基础上，创制形成动态传热提效的中药固废物新型干馏炭化设备，研制形成适宜于高含水难处理的中药固废物的热循环预处理-炭化/气化一体化技术体系及装备，该技术体系与装备的创建与应用为中药固废物联产制备生物炭、木醋液、可燃气等资源性产品提供了转化增效途径。

山楂为药食两用资源，在其饮片及特色食品加工过程中会产生大量的废弃种子资源。采用热解炭化技术，以废弃山楂种子资源为原料，通过工艺革新实现炭-液-气联产，在开发天然、高效、安全的妇科抗菌洗液新药的同时，联产热解气和生物炭，热解气燃烧产热不仅实现了企业能源自给，而且延伸产生系列生物炭产品，有效提升了资源利用效率和效益，为山楂主产区果农增收和地方经济发展做出了重要贡献。

针对中药制药等深加工过程高含水中药复方药渣排放等环境难题，通过集成多级脱水、余热回用等技术创新热解气化工艺，创制适宜技术装备，转化应用于中药复方药渣的资源化利用与有效处置，转化形成清洁燃气、生物炭等资源性产品。所产生的清洁燃气可作为清洁能源，热解气化/炭化后的草木灰/生物炭用于复合有机肥料的生产，实现中药渣无害处理与伴生能源收集/转化利用的集成创新，减少药渣排放，节约药渣清运和处理费用，产生显著的经济、社会和生态效益。

4. 基于药材生产过程传统非药用部位的功能食品开发模式

部分药食两用中药资源生产过程中产生的非药用部位含有丰富的营养物质，以其为主要原料，利用现代工艺可制作具有一定保健功能及食疗作用的功能食品。以酸枣、大枣、芡实、瓜蒌等10余种药食两用资源的非药用部位为示范，构建形成基于药材生产过程传统非药用部位的功能食品开发模式，为药食两用中药资源的循环利用与产业提质增效提供了支撑。

酸枣仁为中医临床常用的养心安神中药。产地调研表明，每30 kg酸枣鲜果仅能产出1 kg酸枣仁，酸枣仁生产加工过程中产生的巨量果肉及果壳废弃物的随意排放已造成严重的生态环境污染。针对这些废弃物和副产物，食品加工厂以酸枣果肉副产物为原料，采用益生菌发酵创制形成酸枣功能醋、酒、膏等系列功能食品群；提取制备多糖并络合铁离子形成酸枣果肉多糖铁；以提取酸枣多糖后剩余的酸枣果皮资源制备酸枣食用红色素；创建从酸枣果肉提取残渣中同时制备可溶性与不溶性膳食纤维的制备工艺。此外，以大枣干燥加工过程中产生的残次枣为原料，可制备具有大枣特有风味的功能性果葡糖浆；以瓜蒌加工过程产生的废弃果瓤为原料，可制备瓜蒌果葡糖浆和瓜蒌黄色素。相关技术成果的推广带动了产区农户的脱贫致富与增产增收。

5. 基于中药固废物的功能材料制备及产品开发模式

针对质地坚实、纤维性强、具有材料化性能的部分非药用部位及提取药渣，引入压缩技术、固化成型技术，创建形成基于中药固废物的功能材料制备及产品开发模式。

木塑复合材料是利用农林废弃植物纤维与回收再生塑料复合制备形成的一种新兴环境友好型复合材料，兼具高强度、高弹性、高韧性等优点。多数纤维性强的中药固废物含有和传统木塑原料（如杨木等）类似的植物纤维和相似的理化特性，是潜在的优良低价的木塑产品原料，且中药固废物成分复杂多样，其中部分品种尚富含天然抑菌物质。因此，从中药废弃物中开发具有天然防霉抑菌功能的木塑产品，对循环利用巨量中药固废物、保护环境具有重要的社会意义和经济价值。选取采收黄蜀葵花后残余的根及茎秆废弃物，采用挤出成型的方法，构建了基于中药废弃物及副产物制备木塑板材技术体系，形成多类型功能性木塑产品。建立通过蒸爆解纤自胶结形成纤维板材的中药废弃物纤维板材制备技术，为以中药废弃物为原料制备功能板材产品、实现中药固废物资源化利用提供技术支撑及产业化示范。

综上，针对中药材生产与深加工产业化过程产生的非药用部位、固废物及副产物，通过构建中药资源循环利用理论基础，创建资源化模式及适宜技术体系，并实现转化应用，形成了综合效益显著增加、资源浪费与环境压力显著减少的"一增一减"绿色发展样板，为推动我国中药产业提质增效和可持续发展，促进生产方式与发展模式的转变探索出了一条可复制、易推广的有效途径。但同时应注意，限于中药资源行业领域的复杂性及现有政策法规的约束性，中药资源循环利用和经济产业发展仍需持续不断的探索和推进。一方面，中药资源产业涉及中药农业、中药工业两大产业链条，所产生的废弃物及副产物来源复杂，组成多样，理化特性差异较大，资源化程度不一。因此，开展中药资源产业化过程废弃物及副产物的循环利用与产业化开发具有复杂性和连续性。另一方面，中药资源循环经济体系的构建不仅取决于科学技术的发展程度，还与配套政策法规的建设密切相关，现有政策法规在一定程度上制约了中药废弃物及副产物多元化利用研究成果的有效转化。因此，实现中药资源产业循环经济模式的构建亟须政府、社会和企业共同支持，在充分论证的前提下，基于循环经济发展理念，从政策保障层面拓宽中药废弃物及副产物的资源化利用途径，以全面推动中药资源产业循环利用与绿色发展。

【参考文献】

[1] 段金廒. 中药废弃物的资源化利用 [M]. 北京：化学工业出版社，2013.

[2] 段金廒. 中药资源化学：理论基础与资源循环利用 [M]. 北京：科学出版社，2015.

[3] 张伯礼，陈传宏. 中药现代化二十年（1996—2015）[M]. 上海：上海科学技术出版社，2016.

[4] 张德元. 构建资源循环利用体系，推动"无废城市"建设 [J]. 世界环境，2019（2）：43-45.

[5] 段金廒，宿树兰，郭盛，等. 中药资源产业化过程废弃物的产生及其利用策略与资源化模式 [J]. 中草药，2013，44（20）：2787-2797.

[6] 段金廒，郭盛，唐志书，等. 中药资源循环利用模式构建及产业化示范 [J]. 江苏中医药，2019，51（3）：

1-5.

[7] 段金廒，张伯礼，宿树兰，等．基于循环经济理论的中药资源循环利用策略与模式探讨［J］．中草药，2015，46（12）：1715-1722.

[8] 赵润怀，周莹，魏宗玉，等．21世纪中药资源保护利用战略的思考［J］．中药研究与信息，2000（11）：4-6.

[9] 呼和涛力，袁浩然，刘晓风，等．我国农村废弃物分类资源化利用战略研究［J］．中国工程科学，2017，19（4）：103-108.

[10] 张晶．基于循环经济的中小企业发展模式思考［J］．经济研究导刊，2018（28）：13-14，24.

[11] 宋德勇，白西欣．论资源再生的宏观经济效应［J］．统计研究，2007（6）：37-41.

[12] 赵国甫，张凯．我国再生资源循环利用研究综述［J］．环境保护与循环经济，2018，38（10）：7-10.

[13] 卢瑞嫦．无害化处理与资源化利用的共存之路［J］．现代农业装备，2015（6）：21-22.

[14] 申俊龙，魏鲁霞，汤莉娜，等．中药资源价值评估体系研究——基于价值链视角的分析［J］．价格理论与实践，2014（3）：112-114.

[15] 段金廒，宿树兰，郭盛，等．中药废弃物的转化增效资源化模式及其研究与实践［J］．中国中药杂志，2013，38（23）：3991-3996.

[16] 张武晴，卢明湘，唐卓，等．农村废弃物资源化与再利用模式研究［J］．农村经济与科技，2016，27（7）：39-41，177.

[17] 林文锋．我国固废资源化的技术及创新发展［J］．中国资源综合利用，2019，37（8）：78-80.

[18] 孙业华．固体废弃物资源化的发展趋向分析［J］．环境与发展，2019，31（4）：146，148.

[19] 杜欢政，王岩，彭光晶．再生资源行业生态产业链构建模式初探［J］．再生资源与循环经济，2019，12（5）：16-18.

[20] 雷瑾宁．基于循环经济下的生态工业园区发展模式分析［J］．知识经济，2015（19）：15.

[21] 李傲群，李学婷．基于计划行为理论的农户农业废弃物循环利用意愿与行为研究——以农作物秸秆循环利用为例［J］．干旱区资源与环境，2019，33（12）：33-40.

[22] 夏青．循环经济生态工业园区建设与发展模式研究［J］．中外企业家，2014（22）：16-19.

[23] 戴宏民，戴佩华．废弃物处理的无害化、资源化和环境化［J］．包装工程，2003（2）：3-5.

[24] 段金廒，郭盛，严辉，等．药材生产过程副产物的价值发现和资源化利用是中药材产业扶贫的重要途径［J］．中国中药杂志，2020，45（2）：285-289.

[25] 聂林峰，黄佳云，何成华，等．膜技术富集脉络宁注射液生产废水中小分子药效成分的工艺优化研究［J］．中草药，2019，50（8）：1804-1810，1817.

[26] 段金廒，唐志书，吴啟南，等．中药资源产业化过程循环利用适宜技术体系创建及其推广应用［J］．中国现代中药，2019，21（1）：20-28.

[27] 魏丹丹，常相伟，郭盛，等．菊花及菊资源开发利用及资源价值发现策略［J］．中国现代中药，2019，21（1）：37-44.

[28] 李洁，申俊龙，段金廒．中药资源产业副产品循环利用模式研究［J］．中草药，2019，50（1）：1-7.

[29] 李博，李益群，濮均文，等．基于资源化利用思路的陶瓷膜处理中药脉络宁生产废水的研究［J］．膜科学与技术，2017，37（6）：107-113.

[30] 朱华旭，唐志书，段金廒，等．基于资源循环经济的中药脉络宁注射液废弃物资源化循环利用中的共性关键问题［J］．中国现代中药，2017，19（12）：1672-1676，1687.

[31] 严辉，张森，陈佩东，等．基于木塑产品开发的中药固体废弃物资源化利用研究［J］．中国现代中药，2017，19（12）：1677-1682.

[32] 郭盛，段金廒，鲁学军，等．中药固体废弃物的热解炭化利用策略与研究实践［J］．中国现代中药，2017，19（12）：1665-1671.

[33] 顾俊菲，宿树兰，彭珂毓，等．丹参地上部分资源价值发现与开发利用策略［J］．中国现代中药，2017，19

（12）：1659-1664.

[34] 朱华旭，唐志书，段金廒，等.面向清洁生产的中药制药过程废水资源化循环利用基本思路及其关键技术[J].中草药，2017，48（20）：4133-4138.

[35] 唐于平，姚鑫，段金廒，等.以银杏落叶为原料的银杏叶精制提取物及其制备方法与应用：201310336439.7 [P].2013-12-25.

[36] 刘培，段金廒，钱大玮，等.一种从银杏叶药渣中提取精制聚戊烯醇的方法：201610260228.3[P].2016-8-24.

[37] 姚鑫，周桂生，唐于平，等.银杏落叶化学成分研究[J].天然产物研究与开发，2012，24（10）：1377-1381.

[38] 周桂生，姚鑫，唐于平，等.银杏中种皮化学成分的分离及鉴定[J].植物资源与环境学报，2013，22（4）：108-110.

[39] 赵金龙，刘培，段金廒，等.银杏根皮化学成分研究（Ⅰ）[J].中草药，2013，44（10）：1245-1247.

[40] 任浩，宿树兰，管汉亮，等.银杏花粉中核苷、氨基酸及无机元素的成分分析[J].中草药，2014，45（19）：2839-2843.

[41] 曾飞，张森，钱大玮，等.甘草药渣降解菌的筛选及其产酶工艺研究[J].生物技术通报，2017，33（12）：125-131.

[42] 赵明，段金廒，张森，等.基于中药资源产业化过程副产物开发禽畜用药及饲料添加剂的策略与路径[J].中国中药杂志，2017，42（18）：3628-3632.

[43] 张伯礼，张俊华，陈士林，等.中药大健康产业发展机遇与战略思考[J].中国工程科学，2017，19（2）：16-20.

[44] 翁泽斌，郭盛，段金廒，等.我国槐属重要药用植物资源产业化现状及利用潜力挖掘策略[J].中国现代中药，2016，18（7）：805-810，817.

[45] 刘双双，刘丽芳，朱华旭，等.超滤膜技术用于脉络宁注射液废弃物中多糖分离及其活性筛选研究[J].中草药，2016，47（13）：2288-2293.

[46] 段金廒，宿树兰，郭盛，等.中药资源化学研究与资源循环利用途径及目标任务[J].中国中药杂志，2015，40（17）：3395-3401.

[47] 江曙，刘培，段金廒，等.基于微生物转化的中药废弃物利用价值提升策略探讨[J].世界科学技术—中医药现代化，2014，16（6）：1210-1216.

[48] 朱华旭，段金廒，郭立玮，等.基于膜科学技术的中药废弃物资源化原理及其应用实践[J].中国中药杂志，2014，39（9）：1728-1732.

[49] 沈飞，宿树兰，江曙，等.丹红注射液生产过程中丹参固体废弃物的资源性成分分析及其转化机制研究[J].中草药，2015，46（16）：2471-2476.

[50] 宿树兰，郭盛，白永亮，等.桑蚕废弃物的资源化利用现状与分析[J].中国资源综合利用，2014，32（7）：38-43.

[51] 沙秀秀，宿树兰，段金廒，等.我国雷公藤属植物资源产业化过程废弃物的转化利用与资源化途径[J].中国现代中药，2014，16（7）：517-523.

[52] 方诗琦，冷康，段金廒，等.甘草药渣中黄酮类成分及其抗氧化活性的研究[J].中成药，2015，37（11）：2443-2448.

[53] 陶小芳，宿树兰，江署，等.五味子药渣提取物中木脂素类成分分析及其对急性肝损伤模型大鼠的保护作用[J].中草药，2016，47（17）：3051-3057.

[54] 闫精杨，江曙，刘培，等.银杏叶药渣中聚戊烯醇和总黄酮的综合提取工艺研究[J].南京中医药大学学报，2017，33（1）：104-108.

[55] 戴新新，沈飞，宿树兰，等.丹参药渣中丹参酮类化学成分的提取富集研究及其利用途径分析[J].中国

现代中药, 2016, 18 (12): 1578-1582.

[56] 戴新新, 沈飞, 宿树兰, 等. 酸碱预处理后酶解提升丹参药渣中丹参酮类成分的提取效率研究 [J]. 中国中药杂志, 2016, 41 (18): 3355-3360.

[57] 刘双双, 刘丽芳, 朱华旭, 等. 酶解等4种方法用于中药废弃物资源化研究初探 (Ⅰ) ——以脉络宁注射液生产中石斛药渣的多糖资源化研究为例 [J]. 中国实验方剂学杂志, 2016, 22 (22): 34-40.

[58] ZHOU G, MA J, TANG Y, et al. Multi-response optimization of ultrasonic assisted enzymatic extraction followed by macroporous resin purification for maximal recovery of flavonoids and ginkgolides from waste *Ginkgo biloba* fallen leaves [J]. Molecules, 2018, 23 (5): 1029.

[59] YAO X, ZHOU G, TANG Y, et al. Simultaneous quantification of flavonol glycosides, terpene lactones, biflavones, proanthocyanidins, and ginkgolic acids in *Ginkgo biloba* leaves from fruit cultivars by ultrahigh-performance liquid chromatography coupled with triple quadrupole mass spectrometry [J]. BioMed Research International, 2013 (1): 582591.

第七章

江苏省药用动物资源种类与产业发展

动物药是指在中医药理论指导下，用于中医临床的动物整体、动物体某一部分、动物体的生理或病理产物、动物体的加工品。我国对药用动物的研究和利用已有几千年的历史。动物药是我国传统中医药的重要组成部分，是广大劳动人民在生产、生活实践中医疗经验的总结。《神农本草经》收载中药 365 种，其中动物药 67 种，占 18.4%，麝香、牛黄等至今仍在使用；《新修本草》收载的动物药有 461 种，占该书收载中药总数的 54.2%；《本草纲目》收载的动物药有 461 种，分为虫、鳞、介、禽、兽、人各部，占该书收载中药总数的 24.3%；《本草纲目拾遗》收载的动物药有 160 种，占该书收载中药总数的 17.3%。第三次全国中药资源普查结果表明，我国有动物药 1 581 种。20 多年来，我国社会经济发展使野生动物的生存环境发生了很大变化，这必然会造成动物种群结构、数量等的变化，了解和掌握全国药用动物的分布及蕴藏量，以及驯化养殖和动物类药材的生产加工等资源背景，有利于政府和有关部门制定更为精准有效的保护措施，开展有计划的驯化养殖或人工替代研究以满足民众日益增长的健康需求，对我国中医药事业和健康产业的可持续发展具有十分重要的意义。

第一节　药用动物资源调查方法学与适宜技术

动物最大的特点是能够自主运动，对运动的生物资源进行种群分布、蕴藏量调查等科研活动，必须要掌握适于开展动物生存繁衍、生活运动等研究的调查方法和技术手段，由此方可了解和掌握药用动物资源的客观现状，并通过对比分析了解在社会经济发展和生存环境变化下动物药资源的变化规律。

一、文献调查

（一）文献资料的收集与整理

早在 3 000 多年前，我国就开始使用蜂蜜，珍珠、牡蛎等的养殖也有悠久的历史。在中医药发展各个历史阶段，前人都对动物药的应用进行了总结，通过本草著作、地方志、各类现代文献记载等方式呈现并流传。因此，文献研究对于全面了解药用动物的品种资源与历史沿革十分重要。江苏第四次中药资源普查主要参考的文献包括《神农本草经》《证类本草》《本草纲目》《中药大辞典》《中华本草》《中国中药资源志要》《中国动物药资源》《中国动物药》《中国动物药志》《精编中国动物药》《中华海洋本草》《中国动物药现代研究》《中华人民共和国药典》《中国动物志》，以及第三次全国中药资源普查动物药资源相关资料和各地方志、区域性动物药专著、现代研究文献等。通过对文献资料的研究与整理，了解了药用动物的品种和区域分布，以及药材生产、经营、临床应用等情况。

（二）相关单位调研和走访

中华人民共和国成立以来，原环境保护部和原林业部组织过多次规模不等的全国或区域性或专题性生物物种资源调查，其中包括全国动物物种资源的调查，建立了规范的动物资源普查方法，也积累了大量动物资源普查数据。在江苏中药资源普查领导小组的协调下，在省级环境与林业部门的帮助下，普查队调查了解前期动物资源普查情况，以协议或合同的形式，确定工作形式和机制，分享普查数据与成果。此外，走访调研江苏区域内的各地政府机构、科研单位及民间专家，了解动物药资源的各种情况，并根据动物药资源的特点设计相应的表格。

二、野生药用动物资源调查

（一）陆生（两栖）动物药资源调查

1. 调查目标

调查区域内所有陆生（两栖）动物药资源。调查内容包括动物种类、分布区域、种群数量（种群密度、栖息地面积等）、栖居生境类型及质量、主要药用功效及利用现状、受威胁情况及因素、保护现状及不同生境的指示物种等。

2. 调查方法

（1）全部计数法。将调查样区内所有种类和数量都统计出来。

（2）样线调查法。适用于面积不大、方便踏查的调查区域。样线一般长 1 000 m 或更长，每条样线要进行 2 次以上调查取样。对兽类动物按一定的路线，通过驱赶等方法，准确记录遇到的动物种类和数量，沿途要观察动物的活动痕迹，如存留的足迹、粪便、爪印等。

（3）样带调查法。适用于高大山脉的调查区域。每海拔高差 400 ~ 500 m 设 1 个样带，样带可宽可窄，视植被情况而定。以一定的时间作为基准尺度（时间可长可短）进行调查记录。

（4）样方调查法。根据植被或生境选定样地，每个样地设 3 个以上面积为 1 m×1 m 的小样方（样方大小可调整），记录动物种类、数量及来源（地表、土壤、植被）。

（5）样点调查法。适用于不便踏查的调查区域，如崎岖山地、湖泊、水库、沼泽、海岸、湿地等。可根据当地村民提供的兽类可能出没的盐碱塘、野生动物的经常饮水处、有规律性的必经通道等场所，定点定时观察兽类动物的实体和相关踪迹，特别要注意区分动物的不同个体和踪迹的新旧。

（6）鸣声计数法。这种定点声音监测法通常会连续记录数晚，所以会配合定时器进行片段选取。

（7）卵块或窝巢计数法。适用于一些繁殖时间和繁殖地点相对固定的两栖爬行类动物。

（8）陷阱法。根据调查对象的生态习性来选择设施。

（9）网捕调查法。适用于一些在森林地表茂密灌丛中活动的鸟类，如丽鸫科的所有属、鸫科的地鸫属、莺科的地莺属、画眉科的鹛鹛属等。

（10）夹日法（兽类调查法）。适用于小型兽类。在选定的样地中或单位面积内放置100个捕鼠夹，过1夜（或1昼夜）后进行整理统计，布夹形式应该一致（通常夹距5 m、行距50 m，50个夹为1行，长方形或正方形棋盘状布夹）。

（11）标记—重捕法（兽类调查法）。捕捉到活鼠，标记后释放，4～5天后再进行重复捕捉，再按回捕到"标记鼠"的百分比来推算样地实际鼠数。

（12）踪迹判断法（兽类调查法）。很难直接观察到野生兽类动物实体或不能采集标本时，根据兽类活动时留下的踪迹，如足印、粪便、体毛、爪印、食痕、睡窝、洞穴等来判定动物所属物种、个体相对大小、性别、家域面积大小、大致数量、昼行或夜行、季节性迁移和生境偏好等。

（13）洞口统计法（兽类调查法）。在选定的样地中，识别、清查鼠类的有效洞口，再通过安置鼠夹或挖掘鼠洞的方式来确定系数，计算样地单位面积的鼠类数目。

（14）直观调查法（兽类调查法）。对于猿猴、松鼠、旱獭等少量昼行类群，按一定的路线或方向无声缓慢行进，直接观察记录视线范围内的兽类种类及其活动情况。

（15）鸣叫调查法（兽类调查法）。适用于长臂猿的种群调查。每天早晨记录长臂猿的晨鸣时间、位点等，连续监听1周以上并记录，据此来推算种群及个体数量。

（16）访问调查法。对于一些特定的种类，结合具体情况，可采取访问调查的形式。通过访谈和实物指认，明确一些物种的地方名、分布区域、数量、用途及当地的利用和保护情况等。对于兽类动物药可通过与当地熟悉情况的猎手、放牧者等进行交谈，了解的野生兽类物种和数量等信息。

3. 外业调查

（1）样地设置。动物药的资源调查不受样地的位置限制，可在县域内任意位置根据药用动物的特点采用上述调查方法中的一种或几种方法进行调查。

（2）信息记录。每种野生药用动物资源在同一乡镇（或同一天）的调查中出现多次（5次以上），可只记录5个资源个体的种类信息。信息包括每种资源个体的照片及每种资源个体所在位置的生态环境信息。

（3）动物标本。要求每种药用动物上交1份动物标本（浸制标本、剥制标本、干制标本、玻片标本均可）。国家保护野生动物、大型药用动物资源除外。

（4）药材样品。要求每种重点药材采集1份药材样品上交国家。一般品种药材样品，遇到采集；名贵动物药材及特殊药材样品，需酌情取适量。

（5）照片。在记录每种野生药用动物资源个体的种类信息的同时，拍摄野生药用动物资源及其所在位置的生态环境的清晰照片（影像）。要求在调查区域内，每种野生药用动物资源个体至少需要拍摄 5 张整体照片；每种野生药用动物资源至少要拍摄 5 张药用部位照片（骨类、脏器类、部分动物生理产物类药用部位除外）和 3 段生境影像；每种药材至少拍摄 3 张药材标本照片（整体）；每种野生药用动物资源的动物标本至少拍摄 3 张动物标本照片（整体）；每支普查队至少要有 3 张集体工作照；每位普查队的队员至少要有 3 张工作照。

4. 标本收集与鉴定

按照全国中药资源普查技术规范的要求开展。为了确保所调查种类名称的正确性，在调查过程中，尽力收集所有调查种类的标本带回室内进行鉴定，也留作凭证。标本可以制作成浸制标本、干制标本、剥制标本或玻片标本，标本鉴定依据《中国动物志》等权威书籍，同时请专门的分类学家协助完成。

5. 调查结果整理与分析

（1）动物药种类组成分析。分析调查地区所有动物类中药资源种及种以上分类单元的组成比例，同时分析各物种或类群在世界陆地动物地理分区中的归属。

（2）区划类型分析。对调查区域的动物药资源种类进行地理区划分析，分析该地区物种多样性情况及每个分区中物种的比例。

（3）栖息地评价。分析评价各类型动物所在区域栖息地的总体气候类型、时空连续性和完整性，以及兽类赖以生存的植被生境类型、时空结构水平。

（4）特殊类型分析。对调查区域内的关键种、外来种、指示种等特殊类群进行分析。

（二）水生动物药资源调查

1. 调查目标

主要包括江河、湖泊、水库等水域中的水生动物药资源种类及相关内容，包括水域动物种类组成、数量分布，以及动物的生物学特点（栖息环境、产卵场、年龄、生长情况等）、种群结构（性别比例、性成熟年龄、种群年龄组成等）、受威胁现状（水环境污染、栖息地破坏、滥捕等情况）、分布区域、时空变化及资源量等。

2. 调查方法

（1）捕捞法。对所选择水域的缓流、急流、主流、支流等各种典型的栖息环境，利用合适的网具进行捕捞，调查记录鱼类的种类和数量，并采样分析。

（2）底质采样法。根据水体深度及底质性质，选用合适规格的采泥器采取泥样，将泥样淘洗后分装，带回室内鉴定、分析。

（3）拖网法。航向稳定后，根据水体深度确定拖网绳长和拖网时间，进行取样，按类别、个体大小、柔软脆弱还是坚硬带刺，分别装瓶，带回室内鉴定、计数、测定生物量等。

（4）采芯样法。对于小型底栖生物，用有机玻璃管从取样器中采芯样，进行记录、分析。

（5）访问、市场调查法。受时间、季节等因素限制时，调查者可以通过与水产部门、渔民及相关管理人员进行座谈，获得相应资料，查明一些物种的地方名、分布区域、数量及当地的利用情况等。也可通过对当地水产市场的调查，了解鱼类种类、名称、来源等相关信息。

水生动物药资源调查的外业调查、标本收集与鉴定、调查结果整理与分析方法同陆生（两栖）动物药资源调查。

三、养殖药用动物资源调查

（一）调查目标

通过走访调查和实地调查，明确江苏养殖药用动物资源的种类、分布区域、分布面积、产量等信息。同时就品种选育、病虫害防治、产地加工等相关情况进行记录，旨在为今后区域养殖药材生产布局的规划、动物中药材产业发展方向的掌控、优质药材养殖技术体系的建立等提供基础数据，最终为药用动物资源的区域性开发和合理保护、利用提供科学依据。

（二）调查方法

养殖药用动物资源调查以县为单位，通过调查养殖药用动物资源的种类、存栏量、产量和养殖基地面积等具体信息，估算出县域内每种养殖动物药材的总产量。调查工作包括走访调查和现地调查两部分。

1. 走访调查

通过走访县域内的市场监督部门、药材收购站、中药材生产合作社、养殖农户等，获取县域内养殖品种、分布范围、养殖历史、养殖场规模和产量等方面的数据信息。

2. 现地调查

在走访调查的基础上，针对某种养殖药用动物具体的养殖区域，深入养殖场或农户家里进行调查。要求在县域内，针对每个品种必须进行一次现地调查，其目的是详细掌握养殖场内某一种养殖药用动物的生物学特性、生长环境、养殖规模和产量等具体情况，以获取药材信息、物候信息、环境信息和病虫害信息等。

四、"互联网 + 养殖"理念下的药用动物资源调查

因野生品种驯化困难、养殖环境与动物生活习性难以控制等因素，药用动物养殖需要投入大量的人力、物力、财力。当今信息时代快速发展，互联网、大数据、云平台等信息技术将伴随 5G

网络的快速发展覆盖，全面而深入地渗透到现代社会的各行各业中。因此，如何将信息的搜集、整理、分析快速应用到药用动物养殖与资源调查中，如何促进传统产业生产要素的优化及结构重整，如何促进药用动物资源实现规范化、规模化养殖，值得我们去思考与尝试。"互联网＋养殖"理念有利于同步资源储量、市场需求等信息。

（一）优化药用动物标准化养殖模式

围绕品种选育、养殖环境、养殖管理、适宜的药材采收加工技术等关键点进行试点与研究，形成动物类中药特定的生产及产地加工技术规程。综合利用养殖动物电子标识的编码技术、监控系统、GPS 标签、无人机、红外摄像机影像采集技术等，实现实时记录养殖动物生长过程中的体征状态，确保动物得以安全、健康、有序成长，同时，对资源储量、生长周期、产量等也可以准确监测，实现药用动物全面掌控和管理。

（二）药用动物养殖环境数据实时监测

药用动物的养殖环境与资源产量、药材质量密切相关。在确定规范化养殖体系后，如何实时掌控养殖环境、养殖条件、动物状态与环境的相关性等数据信息尤为重要，实时监测有利于根据动物的状态及时调整养殖环境，保证药用动物资源的产量与质量。此外，对于放养的动物，利用传感技术，可将数据信息的搜集拓展延伸到人力所不能及的区域，对药用动物养殖环境进行全面监控。

（三）药用动物疫情防控与在线诊断

药用动物养殖过程中的病害、疫情监控尤为重要，这些与动物状态、养殖环境检测数据密切相关，可通过以下方式开展：①结合本地气候、动物状态、养殖环境变动等设立疫情预警；②建立远程诊断机制，基于 4G 或 5G 现代信息技术，通过可视化通讯开展快速诊断与远程会诊；③建立疾病防控数据库，集中统计动物疾病大数据，服务器端对接收到的信息可进行快速预警或诊断。

（四）数据共享与信息查询

依托云平台与大数据，可实时共享药用动物储量与动物药产量信息，也可对规模化养殖的药用动物产量进行预测，实现养殖与市场紧密联系，让养殖基地及时掌握市场需求量信息，平衡供求关系，避免市场行情导致的动物药价格波动，有利于养殖端与市场端的规范化。

第二节　江苏省药用动物资源种类与产业现状

江苏地处华东，海洋及淡水资源充足，南部山区植被丰富，为野生动物生存及驯化养殖提供了基础。以第四次全国中药资源普查为契机，在已掌握有关信息的基础上，采用实地走访和重点调查相结合的方式对江苏动物药资源进行调查和分析。其中，走访调查以野生药用动物为主要目标，走访地区主要包括渔港、码头以及林场等；重点调查以人工饲养的药用动物为主要目标，包括梅花鹿、水蛭、地龙、珍珠等。通过此次调查，基本摸清了江苏野生药用动物的种群分布以及常用药用动物的饲养种类、数量。

一、药用动物资源种类

调查结果显示，江苏有药用动物资源 401 种，其中多孔动物门 1 种，刺胞动物门 3 种，环节动物门 8 种，星虫动物门 1 种，软体动物门 64 种，节肢动物门 93 种，棘皮动物门 14 种，脊索动物门 217 种；脊索动物门包括鱼纲 93 种、两栖纲 14 种、爬行纲 30 种、鸟纲 50 种、哺乳纲 30 种（表 1-7-1）。

表 1-7-1　江苏药用动物资源种类

类别	科名	中文名	拉丁学名	药材名（药用部位或药材来源）
多孔动物门	简骨海绵科	脆针海绵*	*Spongilla fragilis* Leidy	紫梢花（全体）
刺胞动物门	根口水母科	海蜇*	*Rhopilema esculentum* Kishinouye	海蜇（口腕部）、海蜇皮（伞部）
	海葵科	黄海葵*	*Anthopleura xanthogrammica* Berkly	海葵（全体）
	银冠海葵科	纵条肌海葵	*Haliplanella luciae* Verrill	纵条肌海葵（全体）
环节动物门	沙蚕科	疣吻沙蚕	*Tylorrhynchus heterochaetus* Quatrefages	禾虫（全体）
	沙蠋科	鸡冠沙蠋	*Arenicola cristata* Stimpson	海蚯蚓（全体）
	钜蚓科	通俗环毛蚓*	*Pheretima vulgaris* Chen	地龙（全体）
		威廉环毛蚓*	*Pheretima guillelmi* Michaelsen	
		栉盲环毛蚓	*Pheretima pectinifera* Michaelsen	
	水蛭科	宽体金线蛭*	*Whitmania pigra* Whitman	水蛭（全体）
		柳叶蚂蟥*	*Whitmania acranulata* Whitman	
		水蛭*	*Hirudo nipponica* Whitman	
星虫动物门	方格星虫科	裸体方格星虫	*Sipunculus nudus* Linnaeus	光裸星虫（全体）
软体动物门	隐板石鳖科	红条毛肤石鳖	*Acanthochitona rubrolineatus* Lischke	海石鳖（全体）
	锉石鳖科	花斑锉石鳖	*Ischnochiton comptus* Gould	
	鲍科	杂色鲍（九孔鲍）*	*Haliotis diversicolor* Reeve	石决明（贝壳）
		皱纹盘鲍*	*Haliotis discus hannai* Ino	
	帽贝科	嫁蝛	*Cellana toreuma* Reeve	嫁蝛（壳）
	马蹄螺科	黑凹螺	*Chlorostoma nigerrima* Gmelin	海决明（壳）
		锈凹螺	*Chlorostoma rustica* Gmelin	
	蝾螺科	蝾螺	*Turbo cornutus* Solander	甲香（厣）
	环口螺科	褐带环口螺	*Cyclophorus martensianus* Moelldendorff	褐带环口螺（全体）
	田螺科	方形环棱螺	*Bellamya quadrata* Benson	螺蛳（全体）、白螺蛳壳（贝壳）
		中国圆田螺	*Cipangopaludina chinensis* Gray	田螺（全体）、田螺壳（壳）、田螺厣（厣）
		中华圆田螺	*Cipangopaludina carthayensis* Heude	

类别	科名	中文名	拉丁学名	药材名（药用部位或药材来源）
	骨螺科	蛎敌荔枝螺	*Purpura gradata* Jonas（*Thais trigona* Reeve）	蓼螺（壳）
		疣荔枝螺	*Purpura clavigera* Kuster（*Thais clavigera* Kuster）	
		脉红螺	*Rapana venosa* Valenciennes（*Rapana thomasiana* Crosse）	海螺（肉）、海螺壳（壳）、海螺厣（厣）
	蛾螺科	泥东风螺	*Babylonia lutosa* Lamarck	东风螺（肉）、东风螺壳（壳）
		方斑东风螺	*Babylonia areolata* Lamarck	
	盔螺科	管角螺	*Hemifusus tuba* Gmelin（*Semifusus tuba* Gmelin）	角螺（肉）、角螺厣（厣）
		天狗角螺	*Hemifusus ternatanus* Gmelin	
	榧螺科	伶鼬榧螺	*Oliva mustelina* Lamarck	榧螺（壳）
	阿地螺科	泥螺	*Bullacta exarata* Philippi	吐铁（肉）
	琥珀螺科	赤琥珀螺	*Succinea erythrophana* Ancey	缘桑螺（全体）
	肋齿螺科	皱巴坚螺	*Camaena cicatricosa* Muller	皱巴坚螺（贝壳）
	巴蜗牛科	同型巴蜗牛	*Bradybaena similaris* Ferussde	蜗牛（全体）、蜗牛壳（壳）
		条华蜗牛	*Cathaica fasciola* Draparnaud	
	蛞蝓科	黄蛞蝓	*Limax frauus* Linnaeus	蛞蝓（全体）
		野蛞蝓	*Agriolimax agrestis* Linnaeus	
	蚶科	毛蚶*	*Arca subcrenata* Lischke	瓦楞子（贝壳）、蚶（肉）
		泥蚶*	*Arca granosa* Linnaeus	
		魁蚶*	*Arca inflata* Reeve	
	贻贝科	厚壳贻贝	*Mytilus coruscus* Gould	淡菜（肉）
		贻贝	*Mytilus edulis* Linnaeus	
		偏顶蛤	*Modiolus modiolus* Linnaeus	
	蚌科	三角帆蚌*	*Hyriopsis cumingii* Lea	珍珠（珍珠）、珍珠母（贝壳）、蚌肉（肉）、蚌粉（贝壳制成的粉）
		褶纹冠蚌*	*Cristaria plicata* Leach	
		巨首楔蚌	*Cuneopsis capitata* Heude	马刀（贝壳）
		圆头楔蚌	*Cuneopsis heudei* Heude	
		短褐矛蚌	*Lanceolaria grayana* Lea	
		射线裂脊蚌	*Schistodesmus lampreyanus* Baird et Adams	珍珠母（贝壳）
		背瘤丽蚌	*Lamprotula leai* Gray	
		圆顶珠蚌	*Unio douglasiae* Gray	土牡蛎（贝壳）
	扇贝科	栉孔扇贝	*Chlamys farreri* Jones et Preston	干贝（闭壳肌）
	牡蛎科	密鳞牡蛎	*Ostrea denselamellosa* Lischke	牡蛎（贝壳）、牡蛎肉（肉）
		长牡蛎	*Ostrea gigas* Thunberg	
		大连湾牡蛎	*Ostrea talienwhanensis* Crosse	
		近江牡蛎	*Ostrea rivularis* Gould	
	蚬科	河蚬	*Corbicula fluminea* Muller	蚬壳（贝壳）、蚬肉（肉）
	帘蛤科	文蛤	*Meretrix meretrix* Linnaeus	蛤壳（贝壳）、文蛤肉（肉）
		青蛤	*Cyclina sinensis* Gmelin	

类别	科名	中文名	拉丁学名	药材名（药用部位或药材来源）
	帘蛤科	菲律宾蛤仔	*Ruditapes philippinarum* Adamset Reeve	蛤仔（壳、肉）
		日本镜蛤	*Dosinia japonica* Reeve	
	蛤蜊科	西施舌	*Mactra antiquata* Spengler	西施舌（肉）
		中国蛤蜊	*Mactra chinensis* Philippi（*Mactra sulcataria* Deshayes）	珂（壳）
		四角蛤蜊	*Mactra veneriformis* Deshayes	蛤蜊（肉）、蛤蜊粉（贝壳加工的粉）
	竹蛏科	大竹蛏	*Solen grandis* Dunker	蛏壳（贝壳）、蛏肉（肉）
		长竹蛏	*Solen gouldii* Conrad	
	截蛏科	缢蛏	*Sinonovacula constricta* Lamarck	蛏壳（贝壳）、蛏肉（肉）
	枪乌贼科	日本枪乌贼	*Loligo japonica* Steenstrup	枪乌贼（全体）
		火枪乌贼	*Loligo beka* Sasaki	
	乌贼科	无针乌贼	*Sepiella maindroni* de Rochebrune	海螵蛸（内壳）、乌贼鱼肉（肉）、乌贼鱼腹中墨（墨囊中的墨汁）
		金乌贼	*Sepia esculenta* Hoyle	
	章鱼科（蛸科）	真蛸	*Octopus vulgaris* Lamarck	章鱼（肉）
		长蛸	*Octopus variabilis* Sasaki	
		短蛸	*Octopus ocellatus* Gray	
节肢动物门	浪飘水虱科	祁氏鱼怪	*Ichthyoxenus geei* Boone	鱼虱子（全体）
	海蟑螂科	海蟑螂	*Ligia exotica* Roux	海蟑螂（全体）
	卷甲虫科（平甲虫科）	平甲虫	*Armadillidium vulgare* Latrielle	鼠妇（全体）
		鼠妇	*Porcellio scaber* Latreille	
	对虾科	中国对虾	*Penaeus chinensis* Osbeck	对虾（全体或肉）
	长臂虾科	日本沼虾	*Macrobrachium nipponense* de Haan	虾（全体或肉）
	蝼蛄虾科	大蝼蛄虾	*Upogebia major* de Haan	蝼蛄虾（全体）
	活额寄居蟹科	艾氏活额寄居蟹	*Diogenes edwardsii* de Haan	寄居蟹（全体）
		下齿细螯寄居蟹	*Clibanarius infraspinatus* Hilgendorf	
		长腕寄居蟹	*Pagurus samuelis* Stimpson（*Pagurus geminus* Mclaughlin）	
	梭子蟹科	日本蟳	*Charybdis japonica* H. Milne-Edwards	蝤蛑（全体）
		三疣梭子蟹	*Portunus trituberculatus* Miers	梭子蟹（全体）、海蟹壳（甲壳）
	溪蟹科	锯齿溪蟹	*Potamon denticulatum* H. Milne-Edwards	锯齿溪蟹（全体）
	龙虾科	中国龙虾	*Panulirus stimpsoni* Holthuis	龙虾（全体）
		锦绣龙虾	*Panulirus ornatus* Fabircius	
	螯虾科	克氏原螯虾（小龙虾）	*Procambarus clarkii* Girard	小龙虾（全体或肉）
	方蟹科	中华绒螯蟹	*Eriocheir sinensis* H. Milne-Edwards	方海（全体）、蟹壳（甲壳）
		日本绒螯蟹	*Eriocheir japonicus* de Haan	
		无齿相手蟹	*Sesarma dehaani* H. Milne Edwards	蟛蜞（脂肪、肉）

续表

类别	科名	中文名	拉丁学名	药材名（药用部位或药材来源）
	钳蝎科	东亚钳蝎 *	*Buthus martensii* Karsch	全蝎（全体）
	园蛛科	大腹园蛛	*Araneus ventricosa* L. Koch	蜘蛛（全体）、蜘蛛蜕壳(蜕壳)、蜘蛛网(网丝）
		横纹金蛛	*Argiope bruennichii* Scopoli	花蜘蛛（全体、网丝）
	壁钱科	华南壁钱	*Uroctea compactilis* L.Koch	壁钱（全体）
	跳蛛科	浊斑扁蝇虎	*Menemerus confusus* Bosenberg et Strand	蝇虎（全体）
	圆马陆科	宽附陇马陆	*Kronopolites svenhedin* Virhoeff	马陆（全体）
	山蛩科	燕山蛩	*Spirobolus bungii* Brandt	山蛩虫（全体）
	蜈蚣科	少棘巨蜈蚣 *	*Scolopendra subspinipes mutilans* L. Koch	蜈蚣（全体）
	衣鱼科	衣鱼	*Lepisma saccharina* Linnaeus	衣鱼（全体）
		毛衣鱼	*Ctenolepisma villosa* Fabr.	
	蜓科	碧尾蜓	*Anax parthenope* Selys	蜻蜓（全体）
		赤蜻蛉	*Crocothemis servilia* Drury	
		褐顶赤卒	*Sympetrum infuscatum* Selys	
		黄衣	*Plantala flavescens* Fabricius	
	蜚蠊科	美洲大蠊	*Periplaneta americana* Linnaeus	蟑螂（全体）
		东方蜚蠊	*Blatta orientalis* Linnaeus	
	鳖蠊科	地鳖 *	*Eupolyphaga sinensis* Walker	土鳖虫（全体）
	螳科	大刀螂 *	*Tenodera sinensis* Saussure	螳螂（全体）、桑螵蛸（卵鞘）
		小刀螂 *	*Statilia maculata* Thunberg	
		巨斧螳螂 *	*Hierodula patellifera* Serville	
	蝗科	飞蝗	*Locusta migratoria* Linnaeus	蚱蜢（成虫）
		中华稻蝗	*Oxya chinensis* Thunberg	
		稻叶大剑角蝗	*Acrida lata* Motsch	
	螽斯科	螽斯	*Gampsaocleis gratiosa* Brunner Wattenwyl	蝈蝈（全体）
		纺织娘	*Mecopoda elongata* Linnaeus	叫姑姑（全体）
	蟋蟀科	油葫芦	*Gryllus testaceus* Walker	大头狗（全体）
		蟋蟀	*Scaopipedus aspersus* Walker	蟋蟀（成虫）
	蝼蛄科	非洲蝼蛄	*Gryllotalpa africana* Palisot et Beauvois	蝼蛄（全虫）
		华北蝼蛄	*Gryllotalpa unispina* Saussure	
	蝉科	黑蚱 *	*Cryptotympana pustulata* Fabricius	蚱蝉（全体）、蝉蜕（蜕壳）
		褐翅红娘子	*Huechys philaemata* Fabricius	红娘子（全体）
		黑翅红娘子 *	*Huechys sanguinea* De Geer	红娘子（全体）
		短翅红娘子 *	*Huechys thoracica* Distant	
	蚧科	白蜡虫	*Ericerus pela* Chavannes	虫白蜡（由雄虫所分泌的蜡质精制而成）
	蝽科	九香虫	*Aspongopus chinensis* Dallas	九香虫（全体）
	水黾科	水黾	*Rhagadotarsus kraepelini* Breddin	水黾（全体）
	刺蛾科	黄刺蛾	*Monema flavescens* Walker（*Cnidocampa flavescens* Walker）	雀瓮（虫茧）

续表

类别	科名	中文名	拉丁学名	药材名（药用部位或药材来源）
	蚕蛾科	家蚕	*Bombyx mori* Linnaeus	原蚕蛾（雄虫的全体）、僵蚕（幼虫感染白僵菌而僵死的全虫）、蚕蜕（幼虫的蜕皮）、蚕沙（幼虫的粪便）、蚕蛹（蛹）
	天蚕蛾科	蓖麻蚕	*Philosamia cynthia ricini* Donovan	蓖麻蚕（幼虫、卵）
	粉蝶科	白粉蝶	*Pieris rapae* Linnaeus	白粉蝶（全体）
	凤蝶科	黄凤蝶	*Papilio machaon* Linnaeus	茴香虫（幼虫）
		凤蝶	*Papilio xuthus* Linnaeus	
	蓑蛾科	大避债蛾	*Clania preyeri* Leech	大避债蛾（活体幼虫伤断处流出的黄色液体）
	灯蛾科	灯蛾	*Arctia caja* Linnaeus	灯蛾（成虫）
	丽蝇科	大头金蝇	*Chrysomyia megacephala* Fabricius	五谷虫（幼虫、蛹壳）
	虻科	华虻	*Tabanus mandarinus* Schiner	虻虫（雌虫全体）
		双斑黄虻	*Atylotus bivittateinus* Takahasi	
	狂蝇科	蜂蝇	*Eristalis tenax* Linnaeus	蜂蝇（幼虫）
	步行虫科	虎斑步蚰	*Pheropsophus jessoensis* Moraw	行夜（全体）
	隐翅虫科	多毛隐翅虫	*Paederus densipennis* Bernhauer	花蚁虫（全体）
	豉甲科	豉豆虫	*Gyrinus curtus* Motsch	豉虫（全体）
	龙虱科	三星龙虱	*Cybister tripunctatus* orientalis Gschew	龙虱（全体）
		黄边大龙虱	*Cybister japonicus* Sharp	
	芫菁科	锯角豆芫菁	*Epicauta gorhami* Marseul	葛上亭长（全体）
		芫菁	*Lytta caragana* Pallas	芫菁（全体）
		地胆	*Meloe coarctatus* Motschulsky	地胆（全体）
		长地胆	*Meloe violcews* Linnaeus	
		南方大斑蝥 *	*Mylabris phalerata* Pallas	斑蝥（全体）
		黄黑小斑蝥 *	*Mylabris cichorii* Linnaeus	
	叩头虫科	有沟叩头虫	*Pleonomus canaliculatus* Faldermann	叩头虫（全体）
	萤科	萤火虫	*Luciola vitticollis* Kies	萤火（全体）
	拟步行虫科	洋虫	*Martianus dermestoides* Chevrolata	洋虫（全体）
	天牛科	星天牛	*Anoplophora chinensis* Forster	天牛（全体）
		桑天牛	*Apriona germari* Hope	
	金龟子科	屎壳郎	*Catharsius molossus* Linnaeus	蜣螂（全体）
	鳃金龟科	东北大黑鳃金龟	*Holotrichia diomphalia* Bates	蛴螬（幼虫）
	粉蠹科	褐粉蠹	*Lyctus brunneus* Steph.	竹蠹虫（幼虫）
	蜜蜂科	中华蜜蜂 *	*Apis cerana* Fabricius	蜂蜜（所酿的蜜糖）、蜂乳（工蜂咽腺及咽后腺分泌的乳白色胶状物）、蜂毒（毒汁）、蜂蜡（蜡质）、蜂胶（修补蜂巢的黏性物质）
		意大利蜂 *	*Apis mellifera* Linnaeus	

续表

类别	科名	中文名	拉丁学名	药材名（药用部位或药材来源）
	胡蜂科	果马蜂 *	*Polistes olivaceous* De Geer	露蜂房（巢）
		日本长脚胡蜂 *	*Polistes japonicus* Saussure	
		异腹胡蜂 *	*Parapolybia varia* Fabricius	
	蚁科	丝光褐林蚁	*Formica fusca* Linnaeus	蚂蚁（全体）
		拟多黑翅蚁	*Polyrhachis vicina* Roger	
棘皮动物门	海盘车科	罗氏海盘车 *	*Asterias rollestoni* Bell	海盘车（全体）
		多棘海盘车 *	*Asterias amurensis* Lutken	
	刺参科	刺参	*Apostichopus japonicus* Selenka（*Stichopus japonicus* Selenka）	海参（全体）
		绿刺参	*Stichopus chloronotus* Brandt	
		花刺参	*Stichopus variegatus* Semper	
	球海胆科	马粪海胆	*Hemicentrotus pulcherrimus* A. Agassiz	海胆（石灰质骨壳）
		光棘球海胆	*Strongylocentrotus nudus* A. Agassiz	
	长海胆科	紫海胆	*Anthocidaris crassispina* A. Agassiz	
	刻肋海胆科	细雕刻肋海胆	*Temnopleurus toreumaticus* Leske	
		北方刻肋海胆	*Temnopleurus hardwichii* Gray	
	海燕科	海燕	*Asterina pectinifera* Müller et Troschel	海燕（全体）
	阳遂足科	滩栖阳遂足	*Amphiura vadicola* Matsumoto.	阳遂足（全体）
	太阳海星科	陶氏太阳海星	*Solaster dawsoni* Verrill	太阳海星（全体）
	槭海星科	镶边海星	*Craspidaster hesperus* Müller et Troschel	海星（干燥全体）
脊索动物门 鱼纲	海龙科	大海马 *	*Hippocampus kuda* Bleeker	海马（全体）
		小海马（海蛆）*	*Hippocampus japonicus* Kaup	
		刁海龙 *	*Solenognathus hardwickii* Gary	海龙（全体）
		拟海龙 *	*Syngnathoides biaculeatus* Bloch	
		尖海龙 *	*Syngnathus acus* Linnaeus	
	皱唇鲨科	白斑星鲨	*Mustelus manazo* Bleeder	鲨鱼肉（肉）、鲨鱼翅（鳍）
		灰星鲨	*Mustelus griseus* Pietschmann	
		白斑角鲨	*Squlus acanthias* Linnaeus	
	锯鳐科	尖齿锯鳐	*Pristis cuspidatus* Latham	锯鲨胆（胆）
	鳐科	孔鳐	*Raja porosa* Gunther	鳐鱼胆（胆）
		何氏鳐	*Raja hollandi* Jordan et Richardson	
	银鲛科	黑线银鲛	*Chinaera plantasma* Jordan et Snyder	银鲛（肉、鳍）
	白鲟科	白鲟	*Psephurus gladius* Martens	鲟鱼（肉）
		中华鲟	*Acipenser sinensis* Gray	
	鲱科	青鳞鱼	*Harengula zunasi* Bleeker（*Sardinella zunasi* Bleeker）	青鳞鱼（肉）
		勒鱼	*Ilisha elongata* Bennett	勒鱼（肉）
		鲥鱼	*Macrura reevesii* Richardson	鲥鱼（全体或肉）、鲥鱼鳞（鳞）
	鳀科	刀鲚	*Coilia ectenes* Jordan et Seale	鲚鱼（全体）

续表

类别	科名	中文名	拉丁学名	药材名（药用部位或药材来源）
	银鱼科	间银鱼	*Hemisalanx prognathus* Regan	水晶鱼（全体）
		尖头银鱼	*Salanx acuticeps* Regan	
		太湖新银鱼	*Neosalanx tankankeii* taihuensis	银鱼（全体）
	狗母鱼科	长蛇鲻	*Saurida elongata* Temminck et Schlegel	蛇鲻（肉）
		大头狗母鱼	*Trachi nocephalus myops* Blochet Schneider	狗母鱼（尾）
	鲤科	鳙鱼	*Aristichthys nobilis* Richardson	鳙鱼（全体）、鳙鱼头（头）
		鲫鱼	*Carassius auratus* Linnaeus	鲫鱼（肉）
		金鱼	*Carassius auratus* Linnaeus var. *Goldfish*	金鱼（全体或肉）
		草鱼	*Ctenopharyngodon idellus* Cuvier et Valenciennes	鲩鱼（肉）
		鲤鱼	*Cyprinus carpio* Linnaeus	鲤鱼（全体或肉）、鲤鱼鳞（鳞）
		鳡鱼	*Elopichthys bambusa* Richardson.	鳡鱼（肉）
		翘嘴红鲌	*Erythroculter ilishaeformis* Bleeker	白鱼（肉）
		红鳍鲌	*Culter erythropterus* Basilewsky	
		鲦鱼	*Hemiculter leucisculus* Basilewsky	鲦鱼（肉）
		鯮鱼	*Luciobrama macrocephalus* Lacepede	鯮鱼（肉）
		三角鲂	*Megalobrama terminalis* Richardson	鲂鱼（肉）
		鲢鱼	*Hypophthalmichthys molitrix* Cuvier et Valenciennes	鲢鱼（肉）
		青鱼	*Mylopharyngodon piceus* Richardson	青鱼（肉）
		中华鳑鲏鱼	*Rhodeus sinensis* Gunther	鳑鲏鱼（肉）
		黄尾鲴	*Xenocypris davidi* Bleeker	黄鲴鱼（肉）
	鳅科	泥鳅	*Misgurnus anguillicaudatus* Gantor	泥鳅（全体）、泥鳅掌滑液（黏液）
		大鳞泥鳅	*Misgurnus mizolepis* Gunther	
		花鳅	*Cobitis taenis* Linnaeus	
	海鲶科	中华海鲶	*Arius sinensis* Lacepede	海鲶（肉）
	海鳝科	波纹裸胸鳝	*Gymnothorax undulatus* Lacepede	海鳝（全体或血）
		网纹裸胸鳝	*Gymnothorax reticularis* Bloch	
	海鳗科	海鳗	*Muraenesox cinereus* Forskal	海鳗（肉）
	鳗鲶科	鳗鲶	*Plotosus lineatus* Thunberg	鳗鲶（肉）
	鲇科	鲇鱼	*Silurus asotus* Linnaeus（*Parasilurus asotus* Linnaeus）	鮧鱼（全体或肉）
	鮠科	长吻鮠	*Leiocassis longirostris* Gunther	鮠鱼（肉）
		黄颡鱼	*Pseudobagrus fulvidraco* Richardson（*Pelteobagrus fulvidraco* Richardson）	黄颡鱼（肉）
	鳗鲡科	鳗鲡	*Anguilla japonica* Temminck et Schlegel	鳗鲡鱼（全体）
	鱵科	鱵鱼	*Hemirhamphus sajori* Temminck et Schlegel	鱵鱼（肉）
	鳕科	鳕鱼	*Gadus macrocephalus* Tilesius	鳕鱼(肉)、鳕鱼骨(骨)、鳕鱼鳔(鳔)
	烟管鱼科	鳞烟管鱼	*Fistularia petimba* Lacepede	鮹鱼（全体）

类别	科名	中文名	拉丁学名	药材名（药用部位或药材来源）
	飞鱼科	燕鳐鱼	*Cypsilurus agoo* Temminck et Schlegel	文鳐鱼（肉）
	合鳃鱼科	黄鳝	*Monopterus albus* Zuiew	鳝鱼（肉）
	鮨科	鲑点石斑鱼	*Epinephelus fario* Thunberg	石斑鱼（肉）
		青石斑鱼	*Epinephelus awoara* Temminck et Schlegel	
		鲈鱼	*Lateolabrax japonicus* Cuvier et Valenciennes	鲈鱼（肉）
		鳜鱼	*Siniperca chuatsi* Basilewsky	鳜鱼（肉）
	鲹科	蓝圆鲹	*Decapterus maruadsi* Temminck et Schlegel	蓝圆鲹（肉）
	石首鱼科	黄姑鱼	*Nibea albiflora* Richardson	黄姑鱼（肉）
		棘头梅章鱼	*Collichthys lucidus* Richardson	梅章鱼（肉）
		大黄鱼	*Pseudosciaena crocea* Richardson	鱼脑石（耳石）
		小黄鱼	*Pseudosciaena polyactis* Bleeker	鱼脑石（耳石）
	石鲈科	横带髭鲷	*Hapalogenys mucronatus* Eydoux et Souleyet	海候鳔（鳔）
	鲾科	黄斑鲾	*Leiognathus bindus*	鲾鱼（肉）
		鹿斑鲾	*Leiognatnus ruconius*	鲾鱼（肉）
	带鱼科	带鱼	*Trichiurus haumela* Forskal	带鱼（肉、鳞、油）
	鲅科	蓝点马鲛鱼	*Scomberomorus niphonius* Cuvier et Valenciennes Hamilton-Buchanan	马鲛鱼（肉、鳃）
	鲳科	银鲳	*Pampus argenteus* Euphrasen	鲳鱼（肉）
	鲭科	鲐鱼	*Pneumatophorus japonicus* Houttuyn	鲐鱼（肉）
	鰕虎鱼科	刺鰕虎鱼	*Acanthogobius flavimanus* Temminck et Schlegel	鰕虎鱼（肉）
	弹涂鱼科	弹涂鱼	*Periophthalmus cantonensis* Osbeck	弹涂鱼（肉）
	鳢科	月鳢	*Channa asiaticus* Linnaeus	张公鱼（肉）
		乌鳢	*Ophicephalus argus* Cantor	鳢鱼（肉）
	鮣科	白短鮣	*Remora albescens* Temminck et Schlegel	鮣鱼（肉）
		短鮣	*Remora remora* Linnaeus	
	毒鲉科	鬼鲉	*Inimicus japonicus* Cuvier et Valenciennes	鱼虎（肉）
	塘鳢科	沙塘鳢	*Odontobutis obscura* Temminck et Schlegel	土附（肉）
	鲂鮄科	绿鳍鱼	*Chelidonichthys kumu* Lesson et Garnot	绿鳍鱼（肉）
	鲬科	鲬	*Platycephalus indicus* Linnaeus	鲬鱼（肉）
	杜父鱼科	松江鲈	*Cottus pollux* Gunther	杜父鱼（肉）
	鲽科	木叶鲽	*Pleuronichthys cornutus* Temminck et Schlegel	比目鱼（肉）
	牙鲆科	牙鲆	*Paralichthys olivaceus* Temminck et Schlegel	
	舌鳎科	短吻舌鳎	*Cynoglossus joyneri* Gunther	
	三刺鲀科	短吻三刺鲀	*Triacanthus brevirostris* Temminck et Schlegel	三刺鲀（肉）
	单角鲀科	绿鳍马面鲀	*Navodon septentrionalis* Gunther	马面鲀（肉）

续表

类别	科名	中文名	拉丁学名	药材名（药用部位或药材来源）
	革鲀科	弓斑东方鲀	*Fugu ocellatus* Osbeck（*Spheroides ocellatus* Osbeck）	河豚（肉）、河豚目（眼球）、河豚鱼肝油（肝脏炼出的油）、河豚子（卵子）、河豚卵巢（卵巢）
		虫纹东方鲀	*Fugu vermicularis* Temminck et Schlegel（*Spheroides vermicularis* Temminck et Schlegel）	
		暗纹东方鲀	*Fugu obscurus* Abe（*Spheroides obscurus* Abe）	
	刺鲀科	六斑刺鲀	*Diodon holocanthus* Linnaeus	刺鲀皮（皮）
	翻车鲀科	翻车鲀	*Mola mola* Linnaeus	翻车鲀（肝脏炼出的油）
	鮟鱇科	黄鮟鱇	*Lophius litulon* Jordan	黄鮟鱇（头骨）
脊索动物门两栖纲	隐鳃鲵科	大鲵	*Andrias davidiarnus* Blanchard	大鲵（全体）
	蝾螈科	东方蝾螈	*Cynops orientalis* David	东方蝾螈（全体）
	盘舌蟾科	东方铃蟾	*Bombina orientalis* Boutenger	东方铃蟾（全体或口中的分泌物）
	蟾蜍科	中华大蟾蜍*	*Bufo bufo gargarizans* Cantor	蟾蜍（全体）、蟾酥（由耳后腺分泌物加工而成）、蟾皮（除去内脏的干燥体）
	雨蛙科	无斑雨蛙	*Hyla arborea immaculata* Boettger	雨蛙（全体）
		中国雨蛙	*Hyla chinensis* Gunther	金蛤蟆（全体）
	蛙科	中国林蛙	*Rana temporaria chensinensis* David	哈士蟆（全体）、哈士蟆油（输卵管）
		泽蛙	*Rana limnocharis* Boie	虾蟆（全体）
		黑斑蛙	*Rana nigromaculata* Hallowell	青蛙（除去内脏的全体）
		金线蛙	*Rana plancyi* Lataste	
		棘胸蛙	*Rana spinosa* David	棘胸蛙（除去内脏的全体）
		虎纹蛙	*Rana tigrina rugulosa*	虎纹蛙（除去内脏的新鲜全体）
		金线侧褶蛙	*Pelophylax plancyi* Lataste	青蛙（除去内脏的全体）
		斑腿树蛙	*Rhacophorus leucomystax* Gravenhorst	射尿蛂（全体）
脊索动物门爬行纲	平胸龟科	平胸龟	*Platysternon megacephalum* Gray	阴蚼（全体）
	龟科	乌龟*	*Chinemys reevesii* Gray	龟甲（甲壳）、龟甲胶（甲壳熬成的固体胶块）
		黄缘闭壳龟	*Cuora flavomarginata* Gray	夹蛇龟（全体）
	海龟科	蠵龟	*Caretta caretta gigas* Deraniyagala	蠵龟肉（肉）
		海龟	*Chelonia mydas* Linnaeus	海龟（全体）
		玳瑁	*Eretmochelys imbricata* Linnaeus	玳瑁（背甲）
	鳖科	鼋	*Pelochelys bibroni* Owen	鼋甲（背甲）
		鳖*	*Trionyx sinensis* Wiegmann	鳖甲（背甲）
	鬣蜥科	草绿龙蜥	*Japalura flaviceps* Barbour et Dunn	四脚蛇（全体）
	壁虎科	大壁虎	*Gekko gecko* Linnaeus	蛤蚧（除去内脏干燥体）
		无蹼壁虎	*Gekko swinhonis* Gunther	壁虎（全体）
		多疣壁虎	*Gekko japonicas* Dumeril et Bibron	

类别	科名	中文名	拉丁学名	药材名（药用部位或药材来源）
	石龙子科	石龙子	*Eumeces chinensis* Gray	石龙子（除去内脏的全体）
		蓝尾石龙子	*Eumeces elegans* Boulenger	
	蜥蜴科	丽斑麻蜥	*Eremias argus* Peters	麻蛇子（全体）
		北草蜥	*Takydromus septentrionalis* Guinther	草蜥（全体）
	蛇蜥科	脆蛇蜥	*Ophisaurus harti* Boulenger	脆蛇（全体）
	游蛇科	赤链蛇	*Dinodon rufozonatum* Cantor	赤链蛇（全体）
		王锦蛇	*Elaphe carinata* Guenther	蛇蜕（蜕下的皮膜）
		红点锦蛇	*Elaphe rufodorsata* Cantor	
		黑眉锦蛇	*Elaphe taeniura* Cope	
		中国水蛇	*Enhydris chinensis* Gray	泥蛇（除去内脏的全体）
		水赤链游蛇	*Natrix annularis* Hallowell	水蛇（除去内脏的全体）、水蛇皮（皮）
		乌梢蛇 *	*Zaocys dhumnades* Cantor	乌梢蛇（除去内脏的全体）
	海蛇科	青环海蛇	*Hydrophis cyanocinctus* Daudin	蛇婆（全体）
	眼镜蛇科	银环蛇	*Bungarus multicinctus* Blyth	金钱白花蛇（除去内脏的幼蛇或成蛇干燥体）
	蝰科	尖吻蝮	*Deinagkistrodon acutus* Güenther	蕲蛇（除内脏的干燥体）
		蝮蛇	*Agkistrodon halys* Pallas	蝮蛇（除去内脏的全体）
		竹叶青蛇	*Trimeresurus stejnegeri stejnegeri* Schmidt	竹叶青（除去内脏的全体）
	鼍科	扬子鳄	*Alligator sinensis* Fauvel	鼍甲（甲片）
脊索动物门 鸟纲	鹈鹕科	斑嘴鹈鹕	*Pelecanus roseus* Gmelin	鹈鹕嘴（嘴）
	鸬鹚科	鸬鹚	*Phalacrocorax carbo sinensis* Blumenbach	鸬鹚肉（肉）
	鹭科	牛背鹭	*Bubulcus ibis* Linnaeus	牛背鹭（肉）
	鸭科	绿头鸭	*Anas platyrhynchos* Linnaeus	凫肉（肉）
		家鸭	*Anas platyrhynchos domistica* Linnaeus	白鸭肉（肉）
		白额雁	*Anser albifrons* Scopoli	雁肉（肉）
		鸿雁	*Anser cygnoides* Linnaeus	
		家鹅	*Anser cygnoides domestica* Brisson	鹅肉（肉）
		大天鹅	*Cygnus cygnus* Linnaeus	鹄肉（肉）、鹄油（脂肪油）
		秋沙鸭	*Mergus merganser* Linnaeus	秋沙鸭肉（肉）
		赤麻鸭	*Tadorna ferruginea* Pallas	黄鸭（肉）
	鹰科	苍鹰	*Accipiter gentilis* Linnaeus	鹰肉（肉）
		秃鹫	*Aegypius monachus* Linnaeus	秃鹫（肉、骨）
		鸢	*Milvus korschun* Gmelin	鸢肉（肉）
	雉科	灰胸竹鸡	*Bambusicola thoracica* Temminck	竹鸡（肉）
		鹌鹑	*Coturnix coturnix* Linnaeus	鹌鹑（肉）

续表

类别	科名	中文名	拉丁学名	药材名（药用部位或药材来源）
		家鸡*	*Gallus gallus domesticus* Brisson	鸡内金（砂囊的内膜）、鸡肉（肉）、鸡子黄（蛋黄）
		乌骨鸡	*Gallus gallus domesticus* Brisson	乌骨鸡（去羽毛及内脏的全体）
		环颈雉	*Phasianus colchicus* Linnaeus	雉（肉）
	三趾鹑科	黄脚三趾鹑	*Turnix tanki* Blyth	鹑（肉）
	鹤科	丹顶鹤	*Grus japonensis* P. L. S. Miller	鹤肉（肉）
	秧鸡科	黑水鸡	*Gallinula chloropus* Linnaeus	黑水鸡（肉）
	鸨科	大鸨	*Otis tarda* Linnaeus	鸨肉（肉）
	鸥科	红嘴鸥	*Larus ridibundus* Linnaeus	鸥（肉）
	鸠鸽科	家鸽	*Columba livia domestica* Linnaeus	鸽（肉）
		火斑鸠	*Oenopopelia tranquebarica* Harmann	斑鸠（肉）
		山斑鸠	*Streptopelia orientalis* Latham	
	杜鹃科	大杜鹃	*Cuculus canorus* Linnaeus	布谷鸟（全体）
		小杜鹃	*Cuculus poliocephalus* Latham	杜鹃（肉）
	鸱鸮科	雕鸮	*Bubo bubo* Linnaeus	猫头鹰（肉、骨）
		斑头鸺鹠	*Glaucidium cuculoides*	鸮（肉）
		红角鸮	*Otus scops* Linnaeus	鸱鸺（肉、骨）
	翠鸟科	翠鸟	*Alcedo atthis* Linnaeus	鱼狗（肉、骨）
	戴胜科	戴胜	*Upupa epops* Linnaeus	屎咕咕（肉）
	啄木鸟科	大斑啄木鸟	*Dendrocopos major* Linnaeus	啄木鸟（肉）
		绿啄木鸟	*Picus canus* Gmelin	
	百灵科	云雀	*Alauda arvensis* Linnaeus	云雀（肉、脑、卵）
	燕科	金腰燕	*Hirundo daurica* Linnaeus	胡燕卵（卵）、燕窠土（巢泥）
		灰沙燕	*Riparia riparia* Linnaeus	土燕（肉、肺脏、卵）
	椋鸟科	灰椋鸟	*Sturnus cineraceus* Temminck	灰札子（肉）
	鸦科	大嘴乌鸦	*Corvus macrorhynchus* Wagler	乌鸦（全体或肉）
		寒鸦	*Corvus monedula* Linnaeus	慈乌（全体或肉）
		喜鹊	*Pica pica* Linnaeus	鹊（肉）
	鹪鹩科	鹪鹩	*Troglodytes solstitialis* Linnaeus	巧妇鸟（肉）
	鸫科	鹊鸲	*Copsychus saularis* Linnaeus	鹊鸲（肉）
	鸫科	紫啸鸫	*Myophonus caeruleus* Scopoli	紫啸鸫（肉）
		黑（乌）鸫	*Turdus merula* Linnaeus	百舌鸟（肉）
	鹀科	灰头鹀	*Emberiza spodocephala* Pallas	蒿雀（肉或全体）
		黄胸鹀	*Emberiza aureola* Pallas	禾花雀（肉）
	雀科	麻雀	*Passer montanus* Linnaeus	雀（全体或肉）
脊索动物门哺乳纲	猬科	刺猬（黑龙江刺猬）	*Erinaceus amurensis* Linnaeus	刺猬皮（皮）、猬肉（肉）
	鼹鼠科	华南缺齿鼹	*Mogera latouchei* Thomas	鼹鼠（除去内脏的全体）
	蝙蝠科	蝙蝠	*Vespertilio superans* Thomas	蝙蝠（全体）、夜明砂（粪便）

续表

类别	科名	中文名	拉丁学名	药材名（药用部位或药材来源）
		大耳蝠	*Plecotus auritus* Linnaeus	
		菊头蝠	*Rhinolophus ferrumequinum* Schreber	
	鲮鲤科	穿山甲 *	*Manis pentadactyla* Linnaeus	穿山甲（鳞片）、鲮鲤肉（肉）
	兔科	华南兔	*Lepus sinensis* Gray	兔肉（肉）、望月砂（粪便）
		家兔	*Oryctolagus cuniculus domesticus* Gmelin	
	松鼠科	赤腹松鼠	*Callosciurus erythraeus* Pallas	赤腹松鼠（除去内脏的全体）
	鼠科	褐家鼠	*Rattus norvegicus* Berkenhout	鼠（全体或肉）
		黄胸鼠	*Rattus flavipectus* H. Milne-Edwards	
	淡水豚科	白暨豚	*Lipotes vexillifer* Miller	白暨豚（脂肪）
	犬科	家狗	*Canis familiaris* Linnaeus	狗肉（肉）、狗鞭（带睾丸的阴茎）
		赤狐	*Vulpes vulpes* Linnaeus	狐肉（肉）
	鼬科	黄鼬	*Mustela sibirica* Pallas	鼬鼠肉（肉）
	猫科	家猫	*Felis ocreata domestica* Brisson	猫肉（肉）
	马科	驴	*Equus asinus* Linnaeus	阿胶（皮熬制而成的胶）
		骡	*Equus asinus* Linnaeus	骡宝（胃结石）
		马	*Equus caballus orientalis* Noack	马宝（胃肠道结石）、马肉（肉）、马皮（皮）
	猪科	野猪	*Sus scrofa* Linnaeus	野猪胆（胆或胆汁）、野猪皮（皮）
		猪	*Sus scrofa domestica* Brissson	猪胆（胆汁）
	鹿科	梅花鹿 *	*Cervus nippon* Temminck	鹿茸（密生茸毛尚未骨化的角）、鹿角（已骨化的角）
		马鹿 *	*Cervus elaphus* Linnaeus	
		麋鹿 *	*Elaphurus davidianus* H. Milne-Edwards	麋茸（密生茸毛尚未骨化的角）、麋角（雄性的骨化角）
		獐	*Hydropotes inermis* Swinhoe	獐肉（肉）、獐骨（骨）
		小麂	*Muntiacus reevesi* Ogilby	麂肉（肉）
	牛科	黄牛	*Bos taurus domesticus* Gmelin	牛黄（胆囊、胆管、肝管中的结石）
		水牛	*Bubalus bubalis* Linnaeus	水牛角（角）
		山羊	*Capra hircus* Linnaeus	羖羊角（雄性的角）
	人科	健康人	*Homo sapiens* Linnaeus	血余炭（头发炭化物）、人指甲（指甲）、紫河车（健康产妇的胎盘）

注：* 为重点资源。

二、药用动物资源产业现状

江苏药用动物资源种类丰富，这与江苏地形地貌、气候环境、水文植被等因素密切相关。江苏沿海滩涂湿地适于丹顶鹤、麋鹿等资源生长繁衍；因农耕需要，江苏水牛资源丰富，包括沿海区域的"海子水牛"与丘陵地区的"山区水牛"；江苏水体丰富，水田、沟渠、湖沼、溪流众多，且气候适宜，特别适于水蛭的生长繁殖；江苏沿海滩涂潮间带为底栖贝类提供了良好的生长环境。由于城市化建设的影响与人为因素的干预，江苏野生药用动物资源量减少。目前，江苏主要的养殖动物药资源品种有梅花鹿、麋鹿、水牛、宽体金线蛭、蚯蚓、中华大蟾蜍、乌龟、中华鳖、乌梢蛇、壁虎、土鳖虫、东亚钳蝎、金头蜈蚣等。

（一）梅花鹿驯化养殖与产业发展

鹿茸首载于《神农本草经》，被列为中品。性温，味甘、咸。具有壮肾阳、益精血、强筋骨、调冲任、托疮毒等功效。梅花鹿是中药鹿茸的基原之一，所产鹿茸品质较好，目前鹿茸的商品供应以人工饲养为主。

1. 淮安市淮安区古神梅花鹿养殖场

该养殖场位于博里镇，目前养殖梅花鹿 60 头（图 1-7-1）。养殖场的梅花鹿年龄较大，有的梅花鹿已养殖 10 年，部分鹿已送至黑龙江、吉林、辽宁配种。养殖场采用生态养殖的方式，将鹿粪用作种植农作物的肥料，然后又将农作物用作养殖梅花鹿的饲料，循环利用。主要产品为鹿血酒、鹿茸片等各种鹿制品，兼营鹿肉相关餐饮（图 1-7-2）。

图 1-7-1　养殖场内的梅花鹿群

图 1-7-2　割茸后的梅花鹿

2. 江苏省华广鹿业酒业有限公司梅花鹿繁殖基地

该基地位于青山镇龙山森林公园，共养殖梅花鹿 100 多头，用于景区观赏。主要产品有鹿茸、鹿筋、鹿茸血、鹿角帽粉、鹿茸片、鹿胎膏等，这些产品均有一定的药用价值。其中，鹿茸年产量超过 100 kg，可散卖，可批量销售，或制成鹿茸酒及鹿茸血酒。

3. 江阴市华宏特种养殖有限公司

该公司位于江阴周庄镇华宏村双桥路 580 号，目前养殖梅花鹿 50 余头，主要采茸使用，拥有鹿茸、鹿茸片、鹿血酒等一系列产品，年产鹿茸约 25 kg，所产鹿茸主要供药厂使用。

4. 苏州市润盛梅花鹿养殖场

该养殖场位于苏州吴中太湖中间的小岛上，四面环水，环境优美，生态和谐。该养殖场于 2006 年开始经营，至今约有 40 头梅花鹿。梅花鹿在 9 ~ 12 月发情，每头公鹿可配 25 头母鹿，每年产 1 胎，以豆渣拌树叶饲养。5 月底割下鹿茸，收集鹿血，冰箱冷冻保存，每年可采 1 ~ 2 次。主要为散户购买。

（二）麋鹿驯化养殖与产业发展

麋角为鹿科动物麋鹿 *Elaphurus davidianus* H. Milne-Edwards 雄性的骨化角，首见于陶弘景《名医别录》，历代本草与方书多见记载。《神农本草经疏》记载"麋属阴，好游泽畔。其角冬至解者，阳长则阴消之义也……麋角入血益阴，荣养经络，故主之也"。《本草纲目》提示"补阳以鹿角为胜，补阴以麋角为胜"。《食疗本草》记载"补虚劳，填髓……令人赤白如花，益阳道"。《中华本草》

总结其功效为"温肾壮阳，填精补髓，强筋骨，益血脉。主治肾阳不足，虚劳精亏，腰膝酸软，筋骨疼痛，血虚证"。

麋鹿为我国特产种，明清以前为沿海一带的常见动物种类，是重要的药用和食用大型动物。清代饲养于北京南苑，无野生，后被运至海外，我国绝迹。20世纪80年代麋鹿回归我国后，全国建立了南海子、大丰、石首三大麋鹿种群，恢复了大丰、石首、洞庭湖、盐城、鄱阳湖5个麋鹿野生种群。江苏大丰麋鹿国家级自然保护区在南黄海湿地恢复了麋鹿种群。截至2019年，大丰麋鹿野生种群数量已达1 350头。

麋角的生长过程独特。每年12月，麋角自动脱落，从角柄上长出新茸，随后快速生长并形成分枝，翌年4月中旬停止长茸，5月软骨组织逐渐骨化形成硬骨，年末再次脱落，开始新一轮循环。随着江苏大丰麋鹿国家级自然保护区麋鹿种群的重新引入并不断繁殖壮大，使麋角的拾取量呈逐年递增趋势，全国可利用资源也更加丰富。

现代研究表明，麋角全粉、水提物与水提药渣均具有增加氢化可的松致"肾阳虚"大鼠体重的效果，显著改善相应指标，有补阳功效，其作用机制与纠正下丘脑—垂体—靶腺轴的功能紊乱状态、调节免疫有关；麋角全粉、水提物皆能增加"阴虚"模型动物体重，上调胸腺和脾脏指数，其补阴功效与调节机体抗氧化能力、内分泌和免疫系统等功能状态密切相关，醇提物活性优于水提物；麋角全粉、水提物及药渣均能显著提高大鼠股骨的骨密度和骨矿物质含量，升高血清碱性磷酸酶（AKP）水平，这提示麋角总水提物具有促进骨生成与分化的能力；在D-半乳糖致亚急性衰老模型小鼠上，麋角全粉、水提物以及水提药渣能显著提高模型小鼠肝脏、肾脏以及脑组织内的抗氧化酶活性，抑制脑组织内单胺氧化酶（MAO）活性，显示出较好的抗亚急性衰老作用；在果蝇模型上，麋角水提物也可显著延长果蝇平均寿命，显示出较好的延缓衰老作用。

麋鹿人工规范化养殖（图1-7-3）是恢复麋鹿药用地位与实现资源化利用的关键。以梅花鹿为例，规范化养殖不仅使传统药用的鹿茸与鹿角的药源得以保证，还实现了茸血、角盘、皮、尾、鞭、肉、骨、筋、脂、胎的全利用。从历代本草记载和临床应用可发现，麋鹿源药材与梅花鹿源药材相比别具特色。现代关于麋鹿茸与麋角的研究亦可证实，麋鹿资源具有特别的活性价值。通过借鉴梅花鹿的人工养殖经验，实现麋鹿的规范化养殖，不仅可以使麋角与麋鹿茸重新恢复其药用地位，还可以参照梅花鹿的资源全利用经验，挖掘麋鹿未被发现的价值，拓展中药入药品种。

图 1-7-3　人工养殖的麋鹿

（三）水蛭驯化养殖与产业发展

江苏所产水蛭为水蛭科动物宽体金线蛭 *Whitmania pigra* Whitman、水蛭 *Hirudo nipponica* Whitman 或柳叶蚂蟥 *Whitmania acranulata* Whitman 的干燥全体。水蛭野生品产于内陆淡水水域，是江苏传统道地药材。历史上以自然捕捞为主，因近年农药、化肥等滥用及工农业"三废"对环境的污染，野生资源量锐减，目前主要依赖人工养殖供给医院调剂和中药制药。水蛭始载于《神农本草经》，具有逐恶血瘀血、破血瘕积聚之功效。水蛭在现代临床主要用于中风、高血压、血瘀、闭经、跌打损伤等疾患。随着水蛭药用价值的深度开发，其市场潜力巨大。江苏为水蛭主产地，主要养殖基地在南京浦口、扬州宝应、淮安淮阴、宿迁沭阳、南通如皋、张家港滨江等地区。其中部分养殖机构为中药制药企业建设的用于供应水蛭原料的养殖基地，还有部分养殖机构供应水蛭药材至国内药材市场。

1. 宁星浦水蛭养殖基地

该基地位于浦口后圩村九峰山，运营超过 15 年，基地注重与科研院所合作，探索突破水蛭繁育、养殖、生产过程一系列技术瓶颈。目前水蛭养殖主要有 2 个方面的问题：首先是水蛭饲料的供应不稳定，当前市场上的水蛭药材以宽体金线蛭为主，养殖主要是投喂螺蛳、蚌等，但是螺蛳的供应存在短缺和质量不稳定的问题，进而影响水蛭的生长和发育；其次，温度对水蛭生长发育影响较大，水蛭是变温动物，其体温随环境温度的变化而变化，因此，水蛭的生长发育直接受到环境温度的影响。水蛭的适宜生长温度是 10 ~ 35 ℃，在 25 ~ 30 ℃下生长最快，2 ~ 10 ℃是其适宜休眠温度。该基地将传统的室外养殖改为室内养殖，对水温、水中氧气含量等进行人工控制，提高了水蛭的成品率。

2. 丰源水蛭养殖场

该养殖场位于宿迁沭阳钱集镇的水产生态园中，采用水蛭与龙虾、螃蟹共养的生态混养模式，水蛭在水中较上部分的网箱中养殖（图 1-7-4 ~ 图 1-7-5），龙虾、螃蟹在水中较下部分养殖。

将龙虾、螃蟹与水蛭共同养殖可降低养殖风险，增加农户收益，同时，龙虾和螃蟹的存在也可以改善水质，进而有利于水蛭的生长。该养殖场周围有丰富的清洁水源，水质较好，水池中还种植了水草，可改善水质，创造出适宜水蛭生长的环境。当地气温适宜，夏季最高温34 ~ 35 ℃，通常无须调节水池温度。水蛭饲料为螺蛳，当地螺蛳价格便宜，易于获得。

图 1-7-4　水蛭人工养殖池

图 1-7-5　水蛭幼苗

3.沭阳县伍州水蛭养殖专业合作社

该合作社位于宿迁沭阳大吴庄。农户因养殖水蛭幼苗损耗率较高，多购入青年苗，将其养殖成熟再进行售卖。该合作社每年购买水蛭青年苗 2 500 ~ 3 000 kg，青年苗价格为 140 ~ 160 元 /kg，干燥的成熟水蛭价格为 120 ~ 140 元 /kg，养殖青年苗利润低于幼苗，但青年苗易于养殖，承担风险较低。近年来养殖成本日益增高，青年苗及水蛭饲料——螺蛳的价格被人为炒高，迫使农户缩小养殖规模。

4.如皋市万泽家庭农场水蛭养殖场

该养殖场位于江苏如皋城南街道申徐村，占地面积约 200 亩，至今养殖水蛭 7 年有余，品种为宽体金线蛭。养殖采用先静养后分池的方法，池中有供氧设备，以螺蛳为饲料，养殖约 5 个月，长至 40 ~ 60 条 /kg 时即可销售。养殖场会进行初加工，将水蛭洗净，用绳串起，吊干，如此干品体型肥美。

此外，江苏的水蛭养殖单位还有扬州智汇水蛭科技有限公司，该公司主要为石家庄以岭药业的通心络胶囊生产提供药材原料；淮阴区鸿蛭水蛭养殖场的养殖规模也在逐年扩大。

（四）蟾蜍驯化养殖与产业发展

江苏所产蟾酥是由蟾蜍科动物中华大蟾蜍 *Bufo bufo gargarizans* Cantor 耳后腺及皮肤腺所分泌的白色浆液加工干燥而成。蟾酥始载于《药性本草》，传统上为治疗咽喉肿痛、疔毒、痈疽恶疮之要药，是配制六神丸、蟾酥丸、痧药丸、心宝丸、梅花点舌丹、一粒牙痛丸、华蟾素等 100 多种中成药的主要原料。干蟾皮为蟾蜍除去内脏的干燥全体，具有除湿热、解毒、消肿、止痛的功效。蟾衣为蟾蜍生长发育过程中自然蜕下的角质衣膜，具有清热解毒、利水消肿、抗癌止痛的功效。

1.江苏泰兴虹桥镇蟾蜍养殖场

该养殖场位于虹桥镇七圩村，占地面积 5 亩，每亩养殖蟾蜍 3 000 ~ 5 000 只，新厂房正在建设中。该养殖场主要养殖的种类为中华大蟾蜍（图 1-7-6 ~ 图 1-7-7），放养喂食以活食为主，人工喂食以饲料为主。目前放养情况不佳，养殖时外圈要围网，防止黄鼠狼、赤链蛇等天敌进入养殖场，幼蟾和成年蟾蜍通常分池塘养殖。蟾蜍 1 ~ 2 个月蜕衣 1 次，从背中部蜕下，分为两半。该养殖场的主要产品为蟾酥、蟾衣、蟾皮等。其中，蟾酥年产量可达几十千克，通常 1 个月取 1 次或 3 个月取 2 次，养殖时间超过 1 年的蟾蜍可用夹子取出约 25 g 蟾酥，鲜浆速冻保存，有杂质的鲜浆需要过滤后才能放入模具中阴干或烘干，干后颜色加深，药厂收购时会进行相关水分检测。标本蟾衣以点多、粗糙者为优品，目前关于蟾衣的研究应用较少，1 片干蟾衣重 0.2 ~ 0.3 g，其成分与蟾酥较为相似，对肿瘤及肝病有一定的疗效。

图 1-7-6　中华大蟾蜍人工养殖场

图 1-7-7　中华大蟾蜍（左边雄性，右边雌性）

2. 中华大蟾蜍种质资源保护与驯养基地

依托雷允上药业建立的中华大蟾蜍种质资源保护与驯养基地位于常熟陆家角。该基地在长期探索与实践的基础上于 2018 年正式被主管部门批准开展中华大蟾蜍种群繁育和规范化与规模化养殖，迄今基地面积已达 580 亩。

两栖类动物中华大蟾蜍具有独特的生活习性和生命周期。每年 2～3 月产卵，1 年产 1 次，4 月 20 日左右可全部上岸，在育苗池里长至重 25 g，再分池，8 月即可长至 100 g。利用诱虫灯引诱小虫饲养，或喂食黄粉虫，每个月测量体重和体长，翌年 4 月开始可取蟾酥，每月取 1 次，一年取 6～7 次，能取 7 年。近年来，基地与常熟理工学院等高校科研院所合作开展蟾蜍种质资源与繁育技术研究，取得了较好的成果，具有示范性。在养殖和采浆过程中，自主研发出蟾蜍体型分级器，提高了养殖效率和蟾酥生产得率。

3. 常州市金坛区建昌新河蟾蜍养殖有限公司

该公司位于江苏常州金坛直溪镇新河村附近，养殖水域面积约 20 亩。养殖品种为中华大蟾蜍，主要产品有蟾酥片、蟾衣、干蟾、蟾酥等，主要供药厂使用，同时也为中国药科大学、上海中医药大学等高校提供药用动物。

4. 如东天下蟾蜍养殖场

该养殖场位于江苏南通如东岔河镇新桥村，2008 年开始经营，至今已获得 4 项发明专利。2017 年开始规模化养殖，至今养殖场面积达 10 亩，有蟾蜍 2 ~ 3 万只。以野生资源人工驯化为主，品种为中华大蟾蜍，主营蟾衣，有自己的专卖店及网站。负责人发明的蟾蜍喂食机成功地解决了蟾蜍养殖的一大技术难题，引得各地蟾蜍养殖户纷纷效仿。

（五）地龙驯化养殖与产业发展

江苏所产地龙的基原为通俗环毛蚓 *Pheretima vulgaris* Chen 和威廉环毛蚓 *Pheretima guillelmi* Michaelsen。夏季捕捉，及时剖开腹部，除去内脏和泥沙，洗净，晒干或低温干燥。地龙多用于临床调剂或作为中成药制药原料。

1. 泰州蚯蚓养殖场

该养殖场隶属泰州市春光生态农业发展有限公司，其养殖的蚯蚓由日本进口，采用城市污泥培育，生长周期大约为 45 天，分为厂内架棚养殖和场外露天养殖，以保持供应。由于蚯蚓为雌雄同体，产卵繁衍后代，繁殖速度惊人，每枚卵茧会孵化出 3 ~ 7 条小蚯蚓。蚯蚓通常会被直接晒干或冰冻，批量销售至药厂，年产量 10 余万千克。该养殖场的蚯蚓养殖模式体现了循环绿色的环保经济理念，将城市污泥变废为宝，使之成为培育蚯蚓的良好肥料。

2. 沛县宇能蚯蚓养殖场

该养殖场主要养殖青蚯蚓和红蚯蚓，青蚯蚓入药，红蚯蚓主要用作鱼饵和饲料。据养殖青蚯蚓的柳师傅介绍，青蚯蚓主要以野生为主，因养殖要求条件较高，目前很少有人养殖。柳师傅于2019 年 2 月进行青蚯蚓养殖预实验，实验较为成功，2020 年扩大了养殖面积，养殖了 6 亩左右的青蚯蚓。目前，活体青蚯蚓价格为 80 元 /kg 左右，干货为 160 元 /kg 左右。青蚯蚓的种苗为野外抓捕的野生蚯蚓。

3. 南通瀚丰生物医药科技有限公司蚯蚓养殖基地

该基地位于江苏南通如东十里墩村，占地面积 120 多亩，基地与上海中医药大学合作，从上海育苗基地买回"沪地龙"种苗，采用"地上芋头、紫苏或稻草，地下蚯蚓"的方式养殖，经济环保。抓取时使用电蚯蚓机，蚯蚓会从地里钻出。所产蚯蚓主要销往药厂。

第三节 江苏省药用动物资源保护与利用

江苏位于我国东部沿海地区，地处长江、淮河下游，具有冬夏温度变化较为缓和、降水比较丰富的特点，这为野生动物的栖息与生存提供了良好的环境条件。但是随着人口不断增长，城镇化、工业化速度不断加快，森林大面积被砍伐，原野大面积被开垦，沿海滩涂被大规模开发，破坏了自然界的生态平衡，毁坏了药用动物赖以生存的栖息地。环境的污染以及对野生动物的过度捕猎使许多动物的生存受到了威胁，甚至造成少数药用动物在江苏野外灭绝。因此，必须倡导并加强对野生药用动物的保护，特别是对受威胁动物的保护。在"绿水青山就是金山银山"的理念的指导下，在江苏范围内有选择性地建立自然保护区，这是保护野生动物资源最有效的措施，对生物多样性保护具有重要意义。自然保护区也是开展科研、教育、旅游及环境监测的重要基地。要正确处理好野生药用动物资源采集与保护的关系，确保野生药用动物资源的可持续发展。同时，要扩大药用动物野生变家养的研究与生产规模，不断满足临床对药用动物的需求。

一、野生药用动物资源的保护

生态文明建设现已成为国家战略，野生药用动物是生物大家庭中的重要组成部分，对实现生态平衡、保障自然界动植物和谐发展有着不可估量的作用。动物界门类繁多，生物多样性极其丰富，许多种类及其代谢产物具有特殊的生物活性和药用价值，为人类的生存繁衍做出了巨大贡献。因此，加大自然环境的保护力度将有利于野生药用动物资源的保护。

（一）人类活动对江苏区域药用动物类群的影响

在2000万年前，江苏生活的动物类群只有食肉目、啮齿目、食虫目、兔形目、翼手目和偶蹄目。1993—1994年，南京汤山出土了3件南京人化石，这说明在约30万年前南京曾是古人类的家乡，此外在南京还发现了棕熊、虎、水牛、剑齿象等哺乳动物的化石。在徐州白云洞发现的中更新世的哺乳动物有熊、羚羊等。在距今万年前的新石器时代，江苏就已经出现了现生的动物种类，如常州圩墩新石器遗址出土的动物遗骸有梅花鹿、麋鹿、水牛、乌龟、中华圆田螺等。

在人类社会出现以后，人类活动成为物种灭绝的主要因素。全新世以来的新石器时代至商周期间，是麋鹿发展的鼎盛时期，其分布北达辽宁，南抵浙江。我国发现的190多个麋鹿化石地点中，有131处在江苏北部，尤以泰州为中心的姜堰、泰兴、海安、大丰最多。商周以后，由于人类多年垦殖、滥捕滥杀，以及麋鹿本身的生理特点，麋鹿数量日益减少，至明清末年，麋鹿在野外灭绝。

近代以后人类活动对野生动物的影响更大。在江苏历史上曾有记录，清光绪二十一年（1895年）在南京附近的大龙山曾有虎出没，20世纪60年代前后华南虎在江苏野外已经绝迹。此外，20世纪初，在江苏的河流中至少有14种淡水海绵，到20世纪90年代，淡水海绵已在江苏河流中绝迹。水产、畜牧、特种养殖等从省外或国外引进的物种，以及随着贸易、运输、旅游等活动而传入的物种，都有可能成为外来入侵种，对江苏的生物多样性、农林牧渔业生产以及人类健康造成危害，必须引起高度重视。

（二）生态环境的改变对江苏区域药用动物类群的影响

根据《江苏省志·生物志·动物篇》记载，江苏的已知受威胁动物约 74 种，包括极危 10 种，濒危 25 种，易危 39 种。其中可供药用的极危动物有大鲵、玳瑁、麋鹿等，濒危动物有黄缘闭壳龟、梅花鹿等，易危动物有中国林蛙、王锦蛇、穿山甲等，其他级别或省内稀有的动物有东方蝾螈、乌龟、乌梢蛇等。

（三）江苏各级政府保护野生动物的政策法规和措施

中华人民共和国成立后，特别是改革开放以来，江苏各有关部门贯彻落实党中央国务院有关文件精神和国家相关法律法规，结合江苏实际情况，在野生动物保护管理、资源调查、驯养繁殖及药用动物科研方面做了大量的工作，取得了显著的成绩，同时，制定颁布了系列地方法规。

1.《江苏省野生动物保护条例》

该条例于 2012 年 9 月 26 日在江苏省第十一届人民代表大会常务委员会第三十次会议通过，2018 年 11 月 23 日江苏省第十三届人民代表大会常务委员会第六次会议上进行第二次修正。条例共有总则、野生动物及其栖息地保护、野生动物猎捕管理、野生动物人工繁育和经营利用管理、法律责任、附则六章四十四条内容，自 2013 年 1 月 1 日起施行。

野生动物保护应坚持人与自然和谐发展、保持生物多样性和维护自然生态平衡的原则，实行加强资源保护、积极人工繁育、鼓励科学研究和合理开发利用的方针。

该条例明确野生动物资源属于国家所有。国家保护依法从事科学研究、人工繁育和经营利用野生动物资源的单位及个人的合法权益。同时规定,因科学研究、人工繁育、展览或者其他特殊情况，需要猎捕国家重点保护野生动物的，应当依法申领特许猎捕证、特许捕捉证。有下列情形之一，确需猎捕省重点和三有保护野生动物的，应当向设区的市、县（市、区）野生动物保护行政主管部门申领狩猎证：①承担科学研究或者野生动物资源调查任务的；②人工繁育单位必须从野外取得种源的；③承担科学实验、医药和其他生产任务必须从野外补充或者更换种源的；④自然保护区、自然博物馆、大专院校、动物园等为宣传、普及野生动物知识或者教学、展览，必须补充、更换野生动物或者标本的；⑤因外事工作需要必须从野外取得野生动物或者标本的；⑥因其他特殊情况必须猎捕的。

条例要求对分布在江苏境内的麋鹿、丹顶鹤、江豚、中华虎凤蝶等国家重点保护野生动物，应当采取特殊措施，实行重点保护。对野生动物种群密度较大、栖息地分布零散的区域，县级人民政府可以将其划为自然保护小区，对野生动物予以保护。条例将每年 4 月 20 日至 26 日定为江苏"爱鸟周",每年6月定为江苏"水生动物放流宣传月",每年10月定为江苏"野生动物保护宣传月"。第五章对有关违反本条例行为所承担的行政、罚款、刑事等处罚责任做了规定。

2.《江苏省政府关于公布〈江苏省重点保护陆生野生动物名录〉的通知》

该通知于1997年11月27由江苏省政府发布,通知明确指出:"为了保护、拯救珍贵和濒危的野生动物,发展和合理利用野生动物资源,维护生态平衡,根据《中华人民共和国野生动物保护法》的规定,现将《江苏省重点保护陆生野生动物名录》予以公布。各地、各有关部门要广泛宣传并采取切实有力措施,加强对陆生野生动物的保护管理。"(表1-7-2)

表1-7-2 江苏省重点保护陆生野生动物名录

类别	品种
哺乳纲 MAMMALIA	刺猬 *Erinaceus amurensis* Linnaeus、松鼠科 Sciuridae(所有种)、赤狐 *Vulpes vulpes* Linnaeus、貉 *Nyctereutes procyonoides* Gray、猪獾 *Arctonyx collaris* Cuvier、黄鼬 *Mustela sibirica* Pallas、花面狸 *Paguma larvata* Hamilton-Smith、豹猫 *Prionailurus bengalensis* Kerr
鸟纲 AVES	䴙䴘科 Podicipedidae(所有种)、鸿雁 *Anser cygnoides* Linnaeus、灰雁 *Anser anser* Linnaeus、红头潜鸭 *Anthya ferina* Linnaeus、青头潜鸭 *Anthya baeri* Radde、灰胸竹鸡 *Bambusicola thoracica* Temminck、鹌鹑 *Coturnix coturnix* Linnaeus、黑嘴鸥 *Larus saundersi* Swinhoe、杜鹃科 Cuculidae(所有种)、戴胜 *Upupa epops* Linnaeus、啄木鸟科 Picidae(所有种)、黑短脚鹎 *Hypsipetes madagascariensis* Müller、黑枕黄鹂 *Oriolus chinensis* Linnaeus、红嘴蓝鹊 *Urocissa erythrorhyncha* Boddaert、灰喜鹊 *Cyanopica cyana* Pallas、喜鹊 *Pica pica* Linnaeus、画眉鸟 *Garrulax canorus* Linnaeus、红嘴相思鸟 *Leiothrix lutea* Scopoli、震旦鸦雀 *Paradoxornis heudei* David、山雀科 Paridae(所有种)、寿带鸟 *Terpsiphone paradisi* Linnaeus
爬行纲 REPTILIA	平胸龟 *Platysternon megacephalum* Gray、淡水龟科 Bataguridae(所有种)、赤链蛇 *Dinodon rufozonatum* Cantor、王锦蛇 *Elaphe carinata* Guenther、黑眉锦蛇 *Elaphe taeniura* Cope、棕黑锦蛇 *Elaphe schrenckii*、乌梢蛇 *Zaocys dhumnades* Cantor、翠青蛇 *Cyclophiops major* Günther、短尾蝮 *Gloydius brevicaudus* Stejneger、黑眉蝮 *Gloydius saxatilis* Emelianov
两栖纲 AMPHIBIA	东方蝾螈 *Cynops orientalis* David、东方铃蟾 *Bombina orientalis* Boulenger、棘胸蛙 *Paa spinosa* David、黑斑侧褶蛙 *Pelophylax nigromaculata* Hallowell、金线侧褶蛙 *Pelophylax plancyi* Lataste

3.《江苏省农业生态环境保护条例》

该条例于1998年12月29日在江苏省第九届人民代表大会常务委员会第七次会议通过,2018年11月23日江苏省第十三届人民代表大会常务委员会第六次会议上进行第二次修正。

4.《江苏省湖泊保护条例》

该条例于2004年8月20日在江苏省第十届人民代表大会常务委员会第十一次会议通过,2021年9月29日江苏省第十三届人民代表大会常务委员会第二十五次会议上进行第三次修正。

5.《江苏省渔业管理条例》

该条例于2002年12月17日在江苏省第九届人民代表大会常务委员会第三十三次会议通过,2020年7月31日江苏省第十三届人民代表大会常务委员会第十七次会议上进行第六次修正。

6.《江苏省实施〈中华人民共和国森林法〉办法》

该办法于1992年10月27日在江苏省第七届人民代表大会常务委员会第三十次会议通过,

2017 年 6 月 3 日江苏省第十二届人民代表大会常务委员会第三十次会议上进行第五次修正。

7.《江苏省海洋环境保护条例》

该条例于 2007 年 9 月 27 日在江苏省第十届人民代表大会常务委员会第三十二次会议通过，2016 年 3 月 30 日江苏省第十二届人民代表大会常务委员会第二十二次会议上进行修正。

（四）江苏药用动物资源濒危物种概要

基于江苏第四次中药资源普查结果，对标上述江苏省政府及有关部门发布的相关保护条例，参考国内外相关动物保护目录，梳理出《江苏药用动物资源濒危物种目录》（表 1-7-3），以期为江苏各级政府及有关部门研究制定相关保护措施，进行药用动物资源驯化养殖、人工替代等方面的科学研究、药材生产、有序利用等提供参考，共同推动江苏药用动物资源的科学保护与合理利用事业健康可持续发展。

表 1-7-3　江苏药用动物资源濒危物种目录

序号	中文名	拉丁学名	CITES	IUCN 红色名录	中国濒危动物红皮书	国家重点保护野生动物名录
1	尖齿锯鳐	*Pristis cuspidatus* Latham	附录Ⅰ	濒危（EN）		
2	白鲟	*Psephurus gladius* Martens	附录Ⅱ	极危（CR）		一级
3	中华鲟	*Acipenser sinensis* Gray	附录Ⅱ	极危（CR）		一级
4	鲥鱼	*Macrura reevesii* Richardson		数据缺乏（DD）		一级
5	黑斑蛙	*Rana nigromaculata* Hallowell		近危（NT）		
6	蠵龟	*Caretta caretta gigas* Deraniyagala	附录Ⅰ	濒危（EN）		二级
7	玳瑁	*Eretmochelys imbricata* Linnaeus	附录Ⅰ	极危（CR）		二级
8	平胸龟	*Platysternon megacephalum* Gray	附录Ⅰ	濒危（EN）		二级
9	黄缘闭壳龟	*Cuora flavomarginata* Gray	附录Ⅱ	濒危（EN）		二级
10	鼋	*Pelochelys bibroni* Owen	附录Ⅱ	濒危（EN）		一级
11	丽斑麻蜥	*Eremias argus* Peters		近危（NT）	濒危	
12	脆蛇蜥	*Ophisaurus harti* Boulenger			濒危	
13	石龙子	*Eumeces chinensis* Gray		近危（NT）		
14	蓝尾石龙子	*Eumeces elegans* Boulenger		近危（NT）		
15	扬子鳄	*Alligator sinensis* Fauvel	附录Ⅰ	极危（CR）		一级
16	鸿雁	*Anser cygnoides* Linnaeus		易危（VU）		
17	秋沙鸭	*Mergus merganser* Linnaeus	附录Ⅰ	濒危（EN）	稀有	
18	秃鹫	*Aegypius monachus* Linnaeus	附录Ⅱ	近危（NT）		二级
20	黄脚三趾鹑	*Turnix tanki* Blyth		低危（LC）		
21	大鸨	*Otis tarda* Linnaeus	附录Ⅱ	低危（LC）	稀有	一级
22	火斑鸠	*Oenopopelia tranquebarica* Harmann	附录Ⅱ			二级
23	山斑鸠	*Streptopelia orientalis* Latham		低危（LC）		
24	雕鸮	*Bubo bubo* Linnaeus	附录Ⅱ	低危（LC）	稀有	二级
25	红角鸮	*Otus scops* Linnaeus		低危（LC）		二级
26	翠鸟	*Alcedo atthis* Linnaeus		低危（LC）		

序号	中文名	拉丁学名	CITES	IUCN 红色名录	中国濒危动物红皮书	国家重点保护野生动物名录
27	灰沙燕	*Riparia riparia* Linnaeus		低危（LC）		二级
28	黄胸鹀	*Emberiza aureola* Pallas		极危（CR）		一级
29	穿山甲	*Manis pentadactyla* Linnaeus	附录Ⅰ	极危（CR）		二级
30	赤腹松鼠	*Calloscirus erythraeus* Pallas	附录Ⅲ	易危（VU）		
31	獐	*Hydropotes inermis* Swinhoe				二级
32	小麂	*Muntiacus reevesi* Ogilby	附录Ⅲ	低危（LC）		
33	白暨豚	*Lipotes vexillifer* Miller	附录Ⅰ	极危（CR）		一级
34	麋鹿	*Elaphurus davidianus* H. Milne-Edwards	附录Ⅰ	野外绝灭（EW）		一级
35	梅花鹿	*Cervus nippon* Temminck		低危（LC）	濒危	一级

（五）江苏区域已建立的野生动物保护区

截至 2012 年年底，江苏共建立了国家、省、市（县）级自然保护区 30 个，包括国家级自然保护区 3 个，省级自然保护区 10 个，县级自然保护区 17 个；其中涉及野生动物保护的自然保护区有 16 个，包括国家级自然保护区 3 个，省级自然保护区 6 个，县级自然保护区 7 个。江苏自然保护区名录见表 1-7-4。

表 1-7-4　江苏自然保护区名录

序号	保护区名称	所在行政区域	面积/km²	主要保护对象	类型	级别	始建时间	主管部门
1	雨花台自然保护区	南京	0.33	地质剖面	地质遗迹	县级	1984-12-6	国土
2	固城湖中华绒螯蟹国家级水产种质资源保护区	高淳	2 420	水产资源及湖泊生态系统	野生动物	县级	1987-7-27	农业
3	龙池山自然保护区	宜兴	123	落叶阔叶与常绿阔叶混交林及金钱松、天目玉兰等野生植物	森林生态	省级	1981-8-12	其他
4	泉山自然保护区	泉山	323	森林生态系统及野生动植物	森林生态	省级	1984-12-4	林业
5	圣人窝自然保护区	铜山	15 330	森林生态系统	森林生态	县级	2005-3-23	其他
6	大洞山	贾汪	3 805	森林生态系统	森林生态	县级	2001-12-26	其他
7	新沂骆马湖湿地自然保护区	新沂	22 591	湿地生态系统	内陆湿地	县级	2005-12-24	林业
8	艾山九龙沟自然保护区	邳州	1 390	森林生态系统	森林生态	县级	2000-6-29	其他
9	黄墩湖湿地自然保护区	邳州	5 333	湿地生态系统	内陆湿地	县级	2005-6-1	农业
10	上黄水母山自然保护区	溧阳	40	中华曙猿及其伴生哺乳动物化石	古生物遗迹	省级	1998-11-13	国土
11	天目湖国家湿地公园	溧阳	643.3	湿地生态系统	内陆湿地	县级	2005-3-15	其他
12	光福自然保护区	吴中	61	北亚热带常绿阔叶林	森林生态	省级	1981-8-12	林业

续表

序号	保护区名称	所在行政区域	面积 / km²	主要保护对象	类型	级别	始建时间	主管部门
13	海安沿海防护林和滩涂自然保护区	海安	9 113	条斑紫菜、文蛤等浅海水产品及沿海防护林	海洋海岸	县级	2001-10-23	农业
14	启东长江口（北支）自然保护区	启东	21 491	典型河口湿地生态系统、濒危鸟类、珍稀水生动物及其他经济鱼类	野生动物	省级	2002-11-5	环保
15	云台山自然保护区	连云港	67	暖温带针阔叶混交林、红楠	森林生态	省级	1981-8-12	林业
16	江苏涟水涟漪湖黄嘴白鹭省级自然保护区	涟水	3 433	黄嘴白鹭等鸟类	野生动物	省级	1993-1-1	环保
17	江苏淮安洪泽湖东部湿地自然保护区	洪泽、淮阴、盱眙	54 000	湖泊湿地生态系统及珍禽	内陆湿地	省级	2004-11-24	其他
18	铁山寺森林保护区	盱眙	3 270	天然次生林、河麂	森林生态	县级	1990-7-23	林业
19	陡湖湿地自然保护区	盱眙	4 100	湿地生态系统及鱼类	内陆湿地	县级	2003-9-9	林业
20	金湖湿地自然保护区	金湖	5 800	湿地生态系统	内陆湿地	县级	2003-10-14	环保
21	江苏盐城湿地珍禽国家级自然保护区	盐城	284 179	丹顶鹤等珍禽及沿海滩涂湿地生态系统	野生动物	国家级	1983-2-25	环保
22	江苏大丰麋鹿国家级自然保护区	大丰	2 666.7	麋鹿、丹顶鹤及湿地生态系统	野生动物	国家级	1986-2-8	林业
23	宝应运西自然保护区	宝应	17 500	湿地生态系统	内陆湿地	县级	1996-12-15	环保
24	高邮绿洋湖自然保护区	高邮	518	湿地生态系统及野生动植物	内陆湿地	县级	2003-9-5	其他
25	高邮湖湿地自然保护区	高邮	46 667	湿地生态系统	内陆湿地	县级	2005-6-15	林业
26	绿洋湖自然保护区	江都	333	鸟类等野生动物、森林生态系统及湿地生态系统	野生动物	县级	1985-8-24	环保
27	镇江长江豚类自然保护区	丹徒	5 730	淡水豚类及其生境	野生动物	省级	2002-8-30	农业
28	宝华山自然保护区	句容	133	森林生态系统及野生动植物	森林生态	省级	1981-8-12	林业
29	骆马湖湿地自然保护区	宿迁	6 700	湿地生态系统、鸟类及鱼类产卵场	内陆湿地	县级	2005-8-23	林业
30	江苏泗洪洪泽湖湿地国家级自然保护区	泗洪	49 365	湿地生态系统、大鸨等鸟类、鱼类产卵场及地质剖面	内陆湿地	国家级	1985-7-1	环保

1. 江苏大丰麋鹿国家级自然保护区

该保护区位于江苏东部的黄海之滨，地处东经 120° 47′ ~ 120° 53′，北纬 32° 59′ ~ 33° 03′，占地面积 4 万亩，是世界上占地面积最大、野生麋鹿种群数量最多、拥有最大麋鹿基因库的自然保护区。其地貌由林地、芦荡、草滩、沼泽、盐裸地组成，属于典型的黄海滩涂型湿地。

这里物种类型繁多，其生物多样性对我国乃至世界具有重要意义。1986 年建区至今，保护区的麋鹿数量已由 39 头发展到 3 223 头，麋鹿繁殖率、存活率、年递增率均居世界之首，保护区共组织了 5 次麋鹿野放试验，共放归麋鹿 83 头。目前，保护区野生麋鹿数量已达到 325 头，并在野外出现了子五代，结束了全球千年以来无完全野生麋鹿群的历史，为人类拯救濒危物种提供了成功的范例，使我国野生动物保护事业进入了一个新领域。由于有效保护，这片湿地的生态系统已日趋完整，保护区的生物圈在逐年扩大，生物量不断增加，鸟类的种类和数量不断增多。2002 年 1 月，该保护区被联合国湿地保护组织列入《国际重要湿地名录》，成为永久性保护地。

2. 江苏盐城湿地珍禽国家级自然保护区

该保护区地处江苏中部沿海地区，是我国最大的滩涂湿地保护区之一，主要保护丹顶鹤等珍禽及其赖以生存的沿海滩涂湿地生态系统。丹顶鹤为候鸟，是国家一级重点保护动物，属于易危物种，全球仅有 2 000 多只。每年有近 1 000 只丹顶鹤选择到盐城保护区越冬，它们会从 11 月一直停留到翌年 3 月，这里是全球最大的丹顶鹤越冬地。保护区独特的地理位置使其成为南北候鸟迁徙的重要驿站，每年有近 300 万只候鸟迁徙途中在此地休息，季节性居留和常年居留的鸟类达 50 多万只。保护区淤积淤长型海岸带和丰富多样的滩涂湿地生态系统孕育着异常丰富的生物多样性资源。保护区内有植物 450 种、鸟类 402 种、两栖爬行类 26 种、鱼类 284 种、哺乳类 31 种；其中国家一级重点保护野生动物有丹顶鹤、白头鹤、白鹤、东方白鹳、黑鹳、中华秋沙鸭、遗鸥、大鸨、白肩雕、金雕、白尾海雕、麋鹿、中华鲟、白鲟 14 种；国家二级重点保护野生动物有 85 种，如獐、黑脸琵鹭、大天鹅、小青脚鹬、鸳鸯、灰鹤等。

3. 江苏泗洪洪泽湖湿地国家级自然保护区

该保护区位于江苏宿迁和泗洪境内，地处东经 118° 13′ ~ 118° 28′，北纬 33° 10′ ~ 33° 20′。保护区内湿地生态系统和自然景观保存完好，分布有 3 个大类 8 个亚类湿地系统，即沼泽湿地（草丛沼泽、禾草沼泽、杂草沼泽）、河流草丛湿地（浮毯型湿地、挺水型湿地）和湖边水生植物湿地（浮水植物草塘、浮叶植物草塘、沉水植物草塘）。保护区内生物资源丰富，共有维管植物 69 科 162 属 217 种，其中，调查记录到的中国特有植物 4 种，分别为水杉（栽培种）、侧柏（栽培种）、乌菱、野菱。保护区的鸟类共有 194 种，隶属 14 目 40 科 76 属，约占我国鸟类总数的 16.3%；鱼类 67 种，隶属 7 目 11 科；两栖动物 7 种，隶属 4 科 6 属，其中金线蛙和黑斑蛙为省级保护动物；爬行动物 14 种，属 2 目 8 科；哺乳动物 15 种，属 5 目 6 科；另有浮游生物 91 种，底栖动物 76 种。据调查，平均每年到洪泽湖湿地越冬的水鸟总数超过 50 万只，其中属国家一级重点保护野生动物的有大鸨、东方白鹳、黑鹳、丹顶鹤等；属国家二级重点保护动物的有小天鹅、鸳鸯、黑耳鸢、雀鹰、苍鹰、游隼、红隼等 26 种；被列入《IUCN 红色名录》的受威胁鸟类有 12 种。

二、药用动物资源的利用

药用动物资源门类繁多，是中药资源的重要组成部分，为中华民族的生存与发展做出了不可替代的贡献。根据我国动物类药材开发利用现状以及近 20 年我国动物药的产能发展情况，提出以下建议和思考供探讨。

（一）保护与开发相结合，促进药源性动物资源可持续发展

1. 动物药是中医药的重要组成部分，为人们的健康与民族的发展做出了独特的贡献

动物类药材是指源于动物全体、器官、组织、提取物或加工品的资源性产品，与植物药、矿物药一起，共同构成了中药材应用体系。动物类药材的应用历史悠久，出土于马王堆汉墓的我国第一部方书——《五十二病方》，记载有动物类药材 54 种，占其所记载药材的 22.31%。《黄帝内经》中收载了 13 张方剂，共 25 味药材，其中 6 味为动物类药材。《神农本草经》《本草纲目》《本草纲目拾遗》等均记载了大量动物类药材。历代本草中动物类药材的记载反映了中华民族先民在生存繁衍过程中对动物资源的利用程度。据第三次全国中药资源普查结果记载，我国中药资源有 12 800 余种，其中动物类中药资源有 1 581 种（列入国家保护的有 161 种），占比达到 12.35%。

据统计，《国家重点保护野生动物名录》收录的药用动物有 257 种，其中，属一级保护的药用动物 42 种，属二级保护的药用动物 96 种；《国家重点保护野生药材物种名录》收录药材物种 76 种，其中药用动物 18 种；《中国濒危动物红皮书》收载药用动物 53 种；被列入 CITES 附录 I 的药用动物有 43 种，附录 II 的药用动物有 87 种，附录 III 的药用动物有 10 种。随着我国经济发展与城市化进程的加快，野生动物栖息地的大面积减少，加速了野生动物资源枯竭，加之环保、医学伦理等因素，导致 20 多年来《中华人民共和国药典》中收载的动物类药材的数量不断减少。如图 1-7-8 所示，从 2000 年至 2020 年，《中华人民共和国药典》中动物类药材占比已由 9.47% 下降到 5.37%。

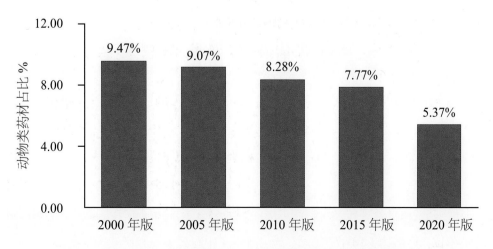

图 1-7-8　2000—2020 年版《中华人民共和国药典》动物类药材占比

然而，动物类药材属"血肉有情之品"，在中医临床、方剂组成中不可或缺，疗效独特，可替代品种很少，对中医药事业的发展十分重要。东汉张仲景《伤寒杂病论》中的"大黄䗪虫丸""抵当汤"等迄今仍是常用方剂。唐代孙思邈《千金方》以动物肝脏治疗夜盲症，以羊靥治疗甲状腺肿，2种治法均为世界最早记载的同类治法。国医大师朱良春应用动物类药材屡起沉疴而誉满杏林。清代叶天士在《临证指南医案》就精辟论述了动物类药材的疗效优势，其关于鹿茸、龟板、乌骨鸡等温补类药材"夫精血皆有形，以草木无情之物为补益，声气必不相应……血肉有情，栽培身内之精血"的记载，使动物类药材有了"血肉有情之品"的美称；其以全蝎、蜈蚣等虫类药"藉虫蚁血中搜逐，以攻通邪结"，开以虫类药治疗风湿痹证与恶性肿瘤等疑难杂症之先河。无论是传统出口创汇的著名中成药安宫牛黄丸、乌鸡白凤丸、六神丸、片仔癀，还是名列国家基本药物的通心络胶囊，无不以动物类药材为重要组方药材。因此，动物类药材在方剂与成药中不可替代，地位相当重要。

据天地云图中药产业大数据库统计，2018年生产中药饮片的企业中，有73%以上饮片企业开展了动物类药材的加工或经营。动物类药材又是中成药制剂的重要原料，2015年版《中华人民共和国药典》收载的中成药制剂共计1 493种（通用名），其中含动物类药材的制剂有347种，占比23.2%，较2010年版《中华人民共和国药典》下降了8.8%。2018年，我国共有947家中成药企业生产了1 036种中成药（通用名），商品规格（通用名＋剂型）达3 537种，其中动物类制剂生产企业有150家，占开工生产企业总数的15.84%，生产中药商品534种规格，占比15.10%；如图1-7-9，使用频率较高的动物类药材分别是珍珠、鹿茸、人工牛黄、牡蛎、全蝎、水牛角、蝉蜕等。

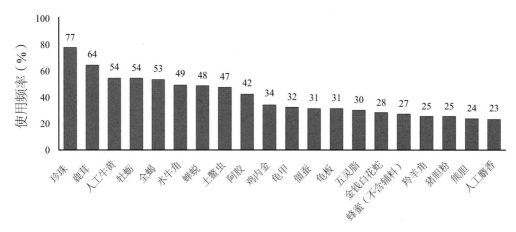

图1-7-9 2018年我国中药制剂使用频率前20位动物类药材品种

《我国动物药资源供给现状及可持续发展的思考》显示，2018年我国共生产动物类中成药制剂159.117亿单位，产值达1 187.77亿元，大力推动了中医药事业和产业的发展。

综上，从社会进步、资源保护的角度来看，动物类药材种类的下降反映出在药用动物资源保护下，药用动物资源的利用减少，这是社会进步、文明程度提升的表现；从行业发展和健康需求的角度来看，虽然动物类药材种类比重在下降，但动物药产业的规模效益不断增长，药用动物的驯化养殖逐渐走向规范化与规模化，动物类药材生产及深加工产业表现出良好的发展势头。

2. 驯化养殖是动物药供给的主要途径，替代品开发逐步改变依赖野生资源的窘境

近40年来，医药行业科技人员及企业家致力于药源性野生动物的驯化养殖，开展珍稀濒危动物药的替代品开发与人工合成品研究，取得了斐然成就。在人工养殖方面，实现了人工养麝活体取香、驯化梅花鹿与马鹿生产鹿茸、人工养熊引流胆汁生产熊胆粉、人工培育珍珠、人工培植牛黄等；在替代品开发方面，以水牛角替代犀角、以狗骨替代虎骨、以山羊角和藏羚羊角替代羚羊角、以灵猫香替代麝香等；在人工合成品研究方面，人工麝香的产业化有力地保障了市场供给，"人工麝香研制及其产业化"项目还获得2015年度国家科学技术进步奖一等奖。这些研究成果的产业转化，使得我国动物类药材产业在《中华人民共和国药典》收载的动物类药材种类不断下降的情况下，依然取得了令人瞩目的生产能力和产值。通过对鹿角霜、鹿角胶、麝香、蛤蚧、白花蛇、蜈蚣、水蛭、五灵脂、穿山甲、龟板、桑螵蛸、鹿茸、羚羊角、全蝎、蝉蜕、乌梢蛇、地龙、蜂房、土鳖虫、黑蚂蚁、九香虫、海马、海龙23个传统上以野生来源为主的动物类药材统计，2004—2018年野生动物类药材产能从9 608.5 t增至12 379.5 t，增长了28.8%。如图1-7-10所示。

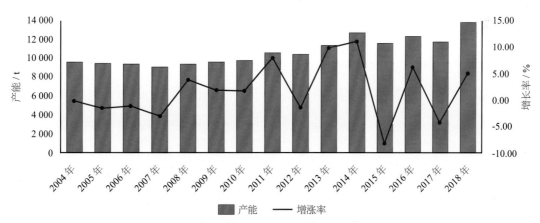

图1-7-10　2004—2018年我国野生动物类药材产能变化

分析表明，2004—2007年因野生资源枯竭加速，动物类药材产能连续下降。从2008年开始，国内药用动物的规范化、规模化生产及人工合成品替代开发和培育工作渐见成效，加之野生药材行情整体攀升明显，极大地刺激了野生药源性动物驯化养殖和人工合成品替代开发的积极性，动物类药材产能逐年提升。目前产需虽仍有缺口，但整体供给紧张程度已大为缓解。

通过对23种传统野生药源动物的产能分析，我们发现随着养殖药源动物供给能力的增加，对

单纯野生渠道的依赖度正逐年下降,2012年之后,家养驯化及人工培育渠道已成为供给主流,其中,土鳖虫、鹿茸、鹿角胶等产品几乎完全来源于养殖(图1-7-11)。目前,仍然依赖野生的动物类药材品种主要有3大类,一是海洋药用动物,如海龙、海马、海螵蛸等;二是人工养殖技术仍有瓶颈的品种,如穿山甲、羚羊角、桑螵蛸等;三是需求量过小、难以商业化开发的品种,如九香虫、鼠妇、露蜂房、虻虫、壁虎等。

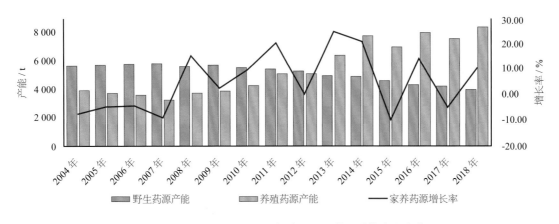

图 1-7-11　2004—2018 年我国不同药源动物产能变化

通过多年不懈努力,中药行业对野生药源动物的保护和开发工作卓有成效,基本改变了对野生动物资源严重依赖的局面,为其他行业开发利用野生动物资源做出了示范。我们相信,随着科技进步与野生资源开发成本大幅增加,家养和人工合成来源的动物类药材可能将全面替代野生来源的动物类药材。如果现阶段"一刀切",全面禁止野生动物的驯化养殖,必将使中医药行业多年的艰辛付出和优秀成果付诸东流,给我国中医药事业和行业发展带来不可估量的损失。

3. 驯养发展与替代研究相结合,是解决野生动物保护和市场需求矛盾的根本途径

如果一味地强调野生动物保护,禁止开发利用,不但会付出巨大的资源保护成本,甚至还可能导致稀缺野生动物的灭绝。在此方面,白暨豚和中华鲟的不同命运可供我们借鉴,前者已被正式列入《中国濒危动物红皮书》,已到灭绝边缘;后者由于开展分类管理并科学有序地处理保护与利用的关系,人工养殖的中华鲟早已成为常见淡水鱼类。类似的案例,还出现在人工养殖的大鲵、马鹿、梅花鹿等多个野生动物领域。因此,能否有效保护珍稀濒危野生动物资源,一方面取决于是否有足够的保护能力,使野生动物及其栖息地得到恢复和发展,另一方面取决于是否有足够的监管能力,遏制市场需求对野生资源的破坏。对于野生动物保护与市场需求之间的矛盾,单靠禁止或减少市场需求的被动应对措施并不妥当,应站在全局与整体的高度,妥善处理野生动物保护与利用的关系。更为可行的办法则是通过大力推动人工繁育的策略发展野生动物资源,满足市场需求,替代对野生资源的利用。为此,提出以下建议供参考。

(1)加强药用动物资源的驯化养殖与开发利用,实现野生动物资源的有效保护。药用动物资

源的生产和保障供给推动了野生资源向驯化养殖转变，有利于动物种群的保护及资源的可持续发展，可以更好地解决动物药资源紧缺与中医药需求间的矛盾。因此，对于野生动物资源与驯化家养动物资源应区别对待：一方面，从野生动物资源保护、人与自然和谐共生的角度来看，我们应杜绝野生动物的非法捕猎、贩卖和交易，保护自然环境，维护生态平衡；另一方面，对于驯化养殖的动物资源，应加强动物选育与繁殖，加快药用动物资源家养规范化、规模化进程，制定相关养殖规程与标准。同时，加强行政管理，完善法律法规，严厉打击野生动物非法狩猎、滥捕滥杀行为，加强法律惩治力度，严厉打击非法收购、加工、销售国家保护动物类药材的不法行为。大力发展养殖业，加大对药用动物养殖产业的扶持，促进养殖技术的发展，科学合理地制定相关标准，保证药用动物养殖的规范化、标准化发展。养殖资源的产能提升也可减轻野生药用动物资源的压力。

（2）加强动物类中药基础性研究，为药用动物资源生产与合理利用提供科学依据。系统深入开展动物类药材的基础研究，提高完善药材质量标准，规范生产加工流程，加强替代资源/产品的研究开发。基于人工牛黄、人工麝香、水牛角浓缩粉等动物类药材替代资源开发利用的成功案例，给新时期的中医药行业提出了新的要求：应结合生物化学、生物工程、分子生物学、细胞生物学、互联网大数据分析等相关学科，多学科、多领域、多技术交叉，围绕药用动物种质选育、规范化养殖，以及动物类药材规范化生产加工技术、真伪鉴别与质量评价标准提升等开展系统的基础性研究。①优化动物类药材标准化生产模式。围绕品种选育、养殖环境、养殖管理、适宜的药材采收加工技术等关键点进行研究，形成动物类药材特定的生产及产地加工技术规程。②规范动物类药材生产加工过程，保证其品质。目前动物类药材、饮片的真伪主要依靠经验、药材性状等进行鉴定，应努力提高动物类药材生产的可追溯性。如利用 DNA 条形码检测手段，提高真伪鉴别的准确性，基于大数据、云平台等计算机技术及 5G 网络技术，促进动物类药材溯源平台与溯源机制的完善，规范动物类药材生产过程。③提高与完善动物类药材质量标准。增加基原的专属性鉴别、指标性/专属性成分含量测定等方面的检测方法，提高动物药材、饮片真伪鉴别的准确性；增加有针对性的检查项，如水分、灰分、重金属、微生物等检测，避免增重、掺杂现象，提高药材安全性。

（3）加强野生药源动物药与临床应用的安全性研究，建立相应的防御应对机制与措施。基于频发的病毒传播与人类利用野生动物资源密切相关的严峻现实，为保证在动物类药材的采集、产地加工、饮片炮制、商品物流、医院调剂和中药制药等深加工过程的安全用药，防止以野生动物为宿主的病毒等致病菌传播，国家有关部门及行业应积极开展相关政策法规的研究制定，出台既有利于我国动物资源保护，又可促进药用动物资源健康可持续发展的切实可行的办法与措施。①对于野生药源的动物药，国家可强制要求由专业机构实施采猎，并经安全性检疫后方可进入流通领域，严禁活体销售。②系统开展野生药用动物及其药用部位携带的有可能传播和危害人类健康的病毒等为害因素的分析筛查，基于致危程度建立分级分类管控和应对措施。③加强野生药用动物的驯化养殖和繁育技术研究，促进人工养殖动物药产业的健康发展。④对所有进入药材生产和深加工的动物实施生产流通过程全程管理，建立全程溯源和质量管理体系。⑤政府发布允许食用的动物目录，让人们安全享受经济动物产业发展给人类生活带来的福利。

总之，面对源于野生动物资源生产与利用过程出现的新问题，只有通过加强科学研究和客观评判，建立科学有序的分类管理体系，才能达到防患于未然的科学防控目的，才能有效处理好保护与利用的关系，保证中医药事业与产业的健康可持续发展。

（二）江苏大宗特色药用动物资源类群的开发利用途径

1. 环节类药用动物资源的利用

环节类药用动物资源（如宽体金线蛭、柳叶蚂蟥、威廉环毛蚓、疣吻沙蚕等）在医学、日化及农业等领域广泛使用。

宽体金线蛭、柳叶蚂蟥为水蛭药材的基原，临床应用十分广泛。水蛭具有破血、逐瘀、通经的功能，用于癥瘕痞块、血瘀经闭、跌扑损伤等，临床上还有水蛭活体治疗法。水蛭主要含水蛭素、多种氨基酸和无机元素等，现代药理研究表明，水蛭有抗凝、抗血小板聚集、降血脂等多种生理活性，是中医药生产和临床中使用量较大的中药。由于野生资源减少，养殖成本高，资源一直较紧缺。

威廉环毛蚓为地龙药材的基原，临床应用较广泛。地龙具有清热平肝、息风止痉、平喘、通络、利尿的功效，用于温病壮热抽搐、惊痫、肝阳头痛、肺热喘咳、哮喘、风湿热痹、中风半身不遂、骨折肿痛、小便不利或尿闭不通、砂石淋证等。地龙主要含蛋白质、琥珀酸、蚯蚓素、蚯蚓解热碱、次黄嘌呤、地龙毒素、蚓激酶、纤溶酶、地龙溶栓酶等，还含多种氨基酸和微量元素。口服地龙粉对消化性溃疡有明显的治疗作用；地龙蛋白质中含有多种游离氨基酸，营养价值超过牛肉、羊肉；地龙体液中所含的特殊酶类能促进皮肤的新陈代谢，具有美容作用。江苏有企业生产复方地龙胶囊。

巢沙蚕具有补脾胃、益气血、利水消肿的功效，用于脾胃虚弱、泄泻、贫血、水肿、脚气等。巢沙蚕中所含的沙蚕毒素可以作为生物农药；所含的蛋白质可以作为鱼类的饵料或食品的原料。

2. 低值贝类药用动物资源的利用

（1）贝类资源现状。江苏潮间带和辐射沙洲滩涂面积达 3 920 km²，其中多数为粉沙质滩，适于蛤类等软体动物的生长繁殖。江苏所产蛤类主要包括文蛤 *Meretrix meretrix* Linnaeus、四角蛤蜊 *Mactra veneriformis* Deshayes、菲律宾蛤仔 *Ruditapes philippinarum* Adams et Reeve、青蛤 *Cyclina sinensis* Gmelin。江苏蛤类的养殖模式有围栏养殖、潮间带养殖及池塘养殖。江苏贝类养殖情况见表 1-7-5、图 1-7-12。

表 1-7-5　江苏主要药用贝类资源养殖生产情况

类别	产量 / 万 t	养殖面积 /km²
蛤类	36.8	718.2
蛏类	5.8	41.1
贻贝	4.5	57.4
牡蛎	4.0	25.5
蚶类	3.2	31.5

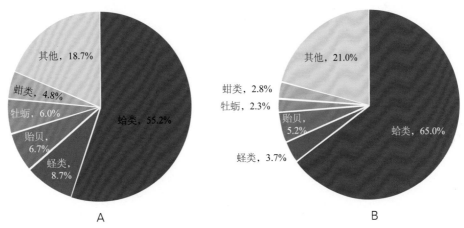

图 1-7-12　江苏沿海药用贝类资源养殖产量（A）及面积（B）情况

　　江苏文蛤养殖面积较多的县市主要集中在南通地区的启东、如东，盐城地区的东台、滨海，连云港地区的赣榆。南通地区文蛤养殖面积最大，约占江苏文蛤养殖总面积的 60%，其次为东沙和两沙地区（蒋家沙海域和竹根沙海域），养殖面积约占江苏文蛤养殖总面积的 32%。南通地区杂色蛤养殖面积占江苏杂色蛤养殖总面积的 62%，盐城占 19%，连云港占 16%，东沙和两沙地区约占 2%。东沙和两沙地区四角蛤蜊养殖面积占江苏四角蛤蜊养殖总面积的 74%，连云港占 13%，盐城占 9%。盐城地区青蛤养殖面积最大，约占江苏青蛤养殖总面积的 84%，东沙和两沙地区约占 9%。

　　（2）综合利用策略。长期以来，江苏沿海的低值贝类未能得到真正的开发利用，仅有部分作为食品出售，如文蛤，绝大部分的低值贝类（如蛤蜊、青蛤、杂色蛤等）处于自生自灭的状态。低值贝类养殖业的下游产业链未能形成，由此导致江苏沿海贝类养殖业效益低下；同时由于贝类用于鲜食，其产地加工多为人工分离壳肉，大量的外壳和下脚料被废弃，污染陆地生态环境，其外壳难以腐烂，也占用陆地空间，破坏了江苏海洋潮间带的生态环境，导致潮间带活体生物生产力下降，进一步导致资源利用率低下，海陆生态环境恶化。近 10 年来，在江苏省海洋与渔业局（现江苏省自然资源厅）的组织领导下，南京中医药大学药学院海洋药物研究开发团队联合省内科研院所、企业，围绕江苏沿海低值贝类的综合开发利用开展研究并取得了一系列研究成果，初步构建了江苏"贝类养殖产业→原料高品质初加工产业→健康食品产业、功能性保健品产业→生物功能材料产业→饲料产业"的海洋贝类生物资源全值化综合利用全产业链，该产业链的建成解决了江苏沿海低值贝类的加工、产业化开发以及环境污染等问题；形成"高质量出口产品—高技术含量的方便贝鲜食品—厨用现代调味品—贝源功能性保健品—生物功能材料产品"等低值贝类资源高值化的上下游系列产品群；同时以技术集成创新形成的贝类资源全值化利用的高技术产品为载体，支撑有关企业进入海洋贝类生物资源领域进行海洋生物产业关键技术开发，并建立相应的生产基地。

（3）江苏沿海低值贝类的综合开发利用成果与产品。①低值贝类产地加工。针对低值贝类壳肉分离机械化程度低、效率低的问题，研发制造低值贝类壳肉分离机械化、自动化设备，并已经投入生产使用，日处理低值贝类原料达 30 t；研发完成贝源生物碳酸钙饲料添加剂产品、水解贝肉蛋白粉 2 种饲料添加产品。②低值贝类健康食品开发。与江苏知名食品企业、酱料调味品企业合作研发，将低值贝类软体部分通过冷冻干燥、发酵等现代食品开发加工手段，制成鲜贝干、即食贝肉休闲食品、贝味素、贝鲜酱料等贝鲜食品，产品均已实现规模化生产，部分产品已在市场试用。③低值贝类功能食品开发。在传统中医药理论指导下，围绕低值贝类"润五脏，止消渴，开胃，解酒毒，主老癖能为寒热者，及妇人血块，煮食之"（《嘉祐本草》）的记载，以蛤蜊的软体部分开发形成具有调节免疫功能的银蜊胶囊；将蛤蜊软体部分与桑叶配伍，开发成具有辅助降血糖功能的银桑降糖颗粒；将蛤蜊提取加工过程中的废弃资源进行脱盐、脱重金属处理后开发成具有保护肝脏功能的银蜊核苷保肝胶囊、银蜊保肝颗粒；将蛤蜊与玉竹、百合配伍，开发成具有缓解疲劳功能的玉竹百合蛤蜊颗粒；贝类外壳中钙质丰富，将贝类外壳与氨基酸、肽类配伍或螯合，开发成钙补充剂银蜊柠檬酸咀嚼钙片和银蜊壳氨基酸螯合钙制剂。④低值贝类净化材料开发。将贝类的外壳开发成片状羟基磷灰石，再进行多孔化成型，加工成重金属离子深度处理的新型复合贝壳生物材料滤器。目前该产品已经投放市场，广泛用于重金属废水处理工程。

3. 虫类药用动物资源的利用

虫类药材通常来源于节肢动物。江苏常用虫类药材有全蝎、蜈蚣、地鳖虫、僵蚕、蝉蜕、露蜂房、九香虫等。江苏蜜蜂药用资源利用研究和产业化水平较高，有连云港市蜜蜂医疗研究所、连云港市蜜蜂产业协会、南京老山药业股份有限公司等单位专门从事蜂产品的开发与研究，有蜂王浆、蜂胶、蜂蜜、蜂花粉等系列品牌产品。同时，连云港是现代蜂疗发源地，蜂针堂蜂疗服务连云港有限公司是国内第一个拥有蜂疗服务执照的企业。现在蜂疗已走向世界。

江苏是我国的蚕茧主产区之一，年产茧量约占全国蚕茧总产量的10%。幼蚕的粪便又称蚕沙，在医药、食品、日用化工、农业等方面具有广泛的应用。蚕沙具有祛风除湿、和胃化浊、活血通经的功效，用于风湿痹痛、肢体不遂、风疹瘙痒、吐泻转筋、闭经、崩漏。蚕蛹是蚕茧抽丝后剩下的副产品，是食品、医药和制皂工业的重要原料。江苏成功以蚕蛹为宿主培养冬虫夏草，人工蛹虫草得到发展。蚕茧缫丝的副产品主要为下脚蚕和废丝，可用作日用化工产品的原料。

江苏在虫类药材的中医临床应用中也积累了十分丰富的经验。江苏是国医大师朱良春的故乡，他编著的《虫类药的应用》，是他对虫类药材数十年潜心研究和临床实践的总结。朱良春大师溯其源、明其理、归其类、广其用，填补了虫类药研究之空白，是当代虫类药临证实践之大家，他常用的虫类药材有全蝎、蜈蚣、虻虫、地鳖虫、僵蚕、蝉蜕、露蜂房、九香虫等，他归纳不同虫类药材的临床应用，总结出虫类药的十大功效——攻坚破积、活血祛瘀、息风定惊、宣风泄热、搜风解毒、行气活血、壮阳益肾、消痈散肿、收敛生肌、补益培本，虫类药材临床与具有同类功效的植物药配伍，可增强药力，疗效更为显著。

4. 甲壳类药用动物资源的利用

江苏是中华绒螯蟹、克氏原螯虾（小龙虾）的主要产区，两者在加工制成食品的过程中产生了大量的甲壳，甲壳含大量甲壳素（几丁质）。甲壳素应用范围广泛，在医疗领域可用于制作隐形眼镜、人工皮肤、缝合线、人工透析膜、人工血管等，在化妆品方面可用于制作美容剂、毛发保护剂、保湿剂等，在农业上可用于生产杀虫剂、植物抗病毒剂，在工业上可用于生产布料、衣物、染料、纸张等，在渔业上可作为养鱼饲料。过去这些甲壳被废弃，造成巨大的资源浪费。目前，江苏有多家企业从事甲壳素生产。

5. 两栖类药用动物资源的利用

江苏的两栖类药用动物资源主要是中华大蟾蜍，其耳后腺及皮肤腺所分泌的白色浆液，经加工干燥即为中药材蟾酥。蟾酥具有解毒消肿、开窍醒神、止痛之功效，传统上为治疗咽喉肿痛、疔毒、痈疽恶疮之要药，是配制六神丸、蟾酥丸、痧药丸、心宝丸、梅花点舌丹、一粒牙痛丸、华蟾素等 100 多种中成药的主要原料，中医临床及中成药生产需求量很大。但随着环境的变化，特别是农药、化肥的大量使用，蟾蜍的生存受到威胁，资源短缺问题越来越突出。江苏养殖基地将蟾蜍生长发育过程中定期自然蜕下的角质衣膜加工成"蟾衣"利用，形成新资源。蟾衣具有清热解毒、利水消肿、抗癌止痛之功效。现代药理研究表明，蟾衣具有强心、升压、抗炎作用，能镇静、利尿、抗流行性感冒病毒等。

【参考文献】

[1] 中华人民共和国生态环境部. 关于发布全国生物物种资源调查相关技术规定（试行）的公告［S/OL］.（2010-03-04）［2015-01-01］. http://www.mee.gov.cn/gkml/hbb/bgg/201004/t20100428_188866.html.

[2] 李军德，黄璐琦，曲晓波. 中国药用动物志［M］. 福州：福建科学技术出版社，2013.

[3] 黄璐琦，李军德. 中国药用动物 DNA 条形码研究［M］. 福州：福建科学技术出版社，2016.

[4] 李军德，黄璐琦，李春义. 中国药用动物原色图典［M］. 福州：福建科学技术出版社，2014.

[5] 项立辉，刘健，孔祥淮，等. 江苏沿海地区地形地貌资源的开发与利用［J］. 海洋地质动态，2010，26（9）：39-42.

[6] 于莉. 江苏省陆栖濒危脊椎动物分布格局及优先保护区研究［D］. 南京：南京农业大学，2011.

[7] 刘睿，段金廒，钱大玮，等. 我国麋鹿资源及其可持续发展的思考［J］. 世界科学技术—中医药现代化，2011，13（2）：213-220.

[8] 朱悦，赵明，钱大玮，等. 麋鹿资源古代利用状况与现代研究进展 [J]. 中国现代中药，2019，21（9）：1157-1168.

[9] 刘飞. 蚂蟥生长繁殖习性及其遗传多样性分子标记研究 [D]. 南京：南京农业大学，2008.

[10] 李桃. 宽体金线蛭的化学成分研究 [D]. 广州：暨南大学，2013.

[11] 刘睿，吴皓，程建明，等. 江苏沿海低值贝类资源综合利用现状与展望 [J]. 南京中医药大学学报，2015，31（1）：93-96.

[12] 刘睿，吴皓. 江苏海洋生物医药研究现状与发展机遇的思考 [J]. 南京中医药大学学报，2018，34（3）：217-221.

[13] 刘西强，何峰，孙飞虎，等.国医大师朱良春安全应用虫类药之经验[J].广州中医药大学学报，2015，32（4）：759-761.

[14] 中国药材公司. 中国中药资源志要 [M]. 北京：科学出版社，1994.

[15] 张保国，张大禄. 动物药 [M]. 北京：中国医药科技出版社，2003.

[16] 万德光. 药用动物学 [M]. 上海：上海科学技术出版社，2009.

[17] 张磊，魏海军，苌群红，等. 国内外鹿产业标准化现状与分析 [J]. 中国中药杂志，2019，44（5）：1064-1068.

[18] 路亚北. 江苏药用昆虫资源概述 [J]. 江苏林业科技，2004，31（2）：44-48.

[19] 国家中医药管理局《中华本草》编委会. 中华本草 [M]. 上海：上海科学技术出版社，1999.

[20] 江苏省地方志编纂委员会. 江苏省志：生物志：动物篇 [M]. 南京：凤凰出版社，2005.

[21] 赵志刚，陈玉清，陈昕，等. 国家重点保护野生动物在江苏的资源分布及保护探讨 [J]. 江苏林业科技，2006，33（3）：36-41，54.

[22] 袁健美，张虎，汤晓鸿，等. 江苏潮间带大型底栖动物群落组成及次级生产力 [J]. 生态学杂志，2018，37（11）：3357-3363.

[23] 袁健美，张虎，汤晓鸿，等. 江苏南部潮间带大型底栖动物功能群研究 [J]. 海洋渔业，2019，41（1）：43-52.

[24] 吴启南. 药用动物资源研究面临的问题与对策 [J]. 江苏中医药，2008，40（1）：21-22.

[25] 熊春晖，张瑞雷，季高华，等. 江苏滆湖大型底栖动物群落结构及其环境因子的关系 [J]. 应用生态学报，2016，27（3）：927-936.

[26] 冯照军，赵彦禹，周虹，等.江苏新沂县骆马湖湿地两栖、爬行及哺乳动物调查[J].四川动物，2005，24（3）：385-388.

[27] 蔡琨，陆维青，李朝，等. 南水北调江苏段沿线大型底栖动物群落结构及水生物评价 [J]. 环境监控与预警，2019，11（3）：49-53.

[28] 陈桥，张翔，沈丽娟，等. 太湖流域江苏片区底栖大型无脊椎动物群落结构及物种多样性 [J]. 湖泊科学，2017，29（6）：1398-1411.

[29] 李娣，牛志春，王霞，等. 长江江苏段底栖动物群落结构与多样性分析 [J]. 应用与环境生物学报，2015，21（1）：96-100.

[30] 钱士辉，段金廒，杨念云，等.江苏省地产地道中药资源的生产现状与开发利用(上)[J].中国野生植物资源，2002，21（1）：35-40.

[31] 钱士辉，段金廒，杨念云，等.江苏省地产地道中药资源的生产现状与开发利用(下)[J].中国野生植物资源，2002，21（2）：12-17.

[32] MÜLLER C, HAASE M, LEMKE S, et al. Hirudins and hirudin-like factors in Hirudinidae：implications for function and phylogenetic relationships [J]. Parasitology Research, 2017, 116（1）：313-325.

[33] TOPOL EJ, BONAN R, JEWITT D, et al. Use of a direct antithrombin, hirulog, in place of heparin during coronary angioplasty [J]. Circulation. 1993, 87（5）：1622-1629.

第八章

江苏省药用矿物资源种类
与产业发展

药用矿物资源是指具有明确医用目的和治病疗疾功能的一类天然矿物岩石及其加工品。矿物药是指在中医药理论指导下，可供中医临床配方调剂或作为中成药制剂的药用原矿物、矿物原料的加工品、动物或动物骨骼的化石。

矿物药是传统中药的重要组成部分，是中华民族历经数千年生产实践发现的具有治疗疾病和维护健康价值的重要特殊资源。矿物药独特的采挖加工、药性、配伍理论、临床应用等科学内涵在祖国悠久的中医药理论体系中有着不可替代的地位。矿物药的应用是在中医药理论指导下，通过内服或外用，发挥其祛腐生肌、消肿解毒、收敛止血、平肝息风、安神补益、化痰止咳、收湿止痒、解毒杀虫、散瘀止痛、续筋接骨等作用，涉及内、外、妇、儿、五官各科。矿物药临床疗效显著，为人类的健康做出了重要贡献。

药用矿物资源调查是中药资源普查的重要部分，药用矿物资源是全面客观反映我国中药资源整体状况不可或缺的组成门类。因此，药用矿物资源调查在全国历次的中药资源普查方案设计中都是不可缺少的工作板块，在第四次中药资源普查中也不例外。但是，由于药用矿物资源调查涉及矿物学、地质学、生态学、中药学等多门类学科知识和专门技能，中医药行业药用矿物资源调查研究的基础相对薄弱，专业人才严重缺乏，适宜于药用矿物资源调查的方法技术尚且不足，这在一定程度上制约了该项工作的开展。

针对上述问题，江苏中药资源普查技术专家组不畏困难，勇于面对，在以往相关研究的基础上，通过走出去、请进来的学习方法，主动向相关领域的专家学者求教，认真学习该领域前人积累的知识和经验，提高了各普查队开展药用矿物资源调查的专业认知能力和创新工作的信心。"磨刀不误砍柴工"，经过充分的前期准备，江苏率先开展了区域性药用矿物资源调查的探索工作，在实践中学习，在工作中不断总结经验、提高能力。2018 年，在全国中药资源普查技术指导专家组组长黄璐琦院士的高度重视和支持下，由内蒙古民族大学牵头组织申请并获得"第四次全国中药资源普查矿物药资源普查项目"专项经费支持，并在内蒙古通辽奈曼旗召开专家论证会，江苏中药资源普查技术专家组积极参加学习交流，进一步提高了对药用矿物资源调查重要性的认识和高质量完成此专项工作的能力，同时也充分认识到该项工作如期高质量完成是十分重要和迫切的，对全国中药资源普查工作具有全局性和战略性影响。药用矿物资源调查对系统了解和掌握我国药用矿物资源家底，制定合理保护药用矿物资源的制度措施，科学利用药用矿物资源，深入开展矿物类中药资源研究和精细化利用具有重要的社会及经济意义。

第一节　药用矿物资源调查方法学与适宜技术

按照第四次全国中药资源普查矿物药资源普查项目的相关要求，江苏中药资源普查技术专家组在前期交流学习和实践积累的基础上成立了矿物药资源调查专项工作组，对药用矿物资源调查方法学和适宜技术进行系统性的梳理总结，以期为江苏乃至全国区域性药用矿物资源调查提供借鉴和参考。

一、药用矿物资源调查的准备工作

（一）明确目标任务及要求

围绕药用矿物资源调查工作，主要应实现下列目标：①调查掌握我国矿物药的种类、分布、用途、蕴藏量等基本情况；②调查掌握我国矿物药的使用历史、传统知识、应用现状、炮制加工等基本情况；③调查掌握我国代表性少数民族地区矿物药的使用等基本情况。本次调查要收集我国主要矿物药（含原矿）样品，建成矿物药标本馆，并提出我国矿物药资源的管理及开发利用建议。

（二）统一规范药用矿物资源调查要求，构建矿物药数据库

要保证药用矿物资源调查高质量完成，应在前期调查的基础上，结合区域特点完成整体调查方案设计。按照第四次全国中药资源普查技术规范，结合药用矿物资源特点，规范工作流程和技术要求，提前确定调查标准，并构建好与现有第四次全国中药资源普查数据库相兼容的矿物药数据库。

（三）组织协调好技术力量

因中药资源领域技术人员的地质学相关（矿物学、岩石学、矿床地质学等）知识背景普遍薄弱，在组织队伍时，要特别重视对这方面技术力量的补充。可在省级中药资源普查领导小组的协调下，和江苏省自然资源厅、地质学会、地质勘探队、综合性大学地理科学学院、矿产资源博物馆等单位进行对接，尽可能邀请地矿领域专家参与药用矿物资源调查研究。

二、区域药用矿物资源调查工作实践

（一）基于文献整理的区域药用矿物资源信息

在系统文献收集的基础上，汇总整理得到区域药用矿产分布情况，包括品种数、重点品种数、分布区域等信息。首先，整理出第三次全国中药资源普查时江苏23种矿物药的分布情况；其次，对中华人民共和国成立以来出版的18部有关矿物药专著进行了整理，梳理出专著中记载的分布于

江苏的药用矿物资源约 86 种；最后，通过对《中药大辞典》（1977 年版）、《中华本草》等权威综合性工具书进行检索，发现《中药大辞典》（1977 年版）中记载的分布于江苏的矿物药有 15 种，占收载矿物药总数的 16.3%，《中华本草》中记载的分布于江苏的矿物药有 33 种，占收载矿物药总数的 28.9%。此外，还对已发表的学术论文、专著、调查报告、地方志等记载的矿物药资源种类、分布等进行整理，如 20 世纪 90 年代初，江苏省地矿局区调队对江苏药用矿产资源进行了分析，涉及近 50 种药用矿产资源在江苏地区的分布情况；20 世纪 90 年代中期，江苏省地质矿产厅调查了江苏药用矿物资源，并对石膏、石英、方解石、云母等优势药用矿物资源进行了专项调查。

（二）走访调研获得的药用矿物资源分布及生产现状资料

一方面，从江苏省自然资源厅等公开的信息中，获取最新的江苏矿产资源储量统计表、江苏地质勘查年报、江苏矿产资源年报等资料，对目前江苏药用矿产资源的分布及储量情况进行总结分析，得到江苏有蕴藏量数据的药用矿产资源近 70 种。

另一方面，通过对区域地矿学会、拥有地质专业的科研院所、中药材专业市场中药用矿物专营店、大型三甲中医院，以及长期从事矿物药生产、鉴定、使用的老药工、老药农和民间医生的走访，获取矿物药使用、销售、生产的路径信息。

（三）实地调研重点矿区、生产企业，采集样品

在前期文献调研以及对主管部门、科研院所、药材市场、医疗单位等开展的调研的基础上，获得重点药用矿物的产地信息、相关矿区联系方式等，为后续开展区域重点药用矿物品种及矿区、生产企业实地调研提供帮助。通过对芒硝、金礞石、石盐、石灰岩、凹凸棒石黏土、膨润土等药用矿物资源进行实地调研，查实江苏相关药用矿物资源品种、开采、封存、储量、综合利用等情况，并按要求采集相关实物标本。

（四）完成药用矿物资源的分析评价并撰写调查报告

通过文献整理与实地走访相结合的方式，完成区域矿物药资源的外业调查，以可公开的重点药用矿物资源储量数据库和潜力评价成果为基础，结合最新储量管理信息，评估相关重点品种的储量。同时，开展对重点药用矿物资源的质量评价，分析其质量特征，评估其开发利用前景，通过总结不同时期区域药用矿物资源种类分布概况，基本梳理出江苏药用矿产资源分布、生产时空变化情况，并完成区域药用资源调查报告，为后续制定全国及区域药用矿产资源发展规划等提供重要参考资料。

三、药用矿物资源调查的技术要点

（一）矿物药专著的收集整理

多数中药资源工作者的地质学、矿物学知识较为薄弱，因此，在开始正式调查前，需要先对前人的矿物资源相关专著进行学习。矿产资源基本概念、性状鉴定、资源分布及分析评价等内容都是开展药用矿物资源调查的必备基础。建议有条件的单位配备矿石标本或矿石图鉴工具书，以供人员培训和研究参考。在前期矿物药研究的基础上，整理出中华人民共和国成立以来出版的有关矿物药专著名录，可用于整理不同时期各区域矿物药品种分布情况。

（二）地质资源信息的收集整理

中国共产党第十八次全国代表大会以来，中华人民共和国自然资源部快速推动地质资料的信息化管理和社会化服务，其网站可免费下载 2011—2019 年的年度《中国矿产资源报告》作为研究参考资料，各省自然资源厅网站也有区域地质勘查年报、矿产资源年报及部分矿产资源储量统计表可供查阅。由中国地质调查局研发的"地质云 1.0"系统于 2017 年 11 月正式发布并上线服务，实现了国家层面十大类 75 个地质调查数据库、八大类 2 382 个地学信息产品及部分软件系统和信息化基础资源的互联互通与共享，并向社会提供"一站式"查询、浏览、下载服务，目前已更新到"地质云 3.0"版本。该系统可供利用的信息十分丰富，如部分重要矿产资源的分布、储量、丰度、开发利用程度等本底资料，这些信息，可按照国家相关法律法规申请获取。

全国地质资料馆可提供电子借阅服务，其地质资料涉及湖南、内蒙古、青海、湖北、贵州、陕西、山西、四川、新疆等地的诸多矿种调查报告、资源综合利用报告等，目前资料还在不断丰富。矿物种信息网提供了 67 种药用矿物在我国的分布信息、分布图，以及各品种的产地、化学式、药物名称、成因类型、药材特征、性味功效等信息，为掌握药用矿物资源资料提供了十分便利的条件。

（三）调查及取样要求

1. 记录标准

矿物药受原矿物种类、加工方法及形态等多种因素的影响，分类方法复杂多样，与植物药和动物药的分类方法有明显区别，且国际上尚无统一的矿物药拉丁学名，故矿物药品种和分类记述标准亟待规范。矿物药应首先确定其品种的组成、范围，再研究如何分类，如主要含卤化物类的石盐族有大青盐、珍珠盐、光明盐、黑盐、白盐等，必须通过深入比较，标本对照，明确统一规范的正品。

2. 取样标准

为保证调查结果的一致性，在开展药用矿物资源调查时，应注意标准和规范的统一。对于野外原矿样品采集，可由熟悉工区地质情况的专业人员完成，或参照中国地质调查局地质调查技术标准进行，如《岩矿石物性调查技术规程》（DD2006-03）等。根据药用矿床实际情况，可选择刻槽法、刻线法、网格法、点线法、捡块法、打眼法、劈心法等不同的采样方法。每种矿物药必须要有实物凭证提交给国家，并对样品量提出明确要求。

3. 专用工具

根据药用矿物资源调查特点和样品采集需要，在外业调查时应补充必要的取样工具，如配备合适规格的地质锤、地质镐、矿石研钵、硬度笔等；部分使用次数不多且价格较贵的专用取样设备，如取样刻槽机、岩芯取样钻机等，可酌情借用或租用。

4. 矿物药生产应用情况调查

应重点关注少数民族地区矿物药生产、应用情况的调查，尤其是藏族、维吾尔族、蒙古族，这些民族有长期使用矿物药的传统，且矿物药品种极为丰富。贾敏如等学者在编撰《中国民族药辞典》时对民族矿物药进行了系统整理，但尚有部分矿物药基原不清。药用矿物资源调查应做好各地区、各民族矿物药生产应用情况调查，详细记录颜色、形态、气味、质地等外观特征，收集制法、用法信息，采集实物样品，为后续深入研究打好基础。矿物药生产、应用过程中发现的新差异、新方法、新用途，包含炮制方法和病种范围，也应该作为矿物药传统应用情况调查的重点。

药用矿物资源调查应注意将少数民族使用的矿物药与汉族使用的相应品种相比较，还应关注各少数民族对同一矿物药的应用情况。如哈萨克族使用的矿物药塔斯马依（Tasmayi），是夏季天气变热时从岩缝里流出的一种淡褐色至黑色脂状物，常被哈萨克医应用于骨折及多种炎症。根据所含金属种类的不同，哈萨克医将塔斯马依分为含金塔斯马依、含铜塔斯马依、含银塔斯马依和含铁塔斯马依4种；根据来源不同，塔斯马依又可以分为石油塔斯马依、植物塔斯马依、鼠粪塔斯马依3种。有研究报道，应用历史已有1 300多年的藏药渣驯，是在一定自然条件下由含金、银等多种金属的矿石发生溶解和再凝结形成的矿物药，主要用于诸热症，是大量藏成药的原料药材之一。《中华人民共和国卫生部药品标准·藏药分册》所收录的300种藏成药中，有42种含有渣驯。有研究考证发现，塔斯马依、渣驯和印度阿育吠陀医学中的喜来芝（shilajit）等都是同一类物质。在调查过程中应广泛收集类似品种信息及标本，为后续深入研究奠定基础。

前期对北京、辽宁、江苏、安徽、青海、新疆、广东等地的60家大中型医疗机构（含蒙、藏、维等民族医院）、12家规模中药饮片（含配方颗粒）生产企业的矿物药生产和使用情况进行问卷调查，发现不同区域矿物药使用各具特色，且同一地区医疗机构和饮片生产企业的矿物药产销情况并不一致，见表1-8-1、表1-8-2。究其原因，相较于其他药用资源，矿物药资源类群少，生产相对集中，流通过程中具有"以销定产"和"一地生产供应全国"的特点，在进行矿物药资源评价时应重点关注。后续各地在不断完善相关数据的基础上，可开展不同区域矿物药使用情况分析比较及流行病统计相关大数据挖掘研究，为实现矿物药资源的有效利用提供参考。

表 1-8-1　我国部分省区中医院矿物药临床用量排名（由大到小）

排名	辽宁	北京	内蒙古	江苏	福建	陕西	甘肃	青海	新疆
1	龙骨	龙骨	白矾	龙骨	朴消	芒硝	紫石英	龙骨	青礞石
2	芒硝	石膏	白石脂	石膏	龙骨	龙骨	磁石	石膏	自然铜
3	石膏	滑石	琥珀	磁石	芒硝	石膏	赭石	赭石	白矾
4	滑石	赭石	赤石脂	赭石	明矾	磁石	龙骨	磁石	紫石英
5	赭石	磁石	大青盐	紫石英	滑石	赭石	阳起石	赤石脂	白石英
6	磁石	龙齿	雄黄	龙齿	石膏	滑石	自然铜	滑石	磁石
7	赤石脂	紫石英	磁石	滑石	琥珀	赤石脂	石膏	芒硝	石膏
8	硼砂	芒硝	龙齿	枯矾	鹅管石	青礞石	朱砂	—	赭石
9	紫石英	伏龙肝	龙骨	赤石脂	花蕊石	自然铜	雄黄	—	滑石
10	—	—	赭石	青礞石	浮石	—	芒硝	—	硫黄

表 1-8-2　我国部分省区中药饮片（含配方颗粒）生产企业矿物药销量排名（由大到小）

排名	北京	湖北	江苏	安徽	浙江	四川	广东	甘肃	新疆
1	赭石	龙骨	龙骨	龙骨	龙骨	石膏	石膏	针铁矿	红宝石
2	石膏	石膏	石膏	石膏	龙齿	龙骨	龙骨	紫硇砂	琥珀
3	磁石	滑石	芒硝	滑石	石膏	龙齿	滑石	龙骨	金箔
4	龙骨	磁石	赤石脂	紫石英	磁石	滑石	芒硝	火硝	银箔
5	大青盐	赭石	明矾	磁石	自然铜	芒硝	赭石	赭石	—
6	青礞石	紫石英	龙齿	龙齿	滑石粉	赭石	琥珀	松耳石	—
7	滑石	龙齿	滑石	赭石	琥珀	磁石	磁石	硇砂	—
8	—	阳起石	玄明粉	青礞石	阳起石	硫黄	紫石英	磁石	—
9	—	朱砂	枯矾	阳起石	赭石	雄黄	龙齿	寒水石	—
10	—	白矾	赭石	硼砂	—	朱砂	—	金礞石	—

统计发现，龙骨、龙齿等化石类药材在多数地区医院的矿物药临床用量中排名靠前，但其生产经营受《古生物化石保护条例实施办法》限制；同时，由于化石类矿物药资源日益枯竭，部分地区的医疗机构已不能正常付药，但其在镇静安神及治疗情志疾病方面有独特疗效，化石类矿物药资源供应问题值得关注。

5. 药用矿物资源评价

开展矿物药资源评价是调查工作任务之一，但因可直接参考的研究报道很少、本地资料缺失等，导致开展矿物药资源评价研究难度很大。基于前期的实践，矿物药资源评价应参考《固体矿产资源储量分类》（GB/T 17766—2020）及相关文献，以可公开的重点药用矿产资源储量数据库和潜力评价成果为基础，结合最新储量管理信息及药用矿产资源勘查开采公示相关信息，并以是否符合药用标准为依据，开展全面调查、核查和评价，掌握药用矿物资源家底和变化情况。

药用矿物资源评价的主要内容包括以下几个方面。①药用矿物资源储量。采用文献整理和实地调研相结合的方式，获取准确翔实的各类重点药用矿物资源储量、质量、结构、空间分布和利用情况等基础数据，包括矿区储量估算范围、药用矿物资源储量和矿山占用、未占用、消耗、勘查新增、闭坑等资源储量变化情况，以及压覆资源储量、未登记入库资源储量、政策性关闭矿山残留资源储量等情况。②药用矿物资源可利用性。综合考虑药用矿物质量等级信息、应用开发历史、地质条件、技术及经济因素，开展药用矿物资源技术经济评价，评价内容主要包括勘查程度与类型、埋藏深度、选冶难易程度、开发条件及开发前景等。③品种供应的预测。结合储量、现有开采量、药材质量、品牌效应等信息，对现有药用矿产资源渠道、供应、采购等环节进行系统梳理，理清矿物药购销脉络，进行市场和供应的预测，判断其稳定供应能力，为开展矿物药及含矿物药的中成药资源评估提供参考依据。

第二节　江苏省药用矿物资源概况历史回顾

对于资源性调查来讲，理清既往区域性资源调查研究的历史记载，对于开展当前调查工作的方案设计和任务部署是十分必要的。通过对江苏药用矿物资源历史记述的回顾及相关领域科技文献的挖掘，发现江苏省地矿局区调队、江苏省地质矿产厅早在 20 世纪 90 年代即对江苏矿产资源的种类及分布进行了较为系统的专项调查研究，这为中药资源领域开展此项工作奠定了扎实的基础。第三次全国中药资源普查工作中关于江苏区域药用矿物的种类与分布的记载也为本次调查提供了重要的历史资料。

一、已出版矿物药专著中记载的江苏矿物药资源种类分布情况

通过对中华人民共和国成立以来出版的 17 部有关矿物药的专著进行整理，梳理出专著中记载的分布于江苏的矿物药（不含冰、天池水、太湖水、盐胆水）有粉锡（铅霜）、玛瑙、石膏、方解石、蜜栗子、石麵、磁石、代赭石、空青、扁青、礜石、礞石（金礞石）、礬石（白矾）、绿礬（绿矾）、花蕊石、朴消、云母石、硫黄、寒水石、消石、滑石、青礞石、紫石英、赤石脂、白石英、蛇含石、白降丹、金箔、银箔、铅粉、石灰、万年灰、白石脂、自然铜、阳起石、阴起石、钟乳石、乳花、井底泥、伏龙肝、百草霜、秋石、食盐（海盐）、铁、铁粉、铁落、铁锈、铁华粉、针砂、银朱、绿盐、大青盐、石盐（光明盐）、麦饭石、绿青（孔雀石）、铜绿、卤碱、芒硝、玄明粉、长石、姜石、白垩、膨润土（甘土）、石脑油、不灰木、吸毒石、黑石脂、黄升、密陀僧、东壁土、龙骨、龙齿、石鳖、升药底、曾青、赤铜屑、孔公孽、殷孽、石床、水云母（黄石脂）、银精石（云母）、土黄、石蟹、石炭等。详见表 1-8-3。

表1-8-3 中华人民共和国成立以来出版矿物药专著中记载分布于江苏的矿物药

专著名称	主编	出版社	出版年份	江苏产矿物药	江苏产种数	收载总数	占比（%）
《本草纲目的矿物史料》	王嘉荫	科学出版社	1957	粉锡、玛瑙、磁石、石膏、方解石、蜜栗子、石麺、扁青、礜石、代赭石、空青、礞石、海盐、礬石、绿礬	15	131	11.5
《矿物药与丹药》	刘友樑	上海科学技术出版社	1962	石膏、花蕊石、朴消、礜石、云母石、硫黄	6	67	9.0
《中兽医矿物药与方例》	戚厚善	山东科学技术出版社	1979	寒水石	1	71	1.4
《矿物药浅说》	李焕	山东科学技术出版社	1981	白降丹、铅粉、磁石、禹余粮、蛇含石、石灰、食盐、朴消、滑石、白石英、云母、赤石脂、白石脂、寒水石	14	70	20.0
《中国矿物药》	李大经	地质出版社	1988	云母、花蕊石、代赭石、滑石、寒水石、自然铜、金礞石、钟乳石、禹余粮、扁青、绿青、曽青、紫石英、磁石、礜石、阳起石、阴起石、玛瑙、白石英	19	54	35.2
《矿物药》	刘玉琴	内蒙古人民出版社	1989	万年灰、井底泥、云母、升药、石中黄、白石英、白石脂、白降丹、伏龙肝、百草霜、铁粉、铁锈、铁华粉、玛瑙、花蕊石、赤石脂、禹余粮、青礞石、秋石、食盐、铁落、银朱、绿盐、消石、硫黄、滑石、磁石	27	101	26.7
《中国矿物药研究》	孙静均	山东科学技术出版社	1989	紫石英	1	75	1.3
《中国矿物药图鉴》	杨松年	上海科学技术文献出版社	1990	白石英、云母石、滑石、石灰、花蕊石、食盐、朴消、礜石、白石脂、磁石、禹余粮、蛇含石、铅粉、紫石英	14	97	14.4
《中国矿物志·第四卷·卤化物矿物》	秦淑英	地质出版社	1992	石盐	1	26	3.8
《矿物本草》	郭兰忠	江西科学技术出版社	1994	秋石、白石脂、赤石脂、石灰、自然铜、铜绿、阴起石、白降丹、卤碱、白石英、青礞石、麦饭石、云母、滑石、玛瑙、方解石、花蕊石、钟乳石、紫石英、铁落、禹余粮、蛇含石、磁石、绿盐、绿青、扁青、曽青、礜石、三仙丹、消石	30	108	27.8
《矿物药的沿革与演变》	王水朝	青海人民出版社	1996	无	0	62	0
《矿产本草》	王敏	中国医药科技出版社	2000	石灰、白降丹、白石英、不灰木、玛瑙、云母、白垩、长石、方解石、芒硝、食盐、赤石脂、白石脂、伏龙肝、礜石、红粉、禹余粮、自然铜、金箔、硫黄	20	86	23.3
《矿物药》	张保国	中国医药科技出版社	2005	无	0	48	0
《本草古籍矿物药应用考》	滕佳林	人民卫生出版社	2007	无	0	90	0
《中国矿物药集纂》	尚志钧	上海中医药大学出版社	2010	礜石、硫黄、吸毒石、黑石脂	4	602	0.7

续表

专著名称	主编	出版社	出版年份	江苏产矿物药	江苏产种数	收载总数	占比（%）
《矿物药及其应用》	高天爱	中国中医药出版社	2012	铜绿、扁青、绿青、曾青、针砂、紫石英、阳起石、东壁土、白垩、白石脂、礜石、水银、红粉（三仙丹）、黄升、密陀僧、绿盐、自然铜、磁石、禹余粮、蛇含石、花蕊石、滑石、青礞石、玛瑙、赤石脂、硫黄、龙骨、龙齿、石鳖、消石	30	110	27.3
《矿物药真伪图鉴及应用》	高天爱	山西科学技术出版社	2014	蓝铜矿、孔雀石、赤铜屑、褐铁矿、铁、石灰、殷孽、万年灰、礜石、水银、红粉、升药、黄升、升药底、三仙丹、密陀僧、铜绿、自然铜、磁石、禹余粮、蛇含石、铁落、针砂、花蕊石、寒水石、方解石、乳花、孔公孽、石床、滑石、膨润土、硫黄、龙骨、龙齿、石蟹、石鳖、金箔、石脑油、卤碱、白石英、青礞石、云母石、水云母、银精石、东壁土、蒙脱石、玛瑙、白垩、赤石脂、白石脂、土黄、食盐、朴消、消石、石炭	55	231	25.5

二、《中华本草》《中药大辞典》记载的江苏矿物药资源种类分布情况

《中华本草》共收载矿物药114种，其中分布于江苏的有33种，占收载矿物药总数的28.9%，包括食盐、朴消、芒硝、玄明粉、消石、长石、方解石、石灰、花蕊石、姜石、紫石英、秋石、赤石脂、白石脂、云母、白垩、甘土、伏龙肝、白石英、麦饭石、玛瑙、铁、针砂、铁落、磁石、蛇含石、禹余粮、红粉、铅霜、金箔、银箔、锡、石脑油。《中药大辞典》（1977年版）共收载矿物药92种，其中分布于江苏的有15种，占收载矿物药总数的16.3%，包括消石、滑石、青礞石、寒水石、花蕊石、紫石英、赤石脂、云母、白石英、玛瑙、磁石、蛇含石、白降丹、金箔、银箔。

第三节　江苏省药用矿物资源种类、分布及储量

根据江苏省国土资源厅截至2016年年底的江苏省矿产资源储量统计表、2017年江苏省地质勘查年报、2017年江苏省矿产资源年报及江苏矿物药资源调查专项研究，对目前江苏药用矿物资源种类、分布及储量情况进行了总结分析，石碱、井底泥、泉水、温泉、冰等未统计在内。目前江苏药用矿物资源近70种，详见表1-8-4。

表 1-8-4　江苏药用矿物资源种类、分布及储量概况

矿物药	矿产分布	资源储量 / 千吨
食盐、咸秋石、大青盐、光明盐	徐州市丰县师砦岩盐矿区（单一矿产）	720 818
	徐州市沛县河口矿区（主要矿产）	368 186
	常州市金坛岩盐矿区（单一矿产）	7 192 984
	淮安市谢碾岩盐矿区（主要矿产）	2 601 462
	淮安市楚州区下关石盐矿区张兴块段（共生矿产）	9 539 664
	淮安市赵集—顺河集矿区（伴生矿产）	5 059 196
	淮安市盐矿下关矿段（主要矿产）	3 443 797
	淮安市朱桥盐矿（单一矿产）	135 851
朴消、芒硝、玄明粉	淮安市赵集—顺河集矿区（伴生矿产）	3 037 239
	徐州市丰县师砦岩盐矿区（伴生矿产）	2 632 044
	常州市金坛岩盐矿区（伴生矿产）	9 539 768
	淮安市谢碾盐矿区（伴生矿产）	780 975
	淮安市楚州区下关石盐矿区张兴块段（伴生矿产）	3 739 444
	淮安市朱桥盐矿（伴生矿产）	2 632 044
不灰木、花蕊石	连云港市东海许沟蛇纹石矿区（伴生矿产）	11 555
	徐州市新沂市蒋庄蛇纹石矿区（西段）（单一矿产）	3 964
	徐州市新沂市蒋庄蛇纹石矿区（单一矿产）	129 484
花蕊石	南京市江宁大连山宁红大理石矿（单一矿产）	1 280
	宜兴市白云洞大理石矿（单一矿产）	9 351
	宜兴市南天门大理石矿（单一矿产）	10
	睢宁市东爬山饰面大理石矿（单一矿产）	708
	邳州市荆山装饰大理石矿（单一矿产）	800
	连云港市赣榆三清阁大理石矿区（主要矿产）	23 500
	连云港市赣榆三清阁大理石矿（单一矿产）	3 650
金礞石、金精石	徐州市新沂市阿湖镇—蒋庄蛭石矿（单一矿产）	1 549
	连云港市东海埠后蛭石矿（单一矿产）	327
石膏、玄精石、理石、寒水石（北）	南京市石膏矿周村矿段（单一矿产）	1 285 879
	邳州市恒源石膏有限公司（单一矿产）	61 372
	邳州市环宇石膏有限公司（单一矿产）	908 767
	邳州市联盛石膏有限公司（单一矿产）	1 598 365
长石	徐州市新沂市城岗杨庄钠长石矿（单一矿产）	374
方解石、鹅管石、姜石、寒水石（南）	溧阳市小梅岭硅灰石、方解石矿（单一矿产）	25 472
	镇江市丹徒石马乡巢风山方解石矿（单一矿产）	3 010
	句容市双顶山方解石矿（单一矿产）	1 250
石灰	徐州市铜山霸王山石灰岩矿（单一矿产）	36 496
	徐州市铜山霸王山石灰岩矿（境界线外）（单一矿产）	42 630
	徐州市铜山（贾汪区）鸡毛山碱用灰岩矿（单一矿产）	216 831
	徐州市铜山魏集制碱灰岩矿（单一矿产）	36 414
	金坛市大小石包山（朝阳洞）水泥石灰岩矿（共生矿产）	9 576
	南京市江宁青龙山石灰石矿（单一矿产）	76 440
	镇江市丹徒船山石灰石矿（主要矿产）	146 768

矿物药	矿产分布	资源储量 / 千吨
	镇江市丹徒剌莉山石灰石矿（单一矿产）	32 970
	镇江市丹徒谏壁雩山石灰石矿（单一矿产）	6 430
	镇江市丹徒纪庄松林山石灰石矿区（主要矿产）	2 432
	镇江市丹徒西麓香十里长山石灰石矿（单一矿产）	3 569
	句容市东昌镇高骊山溶剂石灰岩矿（主要矿产）	126 041
龙骨、龙齿、石燕、石蟹	南京市泰山铁磷矿（主要矿产）	10 763
	连云港市锦屏磷矿（单一矿产）	17 686
	连云港市锦屏磷矿陶湾（上层）矿（单一矿产）	592
	连云港市新浦磷矿（单一矿产）	2 563
	连云港市新浦（4 号、5 号矿体）磷矿（单一矿产）	5 080
	连云港市太和矿区磷矿（单一矿产）	1 003
	连云港市陶湾磷矿区（单一矿产）	6 352
	宿迁市沭阳滥洪—华冲地区磷矿（单一矿产）	48 908
紫石英	苏州市俞石泉萤石矿（单一矿产）	491
白矾	苏州市阳北明矾石矿（单一矿产）	2 719
	苏州市观山高岭土矿区（伴生矿产）	412
白石脂、黄石脂	徐州市铜山陈楼—马庄高岭岩矿	2 438
白垩、赤石脂、白石脂、黄石脂	南京市江宁祖堂山高岭土矿（单一矿产）	5 810
	徐州市铜山陈楼—马庄高岭岩矿（单一矿产）	2 438
	苏州市阳山高岭土矿区 6-11 线（单一矿产）	306
	苏州市阳山高岭土矿区 11-18 线（单一矿产）	350
	苏州市阳东高岭土矿区白善岭高岭土矿段（单一矿产）	11
	苏州市观山高岭土矿区（主要矿产）	23 051
	苏州市阳东高岭土矿区沙墩头矿段（单一矿产）	1 710
	苏州市阳西高岭土矿区由龙寺矿段（单一矿产）	563
	苏州市阳山高岭土矿阳东矿区西矿段（单一矿产）	500
	苏州市阳山东矿区羊眼睛高岭土矿（主要矿产）	410
	苏州市阳东高岭土矿区戈家坞矿段（单一矿产）	4 115
云母、青礞石、黄石脂、金礞石	连云港市东海白云母矿（单一矿产）	345
	宿迁市沭阳万山绢云母矿（单一矿产）	353 100
甘土、白垩	南京市六合骡子山凹凸棒石黏土矿区（共生矿产）	1 316
	金坛市长龙山膨润土矿区（单一矿产）	247
	金坛市狮子山膨润土矿区（单一矿产）	99
	淮安市盱眙雍小山凹凸棒石黏土矿区（共生矿产）	2 649
	淮安市盱眙龙王山凹凸棒石黏土矿区（共生矿产）	19 532
	淮安市盱眙鹰咀山矿区凹凸棒石黏土矿（共生矿产）	3 901
	淮安市盱眙高家洼—梁家洼凹凸棒石黏土（共生矿产）	1 489
	淮安市盱眙仇集镇羊三山膨润土矿区（单一矿产）	3 445
	淮安市盱眙龙头山凹凸棒石黏土矿（共生矿产）	556
	淮安市盱眙白虎山凹凸棒石黏土矿（共生矿产）	1
	淮安市盱眙牛头山凹凸棒石黏土矿区东矿段（共生矿产）	382

矿物药	矿产分布	资源储量 / 千吨
	淮安市盱眙猪咀山矿区西矿段凹凸棒石黏土矿（共生矿产）	364
	淮安市盱眙猪咀山凹凸棒石黏土矿区东矿段（共生矿产）	5
	镇江市丹徒圌山珍珠岩矿区（共生矿产）	2 145
	句容市甲山膨润土矿（单一矿产）	150 894
凹凸棒石黏土	南京市六合骡子山凹凸棒石黏土矿区（主要矿产）	22 133
	南京市六合小盘山凹凸棒石黏土矿（单一矿产）	1 057
	南京市六合平山沃洼白土矿（单一矿产）	32 736
	金坛市东窑凹凸棒石黏土矿（单一矿产）	1 824
	淮安市盱眙雍小山凹凸棒石黏土矿区（主要矿产）	4 760
	淮安市盱眙龙王山凹凸棒石黏土矿区（主要矿产）	22 173
	淮安市盱眙鹰咀山矿区凹凸棒石黏土矿（共生矿产）	750
	淮安市盱眙高家洼—梁家洼凹凸棒石黏土（共生矿产）	15 528
	淮安市盱眙仇集镇猪咀山—龙山凹凸棒石黏土矿区（主要矿产）	12 192
	淮安市盱眙龙头山凹凸棒石黏土矿（共生矿产）	165
	淮安市盱眙白虎山凹凸棒石黏土矿（主要矿产）	254
	淮安市盱眙牛头山凹凸棒石黏土矿区东矿段（主要矿产）	615
	淮安市盱眙猪咀山矿区西矿段凹凸棒石黏土矿（主要矿产）	326
	淮安市盱眙猪咀山凹凸棒石黏土矿区东矿段（共生矿产）	283
白石英	徐州市新沂市城岗玻璃用石英砂矿	6 320
	徐州市新沂市小湖玻璃用石英砂矿	12 160
	徐州市新沂市张锦庄玻璃用石英砂矿	20 700
	宿迁市白马涧石英砂矿	1 410
	宿迁市马陵山玻璃用石英砂矿	3 920
无名异	南京市栖霞山铅锌锰矿	1 074
铁、针砂、铁落、铁精、铁锈、铁浆、铁粉、铁华粉	南京市梅山铁矿区（共生矿产）	233 278
	南京市泰山铁磷矿（伴生矿产）	781
	南京市江宁凤凰山铁矿（单一矿产）	11 501
	南京市江宁吉山铁矿（单一矿产）	377 636
	南京市江宁麒麟山铁矿东庄矿段（单一矿产）	11 918
	南京市江宁麒麟山铁矿（单一矿产）	4 435
	南京市江宁卧儿岗铁矿（单一矿产）	41 079
	南京市江宁牛首山铁矿（单一矿产）	1 257
	南京市江宁伏牛山矿区南山铜矿（共生矿产）	101
	南京市六合冶山铁矿东矿区（主要矿产）	3 238
	南京市六合冶山铁矿北矿区（II矿带）（主要矿产）	309
	南京市六合铁石岗铁矿（单一矿产）	736
	南京市六合横山铁矿（单一矿产）	115
	南京市六合凡定村铁矿（单一矿产）	111
	宜兴市新芳铁矿（单一矿产）	2 697
	徐州市沛县姜梨园—魏老家铁矿（单一矿产）	15 806
	徐州市利国铁矿区峒山铁（铜）矿（主要矿产）	4 214

续表

矿物药	矿产分布	资源储量／千吨
	徐州市利国铁矿区磨山5号、7号矿体（主要矿产）	429
	徐州市利国铁矿区西马山4号矿体（单一矿产）	512
	徐州市利国铁矿区吴庄铁矿（单一矿产）	18 215
	徐州市利国铁矿区镇北铁矿（单一矿产）	6 562
	徐州市铜山岛铁矿（单一矿产）	1 924
	溧阳市周城中巷铁铜矿区（主要矿产）	136
	苏州市鸡笼山铅锌银矿区（主要矿产）	547
	苏州市唐家墩铁矿（单一矿产）	2 205
	苏州市谈家桥铁矿区（主要矿产）	6 876
	苏州市陈家沟铁矿（单一矿产）	137
	苏州市光福镇迁里矿区铅锌银矿（共生矿产）	567
	海门市王浩铁矿（单一矿产）	9 320
	镇江市丹徒韦岗铁矿（单一矿产）	7 915
	句容市盘龙岗铁、硫矿（主要矿产）	1 464
	句容市伏牛山铜矿区仙人桥矿段（共生矿产）	581
	句容市铜山铜钼矿区石砀山矿段（共生矿产）	656
	句容市铜山铜钼矿区（中段）（共生矿产）	90
	句容市西银坑铜多金属矿区（共生矿产）	23
黄矾、绿矾	南京市梅山铁矿区（伴生矿产）	22 392
赤铜屑、扁青、空青、曾青、绿青、铜绿、胆矾、紫铜矿、绿盐	南京市江宁谷里铜矿（单一矿产）	12
	南京市江宁伏牛山矿区南山铜矿（主要矿产）	3 595
	南京市江宁安基山铜矿区（主要矿产）	59 601
	南京市江宁大平山铜矿区（主要矿产）	12 605
	南京市江宁铜井铜矿区（共生矿产）	480
	南京市江宁高庄铜矿（单一矿产）	126
	南京市六合冶山铁矿北矿区（共生矿产）	2 426
	南京市溧水观山铜矿区（主要矿产）	1 694
	南京市溧水金驹山（伴生矿产）	28 471
	徐州市利国铁矿区峒山铁（铜）矿（伴生矿产）	1 314
	溧阳市周城中巷铁铜矿区（共生矿产）	40
	苏州市谈家桥铁矿区（共生矿产）	1 757
	苏州市吴中区小茅山—吴宅铜多金属矿（主要矿产）	69
	苏州市光福镇迁里矿区铅锌银矿（共生矿产）	7 256
	句容市东培山含铜黄铁矿（单一矿产）	6 044
	句容市伏牛山铜矿区仙人桥矿段（主要矿产）	6 377
	句容市铜山铜钼矿区石砀山矿段（主要矿产）	679
	句容市铜山钼铜矿区（主要矿产）	1 193
	句容市九华山北坡铜矿多金属矿区（主要矿产）	53
	句容市猴子石斑岩铜矿区（主要矿产）	6 044
	句容市西银坑铜多金属矿区（主要矿产）	209
	句容市盘龙岗铜矿区（单一矿产）	1 114

矿物药	矿产分布	资源储量 / 千吨
	南京市栖霞山铅锌矿区虎爪山矿段（伴生矿产）	7 510
	南京市栖霞山铅锌矿区甘家巷矿段（伴生矿产）	6 325
	南京市伏牛山矿区南山铜矿（伴生矿产）	219
	南京市安基山铜矿区（伴生矿产）	3 415
	南京市江宁区獾子洞铜金矿区（主要矿产）	1 000
	徐州市利国铁矿区吴庄铁矿（伴生矿产）	31 185
	溧阳市周城中巷铁铜矿区（伴生矿产）	14
	苏州市鸡笼山铅锌银矿区（伴生矿产）	196
	苏州市吴中区潭山黄铁矿、铅锌矿矿区（伴生矿产）	276
	苏州市光福镇迂里矿区铅锌银矿（伴生矿产）	136
	句容市盘龙岗铁、硫矿（伴生矿产）	1 907
	句容市伏牛山铜矿区仙人桥矿段（伴生矿产）	3 359
炉甘石	南京市栖霞山铅锌矿区虎爪山矿段（主要矿产）	10 191
	南京市栖霞山铅锌矿区甘家巷矿段（主要矿产）	6 894
	南京市栖霞山矿区平山头银金矿段（共生矿产）	1 674
	南京市伏牛山矿区南山铜矿（共生矿产）	1 170
	南京市安基山铜矿区（共生矿产）	933
	南京市大平山铜矿区（伴生矿产）	19
	南京市观山铜矿区（共生矿产）	363
	苏州市鸡笼山铅锌银矿区（共生矿产）	797
	苏州市唐家墩铁矿（共生矿产）	490
	苏州市谈家桥铁矿区（共生矿产）	7 075
	苏州市吴中区小茅山—吴宅铜多金属矿（共生矿产）	1 235
	苏州市吴中区潭山黄铁矿、铅锌矿矿区（主要矿产）	742
	苏州市西迹山黄铁矿矿区（共生矿产）	469
	苏州市光福镇迂里矿区铅锌银矿（共生矿产）	6 043
	句容市伏牛山铜矿区仙人桥矿段（伴生矿产）	268
	句容市九华山北坡铜矿多金属矿区（共生矿产）	133
	句容市西银坑铜多金属矿区（共生矿产）	173
铅、密陀僧、铅丹、铅霜、铅粉、铅灰	南京市栖霞山铅锌矿区虎爪山矿段（共生矿产）	9 592
	南京市栖霞山铅锌矿区甘家巷矿段（共生矿产）	6 787
	南京市栖霞山矿区平山头银金矿段（共生矿产）	1 674
	南京市安基山铜矿区（共生矿产）	440
	南京市观山铜矿区（共生矿产）	1 291
	南京市金驹山（伴生矿产）	66 321
	苏州市鸡笼山铅锌银矿区（共生矿产）	552
	苏州市唐家墩铁矿（共生矿产）	490
	苏州市吴中区小茅山—吴宅铜多金属矿（共生矿产）	1 198
	苏州市吴中区源山黄铁矿、铅锌矿矿区（共生矿产）	526
	苏州市西迹山黄铁矿矿区（主要矿产）	88
	苏州市光福镇迂里矿区铅锌银矿（共生矿产）	14 471

续表

矿物药	矿产分布	资源储量 / 千吨
	镇江市丹徒韦岗铁矿（共生矿产）	1
	句容市伏牛山铜矿区仙人桥矿段（伴生矿产）	1 706
	句容市九华山北坡铜矿多金属矿区（共生矿产）	134
金箔	南京市江宁汤山金矿（单一矿产）	367
	南京市溧水金驹山（主要矿产）	23 437
	句容市九华山北坡铜矿多金属矿区（伴生矿产）	816
	句容市石岩冲金矿（单一矿产）	232
银箔	南京市栖霞山铅锌矿区甘家巷矿段（伴生矿产）	6 318
	南京市栖霞山矿区平山头银金矿段（主要矿产）	1 674
	南京市溧水观山铜矿区（伴生矿产）	1 171
	苏州市吴中区小茅山—吴宅铜多金属矿（伴生矿产）	1 200
	苏州市光福镇迁里矿区铅锌银矿（共生矿产）	14 492
	句容市九华山北坡铜矿多金属矿区（共生矿产）	86
石炭	南京市江宁钟山煤矿（单一矿产）	7 813
	南京市江宁排山煤矿（单一矿产）	103
	南京市江宁湖山煤矿（单一矿产）	86
	南京市江宁青龙山煤矿（单一矿产）	4 588
	南京市江宁官塘煤矿（单一矿产）	148
	南京市江宁宝华山煤矿（单一矿产）	1 167
	南京市高淳花山煤矿（单一矿产）	122
	江阴市文林煤矿（单一矿产）	690
	江阴市云花区煤田（单一矿产）	10 166
	江阴市江阴煤矿 4-12 线（单一矿产）	2 195
	宜兴市红塔一区（小张墅）煤矿（单一矿产）	2 421
	宜兴市园田煤矿深部（单一矿产）	7 253
	宜兴市白泥场煤矿（单一矿产）	16 646
	宜兴市红塔二区煤矿（单一矿产）	940
	宜兴市善卷洞煤矿（单一矿产）	1 266
	宜兴市埠东煤矿（单一矿产）	1 848
	宜兴市砺山煤矿（单一矿产）	2
	宜兴市任墅煤矿（单一矿产）	315
	无锡市方桥煤矿（单一矿产）	391
	徐州市丰县华山勘探区（单一矿产）	4 785
	徐州市丰沛煤田（丰县）丁楼煤矿（单一矿产）	189 786
	徐州市丰县大程庄煤矿（单一矿产）	11 284
	徐州市丰县首羡集煤矿（单一矿产）	38 731
	徐州市沛县大屯矿区徐庄煤矿（单一矿产）	372 877
	徐州市沛县大屯矿区姚桥煤矿（单一矿产）	348 219
	徐州市沛县大屯矿区孔庄煤矿（单一矿产）	246 692
	徐州市沛县大屯矿区张双楼井田（单一矿产）	240 622
	徐州市丰沛煤田（沛县）龙东煤矿（单一矿产）	61 053

矿物药	矿产分布	资源储量 / 千吨
	徐州市沛县沛城井田（单一矿产）	49 197
	徐州市丰沛煤田（沛县）石楼煤矿（单一矿产）	78 626
	徐州市丰沛龙固井田（单一矿产）	104 095
	徐州市沛县三河尖煤矿（单一矿产）	241 749
	徐州市贾汪煤田（贾汪区）韩桥煤矿夏桥井（单一矿产）	1 999
	徐州市贾汪煤田（贾汪区）韩桥煤矿韩桥井（单一矿产）	2 278
	徐州市贾汪煤田（贾汪区）青山泉煤矿（单一矿产）	9 854
	徐州市贾汪煤田（铜山区）大黄山煤矿（单一矿产）	42 498
	徐州煤田（贾汪区）权台煤矿（单一矿产）	30 316
	徐州煤田（贾汪区）旗山煤矿（单一矿产）	73 341
	徐州矿务局（贾汪区）董庄煤矿（单一矿产）	19 871
	徐州煤田（铜山区）新河煤矿新河井（单一矿产）	9 686
	徐州煤田（九里区）庞庄煤矿庞庄井（单一矿产）	51 785
	徐州煤田（九里区）夹河煤矿（单一矿产）	129 582
	徐州煤田（铜山区）义安张井（单一矿产）	26 297
	徐州煤田（九里区）庞庄煤矿张小楼井（单一矿产）	82 988
	徐州煤田（铜山区）诧城煤矿（单一矿产）	87 865
	徐州煤田（铜山区）张集煤矿（单一矿产）	143 334
	徐州矿务局（铜山区）马坡煤矿（单一矿产）	32 107
	徐州煤田（铜山区）张集郑集区（单一矿产）	39 562
	徐州煤田（铜山区）大刘煤矿（单一矿产）	2 512
	徐州煤田（贾汪区）新庄煤矿（单一矿产）	1 625
	徐州市铜山陈楼煤矿（单一矿产）	1 681
	徐州市铜山马庄煤矿（单一矿产）	9 894
	徐州市铜山三堡煤矿（单一矿产）	2 273
	徐州市（铜山区）七里沟井田（单一矿产）	2 561
	徐州市贾汪煤田（贾汪区）滨海煤矿（单一矿产）	280
	徐州煤田（铜山区）利国煤矿（单一矿产）	2 043
	徐州煤田（铜山区）殷庄煤矿（单一矿产）	5 451
	徐州贾汪煤田（贾汪区）新桥煤矿（单一矿产）	734
	徐州煤田（九里区）王庄煤矿（单一矿产）	6 891
	徐州煤田（铜山区）拾屯（宝应）煤矿（单一矿产）	12 085
	徐州煤田（铜山区）柳新煤矿（单一矿产）	22 883
	徐州贾汪煤田（贾汪区）白集煤矿（单一矿产）	4 046
	徐州贾汪区唐庄煤矿（单一矿产）	4 492
	徐州煤田（贾汪区）瓦庄煤矿（单一矿产）	2 965
	徐州煤田（贾汪区）湖里煤矿（单一矿产）	1 141
	徐州铜山区古河煤矿（单一矿产）	2 821
	徐州铜山区城子河煤矿（单一矿产）	47 633
	徐州市贾汪马庄煤矿（单一矿产）	2 913
	徐州市铜山王楼煤炭勘查区（单一矿产）	21 535

矿物药	矿产分布	资源储量 / 千吨
	武进市横山桥煤矿（单一矿产）	3 204
	武进市卜弋煤矿卜一井田（单一矿产）	9 856
	武进市卜一桥厚余煤矿（单一矿产）	5 404
	武进市奔牛井田（单一矿产）	3 817
	金坛市儒林（杨家山）井田（单一矿产）	1 080
	金坛市土山西煤矿（单一矿产）	4 522
	溧阳市上黄煤矿山下桥井田（单一矿产）	1 714
	溧阳市上黄煤矿杆东井田（单一矿产）	697
	溧阳市松岭井田（单一矿产）	28
	苏州市吴中区东山煤田（单一矿产）	66 776
	苏州市西山煤矿马村井（单一矿产）	41
	常熟市常熟煤田一区（单一矿产）	7 542
	张家港市沙洲煤矿（单一矿产）	10 839
	张家港市塘桥煤矿一区（单一矿产）	3 426
	张家港市塘桥煤矿二区（单一矿产）	7 634
	张家港市妙桥煤矿（单一矿产）	26 224
	张家港市后塍一段山煤矿（单一矿产）	2 164
	扬州市江都侏罗系煤矿（单一矿产）	1 795
	镇江市丹徒区伏牛山煤矿（单一矿产）	1 914
	镇江市丹徒区小力山煤矿（单一矿产）	10 854
	镇江市丹徒区长山煤矿（单一矿产）	1 475
	镇江市丹徒区华山煤矿（单一矿产）	706
	丹阳市导墅井田（单一矿产）	4 086
	句容市湾山煤矿（单一矿产）	1 165
	句容市宝华山区刘家边煤矿（单一矿产）	922
	句容市东风煤矿东风井（单一矿产）	900
	靖江市孤山煤四井田（单一矿产）	2 065
	靖江市孤山煤矿（单一矿产）	10 233
地浆	南京市栖霞山黄土矿（单一矿产）	1 210
	南京市东阳镇水泥配料黏土矿（单一矿产）	10 480
	宜兴市湖父寺石灰岩矿区（单一矿产）	4 900

第四节　江苏省药用矿物资源开发利用现状与展望

　　地球资源是人类赖以生存繁衍的物质基础，人类在长期的生存发展过程中对这一认识不断加深。中华民族是富有智慧的民族，早在《神农本草经》中就有矿物药的应用记载，这表明中华民族很早就认识和利用矿物资源以治病疗疾保障健康。通过数千年的探索与实践，中华民族学会并掌握了药用矿物资源的采挖加工、提炼纯化，并依据其药性和合关系进行配伍应用，获得独特的疗效。同时，随着道教的兴起，以葛洪为代表的炼丹家掌握了部分矿物药的理化性质，通过炼制实现去粗取精、性质转化，甚至化毒为药，满足人们追求健康长寿的需要，也由此揭开了矿物药化学乃至天然产物化学的历史序章，为人类科学认识和合理利用药用矿物资源打开了一扇窗。

一、江苏药用矿物资源利用现状

文献记载的江苏矿物物近 90 种，目前调研了近 70 种。通过对中药材专业市场药用矿石专营店、江苏三甲中医院和部分经验丰富的老药工、老药农、民间医生的走访，了解到江苏地产的矿物药资源几乎没有被使用，有关江苏地区药用矿物资源开发利用的研究报道也很少见。

究其原因，可能与以下几方面有关：一是江苏矿物药的临床应用相对较少，市场需求量小；二是江苏经济较为发达，而矿物药价格低廉，药用矿物资源单作为矿物药开发，附加值低，经济效益不高，无人问津；三是与建材、纺织、环保、电子等行业深加工相比，中药材产业同比效益不高。例如，苏州高岭土的开采已有近 60 年的历史，现已形成一定的开发规模，苏州是国内重要的高岭土产业基地，产品广泛用于陶瓷、电子产品、纸、橡胶、搪瓷、石油催化剂、涂料、砂轮、农药和杀虫剂载体、胶水、耐火材料、油墨、光学玻璃、玻璃纤维、化纤、建材和化肥等的生产，在多个领域的销量处于主导地位。盱眙凹凸棒石黏土初步形成了吸附白土、矿物干燥剂和矿物凝胶三大生产基地，产品在建筑、纺织、环保、地质、化工、造纸、制革等多个领域应用广泛，可用于柴油脱色、汽油脱色、机油脱色，生产活性白土、吸附白土、复合肥黏结剂、农药颗粒剂载体等，2013 年，食用油脱色净化用吸附白土国内市场占有率达 65% 以上，干燥剂国内市场占有率达 50%以上。淮安开采的玄明粉主要用于生产洗涤剂、玻璃、纸等；无锡徐舍镇石灰岩矿产资源主要用于建筑行业；连云港东海所产蛭石主要用于建材、防火耐热材料、保温材料、隔热材料、吸音材料的生产，也可应用于冶金（铸造除杂）、花卉栽培、土壤改良等，有药用价值的矿产资源很少或未被开发药用。

二、江苏药用矿物资源开发利用展望及建议

江苏地质条件复杂多样，药用矿物资源丰富，开发利用前景广阔。目前江苏对药用矿物资源的研究和利用程度低，临床应用相对较少，这与近几十年来矿物药资源基础研究相对落后、矿物药新药产品缺乏以及国内外对矿物药的认识不足等密切相关。应加强矿物药资源的安全性、有效性等质量评价，挖掘矿物药的特色疗效及用法，逐步形成矿物药在临床上的优势及特色，不断扩大影响。加强矿物药预防、治疗疾病的物质基础研究，根据矿物药的自身物理结构、性能和所含无机元素种类及含量等特征，利用现代科学技术方法及疾病发生的原理阐释矿物药防治疾病的科学内涵，提高医疗行业对矿物药的认识。加强矿物药资源的新药（含无机药物或金属药物）及医

疗产品开发，提高矿物药资源开发利用的附加值，深入推进药用矿物资源在医药领域的应用研究。

（一）加强矿物药的基础研究，揭示其治病疗疾的科学性和独特价值

中医对矿物药功效的认识来源于临床实践，蕴藏着前人的宝贵经验，是中华民族智慧的结晶。当今对药用矿物本身缺乏系统、深入的认知，导致药物创新及科学研究忽视了对矿物药的基础研究和资源价值的深度挖掘，这严重制约了矿物药的产业化发展，使前人留下的宝贵经验逐渐失传，矿物药的特色优势无法显露。例如，汞和砷元素是世界公认的毒害物质，许多国家或地区将中药朱砂（HgS）视为水银或汞（Hg）、将雄黄（As_2S_2）视为砷（As）或三氧化二砷（As_2O_3），因此朱砂和雄黄 2 种矿物药作为毒性物质被禁止使用。但有机砷或无机汞基本无毒或毒性很小，且不同价态的砷和汞的毒性也不同，故以总砷或总汞来评价矿物药的毒性是不科学的。20 世纪 80 年代以来，国际社会对我国出口的中成药中重金属或砷含量超标问题反应强烈，影响了中药材走向世界。因此，不能单从化学元素的角度认识矿物药，需要通过深入、系统的基础研究提高对矿物药科学内涵的认知，从而合理利用矿物药资源，造福于人类健康。

深入研究和揭示矿物药的药性及其治病疗疾的科学内涵，提升药用矿物资源的利用价值。与植物药、动物药不同，矿物药的主要成分为无机元素，其药效物质基础研究难度大。生物无机化学是一门将无机化学（主要是配位化学）的理论和方法应用于生物体系，研究无机元素（特别是金属离子）及其化合物与生物体系的相互作用的学科。从宏观元素到微观分子水平的生物体中的金属酶、金属蛋白等的结构、反应和功能均属于生物无机化学的研究范畴，此种研究的主要目的是探索金属离子与机体内生物大分子相互作用的规律。这些物质直接参与生物体的新陈代谢、生长发育，利用生物无机化学知识理论来研究矿物药的效应物质及作用机理，是一个值得尝试的方法。同时，要加强药用矿物的毒理学等安全性研究以及临床给药方式的研究。

（二）加强药用矿物与矿物药的基原种类、演化成药条件与形成机制研究，规范矿物药的生产利用，避免因认识不足导致用药安全与药效问题

基于中医药领域对药用矿物资源的科学研究严重落后于其他门类，对药用矿物资源与矿物药的演化形成关系等一系列介于矿产学与中药资源学之间的跨学科重大科学问题的认识不足，导致矿物药在实际应用中存在品种来源不清、同物异名、误为矿物等问题。部分矿物药目前已名存实亡，如地浆、石炭、井底泥、东壁土、铁锈等，临床几无应用。北寒水石的来源为硫酸盐类石膏族矿物石膏，玄精石的来源亦为硫酸盐类石膏族矿物石膏的晶体，南寒水石、方解石的来源均为碳酸盐类方解石族矿物方解石，此外还有其他同样来源的石膏和方解石矿物品种。有人将动物贝壳作为矿物药收载，如石决明、牡蛎等，也有人将冰、天池水、太湖水等归为矿物药。针对以上问题，应加强品种管理，规范矿物药品种目录及其基原。

加强无机药物的开发，提高药用矿物资源的利用价值。目前，已有具有多方面治疗作用的无

机药物面市，如具有抗癌作用的砷制剂及顺铂，金属解毒剂依地酸钙二钠、二巯基丙磺酸钠药用金属配体，抗人类免疫缺陷病毒1型（HIV-1）的锑钨酸盐制剂HPA-23（含锑钨的杂多酸）等。此外，载铜抗菌沸石对大肠埃希菌、铜绿假单胞菌等的杀菌率均较高，是一种高效、安全、成本低廉的杀菌方法；蒙脱石对细菌、病毒和毒素有极强的吸附能力，具有良好的止泻作用，与雷尼替丁等联合治疗消化性溃疡可提高幽门螺杆菌消除率，避免溃疡复发；芦丁络镁盐（降胆固醇）、碳酸锂片（用于躁狂症）、碳酸镧咀嚼片（用于终末期肾病患者）和柠檬酸铋钾颗粒（用于胃溃疡、十二指肠溃疡、红斑渗出性胃炎、糜烂性胃炎）等均有较好的疗效。这些无机药物的成功开发，为药用矿物资源的精细化利用提供了重要借鉴。

同时，政府应充分发挥其功能，组织各级地质调查、勘探部门联合中医药高等院校或中医药研究机构全面开展矿物药资源调查，查实各县（市、区）药用矿物资源品种、蕴藏量，进行优质药用矿物资源（含不同矿物成因）质量评价及筛选，评估其开发利用前景。

（三）加强高等院校、科研院所矿物药资源学科建设，重视对"地质学－中医药学"复合型人才的培养，建立相关矿物药资源学术组织，推动矿物药资源的高质量发展

矿物药资源的挖掘、开发和利用，离不开地质学和中医药学人才的支持，尤其是中医药学、地质学（矿物学、岩石学、矿床学等）、化学、药理学等多学科的复合型人才。地质学或中医药学单学科科技工作者进行矿物药资源相关研究有一定的局限性，药用矿物学既是边缘学科又是冷门学科，课程开设难度大，这使得复合型人才培养力量薄弱，后继乏人。一方面，组织地质学和中医药学科技工作者联合研究矿物药资源的同时，通过青年科技工作者的互派进修，实现专业知识融合，逐步培养出一批既懂矿物学又懂中医药学的复合型专业人才，为矿物药资源的深入研究、开发利用蓄积人才力量。另一方面，中医药高等院校应重视《药用矿物学》课程的开设，加强药用矿物资源学科建设，创建药用矿物资源研究重点实验室，鼓励与科研院所或矿产开发企业开展矿物药研究，逐步培养出一批既懂矿物学又懂中医药学的复合型专业人才。

中国药学会和中国地质学会分别在1989年、1992年、1995年召开了1次全国性研讨会，后期一直未开展过全国性研讨会，目前矿物药学科研究几乎处于停滞状态。江苏省中医药发展研究中心及江苏省地质局等部门可考虑组建药用矿物资源开发与利用专业委员会或协会等，通过举办学术会议、联合开展相关课题研究等方式，促进交流合作，推进药用矿物资源的基础研究和开发利用。

（四）加强药用矿物及矿物药的生产加工与产品品质的标准制定工作，为药用矿物资源的科学合理利用、产业健康可持续发展提供保障与支撑

目前，我国药用矿物资源的认定和评价标准尚不统一，工作基础薄弱。近几年，《道地药材辰砂》《中药材商品规格等级 石膏》《中药材商品规格等级 琥珀》《中药材商品规格等级 炉甘

石》《中药材商品规格等级　龙骨》等一系列矿物药团体标准通过审定，这些标准是在本草考证、市场及产地调查的基础上，基于感官性状指标及市场流通习惯制定的。但还有更多的矿物药质量标准难题有待深入研究，如麦饭石等矿物颜色不同组成也不一样，其化学特征和生物效应是否有区别；雄黄、雌黄的元素价态、矿物质组成、晶型结构差异如何评定；现代方法仅能鉴定出自然铜为黄铁矿，但黄铁矿有沉积型、火山岩型、热液型等多种成因类型，分布区域广泛，且结构状态、共生矿物、伴生元素多种多样，有学者对不同产区的自然铜样品进行矿物学对比分析，但其药用依据等难题亟待系统性回答。矿物药研究应在矿物药的性状鉴定、炮制加工优选、元素价态分析、成分构型分析等方面加强显微成像技术、热分析技术、X射线衍射技术、多光谱技术（红外光谱、紫外光谱、荧光光谱、拉曼光谱等）等多种技术的联合，并结合药效评价提升矿物药安全性及质量控制水平。针对行业中雄黄、朱砂、炉甘石、硫黄、含砷及具有放射性的矿物药、中成药的质量评价问题，应充分利用调查过程中收集到的不同产区、不同背景信息的样本进行分析研究，努力提升矿物药标准研究水平，保障临床用药安全。

　　充分发挥地方资源优势，构建发展地质经济新业态，开发药用矿物，为发展区域地质经济开辟一条新道路。地方政府应关注和重视药用矿物资源产业结构的优化调整，在开采作其他用途矿物资源的同时，积极考虑其药用带来的经济效益。目前医院及中成药生产企业仍应用相当一部分矿物药，亳州、安国等大型中药材专业交易市场仍有大量的矿物类药材批发销售，基于此可对地方优势药用矿物资源进行推广、宣传，或直接对接中药材专业交易市场矿物类药材专营店。盱眙凹凸棒石黏土及伴生膨润土在开发成吸附脱色剂、农药载体、肥料黏结剂等产品的同时，还可打造成以膨润土为主要原料的吸附性止泻中成药（"必奇""思密达"），推动地方地质经济的高质量可持续发展。

【参考文献】

[1] 吴啟南. 中药鉴定学 [M]. 北京：中国医药科技出版社，2018.

[2] 周灵君，张丽，丁安伟. 江苏省矿物药使用现状和建议 [J]. 中国药房，2011，22（23）：2206-2208.

[3] 王慧，张小波，格小光，等. 中药资源普查工作管理系统的设计与实现 [J]. 中国中药杂志，2017，42（22）：4287-4290.

[4] 江苏新医学院. 中药大辞典 [M]. 上海：上海科学技术出版社，1977.

[5] 国家中医药管理局《中华本草》编委会. 中华本草 [M]. 上海：上海科学技术出版社，1999.

[6] 严辉，刘圣金，张小波，等. 我国药用矿物资源调查方法的探索与建议 [J]. 中国现代中药，2019，21（10）：1293-1299.

[7] 刘圣金，吴啟南，段金廒，等. 江苏省矿物药资源的生产应用历史及现状调查分析与发展建议 [J]. 中国现代中药，2015，17（9）：878-884.

[8] 贾敏如，卢晓琳，马逾英. 初论我国少数民族使用矿物药的品种概况 [J]. 中国中药杂志，2015，40（23）：4693-4702.

[9] 赵明明，古锐，范久余，等. 藏药"渣驯"研究进展 [J]. 中国中药杂志，2018，43（8）：1554-1562.

[10] 曹赟，古锐，赵明明，等. 藏药"渣驯"来源与使用现状考证研究 [J]. 中国中药杂志，2016，41（24）：4663-4669.

[11] 木拉提·克扎衣别克. 塔斯马依的研究进展 [J]. 中国中药杂志，2013，38（3）：443-448.

[12] 兰井志，郑伟.《固体矿产资源／储量分类》国家标准修订建议 [J]. 标准科学，2013，470（8）：56-58.

[13] 国家市场监督管理局，国家标准化管理委员会. 固体矿产资源储量分类：GB/T 17766-2020 [S]. 北京：中国标准出版社，2020.

[14] 中国地质调查局. 岩矿石物性调查技术规程：DD 2006-3 [S]. 北京：中国地质科学院地球物理地球化学勘查研究所，2006.

[15]《江苏省矿产资源开发史》编纂委员会. 江苏省矿产资源开发史 [M]. 南京：南京大学出版社，2015.

[16] 阙灵，杨光，黄璐琦，等. 中药资源评估技术指导原则解读 [J]. 中成药，2019，41（1）：220-224.

[17] 张丽倩，刘养杰. 自然铜矿物药的矿物学鉴定及成分对比 [J]. 中成药，2018，40（8）：1848-1871.

[18] 陈春荣，陈龙. 5 种硫酸盐类矿物药的电子显微特征分析 [J]. 中国药师，2020，23（1）：67-73.

[19] 余驰，黄必胜，白玉，等. 琥珀及其混淆品的薄层色谱、红外和 GC-MS 分析 [J]. 中药材，2019，42（9）：2025-2029.

[20] 明晶，陈龙，黄必胜，等. 7 种毒性矿物类中药拉曼光谱解析 [J]. 时珍国医国药，2016，27（10）：2423-2426.

[21] 宋广峰，张志杰，李娆娆，等. 矿物药炉甘石煅制前后锌、铅元素的赋存形态及分布特征研究 [J]. 光谱学与光谱分析，2019，39（7）：2278-2282.

[22] 刘圣金，乔婷婷，马瑜璐，等. 治糜康栓商品中重金属、有害元素分析及其毒理学研究 [J]. 中国医院药学杂志，2019，39（1）：7-12.

[23] 刘圣金，乔婷婷，马瑜璐，等. 正品、伪品治糜康栓的差异特征元素分析及无机元素特征谱 [J]. 中成药，2019，41（5）：1096-1101.

[24] 刘圣金，乔婷婷，马瑜璐，等. ICP-OES/ICP-MS 技术研究枯矾及其伪品的差异特征元素及无机元素含量分布 [J]. 中国实验方剂学杂志，2019，25（5）：1-7.

[25] 刘圣金，乔婷婷，马瑜璐，等. 矿物药白矾、枯矾及其伪品的 SEM、XRD 鉴别分析研究 [J]. 中国实验方剂学杂志，2019，25（5）：8-13.

[26] 刘圣金，吴超颖，马瑜璐，等. 不同矿物成因禹余粮质量评价及优质矿产资源筛选 [J]. 中国实验方剂学杂志，2019，25（5）：14-20.

[27] 马瑜璐，刘圣金，房方，等. 不同矿物成因禹余粮的止泻作用 [J]. 中国实验方剂学杂志，2019，25（5）：21-28.

[28] 包敏捷，刘圣金，王宇华，等. 矿物药青礞石对 PTZ 点燃癫痫大鼠海马差异蛋白表达的影响 [J]. 中药材，2018，41（10）：2413-2417.

[29] 杨丹，刘圣金，燕珂，等. 朱砂药材及饮片 X 射线衍射 Fourier 指纹图谱研究 [J]. 中药材，2018，41（12）：2767-2772.

[30] 李朝峰，张志杰，杨文华，等. 雄黄及含雄黄中成药中微量元素的检测与分析 [J]. 世界中西医结合杂志，2017，12（7）：952-957，1022.

[31] 刘圣金，王瑞，吴露婷，等. 矿物药青礞石对 AECOPD 痰热证大鼠肺组织 NF-κB 表达及血清中相关因子的干预作用 [J]. 中成药，2017，39（2）：404-407.

[32] 吴超颖，刘圣金，房方，等. 不同矿物成因禹余粮矿物成分分析及止血作用研究 [J]. 中国中药杂志，2017，42（15）：2989-2994.

[33] 吴露婷，刘圣金，吴德康，等. 矿物药青礞石对戊四氮点燃癫痫大鼠干预作用研究 [J]. 中药材，2016，39（1）：155-159.

[34]乔婷婷,刘圣金,林瑞超,等.基于 ICP-OES/MS 技术的白矾及其伪品铵明矾的无机元素差异性分析 [J].中药材,2016,39(11):2462-2468.

[35]刘圣金,杨欢,徐春祥,等.TG-DSC 分析法在矿物药禹余粮质量控制中的应用 [J].中药材,2016,39(1):121-123.

[36]刘圣金,杨欢,徐春祥,等.矿物药禹余粮重金属及有害元素含量的矿产资源产地评价研究 [J].时珍国医国药,2016,27(4):948-950.

[37]刘圣金,乔婷婷,林瑞超,等.含矿物药外用制剂的临床应用研究进展 [J].中成药,2016,38(8):1797-1804.

[38]刘圣金,吴露婷,吴德康,等.矿物药青礞石对 PTZ 点燃癫痫大鼠脑组织中氨基酸神经递质含量的影响 [J].质谱学报,2016,37(6):533-541.

[39]杨国文,王瑞,刘圣金,等.矿物药青礞石干预 COPD 大鼠模型的多层数据分析 [J].南京中医药大学学报(自然科学版),2016,32(5):470-474.

[40]王瑞,刘圣金,吴德康,等.青礞石对 AECOPD 疫热证模型大鼠血清及肺组织中炎症因子的影响 [J].中药材,2015,38(10):2148-2151.

[41]刘圣金,杨欢,吴德康,等.矿物药禹余粮中铁元素价态及含量分析 [J].时珍国医国药,2015,26(5):1088-1090.

[42]刘圣金,杨欢,林瑞超,等.矿物药禹余粮微波消解/ICP-AES 无机元素分析及综合评价 [J].中国现代中药,2015,17(9):899-904.

[43]刘圣金,王瑞,吴德康,等.现代技术在矿物药研究中的应用 [J].中国现代中药,2015,17(9):869-877,904.

[44]刘圣金,吴德康,林瑞超,等.青礞石的炮制工艺研究 [J].中草药,2012,43(8):1508-1513.

[45]刘圣金,吴德康,林瑞超,等.青礞石 FTIR 指纹图谱研究 [J].中成药,2012,34(2):191-195.

[46]刘圣金,吴德康,林瑞超,等.青礞石药材质量标准研究 [J].中药材,2011,34(10):1532-1534.

[47]刘圣金,吴德康,林瑞超,等.矿物类中药青礞石的 XRD Fourier 指纹图谱研究 [J].中国中药杂志,2011,36(18):2498-2502.

[48]刘圣金,吴德康,林瑞超,等.矿物药青礞石无机元素的 ICP-MS 分析 [J].药物分析杂志,2010,30(11):2067-2074.

[49]佚名.江苏非金属矿产资源开发利用现状 [J].中国粉体工业,2013(2):32-33.

[50]李文光.药用矿物的研究及开发工作值得重视 [J].化工矿产地质,1999(4):245-248.

[51]LIU S J, YANG H, WU D K, et al. Application of Fourier Transform Infrared Spectra (FTIR) fingerprint in the quality control of mineral chinese medicine limonitum[J]. Spectrosc Spect Anal, 2015, 35(4):909-913.

[52]LIU S J, YANG H, WU D K, et al. Analysis of inorganic elements in mineral chinese medicine limonitum before and after processing[J]. Latin American Journal of Pharmacy, 2014, 33(8):1245-1251.

第九章

江苏省中药资源产业发展规划

中医药作为我国独特的卫生资源、潜力巨大的经济资源、富有原创优势的科技资源、优秀的文化资源，在国民经济社会发展中发挥着重要作用。中药资源是中医药事业传承和发展的战略资源，保护和发展中药资源对大力发展中医药事业和中药产业、提高中医药健康服务水平、促进生态文明建设等具有十分重要的意义。按照第四次全国中药资源普查工作的整体部署和要求，在完成区域性中药资源调查的基础上，依据县级以上不同层级行政单元药用生物资源本底情况，结合当地经济社会发展水平和生物医药产业发展的远景规划，充分考虑本地区资源、经济和科技优势，因地制宜，规划中药材生产基地建设及其深加工产业布局，研究制订符合区域经济发展特点、生产力诸要素与中药资源产业发展相适宜的资源配置优化方案，指导区域中药资源产业健康可持续发展，实现发展过程中经济社会效益和生态效益相统一，目前利益和长远利益、局部利益和全局利益协调发展。

第一节　江苏省中药资源产业发展规划

为贯彻落实国务院《中医药发展战略规划纲要（2016—2030 年）》、国务院办公厅《中药材保护和发展规划（2015—2020 年）》的要求，加强江苏中药资源的保护与生产，提高中药材生产规范化、规模化、专业化、产业化水平，推动中药材生产流通现代化和信息化发展，保障江苏中药资源产业高质量可持续健康发展，在江苏中药资源普查领导小组及江苏省中医药管理局的领导主持下，依据第四次江苏省域及其各县域中药资源普查获得的第一手资料，按照国家整体性部署和全局性发展的战略性格局，提出和制订了江苏及其代表性地市、县域的中药资源产业发展规划，以期为推动江苏中医药事业和中药资源产业高质量发展提供指导。

一、指导思想、基本原则和发展目标

（一）指导思想

把握江苏中医药事业、大健康产业及中药制药产业发展优势，构建江苏中药材保护和发展体系，科学发展中药材种植（养殖）和加工，保护野生中药资源，实现中医药事业和中药产业持续发展。

（二）基本原则

1. 坚持市场主导与政府引导相结合

以市场为导向，整合社会资源，突出中药生产企业在中药材保护和发展中的主体作用。发挥政府规划引导、政策激励和组织协调作用，营造规范有序的市场竞争环境。

2. 坚持资源保护与产业发展相结合

大力推动江苏道地药材科学种植（养殖），切实加强中药材资源保护，减少对野生中药资源的依赖，实现中药产业可持续发展与生态环境保护相协调。

3. 坚持提高产量与提升质量相结合

强化质量优先意识，完善中药材标准体系，提高中药材生产规范化、规模化、产业化水平，确保中药材质量和市场供应。

4. 坚持大品种与大基地相结合

以江苏中药制药企业大宗、濒危中药材基地建设为引领，通过多种方式建设一批道地中药材生产基地。

5. 坚持综合利用与协调发展相结合

通过提高中药材资源利用率，从源头上减少废弃物的排放，实现物尽其用，构建经济社会发展与资源、环境相协调的良性循环经济体系。

（三）发展目标

江苏道地中药材资源保护与监测体系基本完善，中药材生产加工质量控制水平大幅提升。大宗、濒危中药材生产稳步发展，产品供应充足、质量可控，市场价格稳定，满足江苏中医药事业和中药产业发展需要，显著提高江苏中药材保护和发展水平。

具体目标为：①整合江苏相关高校、科研院所的技术力量，依托江苏省中药资源产业化过程协同创新中心，进一步打造中药材保护与发展公共技术平台（工程技术中心），开展中药材资源监测与信息分析、中药材种植（养殖）规范与标准制定、中药材种植（养殖）人才培养与技术服务等工作；②中药材资源监测站点和技术信息服务网络覆盖 80% 以上的县级中药材产区；③实现10 种《中华人民共和国药典》和《江苏省中药饮片炮制规范》收载的野生中药材种植（养殖）；④中药材规范化种植（养殖）基地面积达 20 万亩，江苏中药制药企业主导的中药材种植（养殖）基地的中药材产量年均增长 10%；⑤中药生产企业使用产地确定的中药材原料品种比例达到50%，中药大品种及名优中成药产品用中药材原料品种基地化率达到 70%；⑥江苏中药材质量监督抽检覆盖率达到 100%。

二、江苏中药资源产业发展概况

（一）总量规模

江苏位于我国东部沿海地区，境内海岸线长，湖泊众多，丰富的生态与土壤类型、温和适宜的气候条件不仅孕育了丰富的药用动植物资源，水生、耐盐药用植物资源较为丰富。据统计，江苏有中药资源 2 289 种，其中植物药资源 1 822 种，动物药资源 401 种，矿物药资源 66 种；有规模栽培（养殖）的中药材品种 60 余种，种植（养殖）规模超过 80 万亩。

（二）品种、基地

江苏邳州、射阳分别凭借银杏、白菊花获得"中国药材之乡""中国银杏之乡"的称号，江苏的银杏、菊花、白首乌、莲、宜兴百合等获国家地理标志认证。江苏目前常产药材品种有银杏叶、菊花、黄蜀葵、芡实、白首乌、荷叶、莲子、太子参、栀子、金银花、女贞子、百合、南柴胡、射干、丹参、夏枯草、牛蒡子、凌霄花、连钱草、桔梗、天花粉、溪黄草、益母草、灯心草、芦根、地骨皮、半夏、野马追、延胡索、水蛭、蟾酥、鳖甲、龟板、蜈蚣等。已建成的中药材种子种苗繁育基地主要供应菊花、浙贝母、茅苍术、黄蜀葵、银杏、芡实、桑、荆芥、青蒿等。

（三）中药材使用情况

据统计，江苏临床常用中药品种有 800 余种。同时，江苏中药制药、中药饮片及中药配方颗粒等中药工业生产规模超过 1 000 亿元，在我国位居前列，中医临床及健康产业对中药材及中药饮片的消耗量较大。

三、江苏中药资源产业发展面临的机遇与压力

（一）面临的机遇

1. 发展空间大

江苏中医药具有较好的历史积淀和应用实践基础，中医医疗、健康保健以及中药制药产业发展迅速，中医药健康医疗与保健、中药制药产业对中药饮片的需求逐年增加，中药材资源保障显得尤为重要。人口老龄化推动大健康产业发展，江苏中药制药产业更显勃勃生机。中医药医疗服务与大健康产业的发展迫切需要提升中药饮片及配方颗粒的质量，加强中药材生产基地建设及中药材保护和发展对江苏中医药临床医疗、健康保健以及中药制药产业的可持续发展具有极其重要的意义。

2. 发展基础好

2015 年，江苏医药产业产值已达 3 500 亿元，位居我国前列，其中中药工业占近 1/3，拥有热毒宁注射液、生脉注射液、脉络宁注射液、桂枝茯苓胶囊、黄葵胶囊、胃苏颗粒、银杏叶片、蒲地蓝消炎口服液、蓝芩口服液等中药大品种，以及六神丸、王氏保赤丸、季德胜蛇药片等特色名优产品。同时，随着社会需求的增长和科技的进步，江苏以中药健康产品、配方颗粒、标准提取物等为主的深加工产业得到快速发展，社会贡献率强劲增长，打造了一批行业内标志性中药资源深加工企业，企业规模、装备水平和 GMP 软硬件设施以及产业能力均处于国内外一流水平。

（二）面临的压力

1. 道地药材少

一方面，由于土地资源减少、生态环境恶化，江苏部分野生道地中药材品种资源流失甚至枯竭，道地中药材品种保护问题日益突出。另一方面，江苏中药材基地建设与中医药卫生保健事业的蓬勃发展不同步，中药材及中药饮片品质参差不齐，严重制约中医药卫生保健事业的健康发展。

2. 中药材基地规范化、规模化水平低

江苏是中药制药大省，目前拥有近 20 个单品种年销售额超过亿元的中成药品种、近 10 个单品种年销售额超过 5 亿元的中成药品种，产品生产用对中药材原料的需求量大。目前，江苏大多中药材缺乏符合 GAP 要求的中药材基地，难以保证江苏中药制药企业使用中药大品种的质量，不利于江苏中药产业的可持续发展。

3. 中药生产企业资源利用率低

从江苏中药制药企业的经济发展方式和模式来看，大多生产企业仍采用大量生产、大量消耗、大量废弃的传统生产方式，这会造成中药资源的严重浪费，给生态环境带来巨大压力。因此，提高中药材资源利用效率，可从源头上减少非药用部位及生产过程中废弃物的排放，实现物尽其用。这不仅可节约资源，有效降低企业生产成本、增加收益，同时还可减轻对生态环境造成的负担和压力，是增强企业综合竞争能力的内在需求，也是中药材资源保护的重要方式。

四、江苏中药资源产业发展的主要任务

（一）实施野生中药材资源保护工程

（1）建立中药资源动态监测站。在全国中药材主要产区资源监测网络建设的基础上，结合江苏中药材资源分布和种植（养殖）情况，重点建设 2 ~ 3 个中药资源动态监测站，逐步在资源集中的市（地）、县（市）建设监测和信息服务站点，实时掌握江苏中药资源动态变化，及时提供预警信息。

（2）建立中药种质资源保护体系。结合中药资源普查工作，做好江苏濒危野生药用动植物保护区、药用动植物园、药用动植物种质资源库建设，保护江苏地产、特色药用种质资源及生物多样性。建设 1 个江苏省药用动植物种质资源圃，可保存原生境保护药用物种种质 300 种以上、迁地保护药用物种种质 800 种以上、离体保存药用物种种质 2 000 种等，共可保存 1 万份以上。

（二）实施优质中药材生产工程

（1）开展江苏中药生产区划研究。根据江苏水域密布、滩涂广阔的自然地理特点，做好江苏中药资源区划研究，结合第四次中药资源普查工作，开展江苏省水生、耐盐药用植物资源生产区

划研究，推进江苏省地产、道地中药材生产布局。

（2）建立濒危、稀缺中药材种植（养殖）基地。结合江苏资源分布特点及自然保护区建设情况，重点针对江苏资源紧缺、濒危的野生中药材，加强有关关键技术的研究，加快繁育和人工种植（养殖），降低对野生资源的依赖程度。重点建设茅苍术、水蛭、蟾蜍、苏薄荷、明党参、光慈姑、夏枯草、活血丹等道地濒危、稀缺中药材的野生抚育及野生变家种家养基地建设。

（3）建设大宗优质中药材生产基地。结合江苏中药饮片与配方颗粒及中药制药产业发展需求，建设20～30种常用大宗中药材规范化、规模化、产业化基地，联合省内外中药材生产企业开展野生抚育和利用山地、林地、荒地、滩涂建设中药材种植（养殖）生态基地。结合国家林下经济示范基地建设及江苏省沿海滩涂开发建设等，建设5～10种中药材生态基地，保障优质中药饮片和中成药大品种的原料供应。

（4）建设中药材良种繁育基地。开展中药材基原植物或动物优良新品种培育，推广使用优良品种，推动江苏地产、道地中药材种子种苗标准制定，在适宜产区开展标准化、规模化、专业化、产业化的种子种苗繁育，建设5～10种中药材种子种苗专业化、规模化繁育基地。

（5）发展中药材产区经济。推进中药材产地初加工标准化、规模化、集约化，鼓励中药生产企业向中药材产地延伸产业链，在产地趁鲜切制并精深加工。培育2～3家拥有符合《中药材生产质量管理规范》种植基地的中药材产地初加工企业，培育3～5家中药材产地精深加工企业。提高中药材资源综合利用水平，发展中药材绿色循环经济。

（三）实施中药材技术创新行动

（1）加强中药材基础研究。结合江苏中药材基地建设，选择3～6个典型品种开展中药材品种选育、生长发育特性、药性形成及其与生长环境之间的关联性研究，深入分析中药材道地性成因及影响因素，科学指导中药材生产。

（2）继承创新传统中药材生产技术。挖掘、继承道地中药材生产和产地加工技术，结合现代农业生物技术创新提升，形成20～30种优质中药材标准化生产和产地加工技术规范，并在适宜地区大力推广应用。

（3）突破濒危、稀缺中药材繁育技术。综合运用传统繁育方法与现代生物技术，突破一批濒危、稀缺中药材的繁育瓶颈，支持濒危、稀缺中药材种植（养殖）基地建设，开发2～3种濒危、稀缺中药材经济适用、品质优良的大规模繁育技术。

（4）发展中药材现代化生产技术。选育优良品种，研发病虫草害绿色防治技术，发展中药材精准作业、生态种植（养殖）等技术，提升中药材机械化、现代化生产水平和现代装备水平。选育3～5个优良中药材品种，开发5种中药材的病虫草害绿色防治技术，开发10项中药材测土配方施肥、产地加工技术，开发3～5种中药材产地加工装备。

（5）促进中药材综合开发利用。充分发挥中医药优势，依托江苏人才、资金、技术等优势，加强协同创新，积极开展中药材有效性、安全性及其相关物质基础等科学内涵研究，为开发相关健康产品提供理论支撑。积极开展中药材废弃部位以及中药渣的综合利用研究，构建中药废弃物多层次、多途径的资源化利用策略，提高资源利用效率，延伸资源经济产业链，开展中药资源循环经济示范建设。选择 5 ~ 10 种江苏地产大宗中药材非药用部位，以及 5 ~ 10 种中药大品种生产过程中产生的废渣、药液等，开展中药资源循环经济示范研究与产业化建设。

（四）实施中药材生产组织创新工程

（1）积极发挥行业组织作用。联合科研院校、中药生产企业、中药材专业合作社等，组建江苏省中药材协会，为中药材从业人员构建信息交流、技术服务等综合服务平台，为主管部门提供决策参考和技术咨询服务。

（2）培育现代中药材种植（养殖）企业。鼓励中药制药企业将资本、技术、市场等资源与中药材产区自然条件、劳动力等优势有机结合，综合现代生产要素和经营模式，发展中药材产业化生产经营，推动现代中药材生产企业逐步成为市场供应主体。培育发展 3 ~ 5 家年销售收入超过 1 亿元的现代中药材生产骨干企业。

（3）推进中药材基地共建共享。鼓励利用江苏资源优势，建立 5 ~ 10 个跨省（区、市）的中药材规模化共建共享基地。支持中药生产流通企业、中药材生产企业强强联合，因地制宜，共建中药材生产基地。

（4）提高中药材生产组织化水平。推动专业大户、家庭农场、合作社发展，实现中药材从分散生产向组织化生产转变。支持中药企业和社会资本积极参与、联合发展，进一步优化组织结构，提高产业化水平。

（五）构建中药材质量保障体系

（1）提高和完善中药材质量标准。结合药品标准提高及《中华人民共和国药典》编制工作要求，参与制修订 5 ~ 10 种中药材国家标准；参与完善农药、重金属及有害元素、真菌毒素等安全性检测方法和指标，建立中药材外源性有害物质残留数据库，制订 5 ~ 10 种药食两用中药材的安全性质量控制标准。修订《江苏省中药材标准》，规范中药材名称和基原，完善中药材性状、鉴别、检查、含量测定等项目，建立较完善的中药材外源性有害残留物限量标准，健全以疗效为核心的中药材质量整体控制模式，提升中药材质量控制水平。

（2）完善中药材生产经营质量管理规范。按照 GAP 要求完善相关配套设施，提升中药材生产质量管理水平。严格实施《药品经营质量管理规范》，提高中药材经营、仓储、养护、运输等流通环节质量保障水平。

（3）建立典型品种的全过程质量追溯体系。选择 10 ~ 15 个代表性中成药大品种，建立中药材从种植（养殖）、加工、收购、储存、运输、销售到使用全过程的追溯体系，实现来源可查、去向可追、责任可究，鼓励江苏中药生产企业使用来源明确的中药材原料。

（4）完善中药材质量检验检测体系。加强药品检验机构人才队伍、设备、设施建设，加大对中药材专业市场出售的中药材、中药生产企业使用的原料中药材、中药饮片的抽样检验力度，支持第三方检验检测机构发展。

（六）构建中药材生产服务体系

（1）建设生产技术服务网络。充分发挥江苏农村科技服务超市等农业技术推广体系的作用，依托科研机构，参与构建全国性中药材生产技术服务网络，建设江苏省级区域中心及 3 ~ 5 个工作站组成的中药材生产技术服务网络，加强中药材生产先进适用技术转化和推广应用，不断提高中药材基地建设整体水平。

（2）建设生产信息服务平台。参与全国性中药材生产信息网络建设，在江苏建立 15 ~ 20 个信息站点，提供全面、准确、及时的中药材生产信息及趋势预测，促进产需双方有效衔接，防止中药材规模生产大起大落、中药材价格暴涨暴跌。

（3）加强中药材供应保障。依托中药生产流通企业和中药材生产企业，完善中药材应急储备，确保应对重大灾情、疫情及突发事件的用药需求。

（七）构建中药材现代流通体系

（1）完善中药材流通行业规范。完善常用中药材商品规格等级，参与修订 15 ~ 30 种常用中药材商品规格等级标准，建立中药材包装、仓储、养护、运输行业标准，为中药材流通健康发展夯实基础。

（2）建设中药材现代物流体系。科学规划、建设现代化中药材仓储物流中心，配套建设电子商务交易平台及现代物流配送系统，引导产销双方无缝对接，推进中药材流通体系标准化、现代化发展，初步形成从中药材种植（养殖）到中药材初加工、包装、仓储、运输一体化的现代物流体系。在中药材主要产区、专业市场及重要集散地，建设 1 ~ 2 个集初加工、包装、仓储、质量检验、追溯管理、电子商务、现代物流配送于一体的中药材仓储物流中心，开展社会化服务。

五、江苏政府扶持中药资源产业发展的保障措施

（一）完善相关法律法规制度

协助完善中药材相关法律法规的建设，并结合江苏实际情况落实相应配套政策，加强濒危野生中药材资源管理，规范种植（养殖）中药材的生产和使用。药品注册管理制度规定中药、天然药物注册应明确药材原料产地，使用濒危野生中药材的，必须评估其资源保障情况；鼓励原料来源基地化，保障中药材资源可持续发展和中药质量安全。

（二）完善价格形成机制

坚持质量优先、优质优价的原则，建立反映中药材质量并兼顾生产经营成本、市场供求关系和资源稀缺程度的中药材及其相关名优中成药大品种的价格形成机制，完善药品集中采购评价指标和办法，引导江苏中药生产企业建设优质中药材原料生产基地。

（三）加强行业监管工作

加强中药材质量监管，规范中药材种植（养殖）种源及过程管理。强化中药材生产投入品管理，严禁滥用农药、化肥、生长调节剂，严厉打击掺杂使假、染色增重等不法行为。维护中药材流通秩序，加大力度查处中药材市场的不正当竞争行为。健全交易管理和质量管理机构，加强中药材专业市场管理，严禁销售假劣中药材，建立长效追责制度。

（四）加大财政金融扶持力度

加大对中药材保护和发展的扶持力度，加强项目绩效评价，充分发挥财政资金的支持和引导作用，鼓励企业选择道地产区自建或联合建设中药材生产基地。将中药材生产和配套基础设施建设纳入相关支农政策支持范围。鼓励发展中药材生产保险，构建市场化的中药材生产风险分散和损失补偿机制。鼓励金融机构改善金融服务，在风险可控和商业可持续的前提下，加大对中药材生产的信贷投放，为集仓储、贸易于一体的中药材供应链提供金融服务。

（五）加快专业人才培养

充分发挥产学研合作优势，加强基层中药材生产流通从业人员培训，提升从业人员业务素质和专业水平。培养一支强有力的中药材资源保护、种植养殖、加工、鉴定技术和信息服务队伍。加强中药材高层次和国际化专业技术人才培养，鼓励科技创业，推动中药材技术创新和成果转化。

（六）发挥行业组织作用

发挥行业组织的桥梁纽带和行业自律作用，宣传贯彻国家法律法规、政策、规划和标准，发布行业信息，推动企业合作，促进市场稳定，加强中药材生产质量管理规范基地、道地中药材基地建设及物流管理。弘扬中医药文化，提高优质中药材的社会认知度，培育中药材知名品牌，推动建立现代中药材生产经营体系和服务网络。

（七）营造良好国内外环境

加强与国际社会的沟通交流，做好中药材保护和发展的宣传工作，按照国际公约主动开展和参与濒危动植物、生物多样性保护活动，合法利用药用动植物资源，促进中药材种植（养殖）产业发展。加强与国内中药资源丰富省份的合作交流，进一步开展国际合作，推动建立多方认可的中药材标准，促进中药材国际贸易便利化，鼓励优势企业"走出去"建立中药材基地。

（八）加强规划组织实施

各地区有关部门要充分认识中药材保护和发展的重大意义，加强组织领导，完善协调机制，结合地区中药产业发展和名优大品种产业发展需要，根据实际情况制订落实具体方案。

第二节　江苏省代表性区域中药资源产业发展规划

以南通作为地市级行政单元代表和示范，以盱眙作为县市级行政单元代表和示范，在系统完成该区域中药资源普查工作的基础上，分别研究制订了其所辖区域中药资源产业的发展规划，以期为江苏不同层级行政单元研究制订本区域生物医药产业发展规划提供参考和决策依据。

一、南通中药资源产业发展规划

为了充分发挥区域性药用生物资源优势，做大做强优势中医药品种和特色资源产业，南通建立了中药农业、工业的"市场＋互联网"一体化产业链，为区域性中药资源产业发展提供科学依据。

（一）南通中药事业和产业发展现状与机遇

南通处于沿海经济带与长江经济带"T"型结构交汇点，是我国沿海地区土地资源最丰富的地区之一，沿江靠海的独特区位优势和丰富的药用生物资源，奠定了南通得天独厚的中医药事业和中药产业发展基础。

1. 南通中药产业及大健康产业发展现状分析

（1）产业总体规模偏小，各环节关联度较低。2017年底，南通取得药品生产许可证的中药生产企业共16家（含兼营企业），其中中药饮片生产企业4家、中药制剂生产企业（含提取）12家，企业数量居江苏前列。然而，南通的中药生产企业规模普遍较小，领军企业数量少，一些初具规模的领军企业还处于原有的"小、散、低、弱"状态，在市场上的领导带动作用不强，同时企业又受到各种政策、市场因素的影响，经营风险及经营波动较大。

南通的中药生产企业中无大型企业，除1家上市公司和3家中型企业外，其余均为小微企业。南通中药产业不仅缺少大型龙头企业，作为中坚力量的中等规模的企业也较少，导致发展后劲不足。2017年，年度总产值在1亿元到10亿元之间的企业有6家，占比约40%；年度总产值不足1亿元的企业有9家，占比约60%；中药制剂销售收入超过1亿元的企业仅有3家，中药饮片销售收入超过5 000万元的企业只有1家。很多中小型企业存在生产成本较高、品种规格较少、技术水平较低、创新能力较弱、生产工艺和设备相对落后等问题。绝大多数企业的知名度较低，产品竞争优势不明显，南通缺乏占主导地位且技术开发实力雄厚的大型企业，龙头企业少，对全市中药产业发展的带动力有限。同时，南通中药产业各环节关联度相对较低，中药农业、工业、商业产业链条松散，水平高低不一。如南通中药材资源中，绝大多数中药材品种未能在全国范围内进行药材贸易。这说明南通中医药产业尚处在以劳动密集型、粗加工型为主的较低水平的发展阶段，资源优势未能有效转化为市场优势和区域经济优势。

（2）体制机制尚不健全，企业发展缺乏活力。南通的中医药企业所有权更迭较频繁，企业管理体制不健全，这是阻碍产业发展的一大问题。

一方面，部分国有中药企业缺乏自主研发动力和能力。国有中药企业承担着经济效益、国家药品储备、提供就业等多项发展任务，其国企的属性和管理体制决定了企业领导在决策时更加关注风险而非市场盈利和绩效，市场风险意识强于民营企业和外资企业，而创新意识不足。再加上地方国有中药企业未对企业本身情况、市场发展趋势及前景进行充分考量，企业发展缺乏动力。

另一方面，部分国有中药企业的人力管理也存在问题。国有企业公共性和企业性的双重性质影响着企业的发展，目前，国有企业依然没有探索到两者协调发展的方式。国有企业作为政府干预经济的一种手段，在世界市场中缺乏竞争力。

（3）缺乏专业技术人才，产学研合作不充分。中药专业技术人才是产业发展的原动力，是各项政策措施得以实施的主体。但目前南通大部分中药生产企业都面临缺乏专业技术人才的问题，尤其是缺乏有经验的中高级研发人员和生产质量管理人员。调查显示，在 15 家中药生产企业中，仅有 2 家企业研发人员数量超过 30 人，有 8 家企业研发人员不足 10 人。南通受地理位置、经济发展水平的影响，对人才的吸引力有限，再加上靠近上海，大量高端技术人才多流向上海；再者，南通缺少统一的专业人才规范化培训，一些中药材企业大都关注认证方面，更注重与科研院校的合作，对企业自身专业人才的培养缺乏重视，这就导致公司内部人才的流失。此外，南通的中药饮片生产企业目前均面临着中药炮制"后继乏人，后继乏术"的局面。学校培养的专业技术人员缺少实践技能的培训，业务能力不足，未能充分掌握炮制关键技术。

通过走访相关单位了解到，目前南通各中医医疗机构缺少国医大师，仅有江苏省名中医 10 名、江苏省中医优才 15 名。目前南通的中医院中青年专业技术人员较多，部分中医从业人员专业思想淡化，中医药理论功底不扎实，临床经验不足，副高职称以下的中青年专业技术人员的中医基本理论和基本技能储备有待提高，各中医院高水平的中医药专业技术人员不足问题较为突出，缺乏学科领军人才。中医药曾一度被质疑而受到忽视，造成从业人员出现断档现象，特别是从事中医药研究的人才十分紧缺，制约了中医药产业的发展。因此，中医药事业的发展还需要筑牢根基，才能有持久竞争力。

（4）大企业大品牌数量严重不足。受历史、人文、地域、经济、政策等诸多因素的影响，南通中医药产业的企业家群体数量偏少，当代企业竞争的核心素质有待提高，表现为企业家头脑精明但缺乏开阔视野，行事稳健而缺少冒险精神，善于模仿却不擅创新领跑。这种特征导致南通中医药企业在生产经营中经常出现短期行为，重当前、轻长远，难以通过自主创新做强做大企业并实现持续发展。

2.南通中药材生产与中药农业发展现状分析

（1）规模化、标准化程度不高。虽然南通中药材种植总面积和道地品种在江苏占有重要位置，尤其是几个重点品种（浙贝母、金银花、蟾蜍）在全国有一定影响力，但是受土地条件、经营规模、经营理念、市场价格波动的影响，基地规模化和标准化程度有待进一步提高。南通是我国经济发达的中等沿海城市，相对该地高端纺织、船舶海工、电子信息等重点支柱产业，南通中药材种植业规模较小，在该地国民经济中占比不大。

（2）种植技术落后，技术力量薄弱。由于大多数中药材产于农村零散地区，种植户科技意识淡薄，粗放经营者多，连作现象严重，品种更新慢，中药材生产科技含量较低。农户受传统种植模式和市场价格等因素的影响，只注重数量不注重质量，种植出的药材无法充分满足药商的需求，从事栽培、育种、加工、新药研发的专业技术人才稀缺，特别是县级农业技术推广体系中的专业人员严重缺乏，这在很大程度上制约着中药材产业的发展。

（3）销售渠道不畅，盲目种植较为普遍。南通从事中药材种植的大多是普通农民，文化程度普遍偏低，中药材种植积极性主要受药材行情影响，盲目跟风现象严重。

南通中药材种植规模化和产业化程度不高，农户与各种信息源对接不畅，品牌意识和市场意识较差，销售渠道开拓不足，科学预测和合理种植的意识不足，每当浙贝母价格高起，随之而来的就是南通浙贝母种植面积的峰值和供过于求的市场行情。

（4）土地资源紧张，劳动力缺乏。随着南通城镇化、工业化的快速发展，全市土地资源愈显紧张，土地成本较高。加上农村劳动力的大量外流，滞留在农村的大都是年龄较大或专业素质偏低的人员，土地资源和劳动力的短缺一定程度上制约了南通中药材产业发展。

3.南通中药生产加工与中药工业发展现状分析

（1）研发投入不足，创新成果产出较少。南通中药新药开发落后，缺少中药创新产品，几十年来几乎未出现超过季德胜蛇药片和王氏保赤丸的新中成药。据调查，南通中医药产业研发投入水平偏低，研发投入超过 1 000 万元的企业只有 3 家，没有一家企业的研发投入超过 4 000 万元（企业统计上报），药品生产企业研发投入平均不到销售收入的 0.5%。在研发人员投入方面，仅有 1 家企业的研发人员数量超过 100 人。

南通中药企业多数规模小，研发手段落后，在药理作用的研究、有效成分的确认和提取、新剂型改造方面的投入严重不足。受资金限制，企业为规避风险，在新药研发上多采取"短、平、快"和"为我所用"的战术，导致低水平、重复生产现象严重，突出表现为"四多四少"，即：①老品种多，新品种少；②仿制品种多，专利、独创品种少；③低水平、低附加值产品多，高技术、高附加值产品少；④同一品种生产的企业多，实现规模经济的品种少。此外，很多中药企业受短期利益驱使，热衷于低水平的价格战、回扣战，忽视了对自身研发能力与创新水平的提高，本末倒置，使企业缺乏发展动力，造成南通中药产业持续竞争力不足。在研发机制和规范化建设方面，企业对药品的质量控制、不良反应监测要求等还存在不足。

（2）品牌产品数量有限，未能充分发挥优势。南通拥有王氏保赤丸、季德胜蛇药片、正柴胡饮颗粒、槐耳颗粒等品牌产品，且部分品种的市场占有率很高，但绝大多数企业生产的药品为传统中成药或改剂型品种、大宗普通品种，绝大多数品种科技含量低、附加值低、档次低的，真正疗效好、安全性高、质量可控、具备较强市场竞争力的优势中药大品种数量非常有限。

同时，由于企业缺乏市场拓展能力和手段，难以扩大品牌影响力、增加市场份额，南通的传统优势品种很难在全省范围内形成具有高知名度的中药品牌产品，这与产品的质量和疗效很不相符。

从2017年中药产品的销售额和利润来看，单品种销售额大于1亿元的只有2个，大于5 000万元的只有6个，销售额最高的单品种——槐耳颗粒的销售额也仅为3.6亿元，多个优势品种的销售额均未突破1亿元。2017年，享誉海内外的传统名牌中药王氏保赤丸的产值为9 378.73万元，季德胜蛇药片的产值仅为7 122.21万元，市场销售情况不佳，传统品种的优势并未得到充分发挥。

（3）企业经营理念落后，缺乏长期战略规划。总体而言，南通中药产业基础比较薄弱，中药生产企业数量虽然不少，但普遍规模较小，企业经营管理落后，在工艺流程及操作规程的制定、生产技术人员的专业知识和技能水平等方面也有待提高，尚未树立起成熟的企业形象和品牌形象，在企业形象战略、品牌战略、广告战略、营销策略和售后服务等方面的投入也相对不足。另外，南通中医药产业链条不连贯，商业模式落后，如南通规划的中药仓储体系至今还未建成，而泰州和连云港中药市场已建立起了完善的现代化仓储物流体系，实行配送代理制，以保证流通过程中的药材质量。南通中药企业大多缺乏长期的战略规划和清晰的发展目标，企业发展理念偏小富即安，战略目标模糊，与全国乃至省内领先的中药集团相比，差距较大。

4.南通中药流通市场建立与中药商业发展现状分析

（1）中药材市场不健全，饮片流通监管较难。当前南通中药种植虽然具备一定规模，但资源整合度不高，产业链不完整，尚未形成知名度高的中药材品牌产品，缺少辐射周边区域的药材交易中心，缺乏市场主导权，导致南通销售渠道不健全，中药材产品市场收益率不高。自身规模有限也造成了南通中药企业大部分的原料药材从省外购进，这不利于南通中医药产业链的延伸，在一定程度上阻碍了中药产业的良性发展。

在中药饮片流通方面，从事中药饮片批发的主要为设立较早但现已改制重组的药品批发企业，没有专门的中药饮片批发企业。由于中药饮片的特殊性，按照国家目前有关规定，中药材被作为农副产品管理，而饮片在生产、流通、应用中又被作为药品管理，基层地方政府药监与农业、工商、质监等部门的多头管理使得监管效率低下、力量分散，这种错位的管理方式最终导致饮片监管得不到保障。另外，监管对象的文化、专业层次较低且流动性大，也给监管工作造成了困难，大量的行政处罚执行效果不佳。

（2）企业市场营销落后，国际市场开发不足。中药产业是一个以市场为导向的产业，离开了市场，再好的产品也很难被大众了解、认可。南通的几个中药品牌产品之所以未能在销售额上有所突破，重要原因之一就是中药企业的市场营销能力不足，主要体现为企业营销观念落后，市场推广意识淡薄。随着中药产业化、国际化发展，之前落后的营销理念已不再符合当前的需要。企业需要主动出击，迎合市场需求，对产品进行宣传与推广，把产品推向市场，推向销售的终端。企业营销落后的另一原因为企业的营销手段较为单一。虽然南通大部分中药企业已经组建了自己的网站，但很多企业尚未认识到运用互联网平台进行推广的巨大优势，加之自身网络建设不成熟等原因，网络利用效率低，主要还是采取传统宣传方式——电视广告、期刊报纸广告、人员推销等来推广自己的产品。此外，南通缺少健全完善的中药市场营销体系，营销人员的整体素质也有待提高。

在国际市场开发方面，目前南通大多数企业尚未开展海外业务，中药产品主要在国内销售，中药出口产品则以药材和提取物为主，且数量较少，品种较单一，主要原因在于中成药在国外注册难度大，中药材也很难达到欧美质量要求。

5.南通中医医疗机构发展现状分析

（1）中医西化现象严重，中药创收普遍困难。中药有"简、便、廉、验"的临床特色，但在当今社会环境下，受多种因素的综合影响，中医药发展受到一定的阻碍。中医院为了维持自身运转，亦在高喊发展中医药的口号下，有意无意地鼓励运用西医的诊疗方案。国家为了扶持中医药事业的发展，在《中医药发展"十三五"规划》中提出强化中医医院特色专科专病建设，提升中医特色诊疗和综合服务能力。而目前从管理层面来看，中医资源（科室设置、人员投入、经费支持）占比少，影响医院中医药相关政策的实施；医院设置的中医馆、国医堂中坐诊中医师较少，除针灸科、推拿科尚有中医技术外，大多数中医院临床科室很少能看到中医药整体观念、辨证论治的影子，虽然多数病历中均书写中医理法方药，但多为表面文章、形式主义，无法体现中医药特色。

（2）专科特色不明显，院内制剂数量不足。目前，南通公立中医医疗机构的省级以上特色专科共有16个，其中南通市中医院占7个。除如皋市中医院有43种院内制剂外，其余医院的院内制剂均在30种左右，少的只有9种。中药院内制剂是中医院临床特色的体现，是老中医经验的结晶，代表一个医院、一个专科、一个专家的特色和优势，是专科发展的必然产物。但受管理政策掣肘，院内制剂数量大幅减少，这严重制约了中医院的自主创新能力，中医传承发展面临挑战。因此，优化院内制剂审批制度、充分发挥中医药专科特色已成为亟待解决的问题。

（二）南通中医药事业和产业发展的形势分析

1.南通中医药事业和产业发展的优势分析

（1）区位优势和资源优势突出，奠定了产业发展的基础。南通地产药材资源丰富，浙贝母、延胡索、蒲公英以及天然海洋药材等质量优良，拥有广阔的市场和良好的口碑。

我国处于沿海经济带与长江经济带"T"型结构交汇点和长江三角洲洲头的城市只有 2 个，一个是上海，另一个就是与其一衣带水、处于长江北岸的南通。南通"据江海之会、扼南北之喉"，隔江与经济发达的上海及苏南地区相依，被誉为"北上海"，距离浦东机场、张江自贸区车程均不到 1 个小时，区位优势明显。

沿江靠海的独特地理位置奠定了南通物产资源丰富的基础。南通位于长江之畔，长江可提供药品、医药原料及中间体生产所需的淡水，且水质优良，非常适合高端药品的生产；南通又毗邻东海、黄海，拥有丰富的海洋生物资源，具有发展海洋药物的资源优势。同时，南通是我国沿海地区土地资源最丰富的地区之一，为中药企业进驻提供了可能。成本较低的土地资源，一方面可以吸纳其他外部资本投资中医药企业，另一方面也可以承接上海等周边大的中医药企业生产基地的转移，进行新项目的开发。

（2）历史文化积淀深厚，中医药认知度较高。南通中医药产业有着悠久的历史和深厚的文化底蕴。自古以来，南通中医药人才荟萃，从明代编纂《外科正宗》的外科大家陈实功、清代著有《北行日记》的御医薛宝田，到 20 世纪 50 年代蜚声中外的中医院三枝花（季德胜、陈照、成云龙），再到当代在南通工作或为南通籍的 3 位国医大师朱良春、周仲瑛、王绵之，名家辈出。在中医界，提起南通自然会想到已故的国医大师朱良春，以朱良春教授为代表的章朱学派思想体系在南通这片沃土上不断发展壮大。精华制药生产的季德胜蛇药片和王氏保赤丸、治疗肺脓肿的金荞麦片、朱良春教授研发的风湿病良药益肾蠲痹丸等，闻名中外，都是南通中医药发展的巨大成果。南通的中医药人才在全国中医药的发展史上有着浓墨重彩的一笔，为南通中医药事业的发展奠定了扎实的历史人文基础。

此外，南通注重中医药文化普及与传播，通过各种方式和途径，向民众推广中医药相关理论知识，大力弘扬中医文化，中医药在南通民众中拥有较高的认知度，中医药文化氛围浓厚。例如，在原南通市文化广电新闻出版局、原南通市卫生和计划生育委员会的领导下，由南通市良春国医堂主办、南通市中医院和精华制药集团有限公司协办的南通中医药文化博物馆开始建设并逐步对外开放。南通还计划兴建以"中医药文化"为主题的文化园，形成集市民休闲与中医药传承教育于一体的发展模式。此外，在政府的引导和支持下，南通率先在中小学普及中医药知识，让中医中药走进课堂，并通过拍摄中医药题材的影视剧、纪录片等多元化方式在民众中宣传普及中医药文化。中医药文化与中医药产业的有效结合，不仅可以形成优良的企业文化，打造优秀的中药企业，也有利于药品、保健品、食品等各类相关产业的高速发展，为南通带来不可估量的经济效益和社会效益。

（3）拥有多个独家品种，市场发展潜力较大。南通目前拥有 2 个国家中药保密品种，分别为季德胜蛇药片和王氏保赤丸，其中季德胜蛇药片是我国唯一的国家级绝密特效配方蛇药；拥有 4

个中药保护品种,分别是正柴胡饮颗粒、金荞麦片、晕可平糖浆、固本咳喘片;拥有 6 个独家品种,分别为季德胜蛇药片、王氏保赤丸、大柴胡颗粒、槐耳颗粒、槐杞黄颗粒、金花止咳颗粒。

槐耳颗粒作为抗癌新药,是近 40 年来唯一被证明在肝癌手术后可预防肝癌复发转移的有效药物,2017 年已被原卫计委写入《原发性肝癌诊疗规范》。槐杞黄颗粒的制造方法、制药用途和在治疗肾病中的应用获得多项国家发明专利。这 2 个产品自上市以来,以良好的临床疗效和服用的便利性受到临床专家的普遍认可和大力推荐,也得到了广大患者的信赖,市场销售量与市场覆盖率以每年 20% 左右的速度稳步增长。此外,南通中药医保目录品种较多,占总品种的 57.7%。

但从这些品种 2017 年的销售收入和利润来看,仅有槐耳颗粒、槐杞黄颗粒的销售额超过了 1 亿元,其余优势品种的单品种销售额均未突破 1 亿元。随着近几年国家对中医药产业扶持力度的不断加大,这些独家中药品种有较大的市场拓展空间,可成为南通中医药产业未来发展的重要增长点。

（4）企业管理明显改进,生产质量显著提高。近年来,南通有关政府部门对药品市场和企业进行了全面整顿,中药生产管理规范及实施细则、主要中成药产品的试行许可证制度得到全面推广,产品质量追溯体系不断完善,中药工业企业的各项工作普遍得到提升。

南通对所有中药企业实行全面质量管理办法和 GMP 规范标准,要求中药饮片企业所有产品的生产过程均严格按照 GMP 要求管理,并严格按《中华人民共和国药典》《江苏省中药炮制规范》等标准与规范进行检测,企业经评估合格后方给予放行,未通过 GMP 认证的一律强制停止生产,以确保产品安全有效。

同时,大部分中药企业建立了内控质量标准和工艺规程,各岗位有经批准的相应的标准作业程序（SOP）,工艺规程及 SOP 均严格执行,不得随意更改,一切生产活动均按生产指令进行。为保证药品质量,多数中药企业还建立了从总经理到生产操作人员的质量责任制度,同时完善公司、生产车间、班组三级质量保证体系。在生产过程中,生产车间严格按工艺规程、岗位 SOP、生产指令及各项制度进行,质管部的检查员在每一个与质量有关的岗位进行现场监督检查,质量检验部门对所有的原辅料、包装材料、中间产品、成品进行严格检验,充分保证质量建立在产品的生产全过程中。严格的生产质量管理保障了中药饮片的高品质,提升了南通中药产品的核心竞争力。

2. 南通中医药事业和产业发展存在的薄弱环节

（1）缺乏龙头企业,带动引领作用不强。龙头企业是指对同行业的其他企业具有很深影响力、号召力,能起到一定的示范、引导作用,并对该地区、该行业或者国家做出突出贡献的企业,其带动能力强,产品具有市场竞争优势。而南通目前的中药企业中,仅有 1 家上市公司、3 家中型企业,无大型企业,其余均为小微企业。从江苏整体发展情况来看,2016 年全国医药工业百强榜单上的江苏医药企业共 11 家,其中,连云港 4 家,泰州 3 家,苏州 2 家,南京和常州各 1 家,而近 5 年公布的医药工业百强榜单中均无南通企业上榜,可见南通目前仍缺乏全国知名的龙头企业、品牌企业。

（2）研发力量薄弱，产品开发能力较差。中医药产业的创新既是推动整个产业发展的源动力，又是提升企业竞争力的重要手段。一方面政府的研发资助力度不够，研发创新平台的资源相比泰州、苏州等城市仍较为缺乏，加之人才吸引力不强，导致南通至今在新产品申报和专利申请方面突破不大，主要以实用新型授权为主，产品中新药数量占比较低；另一方面南通企业多定位为生产制造型企业，许多企业仍然以生产传统优势品种为主，新产品开发的投入力度不大，技术引进投入较少，加之与大学、科研院所的合作深度不够，成果产出滞后。

（3）教育科研落后，专业人才引进困难。中医药产业涉及多学科、多领域的知识与技术，因此中医药方面的专业化高端人才稀缺，相关的管理人才更是少之又少。此外，南通本土医药高等院校较少，缺少扎根本土的创新型高校或研究机构，因而在中药研发、生产、营销，以及中药饮片炮制、中药材种植等行业和领域的领军人才稀缺，生产技术人员不足，主要依靠外部引进。人才队伍的学历和专业层次较低，进一步阻碍了研发创新的步伐。

（4）营销能力不足，产品市场推广不力。企业的盈利能力体现在产品的市场表现上，而市场表现又取决于企业的营销能力。跨国药企和国内大型药企无一不是配备过硬的营销团队专门负责产品的市场推广工作。而目前南通中药市场营销体系尚不健全，营销人员素质有待提高，销售方式需要改进，销售机制尚不够灵活。此外，南通的中药产品主要在国内销售，中药出口产品主要为药材和提取物，且数量较少，品种较单一。从长远发展来看，若想发展成大型企业，南通中药企业未来必须在市场推广层面加大力度。

3. 南通中医药事业和产业发展面临的机遇

（1）市场需求激发产业发展新动力。随着生活水平的提高，人们的思想观念也随之改变，新型的医疗模式已不再是传统的治疗疾病，而是集预防、保健、治疗、康复于一体，在保健品、药物的选择上人们更加青睐天然的药品。中药凭借其"简、便、廉、验"的临床特色和"治未病"的养生保健功效，以及副作用小、成分多、靶点多、疗效稳定等优势，日益受到国际社会的重视，也成了更多人的用药选择，为满足人民群众日益增长的健康需求提供了有效的途径，中医药产业持续发展的市场前景广阔。我国现有非处方药 4 200 多种，年销售额达 800 多亿元，其中，中成药占 70% 以上。2014 年全国中成药产量达 186 万 t，与 2009 年相比增长幅度超过 130%，从 2009年到 2014 年，中成药的需求增幅超过 180%，中成药市场出现供不应求的情况。2016 年我国中药年产值超过 4 100 亿元。随着人们对健康重视程度的提高，国内对中医中药及相关产品与服务的需求日益增加。特别是拥有 60% 人口的农村，目前人均用药消费水平仅为城市的 1/7，市场潜力巨大。

在经济全球化的大背景下，中医药发展也具有广阔的国际市场。为实现人人享有保健医疗的战略目标，世界卫生组织积极推动各国将传统医药和替代药物纳入医疗体系。目前，各个国家和地区都已开始通过立法对传统医药进行管理，如新加坡对中医药实行立法管理、欧美对植物药实行立法管理，这提高了中药在当地的认可度。据统计，全球使用中药的人数约有 40 亿，占全球人口总数的 80%。全世界的中药市场每年以 10% ~ 20% 的速度稳步增长，中药在国际药品市场中的地位不断提高。此外，中药凭借其在近几年抗击全球性重大疾病中的优异表现，获得了更多的认可，为后续发展打下了坚实的基础，为中药服务于全球提供了良好的机遇。目前，南通槐耳颗粒等多个品牌产品远销海外，具有一定的国际知名度和影响力，这为南通中医药企业拓展海外市场打开了新局面。

（2）国家战略带来产业发展新契机。2002 年，国家提出了中药现代化发展战略，为充分利用现代科学技术成果、推动中医药整体发展开创了良好局面。中药国际化在"十三五"期间成为中国生物医药产业的重要发展方向与热点之一。一方面，2015 年中国科学家屠呦呦获得诺贝尔医学奖，肯定了其在青蒿素治疗疟疾方面的重大贡献，为中医药得到世界更广泛的认可提供了一个良好的契机；另一方面，2015 年 5 月，国务院办公厅印发了《中医药健康服务发展规划（2015—2020 年）》，对我国中医药健康服务发展进行了全面部署，这是我国首个关于中医药健康服务发展的国家级规划，对中药材产业和中医药事业的可持续发展、构建具有中国特色的健康服务体系都具有十分重要的意义。《中华人民共和国国民经济和社会发展第十三个五年规划纲要》将健康中国上升为国家战略。随着人们对健康重视程度的提高，国内对中医中药及相关产品与服务的需求也与日俱增。

2017 年《中华人民共和国中医药法》也正式实施，这使中医药管理体制、运行机制更加符合中医药发展规律，充分发挥中医药"简、便、验、廉"、广泛可及等优势，对中医药健康可持续发展产生重大而积极的影响。除此之外，我国提出的"一带一路"倡议，为彰显国家软实力、发挥中医药独特优势、加强与丝绸之路沿线国家开展中医药交流与合作、促进中医药海外发展带来了最佳契机。国家各项战略的实施将促进中医药进一步向普及化、全球化的方向发展，提升中医药健康服务国际影响力，助推中医药走向世界。南通诸多的传统优势中药品种，如王氏保赤丸等，可借此发展契机，不断提高质量水平，加快国际化发展步伐。

（3）信息技术提供产业发展新武器。《中医药发展战略规划纲要（2016—2030 年）》明确指出，推动"互联网＋"中医医疗，强调在科技方面切实提高中医医疗服务能力，大力发展中医养生保健服务，着力推进中医药创新及全面提升中药产业发展水平。"互联网＋中医药"充分利用互联网信息通信技术及互联网平台，加快中医药行业融合、创新、发展，发展中医药全产业链的商业模式，催生产业发展新业态，推动中医药现代化进程。一方面实现了产业链纵向的深化，增加了标准化的存储、物流、配送中心与大健康服务产业。利用互联网信息技术不仅能够建立高度标准化、机械化、智能化的大型中药材物流仓储中心，还能够优化中药材种植、中医药生产的区位选址及配送路径，协调各产业链物资流通关系。大健康服务行业的发展弥补了中医药农业、工业、商业的产业链空缺，也是中医药产业发展以人为中心的健康管理的最重要环节。药房托管实现了医药分离，降低了药品价格，减轻了病人的经济压力；智慧药房集预约、挂号、候诊、缴费、中药代煎、配送、检验结果查询为一体，解决了病人看病难、拿药难的问题；移动医疗搭建了病人与医院、医生的桥梁，病人足不出户即可享受医药配送、医生问诊、挂号就医等高效服务。

另一方面，横向扩大了中医药产业链，中医药电商平台兴起，加快了中药材在种植、研发、生产、流通、销售、服务方面的标准化操作进程，发展多样化、多渠道销售模式。在互联网信息技术下，未来中医药全产业链也将不断精炼中间环节，压缩产业链冗余环节，减少附加值小的产业链条，集中优势资源，生产优质产品，向资源整合、质量控制、价值增值方向发展，从而推动中医药行业健康、快速发展。此外，在"互联网+"融合中医药全产业链及以人为中心的健康管理的过程中，产生了大量的中药材价格数据、人的行为数据（如社交、位置、行动轨迹等）和消费数据等，运用大数据思维，建立"用数据说话、用数据决策、用数据管理、用数据创新"的管理机制，实现基于数据的科学决策，发展医疗健康大数据服务工程，形成中医药大数据产业，推动中医药产业链转型升级。

（4）政策引导打开产业发展新局面。南通政府高度重视中医药产业的发展，近年来已出台多项鼓励、扶持中医药产业发展的政策措施，推动了南通中医药产业的发展。2017年下半年，南通市委、市政府将中医药和食品产业纳入"3+3+N"的产业体系予以重点推进，成立了南通市生物医药和食品产业协调推进办公室，迈出了中医药健康产业高质量发展的关键一步。

2015年8月，江苏出台《城市公立医院医药价格综合改革的指导意见》（苏价医〔2015〕234号），要求从2015年10月31日零点起，省内所有公立医院药品实行零差率销售。此次医药价格综合改革明确江苏所有公立医院取消15%的药品加成，但中药饮片可以保留正常的加成。该政策有利于中医医疗服务和中药产业发展。

（三）南通中医药事业与产业振兴发展的目标任务

1.指导思想

以习近平新时代中国特色社会主义思想为指导，以满足人民群众日益增长的健康需求为目标，以全面提升南通中医药健康产业发展水平和综合竞争力为核心，立足于辖区中医药资源优势和新时代社会发展特征，推动产业规模化、特色化、生态化和信息化发展；遵循3次产业融合联动发展、做大做强中医药健康服务业的发展路径，坚持存量与增量并重、速度与质效并举，充分利用现代新技术、新产品、新模式，推动产业成链发展、有序发展和协同发展，将南通建设为国内一流、国际著名的现代中医药健康产业强市。

2.发展目标

根据2019年10月出台的《中共中央　国务院关于促进中医药传承创新发展的意见》、国务院中医药工作部际联席会议联络员会议上研究的《关于进一步推动中药质量提升促进中药产业高质量发展的意见》（讨论稿）和《中医药传承创新发展行动计划（2020—2022年）》（讨论稿）等配套文件，以南通辖区丰富的中医药资源为依托，以深化改革、后发振兴和大健康产业为着眼点，以"人才引领、科技创业"为重要举措，实行高端化、国际化、品牌化的产业发展战略，努力实现南通中医药健康产业大发展。到2030年，实现南通中医药健康产业规模显著，结构合理，产业链相对完善，高端领域突出，创新成果不断涌现，人才队伍不断壮大，产业发展达到"国内一流、国际著名"水平，把南通打造成江苏中医药制造产业引领区和中国高端中医药健康服务核心区。

3. 发展思路

（1）大健康理念＋高产业定位。秉持大健康的产业发展理念，全力打造生命健康产业链的高端环节，大力发展健康养老、健康休闲等产业，坚持走高端化、规模化、特色化、品牌化、国际化的发展道路。

（2）人才引领＋创新驱动。大力培养及引进中医药领域高端人才，积极提升企业从业人员的专业素养和能力。建立大学、研究机构、企业、医疗机构紧密协调发展机制，建立以研发创新为基础的产业驱动体系。

（3）做强存量＋做大增量。对南通传统中医药产业的发展思路应以资源存量的优化做强为主。对大健康战略背景下的中医药健康养老服务、中医药旅游、海洋药物等新兴产业，发展思路应以提前规划、政策引导和规模发展为主。

（4）互联网＋差异化。在中医药健康产业发展中，始终秉承"互联网＋"的发展思路，推进"互联网＋中医药"行动计划，促进中医药各领域与互联网全面融合，实现智慧制造、智慧营销、智慧医疗等模式创新。产业发展坚持差异化发展战略，关注新兴产业对南通经济的拉动作用，突出新时代社会主义发展特征带来的后发优势。

（5）走出去＋引进来。充分利用国内、国际市场，通过向南通外区域或企业的一体化战略，盘活资源，提升质量，拓宽产业边界和市场边界。依托南通的区位优势和资源优势，充分利用上海的金融贸易资源、科技创新资源和卫生健康领域的优质资源，做好跨江融合、接轨上海的"大文章"，实现"上海孵化、南通转化"。

4. 产业发展方向

（1）突出中医药特色，大力发展中医医疗产业。建立以公立医疗服务为主体、社会办中医服务为补充、民族医疗服务为特色的覆盖市、县、乡的中医药医疗服务体系。支持二级及以上中医医疗机构在城市新区、城乡郊区、偏远地区等优质资源匮乏地区建设分院和专科医院。重点培育发展智慧医疗、个性化健康管理等医疗服务新业态，发挥市级大型中医院人才培养和院内制剂研发辐射作用。以三级中医院为载体，大力实施名院、名科、名医战略。支持社会资本开办专科性质的中医院，加快发展个体中医诊所和中医坐堂诊所。

中医医疗机构的发展必须坚持中医发展方向，在突出中医药特色优势的基础上，以现代医学的技术成果作为重要支撑条件，不断提升医院综合诊治能力和临床研究水平，适度合理地引入现代医学的人才和技术。

发展中医药养生保健服务，在二级以上中医院及具备条件的综合医院、妇幼保健院设置或明确"治未病"科。

发展中医药特色康复服务。鼓励以市级中医医疗机构、专科医院康复科为基础建设市级中医康复平台。三级中医院均设置康复门诊、功能治疗区和独立病房，二级中医院均设置或明确康复科。鼓励社会资本建设一批具有中医特色的康复医院、康养机构。

（2）突出海洋资源优势，大力发展海洋健康产业。丰富多彩的海洋生物为发展海洋生物制药、海洋功能型保健等相关产品提供了物质基础。根据南通海洋资源特征及基础条件，强化海洋药物及生物功能制品研究，开发具有显著生物活性、结构新颖的海洋天然产物，加强医用海洋动植物的养殖和栽培。重点发展海洋功能型保健产品及抗肿瘤药物、抗艾滋病药物。将南通的资源优势转化为经济优势，使南通在海洋生物高技术领域的激烈竞争中能够占有一席之地，切实有效地推动南通海洋制药规模产业及其相关产业的形成与发展。

（3）突出区位优势，大力发展出口导向战略。充分利用南通临海、临江、临上海的区位优势，实施中医药出口导向战略，支持中医药机构参与"一带一路"建设，扩大中医药对外投资和贸易，建立稳定的营销渠道，扩大产品出口，提高国际市场占有率。

针对国际市场，积极推动复方中药提取物、单味中药提取物扩大产业规模，重点发展药食同源植物提取物及其产品，探索开拓营养补充剂、生物农药、饲料等领域的使用市场，引导企业按照国际标准加强生产质量控制，实现植物提取物产业多元化、集约化和标准化发展。

（4）响应行业竞争格局，大力发展中药制造业。深化体制改革。通过优化精华制药等中药企业的股权结构，进一步解放和发展生产力，调动企业管理者及员工的积极性和创造性，推动产业发展行稳致远。

突出研发引领。依托南京中医药大学、中国药科大学等高校，充分利用医药研发外包，推动中药配方颗粒和小包装中药饮片等产品做大做强，加快直服粉末饮片、中药煮散颗粒、定量压制饮片等新型中药饮片的研发。加快推进基于古方、名方、验方、秘方的中药新药（院内制剂）以及中药独家、保护品种的研发与产业化，重点开展大品种品牌中成药二次开发。开发有抗氧化、辅助改善记忆、降血压、降血脂、降血糖等功能的中药保健品。重点发展抗氧化、肿瘤辅助治疗、亚健康调理等中药养生食品（药膳）。大力发展具有美容、保健功效的中药功能型化妆品，运用中医药治疗理念、方法和模式的各种保健器材，药、酒、果、茶等相关的中医药衍生品。

加强营销助力。通过加大品牌营销力度，以"学术营销"为推力，推动营销模式创新，积极实施"智慧营销"。

突破地域限制，实现适度全产业链发展。南通部分有条件的中医药企业，可以克服本市土地资源相对紧张、资金和技术资源相对受限的障碍，积极实施"走出去 + 引进来"战略，引进外来资本，盘活资产存量，实现技术的更新换代。同时，通过和市外企业合作投资等方式，突破地域限制，实现适度全产业链发展，形成原料安全可追溯、制剂质量有保证、产业资源无边界的全产业链发展模式。

（5）响应民众健康需求，大力发展中医药健康服务业。合理规划中药材经济区划。鼓励发挥区域优势，建设可持续、多元化、特色化的中药材产区经济。重点发展浙贝母、延胡索、蒲公英等特色药材。

提升中医养生保健服务能力。鼓励中医医疗机构、养生保健机构走进机关、学校、企业、社区、乡村和家庭，推广普及中医养生保健知识和易于掌握的理疗、推拿等中医养生保健技术与方法。推广融入中医治未病理念的健康工作和生活方式。

支持社会力量建立中医养生保健机构，实现集团化发展或连锁化经营。实施中医治未病健康工程，加强中医院治未病科室建设，为群众提供中医健康咨询评估、干预调理、随访管理等治未病服务，探索出融健康文化、健康管理、健康保险于一体的中医健康保障模式。鼓励中医院、中医医师为中医养生保健机构提供保健咨询、调理和药膳等技术支持。

发展中医药健康养老服务。支持各级中医院设置或明确老年病科，鼓励中医医疗机构面向老年人群开展上门诊视、健康查体、保健咨询等服务。推动中医医疗资源进入养老机构、社区和居民家庭。支持养老机构与中医医疗机构合作，建立快速就诊绿色通道，鼓励中医医师在养老机构提供保健咨询和调理服务。鼓励社会资本兴建以中医药健康养老为主的护理院、疗养院，探索设立中医药特色医养结合机构，建设一批医养结合示范基地。

发展中医药文化和健康旅游产业。发展中医药文化产业，集中整理、出版一批反映国医大师朱良春等学术思想的中医药文化特色专著。鼓励地方结合当地特色发展中医传统运动健身休闲产业，加快养生产业园、药膳食疗馆等中医药健康旅游示范区（基地）建设，开展中医药健康旅游精品线路建设和养生度假基地建设。鼓励有条件的旅游景区、度假区、园区开发中医药养生旅游产品项目，促进中医药旅游商品创新开发。

（6）顺应互联网发展趋势，大力发展"互联网 + 中医药"战略。推进中药制造信息化。加快企业 GMP 质量控制信息化建设，开展医药智能制造试点示范，促进工业机器人、数控技术和智能装备的推广应用。支持饮片加工企业利用信息化技术开展"虚拟中药房"建设，提升医疗机构中医药服务能力。鼓励企业开展移动支付、网络精准营销和线上到线下（online to offline）体验式营销。

推进中医药服务信息化。推进以中医电子病历为基础的中医院信息化建设，重点建设中医药特色诊疗信息化服务平台。积极推进中医药云健康系统建设，实施医养结合、中医养生大数据分析服务平台建设工程，积极开展家庭和医疗联合体远程诊疗教育服务平台试点等工作。

（四）南通中医药事业与产业振兴发展的保障措施

1. 实现体制机制创新，推动各项政策落地

紧紧抓住"长三角一体化"和"江苏沿海开发"两大国家战略的发展契机，坚持政府主导，发挥市场机制作用，加快关键环节改革步伐，冲破思想观念束缚，破除利益固化藩篱，清除体制机制障碍，发挥科技创新和信息化的引领支撑作用，形成具有南通特色、促进南通中医药健康产业发展的制度体系。借鉴北京经验，建立中医药工作部门联席会议，由市分管领导担任召集人，统筹协调推进南通中医药产业发展的全局性工作，研究制定南通中医药发展的重大政策举措，审议重大项目和重要工作安排，协调解决发展中出现的重大问题。在南通市市场监督管理局设立联席会议办公室，联席会议办公室要加强统筹协调，制定配套文件和分工方案。加强对各项中医药政策措施落实的指导、督促和检查。各区政府建立相应组织协调机制，结合实际制订具体实施方案。

2. 统筹规划与组织实施保障

依法切实履行保护、扶持、发展中医药事业的政府责任，将推动中医药事业发展列入南通经济社会发展规划及相关专项规划。健全南通中医药健康产业体系，完善南通中医药健康产业发展推进协调机制，明确南通中医药健康产业发展的牵头单位与其职责，强化人员配备，落实工作职责。同时，要不断完善中医药工作部门联席会议制度，努力形成上下联动、多部门协作、高效推进的南通中医药工作格局。此外，健全南通中医药产业发展创新的考核机制和问责制度，建立相应的评价评估制度和督查考核机制，确保南通中医药产业发展各项任务落实到位。

3. 人才支持政策

针对南通中药企业普遍存在的各类、各层次人才短缺问题，一方面，由政府出资，由政府药监部门制订并执行中医药企业在职员工继续教育培训计划，由具体负责部门牵头，聘请中医药技术、管理专家每年定期组织企业人员进行专业培训，提升中医药企业从业人员专业素养。另一方面，加强中药材资源保护、种植养殖、精深加工、鉴定技术以及中成药生产、质检、信息服务与管理等专业人才发展统筹规划和分类指导，强化职业技能培训。支持企业与南通大学、南京中医药大学、中国药科大学等高校合作，实行人才的订单式培养或委托培养，创新人才培养方式，完善从研发、转化、生产到流通的产业链人才体系，保障南通中医药企业对中医药专业人才的需求。

针对中医药领域高端人才短缺的问题，考虑到南通虽地处长江三角洲地区，但相较于邻近的上海、苏州等地，区位优势并不明显，难以大量引进行业高端人才，因此，可以考虑依托与南通政府或企业有合作关系的高校、科研机构平台，建立高级人才及团队的柔性流动机制，稳步推进中医药人才纵横双向交流。

基层是中医药发展的根基。针对南通基层中医药人才短缺问题，要多开展面向基层的中医类别全科医生培训和转岗培训，有针对性地开展在职在岗中医药人员中医继续教育和临床类别医师、乡村医生中医药知识与技能培训。首先，基层医疗机构可以依托南京中医药大学、中国药科大学、

南通大学等院校及中医院，组织不同层次的中医药继续教育和培训，利用"走出去＋请进来"的模式，使基层医务人员有机会接受中医药教学培训；其次，适度引入社会资本，在社区卫生服务中心和乡镇卫生院建设标准化的中医药文化氛围浓郁并相对独立的中医药综合服务区；再次，可以与一些职业学院联合，建立南通中医药适宜技术推广培训中心；最后，与专科专病优势突出的中医院合作，筛选中医药适宜技术，开展县、乡、村医务人员的现场培训和实训工作。

4. 财税与投融资支持政策

建立相对稳定的南通中医药产业财政投入增长机制。要切实落实国家中西医并重的要求，确保财政每年按一定金额对中医药进行投入，使中医药产业的投入增长比例和卫生与健康事业的投入增长比例相协调。贯彻落实国家对符合高新技术企业条件并认定为高新技术企业的中医药企业的税收优惠政策：按税法规定的最优惠税率征收企业所得税；中医药服务类企业属增值税小规模纳税人的，按照简易计税方法和征收率计算缴纳增值税；对企业中药材的种植项目所得，可按税收法律法规规定减免企业所得税。

引导金融机构加大对南通中医药产业发展重点项目的融资支持和利率优惠。鼓励金融机构和担保机构向符合条件的中医药企业提供贷款。创新财政资金支持方式，加大用于中医药特色品种、基地、工程、企业和项目等发展重要支撑的补助与奖励。支持南通中医药企业在产业链延伸领域，包括煎配服务、虚拟药房、零售药店、中医药门诊部等健康服务业的投资发展，并积极引导社会各级各类相关投资基金支持南通中医药健康产业发展重点潜力项目。可借鉴连云港的经验，设立中医药产业创新发展基金，借助组建金融控股集团和金融大厦服务业大市场的机会，探索设立医药产业投资银行，为创新型、高成长型项目提供有力的信贷、融资支持。建设以各类中医药机构为主体、以项目为基础、以各类基金为引导、社会各界广泛参与的多元化投融资模式。

5. 信息化支持政策

建设南通统一权威、互联互通的人口健康信息平台，形成"互联网＋中医药"的产业发展新模式，加强中医药大数据应用体系建设，推进基于区域人口健康信息平台的医疗健康大数据开放共享、深度挖掘和广泛应用。消除数据壁垒，建立多部门多领域密切配合、统一归口的健康医疗数据、信息共享机制，实现公共卫生、医疗服务、医疗保障、药品供应、综合管理等应用信息系统的数据采集、集成共享和业务协同，为南通中医药企业更精准地向市场提供中医药产品与服务提供全面的数据信息支撑。同时，打通南通各级中医医疗机构之间的信息屏障，确保人民群众能在各级中医医疗机构中享受到最优的中医药服务。

建设中药全产业链综合信息公共服务平台，借助大数据技术，聚合原本分散于各部门、各行业、各阶段的数据信息，推进南通中药全产业链发展。推广智慧药房，投建医养结合站，开发智慧医药手机软件，推出"南通健康云"平台，打造南通中医药"大健康＋大平台＋大数据＋大服务"产业体系。

6. 创新支持政策

坚持创新驱动，为南通中医药产业发展注入新动力。南通中医药企业总体上创新能力不强，行业领军企业的创新投入也仅占销售收入的 4%，新药数量极少。因此，要建立更加紧密、协同的中医药科技创新机制，促进高校（如南通大学、南京中医药大学、中国药科大学等）、科研院所、企业、孵化平台，以及资金、人才等各类创新要素在中医药产业链条上集聚，推动产学研用同频共振，进一步健全科技创新转化机制，建强中医药科技创新促进中心，建优各类支撑平台，配备必要的专业工作人员，促进中药产业转型升级，促进中医药新业态孕育、发展、壮大，提升中药产业对南通经济社会的贡献率。

鼓励中医药企业加大创新研发投入。支持设立中医药产业的行业协同创新中心、区域创新服务和综合类创新服务平台以及企业技术（设计）中心。可借鉴浦东的经验，建立可供中医药供需双方查阅的信息库，创建并完善南通中医药科技成果转化服务平台网站，定期举办中医药科技成果征集与转化推介会，打通线上线下对接的渠道。充分发挥中医药创新促进中心的平台优势，遴选 10 个左右有转化前景的产品给予支持。

7. 产业国际化支持政策

目前南通中医药产业国际化水平低，只有启东盖天力药业有限公司等少数企业有少量中药产品出口。"一带一路"国家倡议和中非合作给中医药产品服务带来良好出口机遇，南通要趁此机会，利用其国家独家品种较多的优势，借鉴广东的经验，鼓励南通中医药企业针对"一带一路"沿线国家常见病、多发病、慢性病以及重大疑难疾病的诊治需求，区别化地申请沿线国家和非洲国家的知识产权保护、国际专利，加大南通中药资源和中医药知识产权保护力度，推动南通特色中药产品在沿线国家和非洲国家上市销售。

二、盱眙中药资源产业发展规划

自 2014 年 4 月江苏第四次中药资源普查（试点）工作启动以来，盱眙县中药资源普查队在江苏中药资源普查领导小组办公室的统领下，在相关单位的大力支持和普查队员的共同努力下，圆满完成了上级部门规定的各项普查任务。通过线路踏查、样地调查、样线调查（标本、药材、种质资源采集）、中药材市场走访、栽培基地走访及地方传统中医药知识调研，基本掌握了盱眙境内中药资源种类、分布、数量、质量、利用情况、受威胁因素、生态环境变迁、生物入侵程度，以及和中医药有关的传统知识等基础资料，为盱眙进一步整合协调中药产业发展提供了理论依据。

（一）盱眙行政区划及自然地理概况

盱眙地处北纬 32°43′29″ ~ 33°11′04″，东经 118°11′43″ ~ 118°54′26″，位于长江三角洲地区，坐落在淮安市西南部、淮河下游、洪泽湖南岸、江淮平原中东部；东与金湖、安徽天长相邻，南、西分别与安徽来安和明光交界，北至东北分别与泗洪、洪泽接壤。县界总长373.972 km，县域面积 2 497.3 km²，人均国土面积位列江苏各县之首。

1. 盱眙行政区划

盱眙县设 10 镇 3 街道 2 场，分别为马坝镇、官滩镇、天泉湖镇、桂五镇、管仲镇、河桥镇、鲍集镇、黄花塘镇、淮河镇、穆店镇，盱城街道、古桑街道、太和街道，三河农场、盱眙县林总场。全县共有 154 个村（社区），2 789 个村民小组。

2. 盱眙自然地理概况

盱眙地势为西南高，多丘陵低山，东北低，多平原，呈阶梯状倾斜，最高海拔高度差达223 m。境内有淮河流过，北部濒临洪泽湖，有低山、丘岗、平原、河湖圩区等多种地貌。龙王山水库是县内最大的水库。河桥镇的狮子峰海拔 231 m，为盱眙境内最高点；马坝镇的衡西圩海拔8 m，为盱眙境内最低点。

盱眙地处北亚热带与暖温带过渡区域，属季风性湿润气候。四季分明，季际、年际变异性突出，春季气温回升快，秋季降温早，春、秋两季光照充足，昼夜温差大，夏季较炎热（最高气温37 ~ 39 ℃，持续不超过 5 天），冬季寒冷早（最低气温-12 ℃，持续不超过 7 天），年总日照时数2 056 小时，年平均气温 15.3 ℃，无霜期 255 天，年降水量 972 mm。年内光温资源呈"双峰"型分布，境内气候资源分布略有差异。西北部日照时数高于东南部，年日照时数相差 100 ~ 120 小时；气温由西南向东北递减，相差 0.4 ℃；水冲港村及天泉湖（化农水库）一带降水量最多，可形成闭合雨量圈，地域差异达 120 mm。

3. 盱眙生态区域特点

盱眙西南部河桥镇、古桑街道、天泉湖镇、穆店镇、桂五镇一线，以低山丘陵、岗地等为主，多为杂木林或人工林，平均海拔 150 m 左右，且水库众多，有化农水库、桂五水库、长港水库等。该地区野生中药资源丰富，且多有集中规模化的栽培。由于城镇化建设，盱眙县城区域除了第一山周边山系外都为城市建设用地，已无中药资源。盱眙北部官滩镇一线主要为淮河圩荡区以及小部分的沿河岗地（甘泉山、大尖山等），沿河的地理优势使该地区拥有良好的水热条件，丘陵岗地的野生中药资源种类、蕴藏量较为丰富。盱眙淮河以北的鲍集镇、淮河镇、管仲镇一线，生境较为单一，为淮河围垦区，野生中药资源分布较少且零散。

根据盱眙整体地貌特点与自然生态条件，可将其划分为以下 5 个区。

（1）铁山寺森林公园区。本区位于盱眙西南角，毗邻安徽明光、天长，平均海拔 100 m 左右。本区天泉湖镇的铁山寺森林公园植被保护完整，风景秀丽，古树耸立，为各类药用植物提供了优良的生长环境，公园占地面积 70.58 km²，其中有 61.58 km² 的次生林海和 9 km² 的天泉湖，构成了极其独特的小气候环境，是生物多样性十分丰富的野生动植物王国。本区绝大多数动植物为南北地域边缘物种，是天然的动植物基因库。

（2）西南部低山丘陵区。本区为河桥镇—桂五镇水冲港村一线及附近的丘陵及水库。本区与铁山寺森林公园区基本连片，人工利用的痕迹重，放牧牛羊众多，人工杉木林、板栗林、马尾松林占绝大部分，也多见桃树等经济植物。林下的裸露石灰岩为蜈蚣的生长提供了绝佳场所。近年来由于风力发电设施的大规模建设，本区生态环境破坏较为严重。

（3）南部林场区。本区以林山林场为中心，包括穆店镇、黄花塘镇等地的孤丘以及附近的村落和水库。本区生态环境保护较好，为自然典型的低丘地貌。

（4）沿淮岗地区。本区为自河桥镇、古桑街道、盱城街道至官滩镇一线的沿淮南部低矮岗地，水热条件优良，植物资源丰富且具有南北过渡特点。

（5）淮河圩荡区。本区为以鲍集镇、淮河镇、管仲镇为中心的平原地区。本区湖荡众多，淮河自西南穿流而过。绝大多数土地被开垦用于农业、渔业生产，野生植物资源不甚丰富，水生药用植物资源较多。

明确不同区域的中药资源特点可进一步为中药材生产、保护与信息联动提供指导。

（二）盱眙中药资源概况

1. 中药资源种类

盱眙横跨淮河南北，属于北亚热带与暖温带过渡区域，因此也兼具两类气候带的植物区系特征，使得药用植物资源的分布也存在南北过渡的特点。如杠柳（北五加皮、香加皮）多分布于官滩镇沿淮河南岸，较为集中的分布地区却为淮河以北的大部分区域；再如棉团铁线莲广泛分布于江苏以北的省份，却在盱眙的沿淮岗地较为常见。

盱眙平原、岗地、丘陵、湖泽等不同地貌地形，使其具有丰富的野生药用植物资源。第四次中药资源普查结果表明，盱眙共有375种药用植物，隶属90科270属，所有植物均采集了相应的腊叶标本凭证，共1 000份。

2. 中药资源分布区域

盱眙自然地理环境多样，因此境内药用植物分布类型也各有特色。

（1）铁山寺森林公园区。由于古刹铁山禅寺坐落于此，本区的自然生态环境一直保持的较为完好，参天古树众多，人类活动的干扰不大，生态稳定，环境优良。本区常见的一年生或二年生植物有小苜蓿、救荒野豌豆、北美独行菜、龙葵、荠菜、天名精、斑地锦、刻叶紫堇；常见的多年生草本有宝铎草、金疮小草、香根芹、延胡索、孩儿参、猫爪草、老鸦瓣。由此可知，本区的药用植物均为耐阴型植物，多生于林下、路边等，这也体现出了本区优良的生态环境。

（2）西南部低山丘陵区。本区近年来受人类活动影响，生态环境有恶化的趋势。由于不断的砍伐、焚烧，本区的植物多数处于不断次生演替之中，自然恢复的乔灌木多呈幼小状态。但本区植物生长空间较为开阔，光照条件好，湿度相对较小。常见的灌木或乔木有郁香忍冬、狭叶山胡椒、芫花、卫矛、白杜、小叶女贞、野山楂；多年生草本植物有石沙参、石竹、直立百部、紫花地丁、白头翁、瓜子金、夏枯草。

（3）南部林场区。本区的自然环境优良，以林山林场为核心，周围的林地基本均为较茂密的落叶阔叶林。在林地边缘的开阔草甸上，生长有大量的远志、徐长卿、白鲜、寻骨风。

（4）沿淮岗地区。本区拥有独特的水热条件，有杠柳、棉团铁线莲、线叶旋覆花、地构叶等常分布于淮河以北的药用植物。本区的第一山地区由于城镇化的影响，野生植被退化严重。

（5）淮河圩荡区。本区多为沿淮河农田，境内湖泊星罗棋布，也是盱眙生态环境的有机组成部分。本区绝大部分土地都被开垦用于农林渔牧生产，仅有极小部分残留为小块林地。常见药用植物有小蓟、半边莲、野胡萝卜、益母草、蓟、地梢瓜、苦参、忍冬、华东蓝刺头等。

3.中药资源分布特点

（1）不同生态类型分布殊异。中生类型的药用植物多生长于荒地路边，如杠板归、夏枯草、紫苏、萹蓄、天葵、野胡萝卜、垂序商陆等。山间阴湿处、溪涧边分布的多为湿生植物，如薄荷、野灯心草、过路黄、蕺菜、活血丹等。竹林或落叶阔叶林下分布有黄精、玉竹、直立百部等耐阴植物。山坡开阔草甸则多分布有瓜子金、芫花、白头翁、远志、徐长卿等较为耐旱的植物。

（2）野生药材资源变化较大。第四次中药资源普查结果表明，盱眙共有375种药用植物，隶属90科270属。由于山区风力发电设施的大规模兴建，加之近30年来人类对自然环境的破坏，与第三次中药资源普查相比，盱眙药用植物减少了200余种。

据调查，盱眙野生重点中药资源蕴藏量丰富的药材品种有仙鹤草、败酱草（黄花败酱）、连钱草、野马追、石见穿等，这些药材曾因无序采挖而导致资源量减少。近年来，野马追等野生资源无法及时满足供应，盱眙有众多中药材合作社开始进行药材集中规模化栽培与收购。人工栽培的开展使得盱眙特色品种中药材的资源量得以稳定。

（三）盱眙中药资源调查成果

1.中药资源普查覆盖全县域

盱眙县普查队在3年的外业调查工作中，总计完成36个样地、182个样方套的规定调查任务。通过样线调查采集标本523号，涉及药用植物375种；采收药材资源150份（其中重点调查品种108种）、种质资源23种（其中重点调查品种20种）；走访民间医生2位，获得地方中医药传统经验知识2条。

在盱眙西南部低山丘陵区调查了当地规模化种植的野马追、败酱草（黄花败酱）等8种特色中药材的栽培情况；走访了河桥镇、天泉湖镇的2家中药材合作社（收购站），了解了当地9种市场主流品种的价格、收购量、收购去向等信息。共拍摄照片2.6万余张，获取录音资料6份、录像资料17份。

2.重点中药资源品种

在本底资料《盱眙县中药资源名录》和《国家野外重点调查中药资源名录》的基础上，通过前期的野外踏查、走访，确定了重点品种 103 种，后又根据实际情况，增加了数十种，最终确定重点调查药材品种为 181 种。

盱眙县普查队通过调查当地中药材合作社，实地走访栽培产地，对当地特色的泽兰、佩兰、紫苏叶、红旱莲、野马追、败酱草等进行了深入了解（表 1-9-1）。此外，又在样线调查过程中考查、采集了 109 种重点药材，初步掌握了盱眙重点中药资源种类、分布、数量、质量及利用情况。

表 1-9-1　盱眙部分重点药材栽培生产情况

药材名	基原中文名	基原拉丁学名	栽培面积 / 亩	亩产量 /（kg/亩）	总产量 / kg	价格 /（元 / kg）
泽兰	地笋（硬毛变种）	*Lycopus lucidus* Turcz. var. *hirtus* Regel	40	100	4 000	2.5
紫苏叶	紫苏	*Perilla frutescens* (L.) Britt.	150	200	30 000	4.5
佩兰	佩兰	*Eupatorium fortunei* Turcz.	20	100	2 000	12
红旱莲	黄海棠	*Hypericum ascyron* L.	10	120	1 200	9
野马追	轮叶泽兰	*Eupatorium lindleyanum* DC.	140	180	25 200	10
败酱草	败酱	*Patrinia scabiosaefolia* Fisch. ex Trev.	200	150	30 000	5
薄荷	薄荷	*Mentha haplocalyx* Briq.	20	20	400	5
鱼腥草	蕺菜	*Houttuynia cordata* Thunb.	5	800	4 000	4.5

注：资料来源于"中药资源普查信息管理系统"。

3. 大宗药材资源及蕴藏量

第四次中药资源普查不仅对盱眙中药资源的种类和分布进行了实地调查，还对样方内出现的重点调查药材进行了蕴藏量的统计测算。在前期，普查队根据盱眙植被分布本底资料，采用系统抽样的方法按照植被类型划分若干代表区域，在不同的代表区域内，以随机布点的方式在全县自然植被范围内生成了 46 个样地；在外业调查过程中，每个样地根据实际情况，按照一定的方法设置 5 个样方套，每个样方分别设置了 1 个 10 m×10 m 的乔木样方、1 个 5 m×5 m 的灌木样方和 4 个 2 m×2 m 的草本样方，对样方内出现的重点品种的数量和单株药材产量进行记录，根据调查中获取的数据进行全县样方内出现的重点调查药材蕴藏量的测算。完成了 925 种次的药用植物数量调查工作及 118 种次的药用植物的称重工作，有蕴藏量的中药资源达 47 种，其中蕴藏量较丰富的药材有商陆、葛根、络石藤、五加皮、连钱草等。详见表 1-9-2。

表 1-9-2　盱眙样方内重点调查药材资源及其蕴藏量

药材名	基原中文名	基原拉丁学名	分布面积 /km²	单位面积蕴藏量 /（kg/km²）	蕴藏量 /kg	分布地区
银杏叶	银杏	*Ginkgo biloba* L.	2.75	1 040.86	2 860.03	桂五镇、盱城街道
柏子仁	侧柏	*Platycladus orientalis* (L.) Franco	38.16	3 132.91	119 538.32	河桥镇、桂五镇等
侧柏叶	侧柏	*Platycladus orientalis* (L.) Franco	38.16	3 278.63	125 098.24	河桥镇、桂五镇等
萹蓄	萹蓄	*Polygonum aviculare* L.	0.74	460.00	342.63	天泉湖镇

药材名	基原中文名	基原拉丁学名	分布面积/km²	单位面积蕴藏量/（kg/km²）	蕴藏量/kg	分布地区
杠板归	杠板归	*Polygonum perfoliatum* L.	3.77	900.40	3 392.39	天泉湖镇等
商陆	垂序商陆	*Phytolacca americana* L.	15.48	20 937.64	324 063.76	河桥镇、古桑街道等
瞿麦	石竹	*Dianthus chinensis* L.	7.84	1 103.03	8 646.85	河桥镇、古桑街道等
牛膝	牛膝	*Achyranthes bidentata* Blume	27.73	443.82	12 305.52	河桥镇、古桑街道等
青葙子	青葙	*Celosia argentea* L.	0.78	45.45	35.39	河桥镇、天泉湖镇
白头翁	白头翁	*Pulsatilla chinensis* (Bunge) Regel	21.30	1 200.12	25 563.81	河桥镇、古桑街道等
天葵子	天葵	*Semiaquilegia adoxoides* (DC.) Makino	4.20	346.68	1 455.36	河桥镇、桂五镇
菥蓂	菥蓂	*Thlaspi arvense* L.	2.71	3 959.96	107 224.66	河桥镇、桂五镇
枇杷叶	枇杷	*Eriobotrya japonica* (Thunb.) Lindl.	1.26	2 823.33	3 551.91	穆店镇
决明子	决明	*Cassia obtusifolia* L.	1.92	4 708.62	9 025.72	古桑街道、河桥镇、官滩镇
葛根	葛	*Pueraria lobata* (Willd.) Ohwi	28.56	16 829.00	480 663.81	河桥镇、桂五镇等
苦参	苦参	*Sophora flavescens* Ait.	6.23	4 469.59	27 826.62	河桥镇等
京大戟	大戟	*Euphorbia pekinensis* Rupr.	0.90	1 914.02	1 720.06	官滩镇、古桑街道
白鲜皮	白鲜	*Dictamnus dasycarpus* Turcz.	0.69	6 644.35	4 564.25	桂五镇、穆店镇
瓜子金	瓜子金	*Polygala japonica* Houtt.	4.44	1 565.62	6 959.09	天泉湖镇、桂五镇、古桑街道
远志	远志	*Polygala tenuifolia* Willd.	3.59	384.65	1 382.69	官滩镇、穆店镇
白蔹	白蔹	*Ampelopsis japonica* (Thunb.) Makino	64.33	52.27	3 362.13	桂五镇、河桥镇等
苘麻子	苘麻	*Abutilon theophrasti* Medics	0.37	213.33	79.45	天泉湖镇
芫花	芫花	*Daphne genkwa* Sieb. et Zucc.	76.45	328.94	25 149.02	河桥镇、古桑街道等
五加皮	细柱五加	*Acanthopanax gracilistylus* W. W. Smith	2.98	14 880.00	44 333.24	河桥镇
紫花前胡	紫花前胡	*Peucedanum decursivum* (Miq.) Maxim.	3.39	838.65	2 839.31	河桥镇、天泉湖镇、桂五镇
柴胡	红柴胡	*Bupleurum scorzonerifolium* Willd.	1.75	332.45	582.59	官滩镇
南鹤虱	野胡萝卜	*Daucus carota* L.	20.36	1 973.15	40 180.57	河桥镇、桂五镇、天泉湖镇等
女贞子	女贞	*Ligustrum lucidum* Ait.	2.88	1 080.00	3 113.46	古桑街道、盱城街道
络石藤	络石	*Trachelospermum jasminoides* (Lindl.) Lem.	67.23	23 752.30	1 596 839.47	桂五镇、河桥镇
徐长卿	徐长卿	*Cynanchum paniculatum* (Bunge) Kitag.	0.41	2 733.33	1 110.26	河桥镇
连钱草	活血丹	*Glechoma longituba* (Nakai) Kupr.	33.78	278 319.00	9 402 867.23	古桑街道、桂五镇等
薄荷	薄荷	*Mentha haplocalyx* Briq.	0.81	320.00	259.96	河桥镇
紫苏叶	紫苏	*Perilla frutescens* (L.) Britt.	16.71	8 503.94	142 132.30	古桑街道、桂五镇等

药材名	基原中文名	基原拉丁学名	分布面积/km²	单位面积蕴藏量 / (kg/km²)	蕴藏量 /kg	分布地区
紫苏梗	紫苏	*Perilla frutescens* (L.) Britt.	16.71	12 646.89	211 376.20	古桑街道、桂五镇等
丹参	丹参	*Salvia miltiorrhiza* Bunge	0.78	953.57	742.47	河桥镇、天泉湖镇
半枝莲	半枝莲	*Scutellaria barbata* D. Don	0.72	3 424.87	2 468.33	桂五镇、穆店镇
金银花	忍冬	*Lonicera japonica* Thunb.	168.15	5 264.47	885 226.82	河桥镇、古桑街道等
忍冬藤	忍冬	*Lonicera japonica* Thunb.	168.15	9 459.60	1 590 642.06	河桥镇、古桑街道等
南沙参	沙参	*Adenophora stricta* Miq.	2.44	4 291.94	10 491.93	古桑街道、桂五镇等
桔梗	桔梗	*Platycodon grandiflorus* (Jacq.) A. DC.	2.37	18 246.25	43 169.02	桂五镇、天泉湖镇、官滩镇
天名精	天名精	*Carpesium abrotanoides* L.	41.61	390.70	16 255.34	河桥镇、古桑街道等
天冬	天冬	*Asparagus cochinchinensis* (Lour.) Merr.	5.72	2 559.99	14 646.80	桂五镇、河桥镇、天泉湖镇
菝葜	菝葜	*Smilax china* L.	74.89	446.11	33 409.60	河桥镇、桂五镇等
百部	直立百部	*Stemona sessilifolia* (Miq.) Miq.	34.56	1 951.54	67 437.41	河桥镇、桂五镇等
白茅根	白茅	*Imperata cylindrica* (L.) Beauv.	45.37	2 307.04	104 664.76	河桥镇、古桑街道等
半夏	半夏	*Pinellia ternata* (Thunb.) Breit.	1.90	417.85	792.20	河桥镇、天泉湖镇
地骨皮	枸杞	*Lycium chinense* Mill.	16.05	6 488.88	104 118.89	桂五镇、河桥镇、官滩镇等

注：资料来源于"中药资源普查信息管理系统"，蕴藏量数据由该系统根据盱眙县普查数据计算而得。

4. 中药资源变化趋势

随着生态环境、森林资源和农业种植结构的变化与调整，盱眙中药资源在药材数量、优势药材品种和药材蕴藏量等方面都发生了巨大变化。从总体上来说，盱眙丘陵岗地与沿淮平原滩涂生境各占一半左右，西南部大部分地区为丘陵，西、北、东三面以平原为主。丘陵山区是江苏传统中药材产区之一，自然林木覆盖率较高，野生中药材采收以及道地特色中药材的栽培是当地农业经济的重要组成部分，中药材产业发展较江苏其他地方好，形成了一定的规模效益。

由于城镇生产生活用地需求的增长，加上当地大规模开发风力发电设施，不可避免地造成了自然林的破坏及部分品种药材资源的减少。总体而言，常用特色药材野生资源呈持续减少趋势，如远志、徐长卿、百蕊草等植物野外虽然偶尔可见，但是已经相当局限；有些物种如北方獐牙菜、龙胆、条叶龙胆、地黄、阴行草、绶草等，目前已难见踪迹。

（四）盱眙中药材产业发展现状

1. 野生药材收购现状

盱眙山区地处大别山余脉，药材资源丰富，是江苏三大中药材产区之一。1983 年，第三次全国中药资源普查江苏重点调查了 360 种药材，其中盱眙就有 153 种，占 42.5%；江苏规定的 35 个重点调查品种中盱眙有 24 种，占 68.6%。盱眙丘陵区裸露的石灰岩较多，为蜈蚣提供了良好的生境，当地野生蜈蚣资源丰富。第四次中药资源普查过程中发现，盱眙西南部地区的村民会自发采收当地蕴藏量极高的连钱草、黄花败酱、仙鹤草，由当地收购站进行收购。农民自发的采收行为较为分散，需要建立一套合作机制，保证采集的药材有销售渠道。

2. 特色中药材栽培

盱眙良好的生态环境同样为药用植物的人工栽培提供了基础。依托盱眙道地且品质较好、市场认可度较高的中药材种类，发展了野马追、丹参、连钱草、败酱草、石见穿、紫苏、佩兰、红旱莲等药材的人工栽培，栽培药材远销省内外，全县中草药年产值 5 亿元以上。其中野马追的栽培规模最大，在当地形成了产业。此外，紫苏、石见穿、败酱草的栽种面积也达到千亩以上。

3. 特色药材野马追资源产业

盱眙特色药材野马追的基原为菊科植物林泽兰 *Eupatorium lindleyanum* DC.，而在较早版本的植物志中，野马追被作为林泽兰叶片分裂的变种，拉丁学名为 *Eupatorium lindleyanum* DC. var. *trifoliolatum* Makino。本变种形态较稳定，且具有临床应用价值，仍可看作一个特殊的栽培类型。作为中成药的原料，野马追每年的需求量都较为稳定，因此盱眙的栽培规模逐年扩大，成为当地大力发展的产业之一，并成立了相应的种植协会。近年来又在天泉湖镇以及黄花塘镇等地建立了规范化种植基地。

4. 地方中药材合作社

虽然盱眙野生中药材分散采集户多，但形成了一批专业进行中药材栽培、收购的技术人员和经营人员，盱眙县普查队在河桥镇、天泉湖镇（原王店乡辖区）走访了当地 2 家规模最大的中药材合作社，了解到了地方中药材合作社在带动当地中药材产业发展中的作用。

中药材合作社一方面是药材收购加工点，保证了当地零散采集的野生中药材资源都有集中统一的销售去向；另一方面，合作社也是中药材栽培的指导机构，除了依靠自身技术力量发展特色中药材种植，更把最新的市场与技术信息带给了当地的种植户，形成了良性发展态势；最重要的是，地方合作社也是县级中药材资源产业的高级形式，需要大力引导扶持，使其发挥最大作用，带领盱眙农民发家致富。

（五）盱眙中药资源区划草案

盱眙县普查队在 3 年的时间内，对当地的中药材资源特点有了基本清晰的认识。根据调查所得数据，将整个县进行资源区划，以期为未来盱眙中药资源产业进一步的发展奠定基础。

1. 盱眙中药资源区划概况

综合考虑盱眙的地貌类型、植被类型、土壤类型、土地利用类型、中药材综合利用模式等相关因素，初步划定了盱眙中药资源区划（图 1-9-1）。

（1）沿淮河野生和栽培药材区。本区包括盱城街道、管仲镇、淮河镇、官滩镇，以及河桥镇

I 沿淮河野生和栽培药材区
II 西南部低山丘陵野生家种药材区
III 铁山寺森林公园野生药材区

▲盱眙县城

图 1-9-1　盱眙中药资源区划

东部、古桑街道北部区域。本区横跨淮河两岸，北达洪泽湖南岸。整体生境以平原为主，盱城街道中心及官滩镇北部沿淮有少量低丘岗地，平均海拔在 50 m 以下。人工植被主要为农田栽培植物和少量人工林，自然植被以沿河滩涂水生、湿生植物为主，低丘区域有少部分较有特色的药用植物。

本区的中药资源主要为药食两用农作物、伴人植物、田间杂草、沟渠边荒地草本和灌木、南北过渡植物，如桑、黄蜀葵、赤小豆、绿豆、落花生、盐肤木、杠柳、棉团铁线莲、线叶旋覆花、地构叶等；沿淮滩涂、池塘的中药资源为野生湿生、水生植物，主要有芦苇、莲、香附子、白茅、东方香蒲、水烛香蒲、泽泻、碎米荠、野灯心草、野慈姑、菖蒲等。

（2）西南部低山丘陵野生家种药材区。本区为盱眙西南部的低山丘陵区域，属于大别山脉延伸的余脉，绝大部分丘陵海拔在 200 m 以下，以海拔 50 ～ 100 m 的平岗地为主，包括桂五镇西部、天泉湖镇、河桥镇大部、古桑街道大部。本区南部与铁山寺森林公园自然连接。人工植被主要为经济林，如马尾松林、板栗林、杉木林、侧柏林、桃林，自然植被多数为杂木林和开阔的平岗草甸、稀疏的灌木林。本区可划分为以下 2 个亚区。

1）野生药材亚区。本亚区主要为西南丘陵地区的外围区域，包括古桑街道大部、河桥镇大部以及本区海拔 150 m 以上的区域。本亚区仍保留部分自然植被，是野生植物资源多样性最丰富的地区之一。山区是盱眙中药资源的主要来源地之一。在本亚区采集、收购、流通的野生药材有葛根、百合、铁包金（多花勾儿茶）、益母草、败酱草、雷公藤、金荞麦、连钱草、仙鹤草、延胡索、太子参、猫爪草、大蓟、小蓟、桔梗、金疮小草、石见穿、金银花等。

2）家种药材亚区。本亚区位于西南丘陵的核心区域，主要包括天泉湖镇（原王店乡辖区）、桂五镇大部、河桥镇部分区域（原仇集镇辖区）。本亚区是家种药材的主产区，也是盱眙中药材产业的中枢，大部分中药材合作社都位于此。本亚区成规模栽培的药材有野马追、败酱草、石见穿、泽兰、紫苏、红旱莲等。

（3）铁山寺森林公园野生药材区。本区主要包括铁山寺森林公园和周边林地，以及盱眙东南部的林山林场部分生态优良、人工干预较少的地区。

本区拥有茂密的林地，耐阴、喜湿润山地环境的药用植物主要产于此，药材种类丰富，但是较分散，主要野生药材资源有老鸦瓣、延胡索、刻叶紫堇、木通、紫花前胡、宝铎草、天门冬、直立百部、蝙蝠葛、百合、异叶天南星、细柱五加、络石等。

2.盱眙中药资源发展建议

（1）积极扶持中药材合作社，稳定中药材栽培生产，形成产业联动。中药材合作社是盱眙民间自发组织的生产合作组织。这种方式在农、林产业领域早有应用。合作社对于保证中药材的质量、产量，维护药农利益，推广先进栽培经验具有积极的作用。

在药用植物的生产上，合作社可以通过统一提供优良品种种子的方式，保证区域内种植中药的优质种质来源，为药材质量把好第一关。此外，合作社还可与农户签订生产协议，确定区域内药材种植面积并预估收获量，以保证产量稳定。

合作社在签订的协议中应该规定最低收购价格，出售价格可根据市场实际情况在此基础上上浮，最低价格一般为保证药农可以获取效益的价格，这样就打消了药农对药材销售出路的顾虑。通过合作社的联动生产模式，可以使药农的利益得到最大程度的保障，免于在药材价格动荡中遭受重大的损失。

（2）发展多样的中药农业模式，鼓励"林药结合"发展中药材生产

盱眙西南部的林地面积达 65 581 hm²（2016 年统计），目前用于种植中药材的林地占比较小，还有很大的发展空间。2016 年，盱眙持续新增经济林果面积 2 000 亩，新发展绿化苗木面积 3 000 亩，发展林下经济 2 000 亩，荒山造林绿化 5 000 亩以上，幼林抚育面积达 2.2 万亩，因此将中药材生产与林下经济模式相结合发展空间广阔。广阔的林地为"林药结合"发展方式提供了可靠保障。盱眙有大面积的板栗林、梨树林、桃林、杨树林，形成了广阔的落叶阔叶林。落叶林全年的日照时间变化较为明显，冬季、早春时处于落叶状态的林中实际为阳生环境，而在夏、秋季则成为阴生环境。最能适应这种环境变化的植物种类为多数早春开花的多年生草本植物，如老鸦瓣、紫花地丁、延胡索、猫爪草、白头翁、薤白、天葵等，这些植物早春时节在落叶林下阳生生长，完成有性生殖；入夏后地上部分枯萎，种子和地下部分在密闭的林下可以躲避高温的刺激而成功过夏。因此，落叶林是发展林下野生中药的主要环境。竹林或针叶林生长密集，郁闭度过大，加上针叶林明显的化感作用，一般呈现种类少、种群稀疏的特点。当地已经在探索野马追和梨树间作的模式，可极大提高生产效率。

【参考文献】

[1] 中国共产党中央委员会，中华人民共和国国务院.中共中央　国务院关于促进中医药传承创新发展的意见 [EB/OL].（2019-10-26）[2023-09-19].http://www.gov.cn/zhengce/2019-10/26/content_5445336.htm.

[2] 农业农村部，国家药品监督管理局，国家中医药管理局.全国道地药材生产基地建设规划（2018—2025 年） [EB/OL].http://bgs.satcm.gov.cn/zhengcewenjian/2018-12-24/8631.html.

[3] 中华人民共和国国务院.中医药发展战略规划纲要（2016—2030 年）[EB/OL].（2016-02-22）[2023-09-19].https://www.gov.cn/gongbao/content/2016/content_5054716.htm.

[4] 江苏省人民政府办公厅.江苏省中医药发展战略规划（2016—2030 年）[EB/OL].（2017-04-21）[2023-09-19].http://www.jiangsu.gov.cn/art/2017/4/21/art_46482_2557541.html.

[5] 张伯礼，陈传宏.中药现代化二十年（1996—2015）[M].上海：上海科学技术出版社，2016.

[6] 黄璐琦，李军德，李哲，等.我国现代大中药产业链发展趋势及对策[J].中国科技投资，2010（5）：67-69.

[7] 段金廒，钱士辉，袁昌齐，等.江苏省中药资源区划研究[J].江苏中医药，2004（2）：5-7.

[8] 中国药材公司.中国中药资源区划[M].北京：科学出版社，1995.

[9] 张小波，黄璐琦.中国中药区划[M].北京：科学出版社，2019.

[10] 黄璐琦，郭兰萍.中药资源生态学研究[M].上海：上海科学技术出版社，2007.

[11] 段金廒.中药资源化学：理论基础与资源循环利用[M].北京：科学出版社，2015.

[12] 张德元.构建资源循环利用体系，推动"无废城市"建设[J].世界环境，2019（2）：43-45.

[13] 段金廒，宿树兰，郭盛，等.中药资源产业化过程废弃物的产生及其利用策略与资源化模式[J].中草药，2013，44（20）：2787-2797.

[14] 中华人民共和国生态环境部.全国淡水生物物种资源调查技术规定（试行）[EB/OL].(2010-03-04)[2023-09-19].https://www.mee.gov.cn/gkml/hbb/bgg/201004/W020100428525474799621.pdf.

[15] 项立辉，刘健，孔祥淮，等.江苏沿海地区地形地貌资源的开发与利用[J].海洋地质动态，2010，26（9）：39-42.

[16] 汤庚国，李湘萍，谢继步，等.江苏湿地植物的区系特征及其保护与利用[J].南京林业大学学报，1997，21（4）：49-54.

[17] 段金廒，钱士辉，史发枝，等.江苏省中药资源生产发展战略研究[J].世界科学技术—中医药现代化，2001，3（6）：42-45，81.

[18] 于莉.江苏省陆栖濒危脊椎动物分布格局及优先保护区研究[D].南京：南京农业大学，2011.

[19] 吴啟南，徐飞，梁侨丽，等.我国水生药用植物的研究与开发[J].中国现代中药，2014，16（9）：705-716.

[20] 张凤太，王腊春，冷辉，等.近40年江苏省湖泊形态特征动态变化研究[J].灌溉排水学报，2012，31（5）：103-107.

[21] 周灵君，张丽，丁安伟.江苏省矿物药使用现状和建议[J].中国药房，2011，22（23）：2206-2208.

[22] 王慧，张小波，格小光，等.中药资源普查工作管理系统的设计与实现[J].中国中药杂志，2017，42（22）：4287-4290.

[23] 江苏新医学院.中药大辞典[M].上海：上海科学技术出版社，1977.

[24] 国家中医药管理局《中华本草》编委会.中华本草[M].上海：上海科学技术出版社，1999.

[25] 严辉，刘圣金，张小波，等.我国药用矿物资源调查方法的探索与建议[J].中国现代中药，2019，21（10）：1293-1299.

[26] 刘圣金，吴啟南，段金廒，等.江苏省矿物药资源的生产应用历史及现状调查分析与发展建议[J].中国现代中药，2015，17（9）：878-884.

[27] 吴玲霞，单兰倩. 江苏医药产业发展现状分析及对策 [J]. 当代经济，2018（17）：91-93.

[28] 褚淑贞，陈怡，徐芳萍. 2017 年江苏省医药产业发展报告 [J]. 药学进展，2018，42（5）：341-350.

[29] 李虹. 江苏省医药产业发展概况及对策浅析 [J]. 天津科技，2017，44（11）：1-3.

[30] 柳婷婷，缪宝迎，向星萍，等. 南通市生物医药产业发展概况及对策 [J]. 中国药业，2019，28（7）：72-76.

[31] 高原，徐爱军，李红美，等. 南通市中药企业的发展现状及对策研究 [J]. 中国药房，2019，30（5）：577-581.

中 篇

江苏省道地、
大宗中药资源……

赤芝

Ganoderma lucidum (Leyss. ex Fr.) Karst.

药 材 名

灵芝（药用部位：子实体。别名：瑞草、灵芝草）。

本草记述

灵芝药用始载于秦汉时期《神农本草经》，有赤芝、黑芝、青芝、白芝、黄芝、紫芝之分，其性味各异，"赤芝味苦平，黑芝味咸平，青芝味酸平，白芝味辛平，黄芝味甘平，紫芝味甘温"，均被列为上品。南北朝时期陶弘景《名医别录》以六芝标名，加述："六芝：青芝生太山。赤芝生霍山。黄芝生嵩山。白芝生华山。黑芝生恒山。紫芝生高夏。六芝皆无毒。六月、八月采。"陶弘景《本草经集注》又谓："此六芝皆仙草之类，俗所稀见，族种甚多，形色环异，并载《芝草图》中。今俗所用紫芝，此是朽树木株上所生，状如木。"明代兰茂《滇南本草》名其为灵芝草，曰："此草生山中，分五色。俗呼菌子。赤芝，味甘。无毒。"明代李时珍《本草纲目》谓："芝类甚多，本草惟以六芝标名，然其种属不可不识。"灵芝之名始见于明代李中立《本草原始》（1612）草部卷三，该书曰："六芝俱主祥瑞，礼曰，王者仁慈则芝草生故曰灵芝。"又曰："赤芝，味苦，一名丹芝，生霍山。紫芝，味甘，一名木芝，生高夏山。"并绘芝形图鉴别之。由以上本草论述可知，秦汉时期虽无灵芝之名，但有六芝之实，并依色泽、性味、产地进行区分，明代李时珍强调辨识品种的重要性。现今我国临床上广泛使用的主要为赤芝（菌盖呈黄褐色至红褐色）和紫芝（菌盖呈紫黑色至紫褐色）2种，此2种也是《中华人民共和国药典》灵芝药材的正品来源。

| 形态特征 |

子实体由菌盖和菌柄2部分组成。菌盖呈肾形、半圆形至近半圆形、扇形或近扇形；盖面呈红色至深红色或棕红色，具漆状光泽，有云纹状同心排列的环带及环沟；盖缘薄或厚，锐或钝，厚0.2～1 cm，初期淡红色或橙红色，后期与盖面同色；菌盖长径5～25 cm，宽径3～15 cm，其宽径的大小及厚度是灵芝质量分级的标准之一；菌盖的断面可分为3层，上层红褐色至黑褐色，有光泽，为其皮壳，较硬，中层为菌肉，木栓质至纤维木栓质，肉桂色，近皮壳层的菌肉色稍淡，下层为子实层托，由许多菌管密集而成，菌管长0.6～1 cm，子实层托表面呈肉桂色，初期色淡。菌柄侧生或偏生至近中生于菌盖基部，近柱形至扁柱形，表面光滑，与盖面同色，具漆状光泽，长8～16 cm，宽0.5～4 cm；内部硬栓质，与菌肉同色；菌柄与菌盖呈直角或近直角连接。

| 资源情况 |

一、生态环境

灵芝为腐生菌，常腐生于阔叶树的倒木、枯木、树桩上，如柞、栎、椴、桦、杨、白松等的腐木。灵芝为好气性真菌，菌丝体的生长，尤其是子实体的生长需要良好的通风和足够的氧气供给。灵芝菌丝的生长不需要光照，子实体的生长需要一定的光照。灵芝喜偏酸性的基质，菌丝体在pH 3.5～7.5的基质中均可生长，pH 5～6时生长较好。灵芝菌丝及子实体的最适生长温度为24～30 ℃，菌丝的最适生长湿度一般为60%左右，子实体分化的最适湿度为85%～90%。目前，灵芝在长江以南各地阔叶林区的野生数量较多，江苏南京紫金山等低山丘陵区具有北亚热带气候特征，适宜南北植物生长，形成了繁茂的天然林和人工林，有较好的植物遮阴环境和枯枝落叶层，气候环境和营养条件非常适宜大型真菌的生长和繁殖，仅灵芝一属，在南京紫金山就新发现了长管树舌、喜热灵芝、弯柄灵芝、海南灵芝、胶纹树舌、层叠树舌、黄边灵芝、硬皮树舌、热带灵芝、松杉灵芝10个种。

二、分布区域

主要分布于江苏宜兴、溧阳、连云港云台山、南京紫金山等低山丘陵地区。

三、蕴藏量

野生灵芝资源数量有限,且越来越少。人工栽培灵芝的技术已不断成熟且在全国范围内进行推广,灵芝的产量与质量均大幅度提高,栽培灵芝不仅可以满足国内市场的需求,而且还大量出口。

四、栽培历史与产地

通过加强对灵芝生物学特性的研究、了解灵芝的生态分布与生长特性,人为创造有利于灵芝生长繁殖的环境条件,有利于促进野生灵芝资源的可持续利用。我国最早的灵芝栽培方法见于王充的《论衡》(距今已有 1 900 余年),栽培方法是利用灵芝孢子自然接种。现代灵芝的人工栽培方法是利用人工接种,在人工控制的环境下,使灵芝得以更好地生长发育。20 世纪 60 年代以来,灵芝的栽培技术主要有 3 种。①室内人工瓶栽技术:此法在 20 世纪 70 年代初期推广到全国各地。②室内人工袋栽技术:以特制的耐高温、耐高压且无毒的塑料袋代替玻璃瓶的栽培方法,始于 20 世纪 70 年代末、80 年代初,至今仍有应用。③室外露地栽培技术:这是使灵芝菌丝体在室内发育到生理成熟阶段再移到室外,在露地半人工条件下进行生长繁殖,以产出形态与质量较好的子实体的栽培技术;这种技术包括玻璃瓶、塑料袋的露地栽培及段木的露地栽培,段木的露地栽培方法又有熟料、生料和短段木、长段木之分;此法生产的灵芝子实体质量及形状俱佳。目前,我国各地均有灵芝栽培,其中,浙江龙泉,安徽霍山、金寨和大别山区,山东鄄城、泰安,湖北武汉,四川成都,贵州,福建三明、南平,吉林长白山,黑龙江大兴安岭,河南西峡,江西,广东,广西,台湾是灵芝人工种植较为集中的地区。

五、栽培面积与产量

近几年,我国灵芝产量呈现逐年增长的态势。据统计,2017 年和 2018 年我国灵芝年种植量近 28 万 m^3,年产灵芝近 30 万 t,年产灵芝孢子粉约 2 万 t。江苏灵芝生产规模及产量均居全国前列,涌现了一批从事灵芝生产、研发的知名企业。江苏安惠生物科技有限公司作为我国食药用菌行业的龙头企业,拥有灵芝等食药用菌的菌种培养、栽培、深加工(研发、生产)等环节的自主知识产权,是我国乃至全世界拥有最为完整的食药用菌产业链的企业。目前,该公司除在江苏昆山、泗阳及北京等地拥有具有先进生产水平的工厂化栽培基地外,还在吉林长白山、安徽黄山及浙江龙泉等地建立了原料专供基地,其灵芝产量居全国前列。此外,镇江圆融农业开发有限公司的人工灵芝种植基地拥有 20 余个设施大棚,年产灵芝孢子粉 600 kg;2018 年,江苏扬中八桥在温室大棚内人工栽培

5 000 株灵芝，共产孢子粉约 170 kg；江苏常州茹灵灵芝专业合作社引进韩国赤灵芝，并在南京大学专家的指导下培育成功，目前该合作社已推广赤灵芝种植近 300 亩，带动农户 200 户，亩均效益达 2 万元。

六、规范化生产技术

灵芝的人工栽培技术主要有段木栽培、袋料栽培和瓶料栽培 3 种。灵芝段木栽培技术取材方便、产量高、质量好，是可栽培出最接近野生灵芝的栽培技术，但缺点在于生长周期长，成本高，易受自然环境的制约，产品质量难以控制，对自然环境也有一定的破坏；灵芝袋料栽培技术和瓶料栽培技术工艺类似，二者栽培原料成本低且适合自由科学改善，不受自然环境的限制，既可以保护环境，又具有生产周期短、产量高、原材料来源广泛、便于工厂化生产等优点，但产出的灵芝子实体质地较疏松、色泽较暗。

1. 灵芝段木栽培技术

灵芝段木栽培技术主要包括段木树种的选择、段木的处理、段木的接种、段木菌丝培养、灵芝的出菇管理 5 个方面。段木多选用阔叶树种，如榆树、桦树等材质坚硬、树皮较厚的硬杂木。松树、柏树、樟树等含有芳香类物质，可抑制灵芝生长，不宜直接用于灵芝栽培。段木的处理需注意在砍伐段木后，因其所含水分较多，不宜直接接种，需将段木放置在阴凉处 10 ～ 15 天方可接种。段木接种时，接种孔深度为 3 cm，直径为 1.6 cm，在段木上进行梅花状打孔，以加快灵芝菌丝在段木上发菌的速度。段木接种后，将段木放置在阴凉处发菌培养，同时在段木上覆盖薄膜，防止水分过度蒸发，温度保持在 10 ～ 15 ℃。接种 90 天左右，当段木上出现白色菌丝时，可对段木进行覆土，2 个月后，土壤温度回升，开始出菇。灵芝子实体的生长周期远长于其他大部分食用菌的生长周期，灵芝子实体在条件适宜的环境中，生长周期至少需要 3 个月。当灵芝子实体边缘白色的生长圈消失时即为采收子实体灵芝的最佳时期，对于采集孢子粉（产孢赤芝）的灵芝，整个灵芝全部变成深色时即可采收，直至采集完所有的灵芝孢子为止。

2. 灵芝袋料栽培技术

灵芝袋料栽培技术是在树木的下脚料和农副产品中加入适量的辅料制成栽培袋进行栽培的技术，具有生产周期短、生物转化率高、商品性状较好、节约林业资源、充分利用废弃农作物植物秸秆等优点。灵芝袋料栽培过程包括灭菌、接种、培养、出菇 4 个步骤。制作袋料栽培菌包所需的材料主要包括栎木、阔叶树枯枝等，以及一些木材加工厂废弃的木材碎屑。袋料栽培的灵芝出菇时间一般为 1 年。将制作完成的菌包放置在 121 ℃的高压蒸汽灭菌锅灭菌 2 小时。待菌包

冷却至常温，即可使用栽培种进行接种，每次接种量为 5 ~ 10 g。接种完成后，将菌包移至培养室，控制培养室温度为 23 ~ 25 ℃，菌包菌丝的生长周期一般为 25 ~ 30 天。菌包菌丝长满后，可以室内出菇，也可以用于大田种植或者林下栽培，将其与经济作物进行套种，以节约土地资源，帮助经济作物分解木质纤维，改善土壤颗粒结构。

| 采收加工 | **灵芝子实体：** 当菌盖边缘的色泽转红至与中央的颜色相同，则子实体成熟，此后继续培养 7 ~ 10 天，使菌盖增厚、质坚实。然后将灵芝由基部剪下，修整，菌柄保留约 2 cm。将采收后的灵芝平放在苇帘上，腹面向下，自然晒干，若遇阴雨天，则采用烘房或烘箱烘烤。一般灵芝采收后应在 2 ~ 3 天内全部干燥，否则腹面菌孔会变成黑褐色或霉变，品质降低。

灵芝孢子粉： 规模化栽培灵芝品种中孢子产量高的主要为赤芝。当灵芝子实体渐趋成熟后，菌盖正面转变成红色至红褐色，菌盖腹面的菌孔变成张开状态，成熟的孢子从菌孔中喷射出来，此时即可收集孢子粉。由于孢子粉极其细小，可随空气流动而四处飞扬，因此需采取特殊的收集方式。目前，产区熟料段木栽培灵芝的孢子收集方法主要有以下 4 种。

1. 小拱棚地膜收集法

（1）最佳收粉时间。当灵芝菌盖的白边消失，灵芝孢子粉弹射 45 天后开始收集，此时收集的孢子粉成熟度高且质量佳。

（2）操作方法。在开始收集孢子粉的前 5 天，将灵芝菌盖和菌柄冲洗干净，以

防收集孢子粉时混入泥沙和杂质。在平整过的畦地上铺一层塑料薄膜，在其上再铺一层收粉薄膜，上面建起小拱棚，在此几乎封闭的条件下，即可收集孢子粉。

（3）收粉期的管理。除气温偏高需打开薄膜两端以通风降温外，其余均不可打开薄膜，以防孢子粉流失。当收粉持续1月余、灵芝生长进入衰退期时，选择晴天收获孢子粉并及时进行晾晒、摊晒或烘干。

本法的优点是操作方便、劳动力成本低；缺点是收集的孢子粉中会含有一些砂土，孢子的纯度不够高。

2. 套筒收集法

（1）圆筒的制作。取薄的硬纸板，剪成长24～26 cm、宽17～18 cm的长方形纸板，卷成直径约17 cm的圆筒。也可根据子实体的大小来制作圆筒，原则是圆筒的直径略大于灵芝菌盖的直径。

（2）操作方法。将灵芝的菌盖和菌柄冲洗干净；在平整过的畦地上铺一层塑料

薄膜，在其上再铺一层收粉薄膜，收粉薄膜大小以比套筒直径大 2 ~ 3 cm 为宜；用圆筒将灵芝套住，圆筒下端口与收粉薄膜相接，圆筒上端口用纸板盖上或用夹子将干净的白色硬质纸夹于其上。也有将塑料袋（两头开口）的一端用塑料扣（或细绳、细铁丝）固定在菌柄上，然后将塑料袋的另一端直接扣在圆筒的下端（圆筒的上端是透明的塑料薄膜，透光；圆筒的侧壁上有 2 ~ 3 排针孔，便于透气）进行孢子粉收集。后一种方式是基于灵芝在生长过程中对光照、空气的需要而设计的，因而收集的孢子粉纯度更高，品质也更好。

（3）收粉时间与方法。当套筒 15 ~ 30 天后，将盖板（或白色硬质纸）和圆筒上的粉扫到收粉薄膜上，然后将收粉薄膜上的孢子粉扫入干净的容器中；随后再用圆筒把灵芝的子实体套上，继续收集孢子粉。收集的孢子粉应及时晒干或烘干。

（4）收粉期的管理。灵芝套筒后，依畦建立小拱棚，薄膜应完好，不能漏水，若有水滴入，则孢子粉会结块。此外，还应避免圆筒被风吹掉，以保证孢子粉的纯度和产量。

本法的优点是收集的孢子粉的纯度和品质高，但较费时、费力。

3. 凉亭式防雨拱棚布笼收集法

本法是基于灵芝在整个生长发育过程中对温度、湿度、氧气及光照的需求而建立的，避免了套筒收集法因套筒对灵芝生长发育过程中所需的光照、湿度和氧气的限制，使得收粉期仍能满足灵芝的正常生长发育。目前本法在安徽、浙江及福建的部分地区得到应用。

（1）操作方法。在灵芝菌棒排棒覆土前，用塑料薄膜搭建凉亭式防雨拱棚；在

灵芝柄长至 5 ~ 8 cm 且刚刚开始分化为灵芝菌盖时，在畦上出芝空间铺上一层茅草，形成通风透气层，在茅草上面再铺两层无纺布（简称"纸布"），于每个灵芝柄对应的无纺布处剪开一条缝，使灵芝穿过并套夹住灵芝柄的基部；利用可通风透气的食品级的茶滤纸和无纺布整体搭建一个较矮的"纸布笼"，笼高约 50 cm。在这种封闭式结构下进行孢子粉收集。

（2）收粉期的管理。自灵芝菌盖开始形成的第 11 天起，在随后的约 100 天的时间内防雨拱棚四周的塑料薄膜必须掀起，高度以高出灵芝先端 20 ~ 30 cm 为准。当灵芝生长进入衰退期后，选择晴天收获孢子粉并及时进行晾晒或烘干。

与套筒收集法相比，本法的优点是操作方便，劳动力成本低，收集到的灵芝孢子粉的纯度和品质与套筒收集法相当。由于本法使用的"纸布笼"具有良好的透气性和透光性，为灵芝的生长发育及灵芝孢子的喷射创造了适宜的环境，因此，采用"纸布笼"法收集灵芝孢子粉，孢子粉的产量与质量较使用传统密闭的双层塑膜拱棚的方法均有较大的提高。

4. 吸风机吸附收集法

本法亦称"负压收集法"，是我国东北地区及其他北方地区采用的主要方法。由于灵芝孢子粉较轻，弹射后会飘浮于空气中，因此可利用风机造成负压的方式进行收集。

操作方法。在 200 ~ 300 m² 的出芝棚中使用 2 台孢子收集器即可满足收集的需求。当灵芝孢子开始释放时，将 2 台孢子收集器背对背放置于出芝棚中间，距地面高 11.5 m，一般选择晴天 4 ~ 8 时、17 ~ 20 时及阴天全天打开电源收集灵芝孢子粉。

本法的优点是操作方便，缺点是收集的灵芝孢子粉中会混有一些灰尘。

灵芝孢子油：灵芝孢子油是灵芝孢子粉经破壁、超临界 CO_2 萃取分离制成的油脂提取物。

| **药材性状** | **灵芝子实体：**本品呈伞状。菌盖呈肾形、半圆形或近圆形，直径 10 ~ 18 cm，厚 1 ~ 2 cm；皮壳坚硬，黄褐色至红褐色，有光泽，具环状棱纹和辐射状皱纹，边缘薄而平截，常稍内卷；菌肉白色至淡棕色。菌柄圆柱形，侧生，少偏生，长 7 ~ 15 cm，直径 1 ~ 3.5 cm，红褐色至紫褐色，光亮。孢子细小，黄褐色。气微香，味苦、涩。栽培品的子实体较粗壮、肥厚，直径 12 ~ 22 cm，厚 1.5 ~ 4 cm；皮壳外常被有大量粉尘样的黄褐色孢子。

灵芝孢子粉：本品为棕褐色粉末，气微香，味微苦。镜检：未破壁的孢子呈褐色，卵形，先端平截，外壁无色，内壁有疣状突起；破壁后的孢子可见残破的孢子壁。

灵芝孢子油（赤芝）：本品为淡黄色至黄色的澄明油状液体，带有灵芝孢子油固有的气味和味道，无异味，无可见异物。

| **品质评价** | 灵芝干燥后应分级贮藏，大多数以菌盖的大小、色泽进行分级。①一级：菌盖最窄面 7 cm 以上，中心厚 1.2 cm 以上，菌盖圆整，盖表面粘有孢子，腹面管孔浅褐色或浅黄白色，无斑点，菌柄长小于 2 cm，无霉斑。②二级：菌盖窄面 3 cm 以上，中心厚 1 cm，菌盖基本圆整、无明显畸形，盖表面粘有孢子，菌柄长小于 2 cm，无霉斑。③三级：菌盖窄面 3 cm 以上，中心厚度 0.6 cm 以上，

菌盖展开，菌柄长不超过 3 cm，无霉斑。④等外品：菌盖大小、菌柄长短不论，无霉斑。

除了根据上述外观性状进行灵芝质量的评价外，目前也采用定性、定量的色谱分析进行灵芝质量评价。《中华人民共和国药典》《美国草药典》等药典对灵芝质量评价的要求各不相同，因此，迫切需要制定一套全世界统一认证的中医药国际标准，以确保灵芝的安全性和有效性，从而促进中药与国际接轨。2018 年 12 月 20 日，国际标准化组织（ISO）的官方网站上正式发布了《ISO 21315: 2018 中医药—灵芝》，该标准的发布为灵芝提供了统一的国际质量标准。采用该标准中的薄层色谱法（TLC）对灵芝进行鉴别时，其斑点或条带应呈现与参比标准溶液相同的颜色和位置。水分不得超过 17.0%；总灰分不得超过 4.0%；水溶性浸出物不得少于 3.0%；应测定多糖和灵芝酸 A 等标记化合物的含量，灵芝多糖含量不得少于 0.7%，灵芝酸 A 含量不得少于 0.3%。

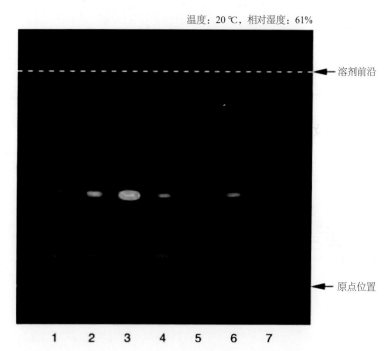

温度：20 ℃，相对湿度：61%

溶剂前沿

原点位置

1 2 3 4 5 6 7

1—灵芝（产于河北）；2—灵芝（产于安徽黄山）；3—灵芝（产于贵州）；
4—灵芝对照药材；5—灵芝（产于安徽黄山）；6—灵芝（产于浙江龙泉）；
7—灵芝（产于广西南宁）。

灵芝薄层色谱图

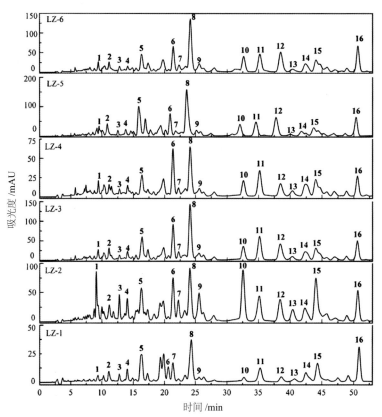

LZ-1—湖北灵芝提取物; LZ-2—云南赤芝提取物; LZ-3—吉林灵芝菌盖提取物;
LZ-4—吉林灵芝菌柄提取物; LZ-5—云南紫芝菌盖提取物; LZ-6—云南紫芝
菌柄提取物; 1—灵芝酸 η; 2—未知; 3—赤芝酸 C; 4—赤芝酸 N; 5—灵芝酸 G;
6—未知; 7—赤芝酸; 8—灵芝酸 A; 9—未知; 10—赤芝酸 A; 11—赤芝酸;
12—灵芝烯酸 D; 13—灵芝酸 D; 14—未知; 15—赤芝酸 D; 16—乙酰灵芝酸 F。

灵芝提取物 HPLC 指纹图谱

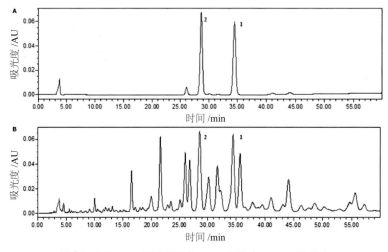

A—混合标准品; B—灵芝提取物; 1—灵芝酸 A; 2—灵芝酸 B。

灵芝主要有效成分含量测定的 UPLC 图谱

| **功效物质** | 赤芝药材主要包括灵芝多糖、灵芝酸、腺苷、麦角甾醇、灵芝总碱、灵芝孢子中的孢醚等活性成分。

一、多糖类

灵芝多糖是从灵芝中提取的一种内源活性物质，能够显著提高吞噬细胞的吞噬能力，增强体液免疫和细胞免疫功能，提高红细胞中超氧化物歧化酶的活性。目前，已从赤芝药材中分离出 200 余种灵芝多糖，其中，大部分为 β- 型的葡聚糖，少数为 α- 型葡聚糖。多糖链具有螺旋状立体结构，其立体构型和 DNA、RNA 相似，螺旋结构主要由氢键来保持其稳定性。分子量从数百至数十万，不溶于高浓度乙醇，微溶于低浓度乙醇及冷水中，可在热水中溶解。大多数灵芝多糖存在于灵芝菌丝体、子实体细胞壁内壁、液体培养的发酵液及固体培养的培养基中。虽然灵芝多糖的化学结构因灵芝种类的不同而有所差异，但其化学结构的某些方面是固定不变的，如灵芝多糖的单糖组成一般为 D- 葡萄糖、D- 半乳糖、D- 甘露糖、D- 木糖、L- 岩藻糖、L- 鼠李糖、L- 阿拉伯糖等，差异主要体现在组成种类和比例的不同。单糖间通常以 β-1,3、1,6 连接或以 β-1,4、1,6 连接的糖苷键具有活性。

灵芝多糖的药理活性与其立体结构有关，分子量 $> 10^4$ 时才具有较强的抑制肿瘤的活性。灵芝多糖的主链越长，分子量越大，生物学活性越高。灵芝、紫芝、树舌、铁杉灵芝及其他几种灵芝属真菌的多糖中，有 4 种多糖具有强烈的抗肿瘤活性，且以 β-1,3 糖苷键为主链的葡聚糖的抗肿瘤活性与 β-1,6 为支链的分支度有关。

二、三萜类

三萜类化合物是从灵芝中分离得到的另一类具有生物活性的主要有效成分，多数为高度氧化的羊毛甾烷衍生物，根据所含功能团和侧链的不同可分为灵芝酸、赤芝酸、灵芝醇、灵芝内酯等，具有护肝排毒、抗氧化、抗菌消炎、抗 HIV 病毒和疱疹病毒、抑制肝脏肿瘤细胞等活性，是灵芝药用功效的主要物质基础之一。现已从野生、人工栽培的灵芝子实体中分离得到多种三萜类化合物，如灵芝酸 A、灵芝酸 B、灵芝酸 C、灵芝酸 D、灵芝酸 E、灵芝酸 G 等，以及赤芝酸 A、赤芝酸 B、赤芝酸 C 等。灵芝酸的基本结构为数个异戊烯首尾相连，大部分为 30 个碳原子，部分为 27 个碳原子。灵芝酸有四环三萜和五环三萜 2 类。

三、核苷类

灵芝的核苷类成分主要包括尿嘧啶、腺嘌呤、腺苷、尿苷等，其中，灵芝腺苷活性很强，是灵芝的主要有效成分之一，具有较强的降低血液黏度，抑制体内

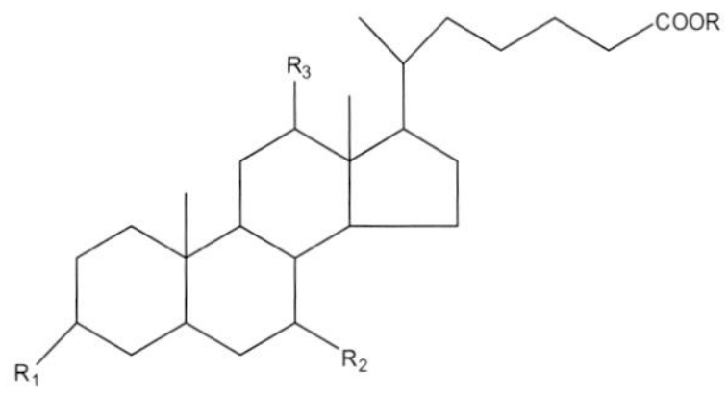

灵芝三萜类化合物化学结构基本骨架 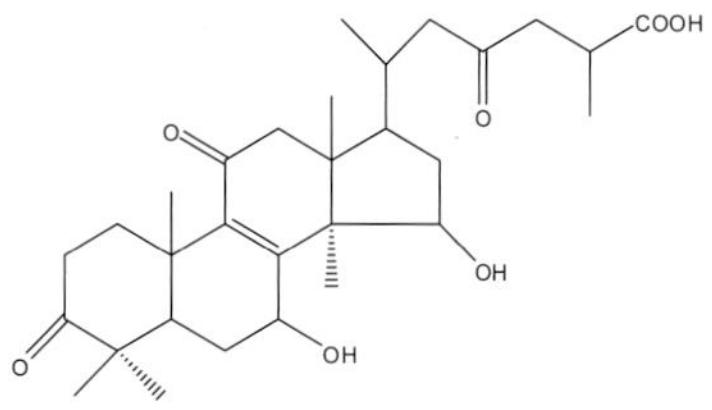　　灵芝酸 A 化学结构 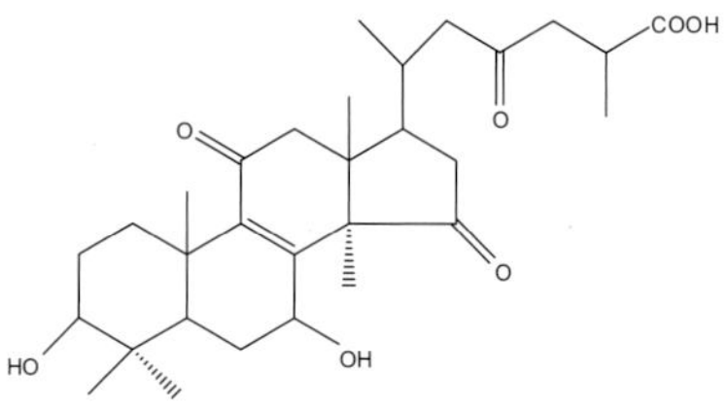　　灵芝酸 B 化学结构

血小板聚集，提高血红蛋白 2,3- 二磷酸甘油酸的含量，提高血液供氧能力，加速血液循环及提高血液对心、脑的供氧能力等作用。

四、生物碱类

生物碱亦是灵芝中具有重要生理活性的物质，具有改善冠状动脉血流量、降低心肌耗氧量、增强心肌及机体对缺氧的耐受性和降低胆固醇的作用，对心脑血管疾病、高血压、高脂血症、肝炎和肌无力等具有一定的治疗作用。目前已从灵芝子实体、孢子粉中分离得到胆碱、甜菜碱、γ- 三甲氨基丁酸、硫组氨酸甲基内铵盐、灵芝碱甲、灵芝碱乙等生物碱类成分。

五、其他类

此外，从灵芝中分离得到的其他有效成分包括麦角甾醇、甘露醇、牛磺酸、孢醚，以及铜、铁、钙、钾、锗等多种元素。研究显示，灵芝的抗肿瘤有效成分不仅有多糖，还有微量元素，有机锗就是其中一种抗肿瘤的活性物质。

| **功能主治** | 甘，平。归心、肺、肝、肾经。补气安神，止咳平喘。用于心神不宁，失眠心悸，肺虚咳喘，虚劳气短，不思饮食。

| **用法用量** | 内服煎汤，6 ~ 12 g。

| **传统知识** | 传统中医药学以灵芝子实体入药。

1. 单味灵芝

（1）治疗神经衰弱、心悸头晕、夜寐不宁：灵芝 1.5 ~ 3 g，煎汤服。

（2）治疗慢性肝炎、肾盂肾炎、支气管哮喘：灵芝焙干研末，开水冲服，每次 0.9 ~ 1.5 g，每日 3 次。

（3）治疗冠心病：灵芝 6 g，切片，煎汤服，早晚各 1 次。

（4）治疗乳腺炎：灵芝 30 ~ 60 g，煎汤服。

（5）治疗鼻炎：灵芝 500 g，切碎，小火水煎 2 次，每次 3 ~ 4 小时，合并煎液，浓缩后纱布过滤，滤液加蒸馏水至 500 ml，滴鼻，每次 2 ~ 6 滴，每日 2 ~ 4 次。

（6）治疗对口疮：灵芝研碎，桐油调敷患处。

2. 灵芝配伍

（1）治疗慢性支气管炎：灵芝 15 g，南沙参、北沙参各 10 g，百合 15 g。煎汤服，分早晚 2 次服完，连服 10 日。

（2）治疗过敏性哮喘：灵芝 6 g，半夏 4.5 g，苏叶 6 g，厚朴 3 g，茯苓 9 g。煎汤加冰糖，日 2 ~ 3 次分服。

（3）治疗糖尿病：灵芝 10 g，山药 30 g。煎汤服，分早晚 2 次服完，连服 7 日，停 1 ~ 2 日，再服。

（4）治疗急、慢性病毒性肝炎：灵芝 12 g，鸡骨草 30 g，茵陈 12 g。加水 300 ml，煎至 150 ml，每次服 50 ml，每日 3 次，30 日为 1 个疗程，可连服 3 个疗程。

（5）治疗血管硬化、高血压和眼底出血：灵芝 5 g，银耳、木耳各 3 g，冰糖适量。三药洗净、剪碎，入碗内，加冰糖和水，于蒸锅内蒸煮至稀烂。喝汤，吃木耳和银耳，1 次服完。

3. 民间食疗

2018 年 4 月，国家卫生健康委员会发布《关于征求将党参等 9 种物质作为按照传统既是食品又是中药材物质管理意见的函》，正式对外公布拟对灵芝开展按照传统既是食品又是中药材的物质生产经营试点工作。灵芝在安徽与山东等地区有作为食品原料使用的历史，主要使用方法为煲汤、泡茶、泡酒等。民间亦有灵芝配伍食物养生的有效验方。如养心、益肾、补虚可用糯米、灵芝各 50 g，小麦 60 g，白砂糖 30 g。将糯米、小麦洗净，放入砂锅内，再将灵芝洗净，切成块，用纱布包好，放入砂锅内，加水 1.5 碗，用文火煮至糯米、小麦熟透，加入白砂糖，可用于妇女心神不安。又如神经衰弱兼高血压、高血脂可用灵芝 10 g、大麦 50 g。灵芝饮片水煎取汁，大麦磨碎，用灵芝汁煮大麦，加白糖，可当早餐或夜宵食用，每日 1 次。

| 资源利用 |　　一、在医药领域中的应用

灵芝多糖多应用于医药领域，可作为抗肿瘤药物的有效成分。此外，灵芝多糖可提高机体免疫力，与放射治疗、化学药物治疗配合使用可促进疾病向愈。我国一些研究者将灵芝菌丝体或子实体用稀乙醇抽提，用纯乙醇进一步纯化得到灵芝的肽多糖，目前肽多糖多应用于非处方类药物中。

1. 灵芝子实体制剂

目前，利用灵芝子实体及菌丝体已开发出灵芝饮片、超细粉、浸膏、浸膏粉、煎剂、颗粒剂、微粒冲剂、胶囊剂、片剂、蜜丸、糖浆、针剂、酊剂及口服液等制剂。

这些制剂中，既有以灵芝为主要原料的单味制剂，也有灵芝与其他中药配伍而成的成方制剂。

（1）灵芝单味制剂。灵芝糖浆（江苏常州、江西、湖南），具有养心安神、健脾和胃的功效；灵芝片，具有镇静、健胃的功效；灵芝胶囊（江苏）、灵芝分散片（湖南）、灵芝滴丸（内蒙古）、灵芝颗粒（浙江）、灵芝袋泡茶（浙江），具有宁心安神、健脾和胃的功效；灵芝注射液（河南），具有安神、镇惊、镇痛、祛痰的功效。

（2）灵芝成方制剂。①用于补益气血功能性产品开发：灵杞益肝口服液为灵芝配伍枸杞子、绞股蓝等制成，具有滋补肝肾的功效；灵芝益寿胶囊为灵芝配伍黄芪、三七、淫羊藿、丹参、制何首乌、桑寄生、人参、五味子等制成，具有滋肾养肝补虚的功效；参茸灵芝胶囊为灵芝配伍西洋参、鹿茸等制成，具有补肾益气的功效。②用于养心安神功能性产品开发：灵芝双参口服液为灵芝配伍人参、丹参、杜仲、枸杞子、制何首乌、炒酸枣仁、五味子、熟地黄、当归等制成，具有滋补气血、养心安神的功效；复方灵芝安神口服液为灵芝配伍黄芪、刺五加、扶芳藤、绞股蓝、三七等制成，具有健脾益气、养心安神的功效；灵芝糖浆为灵芝配伍枇杷叶、桔梗等制成，具有利肝健脾、益气平喘、镇静、降血压的功效；天麻灵芝合剂为灵芝配伍天麻、制黄精、淫羊藿、制何首乌等制成，具有补益肝肾、养心安神的功效；珍珠灵芝片为灵芝浸膏配伍女贞子、郁金、香附、墨旱莲、陈皮、珍珠层粉制成，具有养心安神、滋补肝肾的功效；灵芝北芪胶囊为灵芝膏粉配伍黄芪膏粉制成，具有养心安神、补益气血的功效；复方灵芝健脑胶囊为灵芝配伍制何首乌、枸杞子、淫羊藿、刺五加、山药、酸枣仁、远志、当归等制成，具有补益肝肾、宁心安神的功效。③用于利胆退黄功能性产品开发：灵芝茵陈胶囊为灵芝配伍茵陈、板蓝根、绵马贯众、黄芪、大黄、栀子等制成，具有清热解毒、利湿退黄的功效；复方灵芝颗粒为灵芝配伍柴胡、五味子、郁金等制成，具有保护肝脏、降低谷丙转氨酶和退黄的功效。

2. 灵芝菌丝体制剂

以液体培养的菌丝体代替子实体入药，可制成针剂、口服剂、浸膏、片剂、酊剂、冲剂、糖浆等。以薄盖灵芝深层液体发酵的菌丝为原料，可制成薄芝片（具有镇痛、催眠等功效）和增肌注射液（适用于硬皮病、红斑狼疮、肌营养不良、肌萎缩、肌炎等，对更年期综合征亦有治疗作用）。

3. 破壁灵芝孢子粉制剂

灵芝孢子粉经破壁处理后可制成破壁灵芝孢子粉胶囊、灵芝孢子油软胶囊等。

破壁灵芝孢子粉胶囊（北京、安徽）具有健脾益气、养心安神的功效。

二、在保健食品中的应用

将灵芝及其提取物或灵芝孢子粉添加到各种食品、饮料（包括含酒精与不含酒精的 2 类制品）中，可研制成具有保健作用的功能性食品，如灵芝饮料、灵芝茶、灵芝冲饮片、灵芝药膳、灵芝酒等，种类繁多。据统计，截至 2020 年 2 月底，我国以灵芝子实体及其提取物、破壁灵芝孢子粉、灵芝菌丝体为原料开发的保健食品产品达 911 个，其中，破壁灵芝孢子粉类保健食品产品 307 个，灵芝孢子油类保健食品产品 54 个，灵芝菌丝体类保健食品产品 36 个。

1. 灵芝子实体及其提取物类保健食品产品

此类产品主要具有增强免疫力、缓解疲劳、改善睡眠、对化学性肝损伤的辅助保护、对辐射危害的辅助保护等功能。改善睡眠常配合使用酸枣仁、黄芪、杜仲、鳖血、人参叶、柏子仁、茯苓、枸杞子、绞股蓝、百合、刺五加、人参、珍珠粉、葛根、五味子、远志、菊花、白芍、天麻等；对化学性肝损伤的辅助保护常配合使用葛根、枸杞子、纳豆、三七、银杏叶、绞股蓝、丹参、姜黄、红景天、余甘子、五味子、松花粉等；对辐射危害的辅助保护常配合使用刺五加、红景天、海洋鱼皮胶原低聚肽粉等。

2. 破壁灵芝孢子粉类保健食品产品

此类产品主要具有增强免疫力、缓解疲劳等功能。增强免疫力常配合使用灵芝、蝙蝠蛾被毛孢菌丝体、西洋参、山药、蜂胶、铁皮石斛、枸杞子、三七、当归、制何首乌、螺旋藻、双齿多刺蚁、葡萄籽提取物、茶多酚、亚硒酸钠等；缓解疲劳常配合使用淫羊藿、红景天、西洋参、刺参、刺五加、枸杞子、女贞子、铁皮石斛、山药、山茱萸、沙棘、沙苑子、大枣、香菇、金针菇等。

3. 灵芝孢子油类保健食品产品

此类产品主要具有增强免疫力、缓解疲劳、对化学性肝损伤的辅助保护等功能。常配合使用人参提取物、蜂胶乙醇提取物、银杏叶提取物、枸杞子提取物、沙棘籽油、番茄红素油树脂、角鲨烯、维生素 E 等。

4. 灵芝菌丝体类保健食品产品

此类产品主要具有增强免疫力、缓解疲劳、改善睡眠、对化学性肝损伤的辅助保护等功能。增强免疫力常配合使用人参、西洋参、蝙蝠蛾拟青霉菌丝体、黄芪、生地黄、珍珠、制何首乌、大枣、莲子、硒化卡拉胶；缓解疲劳常配合使用西洋参、蝙蝠蛾拟青霉菌丝体粉、菟丝子、茯苓、香菇、黑木耳等；改善睡眠常配合使用炒白术、茯苓、炙黄芪、龙眼肉、炒酸枣仁、当归等；对化学性肝损伤的辅助保护常配合使用五味子等。

三、在美容产品中的应用

灵芝能润泽肌肤，以灵芝为原料的天然美容制品层出不穷，灵芝的美容制品将是今后灵芝开发的重要方向之一。

| 附 注 | 目前人工栽培的灵芝资源充足，但深加工不足。灵芝制剂工艺简单，缺少高精加工产品；灵芝产品的质量、检测方法尚缺少统一的标准；对灵芝产品药理等方面的研究还有待进一步深入。因此，应用超细粉体、真空冷冻干燥、超临界流体萃取等先进技术与方法，并结合分析化学、药理学、毒理学等学科的最新研究进展，有助于从灵芝（子实体、孢子、菌丝体及发酵液）中分离获得新的生物活性物质，有望研制出高附加值的灵芝新产品。

参考文献

[1] 金鑫，刘宗敏，黄羽佳，等. 我国灵芝栽培现状及发展趋势 [J]. 食药用菌，2016，24（1）：33-37.

[2] 赵小平. 药用真菌灵芝研究与栽培现状 [J]. 中国食用菌，2019，38（7）：1-5.

[3] 周州，余梦瑶，江南，等. 我国灵芝栽培研究近况及其未来发展趋势探讨 [J]. 中国食用菌，2017，36（4）：5-7.

[4] 张维瑞，刘盛荣，毛德春，等. 灵芝 GAP 栽培技术 [J]. 食用菌，2016，38（4）：32-33.

[5] 胡美静，王兆富，林惠昆，等. 温室栽培段木灵芝、采收与干制关键技术 [J]. 中国食用菌，2012，31（3）：58-59.

[6] 熊小文，李晔，李鹏，等. 赤芝子实体的化学成分及其抗肿瘤活性 [J]. 中国医院药学杂志，2015，35（21）：1902-1906.

[7] 郑洁，唐庆九，张劲松，等. 灵芝子实体中三萜类物质抗肿瘤活性的谱效关系 [J]. 菌物学报，2019，38（6）：1-9.

[8] 李钦艳，钟莹莹，陈逸湘，等. 我国灵芝种质资源及生产技术研究进展 [J]. 中国食用菌，2016，35（1）：8-12.

[9] 陈体强，李开本. 中国灵芝科真菌资源分类、生态分布及其合理开发利用 [J]. 江西农业大学学报，2004，26（1）：89-95.

[10] 陈静，夏永辉，梁玲. 灵芝有效成分生物活性作用的研究进展 [J]. 云南中医中药杂志，2009，30（1）：61-63.

[11] 毛健，马海乐. 灵芝多糖的研究进展 [J]. 食品科学，2010，31（1）：295-299.

[12] 史俊青，张丽萍，杨春清，等. 不同品种灵芝多糖含量差异研究 [J]. 中国实验方剂学杂志，2010，16（13）：104-106.

[13] 黄生权，魏刚，姚松君，等. 赤芝、紫芝三萜类成分指纹图谱的优化与比较 [J]. 华南理工大学学报（自然科学版），2010，38（8）：121-125.

[14] 叶姜瑜，谈锋. 紫芝多糖的纯化及组分分析 [J]. 西南师范大学学报（自然科学版），2002，27（6）：945-949.

[15] 陈体强，吴锦忠，吴岩斌. 紫芝超临界萃取物中 3 种三萜醇的分离与鉴定 [J]. 食用菌学报，2012，19（2）：87-90.

[16] 刘超，王洪庆，李保明，等. 紫芝的化学成分研究 [J]. 中国中药杂志，2007，32（3）：235-237.

[17] 刘超，陈若芸. 紫芝中的一个新三萜 [J]. 中草药，2010, 41（1）：8-11.

[18] 陈蕙芳. 紫芝中新的三萜及其抗 HIV-1 蛋白酶的活性 [J]. 现代药物与临床，2010, 25（3）：235.

[19] 杜琳，刘玉容，叶峻，等. 紫芝中三萜类化学成分研究 [J]. 天然产物研究与开发，2018, 30（10）：1669-1673.

[20] MONKAI J, HYDE K D, XU J, et al. Diversity and ecology of soil fungal communities in rubber plantations[J]. Fungal Biology Reviews, 2017, 31（1）：1-11.

[21] AMEN Y M, ZHU Q, TRAN H B, et al. Lucidumol C a new cytotoxic lanostanoid triterpene from Ganoderma lingzhi against human cancer cells[J]. Journal of Natural Medicines, 2016, 70（3）：661-666.

[22] MIN B S, GAO J J, NAKAMURS. Triterpenes from the spores of *Ganoderma lucidum* and their cytotoxicity against meth-A and LLC tumor cells[J]. Chem Pharm Bull, 2000, 48（7）：1026-1033.

[23] BOH B, BEROVIC M, ZHANG J, et al. *Ganoderma lucidum* and its pharmaceutically active compounds[J]. Biotechnol Annu Rev, 2007, 13: 265-301.

[24] CHEUNG H Y, NG C W, HOOD D J. Identification and quantification of base and nucleoside markers in extracts of *Ganoderma lucidum Ganoderma japonicum* and *Ganoderma capsules* by micellar electrokinetic chromatography[J]. Journal of Chromatography A, 2001, 911（1）：119-212.

[25] GAO Y, JIANG R, CHEN Y, et al. Characterization and anti-tumor activity of glycopeptides from *Ganoderma sinensis*[J]. Chemical Research in Chinese Universities, 2009, 25（1）：47-51.

[26] SATO N, MA C M, KOMATSU K, et al. Triterpene-farnestl hydroquinone cinjugates from *Ganoderma sinense*[J]. J Nat Prod, 2009, 72（5）：958-961.

（江　曙　陈建伟）

大蝉草

Cordyceps cicadae Shing

| **药 材 名** | 金蝉花（药用部位：蝉幼虫上形成的干燥虫菌复合物。别名：蝉蛹草、蝉茸、冠蝉）。 |

| **本草记述** | 金蝉花，古名蝉花，始载于南北朝时期的《雷公炮炙论》，"凡使（蝉花），要白花全者。凡收得后，于屋下东角悬干，去甲土后，用浆水煮一日，至夜，焙干，碾细用之"。与其产地及名称相关的最早记载见于宋代苏颂所著《本草图经》，该书云："今蜀中有一种蝉，其蜕壳头上有一角，如花冠状，谓之蝉花。"《本草衍义》在蚱蝉下亦载："西川（四川西部）有蝉花。"主流本草关于金蝉花性味归经的记载较为一致，《证类本草》《本草纲目》和《汤液本草》中均载："味甘，寒，无毒。"《本草品汇精要》载："〔味〕甘。〔性〕寒。〔气〕气之薄者，阳中之阴。〔臭〕腥。"文献记载金蝉花入药可疏散肝经风热， |

达明目退翳之效，可用于治疗肝经风热所致的目赤翳障。《证类本草》记载："主小儿天吊，惊痫瘛疭，夜啼心悸。"《本草衍义》有曰："壳治目昏翳，又水煎壳汁，治小儿出疮疹不快，甚良。"《汤液本草》中亦载："治小儿浑身壮热惊痫，兼能止渴。"金蝉花可止疟，《本草纲目》记载金蝉花"功同蝉蜕，又止疟"。《本草蒙筌》中载："止天吊瘛疭、心悸怔忡，幼科中果效。"现代文献记载与古代基本一致。《中华本草》记载："疏散风热，透疹，熄风止痉，明目退翳。主治外感风热，发热，头昏，咽痛；麻疹初期，疹出不畅；小儿惊风，夜啼；目赤肿痛，翳膜遮睛。"

文献追溯表明，金蝉花在我国已有 3 000 多年的药用历史。古代药用金蝉花主要用于小儿天吊、惊痫、瘛疭、夜啼心悸等，尤为独特的记载是可应用于儿童。

| 形态特征 | 孢梗束丛生，由蝉幼虫的前端发出，新鲜时白色，高 1.5 ~ 6 cm；柄分枝或不分枝，直径 1 ~ 2 mm，有时基部连接，顶部分枝并有粉末状分生孢子；分生孢子长卵形，两端稍尖，（6 ~ 9）μm×（2 ~ 2.5）μm，往往含 2 个油滴。

| 资源情况 | 一、生态环境

大蝉草一般惊蛰以后至秋初生长于海拔 200 ~ 400 m 的山地苦竹林地区或海拔 700 ~ 950 m 的针阔叶混交林地区，尤其是地势平缓、郁闭度较高、土质疏松、地面覆盖有枯枝落叶层且有适合竹蝉活动的林地的丘陵地带，在我国主要分布于长江以南的亚热带森林或竹林中。每年 6 ~ 8 月，气温上升至 18 ~ 24 ℃，相对湿度高于 90%，此时湿热多雨的环境可使土壤中的分生孢子发生感染。蝉

体表面的分生孢子发芽，长出芽管，侵入蝉体，菌丝大量繁殖，可在 2 ~ 3 天内占领蝉的整个体腔，形成坚实、致密的菌核。菌核度过寒冬，在温湿适宜的条件下，菌核内的菌丝紧密聚集和缠绕，形成孢梗束的原基，且逐渐扩大生长，突破土表形成孢梗束，产孢细胞在孢梗束的颈部产生大量的分生孢子，即可采收。

二、分布区域

主要分布于江苏江宁、溧水、句容、宜兴、溧阳等地。

三、蕴藏量

江苏句容、宜兴、溧阳等有竹林生长的丘陵山区是金蝉花的历史主产区，通常竹林茂密且透气、透水、保温的向阳坡上的天然金蝉花资源较丰富。目前人工大规模培养金蝉花子实体的技术尚未成熟，金蝉花的加工利用仍以野生资源为主。

| 采收加工 | 金蝉花的采收加工最早见于《雷公炮炙论》，"凡使（蝉花），要白花全者。凡收得后，于屋下东角悬干，去甲土后，用浆水煮一日，至夜，焙干，碾细用之"。该方法沿用至今，《中药大辞典》对此亦有记载："6 ~ 8 月间，自土中挖出，去掉泥土晒干即可。"其贮藏多以袋装，置通风干燥处，注意防潮、防蛀。

| 药材性状 | 金蝉花由虫体与从虫头部长出的真菌孢梗束或子座组成。虫体形似蝉蜕，长椭圆形，微弯曲，长 3 ~ 4 cm，直径 1 ~ 1.5 cm；表面灰褐色或棕黄色，大部分被有灰白色菌丝；断面白色或黄白色，质松软。头部有数枚树枝状子座体，子

座呈细长圆柱形，分枝或不分枝，长 2 ~ 6 cm，直径 1 ~ 4 mm；具有多数细小点状突起，先端稍膨大，灰褐色或灰白色，质脆易断。气微，味淡。

| 品质评价 | 金蝉花以生于苦竹林者为优，以个大、完整、肉白、气香者为佳。优质的金蝉花药材虫体色泽棕黄且饱满，体腔内充满菌丝，且大部分虫体表面包被灰白色菌丝，子实体"花型"完整，菌核的大小和重量等性状主要受寄主大小的影响，并不作为品质评价的标准。金蝉花药材中 90% 以上的物质为粗纤维、蛋白质、粗脂肪和碳水化合物；水溶性浸出物含量为 35.96% ~ 46.28%，多糖含量为 1.27% ~ 3.83%。金蝉花中的氨基酸以谷氨酸、天冬氨酸等呈味氨基酸为主，呈味氨基酸的含量和组成决定了金蝉花菌质的味道鲜美程度。由于金蝉花特殊的生长条件，不同产地野生金蝉花中的铜、镉、铅、汞、砷等含量均低于《食品安全国家标准　食品中污染物限量》（GB 2762—2017）中规定的食用菌中重金属的限量标准，且矿物质元素钙、铝、镁、铁、锰、锌成分的含量较高。

欧阳臻教授课题组前期使用 HPLC 法同时测定了金蝉花中 6 种核苷类成分，可为金蝉花的品质评价提供参考。

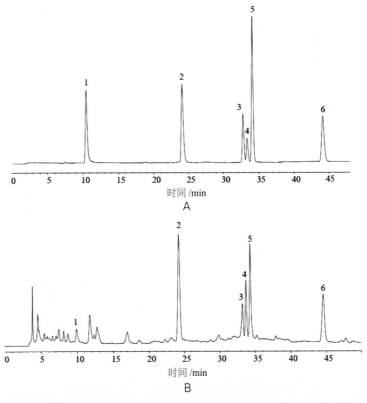

1—腺嘌呤；2—尿苷；3—肌苷；4—鸟苷；5—腺苷；6—N6-（2-羟乙基）腺苷。

混合对照品（A）和金蝉花样品（B）高效液相色谱图

金蝉花菌核和孢梗束的成分差异较大，通过 10 个不同产地、不同采收时间的金蝉花菌核和孢梗束的高效液相色谱（HPLC）指纹图谱可知，孢梗束样品的成分与产地的相关性不大，而部分菌核样品的成分与产地的相关性较大。研究发现金蝉花孢梗束中腺嘌呤、尿苷、肌苷、鸟苷和腺苷的含量均高于菌核，而菌核中 N6-（2-羟乙基）腺苷的含量则较高。

核苷类成分是金蝉花重要的活性物质，其中含量较高的主要为尿苷、N6-（2-羟乙基）腺苷、腺苷、鸟苷等，不同产地的金蝉花中核苷类成分的含量存在差异。

| **功效物质** | 金蝉花含多糖、核苷、麦角甾醇、甘露醇、环肽、有机酸等化学成分及蛋白质、氨基酸、维生素、矿物质、纤维素、脂肪酸等营养成分。现代药理研究表明，金蝉花具有调节免疫、抗肿瘤、抗氧化、抗衰老及保护肾脏等作用。

一、多糖类

多糖是食药用真菌中具有生物活性的主要组分之一，部分真菌多糖产品已应用于临床恶性肿瘤和免疫疾病的治疗中。近年来，有学者致力于金蝉花功效物质方面的探究，并对金蝉花粗多糖和单一组分多糖的抗氧化、抗衰老、免疫调节和神经保护活性等方面开展了广泛研究。

1. 抗氧化、抗衰老活性

研究发现通过分级醇沉得到的金蝉花多糖 CP70 组分可通过上调过氧化氢酶（CAT）、超氧化物歧化酶（SOD）和长寿基因（*MTH*）等抗氧化酶基因的表达，显著延长生理性衰老和过氧化氢（H_2O_2）急性氧化损伤的果蝇寿命，降低果蝇体内的丙二醛（MDA）含量，提高 CAT 和谷胱甘肽过氧化物酶（GSH-Px）活力。

2. 免疫调节活性

金蝉花多糖可显著增强巨噬细胞 RAW264.7 的增殖、吞噬功能及促进一氧化氮（NO）的分泌；可显著提高小鼠的脏器指数，以及细胞免疫和体液免疫功能，对环磷酰胺诱导的免疫抑制小鼠具有保护作用。另外，对金蝉花水提物以 80% 乙醇终浓度沉淀出的粗多糖进行分离纯化，经 DEAE-52 纤维素柱和 Sephadex G-100 凝胶柱层析，得单一组分多糖 PSA-2（由葡萄糖、木糖和鼠李糖组成）和 PSD-1（由葡萄糖和鼠李糖组成），可在 50 μg/ml、100 μg/ml、200 μg/ml 作用浓度下促进巨噬细胞的增殖及 NO 产生，增强其吞噬功能，激活 NF-κB 信号通路，促进 NF-κB 的核转移，具有显著的免疫调节活性。

对金蝉花水提物以 50% 乙醇终浓度沉淀出的粗多糖进行分离纯化，经 DEAE-52 纤维素柱和 Sephadex G-100 凝胶柱层析，得单一组分多糖 CPA-1（由甘露糖、葡萄糖和半乳糖组成）和 CPB-1（主要由葡萄糖及少量的甘露糖和半乳糖组成），研究发现CPA-1和CPB-1作用于树突细胞（DCs）后，DCs表现出更多的成熟性状，细胞表面伸出的长短不一的毛刺样突起数量增多且伸长；并且CPA-1和CPB-1可以显著上调DCs表面分子和共刺激分子的表达。

二、核苷类

核苷类物质是虫草属的主要功效成分及质量控制指标，具有补益、增强免疫、神经保护、抗氧化、抗肿瘤、抗病毒和抗菌等生物活性。从金蝉花中共鉴定出13种核苷类成分，分别为胞嘧啶、腺嘌呤、鸟嘌呤、N6-（2-羟乙基）腺嘌呤、脱氧胞苷、次黄嘌呤、尿苷、脱氧肌苷、脱氧尿苷、肌苷、鸟苷、腺苷和N6-（2-羟乙基）腺苷。金蝉花腺苷可减少谷氨酸诱导的氧化损伤PC12细胞中活性氧和MDA的产生，显著提高GSH-Px及SOD的活性。

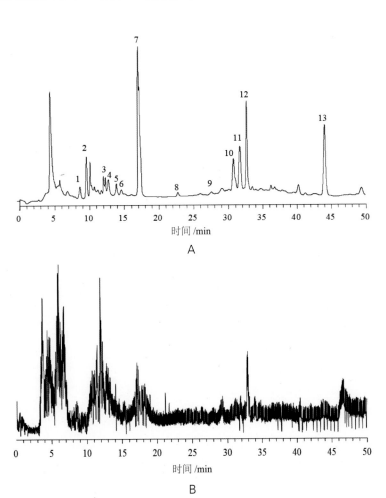

1—胞嘧啶；2—腺嘌呤；3—鸟嘌呤；4—N6-（2-羟乙基）腺嘌呤；5—脱氧胞苷；6—次黄嘌呤；7—尿苷；8—脱氧肌苷；9—脱氧尿苷；10—肌苷；11—鸟苷；12—腺苷；13—N6-（2-羟乙基）腺苷。

金蝉花样品的UV图（A）和总离子流图（B）

三、多球壳菌素

多球壳菌素（ISP-1）是一种真菌和细菌的代谢产物，具有免疫抑制、抗真菌和抗动脉粥样硬化等药理作用。

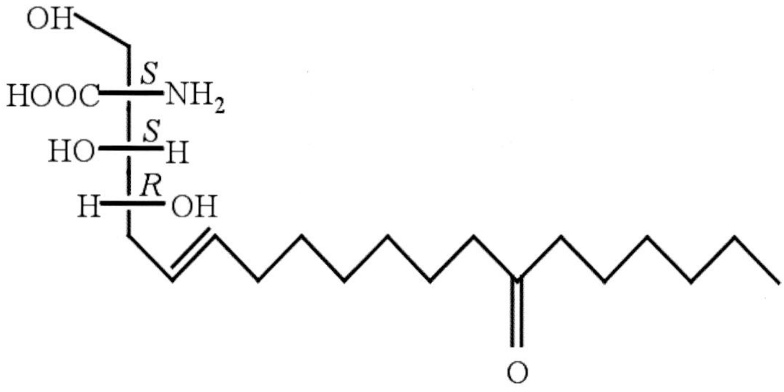

多球壳菌素的化学结构

四、糖醇和甾醇类

金蝉花中糖醇和甾醇类物质主要包含虫草酸（甘露醇）、麦角甾醇及其过氧化物等。甘露醇能平喘祛痰、利尿，研究显示金蝉花中的甘露醇含量高于冬虫夏草和蛹虫草。麦角甾醇是真菌类细胞膜上重要的固醇类物质，在虫草类真菌中的含量相对稳定，通常作为质量控制指标之一，为维生素 D_2 的前驱物，具有减少炎症和心血管疾病的发病率、抗氧化、抗菌、抗补体和抗肿瘤等活性。

五、脂肪酸、酯、烷烃类

金蝉花是一种虫菌相依的组合体，含有丰富的脂肪酸，且以不饱和脂肪酸为主。目前，已发现的金蝉花中脂肪酸成分包括豆蔻酸、十五烷酸、棕榈酸、棕榈油酸、十七碳酸、十七碳烯酸、十六酸甲酯、硬脂酸、油酸甲酯、亚油酸、亚油酸甲酯、花生酸、花生一烯酸、花生二烯酸、二十碳三烯酸、二十一碳酸、山萮酸、二十三碳酸、木焦油酸等。

六、氨基酸类

组成蛋白质的氨基酸种类、数量及它们彼此间的比例是食用菌蛋白质的质量指标，金蝉花中含有以谷氨酸、精氨酸、天冬氨酸为主的 18 种氨基酸。

| 功能主治 | 甘、咸，寒。归肺、肝经。疏风散热，透疹，息风止痉，明目退翳。用于外感风热，发热，头昏，咽痛，麻疹初期，疹出不畅，小儿惊风，夜啼，目赤肿痛，翳膜遮睛等。

| **用法用量** | 内服煎汤，3~9 g。

| **传统知识** | 基于文献梳理和中药资源普查过程中调查走访收集的传统用药知识，记录于此。蝉花之名最早见于《雷公炮炙论》，比同属虫生真菌冬虫夏草的药用记载早800年，千余年来，人们应用蝉花强身健体、防病疗疾。蝉花可用于眼科疾病的治疗，《圣济总录》卷第一百八十目昏暗篇中有蝉花散方，是将蝉花、柏子仁、郁李仁、甘草、大黄、延胡索、远志、防风、密蒙花、石苇、槐胶各一两，甘菊花、旋覆花、蛇蜕（微炙焦）、干蝎、海螵蛸（即乌贼鱼骨，去甲）、草茶芽各半两，共17味为散，"每服一钱匕，米饮调下，食后，日三服，累经效，忌动风物""治眼一切昏暗疾"。葆光道人《秘传眼科龙木集》中记载了秘方蝉花散方，言此方可治疗5种风热翳病，全方共3味药，即蝉花、菊花、白蒺藜，三者以1∶4∶2的比例研末，每服三钱。

此外，还有2种传统挤眼用法。①蝉花带壳全体，配伍僵蚕、甘草（炙）各一分，延胡索半分，上药为末，四五岁半钱。用于惊风、夜啼、咬牙、咳嗽、咽喉疼痛。②蝉花一两，白蒺藜二两，菊花四两，上药为末，每服三钱，清水调下。用于白膜遮睛、青膜遮睛。

| **资源利用** | 一、在医药领域中的应用

20世纪90年代，有学者开始进行金蝉花治疗慢性肾衰竭及其他多种肾病的临床及实验研究，证实了金蝉花具有降低血清肌酐、血尿素氮水平，提高内生肌酐清除率，增加血浆蛋白、血红蛋白及减少尿蛋白等功效。根据中医"久病多虚，久病多瘀，久病入络，久病及肾"的理论，有学者在长期临床过程中探索总结出治疗间质性肾炎的经验方——金蝉花补肾汤（金蝉花、黄芪、山茱萸、黄精、莪术等）。

有学者公开了4种金蝉花提取物及其在制备神经保护和抗衰老药物中的应用研究。将金蝉花粉末用水回流提取、浓缩后，加无水乙醇沉淀、离心、干燥，得到金蝉花粗多糖部位；将金蝉花乙醇回流提取物用水分散，依次用石油醚、乙酸乙酯、正丁醇分级萃取，减压浓缩，冷冻干燥，得到乙酸乙酯部位、正丁醇部位及剩余水部位。研究发现，金蝉花4个提取部位均可明显抑制谷氨酸诱导的PC12细胞衰老损伤，阻止细胞乳酸脱氢酶（LDH）释放，提高细胞的存活率，降低细胞内的氧自由基水平，提高GSH-Px和SOD的活性，并且在清除1,1-二苯基-2-三硝基苯肼（DPPH）自由基和超氧阴离子自由基实验中表现出较好的抗氧化活性，可用于制备神经保护和抗衰老药物。还有研究通过多次不同浓度

乙醇沉淀去除蛋白质等杂质，从金蝉花水提物中有效分离得到了不同分子结构的多糖，该研究提供了一种获得纯度较高且抗氧化活性更强的小分子多糖 CP70 的方法，为寻找具有精准抗氧化活性的金蝉花活性成分提供了借鉴。

二、在保健食品中的应用

金蝉花是我国古老稀有的真菌类药材，无毒且具有良好的滋补强身、延年益寿、美容养颜功效，近年来常与其他食材或中药材等共同制成保健食品，如多功能泡腾片、糕点、保健酒、金蝉花蜜炼山楂、中药保健茶、保健食醋、速溶粉、胶囊等，还可制成药膳。

1. 蝉花棒蘑汤

原料：干蝉花 10 g，棒蘑 300 g，生姜片 6 g，鲜汤、川盐、味精各适量。制作：棒蘑洗净，切成块，入锅，加鲜汤、生姜片、净干蝉花、川盐，煮至味浓厚，起锅加味精即成。主要功能为息风平肝，清热明目，疏散风热。

2. 蝉花炖牛蒡根

原料：干蝉花 9 g，嫩牛蒡根 300 g，白糖适量。制作：嫩牛蒡根洗净，削去外皮，切成块，入锅，加清水、净干蝉花、白糖，炖至烂时，起锅即成。主要功能为疏散风热，清热明目，解毒祛风。

3. 蝉花海鳗汤

原料：蝉花 70 g，海鳗段 350 g，葱白节 25 g，生姜片 6 g，料酒 50 ml，鲜汤、川盐、泡酸萝卜片、鸡精各适量。制作：蝉花洗净，入锅，加鲜汤、生姜片、泡酸萝卜片，烧沸后，下葱白节、净海鳗段、料酒、川盐，煮至味浓厚，起锅加鸡精即成。主要功能为息风清肝，解毒明目，祛风通络。

三、人工培育

由于大蝉草的生长需要特定的生态环境和寄主昆虫，故资源稀少，加之长期采挖，自然产量也在逐年减少，已无法满足临床需求。有研究表明金蝉花人工培养物与天然金蝉花的成分相似，因此通过人工驯化培养进行工业化生产，可为这一名贵药材的开发利用开辟广阔的前景。从金蝉花的培养基来看，小麦和玉米培养基成本均较低，可批量生产，其中小麦培养基为更好的选择。但人工金蝉花仅有子座（子实体）而无虫体，外观上与虫菌复合的野生金蝉花区别较大，不宜作为药材上市，但可作为有关药品或保健品的加工原料。文献报道了金蝉花的另一种蝉花虫草，由金蝉花真菌寄生于蝉类成虫而成，子座聚生至近丛生，从成虫寄主的整个腹部长出，子囊壳斜埋在子座内，此种同作金蝉花入药，培育此种既可保护蝉种，又有经济效益，可作为金蝉花人工培养的方向。

参考文献

[1] 江纪武. 药用植物辞典 [M]. 天津：天津科学技术出版社，2005.

[2] 谢宗万. 全国中草药汇编 [M]. 北京：人民卫生出版社，1996.

[3] 雷敩. 雷公炮炙论（辑佚本）[M]. 王兴法，辑校. 上海：上海中医学院出版社，1986.

[4] 苏颂. 本草图经 [M]. 尚志钧，辑校. 合肥：安徽科学技术出版社，1994.

[5] 李时珍. 本草纲目 [M]. 太原：山西科学技术出版社，2014.

[6] 国家中医药管理局《中华本草》编委会. 中华本草：第9册 [M]. 上海：上海科学技术出版社，1999.

[7] 王琼，王春雷，何福根，等. 地方药材金蝉花的研究进展 [J]. 肿瘤学杂志，2013，19（3）：227-230.

[8] 温鲁，唐玉玲，张平. 蝉花与有关虫草活性成分检测比较 [J]. 江苏中医药，2006，27（1）：45-46.

[9] 刘森琴，温鲁，夏敏，等. 人工培育蝉花的活性成分含量测定 [J]. 安徽农业科学，2008，36（2）：465-467.

[10] 王砚，赵小京，唐法娣. 蝉花药理作用的初步探讨 [J]. 浙江中医杂志，2001，36（9）：219-220.

[11] 张晓瑶，曹玉朋，张磊，等. 竹林中虫草及其相关真菌的研究 [J]. 安徽农业大学学报，2013，40（5）：823-827.

[12] 封燕. 金蝉花多糖的结构特征及免疫活性初步研究 [D]. 镇江：江苏大学，2016.

[13] 葛琦. 金蝉花成分分析及多糖抗氧化活性研究 [D]. 镇江：江苏大学，2019.

[14] 王吉标，欧阳臻，赵明，等. 响应面分析法优化金蝉花多糖的提取工艺 [J]. 天然产物研究与开发，2014，26（3）：438-443.

[15] 李玲，梁瀚文，吴卓娜，等. 聚类分析和主成分分析法研究金蝉花不同部位的 HPLC 指纹图谱 [J]. 时珍国医国药，2017，28（7）：1537-1541.

[16] 金周慧，陈以平. 蝉花汤延缓慢性肾功能衰竭进展的临床观察 [J]. 中华中医药学刊，2006，24（8）：1457-1459.

[17] 王琪，刘作易. 药用真菌蝉花的研究进展 [J]. 中草药，2004，34（4）：113-115.

[18] 肖朝华，周建华，吴衡生. 多球壳菌素对高糖诱导肾小球系膜细胞 cyclinD1 表达的影响 [J]. 实用儿科临床杂志，2011，13（8）：677-679.

[19] 陈美，江警予，郝燕，等. 多球壳菌素诱导系膜细胞凋亡及对细胞周期调节蛋白基因表达谱的影响 [J]. 中草药，2008，39（8）：1208-1212.

[20] 王海颖，陈以平. 陈以平教授巧用蝉花经验 [J]. 中国中医药信息杂志，2000，7（10）：71.

[21] 葛琦，万晶琼，朱益灵，等. 金蝉花核苷类成分的 LC-MS 定性分析与 HPLC 含量测定 [J]. 天然产物研究与开发，2019，31（11）：1857-1863，1927.

[22] 欧阳臻，张魏琬麒，赵明，等. 金蝉花活性部位及其在制备神经保护和抗衰老药物中的应用：201410046280.X[P]. 2016-01-20.

[23] 欧阳臻，张魏琬麒，赵明，等. 金蝉花多糖及其在制备神经保护和抗衰老药物中的应用：201410232441.4[P]. 2016-05-25.

[24] 欧阳臻，张魏琬麒，赵明，等. 一种金蝉花提取物及其在制备神经保护和抗衰老药物中的应用：201410046249.6[P]. 2016-04-06.

[25] 欧阳臻，张魏琬麒，赵明，等. 一种金蝉花活性部位及其在制备神经保护和抗衰老药物中的应用：201410046301.8[P]. 2016-04-06.

[26] 欧阳臻，葛琦，万晶琼，等. 一种金蝉花提取物及其在制备抗氧化药物中的应用：201910328312.8[P]. 2019-07-09.

[27] 余芳，许凌凌，张红. 一种金蝉花黄芪保健粉的加工方法：201610734942.1[P]. 2017-01-11.

[28] 周兆平，周玲玲. 金蝉花黄芪养生酒的酿造方法：201810858435.8[P]. 2018-11-13.

[29] 程绯. 一种金蝉花发酵速溶粉的生产方法：201710968290.2[P]. 2017-12-29.

[30] 刘立兴. 金蝉花蜜炼山楂及其制作方法：201610072253.9[P]. 2016-08-10.

[31] 孙延芳，孙杨，梁宗锁，等. 金蝉花多功能泡腾片的提取制备法：201610459621.5[P]. 2019-07-16.

[32] FUJITA T, INOUE K, YAMAMOTO S, et al. Fungal metabolites Part Ⅱ A potent immunosuppressive activity found in Isaria sinclairii metabolite[J]. Journal of Antiboties, 1994, 47（2）：208-215.

[33] OPEYEMI J O, YAN F, OYENIKE O O, et al. Neuroprotective effects of adenosine isolated from Cordyceps cicadae against oxidative and ER stress damages induced by glutamate in PC12 cells[J]. Environmental Toxicology and Pharmacology, 2016, 44：53-61.

[34] OPEYEMI J O, YAN F, OYENIKE O O, et al. Cordycepin protects PC12 cells against 6-hydroxydopamine induced neurotoxicity via its antioxidant properties[J]. Biomedicine & Pharmacotherapy, 2016, 81：7-14.

[35] WANG D, WANG J B, WANG D J, et al. Neuroprotective effects of butanol fraction of Cordyceps cicadae on glutamate-induced damage in PC12 cells involving oxidative toxicity[J]. Chemistry & Biodiversity, 2018, 15（1）：e1700385-1~e1700385-9.

（欧阳臻）

银杏科 Ginkgoaceae 银杏属 Ginkgo

银杏 *Ginkgo biloba* L.

| 药 材 名 |　银杏叶（药用部位：叶。别名：白果叶）、白果（药用部位：成熟种子。别名：灵眼、鸭脚子、佛指柑）。

| 本草记述 |　《绍兴本草》载："银杏……诸处皆产，唯宜州形大者佳。七月八月采实暴干。"《本草纲目》载："银杏，原生江南，以宣城者为胜，树高二三丈，叶薄，纵理俨如鸭掌形，有刻缺，面绿背淡，二月开花成簇，青白色，二更开花，随即卸落，人罕见之，一枝结子百十，经霜乃熟，烂去肉，取核为果，其核两头尖，其仁嫩时绿色，久则黄。"不同本草对于银杏命名由来和别名的记载各具特色。《花镜》载："又名公孙树，言公种而孙始得食也。"《绍兴本草》对于银杏种子的记载较为系统，"银杏，以其色如银，形似小杏，故以名之。乃叶如鸭脚而又谓之鸭脚子"。白果当以其中种皮色白而得名。灵眼、

佛指甲皆以果形美而得名。佛指柑或为佛指甲之音讹。

| 形态特征 | 落叶乔木。叶片具细长的叶柄，扇形，叶缘宽阔，具缺刻或 2 裂，多数具二叉状平行叶脉，光滑无毛，易纵向撕裂。雌雄异株，稀同株，球花单生于短枝的叶腋；雄花成下垂的柔荑花序，雄蕊多数，各有 2 花药；雌花有长梗，梗端常分 2 叉，叉端生一具有盘状珠托的胚珠，常 1 胚珠发育成种子。种子核果状，具长梗，下垂；外种皮肉质，被白粉，成熟时淡黄色或橙黄色；中种皮骨质，白色，常具 2 纵棱；内种皮膜质，淡红褐色。

| 资源情况 | 一、生态环境

银杏为喜阳、耐寒、耐旱、忌涝、深根性树种，能生于酸性土壤（pH 4.5）、石灰性土壤（pH 8）及中性土壤中，但不耐盐碱土及过湿的土壤。海拔 1 000 m 以下，气候温暖湿润，年降水量 700 ~ 1 500 mm，土层深厚、肥沃湿润、排水良好的地区为银杏的适宜生长地。银杏对气候、土壤的适应性较强，也能在高温多雨及雨量稀少、冬季寒冷的地区生长，但常表现为生长缓慢或生长不良。

二、栽培历史与产地

我国是银杏的起源、进化及分布中心，拥有全球 70% 以上的银杏资源。银杏在江苏的栽培历史悠久，产业规模和效益均居全国之首，已被确定为江苏的"省树"。江苏银杏的主要产区有邳州、东台、新沂、如皋及泰州、苏州、扬州等，其中，邳州、泰州的泰兴属于我国银杏的重点分布地区。各产区主要栽培的银杏种类如下：淮北产区主要栽培叶用银杏、果材两用银杏、绿化观赏用银杏；里下河产区主要栽培果材两用银杏、行道观赏银杏；环太湖产区主要栽培果材两用银杏、绿化观赏用银杏；沿海产区主要栽培材用银杏、绿化观赏用银杏等。

三、栽培面积与产量

江苏银杏品种丰富，目前全省的银杏资源依用途可分为4类，各类主推品种如下：果材两用银杏主推宇香、亚甜、大佛手、大马铃、洞庭皇、泰兴大佛指、滕九郎、大梅核、魁铃；叶用银杏主推南林 D1 号、大佛手、大马铃、洞庭皇、泰兴大佛指、大龙眼、圆铃、叶籽银杏；材用银杏主推南林 B1、南林 B2、南林 B3、眼珠子、泰兴大佛指、宇香、洞庭皇的实生雄苗；绿化观赏用银杏主推南林 B2、大佛指的优良无性系嫁接苗。

目前，江苏拥有银杏成片林 49.5 万亩，定植银杏总株数达 3 000 万株，银杏果年产量达 70 000 t，年产优质银杏干青叶 20 000 t。江苏银杏的主要品种类型及其特性见表 2-1-1。

表 2-1-1　江苏银杏的主要品种类型及其特性

品种类型	主要品种	主要特点	用途
叶用品种	泰兴大佛指、郯城金坠、大马铃、郯城圆铃、泰山 1 号和泰山 4 号等	生长快，叶面大，叶质厚，产叶量高，叶的内酯类等有效成分含量高	主要为药用、以提取物制多种医疗保健品和化妆品
果用品种	大佛指、大马铃、大梅核、洞庭佛手、大金坠、长柄佛手等	结果早，丰产，果大，结果期长，种核整齐，出核率和出仁率高，其高年生长量小于 20 cm	药用或制成多种菜肴、罐头、饮料和蜜饯等
材用和观赏用品种	垂乳银杏、金丝银杏、金带银杏、多裂银杏、叶籽银杏等	树体高大，树干挺拔，姿态优美	主要用于街道、园林绿化

四、规范化生产技术

为了栽培优质无公害的银杏，研究人员按照《中药材生产质量管理规范（试行）》、《环境空气质量标准》（GB 3095—2012）、《农田灌溉水质标准》（GB 5084—2021）、《土壤环境质量—农用地土壤污染风险管控标准（试行）》（GB 15618—2018）、《土壤环境质量标准》（GB 15618—1995）的要求，并依据《中国药材产地生态适宜性区划（第二版）》进行产地的选择，设计和优化了符合银杏自身生物学特性的产地区域生态因子量表，为银杏规范化生产提供参考和指导。

1. 选地整地

选择交通便利、地势平坦、背风向阳、土层深度在 50 cm 以上（最好是沙土与黄土）、土质疏松肥沃、土壤透气性好、微酸性或中性（pH 5.5 ~ 7.5）、含盐量不超过 0.3%、有水源且排水好的土地作为苗圃地。黏重土壤、低湿地、内涝地、重茬地等不宜作为银杏的育苗地。育苗前一年入冬前，在苗圃地中施撒基肥（或土杂肥），整体深耕 1 遍，深度为 30 cm 左右，依照地形开排水中沟，可按照 50 m 方格进行。经过一个冬天的冻垡和风化，翌年 3 月化冻后，撒施复合肥、黑矾（除地下害虫），并进行浅耕、耙碎整地。

2. 选种育苗

选择母树品质好、树体健壮、结果数量多的大颗粒果实。待果实自然成熟脱落后，在地面上收集。将采集的果实堆沤 2 ~ 3 天，再浸于水中搓去外皮，晾干，进行冷藏或低温沙藏。育种时选择颗粒大且达到 180 ~ 240 粒 /500 g 标准的种子，颗粒大的种子含胚乳较多，可为银杏小苗的初期生长提供充足的营养，这样培育出来的苗木比较强壮，后期的长势也较好。种子用水加多菌灵常温浸泡 7 天，2 天换 1 次水，期间要经常翻动，及时拣出破损或变质的种子。发芽率要求在 80% 左右。3 月底下种，播种量为 175 ~ 200 kg/hm²，采用条播，深度为

3 ～ 6 cm，把种子横向平放在沟内，方向要一致，种子之间的距离为 3 ～ 5 cm，行距为 20 cm，每隔 5 行设一个 30 cm 的宽行用于田间管理，然后用疏松的土层把种子盖好，稍压实。喷灌 1 遍透水，1 ～ 2 天后打 1 遍除草剂，敷地膜。

3. 移栽及田间管理

当出芽率为 30% ～ 40% 时，及时揭膜。根据天气和田间的情况适当浇水，使用喷灌保持地面潮湿。苗木出齐后应及时浇透水 1 次，长出 2 片真叶时再浇透水 1 次。当银杏幼苗平均高为 8 ～ 10 cm 时，如天气干旱，保持每 7 天浇水 1 ～ 2 次；6 月中旬时，每 2 ～ 3 天浇水 1 次；8 月逐渐控制浇水次数，以提高苗木质量。每年 6 月、8 月各施 1 次肥。平时每 15 天施 1 次叶面肥，一般用浓度为 0.5% 的磷酸二氢钾。松土和除草结合进行，松土一般在雨后或浇水后进行。在松土除草过程中应谨慎作业，以防碰伤银杏幼苗。第二年除浇水次数减少外，其余田间管理措施均同第一年。

4. 病虫害防治

雨后喷洒杀菌保护剂多菌灵、代森锰锌 600 ～ 800 倍液，夏季高温期可以给苗床搭遮阴棚，可在每天 10 ～ 17 时进行遮阴，高温期一过应立即拆除遮阴棚，以保证苗木高效的光合作用，多种措施可有效预防苗木病害。银杏幼苗期常遭地老虎、蛴螬等虫害，发现虫害时应及时用药。

| 采收加工 | 　银杏叶：一般每年采收 2 次，第 1 次在 8 月中旬至 9 月中旬，第 2 次在 9 月下旬至 10 月中下旬。如果栽植密度较大且苗木高度在 2 m 以上，应增加 1 次采收，即 7 月中旬采摘树苗下部 1/3 的叶片。采摘叶片应选晴朗天气，上午采摘应待叶面露水干后进行。采摘后的叶片要及时在平地上摊开晾晒，并不断翻动以促使叶片加快干燥。除人工晾晒外，还可采用烘干机干燥处理。干燥后的银杏叶最好打捆，这样不易吸湿且占地面积小；也可装袋打包严密封藏，此法不易发生霉变，但需经常抽查。将银杏叶运进仓库前，底部要放通气木架，以利通气。有研究对银杏叶在晒干、阴干和 35 ℃、45 ℃、60 ℃、80 ℃条件下烘干过程中的黄酮及其苷类、内酯类、银杏酚酸类及儿茶素类成分含量进行分析。结果显示，银杏叶中含有的黄酮苷类成分可在干燥过程中转化为苷元，适宜条件为 45 ～ 60 ℃，具体表现为木犀草素、槲皮素、芹菜素和异鼠李素的含量在晒干条件下均有较明显的上升趋势，与鲜品相比，制干后四者的含量分别增加 95.0%、162.5%、109.0%、13.5%，且在 45 ～ 60 ℃的烘干条件下也有利于四者的积累；银杏内酯 A、银杏内酯 B、银杏内酯 C 及白果内酯的变化趋势一致，均为先升高后降低，其中 80 ℃烘干和晒干条件下此变化趋势明显高于其他，

且此 4 种内酯制干后的含量排序均为 80 ℃烘干＞晒干＞阴干＞ 60 ℃烘干＞ 45 ℃烘干＞ 35 ℃烘干；白果新酸干燥前后的含量变化较小，而银杏酸含量变化明显，除 35 ℃烘干和 45 ℃烘干时呈平稳下降趋势外，其余烘干温度条件下均呈现先升高后降低的趋势，其中 80 ℃烘干条件下表现最为明显；（－）表没食子酸儿茶素、（＋）儿茶素、（－）表儿茶素三者在各干燥条件下的含量与鲜品相比均有不同程度的降低，其中，80 ℃烘干条件下损失最少，晒干条件下损失最多，损失高达 60%～90%，三者制干后的含量排序均为 80 ℃烘干＞ 60 ℃烘干＞ 45 ℃烘干＞ 35 ℃烘干、阴干＞晒干。

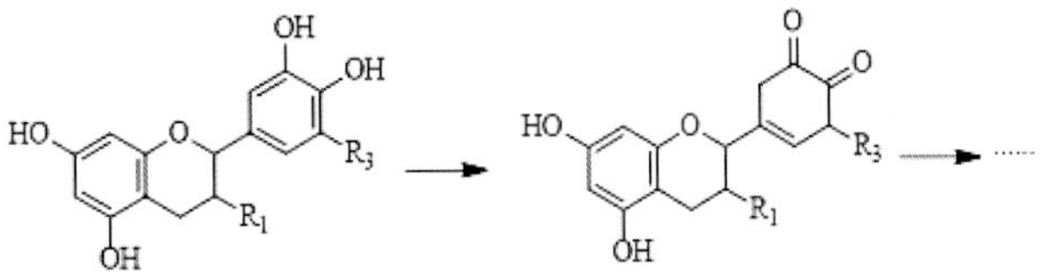

儿茶素类氧化反应

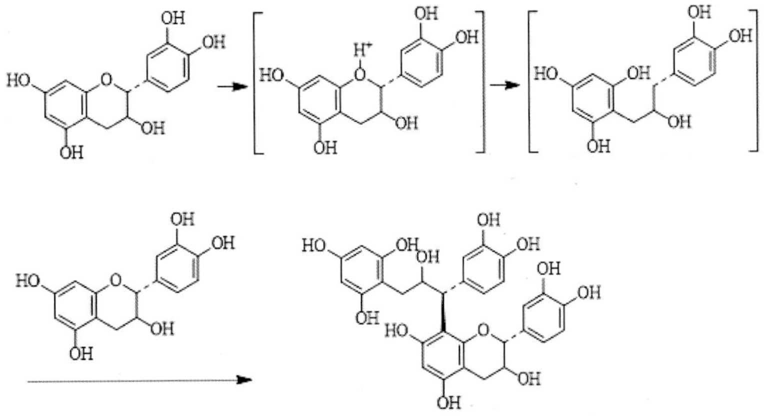

儿茶素类缩合反应

银杏叶干燥过程中儿茶素类化学成分可能发生的转化反应

白果：一般在 9 月下旬至 10 月初采收。银杏种子的外种皮由青色转为青（橙）褐色，且表面覆生一层"白粉"，用手按捏，有松软感，并有少量成熟种实自然脱落，中种皮已骨质化，果肉饱满充实，质量好，此时为采收的最佳时期。采收方法主要有 2 种：对矮化密植的银杏园采用手工采集；对成林大树，一般用竹竿打落或在竹竿上绑扎铁钩钩枝摇落，震打时注意使用的力度，尽量避免伤及枝叶。为了便于净种、分级和贮运，通常作为食用、药用、加工或生产用种的银杏种子须经过一系列的加工处理，产地加工处理程序一般为：沤制→外种皮软化、腐熟→脱皮→清洗→去杂→漂白→阴干→分级。

| **药材性状** | **银杏叶**：本品多折皱或破碎，完整者呈扇形，长 3 ~ 12 cm，宽 5 ~ 15 cm。黄绿色或浅棕黄色，上缘呈不规则的波状弯曲，有的中间凹入，深者可达叶长的 4/5。具二叉状平行叶脉，细而密，光滑无毛，易纵向撕裂。叶基楔形，叶柄长 2 ~ 8 cm。体轻。气微，味微苦。 |

白果：本品略呈椭圆形，一端稍尖，另一端钝，长 1.5 ~ 2.5 cm，宽 1 ~ 2 cm，厚约 1 cm。表面黄白色或淡棕黄色，平滑，具 2 ~ 3 棱线。中种皮（壳）骨质，坚硬。内种皮膜质。种仁宽卵球形或椭圆形，一端淡棕色，另一端金黄色，横断面外层黄色，胶质样，内层淡黄色或淡绿色，粉性，中间有空隙。气微，味甘、微苦。

| 侧面 | 腹面 | 纵剖面 | 横剖面 |

| **品质评价** | 一、银杏叶 |

相关学者采用现代分析技术，创建了客观表征多元功效的多指标成分的银杏叶质量评价体系。

1. 不同树龄与不同采收时间银杏叶的品质评价

银杏叶中总黄酮的含量随季节而变化，且变化范围较大，5 月含量最高，以后逐月下降；从年平均含量来看，以二年生者总黄酮含量最高，后随树龄增加呈下降趋势。槲皮素含量占总黄酮含量的百分比随树龄的增加而逐渐下降；山奈素含量占总黄酮含量的百分比随树龄的增加而逐渐上升，且超过了槲皮素；异鼠李素在总黄酮中所占的比例较小，但是该比例也随树龄的增加而逐渐上升。不同树龄银杏叶中 3 种黄酮苷元的相对含量有明显变化，表明银杏叶的内在质量有较大变化。银杏叶中总内酯的含量随季节而变化，亦因树龄不同而变化，二年生者在 10 月上旬总内酯含量最高，三年生者在 9 月下旬总内酯含量最高，四年生者在 8 月中旬总内酯含量最高，五年生者在 8 月上旬总内酯含量最高，六年生者在 9 月上旬总内酯含量最高。各内酯含量由高到低的顺序为：白果内酯＞银杏内酯 A ＞银杏内酯 C ＞银杏内酯 B。从年平均含量来看，总内酯以三年生者、二年生者的含量较高，二者相差不大。

2020 年版《中华人民共和国药典》规定银杏叶为秋季叶尚绿时采摘，结合已有的研究结果可确定：若以总内酯类成分为评价指标，用作制备银杏内酯原料的银杏叶，以 7 ～ 9 月为适宜采收时间；若以总黄酮醇苷类成分为评价指标，用作制备总黄酮醇苷类化合物原料的银杏叶，以 5 月为适宜采收时间；若用作制备提取物原料的银杏叶，则需保证总黄酮醇苷类和总内酯类成分均符合药典规定的标准，以 7 ～ 10 月为适宜采收时间。

2. 不同物候期银杏叶的品质评价

对不同生长季节银杏叶中以槲皮素、山奈酚和异鼠李素为苷元的总黄酮含量进行评价，结果显示，4 ～ 5 月银杏幼嫩叶片中的总黄酮含量最高，后逐月下降，11 月银杏叶中总黄酮的含量降至最低。对银杏叶中黄酮醇苷类、酰基黄酮苷类及双黄酮类成分在营养生长期内的积累规律进行分析，结果显示，黄酮醇苷类成分在叶芽中的含量较高，且随叶芽的生长发育而迅速增加，4 月达全年最高点，此后随叶片的生长而逐渐下降，10 月达全年最低点，11 月又开始缓慢上升；酰基黄酮苷类成分的含量在最初的叶芽中即达全年最高点，而后随叶片的生长含量呈下降趋势；双黄酮类成分在叶芽中未检测到，后在整个营养生长期内呈现缓慢递增的趋势。

有学者对不同生长季节银杏叶中白果内酯及银杏内酯 A、银杏内酯 B、银杏内酯 C 等萜内酯类成分的积累规律进行研究，结果显示，萜内酯类成分在初春开始富集，随着叶片的逐渐生长，萜内酯类含量呈上升趋势，其中，白果内酯从 5 月到 10 月含量上升 8 倍；白果内酯及银杏内酯 A、银杏内酯 B、银杏内酯 C，以及总内酯含量在 10 月以后均急遽下降，总内酯含量以 9 月为最高。

3. 不同产地银杏叶的品质评价

采用 HPLC 法测定我国 19 个产地银杏叶中 3 种主要黄酮醇苷元（槲皮素、山柰酚和异鼠李素）的含量，并以此换算出总黄酮含量。结果显示，不同产地银杏叶中总黄酮类成分的含量差异较大，其中，江苏邳州、广西兴安、贵州正安、湖北安陆等产地的银杏叶总黄酮含量较高；大部分产地的银杏叶样品以山柰酚含量最高，槲皮素次之，异鼠李素含量最低，但在总黄酮含量较高的江苏邳州、广西兴安、贵州正安、湖北安陆等产地的银杏叶样品中，3 种黄酮醇苷元的含量均为槲皮素＞山柰酚＞异鼠李素，且江苏邳州和广西兴安的银杏叶样品中槲皮素的含量约为山柰酚的 2 倍。有研究报道采用液质联用方法分析全国不同产地的 22 批银杏叶样品中儿茶素、表儿茶素、槲皮素 -3-*O*-*β*-D- 葡萄糖 -（4→1）-*α*-L- 鼠李糖苷、槲皮苷、槲皮素、山柰酚、异鼠李素、银杏素、异银杏素、金松双黄酮等 18 个黄酮类成分的含量。研究结果显示，大部分银杏叶样品中均含有所测定的 18 个黄酮类成分，但含量相差较大；不同产地的 22 批银杏叶样品中黄酮苷、双黄酮和原花青素类成分的含量分别为 670.0 ～ 3 524.7 µg/g、4 072.1 ～ 8 641.3 µg/g 和 16.9 ～ 525.1 µg/g；山东泰安、江苏泰兴、江苏邳州、江苏扬州、江苏南京、浙江安吉、福建长汀的银杏叶样品中黄酮苷、双黄酮和原花青素类成分的含量普遍高于其他产地。

不同产地银杏叶中萜内酯类成分的含量差异较大，其中，江苏邳州、贵州正安、安徽亳州、安徽宁国、湖南永州、福建长汀等产地的银杏叶萜内酯类成分含量明显高于其他产地。有研究报道采用液质联用方法，分析全国不同产地的 22 批银杏叶样品中白果内酯及银杏内酯 A、银杏内酯 B、银杏内酯 C 成分的含量。研究结果显示，大部分银杏叶样品中均含有所测定的萜内酯类成分，但含量相差较大（含量变化范围为 362.8 ～ 3 668.3 µg/g）；大部分产地银杏叶样品中所测定的萜内酯类成分含量为银杏内酯 C ＞银杏内酯 B ＞白果内酯＞银杏内酯 A；山东泰安、湖南永州、江苏邳州、江苏南京、浙江安吉、河南洛阳、福建长汀的银杏叶样品中萜内酯类成分的含量普遍高于其他产地。

4. 不同栽培模式银杏叶的品质评价

不同栽培模式银杏叶黄酮类成分的含量随季节而变化，总黄酮含量以 5 月为最高，以后呈逐渐下降趋势；槲皮素含量占总黄酮含量的百分比随剪枝后树龄的增加而逐渐下降；山柰素含量占总黄酮含量的百分比随剪枝后树龄的增加而逐渐上升；异鼠李素在总黄酮中所占的比例较小，变化也较小。关于剪枝对银杏叶中黄酮类成分含量的影响似有如下规律：经剪枝后，银杏叶中总黄酮含量明显上升，但随后又下降；从年平均含量来看，三年生移栽者的总黄酮含量略高于三年生未移栽者，但二者之间差异不大。各种内酯的含量均随季节而变化，未剪枝者在 8 月中下旬达到相对较高的水平，剪枝者在 6 月中下旬达到相对较高的水平。移栽与未移栽者各种内酯含量的区别不大，各种内酯含量为白果内酯＞银杏内酯 A ＞银杏内酯 B ＞银杏内酯 C。不同栽培模式的银杏叶中总内酯的含量以四年生者为最高，经剪枝后总内酯的含量明显下降；在不同季节中以 8 月、9 月的总内酯含量为最高；总黄酮、总内酯的含量随树龄的增加而减少；经剪枝后，总内酯的含量又明显上升，但随剪枝年限的增加，含量又下降，经反复剪枝，含量是否会多次升高，尚有待研究。

5. 银杏叶中总黄酮及总内酯含量日内变化的分析评价

总黄酮在日内的含量也是有所变化的，变化幅度达 20%，有 2 个含量高峰，以白天 12 时及夜间 2 时左右最高，以下午 14 时至晚上 20 时最低。

二、白果

相关学者采用现代分析技术，对不同部位、树龄、产地的白果中的黄酮类、内酯类、银杏酸类等成分进行评价。

1. 不同部位白果的品质评价

白果不同部位中内酯类、银杏酸类成分普遍存在，但不同部位的各种成分含量差异较大。在白果外、中、内种皮中内酯类含量为银杏内酯 C ＞银杏内酯 A ＞银杏内酯 B；胚乳和胚芽中内酯类含量为银杏内酯 C ＞银杏内酯 B ＞银杏内酯 A。分析结果还显示，胚芽中含有极丰富的银杏萜内酯和白果酸，白果外种皮中的银杏酸类成分含量极高，而胚乳、中种皮、内种皮中的黄酮类、内酯类、银杏酸类等成分含量较低。

2. 不同树龄和产地白果的品质评价

研究发现白果中黄酮类、内酯类、银杏酸类成分受树龄和产地因素的影响较小。

| 功效物质 |　一、银杏叶的功效物质

现代研究表明，银杏叶活血化瘀、通络止痛、化浊降脂的功效物质主要是黄酮类和萜内酯类化合物。银杏叶主要含有黄酮类、萜内酯类、聚戊烯醇类、酚酸类、多糖类、甾醇类、氨基酸类等成分，目前银杏叶资源开发利用较多的成分为黄酮类、萜内酯类和聚戊烯醇类。

1. 黄酮类

银杏叶中黄酮类成分含量较高，为 2.5% ～ 5.9%，主要为双黄酮、黄酮醇苷元及其苷等，其中双黄酮化合物为银杏科的特征性化学成分。银杏双黄酮类主要成分为穗花杉双黄酮、去甲银杏双黄酮、银杏黄素、异银杏黄素、金松双黄酮和 5′- 甲氧基去甲银杏双黄酮等，此外，还有槲皮素、山柰酚、异鼠李素、芫花素、洋芹素、木犀草素、杨梅黄酮、槲皮素 -3-O-α-L-（6‴-p- 香豆酰葡萄糖基 -β-D-1,2-O- 鼠李糖苷）、异鼠李素 -3-O-α-L-（6‴-p- 香豆酰葡萄糖基 -β-D-1,2- 鼠李糖苷）、山柰酚 -3-O-α-L-（6‴-p- 香豆酰葡萄糖基 -β-D-1,2- 鼠李糖苷）等。有研究表明银杏叶中的黄酮类化合物在防治心血管疾病、抗肿瘤、抗氧化、抗炎、降血脂、降血压、抗痴呆、保肝等方面有着确切的疗效，具有良好的开发利用价值。

银杏双黄酮母核化学结构　　　　　　银杏香豆酰黄酮醇苷类化学结构

2. 萜内酯类

萜内酯类化合物是银杏叶中重要的生物活性物质。银杏萜内酯包括二萜内酯和倍半萜内酯。二萜内酯又称银杏内酯，包括银杏内酯 A、银杏内酯 B、银杏内酯 C、银杏内酯 J、银杏内酯 K。银杏内酯的结构特征是：存在 2 个戊烷环、3 个内酯环，并在侧链上连有一个叔丁基，该类结构在天然产物中很少见。银杏叶中含有的倍半萜内酯主要为白果内酯。研究表明，银杏叶中的萜内酯类化合物在防治心血管疾病、抗痴呆、抗血小板活化因子（PAF）、降血脂、降血压、抗菌等方面有着潜在的疗效，具有较大的开发潜力。

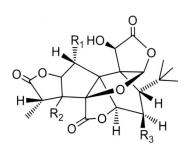

银杏内酯母核化学结构　　　　　　白果内酯化学结构

3. 聚戊烯醇类

银杏叶中含有的聚戊烯醇是由 14 ～ 24 个（以 17 ～ 19 个为主）异戊烯基单元构成的桦木萜醇类聚戊烯醇，它与哺乳动物脏器中所含的多萜醇结构接近，并可在人体中代谢成多萜醇磷酸酯，可作为糖蛋白生物合成的载体。对银杏叶聚戊烯醇的含量分析表明，无论绿叶还是黄叶，聚戊烯醇的含量都较高，可高达 1.0% ～ 1.5%，有的甚至可达 1.96%。现代药理研究表明：银杏叶中的聚戊烯醇无毒，无致突变、致癌、致畸作用，在肝损伤保护、抗氧化、抗病毒、抑菌、预防和（或）治疗阿尔茨海默病、抗肿瘤、调节免疫、治疗硬化症等方面具有较好的活性。聚戊烯醇的合成或半合成产物多萜醇及其酯还具有提高人体造血功能、抑菌等药理作用。多萜醇是人体组织中的重要物质，与机体代谢息息相关。银杏叶中的聚戊烯醇与人体多萜醇的结构和生理活性相似，且含量高于人体多萜醇含量的数倍，可以补充人体多萜醇类物质的不足，安全无害且具有诸多药理活性，因此，在新药、保健食品等方面的研究与开发中具有巨大的潜力和良好的应用前景。

聚戊烯醇结构通式

4. 莽草酸及其衍生物

银杏叶中的莽草酸及其衍生物的含量高达 2% 左右，而废弃的银杏落叶中的莽草酸及其衍生物的含量更高。莽草酸及其衍生物具有重要的医学价值。莽草酸具有抗病毒和抗肿瘤的药理活性，可以抑制血小板聚集，具有明显的抗血栓作用，还可发挥良好的抗炎镇痛作用。而莽草酸的一些衍生物对于恶性肿瘤具有很强的抑制作用。目前以莽草酸为原料合成的"达菲"已被世界卫生组织推荐用于防治高致病性禽流感。用于提取莽草酸的八角茴香资源较为有限，因此需要寻找用于提取莽草酸的可替代或补充的原料资源。我国银杏叶资源丰富，银杏叶可作为替代或补充资源用于提取生产莽草酸。这有利于提高银杏叶的资源利用率、释放银杏叶资源价值，并可缓解八角茴香资源的压力。

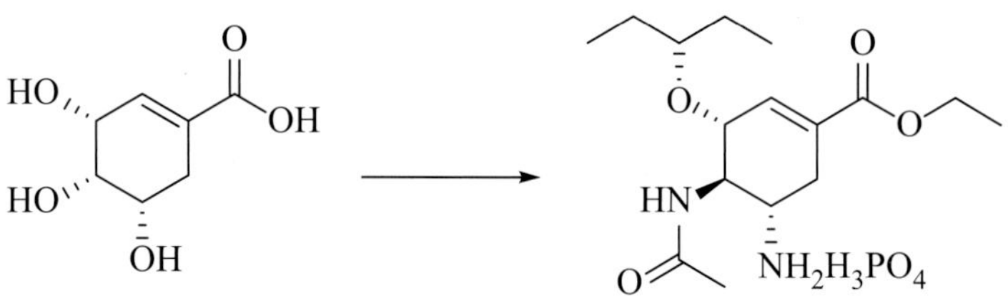

莽草酸化学结构   磷酸奥司他韦（达菲）化学结构

二、白果的功效物质

白果种仁中含有内酯类、双黄酮类、酚酸类、脂肪酸类、氨基酸类、蛋白质类、多糖类等成分，其中，脂肪酸类包括亚油酸、油酸、柠檬酸、硬脂酸、亚麻酸等；氨基酸类包括赖氨酸、苯丙氨酸、亮氨酸、异亮氨酸、缬氨酸、组氨酸、酪氨酸等。白果种仁中尚含有钠、镁、磷、钙、铁、锌、锰、铜、镍等元素。

| 功能主治 | 银杏叶：甘、苦、涩，平。归心、肺经。活血化瘀，通络止痛，敛肺平喘，化浊降脂。用于瘀血阻络，胸痹心痛，中风偏瘫，肺虚咳喘，高脂血症。

白果：甘、苦、涩，平；有毒。归肺、肾经。敛肺定喘，止带缩尿。用于痰多喘咳，带下白浊，遗尿尿频。

| 用法用量 | 银杏叶：内服煎汤，9 ~ 12 g。

白果：内服煎汤，5 ~ 10 g。

| 传统知识 | 基于文献梳理和中药资源普查过程中调查走访收集的传统用药知识，记录于此。

一、白果

（1）治疗慢性淋浊、妇女带下及晕眩：白果仁（炒熟去壳）、淮山药等份，焙燥，研细粉混合，每日 40 g，分三四回用米汤或温开水调服。

（2）治疗梦遗：银杏 3 个，酒煮食，连食 4 ~ 5 日。

（3）治疗小便频数、遗尿：白果 5 个，蜗牛（焙干）3 个，研末冲服。

（4）治疗赤白带下、下元虚惫：白果、莲肉、江米各五钱，为末，用乌骨鸡 1 只，去肠盛药煮烂，空心食之。

（5）治疗小便白浊：生白果仁 10 个，兑水饮，日 1 服，取效止。

（6）治疗小儿腹泻：白果 2 个，鸡蛋 1 个，将白果去皮研末，鸡蛋打破一孔，装入白果末，烧熟食。

（7）治疗泌尿系统结石：白果、冰糖各 120 g，煎汤服，每日 1 剂。1 个星期内服 4 ~ 5 剂，配合饮水及运动，连服 4 ~ 5 个月。

（8）治疗大便下血：白果 30 g，藕节 15 g，共研末，每日 3 次，用开水冲服。

二、银杏叶

为满足现代医药工业原料的需求，银杏叶主要以高品质干燥叶片或标准提取物作为国内外银杏黄酮及内酯药物制剂的原料。传统中医和本草著作几无银杏叶利用之记载。本次中药资源普查过程中普查队通过走访调查发现，江苏徐州和泰州银杏资源丰富区域将银杏嫩叶或嫩芽加工成茶用产品，产品具有活血化瘀的功效。

| 资源利用 |　一、银杏叶

1. 在医药领域中的应用

银杏叶临床上常用于治疗冠心病稳定型心绞痛、脑梗死、记忆力下降、痴呆、糖尿病并发症等疾病。现代研究表明，银杏叶提取物具有扩张血管、改善脑循环、抑制 PAF 及抗肿瘤、抗菌、抗炎等作用。常见的含有银杏叶的单味制剂有银杏叶片、银杏叶颗粒、银杏叶滴丸、银杏叶口服液、银杏叶提取物注射液等，成方制剂有复方银杏叶颗粒、银杏露等。

2. 在日化用品中的应用

银杏叶提取物具有促进毛发生长的作用，可以添加在洗发液、发乳、美发液等护发生发产品中。银杏叶提取物含有黄酮类化合物，具有超氧化物歧化酶活性，可消除体内自由基，降低过氧化脂质的形成速度，添加到乳液、霜膏、水液、面膜、洗面奶等化妆品中，可使皮肤滋润，富有光泽，减少黑色素的形成。银杏叶中的双黄酮成分具有拮抗磷酸二酯酶的活性，能减少局部沉着的脂肪，可用以配制成减肥化妆品。

3. 在保健食品中的应用

由银杏叶制成的饮料、糖果、口香糖、酒类等，具有降血脂、降胆固醇、预防心脑血管疾病、增强细胞免疫力、抗衰老等功能。

二、白果

白果含有丰富的营养物质和药用活性成分，在医药和保健食品方面具有很大的开发潜力。

1. 在医药领域中的应用

白果中富含的亚油酸及共轭亚油酸在降血压、降血脂、防治心血管疾病方面可发挥重要作用，可毒杀癌细胞培养物，具有一定的开发价值。

2. 在保健食品中的应用

以白果为主要原料，经科学配方精制而成的银杏果茶、银杏保健茶、银杏汁、银杏口服液、银杏保健饮料、银杏啤酒、银杏果晶、银杏露等各类白果保健食品，集可口性、营养性和保健性于一体，其制备方法和加工工艺已获得多项国家专利。

三、银杏废弃物

1. 银杏落叶

目前我国银杏资源主要分布在江苏、浙江、广西、山东等省区，安徽、贵州、云南等省区也有大量分布。无论是银杏栽培的数量和产量，还是栽培技术和集约程度，江苏均居全国首位。银杏叶提取物主要来源于 4～7 年树龄的银杏叶，其他树龄的尤其是 10 月结果后的银杏叶，由于银杏黄酮类与内酯类成分含量偏低而不被采集利用，每到 11 月便成为落叶而被视为废弃物。据不完全统计，江苏每年约有近万吨的银杏落叶被废弃。银杏落叶中含有一定量的内酯类与黄酮类成分，但含量偏低。有专利报道，利用现代分离纯化技术可改进银杏落叶提取纯化内酯类和黄酮类成分的工艺，制备得到的银杏落叶提取物具有神经保护和抗氧化活性，因此，可以利用银杏落叶提取物开发具有心脑血管保护功效的医药产品或保健食品。有研究发现银杏落叶中亦含有丰富的具有抗病毒、抗肿瘤等生物活性的莽草酸。通过优化制备工艺，银杏落叶有望成为制备莽草酸的新资源，实现"变废为宝"的目的。近年来，还有研究报道采用超声酶辅助提取结合大孔树脂纯化技术可最大化地富集银杏落叶中的内酯类和黄酮类成分，同时可最大化地去除毒性成分银杏酸类，采用优化的提取纯化工艺得到的银杏落叶提取物中，总黄酮含量为 25.36%±1.03%，总内酯含量为 12.43%±0.85%，总银杏酸含量为 0.003%±0.000 5%，获得的银杏落叶提取物符合《中华人民共和国药典》对银杏叶提取物中银杏黄酮、银杏内酯及银杏酸的限量要求。

基于中药资源循环利用策略，研究者进一步对银杏落叶提取后的固体结构进行开发和利用。首先，脱胶制备银杏落叶中的叶纤维，再对制备的叶纤维进行理化性能评价，发现银杏落叶纤维的细度、强度、韧性等参数指标符合纺织、化工、建筑业等相关产品开发的要求。

综上所述，研究团队提出了基于循环经济理论的银杏落叶资源循环利用的策略和技术体系。

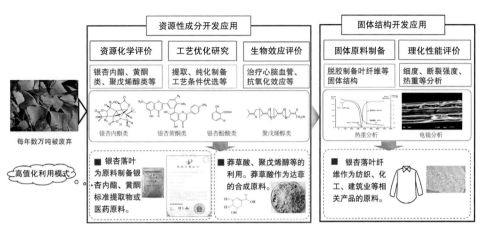

银杏落叶资源循环利用的策略和技术体系

2. 银杏叶医药工业药渣

银杏内酯注射液的生产制造过程会产生大量的固体废弃物，这些废弃物中含有丰富的聚戊烯醇类资源性化学物质。传统的药渣处理方式为对药渣进行填埋、焚烧等，造成资源的浪费和环境的污染，因此，亟须建立方法，对银杏叶药渣进行综合、系统的利用，以提升资源利用价值和效率。有研究报道以废弃银杏叶药渣为原料，实验筛选出最佳的乙醚提取工艺、氢氧化钠水解工艺、丙酮去杂工艺及硅胶柱层析和 C_{18} 柱层析去杂工艺。整个工艺流程设计合理，可操作性强，制备得到的聚戊烯醇的纯度可达 95% 以上，可弥补现有工艺制备得到的聚戊烯醇纯度低、应用价值低等不足。

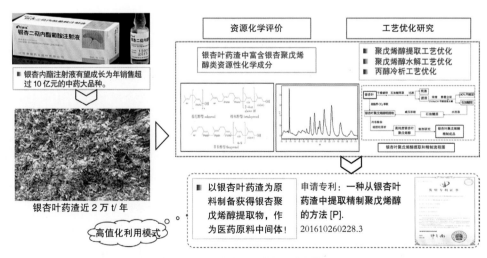

银杏叶药渣资源化利用的技术体系

3. 银杏外种皮

银杏外种皮中含有近 20 种银杏酚酸类成分，且含量较高，多项研究表明该类成分具有较好的抑菌、杀虫功效，用银杏酚酸类成分制得的生物农药具有高效、广谱、无毒、无残留的优良特性，银杏外种皮中银杏酚酸类成分的提取工艺及对农作物病原菌的抑制效用为银杏外种皮资源的进一步研究及在农业生产上的应用奠定了基础。银杏外种皮粗多糖黄褐色，粉末状，无异味，味微甜，具有抗肿瘤、抗衰老、抗过敏、提高免疫力、降血脂、止咳化痰等生理活性，对人体无毒副作用。银杏外种皮中多糖的含量高达 10% 以上，且原料来源丰富，仅江苏邳州和相邻的山东郯城年产银杏外种皮可达 2 000 t，但目前均作为废弃物丢弃。优化银杏外种皮中多糖成分的提取工艺可将银杏外种皮变废为宝，具有良好的经济效益和社会效益。基于循环经济理论，有研究对银杏外种皮多糖提取、分离精制的工艺参数进行优化，分离精制方法包括柱色谱、离子交换色谱、膜分离技术及其联用技术等。目前正在对纯化制得的银杏外种皮多糖进行结构表征分析及活性筛选评价，后期将按照中药新产品研究开发指南完成以银杏外种皮多糖为主要有效成分的新产品的制剂工艺、制剂稳定性、制剂质量标准等研究。

4. 银杏花粉

江苏银杏花粉资源丰富，但对银杏花粉资源的基础性研究和开发应用尚处于初级阶段。银杏花粉中的游离氨基酸总量高达 62.316 mg/g，必需氨基酸总量也高达 7.166 mg/g，约占总氨基酸的 11.5%，这说明银杏花粉可以作为氨基酸补充剂。银杏花粉中还含有较丰富的无机元素，钾含量高达 26.302 mg/g，钙、铁、镁含量依次为 7.076 mg/g、2.545 mg/g、5.361 mg/g；银杏花粉中锌含量为 0.117 mg/g，铜含量为 0.008 mg/g，锌高铜低，这与恶性肿瘤病人血清中锌低铜高的现象相反，由此可知银杏花粉有利于调节体内的锌铜平衡，可能具有抗肿瘤活性；银杏花粉中未检测到砷、镉等元素，但铝元素含量较高，达 1.755 mg/g，有研究表明人体摄取过量的铝可引起缺钙，体内过高的残留铝可导致神经衰退性疾病，因此建议开发银杏花粉相关保健品时应注意限定每日服用量，以保证安全。银杏花粉所含次生代谢产物的种类与银杏叶基本相同，但相对量变化有差异。银杏花粉中穗花杉双黄酮的质量分数（87.4 g/g）显著高于银杏叶中的（31.6 g/g），穗花杉双黄酮具有抗普通单纯疱疹病毒 1 型（HSV-1）及单纯疱疹病毒 2 型（HSV-2）的功效，是一种新型的对磷脂酶 A2 和环氧化酶均具有抑制作用的抗炎药。银杏花粉中含有一定量的银杏内酯 A（55.4 g/g）、银杏内酯 B（93.4 g/g）和银杏内酯 C（38.6 g/g），比银杏叶中的含量低。银杏花粉中的山柰酚含量高达 222.1 g/g，约为银杏叶中含量的 14 倍。初步的生物活性分析显示，银杏花粉在治疗前列腺疾病、抗氧化、抗衰老等方面具有较好的应用前景和潜在的资源利用价值。

5. 银杏根皮

据统计，仅江苏邳州地区每年园林绿化、树木移栽产生的银杏根皮即达约 20 t，这些根皮多被丢弃在土中腐烂分解，造成了资源浪费，因此，有必要对银杏根皮进行较为系统的研究，为银杏根皮资源的综合开发利用奠定基础。

有学者对银杏根皮所含化学成分进行了系统的分离，分离鉴定出的化合物主要包括黄酮类、萜内酯类、脂肪酸类、糖类、甾体类、联苯类、木脂素类、脂肪醇类等。采用 MTT 法，对银杏根皮中分离得到的单体类成分进行体外抑制肾上腺嗜铬细胞瘤细胞（PC-12）、人乳腺癌细胞（MCF-7）、人肝癌细胞（Hep3B）增殖的影响研究。结果显示，联苯 4-（3,4- 二甲氧基苯）- 邻苯二甲醚对 MCF-7 细胞增殖有较强的抑制作用，且专属性较强，这提示该成分可以作为肿瘤细胞增殖抑制剂，或作为抗肿瘤药物及其先导化合物。对银杏根皮中的资源性成分分析评价的结果表明：银杏根皮中萜内酯类成分的平均含量较银杏叶中的高，毒性成分银杏酸的含量较低，这提示银杏根皮可以作为潜在的内酯提取原料。银杏根木部中所含萜内酯类等成分较皮部少，提取时可将银杏根的皮部与木部分离，以便节约提取成本。银杏根皮中黄酮类成分的含量较银杏叶中的低，组成比例也存在很大差别。多糖类成分在银杏不同部位样品中的含量为主根皮部＞侧根皮部＞须根＞叶＞枝皮部＞茎皮部＞主根木部＞枝木部＞侧根木部＞茎木部，主要差异来源于中性多糖，而酸性多糖虽有同样趋势，但差异不明显。综上所述，一方面，银杏根皮中富含的银杏内酯类成分极具开发潜力，另一方面，银杏根皮中的特异性成分联苯类抗肿瘤的机制有待进一步研究。以银杏为原料生产的主要产品及其资源价值见表 2-1-2。

表 2-1-2　以银杏为原料生产的主要产品及其资源价值

产品名称	利用部位 / 物质	资源价值
银杏酮酯滴丸	银杏叶 / 银杏酮酯	医药、保健（血瘀型脑动脉硬化引起的眩晕）
银杏叶片	银杏叶	医药、保健（稳定型心绞痛、脑梗死）
银杏叶颗粒	银杏叶	医药、保健（稳定型心绞痛、冠心病、脑梗死）
银杏叶胶囊	银杏叶	医药、保健（血瘀引起的胸痹、中风）
银杏叶滴丸	银杏叶	医药、保健（稳定型心绞痛、脑梗死）
银杏叶软胶囊	银杏叶	医药、保健（稳定型心绞痛、脑梗死）
银杏叶口服液	银杏叶	医药、保健（血瘀引起的胸痹、中风，症见胸闷心悸、舌强语謇、半身不遂等）

续表

产品名称	利用部位 / 物质	资源价值
银杏叶分散片	银杏叶	医药、保健（血瘀引起的胸痹、中风，症见胸闷心悸、舌强语謇、半身不遂等）
银杏叶提取物注射液	银杏叶 / 银杏黄酮苷	医药、保健（痴呆、糖尿病视网膜病变、青光眼、动脉硬化闭塞症）
银杏达莫注射液	银杏叶	医药、保健（冠心病、血栓性疾病）
复方银杏叶颗粒	银杏叶	医药、保健（益气、活血、通络）
白果定喘口服液	银杏种仁	医药、保健（修复破损和发炎的气管黏膜）
白果天仙痤疮药液	银杏种仁	医药、保健（消疮）
银杏露	银杏种仁	医药、保健（镇咳、化痰定喘）
银杏皮炎水	银杏外种皮	医药、保健（湿疹、荨麻疹、皮炎）
银杏叶健身茶	银杏叶	保健（延缓衰老）
银杏软胶囊	银杏叶	保健（延缓衰老）
银杏洋参钙胶囊	银杏叶	保健（调节血脂）
银杏叶酒	银杏叶	保健（调节血脂）
三七银杏含片	银杏叶	保健（辅助降血脂）
银杏叶冲剂	银杏叶	保健（调节血脂）
银杏健忆胶囊	银杏叶	保健（改善记忆）
虫草银杏白果黄酒	银杏叶、种仁	保健（预防高血压、抗氧化）
百合白果粥	银杏种仁	保健（延缓衰老）
银杏饮料	银杏种仁	保健（润肤、抗衰老、延年益寿）
白果山力酒	银杏种仁	保健（补气血、益精髓）
银杏酒	银杏外种皮	保健（改善心血管疾病）
复合杀螺剂	银杏叶、种仁、外种皮	农药（杀螺）
植物杀钉螺剂	银杏外种皮	农药（杀钉螺）
寄生虫防治剂	银杏外种皮	农药（寄生虫防治）
植物杀菌剂	银杏外种皮	农药（杀菌）

| 附 注 | （1）据调查，1998 年，泰州出口东南亚地区的白果约 2 000 t，当时泰州全市的白果产量不足 5 000 t；2014 年，出口白果上升至约 4 000 t，全市总产量已超 50 000 t。从上述出口数据可以看出，泰州将发展重点放在单一的白果扩产增量上，从而导致白果供大于求，价格急剧下滑。近年来，泰州坚持"因地制宜、优化布局、量质并举、统筹发展"的原则，通过"调结构、降产能、去库存、补短板"，推进银杏产业"供给侧结构性改革"，以文化为内涵，以市场为导向，以效益为核心，以科技为动力，推动银杏产业的改良升级，重视对银杏文化的深度挖掘，强化对银杏功能的宣传推荐，加强"四杏"（杏果、杏叶、杏木、杏林）产品的研发生产，逐步促进泰州银杏产业走向振兴。

（2）江苏邳州现有银杏成片园 28 万亩，其中银杏综合工程园近 15 万亩，四旁

栽植 1 100 万株，定植银杏总株数达 2 000 万株，银杏果年产量达 1 500 t，年产优质银杏干青叶 15 000 t，全市在圃各类银杏苗木达 2.5 亿株，形成了"苗、果、叶、材、盆景"五位一体的银杏综合生产示范园。全市银杏加工企业有 60 多家，年产银杏黄酮 250 t，银杏酮胶囊 5 000 万粒，片剂 3 000 万片，袋泡茶 1 亿袋，银杏农、工、贸一条龙的框架基本形成。邳州重视银杏第一、二、三产业贯通发展，实现了从卖果、卖叶、卖树到卖产品、卖风景、卖生态的华美嬗变，全面打响了"邳州银杏甲天下"的品牌。

（3）白果中的主要毒性物质包括银杏酸类化合物（GAs）、吡哆醇类化合物（MPN）及氰类化合物。对白果中的 GAs 进行测定，结果显示，白果中 GAs 的含量为 GA（15∶1）461.86 ~ 922.35 g/g、GA（17∶2）86.68 ~ 227.75 g/g、GA（17∶1）81.67 ~ 279.75 g/g；对白果中的 MPN 进行测定，结果显示，白果中 MPN 的含量为 256.38 ~ 373.00 g/g；对白果中的氰类化合物进行测定，结果显示，白果中氰类化合物的含量低于检测限，由此可见白果中的氰类化合物可能不是白果引起急性中毒的毒性物质。

采用斑马鱼毒性试验及小鼠半数致死量（LD_{50}）急性毒性试验，分别对 GAs 和 MPN 进行急性毒性评价，结果显示：GAs 致斑马鱼中毒呈给药时间和浓度依赖性，毒性反应较慢，无急性毒性症状；小鼠口服 GAs 后，并未出现急性中毒症状，死亡集中发生于给药后 3 ~ 4 天，LD_{50} 为 7.89 g/kg，95% 的置信区间为 7.19 ~ 8.68 g/kg，GAs 处于低毒级别；MPN 对斑马鱼幼鱼有神经毒性的影响，且对斑马鱼的脏器形态、胚胎孵化具有一定的影响；小鼠口服 MPN 后出现抽搐、惊厥等急性毒性症状，中毒剂量与死亡剂量相近，LD_{50} 为 35.20 mg/kg，95% 的置信区间为 33.18 ~ 37.33 mg/kg；综上所述，MPN 中毒后的毒性表现与白果的中毒症状相符，这提示 MPN 是白果引起急性中毒的主要毒性物质。

为了阐明白果毒性成分的体内过程，有报道分别对 GAs 和 MPN 的药动学、组织分布及代谢组学等进行了研究。不同剂量组口服 GAs 后，大鼠血浆血药浓度-时间曲线（C–T 曲线）均出现双峰现象，包括羟基化、葡萄糖醛酸化及双重氧化产物在内的 6 个代谢产物的生成速率与含量不同，高剂量组大鼠血浆中各代谢物的含量均有所降低；口服 MPN 后，大鼠血浆中的氯苯乙酸（4-PA）、吡哆醇（PN）及吡哆醛（PL）含量均有升高；口服 4′- 甲基吡哆醇 -5′- 葡萄糖苷后，血浆中 4′- 甲基吡哆醇 -5′- 葡萄糖苷含量迅速升高，并在 4 小时之内快速下降，迅速代谢生成 MPN，MPN 也在 4 小时之内快速下降至难以测得。血浆中 4-PA、PL 及 PN 的浓度均同步升高，代谢趋势相似。GAs 口服后主要蓄积于肝脏；0.5

小时时，肝脏中分布最多，随后逐渐减少；脑中含量逐渐升高，至 4 小时时含量最多，随后逐渐下降；12 小时时，各组织中 GAs 的含量最低；24 小时时，各组织中 GAs 的含量有轻微的升高；5 种 GAs 成分的组织分布情况大致相同。MPN 口服后 5 分钟即达到最大分布量，之后逐渐减少，肝脏中的分布蓄积量较大；24 小时时，各组织中 MPN 的含量已降至较低水平。4-PA 在心脏、肝脏、脾脏、肺脏、肾脏中均有一定的分布，在脑组织中未能检测到；各时间点组织样品中，肝脏与肾脏中 4-PA 含量较高，心脏中 4-PA 含量较低。大鼠口服 GAs 之后，血清中血尿素氮（BUN）和肌酐（CRE）的含量显著升高，血清总蛋白（TP）和白蛋白（ALB）的含量显著降低，这提示 GAs 对肝、肾功能存在一定的损伤。血清中谷丙转氨酶（ALT）、谷草转氨酶（AST）、乳酸脱氢酶（LDH）及肌酸激酶（CK）的活力显著降低，这可能与 GAs 对体内酶活力的抑制有关；不同分组的样品之间具有显著的差异，口服 GAs 后第 3 天时，大鼠体内的内源性成分产生了显著的变化，在第 7 天时，机体内源性物质逐渐回归正常水平，这提示机体存在自我恢复的能力。初步定性的 14 个关键生物潜在标志物主要包括不同类型的溶血磷脂酰胆碱（LysoPC）和溶血磷脂酰乙醇胺（LysoPE），这些生物标志物主要集中在鞘脂类代谢、甘油磷脂代谢及原发性胆汁酸的生物合成通路中。对口服 MPN 24 小时之内大鼠血清中的 13 个生化指标进行血清代谢组学研究，结果表明，口服 MPN 后，血清中的总胆红素（TBIL）、LDH、BUN 和 CRE 水平均有显著变化；5 分钟之后，血清中的 BUN 和 CRE 水平相比空白组产生了明显的下降，至 24 小时时仍与空白组存在显著差异；TBIL 水平显著下降，LDH 的活力在给药后显著升高，之后在整个实验过程中逐渐下降，至 24 小时时恢复至与空白组相近的水平。

为了进一步阐明白果的致毒机制，对白果主要毒性物质的复合毒性进行了研究，结果如下。GAs 对 MPN 大鼠药动学参数的影响：同时给予大鼠 GAs 与 MPN 后，MPN 的 AUC（0-t）显著降低，血浆中 4-PA 的 AUC（0-t）与 MPN 的 AUC（0-t）存在相似比例的下降，这提示 4-PA 很可能是 MPN 的代谢产物，相反，PN 的 AUC（0-t）存在小幅度上升现象，而 PL 的 AUC（0-t）与单独给予 MPN 时相近，这一现象表明，口服 MPN 后，PL 和 PN 的升高很可能是由 MPN 代谢之外的因素引起的，也可能是两种因素相互叠加的结果；同时给予 GAs 和 MPN 后，MPN、4-PA、PN 及 PL 的达峰时间（t_{max}）均存在推后现象，这可能与 GAs 对体内酶活力存在抑制有关，同时给予 GAs 后，抑制了体内代谢酶或其他酶的活力，从而推迟了代谢物的 t_{max}。MPN 对 GAs 大鼠药动学参数的影响：单独给予大鼠 GAs 时，药时曲线存在双峰现象，同时给予 GAs 与 MPN 后，GAs 并无明显的双峰现象，GA（13：0）的 AUC（0-t）较单独给予 GAs 时增大，其余 4 种 GAs 的 AUC（0-t）均有小幅度的下降，GA（13：0）与 GA（15：1）的最大血药浓度（C_{max}）增大，而 GA（17：2）、GA（15：0）与 GA（17：1）的 C_{max} 均少许降低；血浆中的 GAs 代谢物含量发生了明显的变化，其中羟基化产物含量明显降低，而葡萄糖醛酸化产物含量升高。MPN 与 GAs 合并口服后，存在相互影响，GAs 对 MPN 的吸收存在显著的抑制作用，并降低 MPN 的 C_{max}。白果中吡哆醇类毒性物质复合毒性研究：同时给予 MPN 和 4′- 甲基吡哆醇 -5′- 葡萄糖苷后，并未显著影响 4′- 甲基吡哆醇 -5′- 葡萄糖苷的药动学参数，血浆中 4-PA、PL、PN 的上升幅度均比单独口服 4′- 甲基吡哆醇 -5′- 葡萄糖苷时更大，这提示，MPN 同时口服时，并不影响 4′- 甲基吡哆醇 -5′- 葡萄糖苷的体内过程，而 4′- 甲基吡哆醇 -5′- 葡萄糖苷口服后在体内代谢生成 MPN，进一步生成 4-PA、PL、PN 等代谢产物，产生叠加作用。

在白果仁中，胚芽是含毒性成分最多的部位，而胚芽重量仅占白果仁总重量的 2.82%，胚芽中含有的 GAs 占白果仁中 GAs 的 62.1%，MPN 占 3.87%。研究提示，去除白果中的胚芽，可有效降低白果可食用部位的毒性。加工温度与干燥速度是影响白果中毒性物质含量的主要因素。在 50 ℃温度以下加工时，白果中 GAs 与 MPN 的含量变化较小；在 50 ℃及更高温度（60 ℃、70 ℃、80 ℃、90 ℃、100 ℃）同时保持白果湿度的条件下加工时，白果中 MPN 的损失率达 90% 以上，但在高温且快速干燥的过程中，白果中 MPN 的含量几乎不变；高温（90 ℃、100 ℃）处理后的白果中 GAs 含量减少约 55%。结果提示，MPN 的含量变化可能与自身所含酶的转化有关，在温度低、水分少的条件下酶活力下降，MPN 的减少亦非常有限。白果样品处理前后的色谱图显示，于 60 ℃保湿保温放置 12 小时后，白果样品中的 MPN 峰显著降低至难以辨认，同时色谱图中另外 3 个峰明显增高。温度越高，白果中 MPN 的转化速率越快，且存在平衡点。3 个转化产物的含量在加热开始时，随加热时间的增加而增加，温度越高，转化产物的含量增加越多，速率越快。提示白果中各成分在加热过程中存在一定的平衡状态，最终达到稳定的状态。经过对照品比对，其中一个转化产物确定为 4′-O- 甲基吡哆醇 -5′- 葡萄糖。相关学者推测这是 MPN 在白果自身含有的葡萄糖苷酶作用下的生物转化产物。采用模式生物斑马鱼比较 MPN 与 4′-O- 甲基吡哆醇 -5′- 葡萄糖的毒性，结果显示，4′-O- 甲基吡哆醇 -5′- 葡萄糖的毒性明显小于 MPN。在以上研究的基础上，制定了基于酶促方法解除白果毒性的方法，并进行了工艺验证。确定的工艺为：采用控温控湿设备或在控湿条件下以其他加热设备控制温度在 60 ℃，使新鲜白果的含水量保持在 50% 以上，维持 7 小时，之后加热至 90 ~ 100 ℃，加热干燥至需要的含量，并继续保持温度 1 小时。生产的低毒白果可作为各类白果产品开发的原料。

参考文献

[1] 段金廒. 中药废弃物的资源化利用 [M]. 北京：化学工业出版社，2013.

[2] 段金廒. 中药资源化学——理论基础与资源循环利用 [M]. 北京：科学出版社，2015.

[3] 曹福亮. 中国银杏志 [M]. 北京：中国林业出版社，2007.

[4] 曹福亮. 银杏资源培育及高效利用 [M]. 北京：科学技术文献出版社，2007.

[5] 曹福亮. 银杏 [M]. 北京：中国林业出版社，2007.

[6] 南京中医药大学. 中药大辞典 [M]. 上海：上海科学技术出版社，2006.

[7] 段金廒，张伯礼，宿树兰，等. 基于循环经济理论的中药资源循环利用策略与模式探讨 [J]. 中草药，2015，46（12）：1715-1722.

[8] 周桂生. 银杏种子资源化学研究 [D]. 南京：南京中医药大学，2013.

[9] 姚鑫. 不同来源银杏叶资源化学研究 [D]. 南京：南京中医药大学，2013.

[10] 管汉亮. 精制银杏叶提取物活性及体内过程研究 [D]. 南京：南京中医药大学，2014.

[11] 赵金龙. 银杏根皮资源化学研究 [D]. 南京：南京中医药大学，2014.

[12] 钱怡云. 白果复合毒性物质基础及其减毒机制研究 [D]. 南京：南京中医药大学，2017.

[13] 张静. 基于"脑－肠－肠道菌群"轴的银杏酮酯和多奈哌齐治疗阿尔茨海默病联用增效作用及机理研究 [D]. 南京：南京中医药大学，2019.

[14] 唐于平，姚鑫，段金廒，等. 以银杏落叶为原料的银杏叶精制提取物及其制备方法与应用：201310336439.7[P]. 2013-12-25.

[15] 刘培，段金廒，钱大玮，等. 一种从银杏叶药渣中提取精制聚戊烯醇的方法：201610260228.3[P]. 2016-08-24.

[16] 段金廒，钱大玮，郭盛，等. 基于物理与酶促联合方法解除白果毒性的方法：201610272890.0[P]. 2016-08-31.

[17] 管汉亮，钱大玮，段金廒，等. 银杏叶干燥方法的优化及其机理探讨 [J]. 中国中药杂志，2013，38（13）：2140-2146.

[18] 姚鑫，周桂生，唐于平，等. 采用微波消解 -ICP-AES 法对不同产地果用银杏叶无机元素分析与评价 [J]. 光谱学与光谱分析，2013，33（3）：808-812.

[19] 姚鑫，周桂生，唐于平，等. 基于 UPLC-TQ-MS 考察不同树龄果用银杏叶萜内酯含量变化规律 [J]. 中国中药杂志，2013，38（3）：376-380.

[20] 姚鑫，周桂生，唐于平，等. 银杏落叶化学成分研究 [J]. 天然产物研究与开发，2012，24（10）：1377-1381.

[21] 姚鑫，周桂生，唐于平，等. 不同产地及树龄果用银杏叶中总银杏酸的比较分析 [J]. 植物资源与环境学报，2012，21（4）：108-110.

[22] 周桂生，姚鑫，唐于平，等. 白果仁化学成分研究 [J]. 中国药学杂志，2012，47（17）：1362-1366.

[23] 周桂生，姚鑫，唐于平，等. 银杏中种皮化学成分的分离及鉴定 [J]. 植物资源与环境学报，2013，22（4）：108-110.

[24] 赵金龙，刘培，段金廒，等. 银杏根皮化学成分研究（Ⅰ）[J]. 中草药，2013，44（10）：1245-1247.

[25] 任浩, 宿树兰, 管汉亮, 等. 银杏花粉中核苷、氨基酸及无机元素的成分分析[J]. 中草药, 2014, 45(19): 2839-2843.

[26] 徐澄梅, 任浩, 钱大玮, 等. 采用 UPLC-TQ-MS 同时测定银杏花粉 24 种资源性化学成分[J]. 中国中药杂志, 2015, 40(11): 2157-2162.

[27] 钱大玮, 鞠建明, 朱玲英, 等. 不同树龄银杏叶在不同季节中总黄酮和总内酯的含量变化[J]. 中草药, 2002, 33(11): 1025-1027.

[28] 鞠建明, 黄一平, 钱士辉, 等. 不同树龄银杏叶在不同季节中总银杏酸的动态变化规律[J]. 中国中药杂志, 2009, 34(7): 817-819.

[29] 项庆峰, 杨召乾, 龚麟, 等. 邳州银杏育苗技术探析[J]. 种子科技, 2019, 37(18): 74-75.

[30] 刘志香, 李西文, 黄旗凯, 等. 无公害银杏种植技术探讨[J]. 中国现代中药, 2018, 20(11): 1404-1410.

[31] 张琳, 汤先锋, 孙光天. 银杏叶的采收与贮藏[J]. 现代农业科技, 2011(24): 239, 241.

[32] 徐江, 沈亮, 汪耀, 等. 基于 GMPGIS 银杏全球生态适宜产区分析[J]. 世界中医药, 2017, 12(5): 969-973.

[33] 曹福亮, 汪贵斌, 郁万文. 银杏果用林定向培育技术体系集成[J]. 中南林业科技大学学报, 2014, 34(12): 1-6.

[34] VAN BEEK T A, MONTORO P. Chemical analysis and quality control of *Ginkgo biloba* leaves, extracts, and phytopharmaceuticals[J]. Journal of Chromatography A, 2009, 1216(11): 2002-2032.

[35] ZHOU G, YAO X, TANG Y, et al. Two new nonacosanetriols from *Ginkgo biloba* sarcotesta[J]. Chemistry and Physics of Lipids, 2012, 165(7): 731-736.

[36] ZHOU G, PANG H, TANG Y, et al. Hydrophilic interaction ultra-performance liquid chromatography coupled with triple-quadrupole tandem mass spectrometry for highly rapid and sensitive analysis of underivatized amino acids in functional foods[J]. Amino Acids, 2013, 44(5): 1293-1305.

[37] ZHOU G, YAO X, TANG Y, et al. An optimized ultrasound-assisted extraction and simultaneous quantification of 26 characteristic components with four structure types in functional foods from ginkgo seeds[J]. Food Chemistry, 2014, 158(sep.1): 177-185.

[38] ZHOU G, PANG H, TANG Y, et al. Hydrophilic interaction ultra-performance liquid chromatography coupled with triple-quadrupole tandem mass spectrometry (HILIC-UPLC-TQ-MS/MS) in multiple-reaction monitoring (MRM) for the determination of nucleobases and nucleosides in functional foods[J]. Food Chemistry, 2014, 150: 260-266.

[39] ZHOU G, MA J, TANG Y, et al. Multi-response optimization of ultrasonic assisted enzymatic extraction followed by macroporous resin purification for maximal recovery of flavonoids and ginkgolides from waste *Ginkgo biloba* fallen leaves[J]. Molecules, 2018, 23(5), 1029.

[40] ZHOU G, TANG Y, LI Y, et al. Multi-response optimization of ultrasonic assisted enzymatic extraction of antioxidant polysaccharides from waste *Ginkgo biloba* sarcotesta[J]. Chiang Mai Journal of Science, 2020, 47(3), 1-14.

[41] YAO X, SHANG E, ZHOU G, et al. Comparative characterization of total flavonol glycosides and terpene lactones at different ages, from different cultivation sources and genders of *Ginkgo biloba* leaves[J]. International Journal of Molecular Sciences, 2012, 13(8): 10305-10315.

[42] YAO X, ZHOU G, TANG Y, et al. Simultaneous quantification of flavonol glycosides, terpene lactones, biflavones, proanthocyanidins, and ginkgolic acids in *Ginkgo biloba* leaves from fruit cultivars by ultrahigh-performance liquid chromatography coupled with triple quadrupole mass spectrometry[J]. BioMed Research International, 2013, 582591.

[43] YAO X, ZHOU G, TANG Y, et al. UPLC-PDA-TOF/MS coupled with multivariate statistical analysis to rapidly analyze and evaluate *Ginkgo biloba* leaves from different origin[J]. Drug Testing and Analysis, 2014, 6（3）: 288-294.

[44] GUAN H L, QIAN D, REN H, et al. Interactions of pharmacokinetic profile of different parts from *Ginkgo biloba* extractinrats[J]. Journal of Ethnopharmacology, 2014, 155（1）: 758-768.

[45] QIAN Y, ZHU Z, DUAN J-A, et al. Simultaneous quantification and semi-quantification of ginkgolic acids and their metabolites in rat plasma by UHPLC-LTQ-Orbitrap-MS and its application to pharmacokinetics study[J]. Journal of Chromatography B, 2017, 1041-1042: 85-93.

[46] QIAN Y, PENG Y, SHANG E, et al. Metabolic profiling of the hepatotoxicity and nephrotoxicity of Ginkgolic acids in rats using ultra-performance liquid chromatography-high-definition mass spectrometry[J]. Chemico-Biological Interactions, 2017, 273: 11-17.

[47] QIAN Y, JIANG S, ZHU Z, et al. Simultaneous quantification and semi-quantification of amentoflavone and its metabolites in human intestinal bacteria by liquid chromatography Orbitrap high-resolution mass spectrometry[J]. Biomedical Chromatography, 2017, 31（11）: e3990.

[48] QIAN Y, SU S, WEI M, et al. Interactions of pharmacokinetic profiles of Ginkgotoxin and Ginkgolic acids in rat plasma after oral administration[J]. Journal of Pharmaceutical and Biomedical Analysis, 2019, 163: 88-94.

[49] CAO J, YANG M, CAO F, et al. Tailor-made hydrophobic deep eutectic solvents for cleaner extraction of polyprenyl acetates from *Ginkgo biloba* leaves[J]. Journal of Cleaner Production, 2017, 152（may 20）: 399-405.

[50] WANG T, WU C, FAN G, et al. *Ginkgo biloba* extracts-loaded starch nano-spheres: preparation, characterization, and in vitro release kinetics[J]. International Journal of Biological Macromolecules, 2018, 106: 148-157.

[51] WANG L, CUI J, JIN B, et al. Multifeature analyses of vascular cambial cells reveal longevity mechanisms in old *Ginkgo biloba* trees[J]. Proceedings of the National Academy of Sciences, 2020, 117（4）: 2201-2210.

（周桂生　钱大玮　唐于平）

桑科 Moraceae 桑属 *Morus*

桑 *Morus alba* L.

| 药 材 名 |

桑叶（药用部位：叶。别名：家桑、黄桑叶）、桑枝（药用部位：嫩枝。别名：桑条、桑树枝）、桑椹（药用部位：果穗。别名：桑果、桑椹子、桑粒）、桑白皮（药用部位：根皮。别名：桑根皮、桑皮、白桑皮）。

| 本草记述 |

桑最早记载于《诗经》。秦汉时期《尔雅·释木》记载："桑辨有葚，栀。女桑，桋桑。檿桑，山桑。"唐代陈藏器的《本草拾遗》云："叶桠者名鸡桑。"关于桑的药用，我国现存最古老的方书《五十二病方》中即有描述："蛇啮，以桑汁涂之。"其后历代本草均有收载桑类中药，通常以桑白皮（最早称"桑根白皮"）为主进行记述，桑叶、桑枝、桑椹等附于其后。在古代，桑类药材的基原植物并非一种，包括鸡桑、女桑、山桑、家桑、白桑、子桑等多种。鸡桑是最宜作为桑类药材基原植物的一种，其"叶桠""花而薄"，与今之鸡桑 *Morus australis* Poir. 叶多缺刻的特征较为一致。《本草品汇精要》所列"女桑、山桑"之名来自《尔雅》，与《植物名实图考》引用《尔雅注》之名相同，该"女桑"指"桑树小而条长者"，因使桑树矮化以便于采叶，故"女桑"是因树形而得名，

难与今之桑属特定桑种联系起来，按此特征，不同桑种只要树形如此均可称之为"女桑"；"山桑"出自《尔雅》，"似桑""木堪弓弩"，故不应是桑树，可能是柞，与《本草纲目》中的"山桑"不同，此"叶尖而长"的"山桑"，与今之尾叶蒙桑 Morus mongolica (Bur.) Schneid. var. longicaudata Cao 较为相符。"家桑"，古籍中鲜见关于其形态的描述，一般认为此为家种桑树的通称，即指最为常见的桑 Morus alba L.。"白桑""叶大如掌而厚"的特征则与今之桑 Morus alba L. 尤其是其变种鲁桑 Morus alba L. var. multicaulis (Perrott.) Loud. 较为吻合。"子桑"，《本草纲目》中有描述"子桑先椹而后叶"，因此可能与现在的"果桑"较为相符。

"桑根白皮"之称始载于《神农本草经》，该书主要记载了桑根白皮、桑叶及桑耳的功效。《本草纲目》曰："汁煎代茗，能治消渴。"《神农本草经》中未言桑椹之功用，至《新修本草》始载："桑椹，味甘，寒，无毒。单食，主消渴。"桑枝始载于《本草图经》，"疗遍体风痒干燥，脚气风气，四肢拘挛，上气，眩晕，肺气嗽，消食，利小便，兼疗口干"。

| 形态特征 | 落叶乔木或灌木，高 3 ~ 10 m 或更高，有乳汁。单叶互生，卵形或广卵形，长 5 ~ 15 cm，宽 5 ~ 12 cm，有时分裂，表面鲜绿色，无毛；叶柄长 1.5 ~ 5.5 cm，具柔毛；托叶披针形，早落，外面密被细硬毛。花单性，腋生或生于芽鳞腋内，与叶同时生出。雌雄异株，柔荑花序。雄花序下垂，长 2 ~ 3.5 cm，密被白色柔毛；雄花花被片 4，宽椭圆形，淡绿色；雄蕊 4，花丝在芽时内折，花药 2 室，球形至肾形，纵裂；中央有退化雌蕊。雌花序长 1 ~ 2 cm，被毛，总花梗长 5 ~ 10 mm，被柔毛；雌花无梗，花被片倒卵形，先端圆钝，外面和边缘被毛，两侧紧抱子房；无花柱，柱头 2 裂，内面有乳头状突起；雌花 1 室 1 胚珠。瘦果包于肉质化的花被片内，组成聚花果，黑紫色或白色；聚花果卵状椭圆形，长 1 ~ 2.5 cm，成熟时红色或暗紫色。花期 4 ~ 5 月，果期 5 ~ 8 月。

| 资源情况 | 　一、生态环境

桑喜温暖湿润气候，耐寒，稍耐阴。气温超过 12 ℃开始萌芽，适宜生长温度
25 ~ 30 ℃，超过 40 ℃则生长受到抑制，低于 12 ℃则停止生长。耐干旱、耐
水湿能力强，耐瘠薄。对土壤的适应性强。生于村旁、田间、地埂或山坡。我
国各地均有分布，以江苏为多。

二、分布区域

主要分布于江苏苏州、无锡、镇江、东台、如皋、海安等地。

三、蕴藏量

江苏苏州、无锡、镇江等地样方调查结果显示，桑在江苏南部丘陵山地较为常见，
桑叶蕴藏量万吨以上，桑枝蕴藏量 10 万 t 以上，桑椹蕴藏量 10 万 t 以上，桑白
皮蕴藏量万吨以上。

四、栽培历史与产地

桑树原产地位于我国中部，现我国南北各地广泛栽培，尤以长江中下游各地为多。
早在《诗经》中就有较多描写蚕桑的篇章，生动地描绘了当时妇女们采桑养蚕
的劳动情景。商代甲骨文中已出现桑、蚕、丝、帛等字形。至周代，栽桑养蚕
在我国南北广大地区得到蓬勃发展。春秋战国时期，桑树已成片栽植。

1. 桑叶

桑叶入药始载于秦汉时期的《神农本草经》。梁代《本草经集注》记载："叶：
主除寒热出汗。汁：解蜈蚣毒。生犍（即今四川犍为）为山谷。"民国时期《中
国药学大辞典》记载："陈仁山药物生产辨云。桑叶产广东。以南海、顺德为最。

凡江浙养蚕区域恒多生焉。"《新编中药志》记载："生于山地，常栽培于村旁、地边、田间或山坡及城市住家附近。分布于全国各省区，主为栽培，尤以江苏、浙江一带为多。"由此可见桑叶以南方养蚕区产量较大，如安徽、江苏、浙江、四川、湖南等省区，主产于浙江湖州、嘉兴，江苏苏州、无锡、镇江等地。

2. 桑枝

桑枝入药始载于宋代苏颂《本草图经》，名为桑条，处处有之。2010年版《中国药学大辞典》记载："桑枝系桑科桑属之嫩枝。长者七八尺，短者三四尺，有粗有细，枝茎色青褐，略有弯形，梢端细下端粗，皮内有白色黏汁，叶柄生于枝之左右侧面，差错而生。冬月叶落之后，其枝间有叶柄蒂痕，蒂痕之上有新叶苗芽。"1963年版《中华人民共和国药典》记载："全国大部分地区均有分布，主产于江苏、浙江等地。"1993年版《中华药海》记载："全国各地有栽培，以江苏、浙江一带为多。"《新编中药志》记载："桑枝为桑科植物桑的干燥嫩枝。生于山地，常成片栽培于山坡、平地、河滩上，亦零星见于村旁、农家附近。分布于全国各省区，尤以江苏、浙江一带为多。"《中药大辞典》记载："主产于江苏、浙江、安徽、湖南、河北、四川。"综上，桑枝以栽培品为主，在全国各地均有分布，主产于江苏、浙江、安徽、河北、河南、四川等地，尤以江苏、浙江一带最盛。

3. 桑椹

桑椹最早见于《尔雅》，但作为药用始载于唐代《新修本草》，被列为木部中品。《中国药学大辞典》记载："陈仁山药物生产辨云。本品以中国地产者佳。尤以广东南海顺德更好。桑椹原产波斯国，今我国养蚕各地，皆有之。"1997年版《常用中药鉴定大全》记载："主产于四川、江苏、山东、辽宁、山西等地。"《新编中药志》记载："全国大部分地区均产，主产四川南充、合川、涪陵，江苏南通、镇江，浙江嘉兴、吴兴、桐乡、余杭，山东临朐、菏泽，安徽阜阳、芜湖、蚌埠，辽宁彰武、绥中、凤城，河南商丘、许昌，山西太原等地。"综上，桑椹全国大部分地区均产，主产于江苏、浙江、四川、山东、辽宁、山西等地。

4. 桑白皮

桑白皮始载于秦汉时期的《神农本草经》，名为桑根白皮，被列为中品，"味甘，寒，主伤中，五劳六极，羸瘦，崩中，脉绝，补虚益气"。宋代《本草图经》记载："桑根白皮，《本经》不著所出州土，今处处有之。"明代《救荒本草》记载："本草有桑根白皮，旧不载所出州土，今处处有之。"明代陈嘉谟《本草蒙筌》记载："山谷出少，家园植多。"清代《本草崇原》记载："桑处处有之，而江浙独盛。"

《中国药学大辞典》记载："陈仁山药物生产辨云。桑白皮以产广东南海、西樵、三水、横江为好味。以东沙岛为好肉粉口。清远次之。其余东莞等处亦有。"《中国药材学》记载："主产于河南、安徽、四川、湖南、河北、广东。以河南、安徽产量大，并以亳桑皮质量佳。"《中草药与民族药药材图谱》记载："主产于河南、安徽、浙江、江苏、河北、湖南、广东、四川等地。"《中药大辞典》记载："主产安徽、河南、浙江、江苏、湖南等地；其他各地亦产。"综上，桑白皮全国各地均产，主产于河南、安徽、四川、湖南、河北、广东等地，以亳桑皮质量为佳，视为道地药材。

五、栽培面积与产量

中药资源普查发现，目前桑在江苏有一定的栽培规模，栽培地区包括江苏苏州、无锡、镇江、东台、如皋、海安等地，每年种植面积超 30 万亩，镇江、盐城等地区的栽种面积近 10 万亩。全国每年种植桑的面积达 200 余万亩。桑叶产量近 400 万 t，桑枝产量超过 150 万 t，桑椹（干）产量超过 20 万 t，桑白皮产量超过 800 t。江苏拥有国家种质镇江桑树圃，桑树种质资源丰富，丹阳正在进行药用桑的优质种苗培育和大田生产。

六、规范化生产技术

1. 繁殖方法

（1）种子繁殖。采收紫色成熟桑椹，搓去果肉，洗净种子，随即播种或湿沙贮藏。春播、夏播、秋播均可。夏播、秋播可用当年新种子。播前用 50 ℃温水浸种，待自然冷却后，再浸泡 12 小时，放湿沙中贮藏催芽，保持湿润，待种皮破裂露白时即可播种。按行距 20 ～ 30 cm 开沟，沟深 1 cm，用种量 7.5 ～ 15 kg/m²。覆土。约经 10 天出苗。苗高 3 ～ 4 cm 时间苗，去弱留强，并补苗。春、秋季按株距 10 ～ 15 cm 定苗。

（2）嫁接繁殖。①袋接法，于嫁接前 20 天剪接穗，湿沙贮藏，使砧木剪口处的皮层和木部分离成袋状，然后插入接穗，以插紧为度。②芽接法，春、夏季用"T"形芽接或管状芽接（套接）。

（3）压条繁殖。早春将母株横伏固定于地面，埋入沟中，露出先端，培土压实，待生根后与母体分离。春季或秋季进行定植。按行株距 2 m×0.4 m 开穴，穴径 0.5 ～ 0.7 m，穴底施入腐熟厩肥，上铺一层薄土，栽入，填表土后，将植株稍向上提，使根部舒展，再填心土，压实，浇水。

2. 栽培技术

（1）选地整地。平整土地，清除杂物，进行深翻。深翻的方法有 2 种：①全面深翻，深翻前每亩撒施土杂肥或农家肥 4 000 ～ 5 000 kg，深翻 30 ～ 40 cm。②沟翻，按种植方式进行沟翻，沟深 50 cm，宽 60 cm，表土、心土分开设置，在沟上每亩撒施土杂肥或农家肥 2 500 ～ 5 000 kg，回表土 10 cm，拌匀。深翻时间为 11 ～ 12 月种桑前。

（2）种植管理。种植时间为 12 月至翌年 3 月。种植密度为每亩 1 000 ～ 1 200 株。种植形式有 2 种：①宽窄行种植，适用于水肥条件好、平整的地块，三角形对空移栽。要求大行距 2 m，小行距 0.66 m，株距 0.33 ～ 0.5 m。②等行种植，适用于水肥条件差的台地、缓坡地，行距 1.33 m，株距 0.4 ～ 0.5 m。桑树品种以农桑系列为主，主要有农桑 8 号、农桑 12 号、农桑 14 号。将苗木按大小分开，分别种植，种植前将枯萎根、过长根剪去，并在泥浆中浸泡一下，可提高成活率。定植时要求苗正、根伸，浅栽踏实，以嫁接口入土 10 cm 左右为宜，浇足定根水，覆盖地膜（宽窄行膜宽 1 m，等行膜宽 0.66 m）。移栽后离地面 17 ～ 23 cm 剪去苗干，冬栽的进行春剪，春栽的随栽随剪，要求剪口平滑。待新芽长至 13 ～ 17 cm 时进行疏芽，每株选留 2 ～ 3 个发育强壮、方向合理的桑芽养成壮枝。对只有 1 个芽的，待芽长至 13 ～ 20 cm 时进行摘心，促其分枝，提早成园。桑芽萌发后，应及时检查，对于未成活者应及时进行补种。干旱时适当浇水，雨天排涝，以提高成活率。及时浅耕除草，疏芽、摘心后每亩施尿素 10 ～ 15 kg，或浇沼液、人粪尿等，施肥量为成林桑园的1/3。

（3）桑园管理。种植翌年春季，在离地35 cm 左右进行伐条，每株留 2 ～ 3 个树桩，以后每年以此剪口为基准进行伐条，培养成低干、有拳式或无拳式树型。每年养蚕结束后进行 1 次中耕，根据杂草生长情况除草，一般每年进行 2 ～ 3 次除草。每年进行 4 次施肥。春肥：于桑芽萌动时每亩施尿素 20 kg。夏肥：春蚕结束后每亩施尿素 20 kg、桑树专用复合肥 25 kg。秋肥：早秋蚕结束后每亩施尿素 5 kg、桑树专用复合肥 10 kg。冬肥：12 月初每亩施农家肥 1 500 ～ 2 000 kg。

（4）病虫害防治。春芽萌发后用敌敌畏、乐果、桑宁进行 1 次虫害防治，春蚕结束后、夏蚕结束后、早秋蚕结束后用敌敌畏、乐果、桑宁、多菌灵、甲基硫菌灵等进行病虫害防治。

| 采收加工 | 桑叶：10 ～ 11 月初霜后采收，除去杂质，晒干。

桑枝：5 ～ 6 月采收，除去叶，略晒，趁鲜切长 30 ～ 60 cm 的段或斜片，晒干，置通风干燥处。

桑椹：4 ～ 6 月待果实变红时采收，晒干或蒸后晒干。

桑白皮：冬、春季均可采挖根，部分地区在 5 ～ 8 月采挖，最宜为冬季。挖出桑根后，洗净泥土，刮去外表黄色粗皮，用刀纵向剖开，以木槌轻击，使皮部与木部分离，剥取白皮，晒干，扎成小捆即可。

| 药材性状 | 桑叶：本品多皱缩、破碎。完整的叶片有柄，展开后呈卵形或宽卵形，长 8 ～ 15 cm，宽 7 ～ 12 cm；先端渐尖，基部截形、圆形或心形，边缘有锯齿或钝锯齿，有的不规则分裂。上表面黄绿色或浅黄棕色，有时可见小疣状突起；下表面色较浅，叶脉凸起，小脉网状，脉上被疏毛，叶腋具簇毛。质脆。气微，味淡、

微苦、涩。

桑枝：本品呈长圆柱形，少有分枝，长短不一，直径 0.5 ~ 1.5 cm。表面灰黄色或黄褐色，有多数黄褐色点状皮孔及细纵纹，并有灰白色、略呈半圆形的叶痕和黄棕色的腋芽。质坚韧，不易折断，断面纤维性。切片厚 0.2 ~ 0.5 cm，皮部较薄，木部黄白色，射线放射状，髓部白色或黄白色。气微，味淡。

桑椹：本品为聚花果，由多数小瘦果集合而成，呈长圆形，长 1 ~ 2 cm，直径 0.5 ~ 0.8 cm，黄棕色、棕红色至暗紫色，有短果序柄。小瘦果卵圆形，稍扁，长约 2 mm，宽约 1 mm，外面具肉质花被片 4。气微，味微酸而甘。

桑白皮：本品呈扭曲的卷筒状、槽状或板片状，长短、宽窄不一，厚 1 ~ 4 mm。外表面白色或淡黄白色，较平坦，有的残留橙黄色或棕黄色鳞片状粗皮；内表面黄白色或灰黄色，有细纵纹。体轻，质韧，纤维性强，难折断，易纵向撕裂，撕裂时有粉尘飞扬。气微，味微甘。以色白、皮厚、质柔韧者为佳。

桑叶药材

桑枝药材

桑椹药材

桑白皮药材

| 品质评价 | 一、药材品质评价沿革

1. 桑叶

宋代苏颂《本草图经》记载："桑叶以夏秋再生者为上，霜后采之。"清代《本草崇原》记载："或值桑落时，干者亦堪用，但力不如新采者。"《本草新编》记载："所用桑叶，必须头次为妙，采后再生者，功力减半矣。桑叶采叶如茶，种大者第一，再大者次之，再小者又次之。与其小，无宁大也。"1996年版《中国药材学》及《中华本草》均记载："本品以色青黄，完整，无枝梗者为佳。"《现代中药材商品通鉴》记载："一般认为经霜后的桑叶品质较佳。"2010年版《中华药海》记载："以叶片完整、大而厚、色黄绿、质碎、无杂质者为佳。习惯应用桑叶以经霜得为好，称'霜桑叶'或'冬桑叶'。"2010年版《金世元中药材传统鉴别经验》记载："品质以叶大、叶厚、筋脉突出、黄绿色握之刺手者为佳。"综上，古代和现代对桑叶的采收均有经霜的要求，以霜桑叶为佳，以叶大而厚的质量为好，为制订桑叶商品规格等级标准提供了依据。有研究者收集不同产地、不同批次的29份桑叶样品，采用HPLC-DAD方法对黄酮类成分芦丁、异槲皮素、紫云英苷和酚酸类成分新绿原酸、绿原酸、隐绿原酸6种资源性化学物质进行了分析与评价。结果表明，不同批次桑叶中黄酮类和酚酸类成分含量存在明显差异，芦丁、异槲皮素、紫云英苷、新绿原酸、绿原酸及隐绿原酸的含量范围分别为 0.15 ~ 4.58 mg/g、0.05 ~ 8.57 mg/g、0.01 ~

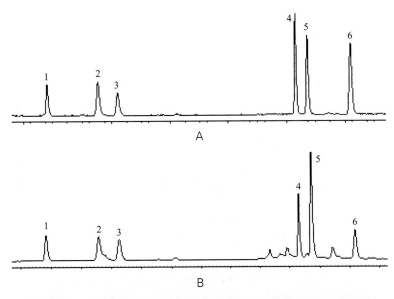

1—新绿原酸；2—绿原酸；3—隐绿原酸；4—芦丁；5—异槲皮素；6—紫云英苷。

混合对照品（A）和桑叶样品（B）中黄酮类和酚酸类成分的 HPLC 图

3.71 mg/g、0.21 ～ 3.44 mg/g、0.29 ～ 18.19 mg/g 及 0.20 ～ 4.37 mg/g。不同产地的桑叶样品各成分含量亦相差较大，其中新疆和江苏的桑叶样品各成分含量均较高。对主成分分析后发现，收集的 29 批次样品中有 24 批次样品较为接近，有 5 批次样品相差较大。采用 HPLC-ELSD 法对不同批次桑叶样品中 1-脱氧野尻霉素（DNJ）含量进行测定与分析。结果表明，不同批次桑叶样品中 DNJ 含量极具差异性，含量范围为 0.20 ～ 3.88 mg/g。不同产地桑叶样品各成分的含量亦相差较大，含量从高到低依次为浙江、新疆、安徽、江苏、湖北。

2. 桑枝

历代本草文献对于桑枝的规格等级划分主要强调外观性状，以枝细质嫩、断面色黄白者为佳。1962 年版《陕西中药志》记载："唯以当年生之嫩枝，且在七八月间采收者为好。"1963 年版《中华人民共和国药典》记载："以枝细质嫩而坚韧，断面黄白色、嚼之发粘者为佳。"1977 年版《中华人民共和国药典》记载："以枝细质嫩、断面色黄白者为佳。"1996 年版《中国药材学》记载："以茎细、质嫩、无残叶者为佳。"《中华本草》记载："以质嫩、断面黄白色者为佳。"2006 年版《中华药海》记载："以质嫩，断面黄白色为佳。"2010 年版《金世元中药材传统鉴别经验》记载："以身干、质嫩、断面黄白色为佳。"

3. 桑椹

清代《本草新编》记载："桑椹紫者为第一，红者次之，青则不可用。"该处记载桑椹以色紫者为品质最佳。民国时期《中国药学大辞典》记载："桑椹初结色青黄，成熟色紫黑。每年四月间成熟时。采之日干。椹有乌白二种。而乌者良。"记载桑椹以黑色的品质更佳。1963 年版《中华人民共和国药典》记载："以个大、肉厚、紫黑色、糖性大、完整无杂质者为佳。干瘦、松散、系白色、无糖性者不宜入药。"1977 年版《中华人民共和国药典》记载："以个大、色暗紫、肉厚者为佳。"1995 年版《常用中药鉴定大全》记载："分黑桑椹和白桑椹 2 种，均为统货。以紫黑色者为优。"2010 年版《金世元中药材传统鉴别经验》记载："以个大、色暗紫、质油润、肉厚者为佳。药用桑椹均为黑色，白色者不入药。"综上，桑椹以个大、肉厚、色紫黑者为佳。

4. 桑白皮

明代《救荒本草》记载："桑根白皮东行根益佳，肥白者良。"1963 年版《中华人民共和国药典》记载："以色白、皮厚、质柔韧、无粗皮、粉性足者为佳。"1977 年版《中华人民共和国药典》记载："以色白、粉性足者为佳。"1996 年版《中国药材学》记载："以皮厚、色白、质柔韧者为佳。"《中华本草》记载："以色白、皮厚、柔韧者为佳。"1999 年版《500 味常用中药材的经验鉴别》记载："桑白皮商品以纯根皮、色白、皮厚、质柔韧、无粗皮、嚼之有粘性、成丝团者为佳。"2001 年版《现代中药材商品通鉴》记载："以皮厚、色白、质柔韧、粉性足者为佳。"2010 年版《金世元中药材传统鉴别经验》记载："以纯根皮、色白、皮厚、质柔韧、无粗皮、嚼之有黏性、成团状丝者为佳。"2010 年版《中华药海》记载："以色白、皮厚、粉性足者为佳。"综上，桑白皮以色白、皮厚、质柔韧、粉性足者为佳。

二、道地性研究

在古代，桑类药材的基原植物并非一种，而是包括鸡桑、家桑、山桑、子桑等多种，鸡桑是最宜作为桑类药材的基原植物。本草文献中记载的桑类药材，所列条目通常为桑白皮，而桑叶、桑枝、桑椹等则附于其后。关于桑类药材的道地性论述，主要集中于桑白皮，《亳州志》（1564）记载有桑白皮，亳州在商代即有"桐宫桑林"之说；《蒙城志》（1592）记载明代以前即有栽培桑，明代亳州绢被作为贡品上贡。《中华道地药材》记载："全国各地均有栽培，以浙江、江苏、广东、四川、安徽、河南、湖南等地栽培较多。河南商丘，安徽阜阳、亳州，浙江淳安，江苏南通，四川南充，重庆涪陵，湖南会同、沅陵，河北涞源、易县，广东顺德、南海等均适宜其生产；尤以安徽亳州、阜阳最为适宜。"桑白皮主产于安徽、浙江、江西、福建、台湾、河南、湖南、贵州、云南、西藏等省区。桑白皮常按产地不同分有主产于亳州、皮质厚、宽阔而硬的亳桑皮，产于浙江、皮质薄、条细长而整齐、洁白柔软的严桑皮及产于江苏、皮质薄而软的苏北桑皮 3 种。

三、商品规格

1. 桑叶

当前药材市场上桑叶规格分为青桑叶、霜桑叶 2 种，青桑叶为霜前夏、秋季采收的桑叶，霜桑叶为初霜后采收的桑叶。《中华人民共和国药典》规定，桑叶为初霜后采收，市场上所售青桑叶不符合药典要求，市场上还有部分霜桑叶为霜后落叶，亦不符合药典要求。此二者均为不合格品，应注意鉴别。

2. 桑枝

目前市场上所售桑枝多为趁鲜切片药材，根据均一性及直径大小等可划分为选货与统货 2 种规格，其中桑枝选货又依据直径大小划分为小选和大选。《中华人民共和国药典》规定，桑枝以干燥嫩枝入药，传统也以枝细、质嫩者为佳，因此小选优于大选，为一等品，大选为二等品。市场上所售桑枝药材有圆片和斜片 2 类,但它们除了外形不同,并无其他差别。此外,市场上尚有直径大于 1.5 cm 的桑枝药材切片,不符合药典直径 0.5 ~ 1.5 cm 的标准,此类桑枝药材应为不合格品。

3. 桑椹

当前药材市场上,桑椹按照个头大小、饱满度、颜色、糖性大小并过筛等被划分为选货、统货 2 种规格。调查发现,部分市场上有青桑椹、白桑椹出售。《中华人民共和国药典》规定桑椹"4 ~ 6 月果实变红时采收",颜色为"黄棕色、棕红色或暗紫色",因此青桑椹、白桑椹均不符合药典要求,应为不合格品。此外尚有同属近缘物种,个体较大,需注意区分。

4. 桑白皮

当前药材市场桑白皮有刮皮和未刮皮 2 种规格,在此基础上又分为刮皮选货、刮皮统货和未刮皮统货 3 种。未刮皮的桑白皮与《中华人民共和国药典》要求不符。当前药材市场上大部分为切制后的桑白皮丝,原药材较少,桑白皮丝在市场上亦有选货、统货之分。

| 功效物质 | 桑类药材的功效物质成分主要包括黄酮类、生物碱类、甾酮类、香豆素类、芪类、多糖类等。

一、黄酮类

桑类药材中黄酮类成分主要包括黄酮、异黄酮、黄烷酮、查耳酮、连有异戊烯基的黄酮,以及花青素类化合物等结构类型。例如,桑色素、6- 甲氧基 -5,7,4′- 三羟基异黄酮、桑根素、4′- 甲氧基 -7,2′- 二羟基 -8- 异戊烯基黄烷、2,2′,4,4′- 四羟基查耳酮、矢车菊素等。该类成分具有降血糖、抗病毒、降血压、抗肿瘤、抗菌、抗微生物等多种生理活性。

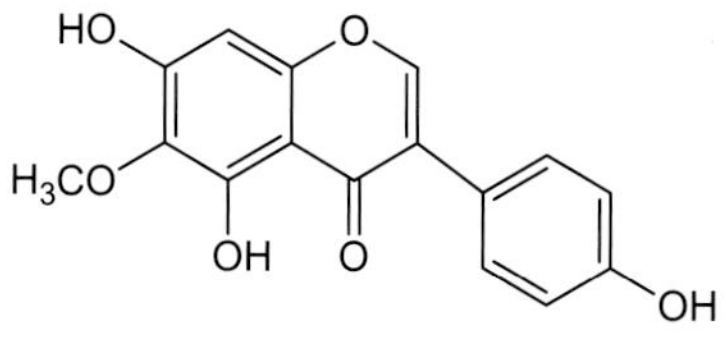

6- 甲氧基 -5,7,4′- 三羟基异黄酮化学结构

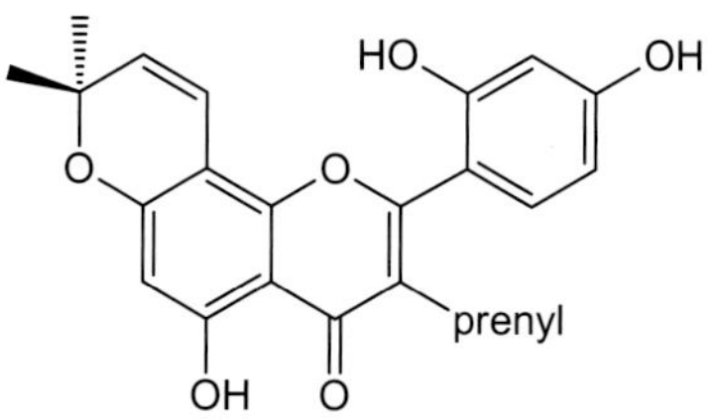

桑根素化学结构

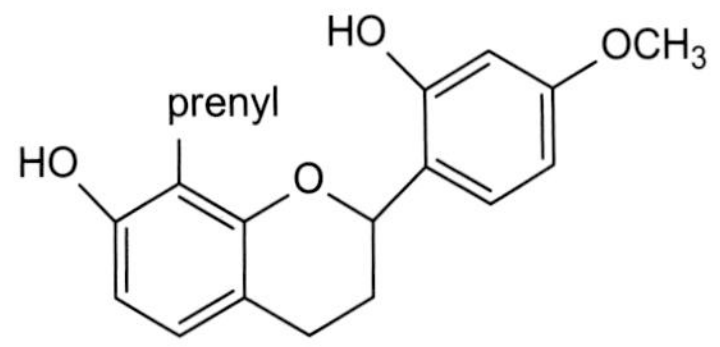

4′- 甲氧基 -7,2′- 二羟基 -8- 异戊烯基黄烷化学结构

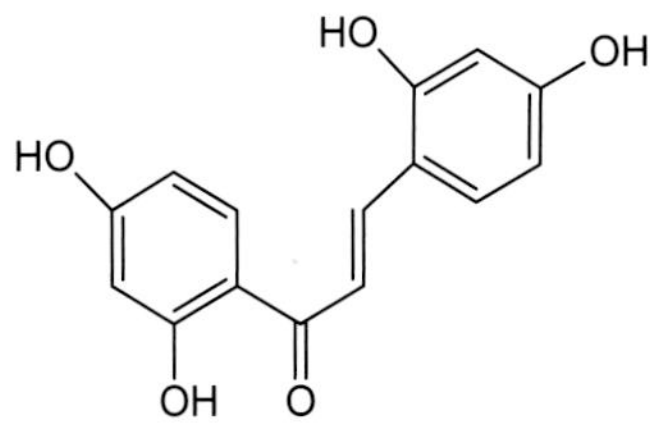

2,2′,4,4′- 四羟基查耳酮化学结构

Diels-Alder 型加合物是桑属植物的特征性成分，其生源途径由异戊二烯基衍生物与查耳酮的 α、β 双键发生 [4+2] 环加成而形成。常见的加成方式包括查耳酮与异戊二烯基黄酮（醇）类化合物的加合物、查耳酮与异戊二烯基二氢黄酮（醇）类化合物的加合物、查耳酮与异戊二烯基查耳酮的加合物、查耳酮与异戊二烯基二苯乙烯的加合物、查耳酮与异戊二烯基苯并呋喃的加合物等。桑白皮中有许多结构新颖的 Diels-Alder 型加合物，如桑皮酮类化合物、桑呋喃类化合物等。

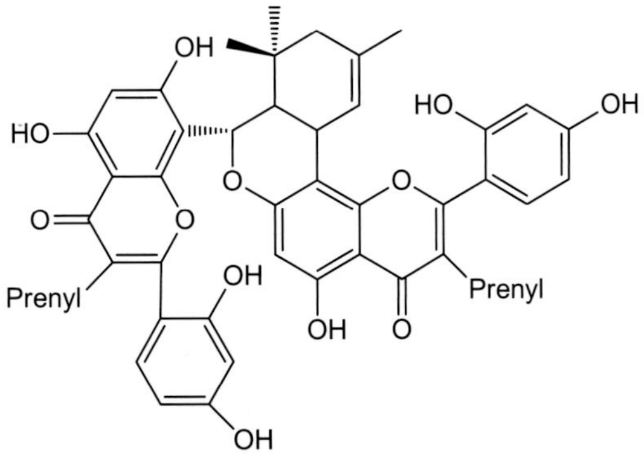

桑皮酮 M 化学结构

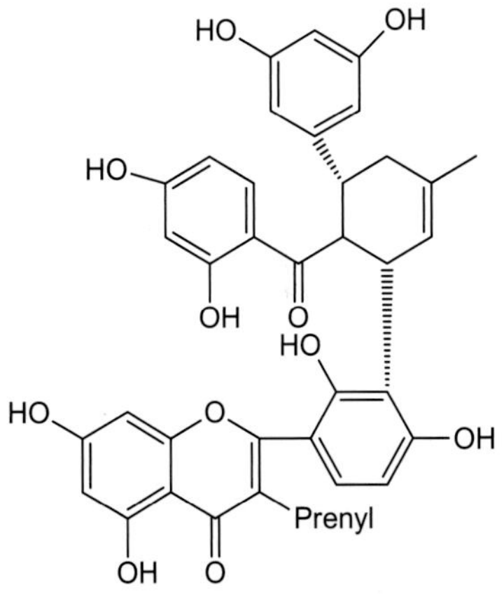

桑皮酮 K 化学结构

二、生物碱类

多羟基生物碱及其苷类化合物集中分布于桑属植物亲水性较强的部位，常与氨基酸、甜菜碱等化合物共存。根据该类化合物的结构特点，可分为多羟基哌啶类、多羟基吡咯烷类和多羟基降托品烷类。由于该类化合物具有与糖类相似的多羟基结构，2 位被还原，故多被看成含氮糖类化合物，其中代表性成分为 DNJ 及其衍生物，此种化合物具有显著的降血糖活性。除桑叶外，从桑白皮中也发现了多羟基生物碱类化合物。

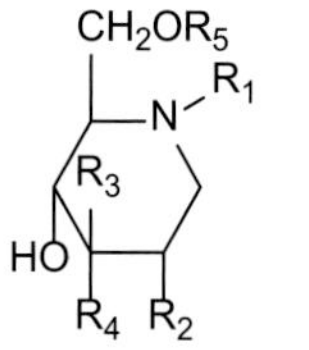

$R_1=R_4=R_5=H$，$R_2=R_3=OH$，1-脱氧野尻霉素

$R_1=CH_3$，$R_2=R_3=OH$，$R_4=R_5=H$，N-甲基-1-脱氧野尻霉素

$R_1=R_2=R_3=R_5=H$，$R_4=OH$，荞麦碱

$R_1=R_4=H$，$R_2=R_3=OH$，$R_5=\alpha$-D-gal，6-O-半乳吡喃糖-1-脱氧野尻霉素

桑生物碱类化合物化学结构

三、甾酮类

桑叶中含有丰富的甾酮类成分，包括牛膝甾酮、蜕皮激素等。蜕皮激素作用于人体具有促进蛋白质合成、排除体内胆固醇、降血脂、抑制血糖升高等生理活性，民间用于风湿性关节炎、高血糖症等疾病的治疗，在医药领域有着巨大的潜在应用价值；在蚕业上，用于缩短桑蚕龄期，促进吐丝结茧；在养殖业上，广泛应用于虾、蟹、地鳖虫的养殖。蜕皮激素可作为特殊添加剂使用，因其能影响昆虫从幼虫到成虫的全部发育阶段，可以此控制或杀死害虫，现已将其作为农药进行开发和应用。蜕皮激素在农作物丰产辅助剂方面也有较好的开发应用前景。

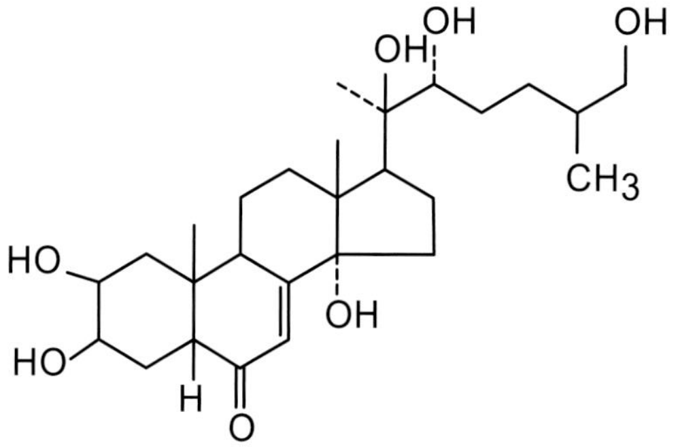

牛膝甾酮化学结构

四、香豆素类

桑叶、桑白皮中均含有香豆素类成分，此类成分具有调节血脂等生物活性。此外，含有的苯并呋喃衍生物是以 2-苯基苯并呋喃为基本骨架，5、7、2′、4′、6′位常以异戊烯基或牻牛儿基取代，亦有异戊烯基与邻位羟基形成六元、七元杂环者，以及形成 Diels-Alder 型加合物者。

五、芪类

桑叶、桑白皮中芪类化合物主要包括二苯乙烯类、2-苯基苯并呋喃类和芪类低聚物 3 类。二苯乙烯类化合物彼此之间或与 2-苯基苯并呋喃类化合物之间分别通过环己烯环（如 alboctalol）、二氢呋喃环（如 macrourin、andalasin B、 austrafuran B）或部分不饱和的二氧六环（如 austrafuran A、austrafuran C）形成低聚物。

六、多糖类

多糖是桑叶的主要活性成分之一，具有降血糖、抗肿瘤、抗氧化等多种生物活性。桑叶多糖由鼠李糖（Rha）、阿拉伯糖（Ara）、半乳糖（Gal）和葡萄糖醛酸（GluA）组成，其摩尔比为 Rha ∶ Ara ∶ Gal ∶ GluA=1 ∶ 1.56 ∶ 1.57 ∶ 1.08。桑叶中分离纯化获得的均一多糖 MP-3b 是由 Rha、Ara、Gal、木糖（Xyl）、葡萄糖（Glc）、半乳糖醛酸（GalA）组成的结构复杂的酸性多糖，相对分子量为 8.9×10^4。

| 功能主治 | 桑叶：甘，寒。归肺、肝经。疏散风热，清肺润燥，清肝明目。用于风热感冒，肺热燥咳，头晕头痛，目赤昏花。

桑枝：微苦，平。归肝经。祛风湿，利关节，行水气。用于风湿痹痛，肩臂、关节酸痛麻木。

桑椹：甘、酸，寒。归心、肝、肾经。滋阴补血，生津润燥。用于肝肾阴虚，眩晕耳鸣，心悸失眠，须发早白，津伤口渴，内热消渴，肠燥便秘。

桑白皮：甘，寒。归肺经。泻肺平喘，行水消肿。用于肺热喘咳，水肿胀满尿少，面目肌肤浮肿。

| 用法用量 | 桑叶：内服煎汤，5 ~ 9 g。

桑枝：内服煎汤，9 ~ 15 g。

桑椹：内服煎汤，9 ~ 15 g。

桑白皮：内服煎汤，6 ~ 12 g。

| 传统知识 | 基于文献梳理和中药资源普查过程中调查走访收集的传统用药知识，记录于此。

一、桑叶

（1）治疗太阴风温，但咳，身不甚热，微渴者：杏仁二钱，连翘一钱五分，薄荷八分，桑叶二钱五分，菊花一钱，苦梗二钱，甘草（生）八分，苇根二钱。水二杯，煮取一杯，日 2 服。

（2）治疗风眼下泪：腊月不落桑叶，煎汤日日温洗，或入芒硝。

（3）治疗肝阴不足，眼目昏花，咳久不愈，肌肤甲错，麻痹不仁：嫩桑叶一斤，黑胡麻子四两。将胡麻擂碎，熬浓汁和白蜜一斤，炼至滴水成珠，入桑叶末为丸如梧桐子大。每服三钱，空腹时盐汤、临卧时温酒送下。

（4）治疗头目眩晕：桑叶三钱，菊花三钱，枸杞子三钱，决明子二钱。水煎代茶饮。

二、桑枝

（1）治疗水气脚气：桑条二两。炒香，以水一升，煎二合，每日空心服之。

（2）治疗紫癜风：桑枝十斤，益母草三斤。上药，以水五斗，慢火煎至五升，滤去渣，熬为膏。每夜卧时，用温酒调服半合。

三、桑椹

（1）治疗心肾衰弱不寐或习惯性便秘：鲜桑椹 30 ~ 60 g。煎汤服。

（2）治疗烫火伤：黑熟桑椹子以净瓶收之，久自成水。以鸡翎扫敷之。

（3）治疗瘰疬：桑椹，黑熟者二斗许。以布袋取汁，熬成药膏，白汤点一匙，日三服。

（4）治疗饮酒中毒：干桑椹二合。上一味，用酒一升，浸一时久。取酒旋饮之，即解。

四、桑白皮

（1）治疗小儿肺盛，气急喘嗽：地骨皮、桑白皮（炒）各一两，甘草（炙）一钱。锉散，入粳米一撮，水二小盏，煎七分，食前服。

（2）治疗小便不利，面目浮肿：桑白皮四钱，冬瓜仁五钱，草苗子三钱。煎汤服。

（3）治疗糖尿病：桑白皮四钱，枸杞子五钱。煎汤服。

| 资源利用 | 一、在医药领域中的应用

1. 桑叶

桑叶始载于《神农本草经》，被列为中品，自古即有"止消渴"的功效。桑叶含有的 DNJ 及其衍生物等多羟基生物碱类成分具有明确的降血糖活性，市场上销售的 α- 葡萄糖苷酶抑制剂阿卡波糖即为 DNJ 修饰物产品；同时，DNJ 及其衍生物还具有显著的抗多种病毒的活性。桑叶所含黄酮类成分亦具有降血糖、降血脂、降血压、抗病毒等多种生理活性，并已被开发成一系列产品，如桑菊感冒颗粒、桑麻丸、夏桑菊胶囊、桑麻口服液、桑菊银翘散、桑菊感冒丸、桑姜感冒注射液、桑菊感冒合剂等。

2. 桑枝

桑枝中富含黄酮类、生物碱类、多糖类、蛋白质类、氨基酸类、有机酸类及维生素等多种活性物质，资源化利用途径广泛。桑枝黄酮类、生物碱类化合物具有显著的降血糖、降血压、抗氧化、降血脂等生理活性。桑枝在临床上治疗糖尿病，尤其是糖尿病关节病变和周围神经病变疗效确切，可显著降低血糖而缓解症状。目前市场上已有桑枝颗粒、桑枝胶囊等制剂用于糖尿病引起的关节疼痛等病证。还有研究者利用桑枝研发出了桑枝标准提取物。

3. 桑椹

桑椹载于《新修本草》，具有补肝益肾、滋阴养血、黑发明目、祛斑延年的功效。桑椹富含花青素等色素类成分及有机酸类、黄酮类、氨基酸类、果糖、维生素等资源性化学成分，具有清肝明目、增强免疫、抗衰老等功效，广泛应用于医药行业，并被研发成桑杞脑康颗粒、桑龙利肝颗粒、复方桑椹合剂等一系列产品。

4. 桑白皮

《本草纲目》记载："桑白皮主治消渴尿多。"桑白皮具有止咳平喘、利尿、降血压、安神等功效。桑白皮中黄酮类、生物碱类、多糖类成分可用于抗糖尿病制剂的开发或辅助作为降血糖制剂。此外，桑白皮中 kuwanons G、kuwanons H、kuwanons M、sanggenons C、sanggenons D 及 mulberrofuran C、mulberrofuran F、mulberrofuran G 等黄酮类成分具有显著的降血压活性，其降血压机制可能与抑制环磷酸腺苷磷酸二酯酶活性有关。桑白皮中异戊烯基黄酮类化合物、苯并呋喃化合物还具有较强的抗 HSV-1 病毒的活性。桑白皮丙酮提取物具有镇咳、祛痰、抗炎、平喘、舒张血管等作用，其平喘的作用机制可能与升高支气管一氧化氮含量以使支气管松弛有关；其舒张血管的作用机制可能与血管释放一氧化氮和促进一氧化氮合酶的合成有关。桑白皮甲醇提取物具有抗炎活性，其水溶性成分尚对压迫刺激有镇痛作用。

二、在保健食品中的应用

1. 桑叶

桑叶有较高的营养价值，目前已被开发出多种具有保健功能的食品，如桑叶茶、桑叶面条、桑叶保健饮料（如桑叶桑椹菊花复合颗粒饮料等）、桑叶粉、苦瓜桑叶片等。桑叶多酚亦可开发成抗氧化和保护肝脏的功能性食品。

2. 桑枝

桑枝中的纤维素可制备成膳食纤维素，膳食纤维素作为食品添加剂具有改善人体肠道蠕动功能及排毒的功效。桑枝皮含有丰富的果胶（抽提液中含量为 222 mg/L），通过碱煮、过滤、酸化、沉淀等程序可提取。

3. 桑椹

桑椹除少量药用和食用外，尚可用来制备果汁、桑果露酒、桑果白酒、桑果酒、果冻、果酱等健康饮料及食品。桑椹对眩晕、失眠、消渴、便秘及风湿性关节炎等具有一定的改善和调节作用，已开发的保健食品主要有桑椹保健酒、桑椹饮料、桑椹糖、桑椹蜜饯、桑椹蜜膏等。桑果富含桑色素类物质，是一种具有开发价值的天然植物色素资源。

4. 桑白皮

桑白皮与其他药物配伍应用可用来开发辅助降血糖类保健食品。

三、在畜牧业中的应用

桑叶在畜牧业中主要作为桑蚕的饲料。桑叶含有丰富的糖、蛋白质、蜕皮激素、维生素、矿物元素及天然活性物质，可有效提高畜产品的产量和质量。用桑叶饲喂出栏前 4 周的肉鸡，可提高产肉率、改善鸡肉的品质。桑叶作为泌乳奶牛的补充饲料能够提高其产奶量。

四、在其他领域中的应用

1. 桑叶

桑叶尚可开发美容化妆产品，如华桑防晒乳 SPF25、本草堂桑菊防晒润肤露等。

2. 桑枝

桑枝韧皮纤维发达，纤维素含量高，约占 50%，含氮量较杂木高，木质素和半纤维素含量均超过 20%，接近黑木耳对营养的要求，是良好的食用菌栽培基质。桑纤维还可用作直接染料、还原染料、碱性染料、硫化染料等进行染色。此外，桑枝还用于生产纤维板、人造纤维、桑枝高档纸等，以及医疗保健和生物能源的原料。

以桑皮为原料制成的高品质粘胶丝，强度达 1.5 g/ 旦，伸度 15% ~ 18%（比用甘蔗渣作原料的纤度强），着色性能好，可供织作衣料和制作汽车轮胎底线。

桑色素属芳香酮类化合物，呈橙黄色，可用作羊毛或棉织物的染料，在染料工业中具有重要的应用价值。桑色素在醇溶液中与铝离子络合成绿色荧光化合物，是铝离子的灵敏试剂。

| **附　注** | （1）桑科桑属植物全世界约有 30 种、10 变种。我国桑属植物资源有 15 种、4 变种，是世界上桑树种质资源最为丰富的国家，分布种有长穗桑 *Morus wittiorum* Hand.-Mazz.、长果桑 *Morus macroura* Miq.、鲁桑 *Morus alba* L. var. *multicaulis* (Perrott.) Loud.、白桑 *Morus alba* L.、黑桑 *Morus nigra* L.、华桑 *Morus cathayana* Hemsl.、广东桑 *Morus atropururea* Roxb.、细齿桑（吉隆桑）*Morus serrata* Roxb.、蒙桑 *Morus mongolica* (Bureau) C. K. Schneid.、山桑 *Morus bombycis* Koidz. cv. *Goroji*、川桑 *Morus notabilis* Koidz.、唐鬼桑 *Morus nigriformis* C. K. Schneid.、瑞穗桑 *Morus mizuho* Hotta.、滇桑 *Morus yunnanensis* Koidz.、鸡桑 *Morus australis* Poir.；变种有白桑的变种大叶白桑 *Morus alba* L. var. *macrophylla* Loud. 及白脉桑 *Morus alba* L. var. *venose* Delile.、垂枝桑 *Morus alba* L. var. *pendula* Dippel. 及蒙桑的变种鬼桑 *Morus mongolica* (Bureau) C. K. Schneid. var.

diabolica Koidz.。栽培种主要有白桑 *Morus alba* L.、黑桑 *Morus nigra* L.、广东桑 *Morus atropururea* Roxb.、山桑 *Morus bombycis* Koidz. cv. *Goroji*、瑞穗桑 *Morus mizuho* Hotta.、鲁桑 *Morus alba* L. var. *multicaulis* (Perrott.) Loud. 等，分布于全国不同地区。其中可药用的桑品种有白桑、鸡桑、细齿桑、黑桑、华桑、长穗桑、蒙桑等。

（2）桑种质资源的保存和利用是我国桑树资源发展的重要内容。据统计，全国 15 个省区的 20 个科研单位保存了桑树种质资源 2 600 余份，其中，地方品种近 1 000 份，新选育的品种及材料 200 余份，优良株系 1 000 余份，野生资源 300 余份，国外引进品种 90 余份。优势种质资源包括四川的大花桑、黑油桑等，浙江的荷叶白（湖桑 32 号）、桐乡青（湖桑 35 号）、火桑等，广东的广东桑，安徽的大叶瓣，山东的大鸡冠、小鸡冠，河北的牛筋桑、桲椤桑，陕西的胡桑，山西的黑格鲁、白格鲁，新疆的白桑等。

参考文献

[1] 段金廒. 中药资源化学——理论基础与资源循环利用 [M]. 北京：科学出版社，2015.

[2] 段金廒. 中药废弃物的资源化利用 [M]. 北京：化学工业出版社，2013.

[3] 宿树兰，段金廒，欧阳臻，等. 我国桑属（*Morus* L.）药用植物资源化学研究进展 [J]. 中国现代中药，2012，14（7）：1-6.

[4] 季涛，宿树兰，郭盛，等. 桑叶防治糖尿病的效应成分群及其作用机制研究进展 [J]. 中草药，2015，46（5）：778-784.

[5] 张丽丽，白永亮，宿树兰，等. 不同品种不同生长期桑叶中生物碱类与黄酮类化学成分的积累动态分析评价 [J]. 中国中药杂志，2014，39（24）：4822-4828.

[6] 白永亮，段金廒，宿树兰，等. 桑叶干燥过程中黄酮类和生物碱类成分动态变化分析 [J]. 中药材，2014，37（7）：1158-1163.

[7] 张立雯，宿树兰，戴新新，等. 桑叶有效组分对 db/db 小鼠肠道菌群的调节作用 [J]. 药学学报，2019，54（5）：867-876.

[8] 张立雯，季涛，宿树兰，等. 桑叶黄酮类和生物碱类成分在正常和糖尿病大鼠体内的药代动力学研究 [J]. 中国中药杂志，2017，42（21）：4218-4225.

[9] 季涛，宿树兰，郭盛，等. 基于 α–葡萄糖苷酶抑制活性评价桑叶多组分药效相互作用研究 [J]. 中国中药杂志，2016，41（11）：1999-2006.

[10] 李君，季涛，宿树兰，等. 桑叶中黄酮类和酚酸类成分的提取工艺优化 [J]. 中国现代中药，2015，17（12）：1308-1312.

[11] 季涛，张丽丽，黄晓晨，等. 基于代谢组学的桑叶多组分治疗糖尿病的作用机制研究 [J]. 药学学报，2015，50（7）：830-835.

[12] 宿树兰，郭盛，白永亮，等. 桑蚕废弃物的资源化利用现状与分析 [J]. 中国资源综合利用，2014，32（7）：38-43.

[13] 张丽丽，白永亮，宿树兰，等. 中国药典中桑叶含量测定项下色谱条件的优化 [J]. 药物分析杂志，2014，34（4）：717-722.

[14] 李勇，孙波，胡兴明，等. 桑枝综合利用研究与开发进展 [J]. 北方蚕业，2009，30（3）：12-16.

[15] 李娜，李全宏 . 桑副产品的综合利用 [J]. 中国食品工业，2006（7）：22-23.

[16] 赵明，常钰，王佩香，等 . 桑叶多糖 PMP12 的分离纯化及结构初步分析 [J]. 江苏大学学报（医学版），2010，20（2）：153-156.

[17] 夏玮，刘书琦，罗国安，等 . 桑叶多糖 MP-3b 的结构性质研究 [J]. 中成药，2009，31（3）：427-431.

[18] 欧阳臻，陈钧 . 不同季节桑叶中 1- 脱氧野尻霉素（DNJ）含量的测定 [J]. 食品科学，2004，2（10）：211-214.

[19] 刘凡，李平平，廖森泰，等 . 98 份不同桑树品种资源的桑叶总生物碱及 1- 脱氧野尻霉素含量测定 [J]. 蚕业科学，2012，38（2）：185-191.

[20] 郭小补，廖森泰，刘吉平，等 . 不同桑品种的桑叶总黄酮含量与体外抗氧化活性的相关性 [J]. 蚕业科学，2008，34（3）：381-386.

[21] 梁艳英，王华，任玉巧 . 桑椹成熟期间主要化学成分的变化规律 [J]. 西北农林科技大学学报（自然科学版），2006，34（4）：28-50.

[22] 陈卫东，邹宇晓，吴娱明，等 . 桑树资源新型功能食品的研制开发 [J]. 广东农业科学，2006（11）：81-82.

[23] 胡季强，孔令东，胡林水，等 . 桑皮苷在制备抑制尿酸重吸收转运子药物中的应用：200910095837.8[P]. 2009-08-12.

[24] 陈忻，袁毅桦，赵甜霞 . 桑白皮壳聚糖的制备研究 [J]. 食品研究与开发，2005，26（4）：30-32.

[25] 王笃军，康立欣，赵力，等 . 桑叶经霜对其传统功效清肺润燥作用的影响 [J]. 天然产物研究与开发，2017，29（9）：1546-1550，1601.

[26] 于小凤，李韵竹，张魏琬麒，等 . 桑叶经霜前后总黄酮积累量与苯丙氨酸解氨酶活力及气温相关性分析 [J]. 食品科学，2016，37（21）：21-25.

[27] 张魏琬麒，欧阳臻，赵明，等 . 桑叶经霜前后次生代谢产物表达差异分析 [J]. 食品科学，2015，36（8）：109-114.

[28] 曹旭，欧阳臻，赵明，等 . 桑叶总生物碱中 1- 脱氧野尻霉素在大鼠体内的药物动力学研究 [J]. 中药新药与临床药理，2012，23（4）：449-452.

[29] 杨兵，欧阳臻，赵明，等 . 不同生长季节桑叶中 1- 脱氧野尻霉素、芦丁及多糖含量动态研究 [J]. 中药材，2012，35（6）：876-879.

[30] 宿树兰，段金廒，张立雯，等 . 桑叶有效部位组合物在制备防治 Ⅱ 型糖尿病肝肾损伤的药物或保健品中的应用：201910509248.3[P]. 2019-08-09.

[31] 欧阳臻，赵明，韩邦兴，等 . 一种具有降血糖作用的桑叶面粉及其制备方法：201210118163.0[P]. 2012-10-17.

[32] 赵明，韩邦兴，欧阳臻，等 . 一种桑叶荷叶保健茶及其制备方法：201210047290.6[P]. 2012-07-18.

[33] 欧阳臻，彭国平，赵明，等 . 一种治疗糖尿病或糖尿病并发症的药物组合物及其制备方法：201110178678.5[P]. 2011-11-02.

[34] 欧阳臻，孟夏，常钰，等 . 一种从桑叶总生物碱中分离 1- 脱氧野尻霉素单体的方法：200810122998.7[P]. 2008-12-03.

[35] 欧阳臻，贾晓斌，李永辉，等 . 桑叶降血糖有效组分组合物及制备方法：200610038713.2[P]. 2006-10-25.

[36] 李孟伟，杨承剑，梁辛，等 . 桑叶提取物在促进水牛泌乳中的应用：201911057464.5[P]. 2019-12-24.

[37] 王振宇，韩晓旭，井晶，等 . 一种糖尿病人专用的桑叶降糖复合片剂及其制备方法：201910761245.9[P]. 2019-10-22.

[38] 易显凤，庞天德，林波，等 . 一种桑叶饲料颗粒添加剂及其制备方法和应用：201910705221.1[P]. 2019-10-08.

[39] 李华涛，刘影，吴敏，等 . 桑叶提取物在抑制淡水鱼养殖应激方面的应用及饲料和饲料制备方法：201910291916.X[P]. 2019-07-05.

[40] 张艳雯, 郑一民, 吴云月, 等. 一种发酵型桑叶牛饲料及其制备方法: 201711243661.7[P]. 2019-06-07.

[41] 胡腾根, 邹宇晓, 廖森泰, 等. 一种功能性桑叶低聚糖及其制备方法和应用: 201910098976.X[P]. 2019-05-14.

[42] 徐月灿, 张倩, 张莲莲. 一种同时提取桑叶蛋白和桑叶多糖的方法: 201811481746.3[P]. 2019-04-16.

[43] 汪河滨, 邱爱军, 杨玲, 等. 一种以药桑叶多糖为载体的1-脱氧野尻霉素缓释制剂的制备方法: 201811218738.X[P]. 2019-02-19.

[44] 黄先智, 丁晓雯, 彭晓蝶, 等. 一种桑叶生物碱的制备方法及制备得到的桑叶生物碱的应用: 201811318925.5[P]. 2019-01-18.

[45] 李华涛, 罗岚, 张珊福, 等. 桑叶提取物在制备饲料抗氧化剂中的应用及饲料和饲料制备方法: 201811306088.4[P]. 2019-01-04.

[46] 申扬阳. 桑叶抗皱护肤霜: 201610912027.7[P]. 2018-05-01.

[47] 彭杰, 成志强, 陈晓辉, 等. 一种提高肥猪生长性能的桑叶饲料及其制备方法: 201710524155.9[P]. 2018-04-17.

[48] 郑宗平. 桑枝中具酪氨酸酶抑制作用有效部位制备方法及其应用: 201610331482.8[P]. 2019-06-07.

[49] 林英姬, 黄善煜, 金政根, 等. 含有桑枝酒精萃取物的用于预防或治疗肥胖的组合物: 201780064498.X[P]. 2019-06-04.

[50] 聂毅, 宗有田. 一种从桑枝中提取降血糖用总黄酮的方法: 201811579560.1[P]. 2019-03-29.

[51] 徐立, 逯海朋, 贾亚楠, 等. 桑枝提取物或萃取物在制备抗真菌感染产品中的应用: 201710443950.5[P]. 2017-09-29.

[52] 郑宗平. 桑枝中具酪氨酸酶抑制作用有效部位制备方法及其应用: 201610331482.8[P]. 2016-10-12.

[53] 黎演明, 黄志民, 韦光贤, 等. 利用桑枝发酵废弃物制备生物质颗粒燃料的方法: 201510258287.2[P]. 2015-08-19.

[54] 邝哲师, 赵祥杰, 叶明强, 等. 一种添加桑叶粉和桑枝灵芝下脚料粉的畜禽饲料及其用途: 201410317880.5[P]. 2014-12-03.

[55] 桂仲争, 贾俊强, 刘艳伟. 一种桑枝皮中血管紧张素转换酶抑制剂的分离纯化法: 201410055650.6[P]. 2014-06-04.

[56] 骆峰, 杨海延, 周自华. 桑叶和/或桑枝提取物的制备方法及所得产品和应用: 201010261582.0[P]. 2012-03-14.

[57] 孔令东, 胡季强, 王彩萍, 等. 桑枝黄酮和二苯乙烯类提取物在预防或治疗高尿酸血症和痛风中的应用: 200910095836.3[P]. 2009-08-12.

[58] 孔令东, 胡季强, 王彩萍, 等. 桑枝黄酮和二苯乙烯类提取物在制备抑制尿酸重吸收转运子药物中的应用: 200910095840.X[P]. 2009-08-12.

[59] 吴娱明, 邹宇晓, 肖更生, 等. 桑枝提取物在制备具有减肥降脂作用的食品中的用途: 200410077773.6[P]. 2005-06-29.

[60] 扶雄, 张佳琦, 陈春, 等. 一种具有抗氧化活性的桑葚多糖-铁螯合物的制备方法: 201910268912.X[P]. 2019-08-16.

[61] 陆胜民, 范铭, 刘哲, 等. 一种桑葚渣降血糖活性成分的提取纯化及制备技术: 201910283672.0[P]. 2019-06-07.

[62] 吕晓玲, 吴亚平, 吴涛, 等. 一种富含桑葚花色苷且可缓解围绝经期综合征的固体饮料及其制备方法: 201810957083.1[P]. 2019-01-11.

[63] 张培成, 靳洪涛, 蒋建东, 等. 桑葚提取物在制备预防和治疗PM2.5所致肺损伤药物中的应用: 201610190756.6[P]. 2017-10-24.

[64] 刘洋, 史志辉, 王四旺, 等. 桑葚颗粒在制备防治糖尿病及其并发症药物中的应用: 201610643249.3[P].

2016-11-23.

[65] 周欣，陈华国，邓青芳，等. 桑葚多糖提取物在制备药物或保健品中的应用：201510431557.5[P]. 2015-12-16.

[66] 李本富. 微生态桑葚叶发酵平衡生物饲料及其生产方法：201410565282.X[P]. 2015-02-04.

[67] 郑晓珂，郭月婷，王小兰，等. 桑白皮脂肪油在制备治疗脾虚水湿不化型胃肠功能紊乱的药物中的应用：201610846136.3[P]. 2017-02-01.

[68] ZHANG L L, BAI Y L, SU S L, et al. Simultaneous quantitation of nucleosides, nucleobases, amino acids, and alkaloids in mulberry leaf by ultra high performance liquid chromatography with triple quadrupole tandem mass spectrometry[J]. Journal of Separation Science, 2014, 37（11）：1265 - 1275.

[69] JI T, SU S L, ZHU Y, et al. The mechanism of mulberry leaves against renal tubular interstitial fibrosis through ERK1/2 signaling pathway was predicted by network pharmacology and validated in human tubular epithelial cells[J]. Phytotherapy Research, 2019, 33（8）：1-12.

[70] ZHANG L W, SU S L, ZHU Y, et al. Mulberry leaf active components alleviate type 2 diabetes and its liver and kidney injury in db/db mice through insulin receptor and TGF-β/Smads signaling pathway [J]. Biomedicine & Pharmacotherapy, 2019, 112：108675.

[71] ZHANG L W, BAI Y L, SU S L, et al. Metabolism, transformation and dynamic changes of alkaloids in silkworm during feeding mulberry leaves[J]. Natural Product Research, 2019, 33（8）：1182-1190.

[72] KANG J, CHEN R Y, YU D Q. Five new Diels-Alder adducts from the stem and root bark of Morusmongolica[J]. Planta Medica, 2006, 72（1）：52-59.

（宿树兰　欧阳臻）

石竹科　Caryophyllaceae　孩儿参属　*Pseudostellaria*

孩儿参

Pseudostellaria heterophylla (Miq.) Pax

| 药 材 名 |　太子参（药用部位：块根。别名：孩儿参、童参、双批七）。

| 本草记述 |　太子参之名始见于清代吴仪洛的《本草从新》，记于人参条下，与参须、参芦并列。《本草从新》谓："太子参，大补元气，虽甚细如参条，短紧坚实，而有芦纹，其力不下大参。"明代《本草纲目》将似人形的人参称为"孩儿参"。及至清代仍认为细枝人参即为"太子参"或"孩儿参"。由此看来，本草中的太子参或孩儿参均为五加科人参 *Panax genseng* C. A. Mey. 之小者，至于石竹科太子参的药用始于何时尚不十分清楚。现今太子参的药用历史可追溯至清代：①《本草再新》记载的太子参功效"治气虚肺燥，补脾土，消水肿，化痰止渴"，与石竹科太子参用于"脾气虚弱、胃阴不足的食少倦怠"及"气虚津伤的肺虚燥咳"相趋近；②石竹科孩儿参的人工栽培历史已

有近百年，应有其归属；③《本草纲目拾遗》虽未明言太子参亦出伪造，实不排除苏地药商以地产石竹科太子参托名辽参之小者以牟暴利的可能。综上考证，太子参或孩儿参本是小规格人参的别称，而石竹科太子参具有的益气健脾、生津润肺之独特药性与功效渐被医家认可和接受，迄今已发展成为中医临床方剂及中成药和大健康产品的常用药味。

| 形态特征 | 多年生草本，高 15 ~ 20 cm。地下有肉质、直生、纺锤形块根，四周疏生须根。茎单一，不分枝，下部带紫色，近方形，上部绿色，圆柱形，有明显膨大的节，光滑无毛。单叶对生；茎下部的叶最小，倒披针形，先端尖，基部渐窄成柄，全缘，向上渐大；茎顶的叶最大，通常 2 对密结成 4 叶轮生，长卵形或卵状披针形，长 4 ~ 9 cm，宽 2 ~ 4.5 cm，先端渐尖，基部狭窄成柄，叶背脉上有疏毛，边缘略呈波状。花二型；近地面花小，为闭锁花，花梗紫色，有短柔毛，萼片 4，

背面紫色，边缘白色而呈薄膜质，无花瓣；茎顶上的花较大而开放，花梗细，长1～2（～4）cm，有短柔毛，花时直立，花后下垂，萼片5，披针形，绿色，背面及边缘有长毛，花瓣5，白色，先端呈浅齿状2裂或钝；雄蕊10；子房卵形，花柱3。蒴果近球形，有少数种子；种子褐色，扁圆形或长圆状肾形，有疣状突起。花期4月，果期5～6月。

资源情况

一、生态环境

野生太子参一般生长在海拔800～2700 m的山地及丘陵中的阴湿山坡、林下、草丛或岩石缝内。自然条件下，太子参喜温暖潮湿的气候，惧高温，抗寒能力强。在平均气温10～20℃时生长旺盛，一般在4月上旬至6月上旬子块根迅速膨大，进入生长期，母块根解体；至6月下旬，旬平均气温高于30℃时植株长势减弱，继而停止生长，进入夏季休眠期；在−17℃时可安全越冬，低温条件下也能发芽、生根。喜阴湿，怕强光，在隐蔽、湿润的条件下能延迟至立秋后倒苗，而烈日下易枯萎。怕水涝，在排水不良的低洼地、黏土壤和土质坚实的环境中生长不良。不耐贫瘠，喜疏松肥沃、富含腐殖质、排水良好的砂壤土。

二、分布区域

江苏为太子参的道地产区，主要分布于南京及溧阳、镇江、宜兴、金坛等地。

三、蕴藏量

江苏曾为太子参的道地产区，适宜的生态条件孕育着较为丰富的太子参资源。近年来，随着自然生态区域不断被挤压缩小，导致太子参的自然资源蕴藏量大幅度减少。目前，江苏太子参的预测量为5 000～20 000 kg。

四、栽培历史与产地

《上元江宁乡土合志》（1910）记载："钟山多药材，首乌、沙参、玉竹……

文园产太子参。"由此可知,清末南京已产太子参。《江苏药材志》(1965)记载:"人工栽培太子参本省也有数十年历史,最早栽培地为江宁县的朱门与丹徒县的下蜀,现以镇江市郊区、句容、溧阳及徐州专区的赣榆、邳县为主要栽植生产地区。"可见江苏在民国时期已开始人工栽培太子参,至今栽培历史已有百余年。据统计,第三次中药资源普查江苏太子参栽培面积 4 598 亩,产量 238.61 t,除自用外,还销往全国各地。20 世纪 90 年代初,太子参市场价格暴跌,江苏人工栽培太子参面积开始萎缩,总面积低于福建柘荣、贵州施秉、安徽宣城。太子参经长期的栽培已从野生种分化成大叶种和小叶种 2 种类型。大叶种:根纺锤形,芽白,茎粗,基叶大,开花,抗病毒能力弱,无明显主根,块根少,产量低。小叶种:根胡萝卜状,形成半圆形,紫芽或红芽,叶小,不开花,抗病毒能力强,须根多,产量高。目前尚未对这 2 种类型进行选育,因此,产量不稳定。商品太子参以福建柘荣、江苏溧阳等地为优。福建柘荣的参农也有将太子参分为"柳选小根"和"柳选大根"2 类,前者块根略瘦小,偏早熟,适应轻、砂壤土,较易染病;后者比前者晚熟 10 ~ 20 天,抗病能力较强,产量比前者高 10% ~ 20%。因此,引种栽培时,不同的地区可以考虑选择不同的栽培品种类型。

五、栽培面积与产量

目前福建柘荣种植的太子参产量在全国占比 60% 以上。全国太子参种植已形成福建柘荣、贵州施秉、安徽宣州三大核心产区。2010 年以来,太子参高价位运行,三大核心产区周边地区也形成了一些规模化种植的次产区,如贵州黄平、都匀、剑河,以及安徽广德等。2015 年次产区的整体产量为 350 ~ 400 t。其他如山东、江苏、浙江等老产区逐渐失去资源优势,多为习惯性种植,尚具一定规模。此外,云南、江西、湖南等地由于政府土地流转引导也开始种植太子参,但规模不大。江苏南京、溧阳、句容、宜兴、金坛等地均有栽培,总面积约 900 亩,产量约 90 t。

六、规范化生产技术

太子参有种子繁殖和分根繁殖 2 种繁殖方法。由于种子繁殖的植株矮小,参根稀少,产量低,故生产上普遍采用分根繁殖。

1. 选种

选择芽头完整、参体肥大、无损伤、无病虫害的健壮块根作种。

2. 移栽

10 月上旬(寒露)至地面封冻之前均可栽种。由于太子参具有"茎节生根"的特点，栽种深度对块根的形成和发育影响较大，所以栽种时掌握适宜的深度是增产的关键。栽种方法有平栽和斜栽2种：①平栽，按行距15～20 cm开沟，深6～9 cm，将块根平放于沟内，头尾相接，覆土；②斜栽，将块根斜放于沟内，头向上，尾向下，齐头不齐尾，离地面2 cm，覆土。

3. 田间管理

一般包括防止人畜踩踏、施肥、培土除草、排灌。①防止人畜踩踏。栽后当年不出苗，要保持畦面平整，避免人畜践踏以造成局部短期积水，使参根腐烂，导致缺苗减产。同时，留种田越夏期间也应防止踩踏。②施肥。太子参生长期短，不耐农肥，需施足基肥，如多施氮肥可导致茎叶徒长，影响产量。在缺肥的情况下，植株茎出现瘦黄时应追肥1～2次，可在4月上旬每亩施入腐熟的饼肥30～40 kg，并随后浇水。③培土除草。幼苗出土时，生长缓慢，越冬杂草繁生，可用小锄浅锄1次，其余时间宜手拔。5月上旬后，植株封行，仅拔除大草，以免影响生长。中根培土厚度以不超过2 cm为宜。④排灌。太子参怕涝，雨后畦沟必须保持排水畅通。干旱少雨时应注意浇水，以保持畦面湿润，利于发根和植株生长。

4. 病虫害防治

主要病害包括叶斑病、根腐病、太子参花叶病毒。叶斑病、根腐病可用波尔多液1∶1∶100液或65%代森锌可湿性粉剂500～600倍喷射防治。太子参花叶病毒的防治方法包括：在种子繁殖时严格消毒，建立无病原种繁育场，培育出无病毒种苗；不要重茬；加强水肥管理，增施磷钾肥以增强植株对病毒的抵抗力。虫害有蛴螬、蝼蛄、地老虎、金针虫等，一般在块根膨大、地上部分即将枯萎时为害最烈。防治方法包括：在发病期用50%多菌灵100倍液或75%辛硫磷乳油700倍液浇灌；制毒饵诱杀，即用麦麸、豆饼等共50 kg炒香，加90%美曲磷酯原药0.5 kg，加水50 kg制成毒饵，傍晚时每亩施1.5～2 kg，效果较好。

| 采收加工 | 6～7月茎叶大部分枯萎时选晴天采挖根部（以根呈黄色为宜，过早未成熟，过晚浆汁易渗出，遭暴雨容易造成腐烂），洗净，放入100 ℃开水锅中焯1～3分钟，捞起，摊晒至足干；或不经开水焯，直接晒至七八成干，搓去须根，使参根光滑无毛，再晒至足干。

| 药材性状 | 本品呈细长纺锤形或细长条形，稍弯曲，长3～10 cm，直径0.2～0.6 cm。表面灰黄色至黄棕色，较光滑，微有纵皱纹，凹陷处有须根痕。先端有茎痕。质

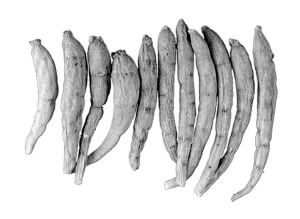

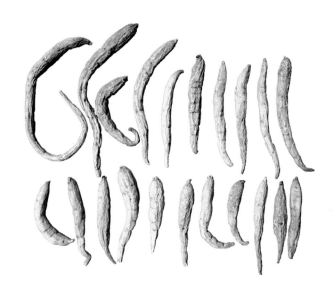

硬而脆，断面较平坦，周边淡黄棕色，中心淡黄白色，角质样。气微，味微甘。

| **品质评价** | 太子参的商品规格分统货和选货2种。通常以身干、肥润、黄白色、无须根者为佳。按水溶性浸出物测定法冷浸法测定，含水溶性浸出物不得少于25.00%；按高效液相色谱法测定，含太子参环肽B（$C_{40}H_{58}O_8N_8$）不得少于0.02%。

太子参品质形成研究表明，种质遗传、生态环境及采收加工对太子参化学成分均有影响。种质是影响太子参环肽的主导因素，地域是影响多糖、核苷、无机元素、氨基酸的主导因素；月最低气温、月平均气温、月降水量、年降水量和土壤机械组成、土壤养分、土壤无机元素、土壤微生物分别是影响太子参指标成分积累的主导气候因子和土壤因子。从同种质不同地域及同地域不同种质太

子参中分别获得 44 条、38 条差异表达转录衍生片段（TDFs），经克隆、测序分别得到 27 个、25 个 TDFs 核苷酸序列，其中，19 个、16 个 TDFs 有其对应的显著同源序列，这其中又有 7 个、6 个 TDFs 为已知功能的蛋白，主要参与植物的生长发育、抵御病虫害、提高植物抗非生物胁迫的能力。江苏地产太子参 8 月上旬采收、60 ℃烘干的药材质量较好。

太子参组学分析结果初步表明，野生与栽培太子参中，筛选出 12 054 个差异表达基因（DEGs），上调 DEGs 3 017 个，下调 DEGs 9 037 个，找到 6 个目标差异基因；筛选出 332 个差异蛋白质，上调差异蛋白质 127 个，下调差异蛋白质 205 个，找到 71 个目标差异蛋白质；筛选出 37 个差异化学成分。传统产区与种植基地太子参中，筛选出 11 535 个 DEGs，上调 DEGs 5 988 个，下调 DEGs 5 547 个，找到 45 个目标差异基因；筛选出 140 个差异蛋白质，上调差异蛋白质 54 个，下调差异蛋白质 86 个，找到 44 个目标差异蛋白质；筛选出 22 个差异化学成分。分析得到有显著关联的差异化学成分与目标差异蛋白质、目标差异蛋白质与目标差异基因及差异化学成分与目标差异基因。

太子参道地产区（江苏句容）气候温暖湿润，土壤属于砂壤土或壤土，土质疏松肥沃；土壤中的重金属除铅以外，余均符合《土壤环境质量标准》（GB 15618—2001）中土壤自然背景值重金属一级标准；土壤中农药残留量符合《土壤环境质量标准》（GB 15618—2001）中土壤自然背景值农药残留量二级标准；符合《农产品安全质量无公害蔬菜产地环境要求》（GB/T 18407.1—2001）的无公害标准要求。上述说明太子参道地产区生态环境良好，充分满足太子参药材生产的特定环境要求。采用电感耦合等离子体发射光谱法和微波消解-原子荧光光谱法测定太子参栽培土壤中无机元素含量，结果表明，道地产区药材对土壤中的钙、锌等元素具有富集作用，相关分析表明太子参药材与土壤无机元素含量基本不相关，即土壤中无机元素在太子参道地性形成这方面的作用可能比较小。

| 功效物质 | 目前已从太子参中分离得到环肽类、糖苷类、氨基酸类、脂肪酸及脂类、挥发性成分及微量元素等化学成分。

一、环肽类

环肽类是石竹科的特征性成分，目前太子参中已分离鉴定出 16 种环肽类成分：太子参环肽 heterophyllin A ~ H 及 pseudostellarin A ~ H。太子参环肽以环七肽居多，如 HA、HC、HG、PD 等。目前常以环八肽作为指标成分评价太子参质量，如 HB、PB。

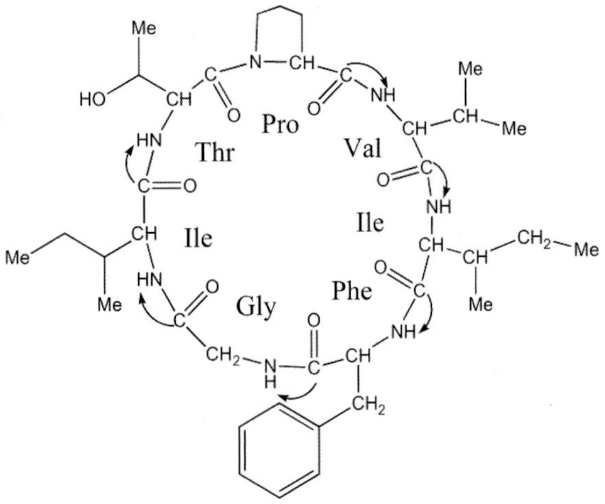

heterophyllin A 化学结构

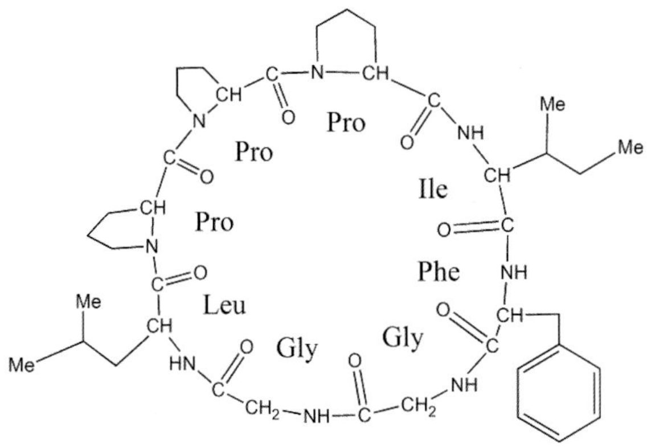

heterophyllin B 化学结构

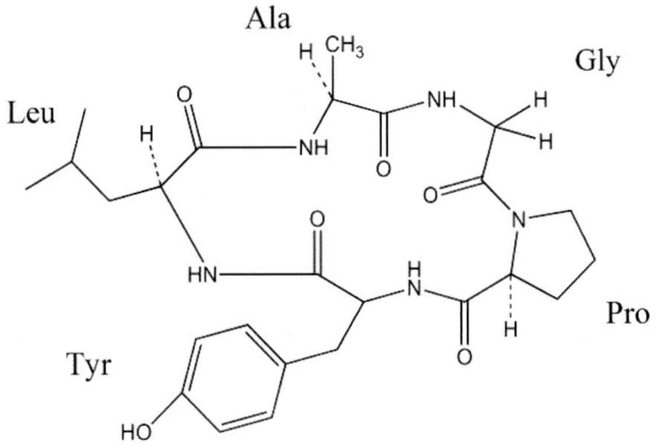

pseudostellarin A 化学结构

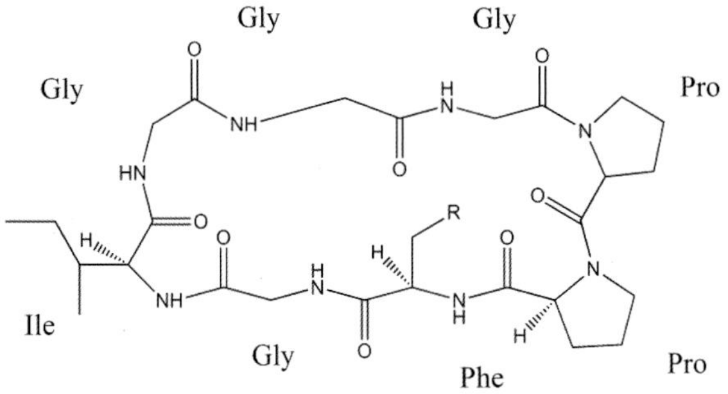

pseudostellarin B 化学结构

二、糖苷类

太子参多糖可分离得到太子参多糖 PHP-A、PHP-B、葡萄糖、蔗糖、麦芽糖及 α-槐糖等多种活性成分。太子参中的皂苷成分包括太子参皂苷 A、尖叶丝石竹皂苷 D、胡萝卜苷等。太子参中还可分离得到刺槐苷、乙醇 -α-D- 半乳糖苷等苷类成分，其他苷类成分还有乌苏酸、腺苷及尿苷。

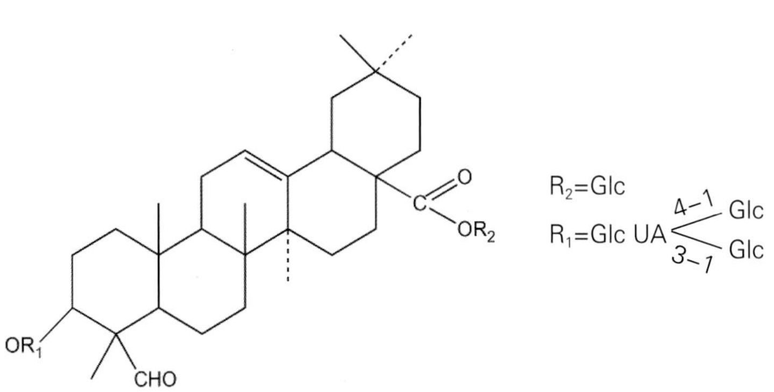

R_2=Glc

R_1=Glc UA $\overset{4-1}{\underset{3-1}{<}}$ Glc

太子参皂苷 A 化学结构

三、氨基酸类

太子参含有赖氨酸、组氨酸、亮氨酸、异亮氨酸、甲硫氨酸、苏氨酸、苯丙氨酸和缬氨酸 8 种人体必需的氨基酸，并且富含 γ- 氨基丁酸。

四、脂肪酸及脂类

太子参中脂肪酸类成分有棕榈酸、亚油酸、二十四碳酸、十八碳酸、琥珀酸、二十二烷酸、2- 吡咯甲酸等。脂类成分主要有三棕榈酸甘油酯、棕榈酸三十二醇酯、β- 谷甾醇 -3-O-β-D- 葡萄糖苷 -6′- 棕榈酸酯、1- 甘油单硬脂酸酯、吡咯 -2-羧酸 -3′- 呋喃甲醇酯等。磷脂类成分鉴定到磷脂酸、磷脂酰胆碱、磷脂酰肌醇。

五、挥发性成分

经气相色谱–质谱联用法（GC–MS）分析，从太子参中鉴定出 12 个挥发性成分，包括吡咯、糠醛、糠醇等，其中糠醇的含量最高。经顶空气相色谱–质谱联用法（HSGC–MS）分析鉴定到 28 个化合物，包括 2- 戊基呋喃、3- 呋喃甲基乙酸酯等。并且分离鉴定了包括 4- 丁基 -3- 甲氧基 -2,4- 环己二烯 -1- 酮、菠菜烯等挥发油成分。

六、微量元素类

太子参富含铁、铜、锌、铬、镍、钴、锶、锰、铅、锂、钠、硼、铍、钛、铝、钙、镁、钾、磷、硒等多种元素，其中铁、铜、锌、铬、镍、钴、锶、锰为人体正常生理活动所必需的微量元素。

| 功能主治 | 甘、微苦，平。归脾、肺经。益气健脾，生津润肺。用于脾虚体倦，食欲不振，病后虚弱，气阴不足，自汗口渴，肺燥干咳。

| 用法用量 | 内服煎汤，9 ~ 30 g。

| 传统知识 | 基于文献梳理和中药资源普查过程中调查走访收集的传统用药知识，记录于此。

（1）治疗病后气血亏虚，神疲乏力：太子参 15 g，黄芪 12 g，五味子 3 g，炒白扁豆 9 g，大枣 4 枚。煎汤代茶饮。

（2）治疗脾虚便溏，饮食减少：太子参 12 g，白术、茯苓各 9 g，陈皮、甘草各 6 g。煎汤服。

（3）治疗神经衰弱（神经症）、失眠：太子参 15 g，当归、酸枣仁、远志、炙甘草各 9 g。煎汤服。

（4）治疗糖尿病：太子参、葛根、天花粉各 15 g，生鸡内金 10 g，古瓦（打碎）150 g。先煎古瓦 1 小时，取其水煎液，再合其他药同煎。

（5）治疗盗汗：太子参 24 g，浮小麦 30 g，大枣 5 枚。煎汤服。

（6）治疗病后虚热，津伤口干：太子参、生地、白芍、玉竹各 9 g。煎汤服。

| **资源利用** | 一、在医药领域中的应用

随着太子参抗疲劳、抗应激、抗氧化、抗病毒、保护心脏、增强免疫、降血糖、降血脂、止咳镇咳、改善记忆力、延长寿命等药理作用的确定，以太子参为主要原料的中成药处方不断增加，太子参的使用量和需求量也不断提高。2015 年版《中华人民共和国药典》收载使用太子参的成方制剂和单味制剂有消炎止咳片、胃肠复元膏、健胃消食片等 14 种，其中市场需求量最大的中成药为健胃消食片。

二、在保健食品中的应用

太子参作为药膳食疗用品在我国已有上百年的应用历史，浙沪的沿海民众常用来煲鸡、鸭、肉等，餐馆酒家也常用作特色菜肴的原料，其中不乏具有一定养生保健和食疗作用的菜谱，如：太子参炖柴鸡，具有滋阴补虚、温中益气的功效，适用于秋冬女性进补、调养产后虚弱等；黄芪红枣太子参汤，具有补肺健脾的功效，适用于体虚易感的儿童；太子参猪蹄汤，可益气养血通气，适用于产后缺乳；太子参、枸杞、山药炖鹌鹑可用于改善小儿发育不良；双参（太子参、沙参）煲鸭汤可用于老年糖尿病、胃炎、便秘。此外，福建以太子参为原料创作出一些名菜，如：太子鸡，2005 年被评为"福建名菜"；太子甲鱼裙，获得 2007 年第二届"詹王杯"全国烹饪大赛金奖。纯太子参干粉还可作糖果、饼干、糕点等的主辅加剂，制成太子参琼脂软糖、太子参果冻、太子参馅饼等。

三、在畜牧业中的应用

随着畜牧业的快速发展，优质饲料原料短缺问题日渐突出。近年来，福建柘荣的太子参加工企业贝迪药业将太子参采收加工过程中废弃的大量须根，经发酵加工制成鸡饲料添加剂，可有效提升产蛋率及品质。该公司还以地产太子参为主要原料，依据中医配伍关系开发出系列太子参复方中兽药产品，形成了独特的产业模式，拓展和延伸了区域性生物资源经济产业链，取得了良好的经济、社会和生态效益。同时，太子参药材生产过程中产生的大量茎叶常被遗弃或焚烧，其中所含的营养物质未能得到充分利用，造成极大的浪费。有研究表明太子参茎叶中营养成分齐全、含量丰富，具有一定的饲用价值。对太子参茎叶的利用，既可以减少资源浪费，又有利于畜牧行业的健康发展。

四、在化妆品领域中的应用

现代研究表明，太子参中高含量的氨基酸，尤其是精氨酸、谷氨酸，营养头发

和皮肤的作用突出，其他如皂苷、棕榈酸、亚油酸、单甘油酯等也均为化妆品中常用作改善角质层的添加剂，亦具有润肤、滋发的作用。截至 2016 年，在原国家食品药品监督管理总局备案的国产非特殊用途化妆品中含有太子参的有宫品太子参定型啫喱液、葆倍乖乖太子参婴儿洗发沐浴露、Do-win 太子参蜗牛紧致面膜等 11 种，包括修护润膏、沐浴露、面膜、啫喱液、洗发露、护发素等品类。

参考文献

[1] 袁珂. 山海经校注 [M]. 上海：上海古籍出版社，1980.

[2] 佚名. 神农本草经 [M]. 孙星衍，孙冯翼辑. 北京：人民卫生出版社，1982.

[3] 陶弘景. 名医别录（辑校本）[M]. 尚志钧辑校. 北京：人民卫生出版社，1986.

[4] 吴普. 吴普本草 [M]. 北京：人民卫生出版社，1987.

[5] 陶弘景. 本草经集注（辑校本）[M]. 尚志钧，尚元胜辑校. 北京：人民卫生出版社，1994.

[6] 苏敬. 新修本草（辑复本）[M]. 合肥：安徽科学技术出版社，1981.

[7] 苏颂. 本草图经（辑复本）[M]. 福州：福建科学技术出版社，1993.

[8] 朱橚. 救荒本草：卷下：菜部 [M]. 北京：中华书局，1959.

[9] 刘文泰. 本草品汇精要 [M]. 北京：人民卫生出版社，1982.

[10] 陈嘉谟. 本草蒙筌 [M]. 北京：人民卫生出版社，1988.

[11] 李时珍. 本草纲目（校点本）：第三册 [M]. 北京：人民卫生出版社，1975.

[12] 寇宗奭. 本草衍义 [M]. 北京：人民卫生出版社，1990.

[13] 龚廷贤. 寿世保元 [M]. 2 版. 鲁兆麟主校. 北京：人民卫生出版社，1993.

[14] 李中立. 本草原始（影印本）：卷一 [M]. 北京：中医古籍出版社，1999.

[15] 黄宫绣. 本草求真 [M]. 上海：上海科学技术出版社，1959.

[16] 吴其濬. 植物名实图考 [M]. 上海：商务印书馆，1957.

[17] 陈仁山. 药物出产辨 [M]. 台北：新医药出版社，1930.

[18] 江维克，周涛. 太子参产业发展现状及其建议 [J]. 中国中药杂志，2016，41（13）：2378-2380.

[19] 傅兴圣，刘训红，许虎，等. 太子参研究现状与研发趋势 [J]. 中国新药杂志，2012，21（7）：757-760.

[20] 侯娅. 基于植物代谢组学技术的太子参品质评价研究 [D]. 南京：南京中医药大学，2016.

[21] 潘书磊，黄晶，黄招玲. 太子参多糖在畜牧行业中的应用研究现状 [J]. 福建畜牧兽医，2018，40（5）：30-32.

[22] 刘斌，陈军义，孙兴. 贵州省太子参产业发展前景展望 [J]. 农村经济与科技，2017，28（15）：160-162.

[23] 马阳. 太子参多元指标成分积累及其影响因素的分析研究 [D]. 南京：南京中医药大学，2016.

[24] 华愉教. 基于组学的太子参药材品质形成机制研究 [D]. 南京：南京中医药大学，2018.

[25] 侯娅，马阳，邹立思，等. 基于UPLC-Triple TOF-MS/MS 分析不同产地太子参的差异化学成分 [J]. 质谱学报，2015，36（4）：359-366.

[26] 傅兴圣，邹立思，刘训红，等. UPLC-ESI-TOF MS/MS 分析太子参中环肽类成分 [J]. 质谱学报，2013，34（3）：179-184.

[27] 华愉教，王胜男，邹立思，等. 野生型与栽培型太子参的 iTRAQ 定量蛋白质组学研究 [J]. 药学学报，2016，51（3）：475-485.

[28] 华愉教，王胜男，邹立思，等. 不同产地太子参的 iTRAQ 定量蛋白质组学研究 [J]. 质谱学报，2016，37（3）：236-246.

[29] 华愉教，耿超，王胜男，等. 基于反转录双链DNA扩增片段长度多态性技术的不同产地太子参基因差异表

达分析 [J]. 中国药学杂志, 2016, 51（4）: 269-273.

[30] HUA Y J, WANG S N, LIU Z X, et al. iTRAQ-based quantitative proteomic analysis of cultivated *Pseudostellaria heterophylla* and its wild-type[J]. Journal of Proteomics, 2016, 139: 13-25.

[31] HUA Y J, WANG S N, LIU Z X, et al. Transcriptomic analysis of Pseudostellariae Radix from different fields using RNA-seq[J]. Gene, 2016, 588（1）: 7-18.

[32] HUA Y J, HOU Y, WANG S N, et al. Comparison of chemical compositions in Pseudostellariae Radix from different cultivated fields and germplasms by NMR-based metabolomics[J]. Molecules, 2016, 21: 1538-1549.

[33] HUA Y J, WANG S N, LIU Z X, et al. Chemical differentiation of Pseudostellariae Radix from different cultivated fields and germplasms by UPLC-Triple TOF-MS/MS coupled with multivariate statistical analysis[J]. Natural Product Communications, 2016, 11（12）: 1827-1831.

[34] CHAI C, WANG S N, HUA Y J, et al. Quality evaluation of Pseudostellariae Radix based on simultaneous determination of multiple bioactive components combined with grey relational analysis[J]. Molecules, 2017, 22（1）: 13-27.

（刘训红）

睡莲科 Nymphaeaceae 芡属 *Euryale*

芡实

Euryale ferox Salisb. ex König & Sims

| 药 材 名 | 芡实（药用部位：成熟种仁。别名：鸡头米、苏黄、鸡头实）。

| 本草记述 | 芡实始载于《神农本草经》，被列为上品，名鸡头实，一名雁喙实。
味甘，性平。补中，除暴疾，益精气，强志，令耳目聪明。主治湿痹，
腰脊膝痛。《神农本草经百种录》记载：“鸡头实，甘淡，得土之正味，
乃脾肾之药也。脾恶湿而肾恶燥，鸡头实淡渗甘香，则不伤于湿，
质黏味涩，而又滑泽肥润，则不伤干燥，凡脾肾之药，往往相反，
而此则相成，故尤足贵也。”《本草求真》记载：“芡实如何补脾，
以其味甘之故；芡实如何固肾，以其味涩之故。惟其味甘补脾，故
能利湿，而泄泻腹痛可治；惟其味涩固肾，故能闭气，而使遗、带、
小便不禁皆愈。功与山药相似，然山药之阴，本有过于芡实，而芡
实之涩，更有甚于山药；且山药兼补肺阴，而芡实则止于脾肾而不

及于肺。"《蜀本图经》云:"此生水中,叶大如荷,皱而有刺,花子若拳大,形似鸡头,实若石榴,皮青黑,肉白,如菱米也。"《本草图经》载:"生雷泽,今处处有之。生水泽中,叶大如荷,皱而有刺,俗谓之鸡头盘。花下结实,其形类鸡头,故以名之。"《本草品汇精要》载:"江南产者其汇红紫光润无刺,自扬而北产者汇有刺而青绿为异。"首次提出了芡实果实分有刺和无刺 2 个品种。《滇南本草》载芡实能"止渴益肾。治小便不禁、遗精、白浊、带下";《日用本草》言其可"止烦渴,治泻痢,止白浊";《本草从新》言其可"补脾固肾,助气涩精"。近代医家谓芡实可治遗精、滑精、慢性肾炎、慢性肠炎。

| 形态特征 | 一年生大型水生草本。沉水叶箭形或椭圆状肾形,长 4 ~ 10 cm,两面无刺,叶柄无刺;浮水叶革质,椭圆状肾形至圆形,直径 10 ~ 130 cm,盾状,有或无弯缺,全缘,下面带紫色,有短柔毛,两面在叶脉分枝处有锐刺,叶柄及花梗粗壮,长可达 25 cm,皆有硬刺。花长约 5 cm;萼片披针形,长 1 ~ 1.5 cm,内面紫色,外面密生稍弯硬刺;花瓣矩圆状披针形或披针形,长 1.5 ~ 2 cm,紫红色,成

数轮排列，向内渐变成雄蕊；无花柱，柱头红色，成凹入的柱头盘。浆果球形，直径 3 ~ 5 cm，污紫红色，外面密生硬刺；种子球形，直径超过 10 mm，黑色。花期 7 ~ 8 月，果期 8 ~ 9 月。

资源情况

一、生态环境

芡实多生于水源充足、水质好、水位稳定、土壤有机质肥沃的池塘、湖沼。适宜生长温度为 20 ~ 30 ℃，正常萌发温度在 15 ℃以上。

二、分布区域

江苏为苏芡实的道地产区，主要分布于洪泽、淮安、盱眙、相城、高邮、金湖等地。

三、蕴藏量

江苏芡的野生资源分布零散，在洪泽湖部分水域有成片分布，蕴藏量约 10 t。

四、栽培历史与产地

芡栽培生产历史悠久，距今 6 000 ~ 7 000 年的浙江河姆渡遗址中出土的植物种子里即有类似芡实的种子，距今 5 000 年的江苏海安青墩遗址出土了芡实的种子。《神农本草经》记载芡实作药用是作为单个种而存在，直至《本草品汇精要》首次提出了江苏地区的芡实分有刺和无刺 2 个品种。明代《吴邑志》更有关于"苏州芡实"栽培的详细记载，从有刺品种选育出无刺品种，且将直播改进为育苗移栽。此外，芡的叶柄、花梗可作夏季时鲜蔬菜，相比之下，苏芡的芡茎无刺、粗大，因而多作为蔬菜食用。苏芡是江苏道地药材之一，分为紫花苏芡、白花苏芡及红花苏芡 3 个品种。目前，苏芡的种植已不再局限于江苏，其种植范围正在向周边（如江西、浙江、安徽等地）扩散。

目前有关芡实的道地性研究相对较少。有研究根据芡实的生长环境，利用最大熵模型与 GIS 空间分析技术，对江苏水生药材芡实的生长进行了区划分析，得出芡实的主要适宜区为宿迁的南部、淮安、扬州、盐城、泰州、常州的东部、苏州、无锡等地。

五、栽培面积与产量

芡在全国均有广泛的栽培，2019 年全国芡栽培总面积约 20 万亩，主要分布在江苏、江西、湖北、安徽、山东、湖南及东北地区等。江苏高邮湖、洪泽湖、金湖及淮安等地均有大面积栽培，刺芡的栽培面积约有 10 万亩，苏芡的栽培面积约有 3 万亩。

六、规范化生产技术

1. 栽培种植

芡实用种子繁殖，栽培方法有直播法和育苗移栽法 2 种。①直播法。此法较粗放，出苗率和产量均较低，只有大面积湖荡栽培时才用此法。播种方法包括穴播、泥团点播和条播 3 种。直播法在水面出现芡苗初生浮水叶后，必须查苗补缺和移密补稀，每亩宜栽量为 140 ~ 160 株。②育苗移栽法。此法虽较为复杂，但产量高，苏芡和小面积栽培均采用此法。其步骤包括浸种催芽、育苗、假植、定植。需注意的是，湖荡定植还要在种植区内按行距栽芡草定点，形成防风带以防风挡浪，俗称"栽潭草"。当芡叶直径达 70 cm 左右时，可拔除潭草。

2. 田间管理

一般包括补苗、水层管理、除草壅根、追肥、泼凉水。芡苗成活后，至少要进行 1 ~ 2 次查苗补缺以保证全苗，并及时清除心叶积泥。定植时水层宜深 30 ~ 40 cm，成活后可增至 50 ~ 80 cm，最深不超 1.5 m。浅水田保持 30 ~ 50 cm 深为宜。在芡叶封行前，根据杂草情况进行 3 ~ 5 次除草壅根。追肥包括肥球深施（封行前）和叶面喷施（封行后）。植物缺肥的标志为叶片薄而发黄，新叶生长缓慢，与前一片叶大小相差较大，叶面折皱密。7 ~ 8 月天气炎热，田间气温及叶面与花朵上温度高达 40 ℃以上对植株生长和开花结果十分不利，应在清晨经常泼凉水于叶面，以降低叶面温度，促进开花结果。泼水时，必须泼清水，不能将泥水泼在芡叶上，以免影响光合作用及引起烂叶。

3. 病虫害防治

（1）叶斑病。病原为真菌，7 ~ 9 月发病较多。防治方法为发现病叶及时摘除，带出田外集中烧毁或深埋，再喷洒 50% 多菌灵可湿性粉剂加 75% 百菌清可湿性粉剂按 2∶1 混合稀释 500 ~ 600 倍液、62.25% 仙生可湿性粉剂 600 ~ 800 倍液、25% 敌力脱乳油 1 000 ~ 1 500 倍液、20% 福·腈菌唑可湿性粉剂 2 000 倍液、

50% 甲基硫菌灵·硫黄悬浮剂 800 倍液、50% 苯菌灵可湿性粉剂 1 000 倍液或 40% 炭疽福美可湿性粉剂 800 倍液，每隔 10 天左右 1 次，连续 2 ~ 3 次。采收前 7 天停止用药。

（2）炭疽病。主要发生在植物叶片上，常常危害叶缘和叶尖，严重时可使大半叶片枯黑死亡。药剂防治可用 50% 施保功可湿性粉剂 1 000 ~ 1 500 倍液、25% 使百克乳油 800 ~ 1 000 倍液、70% 甲基硫菌灵可湿性粉剂 1 000 倍液或 10% 世高水分散颗粒剂 1 500 ~ 2 000 倍液喷雾（或大水泼浇），每隔 7 天 1 次，连续 2 ~ 3 次。

（3）叶瘤病。病原为真菌，7 ~ 8 月发病较多。防治方法除轮作外，还可在叶面喷雾甲基硫菌灵 800 ~ 1 000 倍液、70% 甲基硫菌灵可湿性粉剂 1 000 倍液、50% 多菌灵可湿性粉剂 800 倍液或 15% 三唑酮可湿性粉剂 600 倍液，另加 0.2% 磷酸二氢钾，每隔 7 ~ 10 天 1 次，连续 2 ~ 3 次。物理防治方法采用人工方式及时清除田间水生杂草、浮萍；在生长季节注意清除受害病残叶片，用利刃及时移除病株，带出田块掩埋或焚烧，阻断病害传染。

（4）莲缢管蚜。防治方法为啶虫脒稀释喷施。

| 采收加工 | 8 ~ 9 月茎叶枯萎、果皮呈红褐色时采收。采收时因梢株茎叶有刺，可坐小船、打谷桶或大木盆进入池塘，先用镰刀割去叶片，露出果实，再将果实割下，用小竹篓捞起。若种子散落水面，则要及时捞起，以免假种皮浸水腐烂导致种子沉水，造成损失。目前已发明了多种芡实采收机器，多地均有投入使用。

芡实的加工包括脱粒、踏籽、脱壳、烘晒、分级包装。脱粒为从果实中取出种子，苏芡果实无刺，脱粒较容易，通常把果实分成 2 ~ 3 瓣，用手将果内的种子挤压出来即可；刺芡果实有刺，用手剥取种子困难，因此常采用挤压法或沤洗法脱粒。挤压法较费工，但所得种子质量较好，适用于留种，沤洗法相对省工，但芡实质量差，并对胚有影响，因此不能作种用。踏籽为将脱粒后的种子放入水桶内，用双脚踩踏至假种皮破碎脱离，将种子放在木桶内，用清水淘洗干净。干芡实和鲜芡实的脱壳方式有所不同。传统鲜芡实的脱壳为用指甲顺其种脐处切入将种壳剥成两半，取出种仁，并用清水洗净；而干芡实的脱壳则较为随意，可使用不锈钢指甲钳或老虎钳从壳中取出种仁。晒干后的芡实可使用脱壳机脱壳。烘晒为将芡实分盘放入温度设置为 43 ℃的烘干机内 24 小时，或选择日照较好时，日晒 3 ~ 4 天。分级包装为根据果仁的大小、光泽、完整度等，对果仁进行分级，一般以果仁大、完整度高、有光泽者为佳，并将筛选后的产品推入加工车间进行定量包装，每件 1 kg。

| 药材性状 | 本品呈类球形，多为破粒，完整者直径 5 ~ 8 mm。表面有棕红色或红褐色内种皮，一端黄白色，约占全体的 1/3，有点状的种脐痕，除去内种皮显白色。质较硬，断面白色，粉性。气微，味淡。

| 品质评价 | 一、商品规格
当前药材市场按芡实种子（除去外种皮）直径的大小将芡实分为 12 厘、11 厘、10 厘、9 厘、8 厘、7 厘 6 个等级。传统以颗粒饱满均匀、粉性足、无破碎、干燥无杂质者为佳。

芡实药材

二、药典规定

《中华人民共和国药典》规定以芡实的性状特点、粉末显微鉴别、以芡实对照药材为对照的薄层色谱鉴别、水分及总灰分的检查来评价其质量。

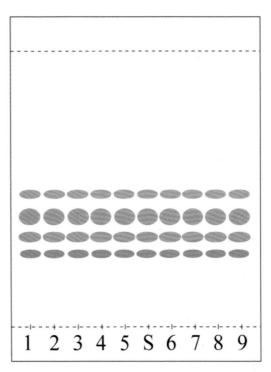

S—芡实对照药材，1 ~ 9—样品。

芡实薄层色谱鉴别

三、成分含量测定

1. 芡实中多酚、黄酮、直链淀粉与支链淀粉的含量测定

芡实中总酚的平均含量为 2.55 mg/g，最高可达 3.38 mg/g（江苏南京）；总黄酮的平均含量为 1.51 mg/g，最高可达 1.99 mg/g（湖南湘西）；芡实中直链淀粉与支链淀粉的含量丰富，支链淀粉与直链淀粉含量之比的平均值稳定在 0.9，直链淀粉含量最高可达 47.12%（江苏高邮）；支链淀粉的平均含量稳定在 39.76%，最高可达 41.28%（江苏南京）。

2. 芡实中不同构型维生素 E 的含量测定

采用高效液相色谱（HPLC）法进行含量测定，结果表明，除山东枣庄产芡实中的 δ- 生育酚含量较 $\beta+\gamma$- 生育酚含量高以外，其余各产地芡实中的不同构型维生素 E 含量大小趋势均符合：α- 生育酚 ＞ $\beta+\gamma$- 生育酚 ＞ δ- 生育酚。总维生素 E 的含量在 1.31 ~ 2.26 mg/g。

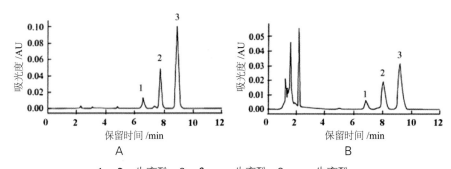

1—δ-生育酚；2—$\beta+\gamma$-生育酚；3—α-生育酚。

维生素 E 标准品（A）及芡实样品（B）的 HPLC 色谱图

3. 芡实中氨基酸类的组成及含量测定

采用氨基酸全自动分析仪进行测定，结果显示，芡实的氨基酸含量为 103.33 mg/g，氨基酸种类为 15 或 16 种，含量由高到低排列为谷氨酸、精氨酸、亮氨酸、天冬氨酸、苯丙氨酸、缬氨酸、丙氨酸、丝氨酸、异亮氨酸、苏氨酸、组氨酸、酪氨酸、甲硫氨酸、甘氨酸、赖氨酸、半胱氨酸（部分产地的芡实不含此种）。各产地样品氨基酸含量排序基本一致，这一共性特征可作为芡实与其他药材的区别之一。与模式氨基酸谱比较可知，芡实中赖氨酸、苏氨酸占总氨基酸的质量分数略低于模式谱标准，其他各种必需氨基酸均接近甚至高于模式谱标准。这表明芡实中人体必需氨基酸配比合理，是一种优质的膳食蛋白。

芡实中鲜味氨基酸包括天冬氨酸、谷氨酸、甘氨酸、丙氨酸、丝氨酸，前 2 种显鲜味，占氨基酸总量的 25.81%，后 3 种显甜味，占氨基酸总量的 15.55%。江苏苏州产芡实中的鲜味氨基酸含量最高，尤其甘氨酸和谷氨酸，含量远高于香蕉、菠萝等水果中鲜味氨基酸的含量，由此佐证了苏芡味道鲜美，糯香可口。

芡实中药效氨基酸包括天冬氨酸、谷氨酸、甘氨酸、胱氨酸、甲硫氨酸、亮氨酸、苯丙氨酸、酪氨酸、精氨酸、赖氨酸，且比例较高，平均占总氨基酸含量的 68.14%。

| 功效物质 |　芡实的化学成分以淀粉为主，此外，也分离鉴定出多种不同类型的化合物。

一、黄酮类

目前从芡实中分离鉴定出 2 种黄酮类化合物，分别为 5,7,4′- 三羟基 - 二氢黄酮和 5,7,3′,4′,5′- 五羟基二氢黄酮。

二、葡糖基甾醇类

芡实中葡糖基甾醇类化合物主要有 24- 甲基胆甾醇 -5- 烯基 -3β-O- 吡喃葡萄糖苷、24- 乙基胆甾醇 -5- 烯基 -3β-O- 吡喃葡萄糖苷、24- 乙基胆甾醇 -5,24- 二烯醇 -3β-O-

5,7,4′- 三羟基 – 二氢黄酮化学结构　　　5,7,3′,4′,5′- 五羟基二氢黄酮化学结构

吡喃葡萄糖苷 3 种吡喃糖苷，它们可能是芡实的活性物质成分。此外，还有木脂素苷、异落叶松树脂醇 -9-*O-β*-D- 吡喃葡萄糖苷。

三、环肽类

环肽是由氨基酸肽键形成的化合物，在植物化学中这一概念被扩大成由酰胺键形成的一类化合物。芡实中环肽类成分主要有环（L- 苯丙氨酰 -L- 丝氨酰）、环（L- 丙氨酸 -L- 脯氨酸）、环（苯丙氨酸 - 丙氨酸）等。

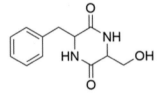

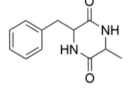

环（L– 苯丙氨酰 –L– 丝氨酰）　　　环（L– 丙氨酸 –L– 脯氨酸）　　　环（苯丙氨酸 – 丙氨酸）
化学结构　　　　　　　　　　化学结构　　　　　　　　　　化学结构

四、挥发性化学成分

芡实中的挥发性化学成分主要有烷烃类及不饱和脂肪酸类化合物，含量较高的有 9- 十八碳烯酸、棕榈酸、z-9,12- 亚油酸、二十四烷、2,6,10,15,19,23- 六甲基 -2,6,10,14,18,22- 二十四碳六烯酸等化合物。

五、脑苷脂类

芡实中含有特殊的脑苷脂类化合物，如（2S,3R,4E,8E,2′R）-1-*O-*（*β-* 吡喃葡萄糖）-N-（2′- 羟基二十二烷酰基）-4,8- 丁二烯和（2S,3R,4E,8E,2′R）-1-*O-*（*β-* 吡喃葡萄糖）-N-（2′- 羟基二十四烷酰基）-4,8- 丁二烯。芡实根茎中分得 1 个 N-*α* 羟基 - 顺 - 十八烯酰神经鞘氨醇的 1-*O-β-* 吡喃葡萄糖苷及其反式异构物。

六、其他类

芡实尚含有多种生育酚、多糖、多酚等化合物。

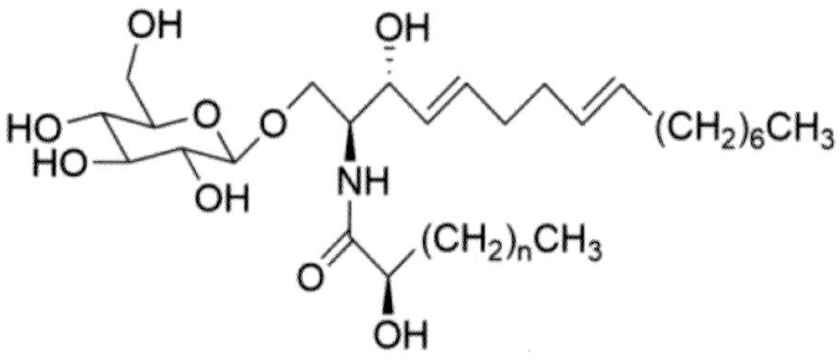

n=19，（2S,3R,4E,8E,2′R）−1−O−（β−吡喃葡萄糖）−N−（2′−羟基二十二烷酰基）−4,8−丁二烯

n=21，（2S,3R,4E,8E,2′R）−1−O−（β−吡喃葡萄糖）−N−（2′−羟基二十四烷酰基）−4,8−丁二烯

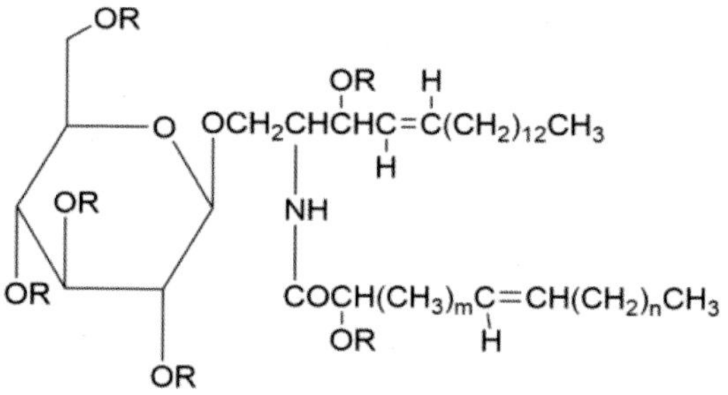

m+n=13　1 R= H　2 R= Ac

N−α−羟基−顺−十八烯酰神经鞘氨醇的1−O−β−吡喃葡萄糖苷及其反式异构物

芡实脑苷脂类化合物化学结构

| **功能主治** | 甘、涩，平。归脾、肾经。益肾固精，补脾止泻，除湿止带。用于遗精滑精，遗尿尿频，脾虚久泻，白浊，带下。

| **用法用量** | 内服煎汤，9～15 g；或入丸、散剂。

| **传统知识** | 基于文献梳理和中药资源普查过程中调查走访收集的传统用药知识，记录于此。

（1）治疗梦遗漏精：鸡头肉末、莲花蕊末、龙骨（别研）、乌梅肉（焙干取末）各一两。上件煮山药糊为丸，如鸡头大。每服 1 粒，温酒、盐汤任下，空心。

（2）治疗精滑不禁：沙苑蒺藜（炒）、芡实（蒸）、莲须各二两，龙骨（酥炙）、牡蛎（盐水煮一日一夜，煅粉）各一两。共为末，莲子粉糊为丸，盐汤下。

（3）治疗浊病：芡实粉 15 g，白茯苓粉 15 g。黄蜡化蜜和丸，如梧子大。每服百丸，盐汤下。

（4）治疗老幼脾肾虚热及久痢：芡实、山药、茯苓、白术、莲肉、薏苡仁、白扁豆各四两，人参一两。俱炒燥为末，白汤调服。

（5）治疗小便频数及遗精：秋石、白茯苓、芡实、莲子各二两。共研为末，加蒸枣做成丸子，如梧子大。每服 30 丸，空心服，盐汤送下。

| **资源利用** | 一、在医药领域中的应用

芡实的药用历史悠久，《本草纲目》中有"芡能止渴益肾，治小便不禁、遗精、白浊、带下"的记载。现代医学研究认为，芡实对肾亏脾虚所致小便失禁、白带崩下等均有一定疗效。此外，芡实对慢性腹泻、轻度浮肿、腰腿关节痛等也有显著治疗作用。常用方剂有芡术汤、芡芪真武汤、加味芡实合剂、水蛭芡实汤、疏肝养胃通脉冲剂、芡实内金饼等。另有研究发现服食芡实能较好地从整体上

恢复中风后遗症病人的各种身体机能,促进脑组织内病灶的吸收,有效控制血压,还可降低痴呆症的发病率。

二、在保健食品中的应用

芡实有着极高的营养价值和药用价值,现已成为食品科技界和医药界关注的热点。目前,印度已有部分芡实的保健食品面市,深受消费者的喜爱。随着人们生活水平的不断提高,芡实制品越来越受到人们的青睐。芡实作为药食两用的典型代表,已被制成芡实香肠、芡实酒、芡实饮料、芡实罐头、芡实八宝粥、芡实面包、芡实冰激凌、芡实糕等产品。

芡茎可作为蔬菜食用,现代研究表明芡茎粗多糖对四氧嘧啶致糖尿病小鼠模型的血糖和血脂具有调节作用,是糖尿病病人的理想食材。

三、在畜牧业中的应用

芡实除种仁外的其他部分在畜牧业中得到了有效利用。芡实根茎及剥去外皮的叶柄、花梗均可作优等饲料;全草可作绿肥,是畜牧业的优质资源。

四、在化工领域中的应用

芡植物叶片生物产量巨大,含有丰富的花青素类资源性化学物质,是重要的医药工业原料及化妆品等保健养护产品的常用添加剂,应重视对该类资源物质的有效利用,以提高芡资源产业的生产效益。

芡实的果皮、种皮中含鞣质类成分,可作为工业生产原料。芡实果皮可用于浸提栲胶,既解决了栲胶浸提原料的短缺问题,又减少了秋后种植地区芡实果皮对水质的污染。此外,芡实还可用于污水处理,其对水污染有净化作用,可富集重金属,降解农药。

| 附 注 | 芡属植物全世界仅有1种,分布于俄罗斯、朝鲜、日本、印度及东南亚地区等,我国东北部、中部、南部等多个省区也有分布,野生或栽培。江苏芡实分为北芡(刺芡)和南芡(苏芡)2个变种,北芡植株个体和器官均较小,地上部分器官均密生刚刺,采收较困难,有紫花和红花2种类型,种子和种仁近圆形,较小,欠整齐,粳性,品质中等,但外种皮较薄,适应性较强;南芡植株个体较大,采收较方便,有紫花、白花和红花3种类型,种子较大,外种皮厚,表面光滑,棕黄色或棕褐色,种仁圆整,糯性,煮食不易碎裂,产量高,但适应性和抗逆性相对较差。

参考文献

[1] 国家中医药管理局《中华本草》编委会. 中华本草:第3册[M]. 上海:上海科学技术出版社, 1999.
[2] 黄奭. 神农本草经[M]. 北京:中医古籍出版社, 1982.

[3] 苏颂. 本草图经 [M]. 尚志钧辑校. 合肥：安徽科学技术出版社，1994.

[4] 李时珍. 本草纲目 [M]. 北京：人民卫生出版社，1982.

[5] 宋晶，吴啟南. 芡实的本草考证 [J]. 现代中药研究与实践，2010，24（2）：22-24.

[6] 道地药材：苏芡实：T/CACM 1021.73—2019[S]. 北京：中华中医药学会，2019.

[7] 中药材商品规格等级：芡实：T/CACM 1021.36—2018[S]. 北京：中华中医药学会，2018.

[8] 吴啟南，郝振国，段金廒，等. 基于多源卫星遥感影像的水生药材芡实遥感监测方法研究 [J]. 世界科学技术—中医药现代化，2017，19（11）：1787-1793.

[9] 沈蓓，吴啟南，陈蓉，等. 芡实的现代研究进展 [J]. 西北药学杂志，2012，27（2）：185-187.

[10] 李美红，杨雪琼，万直剑，等. 芡实的化学成分 [J]. 中国天然药物，2007，5（1）：24-26.

[11] 李美红，方云山，陈景超，等. 芡实和冬葵子挥发性成分的GC-MS分析 [J]. 云南化工，2007，34（1）：47-49.

[12] 陈蓉，吴啟南，沈蓓. 不同产地芡实氨基酸组成分析与营养价值评价 [J]. 食品科学，2011，32（15）：239-244.

[13] 宋晶，吴啟南. 芡实多糖的提取及含量测定 [J]. 辽宁中医杂志，2010，37（7）：1331-1333.

[14] 陈蓉，吴啟南. 响应面法优化芡实种皮多酚的提取工艺研究 [J]. 食品工业科技，2013，34（13）：205-210，214.

[15] 王红，吴啟南，伍城颖，等. 高效液相色谱法测定芡实中不同构型维生素E的含量 [J]. 食品工业科技，2014，35（8）：74-78.

[16] ZHAO H R, ZHAO S X, SUN C Q. Glucosylsterols in extracts of Euryale ferox identified by high resolution NMR and mass spectrometry[J]. Joumal of Lipid Research, 1989, 30 (10)：1633-1637.

[17] ROW L C, HO J C, CHEN C M. Cerebrosides and tocopherol trimers from the seeds of *Euryale ferox*[J]. Journal of Natural Products, 2007, 70 (7)：1214-1217.

[18] ZHAO H R, ZHAO S X. New cerebrosides from *Euryale ferox*[J]. Journal of Natural Products, 1994, 57 (1)：138-141.

[19] WU CY, WANG H, HE X X, et al. The hypoglycemic and antioxidant effects of polysaccharides from the petioles and pedicels of *Euryale ferox* Salisb, on alloxan-induced hyperglycemic mice[J]. Food Function, 2017, 8 (10)：3803-3813.

（吴啟南）

睡莲科　Nymphaeaceae　莲属　*Nelumbo*

莲

Nelumbo nucifera Gaertn.

| 药 材 名 | 莲子（药用部位：成熟种子。别名：莲实、莲蓬子、藕实）、莲子心（药用部位：成熟种子中的幼叶及胚根。别名：苦薏、莲薏、莲心）、莲房（药用部位：花托。别名：莲蓬壳、莲壳、莲蓬）、莲须（药用部位：雄蕊。别名：莲花须、莲花蕊、莲蕊须）、荷叶（药用部位：叶。别名：莲叶）、藕节（药用部位：根茎节部。别名：藕节疤）。

| 本草记述 | 莲有荷、芙蕖、鞭蓉、水芙蓉、水芸、水芝、水旦、水华等称谓，因其花美、叶阔、根实、子补，得木、火、土、金、水五行之精气，广受古代文人及医家喜爱，并赋诗文辞藻称赞。《诗经》中有"彼泽之陂，有蒲菡萏"之句，《离骚》中有"制芰荷以为衣兮，集芙蓉以为裳"的记载，《尔雅·释草》中记载有"荷，芙渠。其茎茄，其叶蕸，其本蔤，其华菡萏，其实莲，其根藕"。郭璞云："（芙渠）

别名芙蓉，江东呼荷。"历代医家爱之性洁名雅，故因其特性入药以尽其用。《神农本草经》记载："藕实茎，味甘，平。主补中养神，益气力，除百疾。久服轻身耐老，不饥延年。一名水芝丹。生池泽。"李时珍在《本草纲目》中记载有"莲产于淤泥，而不为泥染；居于水中，而不为水没。根茎花实，凡品难同；清净济用，群美兼得。自藕蔤而节节生茎，生叶，生花，生藕；由菡萏而生蕊，生莲，生菂，生薏"，"夫藕生卑污，而洁白自若。质柔而穿坚，居下而有节。孔窍玲珑，丝纶内隐……以续生生之脉。四时可食，令人心欢，可谓灵根矣"。临床中莲子、莲子心、莲房、莲须、荷叶、藕节等莲的不同部分均可药用，药用部位不同，功效有所差异。

1. 莲子

《本草崇原》记载莲子"气味甘平，无毒"，宗本经认为其功是"主补中，养神，益气力，除百疾。久服轻身耐老，不饥延年"。《本草纲目》中记载"莲之味甘气温而性啬，禀清芳之气，得稼穑之味，乃脾之果也。脾者黄宫，所以交媾水火，会合木金者也。土为元气之母，母气既和，津液相成，神乃自生，久视耐老，此其权舆也"，《本经逢原》记载石莲子"取水土之余气，补助脾阴而涤除热毒。然必兼人参之大力开提胃气，方始克应。若痢久胃气虚寒，口噤不食则为戈戟也"。

2. 莲子心

《本草乘雅半偈》记载："薏居中，为黄婆，能调伏心肾。又苦味能降，此为莲之心苗，含水之灵液，结于炎夏。又秉火之正令，其安靖上下君相火邪，气味应尔。"《温病条辨》言："莲心，由心走肾，能使心火下通于肾，又回环上升，能使肾水上潮于心。"

3. 莲房

《本草崇原》认为莲房陈久者良。《本草纲目》记载："莲房入厥阴血分，消瘀散血，与荷叶同功，亦急则治标之意也。"《本经逢原》更是指出莲房"功专止血。故血崩下血溺血，皆烧灰用之"。

4. 莲须

《本经逢原》中明确记载莲须"清心通肾，以其味涩，故为秘涩精气之要药"，并有论说指出"莲须，甘温而涩，功与莲子略同。但涩性居多，不似龙骨寒涩，有收阴、定魂安魄之妙；牡蛎咸涩微寒，兼有化坚解热之功；金樱徒有阻涩之力，而无清心通肾之理耳"。

5. 荷叶

荷叶入药始见于唐代孟诜的《食疗本草》，"其子房及叶皆破血"。《医林纂要探源》认为："荷叶……多入肝分，平热、祛湿，以行清气，以青入肝也。"《本草从新》中记载荷叶"升散消耗，虚者禁之"；《证治要诀》言"荷叶服之，令人瘦劣"。《本草拾遗》中说"主食野菌毒，水煮服之"；《本草纲目》也有"散瘀血，清水肿、痈肿，发痘疮"的论述。

6. 藕节

《本草思辨录》认为"藕始终以生、以长、以穿穴于水中，而孔窍玲珑，丝纶内隐，故能入心所主之血。又味甘入脾而气则寒，故为心脾二经凉血散瘀之药……补心中之土者莲实也"。《神农本草经疏》认为"藕禀土气以生，其味甘，生寒熟温。入心、脾、胃三经。生者甘寒，能凉血止血，除热清胃，故主消散瘀血，吐血，口鼻出血，产后血闷，署金疮伤折，及止热渴，霍乱烦闷，解酒等功。熟者甘温，能健脾开胃，益血补心，故主补五脏，实下焦，消食止泄，生肌，及久服令人心欢止怒也"。然破血之功，其节与皮功更著，《雷公炮制药性解》认为"其节尤佳。其皮散血不凝"。《本草求真》描述记载"庖人削藕皮，误落血中，其血涣散不凝。故医家用以破血，多效"，可见其效不虚。

| 形态特征 | 多年生水生草本。根茎横生，肥厚，节间膨大，内有多数纵行通气孔道，节部缢缩，上生黑色鳞叶，下生须状不定根。叶圆形，盾状，直径 25 ~ 90 cm，全缘，稍呈波状，上面光滑，具白粉，下面叶脉从中央射出，有 1 ~ 2 次叉状分枝；叶柄粗壮，圆柱形，长 1 ~ 2 m，中空，外面散生小刺。花梗与叶柄等长或较之稍长，亦散生小刺；花直径 10 ~ 20 cm，美丽，芳香；花瓣红色、粉红色或白色，矩

圆状椭圆形至倒卵形，长5～10 cm，宽3～5 cm，由外向内渐小，有时变成雄蕊，先端圆钝或微尖；花药条形，花丝细长，着生于花托之下；花柱极短，柱头顶生；花托直径5～10 cm。坚果椭圆形或卵形，长1.8～2.5 cm，果皮革质，坚硬，成熟时黑褐色；种子卵形或椭圆形，长1.2～1.7 cm，种皮红色或白色。花期6～8月，果期8～10月。

| **资源情况** | 我国是莲的起源中心之一，仅产1种，但不同类型、生态型的莲品种资源丰富，是世界上莲植物分布最为广泛的国家之一。我国野生莲分布广泛，但各地的野生莲由于生态环境不同，存在差异，其共性是植株较为高大（180～200 cm），花单瓣、色红、花冠大、花态碗状、莲蓬碗形、心皮数20～30，莲籽两头尖且较小，根茎细长，淀粉含量高，生长势强。

一、栽培历史与产地

莲在我国栽培历史悠久，距今5 000余年的河南仰韶文化遗址曾出土了炭化莲籽。考古发掘证实，2 000余年前的西汉，藕已作为蔬菜食用。子莲的栽培历史至今已有1 500余年，清代种植已甚为普遍。目前，子莲主产区在江西、福建及湖南，各产区原产品种及所产莲籽分别称为"赣莲""建莲"及"湘莲"。

江苏莲藕产品饮誉中外，苏州娄葑近3年出口糖水藕500 t。江苏莲藕的优良品种较多。李肇《国史补》云："苏州进藕，佳者名伤荷藕，食之无滓，他产不满九窍，此独过之。"江苏莲藕的种植几乎遍及全省，苏州、无锡太湖和扬州宝应等地更为集中，其中宝应莲藕的种植面积几乎占全省的一半，产量亦高。20世纪中期，因围湖造田等政策，莲藕的种植面积曾一度缩减。20世纪70年代后期，莲藕种植又繁盛起来。

苏州、无锡地区莲藕的栽培历史悠久，相传公元前 500 年的春秋战国时期，吴王曾携西施在东太湖畔采莲，苏东公路上的"采莲"站名称，至今尚在。从唐天宝元年起，吴郡每年贡嫩藕 300 段入京。莲藕又被称作"莲根""湛露"，以花藕、晚荷著名。莲藕按种植水面可分为田藕（浅水藕）和塘藕（深水藕）2 种，田藕主要分布在吴县（现苏州吴中区、相城区）东片车坊、斜塘、郭巷等地的烂田内，塘藕主要产于太湖地区。《太湖备考》记载："藕出东山南湖滨。"《光福志》也有"下崦中亦有之，嫩而白，惜不可多得"的记载。太湖产藕地区广，所产之藕肥嫩鲜甜，生食熟吃皆可。

作为江苏重要莲藕产区的扬州宝应有大量的池塘栽培莲藕，比较著名的莲藕品种有美人红、小暗红、小刺红、大刺红、大红刺、红嘴子、黑白麻刺、暗来乌、大种红、一盘风、阴阳红、西红刺、怀抱子、碗口红等，其中美人红、小暗红、大刺红的种植面积最广，品质亦佳。较为著名的地方品种还有江苏苏州的花藕、慢荷，安徽的雪湖贡藕等。

江苏宝应种藕历史悠久，早在唐代，储嗣宗即在《宿范水》一诗中提到荷藕，而范水则为宝应首镇，这说明宝应地区在唐代已开始种植藕，种植历史已达1 200年。明代，宝应荷藕已成为大宗土特产品，《万历志》中列的"宝应十景"中便包括"西荡荷香"。宝应荷藕形成了独具特色的美食文化，蜜饯捶藕在明代已成为朝廷贡品，宝应藕粉素有"鹅毛雪片"的美誉，在明末清初，成为进贡朝廷的"贡粉"。清代《康熙宝应县志》的"宝应十二景"中即有"莲叶接天"一景。至现代，蜜饯捶藕已入选《中华名菜谱》，并被列为国家宴会"国菜"之列。自2000年始，宝应定于每年8月8日举办"中国宝应荷藕节"，以荷藕为龙头，推动招商引资，促进宝应经济发展。

二、栽培面积与产量

我国藕莲种植面积已达600万亩以上，借助南方地区特有的淡水湖泊资源，形成了独具特色的莲藕地方优质特色产区。江苏依靠太湖、洪泽湖等淡水资源，藕莲种植总面积已达150万亩。

三、规范化生产技术

1. 子莲

（1）选田整田。莲田的连作时间不宜超过2～3年，并且尽量每年挖藕重栽，子莲可与陆生作物或水生经济动植物轮作。宜选择有灌溉条件、阳光充足、田地平整、土层深厚、肥力中上的低湖田或水稻田，土质以壤土、黏壤土、黏土为宜，土壤pH以6.5～7为好。瘠薄砂土田、常年冷浸田、旱田、锈水田不宜种植。莲田要精耕细作，采取二耕二耙，达到深度适当，土壤疏松，田面平整。

（2）施足基肥。定植前15～20天，深耕30 cm，清除杂草，耙平泥面。基肥以充分腐熟的有机肥为主，并在整田时一次性施入耕作层内，一般每亩施绿肥或猪牛粪2 000～3 000 kg加生石灰40～60 kg、饼肥150～200 kg加过磷酸钙50～60 kg、硫酸锌1～2 kg、硼砂0.5～1 kg。

（3）选种移栽。生产上应以种藕进行无性繁殖，种藕宜选择色泽新鲜，藕身短而健壮，顶芽完好，无病斑、无损伤，单个藕枝至少具有1个顶芽、2个节间和3个节者，且随挖、随选、随种。种藕栽植一定要适时，过早则易受冻而缺株，过迟则营养生长期缩短，致早期莲蓬小、粒少。种藕栽前用50%多菌灵可湿性粉剂800倍液消毒。一般在清明后的4月，气温稳定在15℃以上，水中土温稳定在12℃以上时即可移栽，且应抓"冷尾暖头"之时移栽。栽种前保持田水深

3 cm，行株距为 1.5 m×1.5 m 或 1.3 m×1.3 m，挖深 6 ～ 7 cm 的泥沟；或按行株距 4 m×3.5 m，每亩 45 ～ 50 穴，每穴栽 3 枝种莲。每年进行定植移栽为宜。移栽的藕头朝下、后把梢朝上，斜插入沟中，使后把梢稍露出泥面，然后覆泥。注意种藕要离田埂周围 1.6 m 左右，每亩用种量为 60 ～ 90 kg。

（4）水分管理。原则是"浅水长苗，深水开花结实"。莲农有"水深低温开花少，干旱高温开花多"的经验。从出苗到长出 1 ～ 2 片立叶这段时间，莲苗小，水温低，宜浅水灌溉，水深以 4 ～ 8 cm 为宜，有利于提高地温，促进发芽，也有利于长出的幼叶生长。若遇寒流或大风天气，应适当灌深水位。当种藕长出 2 ～ 3 片立叶后，水位可加深到 10 cm，后随着植株立叶的增多及结蕾、开花等，逐步加深到 15 ～ 20 cm。开花结果盛期正值炎热天气，为了防暑降温、促进结实灌浆，应勤灌水，保持水深 20 ～ 25 cm，水一般于清晨灌入田内。入秋以后天气转凉，当气温下降至 25 ℃以下时，水位要落浅至 8 ～ 10 cm；当气温下降至 20 ℃以下时，水位宜降至 5 cm 左右。藕在地下越冬期间，田间应不断水，如果温度过低，可适当提高水位或在田面覆盖稻草等保温，以防止藕身受到冻害。子莲生长期间，一般不宜晒田。

（5）追肥管理。子莲生长量大，对肥料需求量亦大，但因其根系分布范围小，吸收能力较弱，故施肥时应注意把握"施好苗肥、巧施始花肥、重施花果肥、补施后劲肥、用好根外肥"的原则。

（6）除草去杂。莲藕移栽后到莲叶满田前，要耘田 2 ～ 3 次，具有除草、松土、增温、增氧、促早发的作用。杂株主要来源为种藕带杂、周围不同品种莲田串藕、田中残留杂藕、老莲籽实生苗生成的劣株等，可从花型、花色、叶背颜色等判断是否为杂株。老莲籽落泥萌发极易造成品种变异、混杂、衰退，生产上要做到及时采收，不漏采，不丢失莲实。在田间管理和采收莲蓬时要仔细观察有无实生苗，一旦发现立即清除。

（7）清除老藕，调整莲鞭。5 月下旬至 6 月下旬当莲鞭长出 5 ～ 6 片立叶时，藕的营养物质已耗尽，并逐渐腐烂，产生不利于新莲鞭生长的腐蚀性物质，使新莲鞭生长受到抑制，此时应将开始腐烂的种藕折断取出，并深翻老藕处泥土，换上新土，施入枯饼肥，调入新莲鞭，当莲鞭先端接近田埂时应及时调转鞭头，每 4 ～ 5 天进行 1 次，共进行 4 ～ 5 次，使莲鞭朝向田中生长。

（8）摘叶保果。子莲一般在 6 ～ 7 叶龄时开始现蕾，12 ～ 15 叶龄时为盛花期，此时出现莲叶相互重叠、光能利用不充分、莲叶养分消耗甚多的现象，为集中养分供给花蓬，应及时摘除浮叶和过剩的立叶，使莲叶在全田中均匀分布。当莲株长出 3 ~ 4 片立叶时，摘除浮叶。新莲田因莲叶封行较迟，一般在 7 月中下旬才开始摘除过剩立叶（无花立叶），以后每采收 1 次莲蓬即随手摘除同一节上的莲叶，直至 8 月下旬。坐蔸莲田莲叶封行早，无花立叶多，应适当提早摘除无花立叶，一般在 6 月上旬至 7 月中旬分 2 ~ 3 次摘除。

（9）花期放蜂。子莲雌雄同花，但雌雄蕊熟期不一致，雌蕊先成熟，雄蕊后成熟，同花不能自花授粉，需借助昆虫、风等进行异花授粉。花期放蜂可使蜜蜂大量地进行传粉活动，从而提高莲花的受精率和结果率，显著增加莲子产量。据经验，大面积栽培子莲时，每 37 ~ 45 亩莲田宜配备 1 箱蜜蜂，由于莲花无花蜜，因此要加强对传粉蜜蜂的喂养。

（10）病虫害防治。要从藕种消毒、莲田消毒抓起，尤其要重视梅雨季节的大田预防工作，争取把病害控制在萌芽状态。虫害为斜纹夜蛾，一般 5 ~ 6 月开始发生，7 ~ 8 月大量发生，可用性诱剂在 5 ~ 8 月诱杀，方法是莲田每隔 40 m 用竹竿悬挂 1 个诱捕器（内置 1 ~ 2 根诱芯），悬挂高度应高出莲叶面 30 cm 左右，悬挂地点以莲田上风口处为宜。诱捕器中的死虫宜 2 ~ 3 天清理 1 次，死虫必须填埋处理，清理时注意防止未死的成虫飞走。

2. 藕莲

（1）整地施肥。定植之前结合建池回填池土整地，深度 30 ~ 40 cm，耙平土面，清除杂草和往年种植作物的残枝败叶、枯根茎。栽前灌水，用牲畜或机械和池，使泥土呈浆状，保持水层深度 2 ~ 3 cm。同时结合建池回填池土普施基肥，一般每亩施腐熟的农家肥 3 000 kg、磷酸氢二铵 55 kg、复合微生物肥料约 160 kg。第一年种植需每亩施生石灰 70 kg。

（2）定植。应于春季日平均气温达 15 ℃以上、10 cm 地温达 12 ℃以上开始定植。江苏定植适宜时间为 4 月 20 日左右，即谷雨前后。定植密度因品种、肥力而定。一般早熟品种密度宜大些，晚熟品种密度宜小些，瘦田稍密些，肥田稍稀些。栽植时田块四周边行藕头全部朝向田块内，边行离埂 1 ~ 1.5 m，田内定植行分别从两边相对排放，中间两行间的距离适当加大至 3 ~ 4 m，以防藕鞭过密。栽植深度 10 ~ 15 cm，每穴排放整藕 1 枝。定植穴在行间呈三角形排列，走向均匀，藕种藕枝呈 20° 角将藕头斜插入泥土，藕头入泥 5 ~ 10 cm，藕头向内，最后节藕梢翘露泥面，以藕不漂浮为原则。

（3）追肥管理。前期要最大可能地促进生长，以上促下，促进地下莲鞭分枝生长，因此要及时进行追肥，满足其生长所需各种营养，为高产优质打下坚实基础。在藕莲的生育期内要分期追肥 2 ~ 3 次。施肥前应降低田间水深，施肥时注意避免肥料落在荷叶上及烈日下追肥，以防灼伤叶片，也要注意不要踩伤藕鞭。施肥后应及时浇水冲洗叶片上残留的肥料。

（4）转藕头。植株抽生立叶和分枝至开始结藕前，为了使莲鞭在田间分布均匀，防止莲鞭长出田埂，应定期拨转藕头。生长初期每 5 ~ 7 天进行 1 次，一般在晴天下午茎叶柔软时进行，以防莲鞭、茎叶较嫩操作时折断。

（5）摘花打莲蓬。藕莲的多数品种均开花结实，在生长期内将其摘除，有利于营养向地下部位转移，也可防止莲籽老熟后落入田内发芽造成藕种混杂。

| 采收加工 | 一、子莲

采收时间为 7 月中旬至 9 月下旬。按采摘时间不同可将莲子分为梅莲、伏莲、秋莲，伏莲品质最佳，其他次之。适时采收的莲子膨大饱满，洁白，干制率高。过早或过迟采摘均会影响产量和品质，过早采摘，莲子尚未充实，产量不高，加工干制率不高；过迟采摘，莲子容易自然脱落，且不易剥皮加工。加工通心莲的莲子不能太老或太嫩，以莲蓬变紫褐色、莲籽与莲蓬孔稍松动、莲籽壳变软、籽粒粗皮呈紫褐色时采摘为宜。当莲蓬呈褐色、莲蓬子房孔张开度达最大、摇动莲蓬有响声（俗称"响铃"）、莲子坚硬且未落粒时，即可采收壳莲。采莲最好在早晨进行，初采时每隔 3 ~ 4 天采摘 1 次，盛采期隔天采摘 1 次。采莲季节应在田间每隔 2 ~ 2.5 m 开一条采莲道，便于采摘，可在采莲道上采摘近处的莲蓬，较远处的可手持小竹钩采摘。采摘时应当天采摘，当天去壳、去种皮、捅去莲芯，随即置于太阳下晒或烘烤。一般晒 2 ~ 3 日，手抓莲子互相摩擦发出干脆的响声时即可收藏。莲蓬采回后经阴干后熟，及时脱粒，摊晒 3 ~ 4 天，包装收藏。

二、藕莲

适宜采收时间较长，谢花后至翌年清明均可采收。青荷藕最早可于 7 月上中旬采收，通常在 7 月下旬开始采收，采收青荷藕的品种多为早熟品种。在采收青荷藕前一周，宜先割去荷梗，以减少藕锈。枯荷藕一般于 9 月以后采收，可持续至翌年 4 月。提高莲藕产量的枯荷藕采收方式有 2 种，一是全田挖完，留下一小块作翌年的藕种；二是抽行挖取，挖取 3/4，余下 1/4 存留原地作种。莲藕应根据每年不同季节的价位波动适时收获，可根据市场需求决定采收时间。采藕前 10 ~ 15 天将荷叶全部割去，采藕时应先找到后把叶和终止叶，二者连线的前方即为藕的着生位置。秋分前采收的藕为嫩藕，含糖分高，宜生食，寒露霜降后采收的藕为老藕，成熟较好，淀粉含量高，宜熟食或加工藕粉等。莲藕可在泥下安全越冬，因此，不采藕时，可在藕池内贮藏，池内干燥时，应浇 1

次水，保持湿润，以防莲藕冻坏，降低品质。短期贮藏可带泥收刨后，用细潮沙层埋贮藏保鲜。

| 药材性状 |　**莲子：** 本品略呈椭圆形或类球形，长 1.2 ~ 1.7 cm，直径 0.8 ~ 1.4 cm。表面浅黄棕色至红棕色，有细纵纹和较宽的脉纹。一端中心呈乳头状凸起，深棕色，多有裂口，其周边略下陷。质硬，种皮薄，不易剥离。子叶 2，黄白色，肥厚，中有空隙，具绿色莲子心。气微，味甘、微涩，莲子心味苦。

莲子心： 本品略呈细圆柱形，长 1 ~ 1.4 cm，直径约 0.2 cm。幼叶绿色，一长一短，卷成箭形，先端向下反折，2 幼叶间可见细小胚芽。胚根圆柱形，长约 3 mm，黄白色。质脆，易折断，断面有数个小孔。气微，味苦。

莲房： 本品呈倒圆锥状或漏斗状，多撕裂，直径 5 ~ 8 cm，高 4.5 ~ 6 cm。表面灰棕色至紫棕色，具细纵纹和皱纹，顶面有多数圆形孔穴，基部有花梗残基。质疏松，破碎面海绵状，棕色。气微，味微涩。

莲须： 本品呈线形。花药扭转，纵裂，长 1.2 ~ 1.5 cm，直径约 0.1 cm，淡黄色或棕黄色。花丝纤细，稍弯曲，长 1.5 ~ 1.8 cm，淡紫色。气微香，味涩。

荷叶： 本品呈半圆形或折扇形，展开后呈类圆形，全缘或稍呈波状，直径 20 ~ 50 cm。上表面深绿色或黄绿色，较粗糙；下表面淡灰棕色，较光滑，有粗脉 21 ~ 22，自中心向四周射出；中心有凸起的叶柄残基。质脆，易破碎。稍有清香气，味微苦。

藕节： 本品呈短圆柱形，中部稍膨大，长 2 ~ 4 cm，直径约 2 cm。表面灰黄色至灰棕色，有残存的须根和须根痕，偶见暗红棕色的鳞叶残基。两端有残留的藕，表面皱缩，有纵纹。质硬，断面有多数类圆形的孔。气微，味微甘、涩。

| 品质评价 |　一、莲子
药典标准中的莲子药材为红莲，但根据历史用药情况、市场流通情况及加工方式，可将莲子分为红莲（保留种皮的莲子）和白莲（去除种皮的白莲子）2 种规格。在各规格下，又根据莲子的平均宽度来划分等级。

1. 红莲
红莲统货表面红色，有细纵纹和脉纹，饱满圆润。一端中心微凸起，先端钝圆，红棕色，无裂口，底部具针眼状小孔。湖南红莲质硬，红棕色，种皮未经机器打磨，不易剥离。

2. 白莲
白莲包括手工白莲和磨皮白莲 2 种品类。手工白莲表面浅黄色至黄白色，有的具细纵纹和较宽的脉纹，呈皱缩样，有的较饱满油润，先端中心呈乳头状凸起，先端尖，浅棕色，有裂口，裂口周边略下陷，底部具针眼状小孔。磨皮白莲表面粉色至黄白色，无细纵纹和脉纹，光滑，粉性较明显，两端中心微凸起，先端钝圆，红棕色，无裂口，底部具针眼状小孔，两端多有加工过程中未打磨干净的种皮。平均宽度 ≥ 11 mm 的白莲为大选等级，< 11 mm 的白莲为小选等级，8 ~ 12 mm 的白莲为统货。

二、莲子心

以个大、色青绿、未经煮者为佳。

三、莲房

以个大、色紫红者为佳。

四、莲须

以干燥、完整、色淡黄、质软者为佳。

五、荷叶

以叶大、完整、色绿、无斑点者为佳。

六、藕节

以节部黑褐色、两头白色、干燥、无幼嫩尖梢、无须根泥土者为佳。

| 功效物质 |　一、莲子

新鲜莲子含碳水化合物 10% ~ 30%、蛋白质 5% ~ 10%、脂肪类 0.2% ~ 0.8%、粗纤维 0.8% ~ 1.2%、灰分 0.9% ~ 2.0%，含微量维生素 B_1、维生素 B_2、维生素 B_6、维生素 C、维生素 E，含磷（0.1% ~ 0.2%）、钙（0.03% ~ 0.10%）、铁、锌等无机元素，含多种人体必需氨基酸，以赖氨酸为主，且平均占总氨基酸的 6.3%。此外，还含有黄酮类、淀粉类、低聚糖、多糖等成分，莲子精油中尚含多种挥发性萜类化合物。现代药理研究表明，莲子具有抗病毒、保肝、抗氧化、增强记忆等生物活性。

二、莲子心

莲子心含有生物碱类、黄酮类、脂肪酸类（粗脂肪 22.7%）、蛋白质（粗蛋白 19.2%）、糖类、叶绿素类、甾醇类等资源性化学成分。生物碱类成分以脂溶性的双苄基异喹啉类莲心碱、异莲心碱及甲基莲心碱为主，尚含有水溶性的单苄基异喹啉类、阿朴菲类生物碱，代表性成分有莲心季铵碱、去甲乌药碱、荷叶碱及原荷叶碱等；黄酮类成分包括木犀草苷、金丝桃苷、芸香糖苷，以及多种以木犀草素、芹菜素为苷元的碳苷黄酮类植物分类学特征性成分，如荭草苷、异荭草苷、牡荆苷、异牡荆苷、夏佛托苷、异夏佛托苷等。现代药理研究表明，莲子心具有降血压、降血糖、抗心律失常、抑制血小板聚集、抗氧化及清除活性自由基、抗心肌缺血、松弛平滑肌、强心、抗肿瘤、保护脑缺血损伤、改善急性肺损伤及肺纤维化、抑制中枢、治疗前列腺增生等药理作用。

三、莲房

莲房富含多酚，主要为莲房原花青素（LSPC）及胡萝卜素、硫胺素、核黄素、烟酸、抗坏血酸和微量的莲子碱、金丝桃苷等。LSPC 具有抑菌、抗氧化的活性。不同剂量的 LSPC 均能显著降低高血脂兔的血脂含量，调脂作用明显。对于急性心肌缺血大鼠模型，LSPC 可剂量依赖性地拮抗异丙肾上腺素所致大鼠心肌酶释放量及心肌钙含量增加，缩小心肌梗死面积，缓解心肌组织病理损伤，升高超氧化物歧化酶与丙二醛的比值，对异丙肾上腺素所致大鼠心肌损伤、麻醉大鼠心肌缺血再灌注损伤和离体大鼠心肌缺血再灌注损伤均表现出明显的保护作用。LSPC 有促进人口腔表皮样癌细胞凋亡、抑制体内黑色素瘤 B16 细胞的作用，还可抑制人肝癌细胞 HepG2，具有抗肿瘤的药理活性。适量浓度的 LSPC 对乙醇诱导的肝细胞 L-02 损伤及肝细胞 DNA 损伤有拮抗作用。LSPC 可不同程度地改善记忆障碍小鼠的学习记忆功能，且可抑制小鼠大脑组织乙酰胆碱酯酶（AchE）活性，增加大脑组织超氧化物歧化酶活性，具有一定的益智、抗痴呆作用。

四、莲须

莲须的黄酮类成分主要有异槲皮苷、槲皮素、木犀草素、山奈酚、山奈酚 -3-*O*-*β*-D- 吡喃半乳糖苷、异鼠李素等。挥发油中主要为脂肪酸、萜烯类、烷烃类成分，以棕榈酸为主的脂肪酸含量最高，其次为萜烯类化合物。自古认为莲须味甘、涩，性平，主归心、肾经，古代本草中记载的"清心通肾，乌须发，悦颜色，益血，止血崩、吐血，固髓"等作用未见现代临床报道。现代药典收载的莲须的功能与主治为"固肾涩精，用于遗精滑精，带下，尿频"，但亦未见更多的临床报道。目前，对于莲须的药理研究集中于美白、抗血栓、镇痛、抗溃疡、抗乙肝病毒表面抗原、治腹泻、促子宫收缩、促子宫增长等方面。

五、荷叶

荷叶含多种生物碱类、黄酮类、有机酸类等化学成分，生物碱类包括荷叶碱、莲碱、原荷叶碱、番荔枝碱、前荷叶碱、N- 去甲荷叶碱、鹅掌楸碱、去氢莲碱、去氢荷叶碱、去氢番荔枝碱、阿西米洛宾碱、N- 甲基衡州乌药碱、亚美罂粟碱、N- 去甲亚美罂粟碱、斑点亚洲罂粟碱、去氢斑点亚洲罂粟碱、巴婆碱、N- 甲基巴婆碱、北美鹅掌楸尼定碱，黄酮类包括槲皮素、异槲皮苷、荷叶苷、无色矢车菊素和无色飞燕草素，有机酸类包括酒石酸、柠檬酸、苹果酸、葡萄糖酸、草酸、琥珀酸及棕榈酸。从荷叶中还分离到没食子酸、异鼠李素、槲皮素 -3-*O*-*β*-D- 吡喃木糖（1→2）-*β*-D- 吡喃葡萄糖苷、柯伊利素 -7-*O*-*β*-D- 葡萄糖苷等。荷叶生物碱部位具有抗炎抑菌作用。研究显示，荷叶可显著升高试验肥胖大鼠血清高密度脂蛋白胆固醇（HDL-C）含量和显著降低甘油三酯（TG）、血清总胆固醇（TC）水平，具有调节动物血脂的作用。荷叶调节血脂的主要活性部位为黄酮类和生物碱类化合物，生物碱类降血脂的功效优于黄酮类。荷叶黄酮可降低肝脏脂联素（APN）的表达和血清亮氨酸氨基转肽酶（LAP）的活性，改善血脂水平，有助于预防胆囊胆固醇结石的形成。荷叶具有较强的清除自由基的能力，且醇提液强于水提液。

六、藕节

藕节主要含鞣质，如儿茶素。从藕节中可分离得到 3- 表白桦脂酸和一种三萜类化合物。藕节炒炭后鞣质、钙的含量相对增加，止血作用加强。

| 功能主治 | **莲子**：补脾止泻，止带，益肾涩精，养心安神。用于脾虚泄泻，带下，遗精，心悸失眠。

莲子心：清心安神，交通心肾，涩精止血。用于热入心包，神昏谵语，心肾不交，失眠遗精，血热吐血。

莲房：化瘀止血。用于崩漏，尿血，痔疮出血，产后瘀阻，恶露不尽。

莲须：固肾涩精。用于遗精滑精，带下，尿频。

荷叶：清暑化湿，升发清阳，凉血止血。用于暑热烦渴，暑湿泄泻，脾虚泄泻，血热吐衄，便血崩漏。荷叶炭，收涩化瘀止血。用于出血症和产后血晕。

藕节：收敛止血，化瘀。用于吐血，咯血，衄血，尿血，崩漏。

| 用法用量 | **莲子**：内服煎汤，6～15 g。

莲子心：内服煎汤，2～5 g。

莲房：内服煎汤，5～10 g。

莲须：内服煎汤，3～5 g。

荷叶：内服煎汤，3～10 g。荷叶炭：内服煎汤，3～6 g。

藕节：内服煎汤，9～15 g。

| 传统知识 | 基于文献梳理和中药资源普查过程中调查走访收集的传统用药知识，记录于此。

一、莲子

（1）治疗久痢不止：老莲子（去心）二两，为末。每服一钱，陈米汤调下。

（2）治疗心火上炎，湿热下盛，小便涩赤，淋浊崩带等：黄芩、麦冬、地骨皮、车前子、甘草各半两，石莲肉、白茯苓、黄芪、人参各七钱半。水煎取汁，食前服。

（3）治疗小便白浊，梦遗泄精：莲肉、益智仁、龙骨各等分，为细末。每服二钱，空心用清米饮调下。

二、莲子心

（1）治疗劳心吐血：莲子心、糯米，为细末。酒调。

（2）治疗遗精：莲子心一撮，为末。每服一钱，日2次。

三、莲房

（1）治疗妇女血崩：荆芥、莲蓬壳（烧灰存性），等分，为细末。每服三钱，食前米饮汤调下。

（2）治疗经血不止：陈莲蓬壳，烧存性，研末。每服二钱，热酒下。

（3）治疗胎衣不下：莲房1个。甜酒煎服。

（4）治疗痔疮：干莲房、荆芥各一两，枳壳、薄荷、朴硝各五钱，为粗末。煎汤，半热熏洗。

（5）治疗黄水疮：莲房烧成炭，研细末。香油调匀，敷患处，日2次。

四、莲须

（1）治疗遗精梦泄：熟地八两，山茱萸二两，山药、茯苓各三两，丹皮、龙骨各三钱，莲须一两，芡实二两。上为末，蜜丸梧子大。每服四钱，空心淡盐汤下。

（2）治疗久近痔漏：莲须、黑牵牛各一两半，当归五钱，为末。每空心酒服二钱。

五、荷叶

（1）治疗雷头风证，头面疙瘩肿痛，憎寒发热，状如伤寒：荷叶1枚，升麻五钱，苍术五钱。煎汤温服。

（2）治疗吐血衄血：生荷叶、生艾叶、生柏叶、生地黄各等分。上研，丸鸡子大。每服1丸，煎汤服。

（3）治疗脱肛不收：贴水荷叶，焙，研。酒服二钱，仍以荷叶盛末坐之。

（4）治疗黄水疮：荷叶烧炭，研细末。香油调匀，敷患处，日2次。

六、藕节

（1）治疗鼻衄不止：藕节捣汁饮，并滴鼻中。

（2）治疗大便下血：藕节晒干研末，人参、白蜜煎汤调服二钱，日2次。

| 资源利用 | 江苏自古以来就是我国莲藕的重要产区，种植的莲藕包括根藕、籽藕、花藕3类，其中根藕最盛。江苏宝应盛产荷藕，被称为"荷藕之乡"，品种包括美人红、

大紫红、小雁红。宝应荷藕（宝应莲藕）的鲜明特征是顶芽红色，藕皮米白色，藕肉亮白色，藕香浓郁，清甜爽脆。道地宝应荷藕应具备以下主要质量技术要求条件：花香藕水分 ≥ 82.0%，淀粉 ≤ 8.0%；中秋藕水分 ≥ 80.0%，淀粉 ≤ 9.0%；红锈藕水分 ≥ 78.0%，淀粉 ≤ 10.0%；白锈藕水分 ≥ 78.0%，淀粉 ≤ 12.0%。目前宝应莲藕产品主要为水煮莲藕、盐渍莲藕、冷冻莲藕、保鲜莲藕等，产品主要出口到日本和韩国，少量出口到美国和东南亚地区。江苏扬州北部已逐步形成了种植、加工、外销的荷藕产业链，连续多年荷藕种植面积、荷藕产量、荷藕出口量均为全国第一。此外，江苏苏州盛产的早熟花藕也颇具特色，主藕 4 ~ 5 节，整藕重 1.5 kg，节间较短，表皮浅黄色，质脆嫩，少渣，宜生食。

一、莲子

自古以来，莲子作为高级滋补食品，广为食用，既可生食（鲜莲子），又可做成汤菜、糕点、甜食或药膳，如莲子粥、莲子枸杞羹、人参莲子汤、莲子百合瘦肉汤等。现代研究表明，莲子含有丰富的营养成分，起特殊的滋补和治疗作用，被列入《既是食品又是药品的物品名单》中。莲子可直接用于制备粥、茶、汁饮、保健酒、药膳、膨化食品、发酵制品、婴童食品，如莲子乳酸发酵品，可提高营养利用率，改善微生态环境，调节免疫，延缓衰老。

1. 功能性淀粉

依据淀粉在人体小肠内的生物可利用性，可将淀粉分为 3 类：易消化淀粉（RDS）、不易消化淀粉（SDS）及抗性淀粉（RS）。RS 指不能在健康的正常人小肠中消化吸收的淀粉及其降解产物，主要分为物理包埋淀粉（RS1）、抗性淀粉颗粒（RS2）、老化淀粉（RS3）及化学改性淀粉（RS4）4 类。RS 不属于膳食纤维，但其功效与水溶性膳食纤维又有许多相似之处，主要生理学特性及生理功能包括：①防治肠道疾病，预防结肠癌；②预防 2 型糖尿病；③降脂及控制体重；④促进钙、镁吸收及排铅。此外尚能促进双歧杆菌等有益微生物的生长，可作为前生命周期微生物的生长培养基。莲子淀粉中主含直链淀粉，经糊化和老化后 RS 增加，目前已利用莲子 RS 开发成低血糖指数食品，也可制成莲子淀粉海绵等生活用品。

2. 糖类营养品

莲子含多糖、低聚糖类资源性化学成分。研究表明，莲子多糖为一类糖蛋白，多糖与蛋白呈紧密结合态，蛋白质含量为 39.29%，多糖含量为 37.78%，多糖由 L-鼠李糖、D- 木糖、D- 葡萄糖及 D- 甘露糖 4 种单糖组成，可促进体外双歧杆菌增殖、抗氧化清除自由基。莲子亦含功能性低聚糖，采用闪式制备色谱技术已分离得到了可用于制备具有调节肠道菌群功效的保健食品的低聚糖单体。

3. 莲子蛋白粉

研究显示，干莲子中蛋白质含量约为 25%，组成蛋白质的 18 种氨基酸均具备，包括人体必需的 8 种氨基酸，莲子蛋白、黄豆蛋白中必需氨基酸的比例较其他豆科作物更符合世界卫生组织（WHO）的要求，且莲子含有豆类种子普遍缺乏的甲硫氨酸，亦富含普通食物或膳食第一限制性氨基酸——赖氨酸，对于特定人群，补充赖氨酸可提高蛋白质的生物效用。因此，莲子富含优质蛋白质资源，其开发利用对于人体功能保健具有重要意义，现已出现商品化的莲子蛋白粉制品。

4. 其他

研究显示，莲子含多酚类成分，总酚含量可达 62 mg/g（以没食子酸计），具有抗氧化和抑菌活性，莲子含游离氨基酸类、核苷类、水溶性单（寡）糖类成分，莲子精油尚含挥发性单萜类成分，在此方面具有较大的开发利用空间。

二、莲子心

莲子心产品开发多集中于生物碱类、少数黄酮类成分，对于其所含糖类、蛋白质类、脂肪酸类、色素类、甾醇类及黄酮碳苷类成分的利用率较低。即使在生物碱类成分的开发利用上，也仅限于含量较为丰富的脂溶性双苄基异喹啉类生物碱，且多集中于防治心血管系统、内分泌系统疾病，而对于神经系统、免疫系统、泌尿系统等疾病的防治作用则研究尚少；对于水溶性的单苄基异喹啉类、阿朴啡类生物碱利用较少。近年来，对于莲心生物碱抗肿瘤、抗痴呆、抗菌的研究逐年增加。

1. 生物碱类

莲子心中含有的双苄基异喹啉类生物碱、甲基莲心碱等还具有逆转肿瘤细胞多药耐药性的活性，异莲心碱可通过减少活性氧（ROS）的生成及激活 p38 MAPK/JNK 通路诱导人乳腺癌细胞的凋亡，还可诱导肝癌细胞凋亡，提示莲子心中的该类生物碱可协同临床化疗药物发挥抗肿瘤活性，降低毒副作用，或自身即可发挥抗肿瘤活性。在神经系统药理方面，莲子心提取物具有镇静、抗焦虑功能，甲基莲心碱具有抗抑郁功能；莲子心中的双苄基异喹啉类生物碱具有抗 AchE、丁酰胆碱酯酶（BuChE）活性，莲植物的多种部位均显示一定的胆碱酯酶抑制活性，研究发现 31 种不同药材的总生物碱提取物中，荷叶生物碱的胆碱酯酶抑制活性最强，此外，荷叶生物碱还可通过抑制 β-分泌酶 1（BACE1）的活性以减少具有神经毒性的 β 淀粉样蛋白（Aβ）的产生。研究显示，甲基莲心碱可通过抗氧化、抗炎、抑制胆碱酯酶、抑制 BACE1 发挥抗记忆损失的作用，因此莲子心生物碱类成分具有防治阿尔茨海默病（AD）的潜在应用价值。近年研究显示，植物来源的异喹啉类生物碱在抗菌方面有着良好的发展趋势，可用以寻找和开发比传统抗菌药物更安全、更高效的可替代的植物源抗菌药物，其中原小檗碱型、普托品型、苯并菲啶型、阿朴菲型、双苄基异喹啉型均为热点研究的生物碱，因此莲子心中所含阿朴啡类生物碱、双苄基异喹啉类生物碱亦可能成为传统抗菌药物的替代资源。

莲子心生物碱还具有抗心肌缺血、抗心律失常、抑制血小板聚集和血栓形成的作用，因此可用于制备治疗心血管疾病的药物，莲子心总生物碱对于急性期或慢性期的病毒性心肌炎均具有较好的疗效。莲子心生物碱部位具有胰岛素增敏作用，可制备提取物用于治疗胰岛素抵抗所引起的高血糖、糖耐量降低、高脂血症、高胰岛素血症、高血压等综合征。莲子心及其提取物还可通过减轻肾小球基膜的增厚、减少肾小球机械屏障及电荷屏障来减少蛋白的渗出，可制备成经口、舌下、鼻黏膜、皮、直肠等不同给药方式的固体或液体制剂用于防治糖尿病肾病。莲子心总生物碱可改善高脂饲料喂养的小鼠、大鼠 TC、TG、HDL-C、低密度脂蛋白胆固醇（LDL-C）水平，在制备降血脂药物方面有着广泛的应用前景。莲子心中的双苄基异喹啉类生物碱还可拮抗去甲肾上腺素、去氧肾上腺素引起的离体前列腺收缩，有效舒张离体前列腺，可用于制备治疗良性前列腺增生药物。莲子心提取物能够明显抑制由转化生长因子 β1（TGF-β1）诱导的人胚肺成纤维细胞（HELF）增殖，显著降低博来霉素诱导的小鼠血清中 TGF-β1 的含量，抑制博来霉素诱导的小鼠肺脏中羟肺氨酸（HYP）、丙二醛（MDA）的表达，显著改善博来霉素所致的小鼠肺纤维化，对治疗肺纤维化具有确切的疗效，与现有的抗肺纤维化药物相比，具有安全、无毒、无副作用的优点。莲子心氯仿萃取物能够舒张气道平滑肌，可缓解哮喘病人的气道阻塞，因此可用于制备治疗支气管哮喘的药物。

对于单体成分而言，甲基莲心碱及其类似物或其药学上可接受的盐可与 G-四链体 DNA 结合，增加 G-四链体的稳定性，从而竞争性抑制端粒酶与端粒的结合，抑制端粒酶的活性，减弱细胞的增殖能力，抑制端粒延伸，促进细胞凋亡，可用于制备防治肿瘤药物。甲基莲心碱与紫花黄华、断线蕨、柳叶水甘草碱及紫矿子合用可用于防治肺癌，与甘青瑞香、大托叶云实、斑唇马先蒿、咖坡林合用可用于防治胃癌，疗效显著；可调节哺乳动物包括人的 M8 和 V1 亚型瞬变受体电位离子通道（TRPM8 和 TRPV1），用于制备所述离子通道参与的相关疾病（如冷痛觉过敏、帕金森综合征、膀胱疼痛综合征、慢性阻塞性肺疾病等及皮肤、前列腺、乳腺、肺、结肠的肿瘤等）的药物；可通过降低 2 型糖尿病模型大鼠颈上交感神经节和心脏趋化因子 CCL5 及趋化因受体 CCR5 的表达对糖尿病并发交感神经和心血管损伤产生保护作用，这将有助于 CCL5 及 CCR5 所涉及疾病的防治药物应用；与树扁竹、咸虾花、指甲兰、芳香膜菊素、薇甘菊内酯合用可用于Ⅲ B 型前列腺炎。

莲心碱具有降血压、抗心律失常、阻断肾上腺 α 受体、抑制细胞内钙释放及抑制 P- 糖蛋白（P-gp）活性等功能。莲心碱注射液协同化疗药物紫杉醇注射液、长春新碱注射液及多柔比星注射液在抑制和杀灭恶性肿瘤细胞方面与现有技术相比，均可减少药量、缩短治疗周期、减少毒副反应；莲心碱脂微球制剂用于心律失常及高血压疾病药物稳定性较高，且起效更迅速、持续时间长，还可改成栓剂通过直肠给药，避免莲心碱口服吸收不好、肝脏首过效应严重导致的生物利用度低的问题。莲心碱与荷叶碱、青金石、酸枣仁皂苷 A 合用可用于治疗痛风；与当药苦苷、鞭打绣球苷 B、海州常山苦素 A 合用可用于治疗糖尿病等。

莲心季铵碱具有明显的正性肌力作用，且优于西药氨力农和罂粟碱，可轻度延长心肌细胞动作电位时程，增加钙离子电流；可拮抗多种收缩血管药，舒张血管作用强度与罂粟碱相当，抑制磷酸二酯酶（PDE），增加血小板内环磷酸腺苷、环磷酸鸟苷含量，为磷酸二酯酶Ⅲ型、磷酸二酯酶 V 型抑制剂，可为心衰、血管栓塞性疾病的治疗提供新药；可应用于扩张血管药物的制备中，提高化合物的水溶性和稳定性。

2. 黄酮类

莲植物中含有丰富的黄酮类化合物，包括花青素苷类、黄酮醇及其苷类、黄酮及其苷类、黄烷醇类及原花青素类成分，莲子心黄酮类成分中除槲皮素苷类外的主要组成成分为木犀草素、芹菜素的碳苷类，如荭草苷、异荭草苷、牡荆苷、异牡荆苷、夏佛托苷、异夏佛托苷等。荭草苷具有显著的抗氧化、抗凋亡、抗脂质形成、抗辐射、镇痛、抗血栓等作用，现已被应用于心血管疾病药物中。牡荆苷具有抗心肌梗死、抗炎镇痛、降血压、抗肿瘤、抗菌、抗氧化等多种药理作用。研究表明，毛茛科植物金莲花含有的多种黄酮碳苷类成分具有广谱抗菌及抗炎作用，已被开发为注射液、胶囊、片、颗粒、散等多种制剂用于临床，可为莲子心中该类成分的开发利用提供借鉴与参考。

目前，对莲子心黄酮类资源性成分的利用相对于生物碱类成分较少，但莲子心黄酮类成分在制备药品、功能性保健品方面的发展空间仍较大。研究显示，莲子心总黄酮经纯化后，芦丁含量可达 77.8 mg/g，总黄酮与灵芝多糖、桑黄多糖、茶多酚复配所得的组合物具有辅助临床降血脂药物降血压的作用；莲子心总黄酮可降低由链脲佐菌素（STZ）诱导的2型糖尿病模型小鼠的血糖，降糖率达43.02%，并可改善胰岛素抵抗，降低空腹血糖值，可用于预防或辅助治疗2型糖尿病，具有开发成降糖保健产品的潜力。

3. 油脂类

研究显示，莲子心脂溶性成分中含酮类、脂肪酸、谷甾醇、维生素E等有效成分，可作为药用或食品类添加剂使用。另有研究显示，莲子心含粗油12.5%、蛋白质26.3%，且以饱和脂肪酸棕榈酸（18.0%）、油酸（6.0%）为主，尚含各类丰富的TG，可为莲子心油的应用提供较好的物质基础。实验研究发现，莲子心95%乙醇回流提取物减压浓缩后采用石油醚萃取，石油醚部位呈明显的深绿色，全波长扫描结果显示，萃取物中630 nm处具有叶绿素类的特征吸收，表明莲子心含有丰富的叶绿素类成分，因此可用于制备牙膏、含漱液、洁面乳等产品。研究显示，叶绿素及其衍生物的化学结构和血红素相似，不仅对人体无副作用，而且已证实具有抗贫血、抗氧化、抗突变、抗肿瘤及促进创伤和溃疡愈合的作用，如叶绿素钙盐是一种高效、安全、廉价的新型钙膳食补充剂。近年来研究发现叶绿素铜钠盐还可调节肠道菌群，肠道菌群的失调与肝脏疾病（如肝衰竭、肝硬化等）密切相关，因此制备叶绿素酮钠盐可用于防治肝脏疾病。叶绿素铜钠盐还可制备成磁性叶绿素光敏剂，用于肿瘤的早期诊断；制备成叶绿素与氨基酸或肽段的结合衍生物，可用于肿瘤的定位和早期诊断，以及光动力学疗法；与细菌叶绿素组合可用于眼疾；与紫红素-18反应可制备得叶绿素衍生物，叶绿素衍生物作为光敏剂可用于肿瘤、类风湿性关节炎、视网膜黄斑变性、光化性角化病、尖锐湿疣、心脑血管疾病等，还可用于光活化杀虫剂。

4. 多糖、蛋白质类

关于莲子心多糖、蛋白质类资源性化学成分的研究或利用较少，研究发现莲子心多糖具有抗氧化活性，还可通过抑制小鼠原代脾细胞上的Toll样受体2（TLR-2）及Toll样受体4（TLR-4）的表达而产生抗炎活性，同时能够保肝护脾，或可开发成保肝健脾的养生保健产品。

除了可作为药品、功能性保健产品开发利用之外，莲子心还可制成茶、饮料等食品类产品，具有清心祛火、安神的功效，如普通啤酒的制作原料中加入莲子心，可具清心安神、涩精止血、降血压、祛热等保健功效。

三、莲房

莲房中含有大量的原花青素，欧洲人称原花青素为"青春营养品""皮肤维生素""口服化妆品"。原花青素连接在胶原蛋白上可以阻止破坏胶原蛋白的酶的危害,帮助胶原蛋白纤维形成交联结构,恢复受伤和自由基引起的过度交联产生的损害,过度交联会使结缔组织窒息、硬化,从而使皮肤褶皱,过早老化。原花青素可恢复胶原蛋白活力,使皮肤平滑而有弹性。原花青素还保护人体免受阳光伤害,促进治愈牛皮癣和老年色素沉着,也是局部施用的皮肤霜的极好添加剂。原花青素具有促进血液循环、保护视力、消除水肿、滋润皮肤、分解胆固醇、保护心脏的作用,且治疗过敏性炎症疾病、静脉曲张的效果良好,在药品、保健品市场中潜力巨大。

四、莲须

莲须主要应用于补肾强身健脑、减肥、抗衰老、治疗不孕症等的复方制剂或药物组合物中。在食品、化妆品、兽药、农药、农作物基质方面的应用有少量专利报道。

五、荷叶

荷叶是药食两用植物叶,在食用和药用方面应用广泛。传统医学认为荷叶性味苦寒,具有清暑利湿、生发清阳、清心祛热、止血利水、健脾的功效。临床上荷叶已广泛用于治疗肥胖症和高脂血症,并取得了较好的疗效。荷叶中黄酮含量约为2%,主要为荷叶苷,其次是槲皮素、异槲皮苷,荷叶黄酮具有抗氧化、抗衰老、降血脂、降胆固醇及治疗心脑血管疾病等功效。荷叶生物碱类成分在抗氧化、降脂减肥、抗肿瘤、保护肝脏和心血管等方面具有显著活性。对荷叶黄酮类和生物碱类活性成分的研究占对荷叶总研究的70%以上。由于荷叶具有较好的祛脂减肥、降血压、抑菌、抗氧化等功效,可将荷叶有效成分浸提制成药剂用于临床,或将荷叶直接与其他中药材配伍用于医疗或保健。荷叶还可作为天然食品添加剂,用于食品防腐保鲜。新鲜荷叶具有令人愉悦的清香气味,香气淡雅,带有田园气息,可作为香料资源加以开发。

六、藕节

我国各省区均有种植莲藕,但藕节多作为莲藕处理过程中的下脚料被舍弃。现代药理研究证实,藕节的大极性部分和小极性部分均有一定的止血作用,此外,还有保护高糖环境下肾脏足细胞的作用。

藕节中含有约0.7%的白桦脂酸,白桦脂酸是一种五环三萜酸类化合物,具有抗肿瘤活性,毒性低,安全指数高,是莲藕下脚料中具有潜在开发利用价值的资源性化学成分。由于白桦脂酸极性小,水溶性差,对其结构修饰研究较多。采用解淀粉酶芽孢杆菌对白桦脂酸进行微生物转化,可获得2个白桦脂酸衍生产物，即白桦脂酸 -28-*O*-*β*-D- 吡喃葡萄糖苷和白桦脂酸 -28-*O*-［6-*O*-（4- 基 -4- 氧代丁酸）-*β*-D- 吡喃葡萄糖基］酯，对人恶性黑色素瘤细胞 A375、宫颈癌细胞株 Hela、人胶质瘤细胞 U251、人神经母细胞瘤细胞 SH-SY5Y 及人乳腺癌细胞 MCF-7 的体外生长均有抑制作用。藕节的可溶性膳食纤维具有预防肥胖及调节脂质代谢的功能，具有潜在的应用价值。

莲藕加工过程中还产生藕渣、藕皮、藕渣粉等相关废料，废料中含有较丰富的多糖、淀粉、多酚、膳食纤维等成分。莲藕多糖具有免疫调节活性，以莲藕渣多糖为模板，利用抗坏血酸与亚硒酸钠的还原反应制备的莲藕多糖纳米硒（LRP-SeNPs）具有免疫调节和抗肿瘤作用。以莲藕淀粉为主要原料，添加白糖、糊精、钙粉、莲籽、桂花等其他辅料，通过混合、造粒、干燥等生产工艺可加工成调制藕粉食用。亦可以之为原料，采用 α - 淀粉酶液化制备抗性淀粉，抗性淀粉因不能被小肠吸收而具有和膳食纤维相似的功能，有利于控制糖尿病病人的血糖，加速肠道内有毒物质的排出，改善肠道微生物群落，促进无机盐类的吸收，还可降低血清胆固醇含量，降低心血管疾病的风险。下脚料中的多酚具有抗氧化活性，可作为氧化食品添加剂、医药中间体。藕渣、藕皮、藕渣粉中均含可溶性膳食纤维，占鲜重的21% ～ 36%，可帮助肃清肠道毒素、治疗便秘、预防肠癌、降糖降脂，是理想的膳食纤维来源。

七、莲子壳（莲衣、莲子红衣）

莲衣又称莲子皮，药用始见于《本草再新》，具清利湿热、收涩止血之功效，用于吐血、衄血、下血。现代研究显示，莲子壳包括以 N- 甲基衡州乌药碱、前荷叶碱、甲基莲心碱为代表的生物碱类成分，以杨梅素、槲皮素、山奈酚及异鼠李素为苷元的黄酮苷类成分，以儿茶素、表儿茶素及其单体聚合而成的原花青素类成分，尚含多糖、蛋白质等资源性化学成分。

莲子加工过程产生了大量的莲子壳等副产物，约占莲子重量的15%，仅少数用于制作动物饲料，多数作为废弃物处理而未进行有效利用，造成了资源浪费。目前，废弃的莲子壳可用于制备生物膜、活性炭等资源性产品，干燥的莲子壳粉可制备成重金属三价铬离子的吸附材料，可用作食用菌培养基、畜禽饲料原料、保健酒辅料等，还可用于制备膳食纤维、饲用复合酶。

以莲为原料生产的主要产品及其资源价值见表 2-1-3。

表 2-1-3　以莲为原料生产的主要产品及其资源价值

产品名称	利用部位 / 物质	资源价值
藕粉	根茎 / 淀粉	保健食品（增加骨密度）

续表

产品名称	利用部位 / 物质	资源价值
莲藕饮料	根茎	保健食品
莲藕多酚抗油脂氧化剂	根茎 / 多酚	食品添加剂
莲藕多酚	根茎	医药中间体
藕丝纤维	根茎、叶柄	纺织、医用材料
膳食纤维	茎节	医药、保健
藕节白桦脂酸	茎节	医药、保健
藕节	茎节 / 多糖、白桦脂酸	医药、保健
荷叶黄酮	叶 / 黄酮类	医药中间体
荷叶生物碱	叶 / 生物碱	医药中间体
荷叶碳饼	荷叶碳粉	保健食品
荷叶茶	叶 / 茶多酚、多糖、总黄酮	医药、保健（减肥）
百韵胶囊	叶 / 总黄酮、总皂苷	医药、保健（延缓衰老）
减肥茶	叶	医药、保健（减肥、调节血脂）
银荷片	叶	医药、保健（辅助降血脂）
荷叶决明茶	叶	调节血脂、改善胃肠道功能（润肠通便）
荷叶含片	叶 / 荷叶碱	医药、保健（减肥、调节血脂）
何荷胶囊	叶 / 总黄酮、总蒽醌	医药、保健（减肥）
荷叶胶囊	叶 / 提取物	医药、保健（减肥、缓解疲劳）
原花青素胶囊	叶 / 提取物	医药、保健（调节血脂、延缓衰老）
荷叶丸	叶	医药、保健
荷丹片	叶	医药、保健
血脂宁丸	叶	医药、保健
枳术丸	叶	医药、保健
枳术颗粒	叶	医药、保健
脂脉康胶囊	叶	医药、保健
清咽饮料	种子	保健（清咽润喉）
莲柏片	种子	医药、保健（改善睡眠）
灵枣薏莲胶囊	种子 / 提取物	医药、保健（增强免疫力）
祛斑胶囊	种子	医药、保健（祛斑美容）
小儿香橘丸	种子	医药、保健
启脾口服液	种子	医药、保健
启脾丸	种子	医药、保健
参苓白术丸	种子	医药、保健
参苓白术散	种子	医药、保健
调经促孕丸	种子	医药、保健
锁阳固精丸	种子、雄蕊	医药、保健
莲心胶囊	种胚	医药、保健
复方莲芯口服液	种胚	医药、保健（清心安神）
十香返生丸	种胚	医药、保健
女珍颗粒	种胚	医药、保健

续表

产品名称	利用部位/物质	资源价值
牛黄清宫丸	种胚	医药、保健
心速宁胶囊	种胚	医药、保健
心脑静片	种胚	医药、保健
妇宝颗粒	花托（莲房）	医药、保健

| 附　注 |　（1）莲属为莲科独属，经典的植物分类学将莲属置于毛茛目睡莲科中，因其具有与睡莲科各属显著不同的独有特征，现被划分为莲科，后归于山龙眼目。本属植物中的莲 *Nelumbo nucifera* Gaertn.，其根茎（藕）、茎节（藕节）、叶柄（荷梗）、叶基部（荷蒂）、叶（荷叶）、花梗（荷梗）、花蕾（荷花）、花托（莲房）、雄蕊（莲须）、成熟种子（莲子）、种皮（莲衣）及种胚（莲子心）均可药用或食用，2015 年版《中华人民共和国药典》入药者共 6 个，分别为莲子、莲子心、莲房、莲须、荷叶及藕节。

　（2）莲属植物现有 1 种、1 亚种，即莲 *Nelumbo nucifera* Gaertn. 和美洲黄莲 *Nelumbo nucifera* Gaertn. ssp. *lutea* (Wild) Pers.。莲 *Nelumbo nucifera* Gaertn. 分布于东半球，分布区西起里海附近的科拉河畔、伏尔加河下游，经伊朗、印度及我国的塔里木盆地、祁连山、黄土高原、大兴安岭一线向东到日本的本州岛，北自俄罗斯远东的结雅河、乌苏里江以东地区，经我国、中南半岛、印度尼西亚、新几内亚岛向南至澳大利亚东北部达令草地，大约位于北纬 51° 至南纬 27° 30′，东经 45° 至 142°，包括伊朗—土兰区、苏丹—赞比亚区、印度区、东南亚区、马来西亚区和东北澳大利亚区。我国是莲 *Nelumbo nucifera* Gaertn. 的世界分布中心。美洲黄莲 *Nelumbo nucifera* Gaertn. ssp. *lutea* (Wild) Pers. 分布于西半球，分布区北起加拿大安大略省南部（北纬 50° 附近），经五大湖、美国的东南部及密西西比河流域、西印度群岛向南至哥伦比亚和委内瑞拉的马罗阿（南纬 3° 08′），包括大西洋—北美区、加勒比区、圭亚那区、亚马逊区、安第斯区。美国是美洲黄莲 *Nelumbo nucifera* Gaertn. ssp. *lutea* (Wild) Pers. 的分布中心。

参考文献

[1] 柯卫东，李峰，刘玉平，等. 我国莲资源及育种研究综述（上）[J]. 长江蔬菜，2003，4：5-9.

[2] 胡光万，刘克明，雷立公. 莲属（*Nelumbo* Adans.）的系统学研究进展和莲科的确立 [J]. 激光生物学报，2003，12（6）：415-420.

[3] 曹蓓蓓. 江苏省地方志中的莲藕栽培种植概况 [J]. 绿色科技，2015，11：300-303.

[4] 陈平平. 中国莲的起源与演化 [J]. 生物学通报，1999，34（11）：28-29.

[5] 陈艳琰，唐于平，段金廒，等. 莲须化学成分的研究 [J]. 中国药学杂志，2010，45（20）：1535-1538.

[6] 廖立, 舒展, 李笑然, 等. 莲类药材的化学成分和药理作用研究进展[J]. 上海中医药杂志, 2010, 44(12): 82-84.

[7] 陈立典, 褚克丹, 李煌, 等. 莲心总生物碱在制备治疗病毒性心肌炎的药物中的用途: 201310035518.4 [P]. 2013-04-17.

[8] 潘扬, 蔡宝昌, 李泽友, 等. 一种莲子心有效部位提取物及其用途: 200410041435.7[P]. 2005-03-16.

[9] 马松涛, 李宏, 刘冬恋, 等. 莲子心或其提取物的新用途: 201110056788.4[P]. 2011-06-15.

[10] 王嗣岑, 贺建宇, 张宇, 等. 莲子心活性生物碱在制备前列腺药物中的应用: 201510201825.4[P]. 2015-08-26.

[11] 马松涛, 李宏. 莲子心及其生物碱和其衍生物的新用途: 201310053383.4[P]. 2013-05-01.

[12] 唐亚林, 徐筱杰, 李骞, 等. 甲基莲心碱及其类似物的新用途: 200810223903.0[P]. 2009-02-25.

[13] 姜廷良, 隋峰, 霍海如, 等. 甲基莲心碱的新用途: 200910082318.8[P]. 2010-10-20.

[14] 梁尚栋, 李桂林, 刘双梅, 等. 甲基莲心碱在制备 CCL5 及 CCR5 介导糖尿病并发交感神经/心血管病药物中的应用: 201110279910.4[P]. 2012-02-01.

[15] 赵超, 李秋哲, 刘斌, 等. 含莲子心黄酮类化合物的组合物及其在降血脂方面的应用: 201610091398.3 [P]. 2016-06-22.

[16] 赵超, 刘斌, 李秋哲, 等. 一种防治Ⅱ型糖尿病的莲子心总黄酮的制备及其应用: 201610091400.7[P]. 2016-05-25.

[17] 徐荣臻, 黄文栋, 干小仙, 等. 双苄基异喹啉类生物碱及其衍生物的抗肿瘤应用: 201510610588.7[P]. 2015-12-23.

[18] 叶祖光, 王金华, 孙爱续, 等. 粉防己碱、甲基莲心碱和蝙蝠葛碱增强长春新碱诱导人乳腺癌 MCF-7 多药耐药细胞凋亡[J]. 药学学报, 2001, 36(2): 96-99.

[19] 张志新. 异莲心碱, 莲心碱和甲基莲心碱的抗痴呆作用[D]. 武汉: 华中科技大学, 2010.

[20] 曹鹏, 张紫薇, 李滢, 等. 异喹啉类生物碱抑菌活性及抑菌机制研究进展[J]. 中国中药杂志, 2016, 41(14): 2600-2606.

[21] 李珊珊, 吴倩, 袁茹玉, 等. 莲属植物类黄酮代谢产物的研究进展[J]. 植物学报, 2014, 49(6): 738-750.

[22] 俞远志, 吴亚林, 潘远江. 莲子心多糖的提取、分离和抗氧化活性研究[J]. 浙江大学学报(理学版), 2008, 35(1): 48-51.

[23] 李杨. 莲子皮多糖和生物碱类活性成分的提取、纯化工艺研究[D]. 武汉: 武汉工业学院, 2011.

[24] 薛淑静, 杨德, 李露, 等. 莲子红皮多糖抗氧化与抑菌活性研究[J]. 湖北农业科学, 2015, 54(24): 6342-6345, 6350.

[25] 温祖标, 李平, 侯豪情. 用莲子壳制备活性炭的方法: 201110404828.X[P]. 2012-06-13.

[26] 王建辉, 刘永乐, 俞健, 等. 一种微波辅助酶解制备莲子壳膳食纤维的方法: 201210527544.4[P]. 2013-03-20.

[27] 李绮丽. 莲子皮低聚原花青素分级分离、组分鉴定与抗氧化机理研究[D]. 长沙: 湖南农业大学, 2013.

[28] 高航, 单雪玉, 高延芬, 等. 莲子红衣多酚对 α-葡萄糖苷酶的抑制作用[J]. 食品科学技术学报, 2016, 34(6): 36-40, 45.

[29] 黄迪惠, 胡崇琳, Husam M. Credy, 等. 莲子壳提取物中黄酮类物质的抗氧化活性及结构初探[J]. 食品科学, 2009, 30(23): 209-213.

[30] 孙其然, 刘培, 李会伟, 等. 不同产地莲藕下脚料中主要营养成分的分析与评价[J]. 食品工业科技, 2018, 39(6): 291-297.

[31] 李会伟, 段金廒, 刘培, 等. 莲藕中白桦脂酸的微生物转化及其产物的抗肿瘤活性研究[J]. 南京中医药大学学报, 2017, 33(2): 144-149.

[32] 高航，高延芬，徐虹. 莲子红衣多糖的分离纯化及结构表征 [J]. 食品科学，2016，37（15）：94-99.

[33] 郑宝东. 莲子科学与工程 [M]. 北京：科学出版社，2010.

[34] 陈秉彦，郑宝东，卢旭，等. 一种低血糖指数莲子淀粉－脂质复合物的加工方法：201610215734.0[P]. 2016-06-22.

[35] 郑亚凤，刘文聪，林作兴，等. 一种高抗性淀粉莲子饼干及其制备方法：201410777723.2[P]. 2015-02-25.

[36] 卢旭，郑宝东，张怡，等. 一种具有益生元效应的莲子低聚糖单体的快速分离方法：201510572614.1[P]. 2015-12-16.

[37] 帅金高，帅文，帅武. 莲子蛋白粉及其生产方法：201310407100.1[P]. 2014-01-01.

[38] 孙丰婷. 莲藕渣多糖的结构、免疫活性及多糖纳米硒的制备 [D]. 扬州：扬州大学，2019.

[39] 唐小闲，邱培生，段振华，等. 响应面法优化超声－微波辅助提取莲藕膳食纤维工艺研究 [J]. 食品研究与开发，2019，40（6）：132-139.

[40] 惠林冲，唐猛，杨海峰，等. 莲藕加工废料综合利用研究进展 [J]. 长江蔬菜，2018，4：31-34.

[41] 谢晋，韩迪，王靖，等. 中国莲藕产业发展现状及展望 [J]. 农业展望，2017，13（12）：42-45，51.

[42] 佚名. 江苏省莲藕优良品种简介 [J]. 农业科技通讯，1986，6：17-41.

[43] 许丽，崔巍娜，秦文. 宝应县荷藕产业发展现状、问题及对策建议 [J]. 农家参谋，2018，20：74-75.

[44] 齐建设，齐一乔，易宗初，等. 2014 年度中国莲藕淀粉市场分析 [J]. 蔬菜，2014，12：26-29.

[45] 丁兴华，李红涛，顾立众，等. 莲藕改性淀粉、聚葡萄糖、麦芽糊精复配油脂替代品在起酥面包生产上的应用研究 [J]. 食品工业科技，2014，35（23）：212-216.

[46] 李西腾，丁兴华，李红涛. 酶法制备莲藕抗性淀粉工艺的研究 [J]. 农业机械，2012，15：70-72.

[47] 李慧娜. 莲藕渣中膳食纤维的制备及其功能活性研究 [D]. 武汉：华中农业大学，2009.

[48] JUNG H A, JIN S E, CHOI R J, et al. Anti-amnesic activity of neferine with antioxidant and anti-inflammatory capacities, as well as inhibition of ChEs and BACE1[J]. Life Sciences, 2010, 87（13-14）：420-430.

[49] JUNG H A, KARKI S, KIM J H, et al. BACE1 and cholinesterase inhibitory activities of *Nelumbo nucifera* embryos[J]. Archives of Pharmacal Research, 2015, 38（6）：1178-1187.

[50] ZHANG X Y, WANG X Y, WU T T, et al. Isoliensinine induces apoptosis in triple-negative human breast cancer cells through ROS generation and p38 MAPK/JNK activation[J]. Scientific Reports, 2015, 5（5）：12579.

[51] SHU G W, YUE L, ZHAO W H, et al. Isoliensinine, a bioactive alkaloid derived from embryos of *Nelumbo nucifera*, induces hepatocellular carcinoma cell apoptosis through suppression of NF-κB signaling[J]. Journal of Agricultural and Food Chemistry, 2015, 63（40）：8793-8803.

[52] SHU G W, ZHANG L, JIANG S Q, et al. Isoliensinine induces dephosphorylation of NF-κB p65 subunit at Ser536 via a PP2A-dependent mechanism in hepatocellular carcinoma cells: roles of impairing PP2A/I2PP2A interaction[J]. Oncotarget, 2016, 7（26）：40285-40296.

[53] SUGIMOTO Y, FURUTANI S, NISHIMURA K, et al. Antidepressant-like effects of neferine in the forced swimming test involve the serotonin1A（5-HT1A）receptor in mice[J]. European Journal of Pharmacology, 2010, 634（1-3）：62-67.

[54] YANG Z D, ZHANG D B, REN J, et al. Acetylcholinesterase inhibitory activity of the total alkaloid from traditional Chinese herbal medicine for treating Alzheimer's disease[J]. Medicinal Chemistry Research, 2012, 21（6）：734-738.

[55] LIAO C H, LIN J Y. Purified active lotus plumule（*Nelumbo nucifera* Gaertn）polysaccharides exert anti-inflammatory activity through decreasing Toll-like receptor-2 and -4 expressions using mouse

primary splenocytes[J]. Journal of Ethnopharmacology, 2013, 147（1）: 164–173.

[56] LIAO C H, LIN J Y. Lotus (*Nelumbo nucifera* Gaertn) plumule polysaccharide protects the spleen and liver from spontaneous inflammation in non-obese diabetic mice by modulating pro-/anti-inflammatory cytokine gene expression[J]. Food Chemistry, 2011, 129（2）: 245–252.

[57] CHEN S, FANG L C, XI H F, et al. Simultaneous qualitative assessment and quantitative analysis of flavonoids in various tissues of lotus (*Nelumbo nucifera*) using high performance liquid chromatography coupled with triple quad mass spectrometry[J]. Analytica Chimica Acta, 2012, 724（8）: 127–135.

[58] KREDY H M, HUANG D H, XIE B J, et al. Flavonols of lotus (*Nelumbo nucifera* Gaertn.) seed epicarp and their antioxidant potential[J]. European Food Research and Technology, 2010, 231（3）: 387–394.

[59] LIU Y, MA S S, IBRAHIM S A, et al. Identification and antioxidant properties of polyphenols in lotus seed epicarp at different ripening stages[J]. Food Chemistry, 2015, 185: 159–164.

[60] OH J H, CHOI B J, CHANG M S, et al. *Nelumbo nucifera* semen extract improves memory in rats with scopolamine-induced amnesia through the induction of choline acetyltransferase expression[J]. Neuroscience Letters, 2009, 461（1）: 41–44.

[61] LU X, ZENG S, ZHANG Y, et al. Effects of water-soluble oligosaccharides extracted from lotus (*Nelumbo nucifera* Gaertn.) seeds on growth ability of Bifidobacterium adolescentis[J]. European Food Research and Technology, 2015, 241（4）: 459–467.

（刘　培）

罂粟科　Papaveraceae　紫堇属　*Corydalis*

延胡索

Corydalis yanhusuo W. T. Wang ex Z. Y. Su et C. Y. Wu

| 药 材 名 |

延胡索（药用部位：块茎。别名：延胡、玄胡、玄胡索）。

| 本草记述 |

延胡索入药始见于南北朝时期《雷公炮炙论》记载的"心痛欲死，速觅延胡"。此后唐代《本草拾遗》序云："延胡索止心痛，酒服。"唐代《海药本草》云："延胡索，生奚国（今河北之承德、滦平、丰宁、平泉诸县地），从安东道（今河北卢龙县治）来。"记载了延胡索的产地为今辽宁、内蒙古、河北交界处。宋代《开宝本草》将延胡索收为正品，载："延胡索……生奚国。根如半夏，色黄。"首次提及延胡索的药材形态。《证类本草》援引了《海药本草》及《开宝本草》之说。根据植物分布及药用部位形态描述，上述本草记载的延胡索应为罂粟科植物齿瓣延胡索*Corydalis turtschaninovii* Bess. 及其变种。明代以后，延胡索的基原品种及产地发生了变化。明代《本草品汇精要》虽仍袭《海药本草》旧说"延胡索，生奚国，从安东道来"，但在"道地"条下注"镇江为佳"，表明此时在江苏镇江地区已出产延胡索药材，且品质较好。明代弘治年间的《句容县志》土

产栏也载有延胡索，表明明代江苏句容已成为延胡索的一个新产区。《本草蒙筌》所载延胡索附图分别记有"茅山玄胡索"和"西玄胡索"之名。李时珍《本草纲目》延胡索条下除重述《海药本草》《开宝本草》的产地形态外，并谓："今二茅山西上龙洞种之，每年寒露后栽，立春后生苗，叶如竹叶样，三月长三寸高，根丛生如芋卵样，立夏掘起。"表明延胡索已在茅山地区发展为人工种植，据其形态描述，茅山延胡索应为罂粟科植物延胡索 *Corydalis yanhusuo* W. T. Wang。明代晚期《本草原始》曰："始生胡地……以茅山者为胜。"在本书中未见有安东延胡索，仅提示本药材最初的生长地为"胡地"，且在图注中云茅山延胡索"皮皱形小而黄"，西延胡索"外黑内黄"。清代《本草述》中载："延胡索……根丛生，乐蔓延，状似半夏，但黄色耳。今二茅山上龙洞，仁和笕桥亦种之。"此后，《本草求真》谓："元胡出茅山佳。"《植物名实图考》曰："其入药盖已久，今茅山种之。"由此可见，从明代开始茅山延胡索与西延胡索并称于世，并以茅山延胡索质量为佳。据历代本草所载药图及形态描述，茅山延胡索为罂粟科植物延胡索 *Corydalis yanhusuo* W. T. Wang。

综合以上本草记载，从明代开始延胡索看似发生产地变更，实质为基原品种改变，即从罂粟科植物齿瓣延胡索 *Corydalis turtschaninovii* Bess. 转变为同属植物延胡索 *Corydalis yanhusuo* W. T. Wang，道地产区也由东北地区南部移至江苏茅山一带。

| 形态特征 | 多年生草本，高 10 ~ 30 cm。块茎圆球形，直径 0.5 ~ 2.5 cm。茎直立，常分枝，基部以上具 1 鳞片，有时具 2 鳞片，通常具 3 ~ 4 茎生叶，鳞片和下部茎生叶常具腋生块茎。叶二回三出或近三回三出，小叶 3 裂或 3 深裂，具全缘的披针形裂片，裂片长 2 ~ 2.5 cm，宽 5 ~ 8 mm；下部茎生叶常具长柄；叶柄基部具鞘。总状花序疏生 5 ~ 15 花；苞片披针形或狭卵圆形，全缘，有时下部的稍分裂，长约 8 mm；花梗花期长约 1 cm，果期长约 2 cm；花紫红色；萼片小，早落；外花瓣宽展，具齿，先端微凹，具短尖；上花瓣长 1.5 ~ 2.2 cm，瓣片与距常上弯，距圆筒形，长 1.1 ~ 1.3 cm，蜜腺体约贯穿距长的 1/2，末端钝；下花瓣具短爪，向前渐增大成宽展的瓣片；内花瓣长 8 ~ 9 mm，爪长于瓣片；柱头近圆形，具较长的 8 乳突。蒴果线形，长 2 ~ 2.8 cm，具 1 列种子。花期 4 月，果期 5 ~ 6 月。

| 资源情况 | 一、生态环境

延胡索一般分布于海拔 200 ~ 800 m 丘陵山区半阴坡的落叶乔木林下湿润夹土的石丛中或同样土质的落叶小乔木林中。延胡索系早春植物，早春时期由于大

多数植物尚未发芽，延胡索能充分利用阳光首先生长，形成优势群落；而在初夏时，乔木叶片可遮阴，避免了强烈阳光的直射，使延胡索块茎得以充分的发育，同时腐质化的落叶也为延胡索的生长提供了充分的营养。过分低洼、容易积水的地段及水分较少的干旱地段均不适合延胡索的生长。由于缺乏足够的阳光，延胡索也不生长于竹林、松林、灌丛等南方丘陵山区常见的环境中。适宜延胡索生长的生境在长江中下游两岸丘陵地区并不多见，因而延胡索形成了居群的分布特点，虽成片生长，但又未形成大面积的连续分布。延胡索喜温暖湿润气候，耐寒，怕干旱和强光，生长季节短。江苏茅山及周边地区为延胡索药材的传统道地产区，南通、泰州、盐城及周边地区为目前延胡索药材的重要栽培生产基地。江苏南通及其周边沿海地区的延胡索主产区属亚热带季风气候，受海洋性气候影响，四季分明，年平均气温 16 ℃左右，最冷月 1 月，最热月 7 月，年平均日照时数 2 000 小时左右，平均年降水量 1 100 mm 左右。土壤有机质含量高，砂壤土具有独特的"夜潮"现象。

二、分布区域

主要分布于江苏江宁、溧水、句容、宜兴等地，尤其多见于江苏南部宝华山、茅山、惠山等低山丘陵地区。

三、蕴藏量

目前商品延胡索药材主要来源为人工栽培，延胡索野生资源少见。丹徒、浦口、溧水等地样方调查结果统计显示，延胡索单位面积蕴藏量 9 241（kg/km²）。

四、栽培历史与产地

延胡索人工栽培已有 400 余年的历史。明代弘治年间的《句容县志》土产栏即载有延胡素，李时珍《本草纲目》谓："今二茅山西上龙洞种之，每年寒露后栽，立春后生苗，叶如竹叶样，三月长三寸高，根丛生如芋卵样，立夏掘起。"表明延胡素在明代已在江苏茅山地区发展为人工种植。其后，《本草乘雅半偈》记载："今茅山上空洞，仁和（杭州的旧称）笕桥亦种之。"清代刘若金的《本草述》也谓："今二茅山上龙洞，仁和笕桥亦种之。"《植物名实图考》曰："其入药盖已久，今茅山种之。"浙江湖州医家凌奂所著的《本草害利》中提道："今多出浙江笕桥。"《康熙新修东阳县志》载："延胡素生田中，虽平原亦种。"以上记载表明，自明末开始，除在江苏南部种植延胡素外，浙江产延胡素已渐成规模。

近百年来，药材学方面的文献均多以浙江为延胡素的道地产区和主产地，如《药物出产辨》载："延胡素，产浙江宁波府。"1959 年版《中药材手册》记载："（延胡素）主产于浙江东阳、磐安、缙云、永康等地。此外，东北及内蒙古等地亦有产。"自 20 世纪 60 年代开始，由于产业结构调整，多地引种延胡素，浙江产区逐渐退化。1978 年陕西汉中城固由浙江引种延胡素获得成功，并开始大面积推广，逐渐发展为延胡素的主要产区。目前陕西汉中延胡素产量已超全国产量的 60%，因此陕西汉中也有"中国元胡之乡"之称。

江苏除句容茅山地区有少量延胡素种植外，南通地区自 20 世纪 60 年代开始引种延胡素。南通地区药农借鉴原产地种植经验，结合本地自然条件，经过近 60 年的发展已摸索出一套适合江苏沿海平原地区特定生态条件的栽培技术和加工方法。目前江苏延胡素主产于南通海门、如皋、海安、启东、如东，泰州海陵及盐城等地。

五、栽培面积与产量

目前我国延胡素药材以陕西汉中、浙江磐安及周边地区的栽培面积和产量较大。江苏延胡素栽培面积约 1.05 万亩，年产药材约 600 t。

六、规范化生产技术

1. 选地整地

选择生态条件良好、远离污染源、土层较深、排水良好、疏松肥沃的砂壤土。起沟整平做畦，畦宽 90～110 cm，沟宽 25～30 cm，沟深 20～25 cm。临播前，将选好的种块茎在 50% 多菌灵可湿性粉剂 500 倍药液中浸种 1 小时，以浸没为准，捞出晾干后备用。浸泡时，应除去浮在水面的病烂种块茎。

2. 播种

延胡素采用块茎繁殖。9 月底至 11 月上旬，选晴天在畦上按行株距 10 cm×

（11 ~ 13）cm 的密度排放种块茎，芽眼朝上，种块茎用量为每亩 40 ~ 45 kg。排放好种块茎后在畦面施有机肥或栏肥，商品有机肥用量为每亩 200 kg，栏肥用量为每亩 1 000 kg，钙镁磷肥为每亩 40 ~ 50 kg，氯化钾为每亩 2 kg。然后将沟中的泥土敲碎覆盖于畦面，覆土厚度为 5 ~ 6 cm。

3. 田间管理

播种后可选用 50% 乙草胺乳油 500 倍液等除草剂封杀杂草。12 月中旬施腊肥前，选晴天露水干后进行一次浅中耕，操作时应小心谨慎，避免伤及地下种芽。春季旺长期，选晴天露水干后进行人工除杂草 2 ~ 3 次。延胡索田间施肥宜使用腐熟农家有机肥和商品有机肥，限量使用化肥，氮磷钾及微量元素肥料应合理搭配。12 月中下旬施腊肥，翌年 2 月底 3 月初、3 月中旬施 2 次春肥。3 月中下旬植株旺长期可实施根外追肥，叶面喷施磷酸二氢钾。

播种后，遇干旱天气应灌水抗旱，水不应满过畦面。出苗后，遇春季多雨应及时清沟排水，田间不应积水。

4. 病虫害防治

延胡索常见病虫害主要有霜霉病、菌核病、元胡龟象等。遵循"预防为主、综合防治"的植保方针，从整个生态系统出发，综合运用农业防治（水旱轮作）、物理防治（人工捕杀、灯光诱杀）、生物防治（保护和利用天敌）等各种措施，创造不利于病虫发生和有利于各类天敌繁衍的环境条件，将各类病虫害控制在经济阈值以下，将农药残留降低至规定范围内。

| 采收加工 | 5 月上中旬地上茎叶枯萎后，选晴天采挖块茎。清理田间杂草，用四齿耙等工具浅翻，边翻边拣块茎，运回室内摊晾。目前江苏中部地区已开始尝试引入机械采挖，以提高生产效率。将块茎用孔径 1 cm 的竹筛分成大、小 2 级，洗净泥土，除去杂质，盛入竹筐，浸入沸水中煮，大者煮 4 ~ 5 分钟，小者煮 2 ~ 3 分钟，

煮至块茎横切面呈黄色无白心时捞出，晒 3 ~ 4 天后，收进室内闷 1 ~ 2 天，如此反复至干燥。也可将块茎洗净，除去杂质，直接晒 10 ~ 15 天，直至干燥，即成生晒延胡索。

| 药材性状 | 本品呈不规则的扁球形，直径 0.5 ~ 1.5 cm。表面黄色或黄褐色，有不规则网状皱纹。先端有略凹陷的茎痕，底部常有疙瘩状突起。质硬而脆，断面黄色，角质样，有蜡样光泽。气微，味苦。

| 品质评价 | 一般认为以个大、饱满、质坚实、断面色黄者为佳。当前药材市场常以均匀度将延胡索药材分为选货和统货 2 种规格，其中，选货按质量、粒径大小分为一等（每 50 g ≤ 45 粒或直径 ≥ 3.0 cm）和二等（每 50 g ≤ 100 粒或直径 1.0 ~ 1.3 cm）2 个等级。2020 年版《中华人民共和国药典》规定，延胡索按醇溶性浸出物测定法热浸法测定，用稀乙醇作溶剂，醇溶性浸出物不得少于 13.0%，含延胡索乙素不得少于 0.05%。

有研究比较了不同规格等级延胡索药材中延胡索甲素、延胡索乙素、去氢紫堇碱、盐酸小檗碱、盐酸巴马汀、原阿片碱的含量差异，结果显示：除盐酸巴马汀外，其余 5 种含量均随着延胡索由大到小而依次递减，即一等 ≥ 统货 ≥ 二等，且以表皮中生物碱含量较高。也有研究比较延胡索块茎颓废组织、表皮、韧皮部、木部及髓 4 个部位中延胡索乙素的含量差异，结果显示：延胡索块茎中的这 4 个部位均含有延胡索乙素，在相同质量的前提下，木部及髓中的延胡索乙素含量最高，颓废组织和表皮次之，而占延胡索块茎主要体积的韧皮部则含量最少。有研究比较了不同采收时间（地上部分植株开始少量枯萎、地上部分植株全部枯萎、地上部分植株全部枯萎后 10 天）的药材产量及生物碱含量变化，结果显示：不同采收时间收获的延胡索药材中延胡索乙素含量无显著差异，但折干率以地上部分植株全部枯萎后 10 天较高。此外，有研究比较了不同加工方法（蒸制法、水煮法、生晒法）加工后药材中生物碱含量的差异，结果显示，蒸制法加工的药材中延胡索乙素含量高于水煮法和生晒法。也有研究显示，采用微波干燥法干燥的延胡索药材中延胡索乙素及原阿片碱含量均高于蒸制法和水煮法。有研究比较了产地鲜切加工、传统加工延胡索对痛经的治疗效果，结果显示二者作用相当。

| 功效物质 | 延胡索植物中发现的化合物类型包括生物碱类、甾体类、有机酸类、多糖类等。目前作为资源性物质研究及应用较多的主要为异喹啉类生物碱。

一、生物碱类

延胡索的主要化学成分为异喹啉类生物碱，按其在水中的溶解性可分为 2 种，几乎不溶或难溶于水者属叔胺碱，约占 0.65%；较易溶于水者属季铵碱，约占 0.3%。目前，从延胡索中分离并经过结构鉴定的生物碱类已有 60 余种，分属于原小檗碱类、阿朴菲类、原阿片碱类、异喹啉苄咪唑类、异喹啉苯并菲啶类、双苄基异喹啉类等，其中原小檗碱类最多，包括延胡索甲素、延胡索乙素、延胡索丁素、去氢紫堇碱、小檗碱、巴马汀等，此类生物碱多具有镇静、镇痛、抗心律失常和降血压功效，目前被认为是延胡索活血化瘀、行气止痛的主要功效物质。

R$_1$=R$_2$=R$_3$=R$_4$=OCH$_3$，R$_5$=CH$_3$，延胡索甲素
R$_1$=R$_2$=R$_3$=R$_4$=OCH$_3$，R$_5$=H，延胡索乙素
R$_1$，R$_2$=R$_3$，R$_4$=−OCH$_2$O−，R$_5$=H，延胡索丁素

R$_1$=R$_2$=R$_3$=R$_4$=OCH$_3$，R$_5$=CH$_3$，去氢紫堇碱
R$_1$，R$_2$=−OCH$_2$O−，R$_3$=R$_4$=OCH$_3$，R$_5$=H，小檗碱
R$_1$=R$_2$=R$_3$=R$_4$=OCH$_3$，R$_5$=H，巴马汀

延胡索生物碱类化合物化学结构

二、非生物碱类

延胡索中尚含有大量淀粉及少量黏液质、树脂、挥发油、脂肪酸类、蒽醌类、小分子有机酸类、甾醇类成分等。

| 功能主治 | 辛、苦，温。归肝、脾经。活血，行气，止痛。用于胸胁、脘腹疼痛，胸痹心痛，经闭痛经，产后瘀阻，跌扑肿痛。

| 用法用量 | 内服煎汤，3 ~ 10 g；或研末吞服，1.5 ~ 3 g；或入丸、散剂。

| 传统知识 | 基于文献梳理和中药资源普查过程中调查走访收集的传统用药知识，记录于此。
（1）治疗卒然心痛或心痛经年不愈：配甘草，以缓急止痛。
（2）治疗肝郁化热所致脘痛连及两胁：常配金铃子，以疏肝泻热，行气止痛。
（3）治疗寒凝气滞所致心腹冷痛：常配附子、木香，以温中散寒，行气止痛。
（4）治疗胸痹心痛，可将本品加入通阳泄浊之栝楼薤白半夏汤中，以活血引气，

益增止痛之功。

（5）治疗经前腹痛，以胀为甚，气滞而血瘀：常配乌药、香附等，以行气而消胀痛；若以痛为甚，血瘀而碍气，常配三棱、莪术、当归等，以破瘀止痛。

（6）治疗产后恶露不净，腹内满痛：用延胡索末温酒调下，以散瘀止痛；若产后因寒而小腹痛者，常配当归、桂心，以和血散寒而止痛。

（7）治疗跌打损伤，血瘀作痛：配桃仁、红花等，以散瘀止痛；亦常以延胡索单味研末，用酒调服。

| 资源利用 |　一、延胡索

1. 在医药领域中的应用

延胡索具有活血、散瘀、理气、止痛的功效，为止痛要药，尤为心腹痛所常用。现代医学也已证实延胡索具有显著的镇痛、镇静和催眠作用，常被用于具有活血止痛的成方制剂中，如元胡止痛片、安胃片、元胡酊、复方延胡索氢氧化铝片、延胡胃安胶囊等。延胡索异喹啉类生物碱多具有一定的镇痛作用，其中左旋延胡索乙素已被开发为常用的非麻醉性镇痛药罗通定，具有镇痛、镇静、催眠及安定作用，且镇痛作用较一般解热镇痛药强，药后 10 分钟即起效，药效可持续 2 ~ 5 小时，适用于消化系统疾病引起的内脏痛（如胃溃疡及十二指肠溃疡的疼痛）、一般性头痛、月经痛、分娩后宫缩痛及紧张性疼痛或疼痛所致的失眠。

2. 在园林绿化领域中的应用

延胡索植株姿态优美，花形别致，清新亮丽，适应性广，自播能力强，一经播种，能保持多年花开不断，且病虫害少，养护简单，管理粗放。江浙地区延胡索最早可在 2 月底开花，色彩也较丰富，可以弥补城市早春植物色彩单调的不足，是野生花卉开发的良好资源。同时，其植株低矮、耐阴性好，是良好的观花地被植物，园林应用前景广泛。

二、延胡索废弃物

长期以来，延胡索都以地下块茎入药，其地上部分则常作为废物丢弃。研究显示，延胡索地上部分含右旋海罂粟碱、右旋去甲海罂粟碱、右旋南天宁碱、四氢黄连碱、去氢海罂粟碱、原阿片碱等，延胡索块茎颓废组织中含有与块茎相似的生物碱类成分，且含量较高。因此，可利用延胡索栽培过程中产生的地上茎叶和产地加工过程中产生的皮屑等废弃物及副产物提取纯化生物碱类成分及开发相关产品，以实现延胡索的资源化利用。

| 附　注 |　（1）不同地区习用延胡索品种复杂，常见的有齿瓣延胡索 *Corydalis*

turtschaninovii Bess.（东北地区）、全叶延胡索 *Corydalis repens* Mandl et Muhld.（东北地区）、北京延胡索 *Corydalis gamosepala* Maxim.、北京土元胡 *Corydalis caudata* (Lam.) Pers.、土元胡 *Corydalis humosa* Migo、堇叶延胡索 *Corydalis fumariaefolia* Maxim.、长距延胡索 *Corydalis schanginii* (Pall.) B. Fedtsch.、粉绿延胡索（新疆延胡索）*Corydalis glaucescens* Regel、伏生紫堇（夏天无）*Corydalis decumbens* (Thunb.) Pers.、薯根延胡索 *Corydalis ledebouriana* Kar. 等。上述延胡索，均以药材断面色黄者入药，断面色白者不入药。

（2）有研究显示，多数野生延胡索居群总生物碱含量低于栽培延胡索，但就单个生物碱含量而言，句容茅山野生延胡索居群中延胡索甲素和延胡索乙素含量均高于栽培延胡索。

参考文献

[1] 国家中医药管理局《中华本草》编委会. 中华本草：第3册 [M]. 上海：上海科学技术出版社，1999.
[2] 道地药材：浙元胡：T/CACM 1020.17—2019[S]. 北京：中华中医药学会，2019.
[3] 郝近大，谢宗万. 延胡索古今用药品种的延续与变迁 [J]. 中国中药杂志，1993，18（1）：7-9.
[4] 中药材商品规格等级：延胡索：T/CACM 1021.101—2018[S]. 北京：中华中医药学会，2018.
[5] 延胡索生产技术规程：DB33/T 382—2013[S]. 杭州：浙江省质量技术监督局，2013.
[6] 钱士辉，段金廒，杨念云，等. 江苏省地产地道中药资源的生产现状与开发利用（上）[J]. 中国野生植物资源，2002，21（1）：35-40.
[7] 任江剑，徐建中，俞旭平. 不同采收期和不同加工方法对延胡索药材的影响 [J]. 中药材，2009，32（7）：1026-1028.
[8] 张丽宏，游修琪，肖碧英，等. 不同加工方法对延胡索质量的影响 [J]. 中成药，2011，33（3）：471-476.
[9] 范会冉，罗云云，杨莹，等. 产地鲜切加工、传统加工延胡索对痛经小鼠治疗作用的比较 [J]. 中成药，2018，40（6）：1370-1373.
[10] 余平，岳显可，顾超，等. 延胡索不同部位化学成分及指纹图谱比较分析 [J]. 中华中医药学刊，2017，35（6）：1435-1438.
[11] 岳显可，朱涛，顾超，等. 不同等级延胡索药材多指标成分含量测定及指纹图谱分析 [J]. 中华中医药学刊，2016，34（12）：2868-2874.
[12] 胡珂，何忠臻，彭华胜，等. 延胡索块茎中延胡索乙素含量分布的研究 [J]. 中国现代中药，2018，20（7）：825-828.
[13] 冯自立，赵正栋，刘建欣. 延胡索化学成分及药理活性研究进展 [J]. 天然产物研究与开发，2018，30（11）：2000-2008.
[14] 薛彦斌，周浓，韩林，等. 响应面法优化延胡索地上部分总生物碱提取工艺的研究 [J]. 黑龙江畜牧兽医，2017（7）：191-195.
[15] 许翔鸿，余国奠，王峥涛. 野生延胡索种质资源现状及其质量评价 [J]. 中国中药杂志，2004，29（5）：399-401.
[16] ZHENG X J, ZHENG W L, ZHOU J J, et al. Study on the discrimination between Corydalis Rhizoma and

its adulterants based on HPLC-DAD-Q-TOF-MS associated with chemometric analysis[J]. Journal of Chromatography B, 2018, 1090: 110-121.

（郭 盛 严 辉）

锦葵科 Malvaceae 秋葵属 Abelmoschus

黄蜀葵
Abelmoschus manihot (L.) Medic.

| 药 材 名 | 黄蜀葵花（药用部位：花冠。别名：黄葵、黄秋葵、黄芙蓉）。

| 本草记述 | 东晋葛洪的《肘后方》中，首次有用黄蜀葵花治小儿口疮的记载。
黄蜀葵异名繁杂，文献记载的异名有黄葵（《说文解字》），侧金
盏、秋葵（《群芳谱》），棉花葵（《植物名实图考》），黄秋葵、
金花捷报、野芙蓉、野甲花（《中药大辞典》），豹子眼睛花、霸
天伞（《全国中草药汇编》）等。宋代苏颂《本草图经》记载："凡
葵有数种……花有五色……黄者主疮痈，干末水调涂之立愈，小花
者名锦葵，功用更强。"《本草图经》将黄蜀葵附于冬葵子条下，
并附有原植物图，附图所示黄蜀葵的性状与今一致。《本草纲目》曰：
"黄蜀葵，六月开花，大如碗，鹅黄色，紫心六瓣而侧，且开午收
暮落，人亦呼为侧金盏花。"蜀葵亦有异名为侧金盏，但蜀葵叶 3～7

浅裂，花冠为紫红色、淡红色或白色，故而可与黄蜀葵相区别，可见李时珍所述黄蜀葵非蜀葵而与今所述黄蜀葵一致，图谱亦显示了其形态特征。清代吴其濬《植物名实图考》记载："黄蜀葵，《嘉祐本草》始著全录，与蜀葵绝不类，俗通呼为棉花葵，以其色似木棉花也。"纵观历代本草，概因黄蜀葵花冠黄色或淡黄色而冠以"黄"，或因其与某些植物有相似之处而称之"某葵""木棉花"等，或根据其开花的特性而呼之"侧金盏"，或根据其花期在名称中加"秋"字，因此，黄蜀葵异名繁杂。

历代本草和医籍方书中，多列黄蜀葵为正名，这可能是鉴于《嘉祐本草》首载此名而相沿成规。《本草纲目》也将黄蜀葵简述为"黄葵"，而今锦葵科秋葵属另有黄葵 *Abelmoschus moschatus* Medicus，二者形态特征相似，黄葵蒴果长圆形，长 5 ~ 6 cm，先端尖，比黄蜀葵略长，种子肾形，具麝香味是其特点。黄蜀葵与黄葵原指一物，现为同属 2 种。宋代唐慎微《经史证类大观本草》记载黄蜀葵"近道处处有之，春生苗叶与蜀葵颇相似，叶尖狭多刻缺，夏末开花浅黄色，六、七月采之，阴干用"。宋代寇宗奭《本草衍义》云："叶心下有紫檀色。"民国时期萧步丹《岭南采药录》记载："黄蜀葵，秋季开黄色五瓣之花。"上三部著作所述黄蜀葵特征与原植物相符。

| **形态特征** | 一年生或多年生草本，高 1 ~ 2 m，全株疏被长硬毛。叶掌状 5 ~ 9 深裂，裂片长圆状披针形或狭披针形，长 8 ~ 18 cm，宽 1 ~ 6 cm，边缘具粗钝锯齿；叶柄长 5 ~ 18 cm；托叶披针形。花单生于枝端叶腋；小苞片 4 ~ 6，卵状披针形，大小常不相等；花萼佛焰苞状，先端具 5 齿，果时脱落；花冠淡黄色，内面基部紫色，直径达 12 cm；花瓣倒卵形；雄蕊柱长 15 ~ 20 mm，花药近无柄；

柱头紫黑色，匙状盘形。蒴果长角状长圆形，长 4 ~ 6 cm。花果期 7 ~ 10 月。

资源情况

一、生态环境

黄蜀葵常生于山谷草丛、田边或沟旁灌丛间，喜光，喜温暖湿润气候，喜生于雨量充足、排水良好、疏松肥沃的土壤，怕涝。生长温度 25 ~ 30 ℃，开花期最适宜温度 26 ~ 28 ℃，月平均温度低于 17 ℃则影响开花，夜间温度低于 14 ℃则生长不良。

二、栽培历史与产地

黄蜀葵因民间应用历史较久，我国大部分地区均有分布或栽培。江苏于 1986 年开始在兴化地区进行小规模栽培种植，至今已有 30 余年的历史，大规模人工栽培始于 20 世纪 90 年代后期，这得益于黄葵胶囊的研制成功。黄蜀葵对霜冻非常敏感，更宜在热带及亚热带地区生长，我国先后在海南、安徽、重庆、四川、江西等地逐步推广种植。

三、栽培面积与产量

江苏地区黄蜀葵的种植面积约 7 500 亩，在淮安及兴化、姜堰、射阳、东台、海安、沭阳、新沂、滨海等地均已建立了相应的种植及产地加工基地。近年来随着中药材产业扶贫工作的推进，苏中药业在安徽颍上、四川三台、重庆秀山及丰都等省外的黄蜀葵栽培面积不断扩大，目前苏中药业在全国的黄蜀葵栽培面积共约 34 950 亩，年产药材 1 500 ~ 1 700 t。

四、规范化生产技术

1. 选地整地

黄蜀葵喜温暖、雨量适中，怕涝，以光照充足、地势高爽、灌排水畅通、土壤有机质含量较高的壤土种植为宜。蒜地、大麦茬口较宜，油菜、小麦茬口次之。种植时，可在清明前 7 天左右深翻 1 次，深度 30 cm，如无前茬，可在入冬前深翻，以减少病虫害。深翻的同时施足腐熟的有机肥或（和）复合肥。黄蜀葵种植时，每亩施农家肥 2 000 kg、复合肥 30 kg。有条件的地方在整地时起垄，高度约 20 cm，以利于根系生长发育。

2. 播种育苗移栽

黄蜀葵采用育苗移栽。育苗时黄蜀葵种子常采用水浸催芽的方法，浸种前用多菌灵或咪鲜胺进行处理。待种子膨大或外皮破裂露白达 50%、土壤墒情达 70% 左右时，立即播种。4 月 5 日左右，选背风向阳、地势高亢处挖好苗床，深度为 10 cm 左右，底部及床四周铺垫地膜。通常在日平均气温稳定在 15 ℃ 以上时播种。采用点播法，每穴播 3 ~ 5 粒种子，播种深度 2 cm 左右，浇透水，播种至出苗期应保持土壤湿润，阴有小雨天气播种甚好。育苗方式主要采用营养杯育苗。苗床温度控制在 20 ~ 30 ℃，注意揭膜通风。在移栽大田前 7 天开始通风炼苗。5 月中下旬在苗高低于 15 cm 时移栽，控制行距 1.3 ~ 1.5 m、株距 65 ~ 80 cm。

3. 田间管理

移栽后注意间苗、补苗、补种。黄蜀葵需肥量大，基肥应以有机肥为主，配合缓效性复合肥，在整地时施入土壤。生长过程中酌情追肥，黄蜀葵生长期追肥 3 ~ 5 次，幼苗期轻施 1 次菌肥，定苗后施 1 次萌发肥，蕾期施 1 次蕾肥，花期施 1 ~ 2 次花肥。追肥前期以氮肥为主，后期以磷、钾肥为主。同时，因黄蜀葵植株高大，为方便采摘，一般应在株高 40 cm 时与施肥、浇水、化控等配合打顶控高。

4. 病虫害防治

黄蜀葵常见病害主要有茎腐病、根腐病、叶斑病等，常见虫害有斜纹夜蛾、铜绿丽金龟等。其中，茎腐病、根腐病对黄蜀葵花的产量和品质影响最大。遵循"预防为主、综合防治"的植保方针，从整个生态系统出发，综合运用农业防治（水旱轮作）、物理防治（人工捕杀、灯光诱杀）、生物防治（保护和利用天敌）等各种措施，创造不利于病虫发生和有利于各类天敌繁衍的环境条件，将各类病虫害控制在经济阈值以下，将农药残留降低至规定范围内。

| **采收加工** | 夏、秋季花开时采摘，及时干燥。在晴天选择完全开放的花，仅保留花瓣、花柱、柱头及雄蕊。当天开放的花应当天采摘，盛花使用的盛具必须通风透气，一般使用竹筐、条筐等。
干燥的方法主要是烘干。黄蜀葵鲜花极易变色腐烂，应在 6 ～ 10 小时内及时干燥。宜按采摘的顺序烘干，无法立即送入烘房的花应摊开放置于通风干燥处并经常翻动，切忌在太阳下堆积，防止发热腐烂。烘干后的干花应除去杂质、异物，以及腐烂、变色、未烘干的花，及时装袋。 |

| **药材性状** | 本品多皱缩破碎，完整的花瓣呈三角状阔倒卵形，长 7 ～ 10 cm，宽 7 ～ 12 cm。表面有纵向脉纹，呈放射状，淡棕色，边缘浅波状；内面基部紫褐色。雄蕊多数，联合成管状，长 1.5 ～ 2 cm，花药近无柄。柱头紫黑色，匙状盘形，5 裂。气微香，味甘、淡。 |

| 品质评价 | 一般认为以花大、色黄、香气浓郁、无杂质者为佳。2015 年版《中华人民共和国药典》规定，黄蜀葵花按醇溶性浸出物测定法热浸法测定，用乙醇作溶剂，醇溶性浸出物不得少于 18.0%，含金丝桃苷（$C_{21}H_{20}O_{12}$）不得少于 0.50%。

采用一测多评方法，对黄蜀葵花药材及其提取物与制剂中的金丝桃苷、芦丁、异槲皮苷、棉皮素 -8-O-β-D- 葡萄糖醛酸苷、杨梅素、槲皮素 -3'-O-β-D- 葡萄糖苷、槲皮素 7 个黄酮类成分含量进行测定，从而客观、全面、准确地评价黄蜀葵花药材及其提取物与制剂的质量。

| 功效物质 | 黄蜀葵花中发现的化合物类型包括黄酮类、有机酸类、鞣酸类等成分。目前作为资源性物质研究应用较多的主要为黄酮类。

一、黄酮类

黄蜀葵花中主要的黄酮类成分包括以槲皮素、棉皮素、杨梅素为主的同系物，含量为 3% ~ 5%。该类成分被认为是清热消炎的主要功效成分，尤其是黄蜀葵花总黄酮（TFA）。现代药理学研究主要集中于 TFA、金丝桃苷、槲皮素等黄酮类成分对肾小球的保护作用、对肾小管损伤的保护作用、对脑缺血及再灌注损伤的保护作用、抗炎解热作用、保肝作用、修复口腔黏膜作用，以及改善脑卒中后抑郁、对肿瘤细胞的抑制作用等。

1. 以槲皮素为主体的黄酮类化合物

此类化合物主要包括槲皮素、芦丁、金丝桃苷、槲皮素 -3'-O-β-D- 葡萄糖苷、槲皮素 -3-O-β-D- 葡萄糖苷、槲皮素 -3-O-β-D-6'- 乙酰葡萄糖苷、槲皮素 -3-O-β- 洋槐糖苷、槲皮素 -3-O-β- 芸香糖苷、槲皮素 -3-O-β- 木糖基 -（1 → 2）-β-D- 半乳糖苷、槲皮素 -7-O-β-D- 葡萄糖苷等，其中，不同产地的黄蜀葵花中金丝桃苷的含量在 1.0% ~ 1.2%。

2. 以棉皮素为主体的黄酮类化合物

此类化合物主要包括棉皮素、棉皮素 -8-O-β-D- 葡萄糖醛酸苷、棉皮素 -3'-O-β-D- 葡萄糖苷。

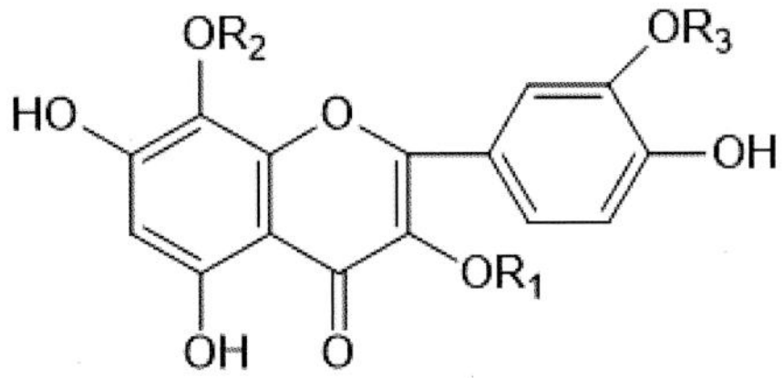

R₁=H，R₂=H，R₃=H，棉皮素
R₁=H，R₂=GlcA，R₃=H，棉皮素 –8–O–β–D– 葡萄糖醛酸苷
R₁=H，R₂=H，R₃=Glc，棉皮素 –3'–O–β–D– 葡萄糖苷

以棉皮素为主体的黄酮类化合物化学结构

3. 以杨梅素为主体的黄酮类化合物

此类化合物主要包括杨梅素、杨梅素 -3-O-β-D- 葡萄糖苷、大麻苷、杨梅素 -3-O-β-D- 半乳糖苷、杨梅素 -3-O- 芸香糖苷、杨梅素 -3-O- 刺槐糖苷、杨梅素 -3-O-β-D- 木糖基 -（1→2）-β-D- 半乳糖苷等，此外还有木槿苷等。

R_1= H，R_2=H，杨梅素

R_1=Glc，R_2=H，杨梅素 –3–O–β–D– 葡萄糖苷

R_1= H，R_2=Glc，杨梅素 –3'–O–β–D– 葡萄糖苷

R_1=Gal，R_2=H，杨梅素 –3–O–β–D– 半乳糖苷

R_1=Rha $\overset{6}{\to}$ Glc，R_2=H，杨梅素 –3–O– 芸香糖苷

R_1=Gal $\overset{6}{\to}$ Glc，R_2=H，杨梅素 –3–O– 刺槐糖苷

R_1=Xyl $\overset{2}{\to}$ Glc，R_2=H，杨梅素 –3–O–β–D– 木糖基 –（1 → 2）–β–D– 葡萄糖苷

R_1=Xyl $\overset{2}{\to}$ Gal，R_2=H，杨梅素 –3–O–β–D– 木糖基 –（1 → 2）–β–D– 半乳糖苷

以杨梅素为主体的黄酮类化合物化学结构

二、黄蜀葵花药材中还含有多糖类、核苷类、有机酸类、鞣酸类、脂肪酸类等资源性化学成分

| **功能主治** | 甘，寒。归肾、膀胱经。清利湿热，消肿解毒。用于湿热壅遏，淋浊水肿；外用于痈疽肿毒，烫火伤。 |

| **用法用量** | 内服煎汤，10 ～ 30 g；或研末，3 ～ 5 g。外用适量，研末调敷。 |

| **传统知识** | 黄蜀葵花作为传统民间用药，药用历史悠久，主要用于慢性支气管炎、慢性肾病及其并发症、尿路感染、烫火伤、口腔溃疡、乳糜尿及疼痛等。安徽、江苏等地用黄蜀葵花水煎液治疗黄疸和急、慢性肝炎，民间可单味研末服，随证配伍效更佳。民间将黄蜀葵花放麻油内浸泡，待溶成糊状，涂患处，治疗烫伤。

（1）治疗小儿口疮：黄蜀葵花烧末敷。

（2）治疗小儿秃疮：黄蜀葵花、大黄、黄芩等分。为末，米泔浸洗，香油调搽。

（3）治疗石淋：黄蜀葵花炒制，捣罗为散。

（4）治疗血淋：大黄（煨）、人参、蛤粉、黄蜀葵花（焙）等分。为细末，灯心煎汤调服。

（5）治疗血衄不止：酸石榴花一分，黄蜀葵花一钱。上锉，每服一钱，水一盏， |

煎至六分，不拘时温服。

| 资源利用 | 一、在医药领域中的应用

苏中药业以南京中医药大学附属江苏省中医院开发应用的治疗慢性肾炎的医药制剂——甲花片为基础，研制出治疗慢性肾小球肾炎的"黄葵胶囊"，功能性物质是黄蜀葵花中的黄酮类成分。该药在慢性肾脏病的治疗方面作用显著，荣获 2016 年国家科技进步一等奖，并入选国家级临床诊疗方案推荐用药。2019 年黄葵胶囊销售额突破 6 亿元，对黄蜀葵花药材原料的需求也在不断增长，推动了黄蜀葵药材规范化栽培。为保证黄蜀葵药材的优良品质，苏中药业早在 2000年即开始了对黄蜀葵良种选育、规范化种植、干燥加工等规范化生产的研究，建设黄蜀葵花 GAP 种植基地，从源头上保证药材的质量。

此外，还有黄蜀葵花总黄酮散，主要用于治疗口腔溃疡。《肘后备急方》中即有用黄蜀葵花治疗小儿口疮的记载，《本草纲目》也记载黄蜀葵花有通淋清热解毒之效。

黄蜀葵药材在少数民族中的用药情况与古籍记载基本吻合，中国植物主题数据库收载了黄蜀葵药材作为傈僳药（质腊西、nifsair yot）、畲药（野芙蓉、三胶破）、瑶药（温补迵、水芙蓉）、白药（华福菜）、傣药［文波、不来俄、郭波（西傣），水海郎扭日、烘董（德傣）］、景颇药（棘脚、半检播）、哈尼药（碧约）、彝药（野棉花、冶绵华）、藏药（索玛那保）、苗药（朝天木麻、崽狗鞭、Nadang-lishne）及基诺药（补拍勒）11 种少数民族用药的功效。

尼泊尔将黄蜀葵根的汁液热敷用于扭伤；特立尼达和多巴哥将黄蜀葵种子粉碎泡脚用于脚部痉挛；巴布亚新几内亚、瓦努阿图、斐济、新喀里多尼亚及我国均将黄蜀葵（种子）用于催产，以缓解分娩痛苦，黄蜀葵还可刺激泌乳，抑制月经过多，甚至可以用于诱发流产，在几内亚当地民间也用作膳食添加剂。

二、资源循环利用

《本草纲目》云："花、子与根性功相同，可以互用。无花用子，无子用根……治痈疽肿毒……无花，用根、叶亦可。"目前黄蜀葵在全国的栽培面积近 3 万亩，除少量用于提取黄蜀葵胶之外，余主要以花为原料开发中药，占原植物生物量90% 以上的根、茎、叶未得到充分利用，甚至造成了生态环境污染。因此，可针对黄蜀葵不同部位的资源性成分特点，开展资源循环利用探索。

黄蜀葵种子富含不饱和脂肪酸（亚油酸、亚麻酸、油酸）和多种氨基酸，现已开发成天然健康植物油，而种子榨油后的残渣含有丰富的氨基酸及粗纤维、蛋白质和多糖类成分，可作为饲料的原料。黄蜀葵根、茎中含有大量植物纤维及

多糖。黄蜀葵茎的韧皮纤维发达，次生韧皮部的外围有大量的韧皮纤维束分布，纤维素含量高达 40%，是优良的纤维原丝。黄蜀葵废弃物中多糖含量高达 16% ~ 20%，黏合性良好，是优质的天然胶，除可用于生产黄蜀葵胶、用作石油开采润滑剂或食品添加剂外，还可作为药用辅料，生产药用胶囊、增塑剂等产品。黄蜀葵根、茎、叶提取后的剩余残渣含有大量纤维素，可打粉后用于生产纤维板、塑木材料，还可作为优质燃烧炭块的原料，研制成烧烤用炭或用于生产生物炭。

| **附　注** | （1）除黄蜀葵外，江苏栽培的同属植物还有黄葵 *Abelmoschus moschatus* Medicus、咖啡黄葵（黄秋葵、羊角豆）*Abelmoschus esculentus* (Linn.) Moench。

（2）关于黄蜀葵与菜芙蓉是否为同一种植物，目前尚存争议。近年来我国多地引种了菜芙蓉，金花葵 *Hibiscus manihot* L. 又名菜芙蓉、野芙蓉，根据恩格勒植物分类系统，锦葵科秋葵属有 7 个种，分别为黄蜀葵（原变种）*Abelmoschus manihot* (L.) Medic. var. *manihot*、刚毛黄蜀葵（变种）*Abelmoschus manihot* (L.) Medic. var. *pungens* (Roxb.) Hochr.、长毛黄葵 *Abelmoschus crinitus* Wall.、咖啡黄葵 *Abelmoschus esculentus* (Linn.) Moench、黄葵 *Abelmoschus moschatus* Medicus、木里秋葵 *Abelmoschus muliensis* K. M. Feng、箭叶秋葵 *Abelmoschus sagittifolius* (Kurz) Merr.。其中并没有 *Hibiscus manihot* L.，并且在 1984 年版《中国植物志》中，"*Hibiscus manihot* L." 被收录于 "黄蜀葵" 项下，而中国植物主题数据库显示 "*Hibiscus manihot* (Linn.) Medicus" 被 SP2000 收录，为异名，接受名为 "*Abelmoschus manihot*"。

（3）中文文献关于黄蜀葵、菜芙蓉与金花葵的引用混乱。根据文献调研和实验性研究，菜芙蓉与黄蜀葵应为同一植物。黄蜀葵与金花葵均有菜芙蓉一称，CNKI 收录的文献中则是金花葵与菜芙蓉混用。

（4）据报道，1984 年全国资源普查时并未找到金花葵植物，因此金花葵被生物界认定已灭绝。2003 年 8 月，中国农业科学院唐益雄教授在河北邢台考察时，发现了金花葵植物群落，该发现又成了黄蜀葵与金花葵是 2 种植物的有力佐证。金花葵的文献记载仅有《顺德府志》（邢台市明、清两代称顺德府）中的 "顺德府有特产植物金花葵"。自 2003 年经专家确认在河北邢台发现的植物群落为金花葵后，中国农业科学院与山东圣达实业集团合作在山东齐河赵官大面积种植金花葵，获得成功后在全国多地推广种植。虽然国内已普遍认为黄蜀葵与金花葵为 2 种植物，但金花葵尚未得到国际植物学界的普遍认可，亦未赋予其具法定意义的物种学名。

参考文献

[1] 国家中医药管理局《中华本草》编委会. 中华本草: 第5册 [M]. 上海: 上海科学技术出版社, 1999.

[2] 李春梅, 王涛, 张祎, 等. 中药黄蜀葵花化学成分的分离与鉴定 (Ⅱ)[J]. 沈阳药科大学学报, 2010, 27 (10): 767-807.

[3] 温锐, 谢国勇, 李旭森, 等. 黄蜀葵化学成分与药理活性研究进展 [J]. 中国野生植物资源, 2015, 34 (2): 37-44.

[4] 李春梅, 王涛, 张祎, 等. 中药黄蜀葵花化学成分的分离与鉴定 (Ⅰ)[J]. 沈阳药科大学学报, 2010, 27 (9): 711-714.

[5] 赖先银, 赵玉英, 梁鸿. 黄蜀葵花化学成分的研究 [J]. 中国中药杂志, 2006, 31 (19): 1598-1600.

[6] 陈刚. 黄蜀葵花的化学成分和降糖活性研究 [D]. 北京: 军事医学科学院, 2006.

[7] 陈刚, 张慧, 屠爱萍, 等. 黄蜀葵花的脂溶性成分研究 [J]. 中草药, 2007, 38 (6): 827-828.

[8] 高雷, 张平, 程钢. 黄蜀葵花的研究进展 [J]. 安徽医药, 2008, 12 (3): 198-200.

[9] 范丽, 郭岩, 陈志武, 等. 黄蜀葵花总黄酮预处理对家兔心肌缺血再灌注损伤的影响 [J]. 中国药理学通报, 2006, 22 (1): 106-109.

[10] 尹莲芳, 刘璐, 弓玉祥, 等. 黄蜀葵花对肾病综合征模型大鼠肾小管损伤保护作用的研究 [J]. 首都医科大学学报, 2000, 21 (3): 2092-2111.

[11] 范丽, 董六一, 江勤, 等. 黄蜀葵花总黄酮抗炎解热作用 [J]. 安徽医科大学学报, 2003, 38 (1): 25-27.

[12] 张红艳, 董六一, 江勤, 等. 黄蜀葵花总黄酮抗感染性口腔粘膜溃疡及体外抗菌作用 [J]. 安徽医药, 2006, 10 (11): 810-811.

[13] 夏敏媛, 张瑜, 沈小林, 等. 黄蜀葵茎枯病病原菌的分离与鉴定 [J]. 中国生化药物杂志, 2015, 35 (9): 12-14.

[14] 唐立霞, 谈献和, 张瑜, 等. 不同种植年限黄蜀葵根际土养分变化规律 [J]. 中国中药杂志, 2013, 38 (22): 3871-3874.

[15] 王雅男, 王康才, 汤兴利, 等. 黄蜀葵花中 β-半乳糖苷酶活性和金丝桃苷含量变化及其影响因素分析 [J]. 植物资源与环境学报, 2012, 21 (3): 69-73.

[16] 陆林玲, 钱大玮, 郭建明, 等. 一测多评法测定黄蜀葵花中7个黄酮类成分 [J]. 药物分析杂志, 2013, 33 (12): 2082-2087.

[17] 刘杰, 郭盛, 朱振华, 等. 黄蜀葵种子中资源性化学成分分析与利用价值探讨 [J]. 食品工业科技, 2017, 38 (14): 20-25, 39.

[18] 刘杰, 郭盛, 段金廒, 等. 黄蜀葵花期不同组织器官中多类型资源性化学成分的分析与利用价值挖掘 [J]. 中国中药杂志, 2016, 41 (20): 3782-3791.

[19] 郭盛, 段金廒, 钱大玮, 等. 一种黄蜀葵茎叶多糖及其制备方法与应用: 201610232324.7[P]. 2016-10-12.

[20] 郭盛, 唐仁茂, 段金廒, 等. 从黄蜀葵花制药过程副产物中提取得到的花蜡、蜜糖、黄酮部位及其制备方法和应用: 201610256971.1[P]. 2016-08-10.

[21] 严辉, 陈佩东, 段金廒, 等. 黄蜀葵废弃物中天然多糖和植物纤维的综合利用方法: 201610357471.[P]. 2016-09-07.

[22] 陈佩东, 严辉, 段金廒. 一种用黄蜀葵秸秆制备塑木材料的方法: 201310494845.6[P]. 2014-01-22.

[23] 江曙, 潘欣欣, 段金廒, 等. 具有提高免疫活性的黄蜀葵茎叶多糖的酸法降解产物及其制备方法: 201610490642.3[P]. 2016-09-28.

[24] 江曙, 潘欣欣, 段金廒, 等. 具有提高免疫活性的黄蜀葵茎叶多糖的自由基降解产物及其制备方法:

201610489504.3[P]. 2016−10−26.

[25] 江曙，潘欣欣，段金廒，等. 具有提高免疫活性的黄蜀葵茎叶多糖乙酰化修饰产物及其制备方法：201610406903.9[P]. 2016−08−17.

[26] 江曙，潘欣欣，段金廒，等. 具有提高免疫活性的黄蜀葵茎叶多糖硫酸化修饰产物及其制备方法：201610409994.1[P]. 2016−08−17.

[27] LAI X Y, ZHAO Y Y, LIANG H. A flavonoid glucuronide from *Abelmoschus manihot* (L.) Medik.[J]. Biochemical Systematics and Ecology, 2007, 35: 891−893.

[28] Flora of China Editorial Committee. Flora of China[M]. Science Press, 2007.

[29] LAI X Y, ZHAO Y Y, WANG B. Chromatographic fingerprint analysis of the flowers of *Abelmoschus manihot* using HPLC with photodiode array detection[J]. Analytical Letters, 2007, 40 (11): 2192−2202.

[30] WEN J Y, CHEN Z W. Protective effect of pharmacological preconditioning of total flavones of *Abelmoschl manihot* on cerebral ischemic reperfusion injury in rats[J]. America Journal of Chinese Medicine, 2007, 35 (4): 653−661.

[31] WU L L, YANG X B, HUANG Z M, et al. In vivo and in vitro antiviral activity of hyperoside extracted from *Abelmoschus manihot* (L.) Medic[J]. Acta Pharmacol Sin, 2007, 28 (3): 404−409.

[32] LIU M, JIANG Q H, HAO J L, et al. Protective effect of total flavones of *Abelmoschus manihot* L. Medic against poststroke depression injury in mice and its action mechanism[J]. The Anatomical Record, 2009, 292 (3): 412−422.

[33] GUO J M, DU L Y, SHANG E X, et al. Conjugated metabolites represent the major circulating forms of *Abelmoschus manihot* in vivo and show an altered pharmacokinetic profile in renal pathology[J]. Pharmaceutical Biology, 2015, 54 (4): 1−9.

[34] GUO J M, LIN P, LU Y W, et al. Investigation of in vivo metabolic profile of *Abelmoschus manihot* based on pattern recognition analysis[J]. Journal of Ethnopharmacology, 2013, 148 (1): 297−304.

[35] LU L L, QIAN D W, YANG J, et al. Identification of isoquercitrin metabolites produced by human intestinal bacteria using UPLC−Q−TOF/MS[J]. Biomedical Chromatography, 2013, 27 (4): 509−514.

[36] LU L L, QIAN D W, QIAN Y F, et al. The influences of different non−flavonoid fractions on the pharmacokinetic of main flavonoids in Abelmoschi Corolla using a UPLC−MS method[J]. Journal of Ethnopharmacology, 2013, 148 (3): 804−811.

[37] GUO J M, XUE C F, DUAN J A, et al. Fast characterization of constituents in HuangKui capsules using UPLC−QTOF−MS with collision energy and MassFragment software[J]. Chromatographia, 2011, 73 (5−6): 447−456.

[38] XUE C F, GUO J M, QIAN D W, et al. Identification of the potential active components of *Abelmoschus manihot* in rat blood and kidney tissue by microdialysis combined with ultra−performance liquid chromatography/quadrupole time−of−flight mass spectrometry[J]. Journal of Chromatography B, 2011, 879 (5−6): 317−325.

[39] GUO J M, SHANG E X, DUAN J A, et al. Fast and automated characterization of major constituents in rat biofluid after oral administration of *Abelmoschus manihot* extract using ultra−performance liquid chromatography/quadrupole time−of−flight mass spectrometry and MetaboLynx[J]. Rapid Communications in Mass Spectrometry, 2010, 24 (4): 443−453.

[40] XUE C F, JIANG S, GUO J M, et al. Screening for in vitro metabolites of *Abelmoschus manihot* extract in intestinal bacteria by ultra−performance liquid chromatography/quadrupole time−of− flight mass spectrometry[J]. Journal of Chromatography B, 2011, 879 (32): 3901−3908.

[41] DU L Y, QIAN D W, JIANG S, et al. Comparative characterization of nucleotides, nucleosides and nucleobases in *Abelmoschus manihot* roots, stems, leaves and flowers during different growth periods by UPLC-TQ-MS/MS[J]. Journal of Chromatography B, 2015, 1006: 130-137.

[42] DU L Y, QIAN D W, JIANG S, et al. Comparative characterization of amino acids in *Abelmoschus manihot* roots, stems and leaves during different growth periods by UPLC-TQ-MS/MS[J]. Analytical Methods, 2015, 7（24）, 10280-10290.

[43] PAN X X, DU L Y, TAO J H, et al. Dynamic changes of flavonoids in *Abelmoschus manihot* different organs at different growth periods by UPLC-MS/MS[J]. Journal of Chromatography B, 2017, 1059: 21-26.

[44] DU L Y, TAO J H, JIANG S, et al. Metabolic profiles of the Flos *Abelmoschus manihot* extract by intestinal bacteria from the normal and CKD model rats based on UPLC-Q-TOF/MS[J]. Biomedical Chromatography, 2017, 31（2）: e3795.

[45] RUBIANG-YALAMBING L, ARCOT J, GREENFIELD H, et al. Aibika (*Abelmoschus manihot* L.): Genetic variation, morphology and relationships to micronutrient composition[J]. Food Chemistry, 2016, 193: 62-68.

[46] ZHANG W, CHENG C, HAN Q, et al. Flos *Abelmoschus manihot* extract attenuates DSS-induced colitis by regulating gut microbiota and Th17/Treg balance[J]. Biomedicine & Pharmacotherapy, 2019, 117: 109162.

[47] ZHANG W, CHENG C, HAN Q, et al. Total extracts of *Abelmoschus manihot* L. attenuates adriamycin-induced renal tubule injury via suppression of ROS-ERK1/2-Mediated NLRP3 inflammasome activation[J]. Frontiers in Pharmacology, 2019, 10: 567.

[48] WAN Y Y, WANG M, ZHANG K L, et al. Extraction and determination of bioactive flavonoids from *Abelmoschus manihot* (Linn.) Medicus flowers using deep eutectic solvents coupled with high-performance liquid chromatography[J]. Journal of Separation Science, 2019, 42（11）: 2044-2052.

[49] YANG B L, ZHU P, LI Y R, et al. Total flavone of *Abelmoschus manihot* suppresses epithelial-mesenchymal transition via interfering transforming growth factor-β1 signaling in Crohn's disease intestinal fibrosis[J]. World Journal of Gastroenterology, 2018, 24（30）: 3414-3425.

（严　辉　郭　盛　江　曙）

伞形科　Umbelliferae　明党参属　Changium

明党参

Changium smyrnioides Wolff

| 药 材 名 |

明党参（药用部位：根。别名：土人参、百丈光、明党）。

| 本草记述 |

明党参药用始于明清时期。明代王肯堂《证治准绳·疡医》呼百丈光（又名土人参），言百丈光为"劫瘴消毒散"和"七神散"的主药，主治"瘴气肿痛发热"；其南沙参条下又述："土人参，形与人参无二，亦有糙熟之分……中有白丝心而味淡，亲见台温处州及新昌嵊县人有货此参者……南沙参误用者甚多。产于浙地者，鲜时如萝卜，土人去皮煮熟，如熟山药。晒干如天花粉，而无粉性，本名粉沙参。功专散毒消肿排脓，非南沙参也。"清代吴仪洛《本草从新》称"土人参"，并把它列入草部补益药，用作"补肺气通下行"，谓"甘微寒，蒸之极透则寒性去，气香味淡，性善下降，能伸肺经治节，使清肃下行，补气生津。治咳嗽喘逆，痰壅火升，久疟淋沥，难产经闭，泻痢由于肺热，反胃噎膈由于燥涩。凡有升无降之证，每见奇效。其参一直下行，入土最深。脾虚下陷，滑精梦遗，俱禁用，以其下行而滑窍也，孕妇亦忌。出江浙，俗名粉沙参，红党参即将

此参去皮净，煮极熟，阴干而成者，味淡无用"。清代赵学敏《本草纲目拾遗》引述张觐斋语道："红党参即红萝卜草所造。"张氏所指的红萝卜草即为《本草纲目拾遗》中所说的土人参。赵学敏又云："土人参各地皆产，钱塘西湖南山尤多，春二三月发苗如蒿艾，而叶细小，本长二三寸，作石绿色，映日有光，土人俟夏月采其根以入药，俗名粉沙参。"清代赵其光《本草求原》谓："养血生津，消热解毒。姜汁炒则补气、生肌、托散疮疡。"陈仁山《药物出产辨》称"明党"，述："小枝白色者名银牙党，中枝名匀条党，大枝名中枝党、细枝党，小枝黄色者名黄牙党，略红些名红枝党、黄枝党。产安徽省、江苏省，湖北省武穴亦有出。均清明后新。广州名目以苏明党为最好，即香港之银牙黄牙党也，又名荠苨。主治：甘寒。利肺解毒，和中止嗽，治消渴强中，痈肿疔毒。"王一仁《饮片新参》称"明党参"，并沿用至今，其意是指蒸煮干后中实透明，外形和疗效近似人参，被列为温补之品，"温脾，化痰湿，平肝风。治头晕泛恶、中风昏仆"。根据上述本草记载，明党参入药可上溯至明代《证治准绳·疡医》医著，18世纪中叶始有原植物特征、药材出产地及产地加工的记载，20世纪苏明党以其品质优良，成为道地药材，远销香港等地。

| **形态特征** | 多年生宿根性草本。主根纺锤形或长索形，长5～20 cm，表面棕褐色或淡黄色，内部白色。茎直立，高可达100 cm，圆柱形，表面被白色粉末，有分枝。基生叶少数至多数，有长柄，叶片三出式2～3回羽状全裂；茎上部叶缩小成鳞片状或鞘状。复伞形花序顶生或侧生；总苞片无或1～3；伞幅4～10；小总苞片少数，先端渐尖；小伞形花序有花8～20，花蕾时略呈淡紫红色，开后呈白色，顶生的伞形花序几全育，侧生的伞形花序多数不育；花瓣长圆形或卵状披针形；花丝长约3 mm，花药卵圆形；花柱基隆起。双悬果卵圆形至卵状长圆形，长3～4 mm，宽2.5～3 mm，光滑而有纵纹，果棱不明显，胚乳腹面深凹，果棱间有油管3，合生面有油管2。花期4～5月，果期5～6月。本种为我国特有物种，是国家Ⅱ级保护植物。

| **资源情况** | 一、生态环境
喜生于土层深厚肥沃、排水良好的山地灌木林下的砂壤土中、石缝间隙或半阴半阳的山坡杂草地，坡度一般在10°～40°，pH 6～7，海拔高度为200～400 m。喜温暖、耐旱、忌涝，但不耐高温，有一定的耐寒性。当平均气温高于25℃时，则生长受到抑制，植株枯萎。

二、分布区域

江苏为明党参药材的道地产区，散生或成片分布于江苏浦口、六合、玄武、栖霞、江宁、溧水、高淳、丹徒、句容、丹阳、金坛、宜兴、溧阳等低山丘陵地区。

三、蕴藏量

20世纪50、60年代，明党参一直是采购的大宗药材。据资料统计，1965年我国明党参年收购量达660 t，由于乱采滥挖及人类活动占据了明党参生境——常绿阔叶—落叶阔叶混交林，使其野生资源的分布区域和个体数量日益减少，种群呈现明显衰退倾向；1983年明党参收购量下降近一半，仅为350 t；1984年明党参被列入国家Ⅲ级濒危保护植物；1987年明党参被列入《中国珍稀濒危保护植物名录》。以江苏常州野生明党参25年的收购量变化为例，常州溧阳、金坛是野生明党参的传统产区，尤其以溧阳上沛明党参颇负盛名，年收购量最高的为1957年，达80 t；1984年则降至4 t，收购量仅为1957年的5%，下降幅度惊人；据1985年估算，常州野生明党参的蕴藏量为10 t以上。此后，工业化、城镇化加速，野生明党参栖息地质量持续下降，野生明党参的生存受到严重威胁。南京紫金山、浦口老山及江宁祖堂山一带等分布明党参较多的山地区域曾一度难寻其踪迹。2018年11月，世界自然保护联盟（IUCN）更新发布的《世界自然保护联盟濒危物种红色名录》，将明党参濒危等级定为易危（VU），《国家重点保护野生植物名录（第二批）》将明党参保护级别上升为Ⅱ级。据最近报道，南京紫金山南坡明党参原生地有一片500 m^2 的明党参种群初现恢复迹象。

四、栽培历史与产地

明党参是江苏外贸出口传统名贵中药材，《江苏省植物药材志》述"根为滋养强壮剂，主要供食品，南方民间一般作补血或防瘴用"。江苏句容栽培的明党参以条形、色泽俱佳畅销于我国香港及新加坡、马来西亚一带。江苏明党参野生转家种最早于20世纪50年代在镇江开展试种，1959年镇江医药公司在《药学通报》上介绍了明党参培植法，引起业内广泛关注。20世纪70年代末，中国药材公司下达江苏进行"明党参野转家种"重点科研项目研究，江苏省医药公司落实在镇江地区试种。通过几年的摸索试种，初步掌握了明党参的一些生长规律，整理出了一份较完整的明党参种植生产技术推广资料。1982年明党参野生转家种籽播现场会在江苏丹阳召开，溧阳、句容等6县的8个种植单位的代表参加会议。会议期间，与会代表观看了门楼药场明党参籽播种植操作，听取了关于明党参的种植及试验过程的介绍，并就种子的采集贮藏、播种的覆盖物及缩短生长年限、提高产量等技术问题进行了讨论和研究。同年，受中国药材公司的委托，江苏省医药公司在镇江主持召开了明党参野转家种栽培技术鉴定会。南京药学院（现中国药科大学）、南京中医学院（现南京中医药大学）、南京农学院（现南京农业大学）、江苏省中国科学院植物研究所等单位的专家教授参加鉴定会议，与会代表一致认为，明党参野生转家种已获得成功。目前，明党参栽培品主产于江苏句容及安徽、浙江。

五、栽培面积与产量

明党参栽培面积呈逐年缩小趋势。20世纪90年代末，栽培产量开始持续走低，1996年为产量最高的一年，达6 000 kg，2006年降至2 300 kg。产量降低的主要原因为明党参种植时间长，收益低，大部分农民放弃种植选择外出务工；2000年以后，国家实行提高粮油价格、减少农业税、增加补贴等多种优惠政策，使得一部分农民改种粮食；工业化、城镇化发展占用大量土地，栽培面积减少。

六、规范化生产技术

明党参生育周期为18～19个月。根部第1～2年生长缓慢，第3年生长速度较快，增重明显，4年后增重不明显。

1. 栽培种植

明党参栽培用种子繁殖，生产上可直播、条播，也可育苗移栽。

（1）直播。6～7月上旬当果实呈褐色时，从4～5年生留种田的植株上分批采集种子，用湿沙贮藏。已处理备播的种子于当年10月至翌年2月进行播种。

（2）条播。行距约30 cm，沟深约5 cm，播后盖土层以不见种子为度。

（3）育苗移栽。苗床可采用撒播或条播的方式，种苗按各地物候情况可掌握在须根萌动期前移栽。一般于9月下旬至10月上旬移栽，按行株距20 cm×10 cm开穴栽种，移栽苗以当年生者为好，苗大移栽易断根，当日挖苗当日移栽，按行株距将参苗斜放入沟中，芽头向上，根不弯曲，芽头以上盖土6 cm左右。定苗可于翌年出苗后进行，除去病、弱、小和过密株，留足苗数，及时查苗补缺。

2. 田间管理

（1）苗期管理。播种后要及时浇水，保持土壤湿润。出苗后要随时除去杂草，并于4月中旬及5月上中旬结合除草进行松土。苗高6～10 cm时，结合松土除草进行第1次追肥，每亩施人粪尿1 000 kg，应掺水浇施。苗高12～18 cm时，进行第2次追肥，用过磷酸钙、尿素、水（2∶2∶1 000）的混合液肥（滤去残渣）喷浇。明党参幼苗怕强光、高温，应于6月上旬在畦面上种植遮阴作物，可按行株距25 cm×40 cm种植大豆或紫苏等。

（2）大田管理。移栽当年的12月中旬，结合松土除草施越冬保温肥，并清理畦沟。

翌年4月上旬至植株封垄期间，及时进行松土除草，防止土壤板结和草荒。植株枯萎倒苗后，要及时覆土保墒。第3年的管理与上年相同。第1次施肥在移栽当年的12月，用人粪尿浇灌1次；第2次在翌年4月上旬植株迅速生长和根膨大期，每亩施人粪尿1 000 kg或尿素7.5 kg，掺水浇灌；第3次在翌年5月中旬开花结果期，每亩施人粪尿1 000 kg，并喷施过磷酸钙1 kg（掺水50 kg）；第4次在翌年12月中旬，每亩施轻度发酵的饼肥50 kg和厩肥2 500 kg；第5次在第3年3月下旬，每亩施人粪尿1 000 kg。生育期要注意排水，以防烂根。若遇天气干旱，要及时浇水，保障植株正常生长发育。

3. 病虫害防治

主要病害有裂根病、猝倒病，虫害有蚜虫、黄凤蝶。裂根病的防治方法为选择适宜土壤种植，及时排水或浇水，控制土壤湿度。猝倒病的防治方法为于播种前将根部或种子用"401"抗菌剂1 000倍液浸泡24小时，取出后晾干再种植；发病后，可用"401"抗菌剂1 000倍液浇根部。蚜虫的防治方法为用40%乐果乳剂2 000倍液喷洒。黄凤蝶的防治方法为用90%晶体敌百虫1 000倍液喷洒，7~10天1次，连续2次即可。

| 采收加工 | 4～5月采挖，除去茎叶和须根，洗净，置沸水中煮至无白心，取出，用竹刀刮去外皮，漂洗，晒干，商品称"明党参"。在江苏、浙江地区，拣取粗壮者，不经煮沸，直接晒至半干，刮去外皮，再晒干，商品称"粉沙参"。

| 药材性状 | 本品呈细长圆柱形、长纺锤形或不规则条块状，长6～20 cm，直径0.5～2 cm。表面黄白色或淡棕色，光滑或有纵沟纹和须根痕，有的具红棕色斑点。质硬而脆，断面角质样，皮部较薄，黄白色，有的易与木部剥离，木部类白色。气微，味淡。粉沙参形状与明党参相似，表面淡黄色至棕黄色，具细纵皱纹及须根痕，有的可见棕红色斑点。质脆，粉性，断面类白色，具1淡棕色环，皮部有众多散在的淡棕色小点。气微香，味微甘。

明党参药材   粉沙参药材

| **品质评价** | 明党参以身干、条匀、质坚实而重、色黄白、断面角质明亮者为佳。《中华人民共和国药典》规定，用冷浸法测定的明党参水溶性浸出物不得少于20.0%。粉沙参以身干、色白者为佳。《中华人民共和国药典》规定，用冷浸法测定的粉沙参水溶性浸出物不得少于18.0%。

明党参分银芽、匀条、粗枝、大头4种商品规格。银芽（出口）：长8～12 cm，中段直径0.8～1.3 cm，粗如象牙筷，长条形，两端渐细，色银黄。匀条：长10～14 cm，中段直径1.5～1.8 cm，粗大如中指，两端渐细，偶有烛形，色黄。粗枝：长6～10 cm，条粗，完整无碎，中段直径为2～4 cm。大头：粗条，大头空心或破裂劈枝，有的充满棕色块状物。粉沙参不分商品规格。

| **功效物质** | 明党参的主要功效物质为氨基酸类、挥发油类、多糖类、香豆素类、酚酸类5类。

一、氨基酸类

此类含L-天冬酰胺、γ-氨基丁酸、L-天冬氨酸、鸟氨酸、L-焦谷氨酸、精氨酸、谷氨酸等20种氨基酸，其中，L-天冬酰胺是明党参止咳化痰的功效物质，含量高达1.07%～2.13%；γ-氨基丁酸为明党参促进脑代谢、降血压、降血脂、抗心律失常的功效物质，含量为0.034%～0.116%。明党参产地加工过熟，可致水溶性有效物质流失而失去功效。

二、挥发油类

此类主要为 6,9- 十八碳二炔酸甲酯（约 52.48%）及 β- 蒎烯等倍半萜类成分，是明党参化痰的功效物质。

三、多糖类

明党参多糖（CSP）相对分子量为 52 000，由鼠李糖、阿拉伯糖、木糖、甘露糖、半乳糖和葡萄糖 6 种单糖组成，其摩尔比为 0.09、0.25、0.17、1.00、1.56 和 11.94，比旋度 $[\alpha]_D^{20}$=+170.9（C=0.4，H_2O），糖苷键为 α 构型。CSP 是明党参免疫功能调节的功效物质。

四、香豆素类

此类主要为珊瑚菜内酯、花椒毒酚、欧前胡素、5- 羟基 -8- 甲氧基补骨脂素及其苷等线性呋喃香豆素类化合物和 7- 羟基香豆素，是明党参抗肿瘤活性物质。

五、酚酸类

此类包括对甲氧基肉桂酸、（S）2- 羟基苯丙酸、（R）2- 羟基苯丙酸、香草酸 -4-O-β-D- 葡萄糖苷、香草酸等。

| 功能主治 | 甘、微苦，微寒。归肺、脾、肝经。润肺化痰，养阴和胃，平肝，解毒。用于肺热咳嗽，呕吐反胃，食少口干，目赤眩晕，疔毒疮疡。

| 用法用量 | 内服煎汤，6 ~ 12 g；或熬膏。

| 传统知识 | 基于文献梳理和中药资源普查过程中调查走访收集的传统用药知识，记录于此。

（1）补阴虚：土人参对配茯苓。熬膏。

（2）治疗白带初起：土人参（切片）三两，用陈绍酒饭上蒸熟，分作 3 服。

（3）治疗杨梅结毒：土人参，酒煎服。

（4）治疗风湿痹痛：明党参，切片，泡白酒，适量饮服。

（5）治疗脱力劳伤，贫血头晕：明党参一两，切细，鸡蛋 2 个，打碎搅拌，蒸熟食。

（6）治疗高血压：明党参五钱，怀牛膝五钱。煎汤服。

（7）治疗疔疮肿毒：明党参 9 g，蒲公英、紫花地丁各 15 g。煎汤服。

（8）治疗妊娠呕吐：明党参、竹茹、生白术各 9 g，黄芩 5 g，甘草 3 g。煎汤服。

（9）治疗肺热咳嗽：明党参、桑白皮、枇杷叶各 9 g，生甘草 3 g。煎汤服。

| 资源利用 | 一、在医药领域中的应用

明党参具有较好的养阴和胃功能，为补脾消食片、参苓健体粉成方制剂的主要成分，用于脾胃虚弱，消化不良；配伍乌梅参苓白术汤，可治疗小儿顽固性腹泻；配伍补气、养阴、疏肝理气药，可用于戒毒，益气生津、培补脾胃，降低复吸率。单味制剂明党参浸膏溶液为强壮剂，用于一般衰弱症、失眠多梦、心悸气短、食欲不振、健忘、性神经衰弱及生殖机能衰退、贫血引起的口渴自汗等。民间明党参与仙鹤草、大枣等煎服可治疗贫血引起的头晕无力。

明党参根皮中的呋喃香豆素类成分具有保护血管内皮细胞、抗肿瘤等多种药理活性，vaginatin 为倍半萜类化合物，具有抑制前脂肪细胞分化、降低细胞甘油三酯的作用，具有潜在的新药开发前景。

二、在保健食品中的应用

明党参具有润肺化痰、抗血栓、抑制血小板聚集、降血脂、耐缺氧、清除自由基、抗疲劳、增强免疫功能等多种药理活性，可以开发为清咽、辅助降血脂、抗氧化、缓解疲劳的保健食品。明党参含 29% 的淀粉及丰富的糖类，可用以制作保健酒，强壮滋补。

三、在畜牧业中的应用

明党参加工刮下的外皮（根皮）可用于制作猪饲料。

| 附　注 | 与明党参同科不同属的植物川明参 Chuanminshen violaceum Sheh et Shan，以干燥根入药，主产于四川金堂、绵阳、内江、达川，多为栽培，很少野生，以金堂和青北江一带所产的川明参药材质量最佳，具有祛风解热、补肺镇咳的功能。川明参药材呈长圆条形，长 7 ~ 30 cm，直径 0.8 ~ 12 cm，头尾粗细略相等。先端无芦头或偶有芦头，平截或略细小，有竹条穿孔的痕迹，下端尾部略细瘦，但仍匀正圆满，无尾须，外表无粗皮。全体呈黄色或淡棕色，细致平均，有极稀疏似环带状的条纹，环纹凹下处常附有未去净的粗皮。极细，体坚实，断面黄白色，呈半透明或微透明状，内心有数圈白色透明的环层，中央略现白心。气微弱，嚼之有浓甜味。四川、湖北西部、湖南及贵州部分地区生产的"明党参"均为此种，应注意甄别。

参考文献

[1] 王肯堂. 证治准绳（四）：疡医 [M]. 上海：上海卫生出版社，1957.
[2] 吴仪洛. 本草从新 [M]. 校刻本. 瓶花书屋，1870（清同治九年）.
[3] 赵学敏. 本草纲目拾遗 [M]. 北京：人民卫生出版社，1963.
[4] 赵其光. 本草求原 [M]. 刻本. 养和堂，1848（清道光二十八年）.

[5] 陈仁山. 药物出产辨 [M]// 郑洪，刘小斌. 民国广东中医药专门学校中医讲义系列药物方剂类. 上海：上海科学技术出版社，2017.

[6] 新安，王一仁. 饮片新参 [M]. 上海：千顷堂书局，1936.

[7] 中国科学院植物研究所，南京中山植物园药用植物组. 江苏省植物药材志 [M]. 北京：科学出版社，1959.

[8] 国家药典委员会. 中华人民共和国药典：一部 [M]. 北京：中国医药科技出版社，2015.

[9] 中国科学院中国植物志编辑委员会. 中国植物志：第五十五卷 第一分册 [M]. 北京：科学出版社，1979.

[10] 刘守炉，叶锦生，陈重明，等. 中国明党参属植物综合研究 [J]. 植物研究，1991，11（2）：75-83.

[11] 程翔，黄致远，宗世贤. 珍稀中药材明党参的生态地理分布、利用与保护 [J]. 中国中药杂志，1993，18（6）：327-329.

[12] 严辉，段金廒，孙成忠，等. 基于 TCMGIS 的明党参产地适宜性研究 [J]. 南京中医药大学学报，2012，28（4）：363-366.

[13] 何树兰，周康，邓飞，等. 明党参的就地扩栽试验 [J]. 中国野生植物资源，2000，19（3）：52-53.

[14] 中国药材公司. 中国常用中药材 [M]. 北京：科学出版社，1995.

[15] 镇江医药公司. 明党参培植法 [J]. 药学通报，1959（4）：163-164.

[16] 潘恒勤. 明党参野转家种栽培技术鉴定会在镇江召开 [J]. 中草药，1982，13（10）：9.

[17] 彭国忠. 明党参野生转家种籽播现场会在江苏丹阳县召开 [J]. 中药材科技，1982（3）：31.

[18] 陈建伟，许益民，王亚淑，等. 江苏栽培与野生明党参中氨基酸组成分析 [J]. 南京中医药大学学报，1993，9（2）：26-27.

[19] 步达，段志富，李恩彬，等. 江苏栽培明党参中 γ-氨基丁酸累积规律研究 [J]. 现代中药研究与实践，2012，26（6）：26-28.

[20] 任东春，钱士辉，杨念云，等. 明党参化学成分研究 [J]. 中药材，2008，31（1）：47-49.

[21] 李祥，陈建伟，方泰惠，等. 中国特有植物明党参化学成分和药理研究进展 [J]. 中国野生植物资源，1998，17（2）：13-16.

[22] 陈建伟，段志富，李祥，等. 明党参药材水溶性活性成分的研究 [J]. 天然产物研究与开发，2010，22（2）：232-234，247.

[23] 陈建伟，李祥，吴慧平，等. 明党参多糖对 NF-κB 结合活性的影响 [J]. 南京中医药大学学报，1999，15（6）：356-357.

[24] 李祥，陈建伟，黄玉宇. 明党参炮制品对凝血时间、血小板聚集的影响 [J]. 中成药，1998，20（7）：17-19.

[25] 黄宝康，郑汉臣，王忠壮. 野生与栽培明党参抗疲劳和耐缺氧作用比较 [J]. 海军医高专学报，1996，18（1）：13-15.

[26] 周萍，廖时萱，陈海生，等. 明党参化学成分的研究 [J]. 第二军医大学学报，1993，14（6）：572.

[27] 白钢钢，袁斐，毛坤军，等. 明党参根皮化学成分研究 [J]. 中草药，2014，45（12）：1673-1676.

[28] 陈建伟，白钢钢，李祥，等. Vaginatin 在制备防治肥胖药品或保健品中的应用：201510691318.3[P]. 2016-01-13.

（陈建伟）

木樨科 Oleaceae 女贞属 *Ligustrum*

女贞
Ligustrum lucidum Ait.

| 药 材 名 | 女贞子（药用部位：成熟果实。别名：女贞实、冬青子、白蜡树子）。

| 本草记述 | 女贞子，原名女贞实，始载于《神农本草经》。《本草经集注》云："叶茂盛，凌冬不凋，皮青肉白。"《本草图经》曰："今处处有之……其叶似枸骨及冬青木，极茂盛，凌冬不凋。花细，青白色。九月而实成，似牛李子。立冬采实，暴干。"并附有女贞实图。李时珍《本草纲目》曰："女贞、冬青、枸骨，三树也。女贞即今俗呼蜡树者，冬青即今俗呼冻青树者，枸骨即今俗呼猫儿刺者。东人因女贞茂盛，亦呼为冬青，与冬青同名异物，盖一类二种尔……女贞叶长者四五寸，子黑色；冻青叶微团，子红色，为异。其花皆繁，子并累累满树……木肌皆白腻。"并附有女贞图。以上本草图文经考证，与现今女贞子药材及其原植物相符。

| 形态特征 | 常绿乔木，树冠卵形；树皮灰绿色，平滑，不开裂。枝条开展，光滑无毛，有皮孔。单叶对生，革质，卵形或卵状披针形，长 6 ~ 12 cm，宽 3 ~ 8 cm，先端渐尖，基部楔形或近圆形，全缘，叶表深绿色，有光泽，无毛，叶背浅绿色；叶柄长 1 ~ 3 cm。花两性，聚伞状圆锥花序顶生；花冠白色，花冠筒与花萼等长；雄蕊与花冠裂片近等长。浆果状核果近肾形，长约 1 cm，被白粉，成熟时深蓝色。花期 5 ~ 7 月，10 ~ 11 月果实成熟。

| 资源情况 | 一、生态环境

野生女贞多生于海拔 200 ~ 2 900 m 的山坡、丘陵向阳处的混交林、林缘。家种女贞多栽培在路边、庭园、田埂或村旁。适应性强，喜光，稍耐阴，喜温暖湿润气候，稍耐寒，不耐干旱和瘠薄，适宜在湿润、背风、向阳处生长，尤其是在深厚、肥沃、腐殖质含量高、微酸性至微碱性的土壤中生长良好。

二、分布区域

产于华东至华南、西南各省区，向西北分布至甘肃、陕西。江苏各地均有分布，尤以东台、海安等沿海滩涂地区为多。

三、栽培历史与产地

自《神农本草经》开始，女贞就已被作为药物使用并一直以单个种而存在。女贞原生于我国长江流域及南方各地，北方不甚寒冷之处也有引种。我国湖南、四川、江苏、浙江、河南等地均有种植，主产于浙江金华，江苏淮安、盐城，湖南衡阳，四川简阳、安岳等地。采摘女贞果实较多的省份主要有四川、江苏、湖北、安徽、湖南等。随着女贞作为绿化树种种植数量的增加，女贞子的产量也逐年递增。

四、栽培面积与产量

女贞种植面积很广，在江苏沿海地区作为海防林栽培，仅盐城东台地区种植面积即有 3 万余亩，全国总产量在 10 000 t 以上。

五、规范化生产技术

1. 繁殖方法

女贞种植必须选择向阳坡地，以土壤肥沃、质地疏松、土层深厚、排水良好的砂壤土为宜。选地后，于秋季翻耕，并施足底肥，耙细整平后做成宽 1 m、高 13 ~ 15 cm 的苗床。

2. 播种

将成熟后采收的种子，搓擦去种皮，洗净阴干，湿沙层保存。播种前温水浸种、催芽，待种子萌动后播种。一般在 12 月下旬播种，条播、撒播均可。于畦床上开沟，沟距 15 cm，沟深 4 ~ 6 cm，将种子均匀播于沟中，覆土厚 1 ~ 1.5 cm。一般于 2 ~ 3 月或 11 月间按行株距 3.5 ~ 4 m 开穴，穴深 40 cm，穴底施基肥，加土 15 ~ 20 cm，取 1 ~ 2 年生苗（大苗要带泥土，并剪去部分枝叶）栽于穴内，覆土压实。此外，也可采用扦插、压条繁殖方法，一般多在春、秋两季进行。

3. 田间管理

育苗地幼苗出土后，要及时松土除草，防止草荒。当苗高 10 ~ 13 cm 时，进行第 1 次松土除草，以后每年进行 2 ~ 3 次。冬、夏季要结合松土除草进行根部培土，

移栽地遇天气干旱时要浇水。秋栽后每年追肥2次，第1次于立秋前，第2次于立冬前后进行，以有机肥为好，施肥情况视植株生长情况而定。从幼树成活后的翌年开始，在冬末春初进行1次修枝造型，剪去枯枝、弱枝和根部萌生枝，如遇主干弯曲，需用木撑架枝整形，使其逐步形成树冠。成龄树视生长情况，每年进行1次修整枝条，以利定向生长、通风透光，促进果枝发育。

4. 病虫害防治

病害主要为锈病。危害后，叶表面产生黄褐色粉末，最终导致叶片失水、枯焦死亡。防治方法为发病初期喷20%萎锈灵乳油400倍液、50%退菌特可湿性粉剂800倍液或1∶1∶200的波尔多液；发病期间每15天左右喷1次25%粉锈灵可湿性喷雾剂2 500～3 000倍液。虫害有女贞尺蛾、白蜡虫、云斑天牛等，可用90%敌百虫1 000～1 500倍液、25%亚胺硫磷乳油1 000倍混合液喷雾防治。

| **采收加工** | 10～12月间果实成熟变黑而被有白粉时采摘，晒干；或将果实置沸水中略烫后，晒干；或者置沸水中稍蒸后，晒干。

| **药材性状** | 本品呈卵形、椭圆形或肾形，长6～8.5 mm，直径3.5～5.5 mm。表面黑紫色或灰黑色，皱缩不平，基部有果柄痕，或具宿萼及短梗。外果皮薄，中果皮较松软，易剥离，内果皮木质，黄棕色，具纵棱，破开后种子通常1。种子肾形，紫黑色，油性。体轻。气微，味甘、微苦、涩。

女贞子药材

| **品质评价** | 女贞子以粒大、饱满、色灰黑、质坚实者为佳。加工方法中以晒干所得商品为佳，但因煮后更易于干燥，故生晒佳品少见。

| 功效物质 | 女贞子药材中的主要成分有三萜类、黄酮类、环烯醚萜类、苯乙醇苷类、多糖类、脂肪酸类、氨基酸和微量元素等。

一、三萜类

三萜类化合物在女贞子中的含量为 5.61%，其主要骨架为齐墩果烷型、羽扇豆烷型、乌索烷型和达玛烷型。目前，已成功从女贞子中分离出齐墩果酸、齐墩果酸甲酯、熊果酸、3-*O*- 乙酰熊果酸、3- 羰基齐墩果酸、羽扇豆醇、19*α*- 羟基熊果酸、3-*O*- 乙酰齐墩果酸、白桦脂醇、fouquierol、19- 羟基 -3-*O*- 乙酰熊果酸、(*Z*)- 马斯里酸 -3-*O*- 对香豆酸酯和 (*E*)- 马斯里酸 -3-*O*- 对香豆酸酯等化学成分。

二、黄酮类

黄酮类化合物具有降脂作用。目前已成功从女贞子中分离鉴定出芹菜素、木犀草素、芹菜素 -7-*O*- 乙酰 -*β*-D- 葡萄糖苷、芦丁和槲皮素等黄酮类化合物。

三、环烯醚萜类

环烯醚萜类化合物是女贞子的主要成分之一，包括女贞苷、10- 羟基女贞苷、女贞苷酸、橄榄苦苷、特女贞苷等。其中，特女贞苷是女贞子特征性化合物，现已作为药典质量控制的含量测定指标。

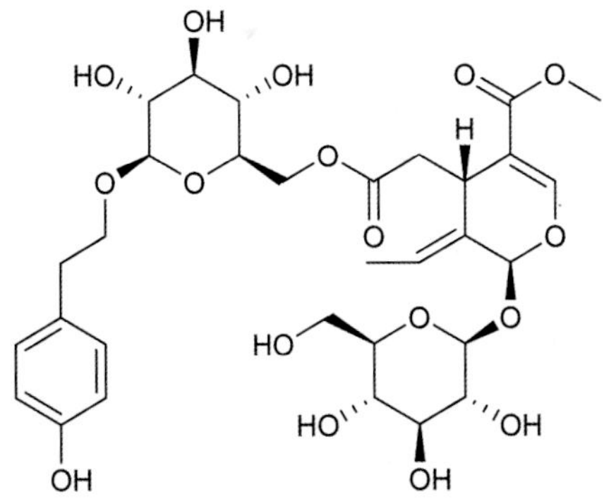

特女贞苷化学结构

四、苯乙醇苷类

苯乙醇苷类属水溶性天然酚类化合物，主要分为苯乙醇单糖苷、双糖苷、三糖苷和四糖苷，包括毛蕊花苷、北升麻宁、2-（3,4- 二羟基苯基）乙基 -*O*-*β*-D- 吡喃葡萄糖苷、3,4- 二羟基苯基乙醇、红景天苷、对羟基苯乙醇、对羟基苯乙醇 -*O*-*β*-D- 葡萄糖苷等。

五、多糖类

多糖类化合物广泛存在于植物中，对细胞的免疫效应具有促进作用。女贞子多糖是女贞子具有多种功效的物质基础之一，主要由阿拉伯糖、葡萄糖、蔗糖、鼠李糖和岩藻糖组成。

六、脂肪酸类

女贞子脂肪酸成分以油酸和亚油酸为主，主要为不饱和脂肪酸，相对含量占 88.14% 以上。此外，还有棕榈酸、棕榈油酸、硬脂酸、α- 亚麻酸。α- 亚麻酸具有降血脂、降血压、抗血栓、防治动脉粥样硬化、抗肿瘤及提高机体免疫力的活性，并具有延缓衰老的功效，有望成为一种营养价值较高的食用植物油。

七、其他类

女贞子还含有挥发油、氨基酸，以及镍、铁、锌、铬、钼、锰、铜、钒、钴等微量元素。

| 功能主治 | 甘、苦，凉。归肝、肾经。滋补肝肾，明目乌发。用于眩晕耳鸣，腰膝酸软，须发早白，目暗不明。

| 用法用量 | 6 ~ 12 g。内服煎汤，三至五钱；或入丸、散剂。

| 传统知识 | 基于文献梳理和中药资源普查过程中调查走访收集的传统用药知识，记录于此。

（1）补腰膝，壮筋骨，强阴肾，乌髭发：女贞子（冬至日采，不拘多少，阴干，蜜酒拌蒸，过一夜，粗袋擦去皮，晒干为末，瓦瓶收贮，或先熬干，旱莲膏旋配用），旱莲草（夏至日采，不拘多少）捣汁熬膏，和前药为丸，临卧酒服。

（2）治疗神经衰弱：女贞子、旱莲草、桑椹子各五钱至一两，煎汤服；或女贞子二斤，浸米酒二斤，每天酌量服。

（3）治疗风热赤眼：女贞子不以多少，捣汁熬膏，净瓶收固，埋地中 7 日，每用点眼。

（4）治疗视神经炎：女贞子、草决明、青葙子各一两。煎汤服。

（5）治疗瘰疬，结核性潮热等：女贞子三钱，地骨皮二钱，青蒿一钱五分，夏枯草二钱五分。煎汤，日 3 次分服。

（6）治疗肾受燥热，淋浊尿痛，腰脚无力，久为下消：女贞子四钱，生地六钱，龟板六钱，当归、茯苓、石斛、花粉、萆薢、牛膝、车前子各二钱，大淡菜 3 枚。煎汤服。

（7）补肾滋阴：女贞子去梗叶，浸酒中一日夜，擦去皮，晒干，研为末，待旱莲草出时，采数石，捣汁熬浓，和末做成丸子，如梧子大。每夜服百丸，酒送下。十余天后，体力增加，老人不再起夜。亦能变白发为黑发，强腰膝，起阴气。

又方：初冬采收后阴干的女贞实，酒浸一日，蒸透晒干，取一斤四两；夏季采收并阴干的旱莲草，取十两；晚春采收并阴干的桑椹子，取十两。三味共研为末，加炼蜜做成丸子，如梧子大。每服七八直丸，淡盐汤送睛。若是五月采的幼桑椹，八月采的旱莲，则可直接捣汁和药，不用加蜜。

（8）治疗口舌生疮，舌肿胀出：女贞叶捣汁含浸吐涎。

（9）治疗一切眼疾：女贞叶捣烂，加朴硝调匀贴眼部。

| **资源利用** | 一、在医药领域中的应用

女贞子的药用历史悠久，《神农本草经》将女贞子列为上品，言其"主补中，安五脏，养精神，除百疾。久服肥健轻身不老"。现代医学研究认为，女贞子对肝肾阴虚所致的眩晕耳鸣、腰膝酸软、须发早白、目暗不明具有显著疗效，临床上常用于白细胞减少症、冠心病、呼吸道感染、高脂血症、肿瘤、糖尿病、慢性肝炎、老年脂褐质斑、眼部疾病等。常用于二至丸、抗骨质增生丸、滋补肝肾丸、健肾生发丸、壮腰健肾丸、女贞汤、贞芪扶正胶囊、益肾灵颗粒、乙肝养阴活血冲剂等成方制剂中。

二、在保健食品中的应用

在国家卫生健康委员会《关于进一步规范保健食品原料管理的通知》中，女贞子名列可用于保健食品的物品名单中，且传统养生食疗方中就有山药女贞老鸭煲、女贞决明子汤、女贞子桂圆猪肉汤、女贞子黑芝麻瘦肉汤、女贞参枣粥和女贞子酒等。近年来，女贞子的食品开发研究工作也逐渐开展，虽处于起步阶段，但也取得了一定成果。江西省农学会、江西省林业科学院、江西省商业科学技术研究所联合研制女贞果饮料，通过研究解决了女贞果汁提取方法和果汁饮料配制等关键技术问题，提出了一种能充分提取女贞果内有效成分的分级提取分离方法。此项方法于2000年被国家知识产权局授予发明专利（专利号为96107808.1）。研制出的女贞果饮料具有良好的口感，且营养物质丰富，是一种天然保健性饮料。女贞果饮料的研制成功，为女贞子的开发利用提供了一条新的途径。女贞茶是天然保健性饮料，味道酸甜适口，还含有氨基酸、微量元素及齐墩果酸等营养和活性物质。此外，还开发出女贞子食用色素、女贞子酒、女贞子药粥等。女贞子酒具有补益肝肾、抗衰祛斑的功效，女贞子药粥由女贞子、枸杞子、粳米等制成，可防治老花眼。

三、在畜牧业中的应用

作为中草药的一种，女贞子常以单体或复合物的形式被应用于畜牧养殖中。研究表明，饲料中添加女贞子可提高育成鸡免疫器官指数。对于肉仔鸡，女贞子

可提高其抗氧化机能，调节其体内脂肪代谢，改善鸡肉品质风味，并可维护机体健康，增强机体抗应激能力。女贞子中所含有的氨基酸、矿物元素、蛋白质、未知生长调节因子等多种物质也是饲料营养成分的有益补充。女贞子对断奶仔猪细胞免疫和体液免疫均有一定程度的改善作用，可显著提高断奶仔猪的平均日增重，降低料重比。女贞子作为传统补益类中药，具有药用和营养补充双重功效，将女贞子应用于畜禽养殖业中，可促进畜禽的生产发育，降低腹泻率，提高平均日增重，同时调节脂类代谢，改善生产性能；女贞子的多种生物活性成分可调节畜禽机体的应激能力，具有抗病毒、抗氧化性，可促进免疫器官的发育，用作免疫增强剂和免疫佐剂添加到畜禽日粮中，可改善畜禽产品品质。女贞子来源广泛、安全性高、无毒副作用、无残留等优点为其在畜禽养殖业中的应用提供了广阔空间。

四、在化工领域中的应用

女贞子含油率约15%，主要包括油酸（44.34%）、亚油酸（41.9%）、棕榈酸（4.5%）、硬脂酸（1.8%）、α-亚麻酸（0.87%）等脂肪酸类成分，其中，不饱和脂肪酸占88.2%，饱和脂肪酸仅占6.4%。因此，女贞子油是一种营养价值较高且值得开发利用的食用植物油。女贞是白蜡虫的寄主之一，还可借助女贞放养白蜡虫。白蜡虫分泌的白蜡是重要的化工原料及医药原料，也是我国传统的出口产品。女贞的花含多种植物清油，如橙花醇、月桂烯等，可提取芳香油，应用于香料制作及医药工业中。

五、在园林绿化领域中的应用

女贞四季婆娑，枝干扶疏，枝叶茂密，树形整齐，是园林中常用的观赏树种，可于庭院孤植或丛植，亦可作为行道树。因其适应性强，生长快且耐修剪，也可用作绿篱。女贞播种繁殖育苗简单，还可作为砧木，嫁接繁殖桂花、丁香、金叶女贞。

| **附　注** | 女贞属植物我国产29种、9变种、1亚种、1变型，其中2种系栽培种。女贞属植物大多为药用植物，以女贞 *Ligustrum lucidum* Ait 为例，女贞子的果实、种子、树皮、叶、根均可入药，且毒性较低。女贞叶提取物具有祛痰、镇咳作用，可抑制牙周致病菌。小叶女贞 *Ligustrum quihoui* Carr. 叶的提取物具有清除自由基、止咳、平喘、增强免疫的作用。日本毛女贞 *Ligustrum japonicum* Thunb. 叶的提取物具有降血脂、抑制血栓形成的作用。粗壮女贞 *Ligustrum robustum* (Roxb.) Blume 叶的提取物具有降血压、消炎镇痛、保护肝脏、抗氧化的作用。以紫茎女贞 *Ligustrum purpurascens* Y. C. Yang 叶片为原料制作的苦丁茶具有降压减肥、

抑癌防癌、调节机体、抗辐射、抗衰老、活血脉、降血脂、改善血液黏稠度、扩张微血管、改善微循环等药理功效和营养保健作用。因此，对女贞属植物进行系统的研究，对于充分利用该属植物的药用资源具有重要的意义。

参考文献

[1] 黄奭. 神农本草经 [M]. 北京：中医古籍出版社，1982.

[2] 苏颂. 本草图经 [M]. 尚志钧辑校. 合肥：安徽科学技术出版社，1994.

[3] 李时珍. 本草纲目 [M]. 北京：人民卫生出版社，1982.

[4] 刘芳，余世荣，张晓燕，等. 冬至前后女贞子中 3 种活性物质积累量的变化研究 [J]. 中国药师，2019，22（5）：864-866，935.

[5] 高赛，周欣，陈华国. 女贞子化学成分及质量控制研究进展 [J]. 中国中医药信息杂志，2018，25（12）：133-136.

[6] 徐小花，杨念云，钱士辉，等. 女贞子黄酮类化合物的研究 [J]. 中药材，2007，30（5）：538-540.

[7] 冉战杰，何国景. 女贞栽培技术问题研究 [J]. 科技致富向导，2014（35）：10.

[8] 罗世炜. 女贞子的研究与开发 [J]. 农村经济与科技，2010，21（5）：140-141.

[9] 江立虹. 女贞子开发研究现状及前景 [J]. 江西林业科技，2004（4）：46-48.

[10] 杨梦丽，何万领，李晓丽. 女贞子及其提取物在畜牧生产中的应用研究进展 [J]. 饲料与畜牧，2017（21）：56-59.

[11] 杨曦，蒋桂华. 女贞子的研究开发现状与展望 [J]. 时珍国医国药，2008，19（12）：2987-2990.

[12] 屠宴会，高南南. 木樨科女贞属植物主要化学成分及药理作用研究概况 [J]. 时珍国医国药，2007，18（5）：1228-1230.

[13] YANG N Y, XU X H, REN D C. Secoiridoid constituents from the fruits of *Ligustrum lucidum*[J]. Helvetica Chimica Acta, 2010, 93（1）：65-71.

[14] XU X H, YANG N Y, QIAN S H. Dammarane triterpenes from *Ligustrum lucidum*[J]. Journal of Asian Natural Products Research, 2008, 10（1）：33-37.

（钱大玮　杨念云）

罗布麻
Apocynum venetum L.

| 药 材 名 | 罗布麻叶（药用部位：叶。别名：吉吉麻、红麻、小花罗布麻）。

| 本草记述 | 罗布麻始载于《神农本草经》，名泽漆，被列为下品。《后汉书》
称漆叶，又叫泽漆麻。南北朝时期《名医别录》载："一名漆茎，
大戟苗也。生太山川泽。"《本草经集注》曰："此是大戟苗，生
时摘叶有白汁，故名泽漆。"《日华子本草》曰："此即大戟花，
川泽中有，茎梗小，有叶，花黄，叶似嫩菜，四、五月采之。"宋
代《本草图经》载："今冀州、鼎州、明州及近道亦有之。"并附
有冀州泽漆图，图示植物根较粗大，叶为卵状披针形，中脉明显，
花序既在顶枝发出，又在侧枝上发出。上述特征与罗布麻特征相同，
而与现在"泽漆"不符。可见明代以前泽漆与罗布麻、大戟混淆。
明代《救荒本草》记载："采嫩叶，蒸过晒干，做茶吃亦可。"清

代《本草纲目拾遗》记载："利水消疾如神，凡老年人五更咳嗽吐痰者，咳嗽止，痰亦消。"

| 形态特征 | 直立亚灌木，高 1.5 ～ 3 m；全株具乳汁。枝条圆筒形，光滑无毛，紫红色或淡红色。叶对生；叶柄长 3 ～ 6 mm；叶片椭圆状披针形至卵圆状长圆形，长 1 ～ 5 cm，宽 0.5 ～ 1.5 cm，先端急尖至钝，具短尖头，基部急尖至钝，叶缘具细牙齿，两面无毛。圆锥状聚伞花序一至多歧，通常顶生，有时腋生；苞片膜质，披针形，长约 4 mm，宽约 1 mm；花 5 基数；花萼裂片披针形或卵圆状披针形，两面被柔毛；花冠筒钟形，紫红色或粉红色，长 6 ～ 8 mm，直径 2 ～ 3 mm，花冠裂片卵圆状长圆形，与花冠筒几等长；雄蕊着生于花冠筒基部，花药箭头状，隐藏在花冠喉内，背部隆起，腹部黏生于柱头基部，花丝短；雌蕊长 2 ～ 2.5 mm，花柱短，上部膨大，下部缩小，柱头基部盘状，先端 2 裂；子房由 2 离生心皮组成；花盘环状，肉质，着生于花托上。蓇葖果 2，平行或叉生，下垂，长 8 ～ 20 cm，直径 2 ～ 3 mm；种子多数，卵状长圆形，黄褐色，长 2 ～ 3 mm，直径 0.5 ～ 0.7 mm，先端有一簇白色绢质种毛，种毛长 1.5 ～ 2.5 cm。花期 4 ～ 9 月，果期 7 ～ 12 月。

| 资源情况 | 一、生态环境

分布于沿海及内地半湿润及湿润区。生于盐碱荒地、沙漠边缘、河滩、草滩、山坡砂质土、林缘湿地及多石的山沟等。耐寒、耐旱、耐碱又耐风。适于多种气候和土质，即使在夏季干旱、温度 50 ℃以上的吐鲁番盆地也能生长良好。

二、分布区域

江苏主要分布于射阳、滨海、东台、大丰、连云港市区、响水、灌云、邳州、睢宁、铜山、宝应、启东、通州、如东等地。

三、蕴藏量

江苏有全国最广阔的沿海滩涂，盐渍化区域是罗布麻植物群落的适生区域，因此罗布麻自然资源丰富。

四、栽培历史与产地

罗布麻叶药材以采收野生资源为主，江苏沿海滩涂有大面积罗布麻野生资源分布，建国初期江苏北部各地曾有小面积的试种，至今省内无大规模栽培基地。

五、栽培面积与产量

我国是世界上罗布麻种植面积最大的国家，目前全国罗布麻种植面积约 2 000 万亩。其中，新疆是罗布麻分布最多、最集中的省区，约有 900 余万亩。江苏目前仅在滨海等地有少量规模化栽培。

六、规范化生产技术

1. 繁殖方法

可采用种子繁殖、根茎切段繁殖和分株繁殖的繁殖方法。

（1）种子繁殖。罗布麻种子小，每克种子约有 2 000 粒，宜在含盐碱较少的砂壤土上直播。4 月上旬做畦，每亩播种量 0.5 kg，将种子与湿沙拌匀播下。幼苗出土后，锄草松土，加强管理，可留苗 15 万余株，其余幼苗可移栽别处，风沙大的地区宜育苗移栽。

（2）根茎切段繁殖。将直根和横走根切成长 10 ～ 15 cm 的小段，每段上带有不定芽，按行株距 60 cm×30 cm 挖穴，每穴 1 ～ 2 条，以早春或冬季栽植为佳。

（3）分株繁殖。在春、秋两季进行，将近地面根茎处发生的株丛铲下，带少量须根，进行分株移栽。

2. 田间管理

罗布麻出苗后，要及早除草间苗，追施硫酸铵 1 次，当生出 5 对真叶后即可移栽定植。生长过程中其横走根不断发出新苗，使植株增多，当植株过多时，要适当移出，以利通风透光，使麻苗正常生长。

3. 病害防治

罗布麻的病害包括茎斑病和锈病。茎斑病在发生初期可喷洒波尔多液防治。锈病在 8 月起流行，可喷洒 25% 粉锈宁 1 000 倍液防治。

| **采收加工** | 现蕾开花期采摘，江苏地区应以麦收前后为宜，即 5 月中旬以后。摘后随即晾干，晾晒过程中不可受雨露潮湿，亦不宜强光久晒，否则叶片易霉坏或变质。

| **药材性状** | 本品多皱缩卷曲，有的破碎，完整叶片展平后呈椭圆状披针形或卵圆状披针形，长 2 ~ 5 cm，宽 0.5 ~ 1.5 cm。淡绿色或灰绿色，先端钝，有小芒尖，基部钝圆或楔形，边缘具细齿，常反卷，两面无毛，叶脉于下表面凸起。叶柄细，长约 4 mm。质脆。气微，味淡。

罗布麻叶药材

| **品质评价** | 罗布麻叶以叶片完整、色绿、无杂质者为佳。《中华人民共和国药典》规定，按醇溶性浸出物测定法项下的热浸法测定，用 75% 乙醇作溶剂，含醇溶性浸出物不得少于 20.0%；按高效液相色谱法测定，含金丝桃苷不得少于 0.30%。

罗布麻叶化学成分的激光共聚焦显微和组织化学定位结果表明，黄酮类成分主要分布于表皮细胞、角质层、厚角组织及导管壁中，且上表皮比下表皮分布多，成熟叶片的叶肉中也有积累；黄烷醇类成分主要分布于叶肉组织、韧皮部及乳汁管中；挥发性成分主要分布于栅栏组织中。

不同生长期、不同生长部位的罗布麻叶中主要化学成分的含量分析结果表明，表没食子儿茶素、芦丁、金丝桃苷、异槲皮苷、紫云英苷含量以花前期较高，花前期为罗布麻叶适宜采收期；山柰酚苷类（紫云英苷、三叶豆苷）在不同生长部位罗布麻叶中的含量呈现出上部叶＞中部叶＞下部叶的规律；金丝桃苷与异槲皮苷的比值，随生长期延长，呈递减趋势；主要挥发性成分的含量在6、7、8月持续上升。

不同产地罗布麻叶中多元指标成分分析结果表明，天津、吉林、新疆、江苏等产地的22批药材中，黄酮类、有机酸类、氨基酸类、核苷类等多种类型化学成分的含量均存在差异，难以直观评价，GRA综合评价显示，天津产罗布麻叶的质量较好。

不同盐胁迫下罗布麻叶中多元指标成分分析结果表明，不同盐胁迫（S1-0 mM、S2-100 mM、S3-200 mM、S4-300 mM）下罗布麻叶中多元指标成分呈现不同的变化规律，初步显示适度盐胁迫（100 mM）可促进罗布麻叶中黄酮等有效成分的合成与积累。

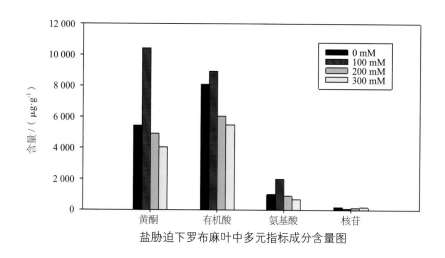

盐胁迫下罗布麻叶中多元指标成分含量图

不同盐胁迫下罗布麻叶中化学成分的差异性分析结果表明，不同盐胁迫下罗布麻叶中化学成分差异区分明显，初步筛选鉴定出金丝桃苷、紫云英苷、儿茶素、绿原酸、咖啡酸、新绿原酸、隐绿原酸等39种差异显著的化学成分，且呈现不同的变化规律。

| **功效物质** | 罗布麻叶中主要含黄酮类、鞣质、酸类、脂肪酸醇酯、醇类、甾体类、糖类、烷类、氨基酸类、矿物质元素、挥发油等化学成分。夹竹桃麻素A、夹竹桃麻素B、夹竹桃麻素C、夹竹桃麻素D具有保肝作用。

一、黄酮类

黄酮为罗布麻叶的主要药效成分，主要包括黄酮类和黄烷类。罗布麻叶中的黄酮类成分有金丝桃苷、槲皮素、异槲皮苷、三叶豆苷、紫云英苷、异槲皮苷-6'-O-乙酰基、三叶豆苷-6'-O-乙酰基等，其中以金丝桃苷含量最高。金丝桃苷和异槲皮苷为罗布麻叶降血压的主要活性成分。黄烷类成分是组成缩合鞣质的单体，目前已从罗布麻叶中分离出表儿茶素、表没食子儿茶素、没食子儿茶素、表儿茶素 -（4β-8）- 没食子儿茶素、表没食子儿茶素 -（4β-8）- 表儿茶素、儿茶素等 13 种化合物，其中儿茶素含量为 0.13%。

二、挥发性成分

罗布麻叶所含挥发性成分主要包括氧化石竹烯、1-α- 萜品醇、苯甲酸 -3- 己烯酯、3,7,11,15- 四甲基 -2- 十六碳烯 -1- 醇等。通过对挥发性成分进行研究并对不同采收时间的罗布麻叶的挥发性成分的动态积累进行比较，确定了罗布麻叶的最佳采收时间。

| 功能主治 | 甘、苦，凉。归肝经。平肝安神，清热利水。用于肝阳眩晕，心悸失眠，浮肿尿少。

| 用法用量 | 内服煎汤，6 ~ 12 g。

| 传统知识 | 江苏北部沿海居民饮用罗布麻汁液以清热祛火，并可防治头晕；或将罗布麻嫩叶在 180 ~ 200 ℃下烘炒，经揉捻、干燥后代茶饮。

| 资源利用 | 一、在医药领域中的应用

我国药用罗布麻历史悠久，自古民间即流传"高血压，不用怕，一年三斤罗布麻"。南北朝时期的《名医别录》《胡洽百病方》及明代的《救荒本草》等医书中均有关于罗布麻药用价值的记载；清代《本草纲目拾遗》中记载："浙常山，有面烟，利消痰如神，凡老人五更咳嗽吐痰者，嗽渐止，痰亦消。"2015 年版《中华人民共和国药典》记载："用于肝阳眩晕，心悸失眠，浮肿尿少。"罗布麻具有降血压、降血脂、止咳化痰、利尿消炎、清热降火、平肝息风、改善睡眠、延缓衰老、抗忧郁、改善人体呼吸和消化功能、治疗头晕目眩和浮肿等功效。

二、在保健食品中的应用

罗布麻茶作为一种多功能保健茶，具有降胆固醇和降血压的功效；可作用于神经系统，用于镇静、抗抑郁和抗焦虑；亦有显著的抗氧化作用。

三、在日化用品中的应用

罗布麻是一种野生优质纤维植物，其韧皮纤维细、洁白、柔软、弹力高、吸湿性好、散水散热快、耐腐蚀、强度大、透气性好、折射率大，具有丝样光泽，并具有远红外辐射功能。单纤维长 25.19 ~ 53.50 mm，宽 14.75 ~ 20.15 μm，出麻率 40% ~ 42%，品质优于亚麻、苎麻、大麻，可纯纺或混纺成 60 ~ 160 支的高级纱，织成数十种优良衣料。

| 附 注 | 我国罗布麻属植物分为 2 种，即罗布麻 *Apocynum venetum* L. 和罗布白麻 *Apocynum hendersonii* Hook. f.。大花罗布麻叶为罗布麻叶（红麻）的混淆品，在新疆地区作罗布麻叶茶饮，与罗布麻叶的主要区别在于叶片较大，长 2 ~ 6（ ~ 12 ）cm，宽 0.5 ~ 2.5 cm，多黄绿色；表面具细密皱纹及颗粒状突起，侧脉不明显；叶片稍厚，质硬；味微酸、涩。

参考文献

[1] 国家中医药管理局《中华本草》编委会. 中华本草：第 6 册 [M]. 上海：上海科学技术出版社，1999.

[2] 肖正春，张卫明. 我国古代对罗布麻的称谓及研究考 [J]. 中国野生植物资源，2016，35（3）：55-57.

[3] 许虎. 罗布麻叶结构发育过程与有效成分动态积累的相关性研究 [D]. 南京：南京中医药大学，2012.

[4] 韦超. 浅谈罗布麻的生长特点及物理、化学性能的研究 [J]. 中国纤检，2013（11）：85-87.

[5] 梅小雪. 罗布麻和苎麻纤维增强聚乳酸复合材料的制备与性能研究 [D]. 上海：东华大学，2016.

[6] 谭晓蕾，彭勇. 罗布麻茶的研究进展 [J]. 中国现代中药，2014，16（8）：666.

[7] 王宁，陈斌. 柴达木盆地资源植物—罗布麻的开发利用 [J]. 青海科技，2005（6）：15-16.

[8] 张月婵，宋建平，王媚，等. 罗布麻叶及其易混品的鉴定研究 [J]. 现代中药研究与实践，2008，22（3）：17-20.

[9] 许虎，刘训红，王媚，等. 罗布麻叶研究现状及设想 [J]. 现代中药研究与实践，2012，26（3）：85-88.

[10] 张月婵. 罗布麻叶的品质评价研究 [D]. 南京：南京中医药大学，2009.

[11] 许虎. 罗布麻叶结构发育过程与有效成分动态积累的相关性研究 [D]. 南京：南京中医药大学，2012.

[12] 许虎，王媚，刘训红，等. 罗布麻叶中黄酮类成分的定位与相对定量 [J]. 药学学报，2011，46（8）：1004-1007.

[13] 刘训红，张月婵，李俊松，等. HPCE-DAD 同时测定罗布麻叶中 4 种黄酮的含量 [J]. 中国药学杂志，2010，45（6）：464-467.

[14] CHEN C H, Xu H, LIU X H, et al. Site-specific accumulation and dynamic change of flavonoids in *Apocyni veneti* Folium[J]. Microscopy Research and Technique, 2017, 80（12）：1315-1322.

[15] CHEN C H, LIU Z X, ZOU L S, et al. Quality evaluation of *Apocyni veneti* Folium from different habitats and commercial herbs based on simultaneous determination of multiple bioactive constituents combined with multivariate statistical analysis[J]. Molecules, 2018, 23（3）：573-586.

[16] CHEN C H, WANG C C, LIU Z X, et al. Variations in physiology and multiple bioactive constituents under salt stress provide insight into the quality evaluation of *Apocyni veneti* Folium[J]. International Journal of Molecular Sciences, 2018, 19（10）：3042-3057.

[17] CHEN C H, WANG C C, LIU Z X, et al. Metabolomics characterizes metabolic changes of *Apocyni veneti* Folium in response to salt stress[J]. Plant Physiology and Biochemistry, 2019, 144：187-196.

[18] CHEN C H, CHEN J L, SHI J J, et al. A strategy for quality evaluation of salt-treated *Apocyni veneti* Folium and discovery of efficacy-associated markers by fingerprint-activity relationship modeling[J]. Scientific Reports, 2019, 9（11）：16666-16678.

（刘训红）

五加科 Araliaceae 五加属 Acanthopanax

五加
Acanthopanax gracilistylus W. W. Smith

| 药 材 名 | 五加皮（药用部位：根皮。别名：南五加皮、刺五加）。

| 本草记述 | 五加皮始载于《神农本草经》，被列为上品，后历代本草均有记载，又名五加，尚有豺漆、五花、木骨、追风使、刺通、白刺等异名。《名医别录》载："五加皮，五叶者良，生汉中及冤句，五月、七月采茎，十月采根，阴干。"《本草图经》云："今江淮、湖南州郡皆有之。春生苗，茎叶俱青，作丛。赤茎又似藤蔓，高三五尺，上有黑刺，叶生五叉，作簇者良。四叶、三叶者最多，为次。每一叶下生一刺。三四月开白花，结细青子，至六月渐黑色。根若荆根，皮黑黄，肉白，骨坚硬。蕲州人呼为木骨。"《蜀本图经》曰："树生小丛，赤蔓、茎间有刺，五叶生枝端，根若荆根，皮黄黑，肉白骨硬。"《本草蒙筌》曰："山泽多生，随处俱有。藤蔓类木，高并人肩。"

《本草纲目》曰："五加无毒，久服延年益老，功难尽述。春月于旧枝上抽条，山人采为蔬茹。"后经考证，《名医别录》中"五叶者良"为细柱五加。

| **形态特征** | 灌木，株高 2 ~ 5 m，有时呈蔓生状。枝无刺或在叶柄基部有刺。掌状复叶在长枝上互生，在短枝上簇生；小叶 5，很少 3 或 4，顶生的 1 叶最大，倒卵圆形至倒卵状披针形，长 3 ~ 6 cm，宽 1.5 ~ 3.5 cm，先端渐尖或钝，基部楔形，边缘有锯齿，两面无毛或叶脉有疏刺毛。伞形花序多单生于叶腋或短枝的先端，少有 2 集生，花序梗长 1 ~ 3 cm；花梗纤细，长 6 ~ 10 mm；花萼全缘或有 5 小齿；花瓣 5，黄绿色；雄蕊 5；子房 2（3）室，分离至基部。果实近圆球状，紫色至黑色，有种子 2。花期 5 月，果熟期 10 月。

| **资源情况** | 一、生态环境
生长于海拔 1 000 m 以下（东部）和 3 000 m（西部）的林缘、峡谷、路边、溪流岸边。
二、分布区域
分布于华东、华中、华南、西南地区及甘肃、陕西、山西等省区。江苏主要分布于江宁、溧阳、溧水、盱眙、润州、太仓、浦口、句容、金坛、栖霞、宜兴等地。

三、蕴藏量

江苏细柱五加蕴藏量较丰富。江宁、溧阳、溧水等地的样方调查显示细柱五加的单位面积蕴藏量约为 1 707（kg/km²）。

四、栽培历史与产地

江苏盱眙等地在 21 世纪初即开始探索细柱五加的扦插繁育，后结合实际情况，采用杨树与细柱五加套种模式栽培，并取得成功。

五、栽培面积与产量

江苏盱眙、润州、太仓等地有近千亩栽培规模，三至四年生五加皮亩产 100 ~ 200 kg。

六、规范化生产技术

由于细柱五加种子后熟及胚发育不全，生产上无法利用播种进行繁殖，因此主要采取扦插繁殖的方式。

扦插选取二年生或三年生的细柱五加枝条，剪成长 10 ~ 15 cm 的小段。扦插的基质为河沙和红土的混合基质，插前浇透水，插后每日定时浇水，生根率可达 100%。细柱五加属于典型阴生植物，人工栽培需要遮阴处理，宜采取套种的栽培方式。江苏盱眙等地实践表明，采用杨树与细柱五加套种的栽培方式效果较好。

| 采收加工 | 夏、秋季采挖根部，洗净，剥取根皮，晒干。

| **药材性状** | 本品呈不规则卷筒状，长 5 ～ 15 cm，直径 0.4 ～ 1.4 cm，厚 1 ～ 3 mm。外表面灰褐色，有纵皱纹及横长皮孔；内表面淡黄色或灰黄色，有细纵纹。质脆，折断面不整齐，深灰黄色。气微香，味微辣而苦。

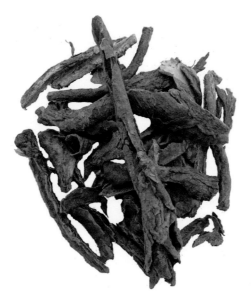

五加皮药材

| **品质评价** | 五加皮以粗长、皮厚、气香、无木心者为佳。《中华人民共和国药典》规定，按醇溶性浸出物测定法项下的热浸法测定，用乙醇作溶剂，含醇溶性浸出物不得少于 10.5%。

邹亲朋等研究表明，细柱五加叶中五加苷元的积累具有一定的规律性，秋季最高，可达 1.5%（10 月），春季次之，夏季最低，仅为 0.6%（8 月）。

| **功效物质** | 五加皮主要富含木脂素类、三萜类及挥发性成分等化学成分，以紫丁香酚苷及其葡萄糖苷为主，具有良好的抗疲劳及提高免疫的作用。

一、木脂素类

此类主要包括紫丁香酚苷和紫丁香树脂酚葡萄糖苷，具有与人参皂苷相似的生理活性。

二、三萜类

此类主要包含羽扇豆烷型、齐墩果烷型三萜类成分及其苷。

三、挥发性成分

五加皮所含挥发性成分主要为 4- 甲氧基水杨醛。

| 功能主治 | 祛风除湿，补益肝肾，强筋壮骨，利水消肿。用于风湿痹痛，筋骨痿软，小儿行迟，体虚乏力，水肿，脚气。

| 用法用量 | 内服煎汤，5 ~ 10 g。

| 传统知识 | 江苏地区民间有采摘细柱五加嫩叶食用的习惯。

| 资源利用 | 一、在保健食品中的应用

近年来，五加皮除应用于中药和中成药制剂中以外，还应用于药酒的配制中。五加皮酒即由五加皮泡酒制成，我国很早便有五加皮酒配制的记录，并在民国时期由少量民间酿造发展为商品化生产并畅销海内外。现今五加皮酒由五加皮、当归、川芎、玉竹、佛手、甘草、白术等 30 余味药料调配而成，出口东亚、东南亚等地区。研究表明五加皮酒具有抗疲劳等作用。

二、在畜牧业中的应用

研究表明五加皮作为中药材饲料添加剂能够提高黄鳝的免疫功能并可促进增重。

| 附 注 | 我国古代药用五加来源于五加科五加属的多种植物，部分地区将无梗五加 *Acanthopanax sessiliflorus* (Rupr. & Maxim.) Seem.、刺五加 *Acanthopanax senticosus* (Rupr. & Maxim.) Harms、糙叶五加 *Acanthopanax henryi* (Oliv.) Harms 和红毛五加 *Acanthopanax giraldii* Harms 等同属植物的根皮亦作五加皮使用。中药五加皮的代用品有土五加皮（来源于茜草科广花耳草 *Hedyotis ampliflora* Hance），混用品有地骨皮（来源于茄科枸杞 *Lycium chinense* Mill. 或宁夏枸杞 *Lycium barbarum* L.）和香加皮（又称北五加皮，来源于萝藦科杠柳 *Periploca sepium* Bge.），但香加皮没有五加皮的补益作用和双向免疫调节作用，且香加皮含有杠柳苷，具有类似毒毛花苷的毒性，临床上有将香加皮作五加皮用而造成中毒死亡的情况，因此二者不能混用。

参考文献

[1] 安士影，钱士辉，蒋建勤，等 . 细柱五加叶的化学成分 [J]. 中草药，2009，40（10）：1528-1534.

[2] 钱士辉，袁丽红，曹鹏，等 . 细柱五加枝叶提取物的抗肿瘤和抗血管生成活性 [J]. 中药材，2009，32（12）：1889-1891.

[3] 张静岩，濮社班，钱士辉，等 . 细柱五加果实化学成分研究 [J]. 中药材，2011，34（2）：226-229.

[4] 王康才，王立会，汤兴利，等 . 江苏地区 3 个居群细柱五加叶片显微结构及光合特性研究 [J]. 安徽农业大学学报，2011，38（5）：651-655.

[5] 吴宝成，韦敏，宋春凤，等 . 江苏地区杨树林下套种细柱五加栽培模式 [J]. 江苏农业科学，2017，45（23）：156-160.

[6] 谢欣辛. 五加皮及其饮片的质量标准研究 [D]. 上海：复旦大学，2014.

[7] 楼之岑，秦波. 常用中药材品种整理和质量研究（北方编）：第 2 册 [M]. 北京医科大学联合出版社、中国协和医科大学，1995.

[8] 王立会. 细柱五加资源及化学成分、质量评价研究 [D]. 南京：南京农业大学，2010.

[9] 咸丽娜，钱士辉，李振麟. 细柱五加茎化学成分研究 [J]. 中药材，2010，33（4）：539-543.

（严　辉）

萝藦科 Asclepiadaceae 鹅绒藤属 Cynanchum

牛皮消
Cynanchum auriculatum Royle ex Wight

| 药 材 名 | 白首乌（药用部位：块根。别名：隔山消、白何首乌、一肿三消）。

| 本草记述 | 白首乌始用于晚唐，盛行于宋明，沿用至今。白首乌初与何首乌并列，唐代李翱《何首乌录》始有何首乌"雌、雄"同用的记载，言其"生顺州南河县田中，岭南诸州往往有之""其叶皆偏，独单背生，不相对，有雌雄……夜则苗蔓交""根如杯拳，削去黑皮，生啖之，南人因呼为何首乌焉"。宋代《开宝本草》首乌项下载"有赤、白二种，赤者雄、白者雌"。《本草图经》记载："何首乌，本出顺州南河县，岭外、江南诸州亦有，今在处有之，以西洛、嵩山及南京柘城县者为胜。春生苗，叶叶相对，如山芋而不光泽，其茎蔓延竹木墙壁间。夏秋开黄白花，似葛勒花。结子有棱，似荞麦而细小，才（穗）如粟大。秋冬取根，大者如拳，各有五棱瓣，似小甜瓜。此有二种：

赤者雄，白者雌。"宋代唐慎微《证类本草》沿用《本草图经》的记载。明代李中梓《木草通玄》指出："白者入气，赤者入血，赤白合用，气血交培。"明代李时珍《本草纲目》记载有"何首乌本出顺州南河县""白者入气分，赤者入血分"，可见自古以来何首乌即有赤、白之分，并有赤、白合用的传统。《中华本草》中记载白首乌"为萝摩科植物牛皮消和戟叶牛皮消的块根"，现普遍认为赤何首乌原植物为蓼科何首乌 *Fallopia multiflora* (Thunb.) Harald.，而白首乌原植物为萝摩科牛皮消 *Cynanchum auriculatum* Royle ex Wight、戟叶牛皮消 *Cynanchum bungei* Decne. 及隔山消 *Cynanchum wilfordii* (Maxim.) Hemsl.。

| 形态特征 | 蔓性半灌木，具乳汁。根肥厚，类圆柱形，表面黑褐色，断面白色。茎中空，被微柔毛，呈左旋相互缠绕。叶对生；叶片心形至卵状心形，长 4 ~ 10 cm，宽 5 ~ 10 cm，先端短渐尖，基部深心形，两侧呈耳状内弯，全缘，被微柔毛。聚伞花序伞房状，腋生；花萼近 5 全裂，反折；花冠辐状，5 深裂，裂片反折，白色，副花冠浅杯状，长于合蕊柱，每裂片内面中部有一三角形的舌状鳞片；雄蕊 5，花丝连成筒状，花药 2 室，附着于柱头周围，每室有黄色花粉块 1；雌蕊由 2 离生心皮组成，柱头先端 2 裂。菁荚果双生，基部较狭，中部圆柱形，上部渐尖，长约 8 cm，直径约 1 cm；种子卵状椭圆形至倒楔形，边缘具狭翅，先端有 1 束白亮的长绢毛。

| 资源情况 | 一、生态环境
生于沿海地区、山坡林缘、路旁灌丛或河流及水沟边潮湿地。江苏滨海为白首乌的道地产区，是著名的首乌之乡。滨海白首乌全生育期温度要求高于

10 ℃，活动积温 4 000 ～ 4 800 ℃，日照时数 1 500 ～ 1 600 小时，降水量 750 ～ 900 mm。滨海沿海黄河故道的白首乌种植地域具有湿润的季风气候、偏碱富钾的土壤条件、上淡下咸的特质水系、昼夜温差较大的海洋性气候等条件，这些生态因素综合形成了白首乌生长发育、优质高产的得天独厚的自然条件。

二、分布区域

白首乌分布于我国多地，江苏北部多地均有分布，其中滨海是道地产区。

三、蕴藏量

江苏中药资源野外普查发现，白首乌多为栽培，野生资源较为少见。

四、栽培历史与产地

滨海白首乌种植历史悠久。据 1932 年版《阜宁县志》（滨海原属阜宁）记载，"萝藦科何首乌（现专家认定为白首乌或白何首乌）产东北乡，采地下茎，以制粉甚益人，为本邑著产，与蓼科之何首乌同名异物"。《滨海县志》记载："早在清咸丰年间，境内农民种植白首乌作为食品食用，加工成首乌精粉，作为礼品进贡朝廷和馈赠亲友，并世代传承，沿种不息。"白首乌在滨海由野生种逐步驯化为当地特有的栽培种，其种植、加工和食用的历史已有 200 余年。

滨海白首乌已于 2008 年注册地理标志证明商标，2010 年获国家地理标志产品保护，2011 年获国家农产品地理标志保护，这是全国白首乌行业中唯一一个获得 3 项国家地理标志保护的原产地保护产品。

五、栽培面积与产量

目前白首乌的主要栽培地区为江苏滨海，全国 95% 的白首乌出产于此。滨海白首乌栽培区域集中在沿海黄河故道地区的滨海港经济区、滨海港镇、滨淮镇、八滩镇、八巨镇、界牌镇、东坎街道、天场镇、陈涛镇、现代农业产业园区及滨淮农场、淮海农场。滨海白首乌栽培面积最多时近 5 万亩，目前栽培面积超过 5 000 亩，鲜乌亩产约 1 000 kg，高产田块达 1 500 kg 以上，年鲜乌总产量可达 5 000 t。

六、规范化生产技术

1. 选地整地

选择地势开阔、阳光充足、排灌方便、土质疏松的砂壤土为宜。低洼积水、荫蔽少光、土质过于黏重的土壤不宜种植。种植前每亩施土杂肥 1 000 kg，深耕 30 cm 左右，整平耙细后，开沟做畦，畦宽 3 m 左右。苗床大小应根据地形，以及有利于排灌、田间操作及提高土地利用率而定。

2. 繁殖方法

（1）种子繁殖。于 4 月上中旬播种，选用前一年的种子，开沟撒播，覆土厚

3 cm，压实即可。通常情况下，每亩播种量为 1.5 ~ 2 kg，约 20 天即可出苗。待苗高 10 cm 时，可按行株距 50 cm×30 cm 定植大田。栽种以后覆盖地膜可提早萌发，延长生育期，提高产量。

（2）块根繁殖。此为生产上主要采用的繁殖方式。选用中等偏下的根系作种苗种植，可春栽也可秋栽，滨海采用春栽，即于 4 月中旬栽种。按行距 30 ~ 50 cm、株距 20 ~ 30 cm 开沟穴插，覆土压实。

（3）扦插繁殖。一般在 7 月进行，于雨天或阴天选择生长旺盛健壮的枝条剪成长 30 cm 的插条，每根插条必须有 2 ~ 3 个芽节，行株距同块根繁殖，每穴 2 ~ 3 个枝条，埋深 10 cm，覆土压实。

3. 田间管理

（1）施肥。以有机肥为主，后期辅以化学肥料提高产量。种植前施用充分腐熟的有机肥作基肥，滨海农户种植每亩施用家畜粪便肥 1 000 kg 或腐熟的菜棉籽饼肥 100 kg，春季播种时撒施后耕翻入土。追肥分两次进行，一次在齐苗后施用，通常情况下每亩施尿素 20 kg；另一次在块根膨大期（7 月底至 8 月初）施以膨大长粗肥，每亩施尿素 10 kg、钾肥 10 kg 或草木灰 40 kg，穴施，覆土压实。

（2）除草。幼苗期应勤除草，做到有草即除，主要采用人工除草。苗期结合松土进行除草。中后期植株藤蔓渐长，应采用人工拔除的方法除草，拔除过程中应尽量避免伤害植株藤蔓。

（3）灌溉排水。滨海白首乌喜湿润，耐寒、耐旱，但有旱情时必须进行灌溉，保持田地湿润，久雨不晴要及时排水。

4. 病虫害防治

褐斑病是危害白首乌的主要病害，中华萝藦肖叶甲、蚜虫等是危害白首乌的主要虫害，针对此可采取物理、化学药物、生物等综合防治措施。

（1）物理防治。前茬收获后及时清洁田地、四周残留物及杂草，减少蚜虫中间寄主，从而减少虫源量；可用黄板诱杀蚜虫，将其放于作物顶部 15 ~ 20 cm 处，板面以东西向为宜，每亩用量 15 ~ 20 片；可通过水旱轮作、冬季翻耕冻死虫蛹；成虫发生期可采用灯光和糖醋液诱杀蚜虫。

（2）化学药物防治。用 1 ：200 的波尔多液、1 ：300 的 75% 百菌清或 70% 代森锰锌喷雾可防治褐斑病，轻病 3 次，重病 5 次，每次间隔 7 天左右；用 80% 乳油 1 000 倍液、90% 晶体敌百虫 1 000 ~ 1 500 倍液喷雾可防治中华萝藦肖叶甲和蚜虫；用 90% 晶体敌百虫 1 000 倍液浇灌苗木根部，可防治蛴螬、种蝇幼虫等地下害虫。

（3）生物防治。蚜虫的天敌有蚜茧蜂、瓢虫、食蚜蝇、草蛉、蜘蛛、食蚜绒螨及寄生蜂等，可采用尽量少施灭杀天敌的农药、人工饲养和释放蚜虫天敌、利用蚜霉菌使蚜虫致病等微生物防治措施。

| 采收加工 | 滨海白首乌种植 3 ~ 4 年即可收获，以 4 年收为最佳，产量高。秋、冬季叶片脱落或春末萌芽前采挖。拔除支架，割除藤蔓，挖出块根，洗去泥沙，削去尖头和木部，按大小分级。

白首乌的加工包括清洗、去皮、干燥等步骤。白首乌采用清洗去皮机清洗、去皮，清洗水压在 0.2 MPa 以上，每桶次的清洗时间至少 40 分钟，期间每 3 ~ 5 分钟使用水枪冲洗一次，直至无浑水流出。去皮率在 95% 以上（块根表皮为非食用部分）。将原料从清洗去皮机内取出后，放到不锈钢网台上，晾干或用风机吹干表面水分，分拣出有黑头、虫蚀和去皮不干净者，人工用刀具刮除余皮，削除虫蚀、黑头及两头愈伤组织，即为可食用的白首乌块根原料，可根据需要进行深加工或进一步干燥贮存。白首乌干燥一般采用烘干法，烘干前应将直径在 8 cm 以上、长 12 cm 的白首乌（直径小于 8 cm 者不切）切成厚 4 cm、长 5 ~ 6 cm 的块状，或切成厚 3.3 cm、宽 5 cm 的小片，烘烤过程中逐渐降低炉温，并保持适当的炉温（45 ~ 60 ℃），每隔 7 ~ 8 小时用工具翻动一次。待烘烤 2 ~ 3 天，首乌块有七成干时，取出回潮 24 小时，使首乌块内部的水分向外渗透，再放入炉内烘至足干。烘干的首乌块装入麻袋或编织袋内，置干燥处存放，注意防潮防虫。

| 药材性状 | 本品呈类圆柱形或长纺锤形，略弯曲，长 10 ~ 20 cm，有的可至 50 cm，直径 1 ~ 4 cm。表面褐黄色或淡黄色，残留棕色至棕黑色的栓皮，有明显横纹及横长皮孔，有时具纵皱纹。质坚硬而脆，断面较平坦，类白色，粉性，有鲜黄色

放射状纹理。气微，味微甘而后苦。

| 品质评价 | 一般以块大、粉性足者为佳。当前药材市场上的白首乌商品按单个鲜重分为大于 0.5 kg、0.3 ~ 0.5 kg 和小于 0.3 kg 3 种规格。

| 功效物质 | 白首乌含有多种化学成分，其中最主要的有 C21 甾体类、苯酮类、多糖类等活性成分，这些成分与白首乌的多种药理活性密切相关。此外，白首乌还含有多

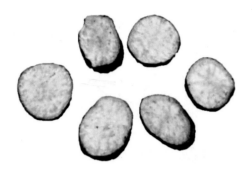

白首乌切片药材

完整白首乌药材

种人体必需的微量元素及粗蛋白、粗脂肪、游离的糖和淀粉等营养成分，因此，白首乌作为保健滋补品深受大众欢迎。

一、C21 甾体类

C21 甾体类化合物主要以游离的苷元和糖苷的形式存在于白首乌中，其基本骨架为典型的孕甾烯衍生物。C-3 位上有 β-OH，易与糖成苷，糖之间以 $1 \rightarrow 4$ 糖苷键相连，苷元主要有告达庭、开德苷元、萝藦苷元和加加明，糖基大多为 2,6- 去氧糖基，如洋地黄毒糖基、2- 去氧洋地黄糖基（迪吉糖）、夹竹桃糖基、磁麻糖、葡萄糖基。

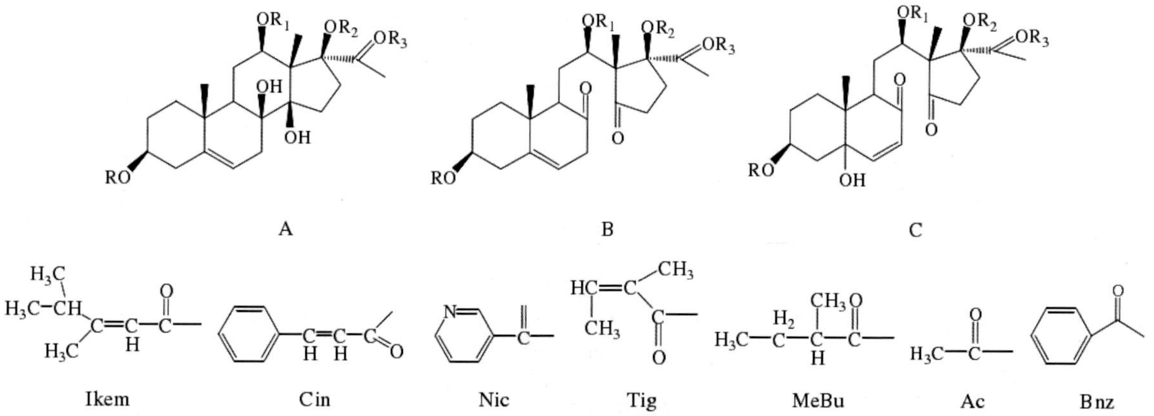

白首乌 C21 甾体类成分的母核和取代基结构

二、苯酮类

苯酮类化合物是白首乌的主要成分之一，其结构特征较为简单，主要为带 1 个或多个羟基的苯乙酮。通过不同的分离方法从戟叶牛皮消中分离出多种苯酮类化合物，主要为白首乌乙素、2,5- 二羟基苯乙酮、白首乌二苯酮、3- 羟基苯乙

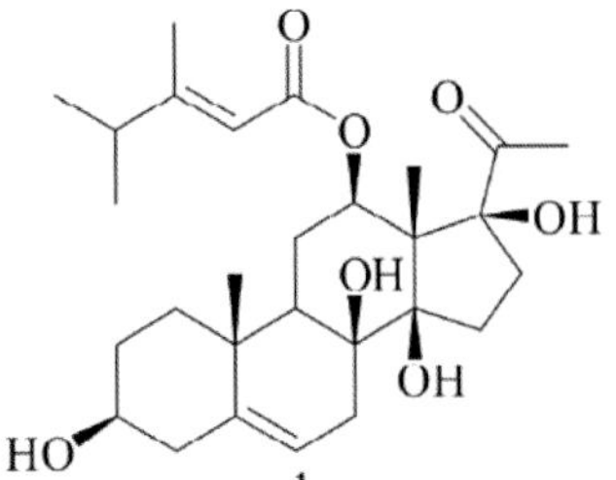

1
告达庭化学结构

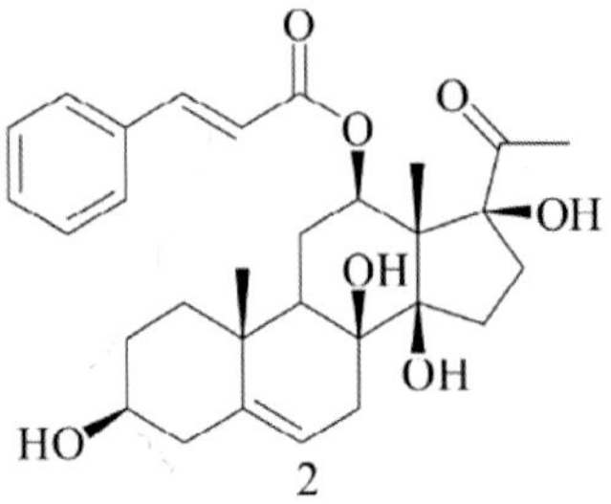

2
开德苷元化学结构

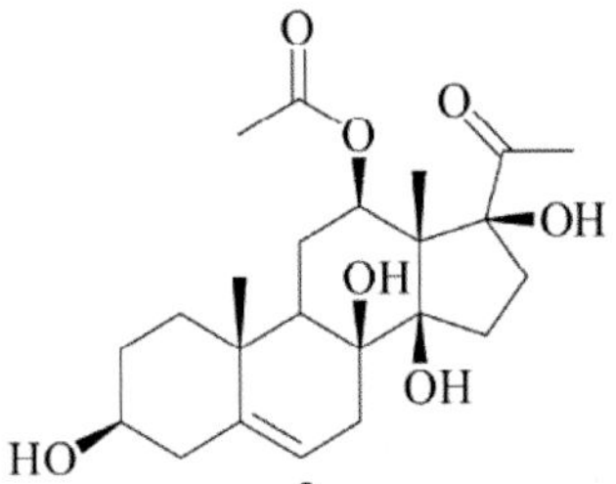

3
萝藦苷元化学结构

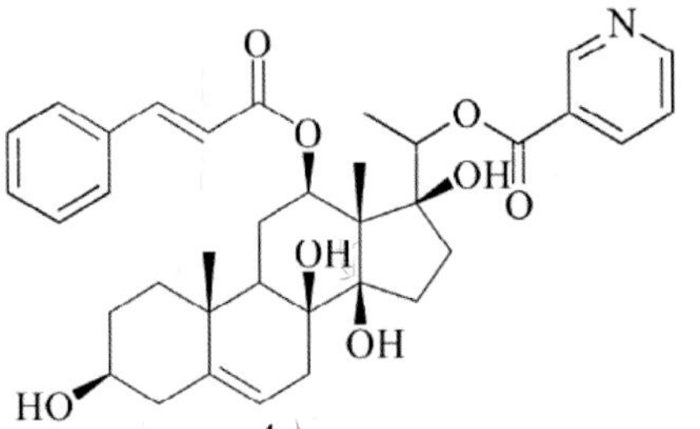

4
加加明化学结构

酮。从牛皮消 95% 乙醇提取物的氯仿和醋酸乙酯部位中得到了 cynandione A、cynandione B、cynandione C、cynanchone A、cynantetrone 5 个苯乙酮类化合物。

三、多糖类

多糖类成分存在于自然界众多植物中，白首乌中也含有大量的多糖类成分。通过 PMP 柱前衍生化法分析，发现滨海白首乌多糖主要由半乳糖醛酸、半乳糖、阿拉伯糖、鼠李糖、葡萄糖醛酸和甘露糖组成。

四、营养类物质

白首乌中含有淀粉、蛋白质、磷脂、人体必需的氨基酸、维生素和微量元素等丰富的营养成分。其中，淀粉含量最高，为白首乌块根的主要成分；磷脂类成分的含量一般在 0.076% 以上；维生素中以 B 族维生素含量最高；氨基酸总量可达到 0.805 mg/kg；白首乌中含有的微量元素主要为锌、铁，且锌的含量最高。

| 功能主治 | 苦、甘、涩，微温。归肝、肾经。滋补肝肾，强壮身体，养血补血，乌须黑发，收敛精气，生肌敛疮，润肠通便。用于久病虚弱，慢性风痹，腰膝酸软，贫血，肠出血，须发早白，神经衰弱，阴虚久疟，溃疡久不收口，老年便秘。

| 用法用量 | 内服煎汤，6 ~ 15 g，鲜品加倍；或研末，1 ~ 3 g；或浸酒。外用适量，鲜品捣敷。

| 传统知识 | 白首乌生品有润肠通便之功，用于肠燥便秘、痔疮出血。鲜品外用，可治疮痈初起、红肿热痛、跌打肿痛、毒蛇咬伤。

| 资源利用 |　一、在医药领域中的应用

白首乌作为传统中药在医药方面应用广泛。白首乌具有养阴清热、润肺止咳、强心、补肝肾的功效，可治疗神经衰弱、胃及十二指肠溃疡、肾炎、水肿、须发早白、腰膝酸软、筋骨不健、食积腹痛、小儿疳积、毒蛇咬伤、疔疮等，还可延年益寿，抗衰老。现代医学研究表明，白首乌含有多种活性物质，可直接杀伤肿瘤细胞和诱导肿瘤细胞凋亡，这与白首乌甾体酯苷亲脂基团和亲水基团有关；可增加免疫细胞的数量，增强免疫功能；可提高抗氧化酶的活性以减轻氧化自由基对机体的损害，从而达到延缓机体衰老的作用；可降血脂，预防冠心病和动脉粥样硬化；可促进胃肠运动、保护胃黏膜和修复损伤。

二、在保健食品中的应用

白首乌不仅具有抗肿瘤、抗氧化、保肝护肝、免疫调节、降血脂等多种药理活性，还可以作为保健食品，在养血益精、延缓衰老等方面发挥独特功效。滨海率先将白首乌加工成保健食品推向市场，在全国独具特色。目前，白首乌的加工产品已由过去单一的首乌粉发展到首乌速溶粉、首乌饮片、首乌超细破壁粉、首乌干条、首乌粉丝、首乌晶、首乌茶、首乌保健酒、首乌口服液、首乌延寿膏、首乌饴糖、首乌豆乳粉等多种品种。

三、在畜牧业中的应用

综合开发利用白首乌非药用方面的价值及牛皮消其他可药用部位，能发挥最大经济价值，造福人类。加工后的白首乌下脚料作为饲料添加剂可促进动物生长，增强抗病能力，同时牛皮消的地上藤蔓也可作养殖饲料。

| 附　　注 |　（1）中药白首乌的来源有 3 种，为萝藦科鹅绒藤属植物牛皮消 *Cynanchum auriculatum* Royle ex Wight、隔山消 *Cynanchum wilfordii* (Maxim.) Hemsl. 及戟叶牛皮消 *Cynanchum bungei* Decne. 的块根，三者的主要化学成分不同，疗效亦有所差异。滨海白首乌的基原为牛皮消 *Cynanchum auriculatum* Royle ex Wight，外观上与另 2 种基原及其他同科近缘种难以区分，因此易造成混用。

（2）DNA 条形码技术是利用基因组中一段公认的标准短序列进行物种鉴定的分子诊断新技术。ITS2 序列能够准确区分滨海白首乌及其近缘种。因此，作为 DNA 条形码的 ITS2 序列为准确、简便地鉴定滨海白首乌的基原及其近缘种药用植物提供了新的分子鉴定方法，保证了滨海白首乌临床选择用药的准确、安全。

参考文献

[1] 国家中医药管理局《中华本草》编委会.中华本草:第3册[M].上海:上海科学技术出版社,1999.

[2] 苏颂.本草图经[M].尚志钧辑校.合肥:安徽科学技术出版社,1994.

[3] 唐慎微.重修政和经史证类备用本草(影印本)[M].北京:人民卫生出版社,1982.

[4] 李时珍.本草纲目[M].北京:人民卫生出版社,1982.

[5] 中国科学院中国植物志编辑委员会.中国植物志:第六十三卷[M].北京:科学出版社,1977.

[6] 成少华,李晴,倪卫东,等.有机首乌高产栽培技术[J].上海蔬菜,2010(6):27-28.

[7] 吴荣华,姚祖娟,杨加文,等.牛皮消药用价值及栽培技术[J].中国林副特产,2019(1):35-37.

[8] 迟金和,成少华,刘永,等.白首乌种植及田间管理技术[J].安徽农学通报(上半月刊),2012,18(11):77-78.

[9] 周强,史姗姗,顾海华,等.滨海白首乌的采收与加工技术[J].农业开发与装备,2014(4):122.

[10] 印鑫,丁永芳,邵久针,等.白首乌的研究进展[J].中草药,2019,50(4):992-1000.

[11] 王新婕,李振麟,钱士辉,等.耳叶牛皮消中C21甾体类成分研究进展[J].中国野生植物资源,2018(3):51-55,63.

[12] 孙得峰.泰山白首乌化学成分及生物活性研究[D].济南:济南大学,2015.

[13] 陈炳阳,岳荣彩,刘芳,等.耳叶牛皮消中的苯乙酮类化合物及其抗氧化活性研究[J].药学实践杂志,2013,31(5):351-354.

[14] 赵雪.滨海白首乌蛋白和多糖的提取纯化及其活性功能的研究[D].哈尔滨:哈尔滨商业大学,2017.

[15] 刘颖,赵雪,柴智,等.响应面法优化白首乌多糖提取的研究[J].农产品加工,2017,17(1):1-4.

[16] 姜明华,徐凌川,郭素.白首乌、何首乌的营养成分分析比较[J].食品科技,2006,31(11):254-257.

[17] 陈士林,林余霖.中草药大典[M].北京:军事医学科学出版社,2006.

[18] 刘成娣,龚树生.抗衰老中药白首乌研究的进展[J].北京中医学院学报,1990(1):45-47.

[19] 宋祥云,徐凯勇,李自发,等.泰山白首乌对自然衰老小鼠抗自由基损伤及端粒酶活性的影响[J].山东中医药大学学报,2015(5):68-70.

[20] 李文胜,彭定国,屈万红,等.耳叶牛皮消对胃肠运动的作用及其机制研究[J].中国药房,2007,18(33):2575-2577.

[21] 屈万红,彭传芬,黄祖明,等.耳叶牛皮消颗粒对慢性萎缩性胃炎大鼠胃黏膜的保护作用[J].中国医院药学杂志,2010(23):32-34.

[22] 何行玲,彭传芬,黄祖明,等.耳叶牛皮消颗粒对慢性萎缩性胃炎大鼠p53及PCNA蛋白表达的影响[J].时珍国医国药,2010(9):268-269.

[23] 李建方.滨海白首乌产业发展现状及对策思考[J].南方农业,2019,13(17):120-121.

[24] 刘琪,谷巍,杨兵,等.基于ITS2序列的滨海白首乌及其近缘种DNA分子鉴定[J].中草药,2018,49(24):5901-5909.

（谷　巍）

唇形科 Lamiaceae 薄荷属 *Mentha*

薄荷
Mentha haplocalyx Briq.

| 药 材 名 |

薄荷（药用部位：地上部分。别名：蕃荷菜、南薄荷、龙脑薄荷）。

| 本草记述 |

薄荷最早被记载于唐代孙思邈的《千金·食治》中，名为蕃荷菜。唐代《新修本草》记载："人家种之，饮汁发汗，大解劳乏。"说明至少在唐代已经开始栽培薄荷。宋代《本草图经》曰："薄荷，旧不着所出州土，而今处处皆有之。古方稀用，或与薤作齑食。近世医家治伤风，头脑风，通关格及小儿风涎，为要切之药，故人家园庭间多莳之。"说明宋代薄荷已被普遍移栽至园中，做菜或药用。南宋时期《宝庆本草折衷》记载："生南京，及岳州（今湖南岳阳）。今处处园庭间多莳有之。生吴中者名吴菝蔄，生胡地者名胡菝蔄，一名新罗菝蔄。今江浙间亦有之。"说明南宋时期各地对薄荷有不同的称谓，产地主要在江南一带。明代《本草品汇精要》记载："惟一种龙脑薄荷于苏州郡学前产之，盖彼逶势似龙，其地居龙脑之分，得禀地脉灵异，故其气味功力倍于他所，谓之龙脑薄荷，非此则皆劣矣。道地南京，及岳州及苏州郡学前者为佳。"说明在明代苏

州所产薄荷已经有相当的知名度。明代《本草蒙筌》记载："又名鸡苏，各处俱种。姑苏龙脑（龙脑，地名，在苏州府，儒学前此处种者，气甚香窜，因而得名，古方有龙脑鸡苏丸，即此是也）者第一。"李时珍《本草纲目》记载："苏州所莳者，茎小而气芳，江西者，稍粗，川蜀者更粗，入药以苏产为胜。"清代《本草从新》云："产苏州，气芳香者佳。"民国时期《增订伪药条辨》记载："炳章按：薄荷，六七月出新。苏州学宫内出者，其叶小而茂，梗细短，头有螺蛳蒂，形似龙头，故名龙脑薄荷，气清香，味凉沁，为最道地。太仓、常州产者，叶略大，梗亦细，一茎直上，无龙头形，气味亦略淡。有头、二刀之分，头刀力全，叶粗梗长，香气浓厚；二刀乃头刀割去后，留原根抽茎再长，故茎梗亦细，叶亦小，气味亦略薄，尚佳。杭州笕桥产者，梗红而粗长，气浊臭，味辣，甚次。山东产者，梗粗叶少，不香，更次。二种皆为侧路，不宜入药。"《药材资料汇编》记载："以江苏太仓产称'苏薄荷'，为道地药材……其附近的嘉定、常熟、苏州，以及苏北的南通、海门等地均有生产，统称'苏薄荷'。浙江杭州笕桥地区过去亦曾盛产，称'杭薄荷'，现产量较少。余如江西吉安，也是较著名的产区，其附近的安福、泰和、吉水、永丰等地亦产。"由此可见，自明代开始江苏苏州及周边地区已成为苏薄荷的道地产区。

| 形态特征 | 多年生草本。茎高 30 ～ 60 cm，上部具倒向微柔毛，下部仅沿棱上具微柔毛。叶具柄，矩圆状披针形至披针状椭圆形，长 3 ～ 5（～ 7）cm，上面沿脉密生、其余部分疏生微柔毛，或除脉外近无毛，下面常沿脉密生微柔毛。轮伞花序腋生，球形，具梗或无梗；花萼筒状钟形，长约 2.5 mm，具 10 脉，齿 5，狭三角状钻形；花冠淡紫色，外面被毛，内面在喉部下面被微柔毛，檐部 4 裂，上裂片先端 2 裂，

较大，其余 3 裂，近等大；雄蕊 4，前对较长，均伸出。小坚果卵球形。花期 7 ~ 9 月，果期 10 月。

资源情况

一、生态环境

喜生于海拔 3 500 m 以下的溪边、沟边等湿地。喜湿润，怕干旱，适宜生长温度为 20 ~ 30 ℃，根茎在早春 5 ~ 6 ℃时开始萌发，冬季 –30 ~ –20 ℃地区也可安全越冬。我国南北各地均产薄荷。江苏苏州地区为传统"苏薄荷"的道地产区。薄荷道地产区平均年降水量 900 ~ 1 100 mm，年平均气温 14 ~ 16 ℃，最冷月 1 月，最热月 7 月，无霜期 230 天左右，平均海拔低于 10 m。

二、分布区域

江苏尤以南部及中部地区的潮湿处分布较多。

三、蕴藏量

根据句容、兴化、溧水、江宁等地样方调查结果，薄荷在江苏较为常见，单位面积蕴藏量为 220 600（kg/km^2）。

四、栽培历史与产地

本草记载自唐代开始已栽种薄荷，到宋代薄荷已被普遍移栽至园中，做菜或药用。传统以江苏太仓出产的薄荷质量最佳，称为"苏薄荷"。近年来，薄荷产区范围有扩大趋势，种植中心已向江苏北部的盐城、淮安、宿迁，以及安徽转移。

五、栽培面积与产量

目前以江苏、安徽及江西的薄荷产量较大，安徽太和拥有我国最大的薄荷生产基地。近年来，江苏薄荷栽培面积有所增加，东台、南通、句容、泗阳等地栽培规模较大，栽培面积 3 000 ~ 4 500 亩，年产量 400 ~ 600 t。

六、规范化生产技术

1. 选地整地

薄荷对土壤要求不高，黏土、壤土、砂土均可生长，以 pH 6.5 ~ 7.5、地势平坦、排灌方便、阳光充足、2 ~ 3 年内未种植过薄荷的肥沃壤土或砂壤土为佳。宜在果园、桑园和玉米田进行间作。前茬作物收获后，每亩施优质腐熟有机肥 6 000 kg、尿素 20 ~ 25 kg、过磷酸钙 70 ~ 75 kg、硫酸钾 15 ~ 20 kg、硼镁锌等复配微肥 4 ~ 5 kg。耕耙整平后做畦，畦宽 150 cm，高 15 cm。做畦时可施入适量的辛拌磷，以防治地下害虫。

2. 繁殖方法

薄荷种植主要采用根茎繁殖和秧苗繁殖 2 种方法。

（1）根茎繁殖。10 月下旬至 11 月上旬，从留种地挖出根茎，选色白、粗壮、

节间短者，切成长 10 cm 的小段，栽后盖细土。一般每亩使用新根茎 100 kg 左右。

（2）秧苗繁殖。秋季收割地上部分后，立即中耕除草和追肥 1 次。翌年 4 月上旬，当苗高 15 cm 时拔秧移栽。按行株距 20 cm×15 cm 挖穴，每穴栽秧苗 2 株，栽后盖土压实。

3. 田间管理

（1）中耕。3～4 月要及时中耕，每天 1 次，连续 2～3 次。因薄荷根系集中于土层 15 cm 深处，地下根茎集中在土层 10 cm 深处，故中耕宜浅忌深，以防伤根断茎。5 月植株生长旺盛期及时摘去顶芽，以促进侧芽茎叶生长。

（2）施肥。由于不同肥料对薄荷植株的生长发育及产量、质量有较大影响，因此施肥要按"施足基肥，适时适量追肥"和"氮、磷、钾合理配合施用"的原则进行。一般在 2 月出苗时，每亩追施粪水 1 000～1 500 kg。在苗高 20～35 cm 时，每亩追施尿素 20～30 kg，于行间开沟深施，施后覆土。在薄荷第 1 次收割后、二茬苗高 10 cm 时，每亩浇施稀人粪尿 1 000～1 400 kg、磷酸氢二铵 50 kg。二茬收获后，用优质有机肥覆盖，为下一年早发快长打下基础。

（3）灌水排涝。植株生长期间，要保持地表湿润，干旱时应及时灌水，宜小水勤浇；夏、秋季节遇大雨时，要及时排涝。

| 采收加工 | 一般栽植 1 次可连续采收 2～3 年。江浙地区每年可采收 2 次，夏、秋季茎叶茂盛或花开至 3 轮时，选晴天分次采割；华北地区每年可采收 1～2 次；四川每年可采收 2～4 次。一般第 1 次（头刀）收割在 7 月，第 2 次（二刀）收割

在 10 月。选晴天中午前后（早晚不宜收割），用镰刀贴地将植株割下，头刀割
茬不宜过高，摊晒 2 天，注意翻动，晾晒至七八成干时扎成小把，再晾至全干。
薄荷茎叶晒至半干时可蒸馏得薄荷油。

有研究显示，干燥方法对薄荷药材中薄荷醇、咖啡酸、迷迭香酸的含量影响较大，
相同温度下，热风干燥对活性成分剂量的保留优于微波干燥与红外干燥；低温
（40 ~ 45 ℃）干燥对活性成分总量的保留显著高于高温（60 ~ 70 ℃）干燥；
微波杀青处理样品的酚酸类化学成分总量显著高于未杀青样品。TOPSIS 法综合
分析显示，薄荷药材产地加工最适干燥方法为热风 45 ~ 60 ℃变温干燥。

| 药材性状 | 本品茎呈方柱形，有对生分枝，长 15 ~ 40 cm，直径 0.2 ~ 0.4 cm；表面紫棕
色或淡绿色，棱角处具茸毛，节间长 2 ~ 5 cm；质脆，断面白色，髓部中空。
叶对生，有短柄；叶片皱缩卷曲，完整者展平后呈宽披针形、长椭圆形或卵形，
长 2 ~ 7 cm，宽 1 ~ 3 cm；上表面深绿色，下表面灰绿色，稀被茸毛，有凹点
状腺鳞。轮伞花序腋生，花萼钟状，先端 5 齿裂，花冠淡紫色。揉搓后有特殊
清凉香气，味辛凉。苏薄荷茎呈方柱形，表面多紫棕色，有对生分枝，有的局
部有螺旋，长 15 ~ 40 cm，直径 0.2 ~ 0.4 cm；棱角处具茸毛，分枝较多且长，
茎部上端浅紫色或灰褐色，断面髓部中空。叶片皱缩卷曲，完整者展平后呈宽
披针形，长 2 ~ 7 cm，宽 1 ~ 3 cm；叶基楔形，先端渐尖，边缘锯齿状；叶上
表面深绿色，下表面灰绿色，密被茸毛，具凸出的凹点状腺鳞。轮伞花序腋生，
花冠白色或深紫色，雄蕊超出花冠。揉搓后有特殊清凉香气，味辛凉、浓郁。

薄荷药材

| 品质评价 | 一般认为以叶多、色深绿、气味浓者为佳。薄荷药材野生品与栽培品均有，但野生薄荷干后气味极淡，质量较差，故目前药材几乎全部为栽培品。当前药材市场，按照药用部位将薄荷分为"全叶"和"干燥地上部分" 2 种商品规格。其中，"干燥地上部分"包括茎和叶，因叶所含挥发油含量高，因此市场又根据所含叶的比例将此种划分为一等（含叶率≥ 50%）、二等（含叶率 30% ~ 40%）和统货（含叶率≥ 30%） 3 个等级。2020 年版《中华人民共和国药典》规定，叶含量不少于 30%，挥发油含量不低于 0.80%（ml/g）。

基于薄荷挥发油与生态环境因子间的关系模型，利用 ArcGIS 10.2 软件的空间分析功能，估算全国范围内薄荷挥发油含量的空间分布，结果显示：薄荷品质最佳区域集中分布在江苏东部及西南部、安徽中部、山东东部、浙江北部、黑龙江中东部等地区，这与江苏、安徽等地为薄荷的主产区，江苏太仓为薄荷的道地产区，安徽太和拥有我国最大的薄荷生产基地的实际情况相吻合。此外，也有研究以薄荷药材中含有的化学成分类型，将薄荷药材划分为 L- 薄荷醇型、胡薄荷酮型、香芹酮型、L- 薄荷酮型 4 个化学类型，并建议以挥发油含量及 L- 薄荷醇含量作为薄荷药材商品规格划分的标准之一。

| 功效物质 | 薄荷中主要含有挥发油类、黄酮类、酚酸类、三萜类等化学成分，其中，以单萜类为主要化学组成的挥发油类为目前薄荷开发利用较多的资源性化学成分。

一、挥发油类

薄荷富含的以单萜类为主要化学组成的挥发油是薄荷辛凉解表作用的主要物质基础，被广泛用于中药成方制剂中。鲜薄荷叶中挥发油含量为 1.00% ~ 1.46%，干茎叶中挥发油含量为 1.3% ~ 2.0%。薄荷挥发油的化学组成主要有左旋薄荷醇、左旋薄荷酮、异薄荷酮、胡薄荷酮、乙酸薄荷酯、莰烯、柠檬烯、蒎烯、薄荷烯酮、β- 侧柏烯、右旋月桂烯、桉叶素、α- 松油醇和香芹酮等，其中，左旋薄荷醇含量较高，为 77%～87%。有研究显示，鲜薄荷的胡薄荷酮含量较干薄荷高，而胡薄荷酮为具有解表作用的活性成分，这为中医适时使用鲜薄荷解表提供了科学依据。

 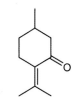 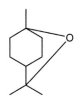

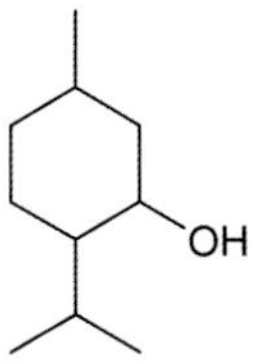

左旋薄荷醇化学结构 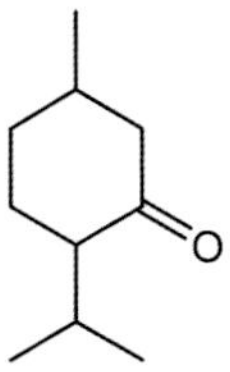　　左旋薄荷酮化学结构　　胡薄荷酮化学结构　　桉叶素化学结构

二、黄酮类

薄荷中所含黄酮类资源性化学成分主要包括刺槐素、椴树素、蒙花苷、醉鱼草苷、thymonin、thymusin、pebrellin。

三、酚酸类

薄荷含有绿原酸、迷迭香酸、咖啡酸等酚酸类资源性化学成分，此类成分具有抗氧化、抑菌活性。

四、三萜类

薄荷中三萜类化学成分主要有齐墩果酸、熊果酸等，此类成分具有保肝利胆、抗炎作用。

| 功能主治 | 辛，凉。归肺、肝经。疏散风热，清利头目，利咽，透疹，疏肝行气。用于风热感冒，风温初起，头痛，目赤，喉痹，口疮，风疹，麻疹，胸胁胀闷等。

| 用法用量 | 内服煎汤，3～6 g，不可久煎，宜作后下；或入丸、散剂。外用适量，煎汤洗；或捣汁涂敷。

| 传统知识 | 基于文献梳理和中药资源普查过程中调查走访收集的传统用药知识，记录于此。
（1）治疗伤风咳嗽，鼻塞声重：薄荷二钱，陈皮二钱，杏仁（去皮尖）二钱，引用竹叶 15 片。煎汤服。
（2）治疗温病初起，头痛，周身骨节酸痛，肌肤壮热，背微感寒无汗，脉浮滑：薄荷叶三钱，蝉蜕（去足、土）三钱，生石膏（捣细）六钱，甘草一钱五分。煎汤服。
（3）治疗风热攻目，昏涩，疼痛，旋眩，咽喉壅塞，语声不出：薄荷叶、恶实

（微炒）各一两，甘菊花、甘草（炙）各半两。上四味，捣罗为散，每服一钱匕，生姜温水调下，食后临卧服。

（4）治疗眼弦赤烂：薄荷，以生姜汁浸一宿，晒干为末，每用一钱，沸汤泡洗。

（5）治疗结膜炎：薄荷叶用冷开水洗净后，浸入乳汁中 10 ~ 30 分钟，用 5% 盐水冲洗患眼后，取薄荷叶盖于其上，经 10 分钟可再换 1 叶，每天数次。

（6）治疗口疮：薄荷、黄柏等分，为末，入青黛少许，搽之。

（7）治疗血痢：薄荷叶煎汤单服。

（8）治疗皮肤湿疹不透，瘙痒：薄荷叶 10 g，荆芥 10 g，防风 10 g，蝉蜕 6 g。煎汤服。

| 资源利用 |　一、在医药领域中的应用

薄荷以地上部分入药，为中医临床常用的发汗解热药物。薄荷药材或其提取物薄荷油、薄荷脑入药，可用于多种清热解表方剂及中成药的配方中。此外，以薄荷为主要成分或辅料的成方外用制剂，可促进药物透皮吸收，如中药贴膏剂少林风湿跌打膏、风湿伤痛膏、伤痛宁膏、伤湿止痛膏等。

二、在日化用品中的应用

薄荷不仅是常用中药，更是一种经济作物。从薄荷鲜茎叶中提取的薄荷油和薄荷脑为重要的轻工业原料，在香料、烟草业及牙膏、化妆品、沐浴液、花露水、空气清新剂等日化产品中常作为芳香剂或矫味剂广泛应用。亚洲薄荷油是用途最广和用量最大的天然香料之一，薄荷油和薄荷脑广销 100 多个国家和地区，年消费量近 1.2 万 t。薄荷提取物制成的皮肤外用制剂，具有抑制黑色素分泌、祛斑的作用，且对皮肤灼伤具有长效止痛作用。薄荷提取物还具有改善血液循环、促进头发生长的作用，也常应用于洗发护发产品中。

三、在保健食品中的应用

薄荷幼嫩茎尖可做菜食。晒干的薄荷茎叶亦常用作食品的矫味剂和清凉食品饮料，具有祛风、兴奋、发汗等功效。薄荷油作为天然香料广泛应用于口香糖等休闲食品及冷饮产品中。薄荷油或薄荷醇也是生产戒烟糖的重要原料。

四、资源循环利用

生产薄荷油后剩余的薄荷残渣中含有丰富的蒙花苷等黄酮类及齐墩果酸、熊果酸等三萜类资源性成分，其中，蒙花苷等黄酮类成分具有降血脂、抗血栓、抗氧化、降血糖、抗肿瘤、增强免疫力、延缓衰老及治疗慢性前列腺炎等作用，可以用来研究和开发药品、保健食品、护肤品和抗菌剂等薄荷产品，对人类健康和社会经济效益均具有积极作用。齐墩果酸和熊果酸具有突出的抗肿瘤和抗

肝损伤作用，对多种致癌、促癌物有抵抗作用，有望弥补肝癌化疗中缺少一种既能抗肿瘤又能保护正常肝细胞的药物的缺陷。

薄荷根系在生长期间向土壤中分泌的物质具有抑菌作用，对棉花枯萎病、立枯病及棉蓟马、棉蚜等主要病虫害具有明显的抑制作用，对枯萎病防效尤显著，因此，可在棉花重病区实行薄荷棉花轮作，也可将薄荷根开发为生物农药。此外，薄荷根富含纤维素类资源性成分，可用于造纸等。

| **附　注** | （1）薄荷属植物全世界约有30种，广泛分布于北半球的温带地区，少数见于南半球。我国现有薄荷属植物12种，其中野生种6种，广泛分布于南北各省区。薄荷药材以薄荷 *Mentha haplocalyx* Briq. 为主要基原，薄荷属其他植物兴安薄荷 *Mentha dahurica* Fisch. ex Benth. 及东北薄荷 *Mentha sachalinensis* (Briq.) Kudo 常在产地作薄荷 *Mentha haplocalyx* Briq. 用。此外，薄荷属其他植物，如留兰香 *Mentha spicata* Linn. 及薄荷的栽培品种等为重要的香料植物。

（2）我国大部分产区每年收割2次薄荷，头刀在小暑到大暑之间，二刀在寒露与霜降之间，广东、广西等温暖地区1年也可收割3次。有研究对不同采收时间薄荷中的挥发油含量进行测定，结果显示：头刀薄荷随着生长期的延长，薄荷油的含量逐渐升高，在7月下旬达到较高水平；二刀薄荷随着生长期的延长，薄荷油的含量逐渐升高，在10月中下旬达到较高水平；不同采收时间薄荷醇的含量未见明显变化。头刀、二刀薄荷的薄荷油含量日动态变化一致，上午8～12时、下午16～20时薄荷油含量较高。

参考文献

[1] 国家药典委员会. 中华人民共和国药典：一部 [M]. 北京：中国医药科技出版社，2015.
[2] 国家中医药管理局《中华本草》编委会. 中华本草：第7册 [M]. 上海：上海科学技术出版社，1999.
[3] 朱邵晴，朱振华，郭盛，等. 不同干燥方法对薄荷药材中多元功效成分的影响与评价 [J]. 中国中药杂志，2015，40（24）：4860-4867.
[4] 道地药材：苏薄荷：T/CACM 1020.72—2019[S]. 北京：中华中医药学会，2019.
[5] 中药材商品规格等级：薄荷：T/CACM 1021.28—2018[S]. 北京：中华中医药学会，2018.
[6] 李百贵，安秋荣，郭志峰. 用色谱－质谱方法鉴定薄荷油中的异构体 [J]. 分析化学，2001，29（5）：530-533.
[7] 刘金荣，李萍，李毓倩. 三种野生薄荷挥发油化学成分的测定 [J]. 石河子医学院学报，1998，17（1）：16-17.
[8] 李慧，白红彤，王晓. 椒样薄荷、薄荷和苏格兰留兰香精油与抗生素的协同抑菌功能 [J]. 植物学报，2011，46（1）：37-43.
[9] 曾建伟，钱士辉，吴锦忠，等. 薄荷非挥发性成分研究 [J]. 中国中药杂志，2006，31（5）：400-402.
[10] 刘颖，张援虎，任兵. 薄荷化学成分的研究 [J]. 中国中药杂志，2005，30（14）：1086-1088.
[11] 李宗友. 圆叶薄荷和欧薄荷的精油对小鼠和大鼠中枢神经系统的作用 [J]. 国外医学·中医中药分册，

1992，14（1）：54．

[12] 叶丹，赵明，邵扬，等．基于化学分析的薄荷药材商品规格划分的相关性研究 [J]．中国中药杂志，2015，40
（2）：251-257．

[13] 林彤，段金廒，钱大玮，等．苏薄荷挥发性成分分析及其动态变化研究 [J]．现代中药研究与实践，2006，20
（4）：28-31．

[14] 邵扬，叶丹，欧阳臻，等．薄荷的生境适宜性区划及品质区划研究 [J]．中国中药杂志，2016，41（17）：
3169-3175．

[15] 林彤，段金廒，钱大玮，等．HPLC-MS/MS 联用技术分析鉴定苏薄荷中的黄酮类成分 [J]．中国天然药物，
2006，4（2）：111-115．

[16] 林彤，段金廒，钱大玮．我国薄荷（*Mentha haplocalyx*）资源研究与开发利用现状及其建议 [C]//2006 海峡
两岸暨 CSNR 全国第七届天然药物资源学术研讨会论文集．［出版者不详］，2006：430-434．

[17] 林彤，段金廒，钱大玮，等．薄荷黄酮类含量动态变化 [J]．中药材，2006，29（9）：888-890．

[18] 沈红，钱大玮，钱士辉，等．不同生长期薄荷中三萜酸类成分积累的动态变化研究 [J]．中草药，2007，38（6）：
932-933．

（郭　盛　欧阳臻　严　辉）

活血丹
Glechoma longituba (Nakai) Kupr.

| 药 材 名 | 连钱草（药用部位：地上部分。别名：苏金钱、活血丹、透骨消）。

| 本草记述 | 连钱草始载于《本草纲目拾遗》，名为金钱草，书中载："一名遍地香、佛耳草……其叶对生，圆如钱，钹儿草叶形圆，二瓣对生，象铙钹，生郊野湿地，十月二月发苗，蔓生满地，开淡紫花，间一二寸，则生二节，节布地生根，叶四周有小缺痕，皱面，以叶大者力胜，干之清香者真。"《植物名实图考》又名活血丹，载云："活血丹产九江、饶州，园圃阶角、墙阴下皆有之。春时极繁，高六七寸，绿茎柔弱，对节生叶。叶似葵菜，初生小叶，细齿深纹，柄长而柔。开淡红花，微似丹参花，如虫蛾下垂，取茎叶，根煎饮。" 1977 年版《中华人民共和国药典》正式收载唇形科植物活血丹的干燥地上部分，并定名为连钱草。

| **形态特征** | 多年生葡匐草本。茎纤细，方柱形，长 10 ~ 30 cm，下部常匍地生根，上部斜升或近直立，仅幼嫩部分被稀疏长茸毛。叶对生，有长柄；叶片草质，圆心形或近肾形，边缘有圆齿，被细毛。花蓝色或紫色，具短梗，通常单生于叶腋，稀 2 或 3 簇生；花萼管状，具 15 纵脉，被长柔毛，萼裂片的长度约与萼管相等或较之短，具芒状尖头；花冠有长筒和短筒二型，外面多少被毛，花冠管下部圆筒状，上部明显扩大成钟形，檐部二唇形，上唇直立，2 裂，下唇伸长，斜展，3 裂，中间的裂片特大，先端凹；雄蕊 8，内藏。小坚果长圆状卵形，深褐色，藏于宿存萼内。花期 4 ~ 5 月，果期 5 ~ 6 月。 |

| **资源情况** | 一、生态环境 |

生于海拔 100 ~ 2 000 m 的田野、溪沟、河畔、阴湿草丛中。喜温和、湿润的气候，一般在 0 ~ 30 ℃能正常生长发育，最适生长温度为 17 ~ 25 ℃，35 ℃以上生长受到抑制，种子在 10 ℃左右、湿度适宜的条件下开始萌发，最适发芽温度为 16 ~ 23 ℃。连钱草为喜阴植物，对光照的要求比较宽松，光照度 15% ~ 40% 即可，较喜湿，一般在年降水量 500 ~ 1 200 mm、平均相对湿度 70% 左右的条件下可正常生长；对土壤要求不严，以富含腐殖质、疏松、肥沃、排水良好的砂壤土为佳。江苏盱眙及周边地区为连钱草的道地产区。道地产区年平均气温 14 ~ 15 ℃，无霜期约 215 天，最热月 7 月，最冷月 1 月，全境海拔 50 ~ 300 m。

二、分布区域

江苏连钱草产量大、质量优，又称"苏金钱"，广泛分布于南部及中部地区的潮湿处。

三、蕴藏量

常见。

四、栽培历史与产地

连钱草始载于《本草纲目拾遗》，主产于江苏、安徽、河南等传统"淮药"道地产区，近年来主产区范围有扩大的趋势，药材产量逐年增加。目前市场供应以野生品和栽培品并存。江苏盱眙及周边地区为连钱草药材的道地产区。

五、栽培面积与产量

江苏淮安三河种植的连钱草面积在 500 亩以上，盱眙也有上百亩栽培规模。

六、规范化生产技术

1. 选地整地

连钱草喜阴湿环境，选择肥沃疏松的阴凉湿润地块，也可以选择塘坝沟边、房屋前后阴湿地零星栽培。选地后翻耕，每亩施入腐熟有机肥 2 500 ~ 3 000 kg，耙细整平后，按 1.2 m 开墒做畦。墒面宽 90 cm，沟宽 30 cm，沟深 15 ~ 20 cm。

2. 繁殖方法

繁殖方法包括种子繁殖、扦插繁殖、分株繁殖 3 种，多采用扦插繁殖。每年 3 ~ 4 月，将匍匐茎剪下，每 3 ~ 4 节剪成 1 段。在畦面两边各开 1 条宽 20 cm 的浅沟实行条栽。沟深 6 ~ 8 cm，每畦种 2 行，株距 10 cm，入土深度 2 ~ 3 节。扦插后盖上一层薄土轻轻压实。浇定根水。扦插后要经常淋水保苗，每天淋水 1 次，促进生根成活。

3. 田间管理

待茎蔓长到高 12 ~ 15 cm 时追肥 1 次，每亩施腐熟人畜粪尿 2 000 ~ 2 500 kg。如扦穴有缺苗，可剪取较长枝条进行补缺。夏、秋季每收获 1 次，均要进行 1 次追肥。翌年萌发前，进行中耕除草。此后每年都要中耕松土 1 次，同时除草。中耕除草后要及时追肥，每亩施腐熟农家肥 2 500 ~ 3 000 kg。肥料撒于畦面后，浇水 1 次。每次采收后均要进行 1 次追肥，以充分满足植株生长所需营养，确保连年高产、稳产。

4. 病虫害防治

连钱草在栽培时很少有病害发生。虫害一般以蛞蝓及蜗牛等为主，它们会咬食茎叶，严重时可致植株死亡。可采用敌百虫药液灌根防治，或用灭蜗灵颗粒剂撒施在土壤上毒杀。

| 采收加工 | 夏、秋季采收，每 2 个月左右采收 1 次，每年可采收 3 ~ 4 次。采收时用镰刀在离地面 6 ~ 8 cm 处割取，拣除杂草，用水快速洗净，晒干，收堆存放，要注意理顺有序，尽量不要造成叶片破碎。

| 药材性状 | 本品长 10 ~ 20 cm，疏被短柔毛。茎呈方柱形，细而扭曲；表面黄绿色或紫红色，节上有不定根；质脆，易折断，断面常中空。叶对生，叶片多皱缩，展平后呈肾形或近心形，长 1 ~ 3 cm，宽 1.5 ~ 3 cm，灰绿色或绿褐色，边缘具圆齿；叶柄纤细，长 4 ~ 7 cm。轮伞花序腋生，花冠二唇形，长达 2 cm。搓之气芳香，味微苦。

连钱草药材

| 品质评价 | 以无杂质、无泥沙、无霉变为合格；以叶大、色绿、须根少者为优。炮制品呈不规则的段。杂质不得过 2.0%；水分不得过 13.0%；总灰分不得过 13.0%；酸不溶性灰分不得过 3.0%；以醇溶性浸出物测定法项下的热浸法测定，用稀乙醇作溶剂，含醇溶性浸出物不得少于 25.0%。技术要求及检测方法应符合 2015 年版《中华人民共和国药典》连钱草项下标准的规定。

连钱草广泛分布于我国大部分地区，其中传统道地产区江苏盱眙产的连钱草的三萜类成分含量高于其他产区，同产地野生品的三萜类成分含量高于栽培品；而对于黄酮类成分而言，同产地野生品与栽培品的含量无明显差异。黄酮类、酚酸类、三萜类成分均为叶中的含量高于茎。

| 功效物质 | 根据文献报道可知，连钱草的化学成分主要有黄酮及其苷类、萜类、有机酸类等。

一、黄酮及其苷类

连钱草中黄酮类成分较多，包括芹菜素、芹菜素 -7-O- 葡萄糖醛酸乙酯苷、木犀草素、木犀草素 -7-*O*- 葡萄糖醛酸乙酯苷、木犀草素 -7-*O*- 葡萄糖苷、芦丁、6-C- 阿拉伯糖 -8-C- 葡萄糖 - 芹菜素、6-C- 葡萄糖 -8-C- 葡萄糖 - 芹菜素、大波斯菊苷、山奈酚 -3-*O*- 芸香糖苷、槲皮素、蒙花苷、芫花素等 10 余种化合物。

二、萜类

连钱草中萜类成分主要为齐墩果酸、熊果酸。张前军等从连钱草中分离出 7 个三萜类化合物，分别为白桦脂醇、白桦脂酸、2*α*,3*α*,24- 三羟基乌苏 -12- 烯 -28- 酸、熊果醇、20- 羟基达玛 -24- 烯酮、3*β*- 羟基 -20,24- 二烯 - 达玛烷、豆甾 -4- 烯 -3,6- 二酮。

三、有机酸类

连钱草中的有机酸类成分包括咖啡酸、芥子酸、阿魏酸、迷迭香酸、（10E,12Z）-9-*O*-10,12- 十八二烯酸、9- 羟基 -10- 反 ,12- 顺 - 十八二烯酸等。张前军等从连钱草中分离得到月桂酸、木蜡酸、丁二酸、顺丁烯二酸、三十烷酸。

四、其他类

连钱草中还含有其他类成分，如倍半萜类，包括连钱草酮、6R,9R-3- 氧代 -*α*- 紫罗兰醇、S（＋）-去氢催吐萝芙叶醇、催吐萝芙叶醇；生物碱类包括欧活血丹碱 A、欧活血丹碱 B，具有细胞毒性；甾体类包括 *β*- 谷甾醇、胡萝卜苷、豆甾烯醇、豆甾醇 -4- 烯 -3,6- 二酮等；正三十烷醇。

| **功能主治** | 辛、微苦，微寒。归肝、肾、膀胱经。利湿通淋，清热解毒，散瘀消肿。用于热淋，石淋，湿热黄疸，疮痈肿痛，跌打损伤。

| **用法用量** | 内服煎汤，15 ~ 30 g。外用适量，煎汤洗。

| **传统知识** | 基于文献梳理和中药资源普查过程中调查走访收集的传统用药知识，记录于此。

（1）治疗黄疸，臌胀：连钱草七至八钱，白茅根、车前草各四至五钱，荷包草五钱。煎汤服。

（2）治疗肾炎水肿：连钱草、萹蓄草各一两，荠菜花五钱。煎汤服。

（3）治疗膀胱结石，利小便：连钱草、龙须草、车前草各五钱。煎汤服。

（4）治疗疟疾：一疟发前用连钱草 7 叶为丸，塞鼻中。

（5）治疗伤风咳嗽：鲜连钱草五至八钱（干者三至五钱），洗净，冰糖半两。酌加开水，炖 1 小时，日服 2 次。

（6）治疗小儿疳积：连钱草三钱，加动物肝脏适量。炖汁服。

（7）治疗疮疖，腮腺炎，皮肤撞伤青肿：鲜连钱草捣敷。

（8）治疗湿疹，脓疱疮，稻田性皮炎：鲜连钱草、野菊花各半斤。加水煮沸，趁热反复擦洗患处（有脓疱者必须挑破），再用痱子粉或牙粉撒布破溃处，每天1次，如3次效不显，可加木槿皮或叶半斤同煎洗。

（9）治疗蛇咬伤：连钱草生药鲜食，并捣敷伤口。

| 资源利用 | 一、在医药领域中的应用

以连钱草为主药组方的排石颗粒具有清热利水、通淋排石的功效，用于肾结石、输尿管结石等下焦湿热证，临床应用广泛。以连钱草为主药，煎汤服或代茶饮，连服1～2个月，治疗胆、肾、膀胱及胆管结石病人术后胆石复发疗效佳。用连钱草药泥对30例断指病人进行包扎，结合功能锻炼，并用杉树皮夹板固定，3个月创口骨痂全部形成，创口全部愈合，活动功能正常，疗效满意。用鲜全草捣敷，每日1次，治疗撞伤血肿（皮下瘀血）、关节红肿、疔毒，效果好。用连钱草及天花粉鲜品捣敷于流行性腮腺炎肿处，一般日2次，半日后腮腺胀痛稍减，体温降至37℃，第3日热退肿消而痊愈。

二、在畜牧兽医中的应用

将鲜连钱草、鲜海金沙各300 g（干品减半），滑石200 g，研为细末，开水泡或煎汁，制成连钱草汤，候温灌服，每日1剂。共治疗30例家畜泌尿系统结石，疗效满意。

三、在园林绿化领域中的应用

连钱草是一种极好的园林地被植物。连钱草4月初返青,4月底至6月中旬为花期,11月中旬才枯黄，绿期长，观赏效果好。连钱草既可在全光下生长，具有较强的耐旱能力，也具有极强的耐阴能力。连钱草花呈淡蓝紫色，花后匍地生长，可点缀于大草坪之间的树荫下，增加草坪景观的层次。连钱草还是一种很好的垂吊植物，可应用于道路墙边的绿化，生命力强，断后可迅速再生，自然垂吊下来，极像一串铜钱，微风吹来，摇曳生姿。植物名称寓意富贵，深受民众喜爱。

| 附　注 | 连钱草作为江苏习用道地药材，应用由来已久，享"苏金钱"之盛誉。以"金钱草"之名入药的品种较多，均具利胆清热、利湿通淋之功。川金钱，为报春花科植物过路黄 *Lysimachia christinae* Hance 的全草；广金钱草，为豆科植物金钱草 *Desmodium styracifolium* (Osbeck) Merr. 的地上部分；江西金钱草，为伞形科植物天胡荽 *Hydrocotyle sibthorpioides* Lam. 或破铜钱 *Hydrocotyle sibthorpioides* Lam. var. *batrachium* (Hance) Hand.-Mazz. ex Shan 的全草；四川小金钱草，为

旋花科植物马蹄金 *Dichondra repens* Forst. 的全草。新疆常将同属植物欧活血丹 *Glechoma hederacea* L. 作连钱草入药，治疗尿路结石症等。上述"金钱草"虽均可用于结石症，但由于其基原不同，所含化学成分、性味、功能与主治均有不同，临床用药各有侧重，金钱草偏重治疗胆石症，广金钱草偏重治疗膀胱结石，连钱草偏重治疗肾结石等，不可不察。

参考文献

[1] 国家药典委员会. 中华人民共和国药典：一部 [M]. 北京：中国医药科技出版社，2015.

[2] 国家中医药管理局《中华本草》编委会. 中华本草：第 7 册 [M]. 上海：上海科学技术出版社，1999.

[3] 王庆，段金廒，钱大玮，等. 不同产地连钱草中三萜酸类及黄酮类成分的分析与评价 [J]. 南京中医药大学学报，2006，22（1）：44-46.

[4] 金淑琴. 金钱草，广金钱草，连钱草的考证及临床应用 [J]. 首都医药，2001，8（11）：54.

[5] 孙会丽. 金钱草与其习用品伪品的小议 [J]. 现代中医药，2005（6）：60-61.

[6] 黄天赐. 不同产地连钱草药材质量分析和比较的研究 [D]. 武汉：湖北中医药大学，2013.

[7] 杨念云，段金廒，李萍，等. 连钱草的化学成分研究 [J]. 药学学报，2006，41（5）：431-434.

[8] 杨念云，段金廒，李萍，等. 连钱草中的黄酮类化学成分 [J]. 中国药科大学学报，2005，36（3）：210-212.

[9] 王庆，段金廒，钱大玮，等. 野生与栽培连钱草中熊果酸含量测定及质量评价 [C]// 全国第六届天然药物资源学术研讨会论文集. ［出版者不详］，2004：237-239.

[10] 张前军，杨小生，朱海燕，等. 连钱草中三萜类化学成分 [J]. 中草药，2006，37（12）：1780.

[11] 张前军，杨小生，朱海燕，等. 活血丹属植物的化学成分及药理研究进展 [J]. 中草药，2006，37（6）：3.

[12] 陈利华，李欣. 连钱草化学成分及药理作用研究 [J]. 亚太传统医药，2014，10（15）：33-35.

[13] 陆海峰，刘竟天，吴芝园. 基于校园药用植物栽培实践的连钱草种植 SOP 的研究 [J]. 中国中医药现代远程教育，2013，11（11）：101-103.

[14] 薛志成. 连钱草汤治家畜泌尿系统结石 [J]. 河南畜牧兽医，2005（2）：47.

[15] 董珏，王玉石. 地被植物新秀——连钱草 [J]. 吉林农业，2007（5）：25-26.

（杨念云）

唇形科 Lamiaceae 鼠尾草属 Salvia

丹参 *Salvia miltiorrhiza* Bunge

药材名

丹参（药用部位：根及根茎。别名：赤参、紫丹参、血参根）。

本草记述

丹参作为传统大宗药材，在我国已有近2 000年的临床应用历史，始载于《神农本草经》，被列为上品。《神农本草经》曰："主心腹邪气，肠鸣幽幽如走水，寒热积聚；破症除瘕，止烦渴，益气。"《吴普本草》《本草经集注》《名医别录》等其他古本草中亦有记载，明代李时珍《本草纲目》曰："丹参色赤，味苦，气平而降，阴中之阳也。入手少阴、厥阴之经，心与包络血分药也。盖丹参能破宿血、补新血。安生胎，落死胎，止崩中带下，调经脉，其功大类当归、地黄、川芎、芍药故也。"清代《本草从新》记载丹参"功兼四物，为女科要药"，故有"一味丹参，功同四物"之说。清代《本草逢源》进一步强调了丹参活血化瘀、养血安神、调经止带及治疗肿毒的功效。《本草新编》对丹参的性味归经记载为"味苦，气微寒，无毒，入心、脾二经"。此后经过长期的临床实践，丹参的功效又有了新的发现。2015年版《中华人民共和国药典》记载丹参的功效为"活血祛瘀，通经止痛，清心除烦，凉血消痈。用于胸痹心痛，脘腹胁痛，癥瘕积聚，热痹疼痛，心烦不眠，月经不调，痛经经闭，疮疡肿痛"。现代研究表明，丹参具有抗肿瘤、抗菌消炎、抗脂质过氧化、调节组织修复与再生和清除自由基等多种生物活性。

| 形态特征 | 多年生草本，高 30 ~ 80 cm，全株密被长柔毛及腺毛，触手有黏性。根肥壮，外皮砖红色。茎四棱形，上部分枝。奇数羽状复叶对生；小叶常 3 ~ 5，先端小叶片较侧生小叶片大，卵圆形或椭圆状卵圆形。轮伞花序组成假总状花序，顶生兼腋生；苞片披针形，先端渐尖，基部楔形，全缘，上面无毛，下面略被疏柔毛；花萼二唇形；花冠紫色，管内有毛环，上唇略呈盔状，下唇 3 裂；能育雄蕊 2，伸至上唇片，药隔长而柔软，药室不育，先端联合；退化雄蕊线形；花柱远外伸，先端不相等 2 裂，后裂片极短，前裂片线形。小坚果长圆形，成熟时暗棕色或黑色，椭圆形。花期 5 ~ 10 月，果期 6 ~ 11 月。

| 资源情况 | 一、生态环境

生于海拔 120 ~ 1 300 m 的山坡、林下草丛或溪谷旁。丹参喜气候温和、光照充足、空气湿润、土壤肥沃的环境。生育期若光照不足、气温较低，则幼苗生长慢，植株发育不良。在年平均气温为 17.1 ℃、平均相对湿度为 77% 的条件下，生长发育良好。适宜在肥沃的砂壤土上生长，对土壤酸碱度要求不高，中性、微酸及微碱性土壤均可种植。

二、分布区域

丹参在江苏分布较广，常见于南部丘陵地区，包括镇江、南京、常州等地。

三、蕴藏量

根据江宁、溧水、句容等地样方调查结果，丹参在江苏南部丘陵山地较为常见。

四、栽培历史与产地

首次记载丹参产区及生态环境的著作为《神农本草经》，曰："丹参，生山谷。"历代本草对丹参的产地和道地产区皆有叙述，但描述简单、笼统且说法不一。南北朝时期《名医别录》述："生桐柏山谷及太山（今河南和湖北交界及山东泰山一带）。"宋代《本草图经》云："今陕西河东州郡及随州（今山西、湖北，河东州郡应归为山西而非陕西）皆有之。"明代《本草品汇精要》载："道地随州（今湖北随州）。"《药物出产辨》载："产四川龙安府（今四川平武）为佳。"曹炳章在《增订伪药条辨》中记载："丹参产安徽古城者，皮色红，肉紫有纹。质燥体松，头大无芦为最佳。滁州、全椒县产，形状同前，亦佳。"

总体来说，湖北、河南、山西及四川等省区曾被认为是丹参的主产区或道地产区，随后，丹参的主产区和道地产区发生了迁移。目前我国丹参 GAP 种植基地主要有陕西商洛丹参 GAP 基地、四川中江丹参 GAP 基地、河南方城丹参 GAP 基地、山东蒙阴丹参 GAP 种植基地、山东长清丹参 GAP 种植基地等，其中山东丹参种植基地已成为丹参的主产区，所生产的丹参药材产量高，质量可靠。

五、栽培面积与产量

中药资源普查中发现，目前丹参在江苏具有一定的栽培规模，其栽培地区包括涟水、射阳、滨海、东海、淮安、海陵等地，每年种植面积约 2 000 亩。

六、规范化生产技术

1. 选地整地

选择地势向阳、排水便利、土层深厚的黄色夹沙泥土，有利于根部生长发育。前茬作物是根类作物，采挖后最好将土地犁 20 ~ 23 cm 深，以增加土壤肥力，减少虫害。春季下种前再犁一道，将土壤耙细，做成箱子，挖窝下种，每箱栽 6 ~ 10 行，行窝距 40 ~ 45 cm，稀密程度据土质肥瘦而定。

2. 繁殖方法

江苏地区丹参常见栽培方法包括扦插繁殖和分根繁殖。

（1）扦插繁殖。江苏地区多采用扦插繁殖。一般于 4 ~ 5 月，取丹参地上茎，剪成长 10 ~ 15 cm 的小段，下部叶片剪除，上部叶片剪去 1/2，随剪随插。在已做好的畦上，按行距 20 cm、株距 10 cm 开浅沟，插条顺沟斜插，插条埋土深 6 cm。扦插后要进行浇水、遮阴。待再生根长约 3 cm 时，即可移植于田间。

（2）分根繁殖。头年收丹参时，把准备翌年作种的根留在地里不挖，至立春前（2月初）下种时挖出，选粗壮的折成长 5 ~ 7 cm 的节，每窝栽 1 根，须根向下。每亩施猪粪水 1 750 kg 作底肥。如有堆肥，最好在下种前将堆肥筛细，施在窝中，这样可增加土壤的有机质，供根部长期吸收，有助于提高产量。施肥后盖土不宜太厚，以免影响发芽。

3. 田间管理

（1）中耕除草。分根繁殖地，因覆土稍厚，出苗慢。一般在 4 月幼苗开始出土时进行查苗，发现土壤板结或覆土较厚影响出苗时，要及时将穴的覆土扒开，促其出苗。生育期中耕除草 3 次，第 1 次于 5 月苗高 10 ~ 12 cm 时进行，第 2 次于 6 月进行，第 3 次于 8 月进行。

（2）施肥。生育期结合中耕除草，追肥 2 ~ 3 次，每亩施用腐熟粪肥 1 000 ~ 2 000 kg、过磷酸钙 10 ~ 15 kg 或饼肥 25 ~ 50 kg。

（3）排灌。雨季注意排水，防止水涝。出苗期及幼苗期土壤干旱时，应及时灌水或浇水。

（4）摘蕾。除留作种子的植株外，必须分次摘除花蕾，以利根部生长。

4. 病虫害防治

丹参高温多雨季节易发根腐病，受害植株根部发黑，地上部分枯萎。防治方法为病重地区忌连作，选地势干燥、排水良好的地块种植，雨季注意排水，发病期用 70% 多菌灵可湿性粉剂 1 000 倍液浇灌。常见虫害有蚜虫、银纹夜蛾、棉铃虫、蛴螬等。田间发生期用 90% 敌百虫 1 000 倍液或 75% 锌硫磷乳油 700 倍液浇灌，用氯丹乳油 25 g 拌炒香的麦麸 5 kg，并加适量的水配成毒饵，于傍晚撒于田间诱杀。

| **采收加工** | 丹参定植大田后，生长 1 年即可采收。立冬过后采挖，丹参根条较脆，入土深，

采挖时易折断，故应先用挖锄把周围泥土刨松，再小心挖起。挖出后不要水洗，立即在太阳下晒去约 1/3 的水分，用竹撬刮去根上附着的泥土，然后用细篾丝拴好，挂在当风的地方晾至八成干（太阳晒也可），用手将分散的丹参捆成一束，堆放一处。约 10 天后，摊开晒干，并用火烧去须根。目前部分丹参 GAP 种植基地采用机械采挖。

丹参药材产地加工，系将挖出的鲜丹参晒至根上泥土松脱（忌水洗），剪去地上部分，置通风防雨阴凉处风干至五成干且变软，后理顺成束，揉搓至根条柔顺平直，堆码于竹制晒垫上"发汗"5 天，以颜色变紫色为度，再摊开晾晒至先端老根透心，用火燎等方法除去须根即可。

传统加工过程中的"发汗"至丹参药材变为紫红色是评判其性状优良的标准之一。研究表明，经"发汗"加工后的丹参所含酚酸类和菲醌类成分均有所增加，"发汗"过程有利于丹参根中酪氨酸、苯丙氨酸等氨基酸类成分在保持活性的相关

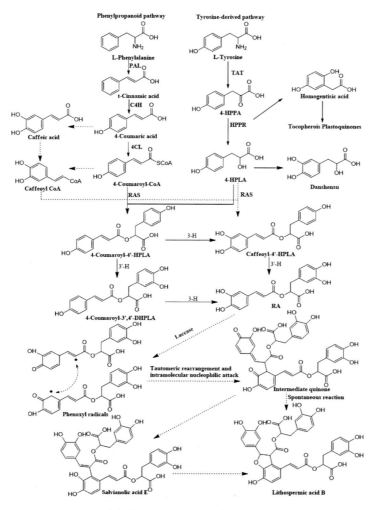

丹酚酸类成分在"发汗"过程中的转化积累

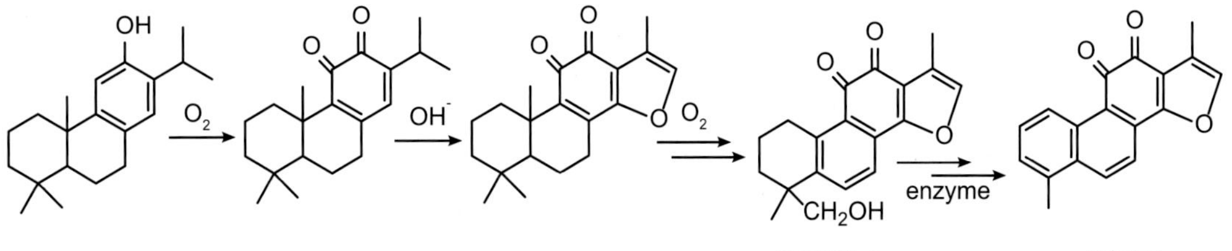

丹参酮类成分在"发汗"过程中的转化积累

酶的作用下转化形成丹参酚酸类成分，而使丹参酚酸类成分含量增加。丹参的颜色变化与所含菲醌类成分及其含量密切相关。代表化合物丹参酮 II A 的含量增加，可能与所含共轭系统较小、颜色较浅的隐丹参酮等成分在相关活性酶（如脱氢酶等）的作用下转化为共轭系统较大、颜色较深的丹参酮 II A 有关。

| 药材性状 | 本品根茎短粗，先端有时残留茎基。根数条，长圆柱形，略弯曲，有的分枝并具须状细根，长 10 ~ 20 cm，直径 0.3 ~ 1 cm；表面棕红色或暗棕红色，粗糙，具纵皱纹。老根外皮疏松，多显紫棕色，常呈鳞片状剥落。质硬而脆，断面疏松，有裂隙或略平整而致密，皮部棕红色，木部灰黄色或紫褐色，导管群黄白色，呈放射状排列。气微，味微苦、涩。栽培品较粗壮，直径 0.5 ~ 1.5 cm；表面红棕色，具纵皱纹，外皮紧贴，不易剥落。质坚实，断面较平整，略呈角质样。

丹参药材

| 品质评价 | 一、道地性研究

从本草考证来看，丹参的主产区和道地产区出现较大变迁，先后有河南、山东、陕西（或山西）、湖北、安徽、四川等地。《中国道地药材》将丹参列为川产道地药材。丹参应用历史悠久，本草文献对四川产地的记载尚不足百年，要确立川产丹参为道地药材，证据尚不够充分。各产地正品丹参药材性状差距不明显，区别也仅存在于野生品和栽培品中，至今未见丹参性状随产地不同而发生显著性变异的报道。一般野生品的有效成分含量高于栽培品。研究发现，丹参酮类成分含量与传统优质药材标准"色深红"密切相关。历代对于丹参的商品规格等级划分均强调产地质量，以川丹参与山东丹参为道地药材，并在此基础上结合性状（如皮的色泽、根的粗细等）进行评价。

二、不同产地丹参药材水溶性丹参酚酸类成分分析评价

对收集的山东、陕西、河南、安徽、江苏、山西、河北 7 个产地 13 批丹参药材建立指纹图谱及分析评价 7 种丹参酚酸类成分（丹参素、原儿茶醛、咖啡酸、迷迭香酸、紫草酸、丹参酚酸 B 和丹参酚酸 A），结果表明，13 批丹参药材水提物指纹图谱的相似度为 0.963 ~ 0.981，主成分分析发现产地为江苏的丹参药材样品单独聚为一类，确定其中 7 个共有峰，分别为丹参素（1 号峰）、原儿茶醛（2 号峰）、咖啡酸（3 号峰）、迷迭香酸（4 号峰）、紫草酸（5 号峰）、丹参酚酸 B（6 号峰）和丹参酚酸 A（7 号峰）。进一步定量分析发现，不同产地、不同批次丹参药材中丹参酚酸总量差异较大，收集的江苏产地的 2 批丹参药材总丹参酚酸含量较高，山东、安徽、陕西产地的丹参药材总丹参酚酸含量也较高。

三、商品规格

根据市场流通情况，将丹参药材根据产地的不同分为"川丹参""山东丹参"和"其他产区丹参" 3 种规格，根据主根中部直径、长度将"川丹参"选货规格分为"特

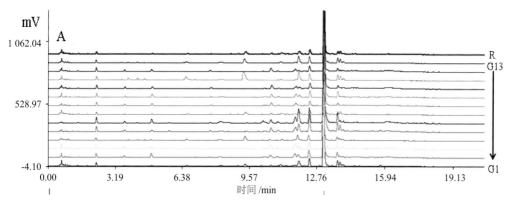

G1 ~ G13—丹参药材图谱；R—对照图谱。

丹参水提物 UPLC 指纹图谱及对照图谱

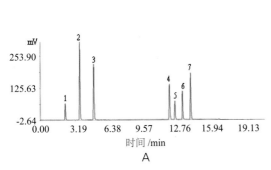 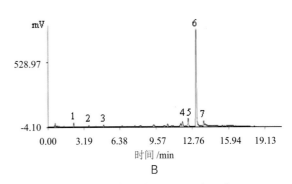

1—丹参素；2—原儿茶醛；3—咖啡酸；4—迷迭香酸；5—紫草酸；6—丹参酚酸B；7—丹参酚酸A。

对照品色谱图（A）及丹参样品（B）色谱图

级" "一级" "二级" 和 "三级" 4 个等级，将 "山东丹参" 选货规格分为 "一级" 和 "二级" 2 个等级。江苏丹参药材以统货为主。

市场调查发现，野生丹参无法形成商品主流，个别市场以滇丹参或甘西鼠尾草作野生丹参出售。目前市场上存在大小不一、厚薄不均的丹参片，部分药材市场还有斜切片与丹参段。除普通丹参外，市场上尚存在较多熏硫丹参、发汗丹参（断面黑色）。市场上对于统货的概念较为混乱，有些统货是指未经过挑选的药材，有些统货是指挑选分级后的丹参药材，现将未经过挑选的药材统称为统货。

| 功效物质 | 丹参中主要有脂溶性丹参菲醌类及水溶性丹参酚酸类化学成分，包括丹参酮ⅡA、丹参酮Ⅰ、隐丹参酮、二氢丹参酮Ⅰ、丹参酚酸B等功效成分。此外，尚含有挥发油类及无机元素等化学成分。

一、丹参菲醌类成分

丹参中醌类成分可分为邻醌型的丹参酮类二萜、对醌型的罗列酮类二萜和其他类型的二萜。邻醌型的丹参酮类二萜在丹参中含量较高，代表性化合物主要有丹参酮Ⅰ、丹参酮ⅡA、丹参酮ⅡB、丹参酮Ⅲ、隐丹参酮、丹参酸甲酯、丹参新酮、二氢丹参酮Ⅰ、羟基丹参酮、次甲丹参醌、红根草邻醌、丹参二醇A、紫丹参甲素～己素等。对醌型的罗列酮类二萜在丹参中含量较低，主要有异丹参酮Ⅰ、异丹参酮ⅡA、异丹参酮ⅡB、异隐丹参酮、7α-乙氧基罗列酮、二氢异丹参酮Ⅰ、丹参新醌甲～丁等。其他类型的二萜主要有丹参螺缩酮内酯、新隐丹参酮、表丹参螺缩酮内酯、丹参隐螺内酯、表丹参隐螺内酯、阿罗卡二醇、丹参缩酮二酯、鼠尾草卡诺醇、鼠尾草酚酮、丹参酮二酚等，该类成分具有确切的心血管活性。

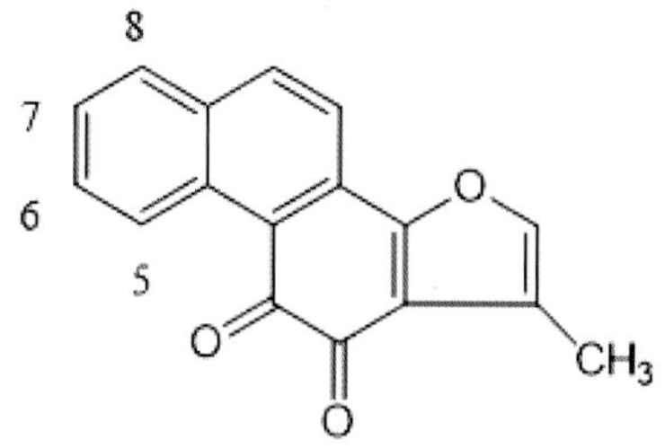

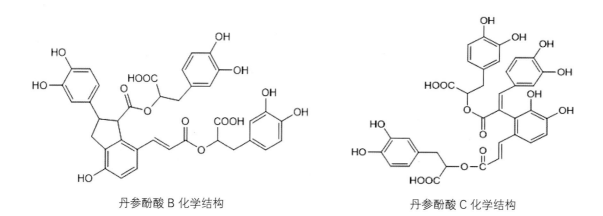

邻醌型丹参酮类化学结构 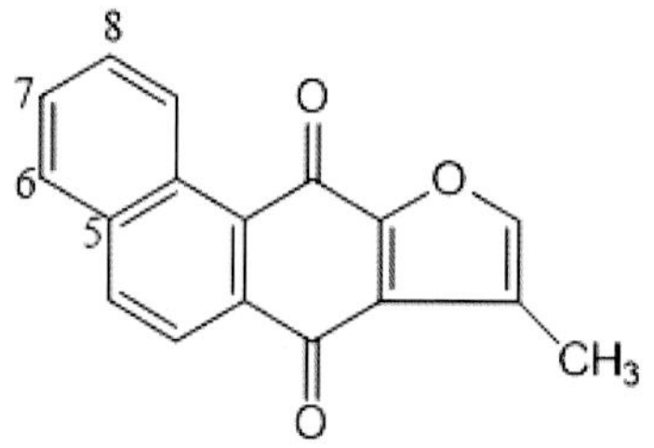   对醌型罗列酮类化学结构

二、丹参酚酸类成分

丹参中酚酸类成分多含有苯丙烷结构以及该类成分缩合形成的多酚芳酸。主要化合物有丹参素、原儿茶醛、迷迭香酸及其甲酯、咖啡酸、阿魏酸、异阿魏酸、紫草酸、铁锈醇、鼠尾草酚、鼠尾草列醇，以及丹参酚酸 A～G 等。该类成分在治疗心脑血管疾病方面应用最为广泛，在鼠尾草植物资源中含量丰富，尤其在宽球苏组和丹参组植物中含量更为丰富。此二组中的药用植物具有活血通经、通络的功效，在民间作为丹参使用的植物皆来源于此二组。同时，鼠尾草亚属植物具有清热、凉血的功效，是研发抗菌、抗病毒、抗肿瘤等药物的重要资源。

丹参酚酸 B 化学结构   丹参酚酸 C 化学结构

| 功能主治 | 苦，微寒。归心、肝经。活血祛瘀，通经止痛，清心除烦，凉血消痈。用于胸痹心痛，脘腹胁痛，癥瘕积聚，热痹疼痛，心烦不眠，月经不调，痛经经闭，疮疡肿痛等。

| 用法用量 | 内服煎汤，10～15 g。活血化瘀宜酒炙用。

| 传统知识 | 基于文献梳理和中药资源普查过程中调查走访收集的传统用药知识，记录于此。

（1）治疗经血涩少，产后瘀血腹痛，闭经腹痛：丹参、益母草、香附各三钱。煎汤服。

（2）治疗腹中包块：丹参、三棱、莪术各三钱，皂角刺一钱。煎汤服。

资源利用 一、在医药领域中的应用

1. 丹参

现代研究表明丹参中的丹参菲醌类、丹参酚酸类为其主要的资源性化学成分，具有强心、抗血栓形成、改善微循环、促进组织的修复与再生、抑制过度增生、保肝、抗菌、降血脂等多种生物活性，广泛应用于心脑血管疾病的治疗，并研制成系列产品如复方丹参口服液、复方丹参注射液、复方丹参胶囊、复方丹参滴丸等。

2. 丹参茎叶

丹参茎叶作为药材已收录至《陕西省药材标准》中，富含丹参酚酸类、黄酮类等成分，迷迭香酸含量约为丹参根中含量的 20 倍，故丹参茎叶可作为提取丹参酚酸类成分的优良原料。丹参茎叶具有保护心脑血管、降糖降脂、增强免疫力、美容养颜等功效。丹参茎叶中丹参酚酸类和黄酮类成分经提取富集可用于制备天然抗氧化剂及治疗或改善心血管疾病的药品或保健品。此外，丹参茎叶尚含有黄酮类、三萜类及香豆素类成分。

采用大孔吸附树脂法富集丹参茎叶中总酚酸类成分，其工艺参数为：以 50% 乙醇 8 倍量回流提取 3 次，每次提取 1 小时为最佳提取工艺；以 AB-8 型大孔吸附树脂纯化富集，1.0 g/ml 药液上样，上样量为每 10 g 干树脂上样 1.5 g 干燥提取物，40% 乙醇洗脱，洗脱用量 3 BV 为最佳纯化工艺，酚酸类及黄酮类成分总纯度可达到 41.83%。酚酸类和黄酮类化合物多具有抗氧化活性，在治疗心血管疾病、慢性肝炎及改善记忆功能障碍等方面具有重要作用。

以丹参茎叶为原料，经水提取、冷藏及离心过滤、调 pH、大孔吸附树脂分离、干燥等工艺可制备得到资源性成分丹参素及丹参酚酸 B。此外，丹参叶中富含营养成分，其中含蛋白质 17.90%、粗脂肪 4.48%、总糖 30.30%。丹参叶中钾、锌、铜、铁的含量也明显高于丹参根，并且还含有锰、钴、铬、镍等多种微量元素，可降血压，纠正人体胆固醇的异常代谢，对防治冠心病具有积极作用。

二、在保健食品中的应用

丹参提取丹参酮类及丹参酚酸类成分后的残渣和制备丹参酚酸注射液的废液中，含有丰富的水苏糖类物质。该糖类物质具有促进双歧杆菌增殖、改善脾胃功能、调节免疫力、降血糖、降血脂、瘦身美容等保健和治疗作用，可制备成速溶粉末、

颗粒剂、口服液等制剂，是重要的天然资源性化学成分。此外，尚富含维生素 E 和多种微量元素，亦可作为美容美发的保健食品。

以丹参花为蜜源酿造的丹参蜂蜜具有浓厚的丹参花香气味，口感佳。

三、在其他领域中的应用

经水提醇沉工艺后的丹参药渣中尚富含丹参酮类成分和少量丹参酚酸类成分，可从中获得高纯度的总丹参酮（纯度大于 60%）和丹参酮 Ⅱ A、丹参酮 Ⅱ B、隐丹参酮等（纯度大于 95%）。同时，剩余药渣可进一步经发酵转化为纤维素酶，应用于医药及化工行业；或丹参药渣直接经热解炭化为生物炭，可进一步制备生物炭菌剂用于改良土壤，使得丹参渣成为再生资源。此外，丹参药渣作为肥猪和肉牛的饲料，能提高肥猪和肉牛的生产性能。

| 附　　注 | 我国唇形科鼠尾草属植物有 84 种、47 变种或变型，药用种 30 余种，尤以西南地区为多。其中，分布于甘肃、宁夏、青海、云南、西藏的甘西鼠尾草 *Salvia przewalskii* Maxim. 被作为甘肃丹参应用；分布于云南的滇丹参 *Salvia yunnanensis* C. H. Wright 在该地区被作为丹参应用。白花丹参 *Salvia miltiorrhiza* f. *alba* C. Y. Wu et H. W. Li 在山东有分布。

参考文献

[1] 肖小河，方清茂，夏文娟，等. 药用鼠尾草属数值分类与丹参药材道地性 [J]. 植物资源与环境，1997，6（2）：17.

[2] 沙秀秀，宿树兰，沈飞，等. 不同生长期丹参茎叶及花序中丹酚酸类化学成分的分布与积累动态分析评价 [J]. 中草药，2015，46（22）：3414-3419.

[3] 曾慧婷. 丹参茎叶资源化学研究及心血管活性评价 [D]. 南京：南京中医药大学，2017.

[4] 徐丽君，黄光英. 丹参的化学成分及其药理作用研究概述 [J]. 中西医结合研究，2009，1（1）：45-48.

[5] 代云桃，秦雪梅，郭小青，等. 不同产地不同品种丹参药材内在质量评价 [J]. 山西医科大学学报，2006，37（7）：716-719.

[6] 杭亮，王俊儒，杨东风，等. 紫花丹参和白花丹参不同部位有效成分的分布特征 [J]. 西北农林科技大学学报（自然科学版），2008，36（12）：217-222.

[7] 段金廒，宿树兰，吕洁丽，等. 药材产地加工传统经验与现代科学认识 [J]. 中国中药杂志，2009，34（24）：3151-3157.

[8] 顾俊菲，宿树兰，彭珂毓，等. 丹参地上部分资源价值发现与开发利用策略 [J]. 中国现代中药，2017，19（12）：1659-1664.

[9] 梁倩，王军儒，梁宗锁. 丹参花挥发油 GC 指纹图谱的建立 [J]. 西北林学院学报，2008，23（4）：152-155.

[10] 于传福，张若芳，毛超英，等. 丹参（地上部分）注射液的初步研究 [J]. 药学通报，1980，15（1）：10-11.

[11] 项想，孙成静，宿树兰，等. 丹参茎叶酚酮有效部位的提取纯化工艺研究 [J]. 中草药，2018，49（1）：120-127.

[12] 曾慧婷，宿树兰，沙秀秀，等. 丹参茎叶提取物抗氧化活性物质基础与量效关系研究 [J]. 中草药，2017，48（22）：4688-4694.

[13] 顾俊菲. 丹参茎叶总酚酸组分对糖尿病多脏器损害的保护作用及机制研究 [D]. 南京：南京中医药大学，2018.

[14] 蔡红蝶. 丹参茎叶对慢性肾功能损伤的改善作用及机制研究 [D]. 南京：南京中医药大学，2017.

[15] 曾慧婷，宿树兰，朱悦，等. 丹参酚酸类成分生物合成途径及调控机制研究进展 [J]. 中草药，2016，47(18)：3324-3331.

[16] 俞辰亚代，于金高，顾俊菲，等. 丹参茎叶提取物对高糖诱导的果蝇代谢紊乱模型的糖脂代谢的调节作用及其机制 [J]. 中国中药杂志，2018，43（7）：1484-1491.

[17] 沙秀秀，戴新新，宿树兰，等. 丹参茎叶药材的质量标准研究 [J]. 药物分析杂志，2016，36（6）：1094-1100.

[18] 孙成静，曾慧婷，宿树兰，等. 丹参茎叶提取物及其主要成分对人脐静脉内皮细胞的保护作用及机制研究 [J]. 中草药，2019，50（14）：11.

[19] 王钦汶，戴新新，项想，等. 丹酚酸和丹参酮干预糖尿病肾病的分子机制研究进展 [J]. 药学学报，2019，54（8）：1356-1363.

[20] 戴新新，宿树兰，郭盛，等. 丹参酮类成分的生物活性与应用开发研究进展 [J]. 中草药，2017，48（7）：1442-1448.

[21] 戴新新，沈飞，宿树兰，等. 丹参药渣中丹参酮类化学成分的提取富集研究及其利用途径分析 [J]. 中国现代中药，2016，18（12）：1578-1582.

[22] 沈飞，宿树兰，江曙，等. 丹红注射液生产过程中丹参固体废弃物的资源性成分分析及其转化机制研究 [J]. 中草药，2015，46（16）：2471-2476.

[23] 宿树兰，段金廒，郭盛，等. 丹参茎叶中酚酸类及黄酮类成分的提取纯化方法：201810305228.X[P]. 2018-07-20.

[24] 段金廒，顾俊菲，宿树兰，等. 一种具有调理肠道功能的丹参茎叶提取物及其制备方法与应用：201810014440.0[P]. 2018-07-06.

[25] 宿树兰，段金廒，马新飞，等. 具有降血糖、降血脂和降压功效的丹参叶复合保健茶及其制备方法和用途：201710004749.7[P]. 2017-05-17.

[26] 宿树兰，段金廒，蔡红蝶，等. 具有治疗糖尿病肾病的中药组合物有效部位及其制备方法和应用：201710039382.2[P]. 2017-04-05.

[27] 宿树兰，段金廒，江曙，等. 利用生物转化技术从丹参地上茎叶中高效制备丹参酚酸类成分的方法：201510070147.2[P]. 2015-05-13.

[28] 宿树兰，段金廒，赵步长，等. 一种应用糖化预处理方法从丹参药渣中提取制备丹参酮类成分的方法：201510007766.7[P]. 2015-04-08.

[29] 彭向前. 丹参叶保健饮料的研制 [J]. 试验报告与理论研究，2010，13（11）：23-25.

[30] 贾士军. 丹参叶茶加工工艺及其抗氧化性能研究 [D]. 泰安：山东农业大学，2012.

[31] 钟茂团，黎勇. 一种美白皮肤抗衰老的组合物、其制备复方及应用：201110359141.9[P]. 2012-03-07.

[32] 姚广发，刘莉，王海洋，等. 具有保健功效的丹参花露饮品的制备方法：201210580915.5[P]. 2013-03-27.

[33] 潘凌烊. 一种生产丹参农产品的种植方法：201210494284.5[P]. 2013-03-13.

[34] 郑云枫，程建明，丁宁，等. 一种从丹参水提醇沉物中制备水苏糖的方法：201110122779.0[P]. 2011-11-02.

[35] 周铜水，周国军，李焱. 丹参水苏糖及其制备方法和用途：201210039455.5[P]. 2012-07-11.

[36] LIN H C, CHANG W L. Diterpenoids from *Salvia miltiorrhiza*[J]. Phytoehemistry, 2000, 53（8）：951-

953.

[37] XIANG X, CAI H D, SU S L, et al. *Salvia miltiorrhiza* protects against diabetic nephropathy through metabolome regulation and wnt/β-catenin and TGF-β signaling inhibition[J]. Pharmacological Research, 2019, 139: 26-40.

[38] XIANG X, SHA X X, SU S L, et al. Simultaneous determination of polysaccharides and 21 nucleosides and amino acids in different tissues of *Salvia miltiorrhiza* from different areas by UV-visible spectrophotometry and UHPLC with triple quadrupole MS/MS[J].Journal of Separation Science,2018,41(5), 996-1008.

[39] CAI H D, SU S L, LI Y H, et al. Danshen can interact with intestinal bacteria from normal and chronic renal failure rats[J]. Biomedicine & Pharmacotherapy, 2019, 109: 1758-1771.

[40] CAI H D, SU S L, LI Y H, et al. Protective effects of *Salvia miltiorrhiza* on adenine-induced chronic renal failure by regulating the metabolic profiling and modulating the NADPH oxidase/ROS/ERK and TGF-β/Smad signaling pathways[J]. Journal of Ethnopharmacology, 2018, 212: 153-165.

[41] ZENG H T, SU S L, XIANG X, et al. Comparative analysis of the major chemical constituents in *Salvia miltiorrhiza* roots, stems, leaves and flowers during different growth periods by UPLC-TQ-MS/MS and HPLC-ELSD methods[J]. Molecules, 2017, 22 (5) : 771.

[42] GU J F, SU S L, GUO J M, et al. The aerial parts of *Salvia miltiorrhiza* Bge. strengthen intestinal barrier and modulate gut microbiota imbalance in streptozocin-induced diabetic mice[J]. Journal of Functional food, 2017, 36: 362-374.

（宿树兰）

唇形科 Lamiaceae 夏枯草属 Prunella

夏枯草 *Prunella vulgaris* L.

| 药 材 名 | 夏枯草（药用部位：果穗。别名：灯笼头、羊肠菜、榔头草）。

| 本 草 记 述 | 夏枯草始载于《神农本草经》，被列为下品。《神农本草经》记载："主寒热，瘰疬，鼠瘘，头疮，破癥，散瘿结气，脚肿湿痹。"《本草纲目》载夏枯草"能解内热，缓肝火"；《神农本草经疏》载"治乳痈，乳岩"。《本草通玄》记载："夏枯草，补养厥阴血脉，又能疏通结气。目痛、瘰疬皆系肝症，故建神功。然久用亦防伤胃，与参、术同行，方可久服无弊。"《重庆堂随笔》记载："夏枯草，微辛而甘，故散结之中，兼有和阳养阴之功，失血后不寐者服之即寐，其性可见矣。陈久者其味尤甘，入药为胜。"《本草从新》记载："治瘰疬、鼠瘘、瘿瘤、症坚、乳痈、乳岩。"《本草衍义补遗》记载："补养血脉。"《滇南本草》记载："祛肝风，行经络。治口眼歪斜，行肝气，开肝郁，止筋

骨疼痛、目珠痛，散瘰疬、周身结核。"由此可见古人对于夏枯草的功效及适应证已多有记载。

| 形态特征 | 多年生草本。根茎匍匐地上，节上生须根。茎高 15 ～ 30 cm，上升，下部伏地，自基部多分枝，钝四棱形，具浅槽，紫红色，被稀疏的糙毛或近无毛。叶对生，草质；叶柄长 0.7 ～ 2.5 cm，自下向上渐变短；叶片卵状长圆形或圆形，大小不等，先端钝，基部圆形、截形至宽楔形，下延至叶柄成狭翅，边缘具不明显的波状齿，或几近全缘。轮伞花序密集排列成顶生的假穗状花序，花期较短，随后逐渐伸长；苞片肾形或横椭圆形，具骤尖头；花萼钟状，二唇形，上唇扁平，先端平截，有 3 不明显的短齿，中齿宽大，下唇 2 裂，裂片披针形，果时花萼由于下唇 2 齿斜伸而闭合；花冠紫色、蓝紫色或红紫色，略超出于萼，长不超过萼长的 2 倍，下唇中裂片宽大，边缘具流苏状小裂片；雄蕊 4，二强，花丝先端 2 裂，1 裂片能育，具花药，花药 2 室，室极叉开；子房无毛。小坚果黄褐色，长圆状卵形，微具沟纹。花期 4 ～ 6 月，果期 6 ～ 8 月。

| 资源情况 | 一、生态环境

多生于荒地、路旁及山坡草丛中。喜温和湿润的气候，耐寒，适应性强，怕积水。

二、分布区域

夏枯草在江苏分布较广，常见于南部的丘陵地区，包括镇江、南京、常州等地。

三、蕴藏量

根据样方调查结果，夏枯草在江苏南部的丘陵山地较为常见。

四、栽培历史与产地

夏枯草药用始载于《神农本草经》，被记载为"一名夕句，一名乃东。生川谷"。宋代《证类本草》曰："生蜀郡川谷，今河东、淮、浙州郡亦有之。"

五、栽培面积与产量

江苏射阳等地曾有小面积夏枯草栽培，但尚未形成稳定规模。

六、规范化生产技术

1. 选地整地

夏枯草对土质要求不严格，选阳光充足、排水良好的砂壤土栽培为宜，土壤黏重或低湿地不宜栽培。整地前根据地块的肥沃程度，一般每亩施磷肥 50 kg、尿素 20 ～ 25 kg 或复合肥 50 kg，深耕 20 ～ 25 cm，耙细，做 2 ～ 3 m 宽平畦。行间套种的整地方法为：先除尽杂草，按 1 ～ 1.2 m 宽做畦，将沟土覆在畦面上。

2. 繁殖方法

以种子繁殖为主，生产中一般采用直播，亦可先育苗。夏枯草种子细小，在气温 25 ~ 30 ℃、有足够湿度时播种，播后 15 天左右出苗。种植时间一般分为早春和早秋两季，最佳种植季节为每年的立秋至白露（农历 8 月上旬至 9 月上中旬），足墒种植，15 天左右出苗，年内定根越冬，翌年长势旺盛，成熟早，产量高。播种一般分条播和撒播 2 种。条播要用锄脑按行距 16.65 ~ 23.31 cm 开沟，将种子均匀撒于沟内，种后用扫帚轻扫，将种子掩着即可。若墒情较差应盖稻草保湿，盖后洒水，保持畦面湿润，出苗后及时揭去盖草。间作套种因土地利用率较低，每亩用种量一般为 0.5 kg。撒播为将种子与草木灰拌匀，均匀撒在整好的畦面上，播后覆上薄土，以盖没种子为宜。

3. 田间管理

（1）间苗与定苗。苗齐后，在苗高 5 cm 左右时结合中耕除草进行间苗，去弱苗，留强苗；苗高 8 ~ 10 cm 时，按行距 5 ~ 10 cm 定苗。

（2）中耕除草。夏枯草出苗后应视杂草生长情况及时进行人工除草，宜浅锄，勿伤根，幼苗期勤松土除草。要求床面清洁无杂草，禁止使用化学除草剂进行除草。

（3）灌水、排水。播种后，遇干旱要及时浇水，保持土壤湿润，以保苗齐。雨天要及时清沟排水，避免田间积水。

（4）追肥。应视幼苗生长情况进行适量的追肥。幼苗高 10 cm 左右时，每亩施清淡人畜粪水 250 kg，施后浇水 1 遍；花前施圈肥 1 000 kg、过磷酸钙 15 kg，开浅沟施。

| **采收加工** | 5 ~ 6 月果穗呈棕红色时，选晴天采收，除去杂质，晒干或鲜用。

| **药材性状** | 本品干燥果穗呈长圆柱形或宝塔形，长 2.5 ~ 6.5 cm，直径 1 ~ 1.5 cm，棕色或淡紫褐色。宿萼数轮至十数轮，覆瓦状排列，每轮有 5 ~ 6 具短柄的宿萼，下方对生 2 苞片。苞片肾形，淡黄褐色，纵脉明显，基部楔形，先端尖尾状，背面生白色粗毛。宿萼唇形，上唇宽广，先端微 3 裂，下唇 2 裂，裂片尖三角形，外面有粗毛。花冠及雄蕊均已脱落。宿萼内有小坚果 4，棕色，有光泽。体轻，质脆。微有清香气，味淡。以色紫褐、穗大者为佳。

夏枯草药材

| **品质评价** | 一、药材品质评价沿革

明代《本草品汇精要》记载："【用】茎、叶【质】叶似旋覆而短【色】绿。"1963年版《中华人民共和国药典》记载："以果穗正齐、无枝叶者为佳。"1977 年版《中华人民共和国药典》记载："以穗大、色棕红者为佳。"《中华本草》记载："【炮制】取原药材，除去杂质，去柄，筛去灰屑。"《现代中药材商品通鉴》记载有"以穗大、色棕红、摇之作响者为佳""【商品规格】统货。分江苏、浙江、安徽统装等"。

综上所述，在古今文献中，夏枯草古代以带花及果穗的茎、叶入药，现代以成熟果穗入药，药用部位的改变导致其质量要求也有所变化。古人要求药材的颜色带有绿色（茎叶的颜色），现代则以穗大、色棕红、摇之作响者（果穗成熟、饱满、新鲜的标志）为佳。

二、不同采收时间夏枯草品质评价

对不同采收时间的 16 批夏枯草样品以迷迭香酸为考察指标进行评价，结果发现，迷迭香酸含量最高的 3 批夏枯草中均明显含有浅绿色未成熟的夏枯草，而《中华人民共和国药典》规定应 "夏季果穗呈棕红色时采收"。夏枯草果穗的成熟度与迷迭香酸的含量有关，未成熟部分的含量显著高于成熟部分。浅绿色部分未到采收期，性状不符合药典规定。

三、不同产地夏枯草指纹图谱的建立及品质评价

收集广西贺州、湖北十堰、湖南张家界、浙江丽水、江西赣州、湖北蕲春、广东清远、陕西安康、福建三明、广东韶关、湖南宜章、福建古田、贵州黔东南、安徽亳州、四川广元、河南新乡 16 批夏枯草药材，建立 HPLC 指纹图谱，并以芦丁、异迷迭香酸苷和迷迭香酸为定量指标，结果表明，除广西贺州和贵州黔东南外，其余 14 批药材指纹图谱与对照图谱相似度超过 0.88，表明大多数产地的夏枯草药材质量一致性较好。

四、商品规格

古代对于夏枯草没有划分规格等级。目前，考虑到夏枯草用量大、价格低、产地广、来源单一，产地间无显著差异，果穗数量不计其数，人力、物力不支持细致地挑拣分选等，在制订夏枯草商品规格等级标准时，主要依据的是色泽的均匀性。它代表了夏枯草的成熟程度，新鲜程度，生产、运输及存储过程是否受到降雨、温湿度及其他不利因素的影响等。

当前药材市场的夏枯草不分规格，等级则是按照表面颜色深浅及长短大小的均匀度或一致性进行划分的，野生品与各地引种品均可按此标准划分。夏枯草饮片规格等级同药材。市场上部分夏枯草商品残留果柄较长（超过 2 cm），应加以控制。颜色发黑、质地酥脆易碎者，均不宜作为夏枯草商品供药用。标准中，"选货" 又称选装货、手选货等，是目前市场上对同种药材商品中经过挑选分离得到的质量优良者的俗称。选货中也可根据需要，依据果穗的长短、大小及均匀度，再分出选一、选二等级别。

此外，有研究表明，不同煎煮时间对夏枯草中丹参素、咖啡酸、迷迭香酸的含量亦有影响，煎煮 25 分钟时，丹参素及咖啡酸含量最高；煎煮 40 分钟时，迷迭香酸含量最高。

| **功效物质** | 现代研究表明，夏枯草含萜类、甾体类、黄酮类、香豆素类、苯丙素类等丰富的功效物质，具有抗肿瘤、抗炎免疫、抗氧化、降血糖、降血脂、降血压等多种生物活性。临床上常用于甲状腺肿、急性黄疸性病毒性肝炎、淋巴结结核、

肺结核等疾病。

一、萜类

夏枯草中富含萜类成分，以三萜类为主，主要类型为齐墩果烷型、乌苏烷型和羽扇豆烷型，其中，以齐墩果酸和熊果酸含量最高。目前，夏枯草中已分离出齐墩果烷型三萜类化合物 24 种、乌苏烷型三萜类化合物 29 种、羽扇豆烷型三萜类化合物 2 种。此外，夏枯草中还存在夏枯草皂苷 A、夏枯草皂苷 B、夏枯草新苷等环三萜类化合物及二萜类化合物 vulgarisin A 等，其中三萜类成分具有显著的抗肿瘤和保肝作用。齐墩果酸对人肺腺癌细胞 SPC-A-1 的生长有显著的抑制作用；熊果酸对人肺癌细胞 A549、淋巴细胞白血病细胞 P388 和 L1210、人乳腺癌细胞 MCF-7 和 MDA-MB-23 有显著的细胞毒性；$2\alpha,3\alpha$- 二羟基乌苏 -12- 烯 -28- 酸可影响人急性 T 淋巴细胞、白血病细胞 Jurkat T 的生长，诱导细胞凋亡。

二、黄酮类

夏枯草中含多种黄酮类成分，主要包括山柰酚、槲皮素、木犀草素等黄酮苷元及其糖苷。黄酮苷类成分主要有刺槐素 -7-O-β-D- 吡喃葡萄糖苷、芦丁、槲皮素 -3-O-β-D- 半乳糖苷、槲皮素 -3-O-β-D- 葡萄糖苷、山柰酚 -3-O-β-D- 葡萄糖苷、木犀草苷、异荭草素、橙皮苷等。此外，尚含有汉黄芩素、黄酮醇及花青素类黄酮类成分。黄酮类成分具有一定的抗氧化及清除体内自由基的作用，能够防止膜脂质过氧化，减少红细胞溶血，降低过氧化产物。

三、挥发油类

夏枯草中含有的挥发油主要包括 1,8- 桉油精、β- 蒎烯酸、月桂烯、乙酸芳樟酯、α- 水芹烯、芳樟醇、1,6- 环癸酮二烯、棕榈酸、三十六烷、9- 十八碳烯、四十烷、十二醛、正二十一烷等。GC-MS 分析鉴定出 35 种化学成分，其中包括 76.8% 的脂肪酸类、8.7% 的醇类、4.6% 的烯类、4.1% 的烷烃类、2.9% 的酮类、1.1% 的醛类、0.5% 的酯类、0.2% 的萜类物质及 0.3% 的氧化物、0.2% 的含氮化合物等。挥发油类成分具有抗菌、抗炎、解热、平喘、镇痛的作用，有似桉叶、樟脑样清凉刺激之感。

四、有机酸类

夏枯草中有机酸类成分主要有酚酸类和长链脂肪酸类。酚酸类成分主要包括咖啡酸及其衍生物（咖啡酸乙酯、咖啡酸、咖啡酸 -3- 葡萄糖苷、3- 咖啡酰奎尼酸等）、丹参素甲酯、丹参素乙酯、迷迭香酸、迷迭香酸甲酯、异迷迭香酸葡萄糖苷、迷迭香酸葡萄糖苷甲酯等，以及水杨酸、原儿茶醛、对羟基苯甲酸、对香豆酸、阿魏酸、丁香酸、肉桂酸、芥子酸等。长链脂肪酸类主要包括亚油酸、花生油酸、硬脂酸、异硬脂酸、棕榈酸、棕榈酸乙酯、油酸、月桂酸、百里香酸、肉豆蔻酸、亚麻酸等。研究表明，夏枯草中具有咖啡酸结构单元的化学成分可以降低血糖水平，改善体内氧化应激，长时间作用可显著增加血清胰岛素含量，并可改善热痛觉过敏和触觉异常性疼痛，此外，对 α - 淀粉酶和 α - 葡萄糖苷酶具有较强的抑制作用。

五、糖类

夏枯草中糖类化合物主要包括葡萄糖、蔗糖、半乳糖、果糖、木糖、甘露糖、鼠李糖、阿拉伯糖等。此外，还从夏枯草水提取物中分离获得 XKC00、XKC02-A、XKC02-B 3 种多糖。研究表明，夏枯草多糖对羟自由基和 DPPH 自由基的清除能力较强，且有明显的量效关系。

六、其他类

此外，夏枯草中尚含有少量的蒽醌类、甾体类、香豆素类，以及钩藤碱、莨菪碱、二氢白屈菜红碱等生物碱类成分。夏枯草中还含有铬、锌、镍、铁、铜等微量元素，维生素 A、B、C、K，以及右旋樟脑、D- 茴香酮、水溶性无机盐（约 3.5%，其中约 68% 是氯化钾）、树脂、脂肪油、鞣质、氨基酸、胞苷等化学成分。

| **功能主治** | 苦、辛，寒。归肝、胆经。清火，明目，散结，消肿。用于目赤肿痛，目珠夜痛，头痛眩晕，瘰疬，瘿瘤，乳痈肿痛，甲状腺肿，淋巴结结核，乳腺增生，高血压。

| **用法用量** | 内服煎汤，6 ~ 15 g，大剂量可用至 30 g；或熬膏；或入丸、散剂。外用适量，煎汤洗；或捣敷。

| **传统知识** | 基于文献梳理和中药资源普查过程中调查走访收集的传统用药知识，记录于此。

（1）治疗乳痈初起：夏枯草、蒲公英各等分。酒煎服，作丸亦可。

（2）治疗肝虚目睛痛，冷泪不止，筋脉痛，眼羞明怕日：夏枯草半两，香附子一两，共为末。每服一钱，腊茶调下，无时。

（3）治疗口眼歪斜：夏枯草一钱，胆南星五分，防风一钱，钓钩藤一钱。煎汤，点水酒临卧时服。

（4）头目眩晕：夏枯草（鲜）二两，冰糖五钱。开水冲炖，饭后服。

（5）预防麻疹：夏枯草五钱至二两。煎汤服，日 1 剂，连服 3 天。

（6）治疗小儿细菌性痢疾：2 岁以下，夏枯草一两，半枝莲五钱；2 ~ 6 岁，夏枯草、半枝莲各一两；7 ~ 12 岁，夏枯草、半枝莲各一两半。煎汤服。

（7）治疗急性扁桃体炎，咽喉疼痛：夏枯草全草（鲜）二至三两。煎汤服。

（8）治疗瘰疬痰核：常配玄参、贝母、连翘、牡蛎、昆布等同用。

| 资源利用 | 一、在医药领域中的应用

夏枯草为临床常用中药，具有清火明目、软坚散结的功效。夏枯草中主要含有萜类、黄酮类、甾体类、香豆素类、有机酸类、挥发油类及糖类等成分，具有降血压、降血糖、抗菌消炎、免疫抑制、清除自由基及抗氧化、抗肿瘤、抑制病毒生长等多种药理作用。目前，市场上已开发多种夏枯草制剂用于疾病的治疗，例如：具有养肝血、散郁结功效的夏枯草膏，可用于部分眼科疾病和乳腺增生、乳腺炎等；具有清肝泻火、散结消肿功效的夏枯草胶囊和颗粒剂，单药可用于甲状腺疾病，与化学药物联用，可显著提高疗效并降低药物的不良反应；对人胰腺癌细胞等有明显的凋亡诱导作用的夏枯草口服液、夏枯草注射液，在抗肿瘤治疗中显示出良好的应用前景；联用其他药物可治疗子宫肌瘤的夏枯草片等。可见，夏枯草各种制剂的疗效已得到临床的认可，具有深入研究开发的价值。

二、在保健食品中的应用

宋代《本草衍义》即有对夏枯草可食性的记载："夏枯草……初生嫩时作菜食之，须浸洗，淘去苦水。"明代《救荒本草》再次出现有关夏枯草食用性的记载："夏枯草……采嫩叶炸熟，换水浸淘，去苦味，油盐调食。"李时珍《本草纲目》载："夏枯草……嫩苗沦过，浸去苦味，油盐拌之可食。"而后食疗专著《食物本草》对夏枯草的食用性描述为"夏枯草……嫩苗沦过，浸去苦味，油盐拌之以作菹茹，极佳美"。由上述可知，夏枯草在我国的食疗历史悠久。目前，夏枯草作为食品原料应用广泛，如以夏枯草为主制成的系列凉茶（枯菊茶）、食物（凉拌夏枯草、夏枯草粥）等。由于采摘加工方便，江苏南京周边地区仍保留夏枯草代茶饮的民间习俗。此外，在我国广东、福建等地，夏枯草常被作为主料煲制靓汤。

三、在其他领域中的应用

夏枯草具有较高的观赏价值，因具有适应性强、观赏期长、抗逆性强等多种优点，常被选作地被植物栽培于空旷广场及稀疏树丛下。此外，夏枯草的药渣配合棉籽壳栽培草菇，可降低栽培成本，经济效益显著。

| 附 注 | （1）本种的同属植物粗毛夏枯草 *Prunella hispida* Benth. 在云南、西藏等地也称夏枯草入药，系地方习用品种。

（2）夏枯草为清肝火、散郁结的要药，所治大多为肝经病证。夏枯草配以菊花、决明子，可清肝明目，治疗目赤肿痛；配以石决明、钩藤，可平降肝阳，治疗头痛、头晕；配以玄参、贝母、牡蛎等，可软坚散结，治疗瘰疬结核。

参考文献

[1] 张金华，邱俊娜，王路，等．夏枯草化学成分及药理作用研究进展[J]．中草药，2018，49（14）：3432-3440．

[2] 李存玉，吴鑫，马赟，等．夏枯草中迷迭香酸的纳滤分离行为及富集工艺对比[J]．中药材，2018，41（8）：1947-1949．

[3] 卢旻昱，刘铜华，侯毅，等．夏枯草的药理作用及研究进展述要[J]．世界最新医学信息文摘，2019，19（31）：31-33．

[4] 尹震花，张娟娟，郭庆丰，等．夏枯草多糖的研究进展[J]．食品工业科技，2019，40（18）：334-339，347．

[5] 张艳娇，黄宽，向润清，等．反相高效液相色谱法测定不同煎煮时间夏枯草中丹参素、咖啡酸、迷迭香酸含量[J]．中国中医药信息杂志，2020，27（2）：1-4．

[6] 杨超．夏枯草挥发油抗子宫肌瘤活性及其作用机制研究[D]．衡阳：南华大学，2018．

[7] 翟欣，奚梦茜，郭巧生，等．夏枯草中苦味物质的初步分析[J]．中国中药杂志，2014，39（3）：423-426．

[8] 张淼，白月梅，苗芳，等．夏枯草生殖生长期总黄酮积累规律及抗氧化活性研究[J]．华北农学报，2012，27（2）：170-174．

[9] 周亚敏，唐洁，熊苏慧，等．夏枯草极性部位的化学成分及其抗乳腺癌活性研究[J]．中国药学杂志，2017，52（5）：362-366．

[10] 石磊，詹志来，杨钊，等．夏枯草药材商品的规格等级标准[J]．中国现代中药，2017，19（4）：575-578．

[11] 唐洁，柏玉冰，熊苏慧，等．不同产地夏枯草指纹图谱研究[J]．中南药学，2017，15（8）：1025-1028．

[12] 徐锐，张雪绒，郭巧生，等．9个产地夏枯草主要化学成分的比较分析[J]．成都医学院学报，2017，12（5）：551-554，566．

[13] 严东，谢嘉驰，周亚敏，等．基于液质联用技术及抗炎与抗氧化活性研究夏枯草茎叶和果穗的替代性[J]．中国药学杂志，2016，51（10）：792-797．

[14] 冯春来，袁颖，张海生，等．夏枯草抗肿瘤分子协同作用网络分析[J]．中成药，2016，38（9）：2003-2012．

[15] 郭娜．夏枯草颗粒对气滞血瘀证乳腺增生模型大鼠下丘脑－垂体－性腺相关激素分泌和单胺类神经递质含量的影响[J]．中医临床研究，2017，9（36）：97-100．

[16] 何佳芳，陈龙，芶久兰，等．夏枯草药渣栽培平菇配方筛选试验研究[J]．农技服务，2014，31（8）：73-74．

[17] 林丽美，廖端芳，杨超，等．夏枯草挥发油在制备治疗子宫肌瘤药物中的应用：201710684360.1[P]．2017-12-22．

[18] 吴春珍，文雯，袁淑清，等．一种夏枯草提取物在制备降低血尿酸的药物或食品中的应用：201510478718.6[P]．2015-10-28．

[19] 林丽美，夏伯候，廖端芳．一种防治妇科炎症的夏枯草中挥发油的提取方法及应用：201510069333.4[P]．2015-06-03．

[20] 扶雄，李超，黄强，等．高分子量的夏枯草多糖及其制备方法与在免疫药物中的应用：201410220341.X[P]．2014-09-10．

[21] 吴向阳，仰榴青，赵江丽，等．夏枯草提取物在制备治疗失眠药物中的用途：200910030210.4[P]．2009-08-19．

[22] QU Z, ZHANG J Z, YANG H G, et al. *Prunella vulgaris* L., an edible and medicinal plant, attenuates scopolamine-induced memory impairment in rats[J]. Journal of Agricultural and Food Chemistry, 2017, 65（2）：291.

[23] FANG Y, ZHANG L, FENG J Y, et al. Spica Prunellae extract suppresses the growth of human colon carcinoma cells by targeting multiple oncogenes via activating miR-34a.[J]. Oncology Reports, 2017,

38（3）.

[24] RAAFAT K, WURGLICS M, SCHUBERT—ZSILAVECZ M. *Prunella vulgaris* L. active components and their hypoglycemic and antinociceptive effects in alloxan—induced diabetic mice[J]. Biomedicine & Pharmacotherapy, 2016, 84.

[25] MA F W, KONG S Y, TAN H S, et al. Structural characterization and antiviral effect of a novel polysaccharide PSP—2B from Prunellae Spica[J]. Carbohydrate Polymers, 2016, 152.

[26] DU D S, LU Y, CHENG Z H, et al. Structure characterization of two novel polysaccharides isolated from the spikes of *Prunella vulgaris* and their anticomplement activities[J]. Journal of Ethnopharmacology, 2016, 193: 345—353.

（宿树兰）

唇形科 Lamiaceae　益母草属 Leonurus

益母草
Leonurus japonicus Houtt.

| 药 材 名 |

益母草（药用部位：地上部分。别名：茺蔚、益母艾、坤草）。

| 本草记述 |

益母草始载于《神农本草经》，被列为上品。《本草图经》载："而苗叶上节节生花，实似鸡冠，子黑色，茎作四方棱。"《本草蒙筌》载："方梗凹面，对节生枝。叶如火麻，花开紫色。此草有两种，开白花者不入药。"《本草述钩元》载："二月苗如嫩蒿。入夏渐高三四尺，茎四棱有节，节节生穗，叶尖歧如艾。四五月穗开红紫小花，亦有白者。每萼内细子四粒，色黑褐，有三棱。生时薇臭，夏至后茎叶皆枯，其根色白。"《本草纲目》载："茺蔚春初生苗如嫩蒿，入夏长三、四尺，茎方如黄麻茎。其叶如艾叶而背青，一梗三叶，叶有尖歧。寸许一节，节节生穗，丛簇抱茎。四、五月间，穗内开小花，红紫色，亦有微白色者。每萼内有细子四粒，粒大如同蒿子，有三棱，褐色，药肆往往以作巨胜子货之。其草生时有臭气，夏至后即枯，其根白色。"本草记载与现今所用益母草基本一致。

益母草在《神农本草经》中名茺蔚子，"生池泽"，但古籍中并未说明益母草的具体产地。南北朝时期《本草经集注》记载："生海滨池泽，五月采。今处处有之。"说明益母草分布范围广，和现今的分布相似。唐代《新修本草》和宋代《本草图经》所描述的内容与《本草经集注》一致。《证类本草》曰："今处处有之。"明代《救荒本草》记载："今田野处处有之。"由本草考证可知，益母草自古产地分布较广，全国大部分地区均产。

| 形态特征 |　一年生或二年生草本，株高 30 ～ 120 cm。主根密生须根。茎有倒生的糙伏毛。茎下部叶片纸质，卵形，掌状 3 全裂，中裂片有 3 小裂，两侧裂片有 1 或 2 小裂；花序上的叶片线形或线状披针形，全缘或有少数牙齿，最小裂片宽超过 3 mm。轮伞花序腋生；苞片针形，等长于或短于花萼，有细毛；花萼钟状，长 7 ～ 10 mm，外面有毛，齿 5，前 2 齿靠合；花冠淡红色或紫红色，长 12 ～ 13 mm，筒内有毛环，上唇外面有毛，全缘，下唇 3 裂，中裂片倒心形。小坚果长圆形三棱状，长 2.5 mm，先端平截而略宽大，基部楔形，淡褐色，光滑。花期通常在 6 ～ 9 月，果期 9 ～ 10 月。

| 资源情况 |　一、生态环境

性喜阳光充足、温暖的气候，耐严寒、干旱，尤以向阳地带分布较多，自然分布海拔可超过 3 000 m。江苏淮安及徐州地区为我国益母草药材的重要产地。益母草多生于原野荒地、路旁、草地、堤旁、溪边、多石的山坡。向阳、土层深厚、富含腐殖质、弱酸性至中性及排水良好的砂壤土有利于益母草的生长，而板结红黄壤和砂性强的土壤则不利于其生长。益母草具有一定的耐盐碱性，在江苏沿海滩涂、北部黄河故道的盐碱地上也生长良好。

二、分布区域

全国大部分地区均有分布，江苏各地均有分布，常见于路边荒地上。

三、蕴藏量

根据大丰、兴化、滨海、东海、赣榆、常熟、吴中、金坛、溧阳、丹徒等地样方调查结果，野生益母草目前在江苏十分常见，单位面积蕴藏量 87 716（kg/km²）。

四、栽培历史与产地

由于益母草对环境的适应性较强，各地野生资源均较丰富，基本能满足当地的用量需求。因此，对人工栽培益母草的研究较少。在中药材 GAP 认证工作的推动下，2000 年前后，徐建中、王志安等在浙江地区对反季节栽培童子益母草展开了研究。随着益母草相关的中成药、提取物、配方颗粒等下游产品的需求增大，针对其品种选育、肥料使用、种植制度与技术、植保、采收加工等研究逐渐兴起。

目前国内唯一通过 GAP 认证的益母草栽培基地位于四川冕宁，2015 年 12 月由成都壹瓶科技有限公司申请获批。江苏太仓神英中草药专业合作社 2015 年开始规模化栽培益母草，以生产童子益母草为主。2017 年，在南京中医药大学的技术支撑下，江苏融昱药业有限公司在盱眙仇集建设了 500 亩益母草栽培基地。

五、栽培面积与产量

目前全国益母草药材野生和栽培均有，以野生为主，以浙江、江苏、河南、四川、安徽等地栽培面积较大。江苏盱眙、太仓、洪泽、邳州等地益母草栽培面积为 900 ～ 1 500 亩，年产药材 300 ～ 400 t。

六、规范化生产技术

1. 选地整地

益母草对土壤要求不严，但以向阳、肥沃、排水良好的砂壤土栽培为宜，栽培地需保证灌溉用水。选好地后，每亩施腐熟厩肥或堆肥 1 ～ 2 t 作基肥，翻 20 ～ 30 cm 厚土层，耙细整平，做成高畦，畦宽 1 ～ 2 m，畦沟宽 33 cm，深 13 ～ 16 cm。开好排水沟，以防积水。

2. 繁殖方法

用种子繁殖。播种期因品种习性不同而异，冬性益母草，必须秋播，翌年夏季才能开花结果，江苏地区秋播为 8 月下旬或 9 月上旬；春性益母草春、夏、秋

三季播种均可开花结果，江苏地区春播常为 3 月中下旬。播种方法为条播，每亩播种量一般为 1 kg。播种时，开 3 ~ 5 cm 深的浅沟，行距 20 ~ 30 cm，播沟宽 10 ~ 20 cm，播种前先将种子混入适量草木灰，以利于掌握播种量。播种后覆以薄土，在畦上每亩撒施草木灰 200 kg。

3. 田间管理

（1）间苗与定苗。苗高 7 cm 时，间苗 2 ~ 3 次。至苗高 17 cm 左右定苗，每穴留壮苗 2 ~ 3 株，每亩保持存苗 3 万 ~ 4 万株产量最高。

（2）中耕除草。秋播者中耕除草 3 ~ 4 次，第 1 次在 12 月间苗时，翌年视杂草及植株生长情况进行 2 ~ 3 次。春播者进行 2 ~ 3 次，中耕宜浅。

（3）追肥。播种前除施基肥外，在生长期可结合中耕除草进行追肥，以人畜粪尿、尿素等氮肥为主。

4. 病虫害防治

益母草的常见病害有白粉病、菌核病等。在发病前后用 25% 粉锈宁 1 000 倍液防治白粉病；喷 1 ：500 的瑞枯霉、1 ：1 ：300 的波尔多液或 40% 菌核利 500 倍液等可防治菌核病。虫害主要有蚜虫，春、秋季发生，可用化学制剂防治。

| 采收加工 | 3 月中下旬播种的益母草于 7 月上中旬采收，一般作益母草药材用。每株开花 2/3 时选晴天齐地割下，立即摊放，晒干后扎成捆，当天运回加工基地进行加工。8 月下旬或 9 月上旬播种的于 12 月下旬至 1 月上旬采收，一般作鲜益母草或加工童子益母草用。选晴天齐地割下，除去枯叶、杂质，切勿堆放，勿在太阳下暴晒，扎成捆后，当天尽快运回加工基地进行加工。

| 药材性状 | 本品鲜益母草幼苗期无茎，基生叶圆心形，5 ~ 7 浅裂，每裂片有 2 ~ 3 齿。花前期茎呈方柱形，上部多分枝，四面凹下成纵沟，长 30 ~ 60 cm，直径 0.2 ~ 0.5 cm；表面青绿色；质鲜嫩，断面中部有髓。叶交互对生，有柄；叶片青绿色，质鲜嫩，揉之有汁；下部茎生叶掌状 3 裂，上部茎生叶羽状 3 深裂或浅裂，裂片全缘或具少数锯齿。气微，味微苦。干益母草茎表面灰绿色或黄绿色；体轻，质韧，断面中部有髓。叶片灰绿色，多皱缩、破碎，易脱落。轮伞花序腋生，小花淡紫色，花萼筒状，花冠二唇形。切段者长约 2 cm。

鲜益母草药材——选货

干益母草药材——选货

干益母草药材——统货

| 品质评价 | 干益母草以叶量多者为佳。2015 年版《中华人民共和国药典》益母草项下收录了益母草和鲜益母草 2 类，当前药材市场主要为益母草药材，未见鲜益母草药材商品流通。益母草商品等级主要按照大小、色泽、均匀度进行划分，共分为选货、统货 2 个等级，颜色越新鲜、叶的比例越高，等级越高，商品规格等级划分见表 2-1-4。2015 年版《中华人民共和国药典》规定益母草采用高效液相色谱法测定，按干燥品计算，含盐酸水苏碱（$C_7H_{13}NO_2 \cdot HCl$）不得少于 0.50%，含盐酸益母草碱（$C_{14}H_{21}O_5N_3 \cdot HCl$）不得少于 0.050%。

表 2-1-4　益母草商品规格等级划分

规格等级	性状描述		区别点
	共同点		
选货	干货。茎方形，表面灰绿色或黄绿色；体轻，质韧，断面中部有髓。叶片灰绿色，多皱缩、破碎，易脱落。轮伞花序腋生，小花淡紫色，花萼筒状，花冠二唇形。切段，长约 2 cm。气微，味微苦		茎灰绿色，花序少，叶多；杂质不得过 1%
统货			茎表面灰绿色或黄绿色；杂质不得过 3%

将江苏盱眙产益母草药材乙酸乙酯超声提取液点于硅胶 G 薄层板上，以甲苯 - 丙酮 - 乙酸（9 : 1 : 0.1）为展开剂，展开，晾干，置紫外线灯（365 nm）下检视，以 2 号为对照斑点（蓝色荧光斑点，Rf 值为 0.53），分别在相对 Rf 值 0.17、0.24、0.39、0.47、0.87、0.94、1.37 左右处呈现大红色、淡红色、深红色、红色、浅红色、赤红色、暗红色 7 个共有荧光斑点。

HPLC 指纹图谱研究显示，以盐酸益母草碱（峰 7）为对照，通过比较特征峰峰面积比值，尤其是盐酸益母草碱与红景天苷的相对峰面积比值，发现江苏盱

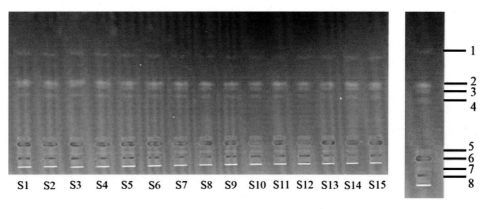

江苏盱眙益母草基地15批药材薄层色谱图

盱基地产的优质益母草药材与市售药材具有明显差异，江苏盱眙基地产的优质益母草药材以盐酸益母草碱为对照，盐酸益母草碱与红景天苷的比值介于1.02 ～ 1.40之间。

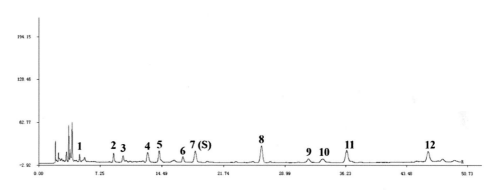

4—红景天苷；7（S）—盐酸益母草碱；8—丁香酸。
江苏盱眙益母草药材 HPLC 指纹图谱

江苏地产优质益母草按干燥品计算，含盐酸水苏碱不少于0.800%、盐酸益母草碱不少于0.100%、丁香酸不少于0.030%、红景天苷不少于0.145%。盐酸水苏碱含量与盐酸益母草碱含量的比值介于4.0 ～ 10.0之间。

| **功效物质** | 益母草含生物碱类、二萜类、黄酮类、酚酸类、苯丙素类、三萜类、环烯醚萜苷类及其他类成分。目前，作为资源性物质研究及应用较多的主要为生物碱类。

一、生物碱类

生物碱类成分是益母草含有的与其传统功效密切相关的资源性化学成分。研究发现，盐酸益母草碱可增强子宫收缩并抑制出血，具有保护心血管、抗肿瘤、保护肾脏等多种生物活性。目前已分离得到的生物碱主要有5种，分别为盐酸水苏碱、盐酸益母草碱、葫芦巴碱、益母草啶和益母草宁。

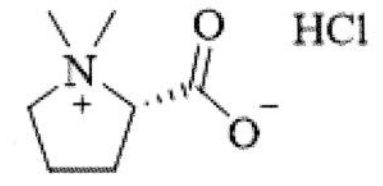

盐酸水苏碱化学结构 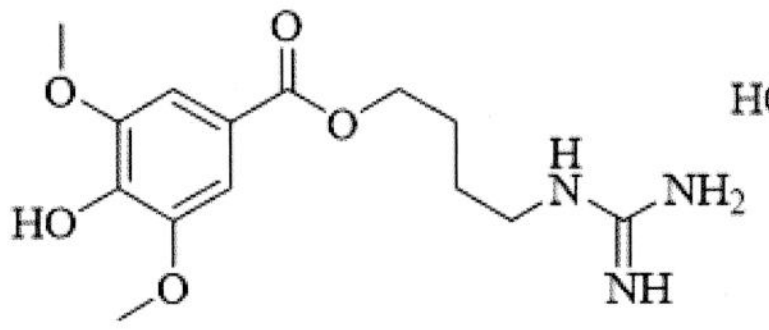　　　　　盐酸益母草碱化学结构 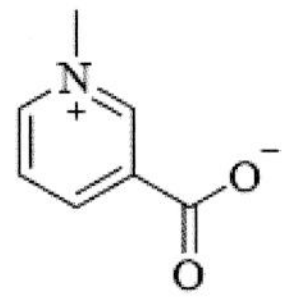　　　　　葫芦巴碱化学结构

二、二萜类

益母草的二萜类成分几乎均为半日花烷型二萜，具体可分为直链型、呋喃环型、内酯环型和螺环型，主要有益母草酮 A ～ E、波斯益母草素 B、波斯益母草素 C、前益母草灵素、波斯益母草素 G、益母草萜宁 A ～ F、细叶益母草酮 A 等 130 余种，具有抗炎和免疫调节等多种生物活性。

三、黄酮类

益母草还含有约 25 种黄酮类成分，主要包括芦丁、槲皮素、金丝桃苷、异槲皮苷、芹菜素、芫花素、汉黄芩素等，具有抗氧化、抗炎等多种生物活性。

| 功能主治 | 苦、辛，微寒。归肝、心包、膀胱经。活血调经，利尿消肿，清热解毒。用于月经不调，痛经经闭，恶露不净，水肿尿少，疮疡肿毒。

| 用法用量 | 内服煎汤，9 ～ 30 g，鲜品 12 ～ 40 g。

| 传统知识 | 益母草长于治妇科病，民间单味益母草用于调理闭经、月经不调、产后子宫出血、子宫复旧不全、月经过多等。益母草和延胡索水煮可治疗痛经。益母草干品 15 g（或鲜品 30 g），将下蛋的黄母鸡去除内脏，将益母草、盐、姜、米酒放入鸡腹内，于锅内文火炖熟烂，可用于女性不孕症。

益母草还具有很好的消炎作用，民间有单方用于治疗脉络膜炎、急性肾炎，与茺蔚子、青葙子、桑叶、白菊花等配伍可用于眼睛红肿疼痛。

| 资源利用 | 一、在医药领域中的应用

益母草被医家尊为"血分圣药"，具有显著的活血调经止痛的功效，有汤剂、丸剂、散剂等剂型。目前医药市场上益母草成方制剂数量繁多，如新生化颗粒、产复康颗粒、乌金丸、丹益片、八珍益母胶囊等，益母草单方制剂也较多，如《中华人民共和国药典》收载的益母草流浸膏、益母草膏、益母草口服液、益母草片、

益母草胶囊、益母草颗粒、鲜益母草胶囊等。

二、在药膳及保健食品中的应用

益母草被列为可用于保健食品的药材，常被用于具有活血调经保健功效的药膳和保健食品的开发中。常见药膳如益母草红枣煲瘦肉、益母草蛋汤、益母草八宝粥等，保健食品有益母草蜂蜜、益母草茶、鲜益母草粉、鲜益母草浆等。

三、在日化用品中的应用

根据益母草活血调经的功效，开发出了益母草卫生巾、益母草暖宝宝等妇科用品；根据其抗菌消炎的功效，研发出了益母草保健内裤、益母草保健洗液等卫生保健用品。益母草富含黄酮和酚酸类成分，具有很好的抗氧化作用，可开发爽肤水、面膜等益母草类美容产品。

| 附　注 | 江苏地区还生产有童子益母草药材，为幼苗期益母草，一般夏季播种，秋末冬初采挖，江苏产者一般外销。童子益母草被收载于《上海市中药材标准》《甘肃省中药材标准》等地方标准中，其生物碱含量高达益母草药材的 6 ～ 8 倍，因此常供提取益母草生物碱。

参考文献

[1] 国家中医药管理局《中华本草》编委会. 中华本草：第 7 册 [M]. 上海：上海科学技术出版社，1999.

[2] 甘肃省食品药品监督管理局. 甘肃省中药材标准 [M]. 兰州：甘肃文化出版社，2009.

[3] 上海市卫生局. 上海市中药材标准（1994 年版）[M]. 上海：上海市卫生局，1993.

[4] 中药材商品规格等级：益母草：T/CACM 1021.168—2018[S]. 北京：中华中医药学会，2018.

[5] 谭亚杰，濮宗进，唐于平，等. 基于 UPLC-QTRAP®/MS² 评价不同干燥方式对益母草中化学成分的影响 [J]. 中草药，2019，50（7）：1576-1586.

[6] 谭亚杰. 益母草资源化学与质量标准研究 [D]. 南京：南京中医药大学，2019.

[7] 乔晶晶，吴啟南，薛敏，等. 益母草化学成分与药理作用研究进展 [J]. 中草药，2018，49（23）：5691-5704.

[8] TAN Y J, ZHOU G S, GUO S, et al. Simultaneous optimization of ultrasonic-assisted extraction of antioxidant and anticoagulation activities of compounds from *Leonurus japonicus* Houtt. by response surface methodology[J]. RSC Advances, 2018, 8（71）: 40748-40759.

[9] TAN Y J, ZHOU G S, GUO S, et al. Comparative analysis of the main active constituents from different parts of *Leonurus japonicus* Houtt. and from different regions in China by ultra-high performance liquid chromatography with triple quadrupole tandem mass spectrometry[J]. Journal of Pharmaceutical and Biomedical Analysis, 2020, 177: 112873-112886.

[10] SHANG X, PAN H, WANG X, et al. *Leonurus japonicus* Houtt.: ethnopharmacology, phytochemistry and pharmacology of an important traditional Chinese medicine[J]. Journal of Ethnopharmacology, 2014, 152（1）: 14-32.

[11] ZHANG R H, LIU Z K, YANG D S, et al. Phytochemistry and pharmacology of the genus Leonurus: the herb to benefit the mothers and more[J]. Phytochemistry, 2018, 147: 167-183.

[12] PITSCHMANN A, WASCHULIN C, SYKORA C, et al. Microscopic and phytochemical comparison of the three Leonurus Species *L. cardiaca, L. japonicus,* and *L. sibiricus*[J]. Planta Medica, 2017, 83 (14/15) : 1233-1241.

[13] CAO T T, CHEN H H, DONG Z, et al. Stachydrine protects against pressure overload-induced cardiac hypertrophy by suppressing autophagy[J]. Cellular Physiology & Biochemistry, 2017, 42 (1) : 103-114.

[14] MIAO M, WANG T, LOU X, et al. The influence of stachydrine hydrochloride on the reperfusion model of mice with repetitive cerebral ischemia[J]. Saudi Journal of Biological Sciences, 2017, 24 (3) : 658-663.

[15] KUCHTA K, VOLK R B, RAUWALD H W. Stachydrine in *Leonurus cardiaca, Leonurus japonicus, Leonotis leonurus*: detection and quantification by instrumental HPTLC and 1H-qNMR analyses[J]. Die Pharmazie, 2013, 68 (7) : 534-540.

[16] HUNG T M, LUAN T C, VINH B T, et al. Labdane-type diterpenoids from *Leonurus heterophyllus* and their cholinesterase inhibitory activity[J]. Phytotherapy Research Ptr, 2011, 25 (4) : 611-614.

[17] PENG F, XIONG L, ZHAO X M. A bicyclic diterpenoid with a new 15, 16-dinorlabdane carbon skeleton from *Leonurus japonicus* and its coagulant bioactivity[J]. Molecules, 2013, 18 (11) : 13904-13909.

[18] ZHONG W M, CUI Z M, LIU Z K, et al. Three minor new compounds from the aerial parts of *Leonurus japonicus*[J]. Chinese Chemical Letters, 2015, 26 (8) : 1000-1003.

[19] WU H K, MAO Y J, SUN S S, et al. Leojaponic acids A and B, two new homologous terpenoids, isolated from *Leonurus japonicus*[J]. Chinese Journal of Natural Medicines, 2016, 14 (4) : 303-307.

[20] FUCHINO H, DAIKONYA A, KUMAGAI T, et al. Two new labdane diterpenes from fresh leaves of *Leonurus japonicus* and their degradation during drying[J]. Chemical and Pharmaceutical Bulletin, 2013, 61 (5) : 497-503.

[21] LI X, YUAN F L, ZHAO Y Q, et al. Effect of leonurine hydrochloride on endothelin and the endothelin receptor-mediated signal pathway in medically-induced incomplete abortion in rats[J]. European Journal of Obstetrics & Gynecology and Reproductive Biology, 2013, 169 (2) : 299-303.

[22] LI X, WANG B, LI Y, et al. The Th1/Th2/Th17/Treg paradigm induced by stachydrine hydrochloride reduces uterine bleeding in RU486-induced abortion mice[J]. Journal of Ethnopharmacology, 2013, 145 (1) : 241-253.

[23] LIU X H, PAN L L, GONG Q H, et al. Antiapoptotic effect of novel compound from herba leonuri-leonurine (SCM-198): a mechanism through inhibition of mitochondria dysfunction in H9c2 cells[J]. Current Pharmaceutical Biotechnology, 2010, 11 (8) : 895-905.

[24] ZHANG Y, GUO W, WEN Y, et al. SCM-198 attenuates early atherosclerotic lesions in hypercholesterolemic rabbits via modulation of the inflammatory and oxidative stress pathways[J]. Atherosclerosis, 2012, 224 (1) : 43-50.

[25] ZHAO L, WU D, SANG M, et al. Stachydrine ameliorates isoproterenol-induced cardiac hypertrophy and fibrosis by suppressing inflammation and oxidative stress through inhibiting NF-κB and JAK/STAT signaling pathways in rats[J]. International Immunopharmacology, 2017, 48 : 102-109.

[26] LIANG H, LIU P, WANG Y, et al. Protective effects of alkaloid extract from *Leonurus heterophyllus* on cerebral ischemia reperfusion injury by middle cerebral ischemic injury (MCAO) in rats[J]. Phytomedicine, 2011, 18 (10) : 811-818.

[27] LIN S, WU J, GUO W, et al. Effects of leonurine on intracerebral haemorrhage by attenuation of perihematomal edema and neuroinflammation via the JNK pathway[J]. Die Pharmazie, 2016, 71 (11) :

644-650.

[28] CHENG H, BO Y, SHEN W, et al. Leonurine ameliorates kidney fibrosis via suppressing TGF-β and NF-κB signaling pathway in UUO mice[J]. International Immunopharmacology, 2015, 25（2）: 406-415.

[29] XU D, CHEN M, REN X, et al. Leonurine ameliorates LPS-induced acute kidney injury via suppressing ROS-mediated NF-κB signaling pathway[J]. Fitoterapia, 2014, 97: 148-155.

（严　辉　周桂生　郭　盛）

茄科 Solanaceae 枸杞属 Lycium

枸杞
Lycium chinense Mill.

| 药 材 名 | 地骨皮（药用部位：根皮。别名：枸杞根皮、红耳坠根、狗奶子根皮）。

| 本草记述 | 本草多将地骨皮列于枸杞项下。地骨皮之名首见于《外台秘要》。《神农本草经》称地骨，将其列为上品，李时珍言其所列气味主治，盖通根、苗、花实，初无分别。《名医别录》虽亦将地骨皮的记载附于枸杞条下，却对枸杞子和根的性味分而述之，曰："枸杞，根大寒，子微寒，无毒。"唐代《食疗本草》明确枸杞的子与根异用，曰："枸杞，寒，无毒。叶及子：并坚筋、能老、除风。补益筋骨，能益人，去虚劳。根：主去骨热，消渴。"关于枸杞产地，《名医别录》载："生常山平泽及丘陵阪岸。冬采根，春、夏采叶，秋采茎、实，阴干。"常山即今河北曲阳一带。南北朝时期《本草经集注》曰："今出堂邑，

而石头烽火楼下最多。"堂邑即今江苏六合一带。《本草图经》载："今处处有之。春生苗,叶如石榴叶而软薄,堪食,俗呼为甜菜,其茎干高三五尺,作丛,六月、七月生小红紫花,随便结红实,形微长如枣核。"结合所附茂州枸杞药图可知所述与今之枸杞一致。《本草图经》又云："润州州寺大井傍生枸杞,亦岁久,故土人目为枸杞井,云饮其水甚益人。"润州即今之江苏镇江及周边地区。《梦溪笔谈》曰:"大抵出河西诸郡,其次江、淮间埝上者,实圆如樱桃,全少核,暴干如饼,极膏润有味。"说明从宋代开始以陕西产枸杞的根皮(即地骨皮)产量大,质量较优,江、淮亦有出产。此后本草大多沿用此说,认为以河西诸郡所出地骨皮质优。张景岳在《景岳全书》中提出了南北枸杞的区别,并认为入药以南枸杞为佳,曰:"地骨皮,枸杞根也。南者苦味轻,微有甘辛,北者大苦性劣,入药惟南者为佳。"明代《本草纲目》载:"古者枸杞、地骨取常山者为上,其他丘陵阪岸者皆可用。后世惟取陕西者良,而又以甘州者为绝品。今陕之兰州、灵州、九原以西枸杞,并是大树,其叶厚根粗。河西及甘州者,其子圆如樱桃,暴干紧小少核,干亦红润甘美,味如葡萄,可用果食,异于他处者。"河西即今陕西、甘肃、宁夏等省区,九原即内蒙古后套地区。李时珍明确地骨皮以陕西产者为佳,后世多沿用此说。自 1949 年以来,所出诸本草著说多认为地骨皮以江苏、浙江产品质较好。《500 味常用中药材的经验鉴别》记载:"地骨皮野生、栽培均有。枸杞主产于河北、河南、山西、陕西、四川、江苏、浙江等省,多为野生。以河南、山西产量较大,江苏、浙江产品品质较好。"《金世元中药材传统鉴别经验》记载:"全国大部分地区均有野生。主产于河北、山西、内蒙古、宁夏、河南、甘肃、山东、东北、江苏、浙江等地,以山西、内蒙古、河南产量大；以江苏、浙江质量好，习称'南地骨皮'，除内销外还大量出口。"《中华本草》记载："主产于山西、河北、河南、浙江、江苏、宁夏；四川、安徽、陕西、内蒙古等地亦产。以山西、河南产量大，江苏、浙江的质量佳。销全国。"

综上所述，本草记载地骨皮基原植物的特征及产地与今之枸杞 Lycium chinense Mill.、宁夏枸杞 Lycium barbarum L. 基本一致。江苏地区自南北朝时期即为地骨皮的重要产区，且近百年来所产地骨皮品质较优。

| 形态特征 |　多分枝灌木，高 0.5 ~ 1 m，栽培者可超过 2 m。叶纸质或栽培者稍厚，单叶互生或 2 ~ 4 簇生，卵形、卵状菱形、长椭圆形或卵状披针形，长 1.5 ~ 5 cm，宽 0.5 ~ 2.5 cm，栽培者长可超过 10 cm，宽达 4 cm，先端急尖，基部楔形。花在长枝上单生或双生于叶腋，在短枝上同叶簇生；花萼通常 3 中裂或 4 ~ 5 齿裂；花冠漏斗状，淡紫色，5 深裂。浆果红色，卵状，栽培者可呈长矩圆状或长椭圆状，先端尖或钝；种子扁肾形，黄色。花期 6 ~ 11 月。

| 资源情况 |　一、生态环境

常生于山坡、荒地、丘陵地、盐碱地、路旁及村边宅旁。枸杞分布范围广，适应性较强，对温度、光照、土壤要求不严格，具有耐寒、耐瘠薄、耐旱、耐盐碱等特性，尤其是耐盐碱能力强，可在沿海滩涂 pH 7.8 ~ 8.5、盐分 2.0% ~ 2.5% 的盐渍化区域等重盐碱地生长。江苏沿海滩涂区域为地骨皮的重要产区。江苏沿海受季风气候控制，处于暖温带与北亚热带过渡地带，为湿润季风区，

年平均气温 13 ～ 15 ℃，年日照时数 2 100 ～ 2 650 小时，全年太阳总辐射量 110 ～ 126 kcal/cm²，年降雨量 850 ～ 1 080 mm，土壤交潜沉积，湿地带状分布。江苏东台野生枸杞主要生长在乔木林中，如银杏、意大利杨；伴生植物多为草本，如益母草、野老鹳草、野胡萝卜、蒲公英、风轮菜、泽漆、紫花地丁等。

二、分布区域

枸杞在江苏多集中分布于沿海各县市，北至赣榆，南至启东，其中尤以沿海滩涂分布较为集中。此外，枸杞尚散布于江苏黄河故道地区及江南丘陵荒地。

三、蕴藏量

根据大丰、滨海、盱眙、淮安、东海、赣榆、海门、启东、海安、常熟、新沂、江宁、浦口、丹徒、高邮等地样方调查结果，江苏地区地骨皮单位面积蕴藏量为 5 003.8 kg/km²。

四、栽培历史与产地

枸杞属植物是世界上人工驯化栽培较早的果树种类之一。约在春秋时期以前即有枸杞野生利用的记载。甲骨卜辞中多用"黍、稷、麦、稻、杞"等反映殷商时期的农业生产。成书于公元前 11 世纪至公元前 6 世纪的《诗经》中有 7 处记载了关于枸杞生产的情景，如《国风·郑风·将仲子》中的"无折我树杞"，表明枸杞已经作为一种具有特殊性的树种予以保护，《小雅·四牡》中的"翩翩者雏，载飞载止，集于苞杞"，则间接说明枸杞分布较多且集中。枸杞属植物人工驯化应早于唐代。唐代以后，大量的文献表明该阶段枸杞属植物的人工栽培技术趋于成熟，如孙思邈《千金翼方》中记录了 4 种种植枸杞的方法，郭橐驼《种树书》中记录了枸杞的扦插繁殖技术。上述记载均难以确定基原植物为枸杞 *Lycium chinense* Mill. 还是宁夏枸杞 *Lycium barbarum* L.。但自明代以后，本草记述的栽培资源多集中于河西地区，据此判断应为宁夏枸杞 *Lycium barbarum* L.。

近年来，除了栽培以采摘成熟果实用于生产枸杞子的宁夏枸杞外，江苏、广西、广东、台湾、福建、四川等地出现栽培以采摘嫩茎、叶以供菜用的枸杞，但栽种面积较小，以当地农户自种自食的少量生产为主。

五、栽培面积与产量

江苏枸杞栽培目前主要以农户零星种植采摘嫩茎、叶供菜用为主，商品地骨皮药材仍以采集野生枸杞资源为主。

六、规范化生产技术

1. 选地整地

枸杞喜温暖气候，较耐寒，以光照充足及土层深厚、疏松、肥沃的中性或微碱性的砂壤土栽培为宜。忌连作。前茬作物宜选禾本科作物，不宜选棉花、芝麻、豆类、瓜类等作物，否则病害严重。

2. 繁殖方法

枸杞的繁殖方法包括种子繁殖、扦插繁殖、根蘖繁殖和压条繁殖 4 种。扦插繁殖是枸杞繁殖的重要技术，菜用枸杞一般不结果，主要采用扦插繁殖。枸杞扦插技术目前报道的主要是春季扦插和秋季扦插，春季扦插一般在 2 月枸杞开始萌发时进行，若采取小拱棚扦插，可适当提前至 1 月下旬进行；秋季扦插在 8 月中旬枸杞夏季休眠后进行。菜用枸杞常规露地种植一般是采取扦插苗生根发芽后再定植到种植田的方法，这样发苗后生长的一致性较好，便于集中采收嫩茎头，再通过足肥适水管理，以促进嫩茎、嫩叶大量形成，终年可不断采摘嫩茎头，实现高产优质。也有利用种子育苗后再移栽到种植田的生产方式，栽培管理技术与扦插育苗相同。

3. 修剪

枸杞耐修剪，作为绿化苗木一般在秋季进行修剪，重剪植株，保持高度 50 cm 左右，迫使侧芽、隐芽萌发，形成丛状多头矮化植株。作为庭院绿篱，枸杞枝干可以随意弯曲，亦可制作成盆景。

| 采收加工 | 早春或晚秋采挖根部，洗净泥土，剥取皮部，晒干；或将鲜根切成 6 ~ 10 cm 长的小段，再纵剖至木部，置蒸笼中略加热，待皮易剥离时取出，剥下皮部，晒干。

| 药材性状 | 本品呈筒状或槽状，长 3 ~ 10 cm，宽 0.5 ~ 1.5 cm，厚 0.1 ~ 0.3 cm。外表面灰黄色至棕黄色，粗糙，有不规则纵裂纹，易呈鳞片状剥落。内表面黄白色至灰黄色，较平坦，有细纵纹。体轻，质脆，易折断，断面不平坦，外层黄棕色，内层灰白色。气微，味微甘而后苦。

| 品质评价 | 一般以筒粗、肉厚、整齐、无木心及碎片者为佳。根据基原植物不同，地骨皮商品药材可分为甜地骨皮（枸杞根皮）和咸地骨皮（宁夏枸杞根皮）2 种规格。江苏产药材多为甜地骨皮。根据长度、木芯率，地骨皮各规格又分为三等。一等，长度 ≥ 8 cm，未抽芯率 ≤ 3%，0.5 cm 以下的碎块灰渣重量占比 ≤ 3%；二等，

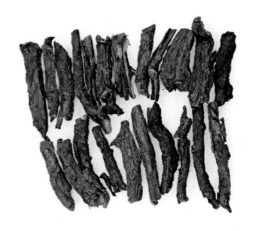

地骨皮药材

长度 ≥ 6 cm，未抽芯率 ≤ 5%，0.5 cm 以下的碎块灰渣重量占比 ≤ 10%；三等，长度 ≥ 3 cm，未抽芯率 ≤ 10%，0.5 cm 以下的碎块灰渣重量占比 ≤ 15%。

有研究显示，江苏东台产地骨皮药材与江苏南京、山西闻喜产地骨皮药材相比，总黄酮类和总生物碱类的含量较高，且阿魏酸含量显著高于山西闻喜药材样品。也有研究显示，来源于宁夏枸杞基原的地骨皮药材中地骨皮甲素或地骨皮乙素含量普遍高于来源于野生枸杞基原的地骨皮药材，但阿魏酸的含量以来源于野生枸杞基原的地骨皮药材为高。

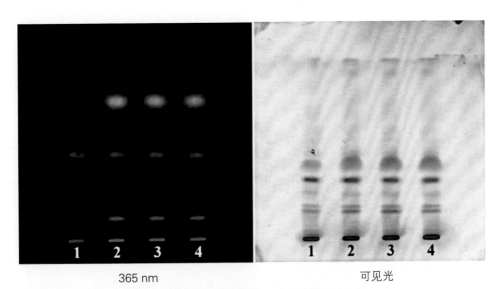

| 365 nm | 可见光 |

1—地骨皮对照药材；2 ~ 4—地骨皮药材。

地骨皮薄层色谱图

| **功效物质** | 地骨皮药材主要含有生物碱类、黄酮类、蒽醌类、有机酸类等化学成分，目前认为生物碱类成分应为其凉血除蒸的主要功效物质。

一、生物碱类

此类主要含有甜菜碱、胆碱，以及具有降血压作用的精氨类生物碱地骨皮甲素和地骨皮乙素、具有免疫调节及葡萄糖苷酶抑制作用的吡咯烷类生物碱 1,2,3,4,7- 五羟基 -6 单杂双环 [3.3.0] 辛烷和 1,4,7,8- 四羟基 -6 单杂双环 [3.3.0] 辛烷、具有抗肾上腺素作用兼具血管紧张素转化酶抑制活性的环八肽 A ~ D。

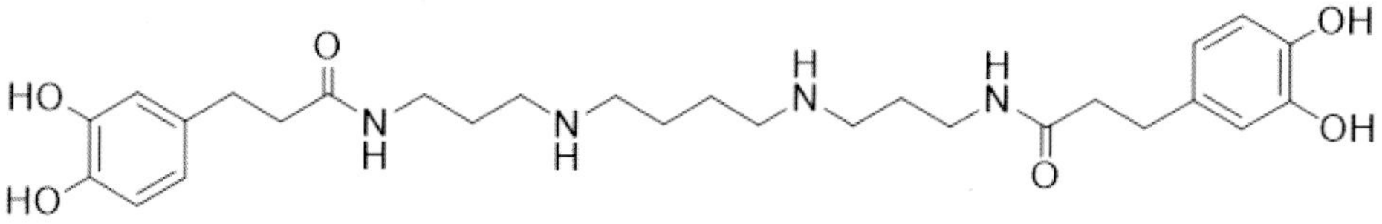

地骨皮甲素化学结构

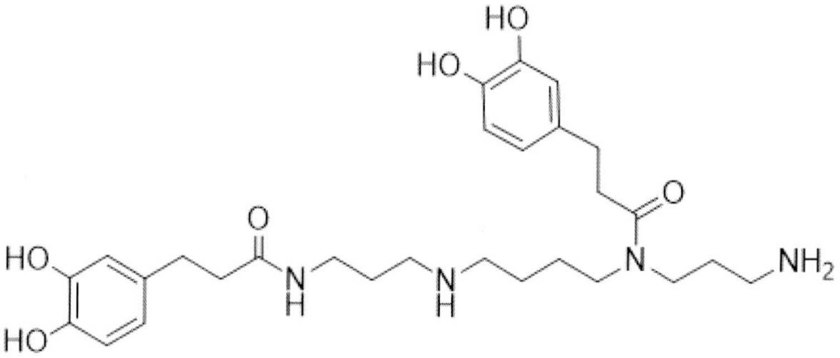

地骨皮乙素化学结构

二、黄酮类

此类包括芹菜素、蒙花苷、金合欢素、木犀草素、山柰酚、槲皮素等。

三、蒽醌类

此类包括大黄素甲醚、大黄素、2- 甲基 1,3,6- 三羟基 -9,10- 蒽醌等。

| **功能主治** | 甘，寒。归肺、肝、肾经。凉血除蒸，清肺降火。用于阴虚潮热，骨蒸盗汗，肺热咳嗽，咯血，衄血，内热消渴。

| **用法用量** | 内服煎汤，9 ~ 15 g，大剂量可用 15 ~ 30 g。

| **传统知识** | 基于文献梳理和中药资源普查过程中调查走访收集的传统用药知识，记录于此。

（1）古本草记载地骨皮可治疗骨热、肌热、消渴、风湿痹、肺热劳烧、诸经客热、有汗骨蒸、日晡潮热、吐血、衄血、肠风便血、淋血诸疾、肌瘴、头风、骨槽风、

带下、妇人阴肿或生疮、胸胁痛楚、中风眩晕、癫痉虚烦、心悸健忘、脚气水肿、小便不通、赤白浊等病证，远较目前临床所用"凉血除蒸""清肺降火"广泛。

（2）本草记载地骨皮证候禁忌主要有：有痼疾者勿用，表寒忌用，脾胃薄弱、食少泄泻者宜减量，假热者勿用，中寒及便溏者勿服，肺有风邪作嗽者忌用。

（3）古籍记载地骨皮从南北朝时期开始即有甘草汤制、去心、焙制的炮制方法，而后又出现了炒黄、童便制、酒浸和酒蒸等炮制方法。

| 资源利用 |

一、在医药领域中的应用

地骨皮为临床常用清虚热的中药，常用于阴虚潮热、骨蒸盗汗、肺热咳嗽、咯血、衄血等的治疗，为泻白散、清骨散、清经散、两地汤、清心莲子饮、地骨皮散、枸杞散等经典名方的主要组成药物。现代研究显示，地骨皮具有降血压、降血糖、调血脂、解热等作用，为现代成方制剂十味降糖颗粒、地骨降糖胶囊、养血退热丸等的主要组成药物。以地骨皮为主要原料制成的地骨皮露具有凉营血、解肌热之功，常用于体虚骨蒸、虚热口渴等的治疗。有研究显示，地骨皮中的酚酸类为抑制促炎转录因子——细胞核因子酉乙蛋白（NF-κB）的主要成分，脂肪酸类为作用于过氧化物酶体增殖物激活受体γ（PPARγ）的主要活性成分。地骨皮中分离的糖苷类及木脂素酰胺类能够降低总胆固醇含量，发挥调节血脂的作用，表明该类物质具有研发为抗高血脂及其相关疾病药物的潜力。

二、在保健食品中的应用

地骨皮具有明确的降血糖作用，常与黄芪、山药、桑叶、麦冬等药味配伍，用于具有辅助降血糖功能的保健食品的开发。

三、在园林绿化及水土改良中的应用

枸杞不仅是常用中药材的基原植物，也是一种重要的园林绿化及水土保持灌木。枸杞枝叶繁茂，花果鲜艳，株形优美，便于修剪，是一种非常好的庭院绿化树种。枸杞具有很强的耐盐能力，是沿海滩涂盐碱地耐盐绿化苗木适宜树种。同时，枸杞具有较强的抗逆耐瘠能力，可作为荒漠绿化的优良作物。枸杞地上部分生长迅速，植株上端枝叶茂密，下端茎枝交错，紧贴坡壁，可有效减缓地面径流；地下部分根系强大，主根深达 10 m，侧根发达，密集于土层 1 m 深处，水平根幅可达 6 m，固土作用极大，能有效防止坡面滑塌。

四、资源循环利用

1. 枸杞果实

枸杞一身皆宝，除根皮外，成熟果实药用功能与宁夏枸杞相似，古代本草记载枸杞子的来源不分枸杞和宁夏枸杞。枸杞果实富含类胡萝卜素及多糖等资源性成分，可作为该类色素及功能性多糖提取的重要原料。

2. 枸杞种子

枸杞种子富含脂肪油，可采取压榨法或萃取法制备枸杞籽食用油。枸杞籽油富含亚油酸、油酸、亚麻酸等不饱和脂肪酸，并含有铜、锰、锌多种微量元素和生物活性物质表皮生长因子、超氧化物歧化酶等，具有丰富的营养保健作用；还具有降低血管胆固醇、抗动脉粥样硬化、增强视力、防治青光眼等生物活性，具有一定的药用开发价值。

3. 枸杞叶

枸杞嫩叶名为天精草，具有补虚益精、清热解毒、止渴、祛风湿、明目之功，可用于虚劳发热、烦渴、目赤肿痛、翳障夜盲、崩漏、带下、热毒疮肿等的治疗。现代研究显示，枸杞嫩叶的降血糖、调节肠道菌群结构、预防心血管疾病的作用明确，目前多作为功能性茶饮应用。枸杞叶中富含甜菜碱等资源性物质，可作为提取天然甜菜碱的新资源。枸杞叶含有紫罗兰酮、大马酮等前体致香物质，可用于开发天然食品香精、香料。此外，枸杞芽及嫩叶也常作为时令鲜蔬食用，俗名枸杞尖、枸杞头、枸杞菜。

| 附 注 | （1）枸杞属植物全世界约有 80 种，主要产于南美洲，少数分布于欧亚大陆温带地区。我国分布有 7 种、2 变种，分别为枸杞 *Lycium chinense* Mill. 及其变种北方枸杞 *Lycium chinense* Mill. var. *potaninii* (Pojark.) A. M. Lu、宁夏枸杞 *Lycium barbarum* L. 及其变种黄果枸杞 *Lycium barbarum* L. var. *anranticarpum* K. F. Ching、黑果枸杞 *Lycium ruthenicum* Murr.、截萼枸杞 *Lycium truncatum* Y. C. Wang、新疆枸杞（毛蕊枸杞）*Lycium dasystemum* Pojak.、柱筒枸杞 *Lycium cylindricum* Kuang et A. M. Lu、云南枸杞 *Lycium yunnanense* Kuang et A. M. Lu，除柱筒枸杞 *Lycium cylindricum* Kuang et A. M. Lu 外，余均有药用记载。

（2）目前，地骨皮法定基原植物除枸杞 *Lycium chinense* Mill. 外，尚有宁夏枸杞 *Lycium barbarum* L.。宁夏枸杞 *Lycium barbarum* L. 多作为人工栽培品用于生产枸杞子，一般有意识的留根结子，较少作地骨皮用，仅野生品或栽培品更新植株时的淘汰者取根皮入药。

参考文献

[1] 国家中医药管理局《中华本草》编委会. 中华本草：第 7 册 [M]. 上海：上海科学技术出版社，1999.

[2] 中药材商品规格等级：地骨皮：T/CACM 1021.174—2018[S]. 北京：中华中医药学会，2018.

[3] 李玉丽，蒋屏，杨恬，等. 地骨皮的本草考证 [J]. 中国实验方剂学杂志，2020，26（5）：192-201.

[4] 卢有媛，郭盛，张芳，等. 枸杞属药用植物资源系统利用与产业化开发[J]. 中国现代中药，2019，21（1）：

29-36.

[5] 张培通, 郭文琦, 李春宏. 枸杞在江苏沿海滩涂盐碱地的应用前景及实用栽培技术 [J]. 江苏农业科学, 2014, 42 (3) : 197-199.

[6] 李柯妮, 王康才, 梁永富, 等. 江苏省盐城地区沿海滩涂野生枸杞资源调查与质量分析评价 [J]. 中国现代中药, 2015, 17 (7) : 646-650.

[7] 安巍. 枸杞栽培发展概况 [J]. 宁夏农林科技, 2010 (1) : 34-36, 26.

[8] 钱丹, 纪瑞锋, 郭威, 等. 中国枸杞属种间亲缘关系和栽培枸杞起源研究进展 [J]. 中国中药杂志, 2017, 42 (17) : 3282-3285.

[9] 赵晓玲, 张鑫瑶, 何春年, 等. 不同来源地骨皮药材中地骨皮甲素和乙素及阿魏酸的含量测定分析 [J]. 中国药业, 2014, 23 (12) : 58-61.

[10] 张芳, 郭盛, 钱大玮, 等. 枸杞子中多类型小分子化学物质研究开发现状及前景分析 [J]. 中药材, 2016, 39 (12) : 2917-2921.

[11] 王东, 叶真, 黄琦. 地骨皮醇提液对胰岛 β 细胞增殖和凋亡的影响 [J]. 浙江中医药大学学报, 2015, 39 (6) : 478-481.

[12] 张芳, 郭盛, 钱大玮, 等. 枸杞多糖的提取纯化与分子结构研究进展及产业化开发现状与前景分析 [J]. 中草药, 2017, 48 (3) : 424-432.

[13] 张芳, 郭盛, 钱大玮, 等. 基于国内外专利分析的枸杞多糖资源产业化途径及策略 [J]. 中国中药杂志, 2016, 41 (23) : 4285-4291.

[14] CHEN H, LI Y J, SUN Y J, et al. Lignanamides with potent antihyperlipidemic activities from the root bark of *Lycium chinense*[J]. Fitoterapia, 2017, 122: 119-125.

[15] CHEN H, LI Y J, SUN Y J, et al. Antihyperlipidemic glycosides from the root bark of *Lycium chinense*[J]. Natural Product Research, 2019, 33 (18) : 2655-2661.

[16] KIM J H, KIM E Y, LEE B, et al. The effects of Lycii Radicis Cortex on RANKL-induced osteoclast differentiation and activation in RAW 264.7 cells[J]. International Journal of Molecular Medicine, 2016, 37: 649-658.

[17] CHEN H, OLATUNJI O J, ZHOU Y. Anti-oxidative, anti-secretory and anti-inflammatory activities of the extract from the root bark of *Lycium chinense* (Cortex Lycii) against gastric ulcer in mice[J]. Journal of Natural Medicines, 2016, 70 (3) : 610-619.

[18] ZHAO X Q, GUO S, LU Y Y, et al. *Lycium barbarum* L. leaves ameliorate type 2 diabetes in rats by modulating metabolic profiles and gut microbiota composition[J]. Biomedicine & Pharmacotherapy, 2020, 121: 109559.

[19] ZHAO X Q, GUO S, YAN H, et al. Analysis of phenolic acids and flavonoids in leaves of *Lycium barbarum* from different habitats by ultra-high-performance liquid chromatography coupled with triple quadrupole tandem mass spectrometry[J]. Biomedical Chromatography, 2019, 33 (8) .

[20] POTTERAT O. Goji (*Lycium barbarum* and *L. chinense*): phytochemistry, pharmacology and safety in the perspective of traditional uses and recent popularity[J]. Planta Medica, 2009, 76 (1) : 7-19.

[21] OLATUNJI O J, CHEN H, ZHOU Y, et al. Effect of the polyphenol rich ethyl acetate fraction from the leaves of *Lycium chinense* Mill. on oxidative stress, dyslipidemia, and diabetes mellitus in streptozotocin-nicotinamide induced diabetic rats[J]. Chemistry & Biodiversity, 2017, 14.

（郭 盛 严 辉 张 芳）

葫芦科 Cucurbitaceae 栝楼属 Trichosanthes

栝楼
Trichosanthes kirilowii Maxim.

| 药 材 名 | 瓜蒌（药用部位：成熟果实。别名：果裸、天瓜）、瓜蒌皮（药用部位：果皮）、瓜蒌子（药用部位：成熟种子）、天花粉（药用部位：块根。别名：白药、瑞雪）。

| 本草记述 | 栝楼植物在本草文献中出现最早的是栝楼根，栝楼根始载于《神农本草经》，被列为中品，"主消渴，身热，烦满，大热，补虚安中，续绝伤"。栝楼果实作瓜蒌药用首载于《名医别录》，该书栝楼根项下用"实"来指代瓜蒌，即栝楼实，记载"实，主胸痹，悦泽人面"。南宋时期《雷公炮炙论》记载："雷公云：栝楼凡使，皮、子、茎、根，效各别。"唐代孙思邈的《备急千金要方》中首次出现了瓜蒌子的药用记载。宋代《太平圣惠方》中出现了瓜蒌皮的药用记载。到明代，瓜蒌、瓜蒌皮和瓜蒌子药用已较为普遍。李时珍在《本草纲目》

栝楼项下载有"栝楼古方全用，后世乃分子瓢各用"。

明代《本草品汇精要》中首次出现了关于栝楼实性味的记载，言其"味苦，性寒，泻，无毒"，用于"消结痰，散痈毒"。但李时珍的《本草纲目》记载："张仲景治胸痹痛引心背，咳唾喘息，及结胸满痛，皆用栝蒌实。乃取其甘寒不犯胃气，能降上焦之火，使痰气下降也。成无己不知此意，乃云苦寒以泻热。盖不尝其味原不苦，而随文附会尔。"并记载瓜蒌"润肺燥，降火。治咳嗽，涤痰结，利咽喉，消痈肿疮毒"。此后的本草文献基本沿袭这一论断。清代《得配本草》载："瓜蒌甘寒润下，入手少阴经络，荡涤胸之邪热，消除肺经之结痰，润肠胃，疗乳，降上焦气逆，止消渴喘嗽。"《本草备要》云："甘补肺，寒润下，能清上焦之火，使痰气下降，为治嗽要药；实圆长如熟柿子，子扁多脂，去油用。"2020 年版《中华人民共和国药典》中记载瓜蒌的性味为"甘、微苦，寒"，具有清热涤痰、宽胸散结、润燥滑肠的功能，用于肺热咳嗽、痰浊黄稠、胸痹心痛、结胸痞满、乳痈、肺痈、肠痈、大便秘结。

| 形态特征 | 多年生攀缘草本。块根肥厚，圆柱状，灰黄色。茎多分枝，无毛，长达 10 余米，有棱槽；卷须 2 ~ 5 分枝。叶近圆形，长、宽均 8 ~ 15 cm，通常掌状 3 ~ 7 中裂或浅裂，稀为深裂或不裂，裂片长圆形或长圆状披针形，先端锐尖，基部心形，边缘缺刻状或有较大的疏齿，表面散生微硬毛；叶柄长 3 ~ 7 cm。花单生，雌雄异株。雄花 3 ~ 8，顶生总梗端，有时具单花，总梗长 10 ~ 20 cm；雌花单生，苞片倒卵形或宽卵形，全缘，长约 1.5 cm，花冠白色，5 深裂，裂片倒卵形，先端和边缘分裂成流苏状；雄蕊 5，花丝短，有毛，花药靠合，药室"S"形折

曲；雌花子房下位，卵形，花柱 3 裂。果实卵圆形至近球形，长 7 ～ 15 cm，直径 6 ～ 10 cm，黄褐色，光滑；种子多数，扁平，长椭圆形，长约 1.5 cm。花期 7 ～ 8 月，果期 9 ～ 10 月。

| **资源情况** |

一、生态环境

生于海拔 200 ～ 1 800 m 的山坡林下、灌丛中、草地和村旁田边。栝楼喜温暖湿润气候，喜光照充足和通风透光环境，适宜于南方，不适宜于北方。地下块根和细根较耐低温，但忌积水，长时间积水易引起烂根。栝楼为深根性植物，根可深入土中 1 m 左右，栽培时应选择土层深厚、疏松肥沃的向阳地块，土质以壤土或砂壤土为好，盐碱地、极易积水的洼地不宜栽培。

二、分布区域

全国大部分地区均产栝楼，江苏各地均有分布，尤其是东台、射阳沿海滩涂。栝楼呈不均匀分布特征，极多分布于滩涂人工林下和林缘，是刺槐林、银杏林下草本层的优势种，意大利杨树林下也多见分布，水杉林、柳树林下偶见分布，紫穗槐灌丛林也见分布；在农户的房前屋后、村落周围，随处可见；在沿海滩涂草甸生态系统中，散生于草丛中，与白茅、二色补血草、长裂苦苣菜、盐角草、芦苇等伴生；东台、射阳沿海的农田、沟渠、坑塘旁少见。

三、蕴藏量

江苏地区 138.29 km^2 代表区域内，瓜蒌蕴藏量估算值约 2 073.754 9 t。江苏地区 22.56 km^2 代表区域内，瓜蒌皮蕴藏量估算值约 36.780 3 t。江苏地区 32.45 km^2 代表区域内，瓜蒌子蕴藏量估算值约 63.858 4 t。江苏东台沿海 130.04 km^2 代表区域内，天花粉蕴藏量估算值约 731.663 7 t。江苏射阳沿海 113.89 km^2 代表区域内，天花粉蕴藏量约 125.62 t。

四、栽培历史与产地

《诗经》中已有"果蓏"的记载，所产区域在今陕西、山西、山东、河南、河北、湖北等省的全部或部分地区。《尔雅》郭璞注云："今齐人呼之天瓜。"可见山东产栝楼的历史悠久。《神农本草经》列栝楼为中品，并记载："生川谷及山阴。"产地在陕西、山西、河南、山东等。《名医别录》曰："栝楼生弘农川谷及山阴地。"弘农为今之河南灵宝。《新修本草》曰："今出陕州者，白实最佳。"《千金翼方》记载栝楼的产地为河南道的陕州及虢州，陕州为今河南的三门峡、洛宁及山西运城东北部地区，虢州为今河南灵宝以东、栾川以西、伏牛山以北地区，整体即河南、山西、陕西交界处，西至华山，东至伏牛山，北至黄土高原南端三门峡之间。后来本草多记"始生弘农山谷及阴地，今所在有之"。《本草品汇精要》栝楼项下也载"（道地）衡州及均州、陕州佳"。衡州即湖南的衡阳、安仁，北有衡山，东有罗霄山；均州即今湖北的郧西、郧阳、石鼓关，丹江口与陕西、河南交界处。目前，栝楼在全国各地均有种植，主要分布于安徽、山东、河南、山西、湖南、四川、河北、江苏、浙江等地。

五、栽培面积与产量

全国栝楼种植面积超过 20 万亩，果实总产量 2 万 t。河北产区种植的栝楼主要供药用，产区有安国、定州、安平，其中安国的种植面积为 3 000 亩，周边市县种植面积为 2 000 亩。安徽产区种植的栝楼主要是获取种子，用于制作副食休闲商品。湖南、湖北、江西、浙江、河南、四川、山东等省区的栽培面积也较大。江苏产区主要种植地区为盐城及周边地区，种植总面积约 2 万亩。

天花粉生长周期为 1 ～ 2 年，春、秋季均可采挖，秋季产新量大，春季多以秧苗为主，亩产 350 ～ 400 kg，年销量基本稳定在 3 000 ～ 3 500 t；主要种植地区集中在河北安国，产量不大，以家庭个人种植为主，自采自销，大面积种植较少。

六、规范化生产技术

1. 选地整地

原则上选择地势平坦、土层深厚且疏松肥沃、排灌方便、交通便利的向阳地块，土质以壤土、砂壤土为宜。较黏重的土壤入冬前需深翻 30 cm 以上，前茬以大宗农作物为宜，忌林木、瓜类及茄果类蔬菜。按行距 3 m、沟宽 0.5 ～ 1 m 做畦，土壤黏重且雨水较多的区域做成高 50 ～ 60 cm 的高畦，雨量较少且土壤保水性较差的地区可做成高 15 ～ 30 cm 的畦。

2. 栽培模式

目前生产上主要有棚架式和无架式 2 种栽培模式。

（1）棚架式。立柱可就地选材，木柱、毛竹或水泥杆等均可。以水泥杆为例：立柱高 2.4 ～ 2.5 m，4 根立柱搭成 3 m×3 m 的正方形，柱上端选用不锈钢钢丝或钢绞线，拉成 1.5 m×1.5 m 的方格，在上面覆盖网眼为 20 cm×20 cm 的尼龙网即可。四周立柱要向外倾斜 30° 左右，以地锚或角铁斜拉固定。搭架最好在定植前结束，避免出苗后搭架操作伤苗。采用栝楼与豆类、半夏、生姜、鸡、鹅等立体套种（养）的方式，建立多样化生态体系，提高综合经济效益。春季尽早定植，3 月底前完成。选择块根直径 3 cm 左右、长 6 ～ 8 cm、断面白色且无纤维化、无病虫害的优良品种。每畦定植 1 行，第 1 年栽植密度因品种而异，每亩 200 ～ 300 株，翌年视品种特性适当间株。栝楼雌雄异株，按雌、雄株 15 ：1 左右的比例配置雄株，雄株在田间尽量均匀分布。块根定植深度为 8 ～ 10 cm，视墒情浇水后覆土、覆地膜，也可先铺薄膜，打洞定植，减少破膜用工。

（2）无架式。又称爬蔓栽培。该种植模式适宜降水量较少的北方田块或地势高燥、通风条件好的壤土田块，栝楼茎蔓爬地生长，小垄单行或双行栽培。采用立体种养的方式，定植密度为每亩 300 ～ 500 株，视种养的作物或家禽的生长习性适度减小栝楼的定植密度，其他注意事项同棚架式栽培模式。

3. 棚架式栽培模式的田间管理

（1）植株管理。出苗时及时破膜放苗，以防烫伤，蔓长 30 cm 左右时，每株保留 1 条粗壮茎蔓，吊蔓扶苗上架，除去多余茎蔓和留蔓上侧芽（侧枝）。果实收获且植株地上叶片 90% 以上枯死后，在离地 10 cm 处割断植株主蔓，同时清除地面和棚架上的茎叶，集中处理。

（2）施肥管理。①基肥。以有机肥为主，每亩可施腐熟饼肥 100 kg、45% 硫酸钾复合肥 50 kg、磷酸氢二铵 20 kg、优质硼砂 1 kg、硫酸锌 1 kg，距块根 40 cm 以上穴施。②提苗肥。当年定植的苗高 20 cm 左右或多年生茎蔓抽生时，在距根部约 30 cm 处，每亩沟施或穴施尿素 5 kg、45% 硫酸钾复合肥 30 kg，随后覆土。③花果肥。6 ～ 8 月，以有机肥与钾肥为主，重施 2 ～ 3 次花果肥。每亩沟施或穴施饼肥 50 kg、硫酸钾复合肥 15 kg，在距离根部 50 cm 外沟施，施后覆土。果实膨大期，结合喷药，喷施磷酸二氢钾和其他叶面肥及微量元素肥等。

（3）水分管理。栝楼喜湿怕涝，适宜采用地膜覆盖结合肥水一体化滴灌。出苗前后保持土壤潮湿，雨季要及时清沟排水，严防积水，干旱时要及时浇水。

其他栽培模式参照管理。

4. 病虫草害防治

按照"预防为主，综合防治"的方针，以生态防治、物理防治为首选，结合化学防治，尽量保持农田的生态平衡和生物多样性，将病虫草的危害控制在允许水平以下，将农药残留控制在规定的范围内，注意环境保护和保证产品质量安全。栝楼主要病害可分为真菌病、细菌病、线虫病、病毒病几大类，主要虫害有蚜虫、红蜘蛛、蓟马、瓜绢螟、黄守瓜、斜纹夜蛾、瓜藤天牛等。栝楼病虫草害的综合防治有：选择抗病品种和优质种苗；冬季清园，保持园区清洁；多施有机肥，少施氮肥；加强肥水管理；起垄栽培且合理稀植，通风透光；物理防草，科学使用除草剂；化学防控。

| 采收加工 | **瓜蒌**：秋分至霜降果实成熟变色前采摘，用藤或绳子编成辫或串，悬挂于透风

干燥处。遇寒冷、雨雪天气注意保暖、遮挡,避免冻害、大雪压塌棚架、雨水浸泡脱色等。翌年 5 月左右,果实外部黄色、内部焦糖色且种子与果瓤粘连成团时,剪去果柄,压成饼状,切丝或段,晒干。

瓜蒌皮: 栝楼栽后 2 ~ 3 年开始结果。因成熟期不一致,需分批采摘。果实表皮有白粉并变成浅黄色时采摘,挂于通风处晾,待皮色转为橙红色时剖开,挖去瓤,洗净,晒干。

瓜蒌子: 采剥瓜蒌皮时将种子挖出,在水中淘净内瓤,晒干。

天花粉: 栝楼栽后 2 年即可采挖,雄株于 10 月下旬采挖,雌株于果实摘完后采挖,洗净泥土,刮去粗皮,细者切成长 10 ~ 15 cm 的短段,粗者对半纵剖,切成 2 ~ 4 瓣,晒干。

| **药材性状** | **瓜蒌:** 本品呈类球形或宽椭圆形,长 7 ~ 15 cm,直径 6 ~ 10 cm。表面橙红色或橙黄色,皱缩或较光滑,先端有圆形的花柱残基,基部略尖,具残存的果柄。轻重不一。质脆,易破开,内表面黄白色,有红黄色丝络,果瓤橙黄色,黏稠,与多数种子黏结成团。具焦糖气,味微酸、甜。

瓜蒌皮: 本品常切成 2 至数瓣,边缘向内卷曲,长 6 ~ 12 cm。外表面橙红色或橙黄色,皱缩,有的有残存果柄;内表面黄白色。质较脆,易折断。具焦糖气,味淡、微酸。

瓜蒌子: 本品呈扁平椭圆形,长 12 ~ 15 mm,宽 6 ~ 10 mm,厚约 3.5 mm。表面浅棕色至棕褐色,平滑,沿边缘有 1 圈沟纹。先端较尖,有种脐,基部钝圆或较狭。种皮坚硬;内种皮膜质,灰绿色,子叶 2,黄白色,富油性。气微,味淡。

天花粉: 本品呈不规则圆柱形、纺锤形或瓣块状,长 8 ~ 16 cm,直径 1.5 ~

5.5 cm。表面黄白色或淡棕黄色，有纵皱纹、细根痕及略凹陷的横长皮孔，有的有黄棕色外皮残留。质坚实，断面白色或淡黄色，富粉性，横切面可见黄色、略呈放射状排列的木部，纵切面可见黄色条纹状木部。气微，味微苦。

瓜蒌药材　　　　　　　　瓜蒌子药材　　　　　　　　天花粉药材

| 品质评价 |

一、瓜蒌

瓜蒌药材现基本均为栽培品，为提高产量，经过长期选育，瓜蒌已形成多个品系，尤以河北安国地区的海市瓜蒌及安徽产的皖瓜系列为瓜蒌的主流商品来源。当前药材市场瓜蒌饮片一般有选货和统货2种，按照颜色及均一性进行划分，颜色越好（成熟度好，橙黄色或橙红色）、瓜蒌丝越整齐无破碎、种子越饱满，等级越高。选货外皮橙黄色或橙红色，颜色均一，直径大于7 cm，质重，无破碎或很少破碎，无虫蛀或发霉，切开种子饱满。统货外皮颜色橙黄色或发灰（陈货），大小不一，质轻，有破碎，无虫蛀或发霉，切开种子多空瘪。采用液相色谱法、紫外分光光度法等方法分析，瓜蒌富含糖类、氨基酸类等营养成分。糖类成分以果糖、葡萄糖、多糖为主，葡萄糖、果糖含量相当，分别占5% ~ 20%、6% ~ 22%，瓜蒌以果糖、葡萄糖含量高者为佳。氨基酸类成分总含量为3 ~ 6 mg/g，以瓜氨酸、精氨酸为主。

二、瓜蒌皮

以颜色好（成熟度好，橙黄色或橙红色）、瓜蒌皮丝整齐无破碎者为佳。采用液相色谱法、紫外分光光度法等方法分析，瓜蒌皮富含糖类、氨基酸类、黄酮类、三萜类等营养成分。糖类成分以果糖、葡萄糖、多糖为主，葡萄糖、果糖含量超过20%，多糖含量超过7%。氨基酸类成分总含量达7.5 mg/g，其中以L-瓜氨酸、L-精氨酸含量较高，占比分别超过40%、10%。黄酮类（芦丁、木犀草苷、芹菜素-7-O-葡萄糖醛酸苷、芹菜素、橘红素）、三萜类（葫芦素D、葫芦素B、葫芦素E）等成分含量较低，分别在260 μg/g、9 μg/g左右。

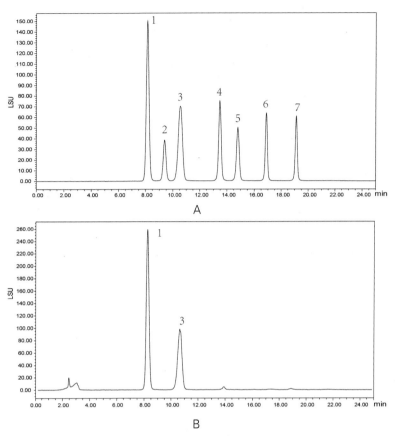

1—果糖；2—甘露糖；3—葡萄糖；4—蔗糖；5—麦芽糖；6—棉子糖；7—水苏糖。

瓜蒌混合对照品（A）和样品（B）中单糖类成分的 HPLC–ELSD 图谱

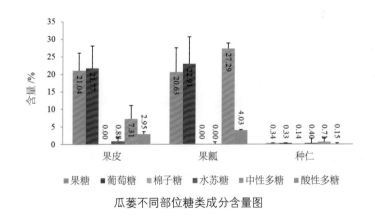

瓜蒌不同部位糖类成分含量图

三、瓜蒌子

以大小均匀、饱满、油足、味甘者为佳。经 GC-MS 分析，瓜蒌子富含脂肪酸类、五环三萜类、氨基酸类成分。脂肪酸类成分（棕榈酸、亚油酸、亚麻酸、油酸、硬脂酸等）占种仁质量的 40% 以上，其中又以亚油酸和亚麻酸为主。特有的五环三萜类成分 3,29- 二苯甲酰基栝楼仁三醇，含量超过 0.08%。总氨基酸含量

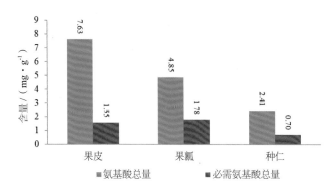

瓜蒌不同部位总氨基酸成分含量图

达 2 mg/g，以谷氨酸、精氨酸、鸟氨酸为主，占总氨基酸的比例分别达 18%、17%、13%。

四、天花粉

天花粉药材分选货和统货 2 种商品规格。选货分为 3 个等级，其中，一等品长 ≥ 15 cm，直径 3.0 ~ 5.5 cm，粗细比较均匀，富粉性；二等品长 10 ~ 15 cm，直径 2.0 ~ 3.0 cm，粗细较均匀，长短不同，颜色黄白不一；三等品长 ≤ 10 cm，直径 1.5 ~ 2.0 cm，大小较均匀，表面颜色偏棕色。统货不分大小。经 HPLC-DAD/ELSD、苯酚 - 浓硫酸 -Uv 分析，天花粉中葡萄糖、果糖、多糖含量分别为 2.5% ~ 4.0%、2.5% ~ 4.2%、9.6% ~ 13.2%。经 UHPLC-TQ-MS 分析，天花粉中四环三萜类成分以葫芦素类成分为主，其中以葫芦素 B 含量最高，为 170 ~ 290 μg/g，葫芦素 D、葫芦素 E 含量分别超过 30 μg/g、2 μg/g；黄酮类成分低于 0.7 μg/g；总氨基酸含量较高，为 14.6 ~ 17.5 mg/g，其中必需氨基酸（赖氨酸、亮氨酸、异亮氨酸、甲硫氨酸、苯丙氨酸、苏氨酸、色氨酸、缬氨酸）约占 8.5%，瓜氨酸占比超过 62%，精氨酸占比超过 10%。

| 功效物质 |　一、瓜蒌

瓜蒌所含的三萜类成分主要有葫芦烷型的四环三萜和齐墩果烷型的五环三萜两大类。瓜蒌中甾醇类化合物种类繁多，主要有菠菜甾醇、豆甾醇等。瓜蒌中含有的黄酮类物质主要有芦丁、芹菜素、香叶木素、槲皮素、山柰酚、山柰酚 -3-O-β- 芸香糖苷、山柰酚 -3,7- 二 -O-β-D- 葡萄糖苷、山柰酚 -3-O-β- 葡萄糖苷 -7-O-α- 鼠李糖苷、山柰酚 -3-O-β- 槐糖苷、槲皮素 -3-O- 芸香糖苷、槲皮素 -3-O-［α-L- 鼠李糖（1-2）-β-D- 葡萄糖］-5-O-β-D- 葡萄吡喃糖苷、槲皮素 -3-O- 芸香糖苷、槲皮素 -3-O-β-D- 葡萄糖苷、槲皮素 -3-O-α- 核糖苷、芹菜素 -7-O-β-D- 葡萄糖苷、香叶木素 -7-O-β-D- 葡萄糖苷、芹黄素 -6,8- 二 -O-β-D- 葡萄糖苷、异槲皮苷、

柯伊利素 -7-O-D- 葡萄糖苷、金圣草黄素、5,6,7,8,4′- 五甲氧基黄酮、5,6,7,8,3,4′- 六甲氧基黄酮、4′- 羟基黄芩素、5,7,2′,4′- 四羟基 -5′- 甲氧基黄酮等。瓜蒌中分离得到的氨基酸有较好的祛痰作用，半胱氨酸能裂解痰液黏蛋白，使痰液黏度下降而易于咯出；天冬氨酸可促进骨髓 T 淋巴细胞前体转化为成熟的 T 淋巴细胞，有利于减少炎性分泌物；蛋氨酸可变为半胱氨酸及胱氨酸，起到协同的作用。且研究已证实瓜蒌水煎剂有较显著的祛痰作用，可有效抑制氨水引起的咳嗽。

二、瓜蒌皮

瓜蒌皮中含有和瓜蒌一样的黄酮类成分。瓜蒌皮中还含有少量油脂类成分。研究表明，瓜蒌皮的清热化痰作用与其所含的氨基酸类等水溶性成分有关。

三、瓜蒌子

瓜蒌子富含大量的油脂类成分，以油酸、亚油酸、栝楼酸等不饱和脂肪酸为主，瓜蒌子中还有小麦黄素和 4′,6- 二羟基 -4- 甲氧基异橙酮。此外，从瓜蒌子中可分离得到栝楼素、核糖体失活蛋白及凝集素等蛋白质。瓜蒌皮脂溶性部分含有栝楼酯碱这一特有的生物碱，其结构为 α-（苯甲酰胺）- 苯丙酸 -3-［（1- 苯基）亚乙基］氨 -2- 羟基丙酯。瓜蒌子中的脂肪油具有较强的致泻作用，而瓜蒌仁制霜后的泻下作用较缓和，可作为泻下剂使用。

四、天花粉

对于天花粉，目前研究最广泛的是天花粉蛋白（TCS）。该蛋白是一种核糖体失活蛋白，可抑制细胞内蛋白质的合成，促使细胞内促凝物质外溢，从而导致细胞死亡。TCS 还有诱导小鼠前列腺癌细胞凋亡、引产、抗 HIV 活性等作用。此外，在天花粉中还发现有葫芦素 B、异葫芦素 B、葫芦素 D、异葫芦素 D、23,24- 二氢葫芦素 D、3- 表 - 异葫芦素 B、二氢葫芦素 B、二氢异葫芦素 B、二氢异葫芦素 E 等三萜类成分，该类葫芦烷型四环三萜类成分对乳腺癌、胰腺癌、前列腺癌、肺癌、结肠癌等抑瘤效果显著，可通过诱导细胞凋亡、诱导细胞自噬、阻滞细胞周期、抑制肿瘤转移、破坏细胞骨架，以及调节细胞内的信号转导子与转录激活子 3、丝裂原激活的蛋白激酶等信号通路来发挥抑瘤作用。细胞试验和动物试验均证明天花粉凝集素具有较强的降糖作用。

| **功能主治** | **瓜蒌**：清热涤痰，宽胸散结，润燥滑肠。用于肺热咳嗽，痰浊黄稠，胸痹心痛，结胸痞满，乳痈，肺痈，肠痈，大便秘结。 |

瓜蒌皮：清热化痰，利气宽胸。用于痰热咳嗽，胸闷胁痛。

瓜蒌子：润肺化痰，滑肠通便。用于燥咳痰黏，肠燥便秘。

天花粉：清热泻火，生津止渴，消肿排脓。用于热病烦渴，肺热燥咳，内热消渴，疮疡肿毒。

| 用法用量 | 瓜蒌：内服煎汤，9 ~ 15 g。

瓜蒌皮：内服煎汤，6 ~ 10 g。

瓜蒌子：内服煎汤，9 ~ 15 g。

天花粉：内服煎汤，10 ~ 15 g。

| 传统知识 | 基于文献梳理和中药资源普查过程中调查走访收集的传统用药知识，记录于此。

一、瓜蒌

（1）治疗痰嗽：黄熟瓜蒌 1 个，取出子若干枚，照还去皮杏仁于内，火烧存性，醋糊为丸。每服 20 丸，临卧时，白萝卜汤送下。

（2）治疗胸痹，喘息咳唾，胸背痛，短气，寸口脉沉而迟：瓜蒌 1 枚，薤白半斤，白酒七升。上三味，同煮取二升，分温再服。

（3）治疗肺痿咯血不止：瓜蒌（连瓤瓦焙）50 个、乌梅肉（焙）50 个、杏仁（去皮、尖，炒）21 个。为末，以猪肺 1 片切薄，掺末入内，炙熟，冷嚼咽之，日 2 服。

（4）治疗肺燥热渴，大肠秘：瓜蒌取瓤，以干葛粉拌，焙干，慢火炒熟，为末。食后、夜卧以沸汤点三钱服。

二、瓜蒌皮

（1）治疗咽喉语声不出：瓜蒌皮、白僵蚕、甘草各等分。上为细末，每服一至二钱，用温酒调下或浓生姜汤调服，日 2 ~ 3 服。

（2）治疗肺热咳嗽、咳吐黄痰或浓痰，肺痈：瓜蒌皮二至四钱，大青叶三钱，冬瓜子四钱，生苡仁五钱，前胡一钱五分。煎汤服。

三、瓜蒌子

（1）治疗痰咳不止：瓜蒌仁一两，文蛤七分。为末，以姜汁为丸，丸弹子大。

（2）治疗酒痰，救肺：青黛、瓜蒌仁。上为末，姜（汁）、蜜丸，嚼化。

四、天花粉

（1）治疗消渴，除肠胃热实：天花粉、生姜各五两，生麦冬、芦根各二升，茅根三升。上五味细切，以水一斗，煮取三升，分 3 服。

（2）治疗百合病渴：天花粉、牡蛎等分。为散，饮服方寸匕。

（3）治疗虚热咳嗽：天花粉一两，人参三钱。为末，每服一钱，米汤下。

（4）治疗痈未溃：天花粉、赤小豆等分。为末，醋调涂之。

（5）治疗胃及十二指肠溃疡：天花粉一两，贝母五钱，鸡蛋壳 10 个。研面，每服二钱，白开水送下。

| 资源利用 | 一、瓜蒌

1. 在医药领域中的应用

瓜蒌具有涤痰导滞、宽胸利气的作用。用治胸阳不振、痰阻气滞所致胸痛彻背、咳唾短气之胸痹证，常与薤白、半夏、白酒配伍，以通阳散结、行气祛痰，如瓜蒌薤白白酒汤、瓜蒌薤白半夏汤；用治痰热互结所致胸膈痞闷、按之则痛、吐痰黄稠之结胸证，则可配伍黄连、半夏等清热化痰、散结消痞之品，如小陷胸汤；用治肺痈胸痛、咯痰腥臭或咯吐脓血，可与清热解毒、消肿排脓的芦根、桃仁、鱼腥草等同用，可散结消肿；用治乳痈肿痛之证，可与蒲公英、浙贝母、乳香等清热解毒、活血散结之品同用；用治肠燥便秘，可与火麻仁、郁李仁等润下药同用，以润肠通便。

此外全瓜蒌甘寒清润，既能清热化痰，又能宣利肺气，用治痰热阻肺所致咳嗽痰黄、黏稠难咯之证，常与黄芩、枳实、胆南星等清肺化痰药同用，如清气化痰丸。全瓜蒌配伍白芍、金银花、甘草、香附、僵蚕等可制成治疗带状疱疹的膏药。

2. 在健康产品中的应用

以栝楼果实不同部位开发的健康产品类型多样，功效各异。以瓜蒌、红枣、桂圆、牛奶为主要原料，加入山药、枸杞等材料制备的瓜蒌低糖发酵饮品，可以帮助肾脏排出体内毒素，促进血液循环；以瓜蒌、枸杞、红豆等为原料制备的瓜蒌奶茶粉，具有清肺化痰、行气宽胸、补血、促进睡眠的功效；以栝楼瓢为原料可制备栝楼瓢天然防腐剂；以栝楼瓢作防腐剂，瓜蒌皮水提液及醇提液为主要成分可制备栝楼天然植物牙膏，具有保持口腔卫生效果明显、抗菌效果佳、安全性高、成本低的特点；以栝楼瓢为原料，可制备栝楼瓢美白霜，不仅能保持皮肤水分的平衡，还能补充重要的油性成分、亲水性保湿成分和水分，并能作为活性成分和药剂的载体，使之为皮肤所吸收，达到调理和营养皮肤的目的；以栝楼瓢、干葛粉、菊花粉末、金银花粉末混合搅拌均匀，烘干后慢火炒热，可制备去燥热栝楼茶，具有祛暑解毒、治肺燥热渴和大肠秘等功效；栝楼瓢搭配糯米、粳米、红糖等可制备栝楼瓢糕，有清肺化痰、利气宽胸、散结消肿的功效；采用双酶法破坏胶质和纤维素的细胞壁，使栝楼瓢细胞内黄色素释放，降低提取液的黏度，可制得栝楼黄色素。

二、瓜蒌皮

1. 在医药领域中的应用

瓜蒌皮具有清肺化痰、利气宽胸散结的功效，常用于肺热咳嗽、胸胁痞痛、咽喉肿痛、乳痈等，能够扩张冠状动脉，抗急性心肌缺血、耐缺氧、抗心律失常。瓜蒌皮具有良好的祛痰作用，广泛应用于中成药中，如有化痰散结、活血化瘀功效的丹蒌片。以瓜蒌皮为原料的瓜蒌皮注射液，有行气除满、开胸除痹的功效，可用于痰浊阻络之冠心病、稳定型心绞痛等心血管疾病。瓜蒌皮中的三萜皂苷提取物具有抗真菌功效，以其为原料可制备治疗脚气的药物。

2. 在健康产品中的应用

以瓜蒌皮配伍桂花、陈皮、桑椹、甘蓝提取物、蓝莓提取物等制备的营养保健饮料，对长期胃痛反酸、高血压、腰膝酸软、咽喉肿痛有治疗效果；瓜蒌皮配伍半夏、牵牛子、荷叶、山楂、决明子、枸杞等制备的瓜蒌皮减肥茶，可排毒养颜、减肥降脂；以瓜蒌皮为原料制得的栝楼果脯，有润肺止咳、利咽降火等多种保健功能；栝楼皮、杧果皮和枇杷花经发酵等工艺可制得保健酱油；以瓜蒌皮作为原料，可提取分离化合物。

三、瓜蒌子

1. 在医药领域中的应用

瓜蒌子可扩张心脏冠状动脉、增加冠状动脉血流量，对急性心肌缺血具有明显的保护作用，对高血压、高血脂有辅助治疗作用，能提高机体免疫功能，并有瘦身美白的功效，可作为中药饮片或治疗咳喘的中成药的原料。以瓜蒌子或瓜蒌皮作为主要药效成分制备的胃漂浮缓释胶囊，可有效延长制剂在胃中的滞留时间，延长内容物中药效分子的释放时间，从而提高药效分子的生物利用度，减少服药次数。

栝楼瓤、果皮中富含糖类资源性成分，经分离纯化技术可制得多糖、单寡糖部位或者单体，作为制药原料可应用于医药、保健、轻工业等各类资源性产品的开发中。研究表明瓜蒌多糖可显著提高免疫抑制小鼠脏器指数、巨噬细胞吞噬能力和淋巴细胞增殖能力，具有良好的增强免疫、抗氧化和心脏毒性保护等活性，具有较高的研究与开发价值。瓜蒌子中多糖提取率可达 3.60% 左右，该多糖对羟自由基的清除能力强于柠檬酸和抗坏血酸。

2. 在健康产品中的应用

瓜蒌子中含有不饱和脂肪酸、蛋白质及各种氨基酸，并含有三萜皂苷、多种维生素及铁、锌、硒等多种微量元素，具有很高的营养价值。栝楼籽油的有效中浓度（EC_{50}）为 0.23 mg/ml，而玉米油、芝麻油的 EC_{50} 分别为 0.51 mg/ml 和 0.27 mg/ml，栝楼籽油与玉米油、芝麻油相比，具有更好的去除羟自由基的效果，可作为理想的保健性食用油。炒熟后的栝楼种子（吊瓜子），是一款深受消费者欢迎的功能性休闲食品。

四、天花粉

1. 在医药领域中的应用

天花粉主要有 3 个方面的用途：制成中药饮片，煎煮等入药，如配伍茯苓、山药、瞿麦等可用于前列腺炎，配伍桔梗、半夏、瓜蒌等可用于乳腺炎、乳癌；与其他中药一起配伍制成中成药，如消渴丸等；以之为原料制成天花粉蛋白注射液。

2. 在健康产品中的应用

以天花粉为主开发的健康产品类型较瓜蒌稍少，功效各异。以雄栝楼的天花粉或下脚料发酵制备的天花粉饮料，具有增强抵抗力、保护胃肠功能、防治心脑血管疾病、美容护肤、减肥瘦身及延缓衰老的功效。以天花粉为原料，探讨提取溶剂、时间、温度等因素，可优化出最佳提取瓜氨酸的方法。

五、栝楼其他部位

栝楼果实，特别是废弃的果瓤及过剩的果皮，经高温热裂解后可生成生物炭，或者利用微生物厌氧发酵技术将富含淀粉等的多糖类成分转化为乙醇、沼气等生物质能源及肥料资源，从而部分替代煤炭、石油及化学肥料。果瓤中富含糖类、核苷、氨基酸、蛋白质等营养成分，可开发成动物饲料或饲料添加剂。

栝楼根获取三萜、多糖、蛋白质等资源性成分后的残渣，可经发酵转化生产高活性的纤维素酶、经热解炭化生产生物炭及作碳基复合肥料的原料，实现源于农田、归于农田的中药资源循环利用模式和循环经济的绿色发展。栝楼根、菱苦土、介孔磷酸铁锂、红线虫干粉、丝瓜络、川槿皮、西红花、土壤调节剂等配伍制成的专用于西府海棠的肥料，可提高西府海棠的抗病性和免疫力。栝楼根作为原料生产出的杀虫剂绿色环保、无毒副作用，杀虫效果较好。淀粉类多糖类成分作为原料，搭配增塑剂等材料，经均质、糊化、乳化、消泡等工艺制备可生物降解的地膜，可有效减少降解后化学试剂等残留引起的不良后果，具有重要的经济价值和环保价值。栝楼根中富含糖类、蛋白质等营养成分，可开发成动物饲料或饲料添加剂，在减少环境污染的同时给畜牧养殖业提供了新型保健饲料。

栝楼茎叶中含纤维素类成分，该类成分可经酶解转化为聚合度不同、可吸收利用的糖类物质，利用微生物发酵技术或固定化技术可将来源于植物半纤维素的木糖转化为木糖醇，提高栝楼茎叶的经济效益。获取黄酮、多糖等资源性成分后的栝楼茎叶残渣多富含纤维素类、半纤维素类或木质素类物质，是一种具有开发潜力的生物质资源。栝楼茎叶废弃部位经腐熟处理后，作为基质可用于中药材、蔬菜或果苗的无土栽培，充分利用其所含的营养成分的同时，又能避免土壤中重金属、农药等有毒物质对药材、蔬菜或水果的污染，还能避免长期使用化肥等造成的土壤黏结、有机质低，以及灰钙土等现象。通过生物质热解技术可将栝楼茎叶的废弃物降解形成生物质炭、生物质焦油、生物质醋液和生物质燃气等，亦可经纤维的解离、板坯成型和无胶轻质纤维板的胶合等工艺制备成纤维板。

以栝楼叶、栝楼瓤配伍绿茶、柚子皮、茉莉等，可发酵制备栝楼茶醋饮料，具有降血脂的功效；栝楼嫩叶以百香果提取液熏蒸，可制备栝楼叶茶，具有水果清香，成茶滋味醇而不苦涩；栝楼叶配伍瓜蒌子、山楂等可制成栝楼汁饮品，味甜，润嗓，口感极佳，具有开胃、消食的功能；栝楼叶与桂花经发酵等工艺可制备发酵型桂花栝楼茶，具有排便通肠、美容养颜等功效；栝楼幼嫩茎及栝楼须密封腌制后可得栝楼腌渍菜，提高了栝楼资源的利用率；栝楼叶经两次发酵、均质、干燥等工艺可制备栝楼叶速溶粉，方法简单，可进行批量生产，以增加栝楼叶的应用途径。

| 附　注 | （1）全世界栝楼属植物约有 80 种，我国有 40 余种，多分布于安徽、山东、河南、山西、河北等地，其中安徽、河南、山东 3 省栝楼的人工栽培面积较大。栝楼为雌雄异株的药用植物，种子繁殖的雌雄比例无法控制，苗期雌、雄株鉴别困难，大田常采用根段无性繁殖。山东长清、肥城及宁阳所产的瓜蒌质佳量大，且有很多栽培品，如糖栝楼和仁栝楼，均以生产栝楼果即全瓜蒌为主。安徽潜山、浙江长兴所产的瓜蒌子色泽光亮、籽仁饱满，炒熟后口感润绵，被誉为"瓜籽之王"。河南新乡、安阳至河北邯郸、武安一带为天花粉的道地产区，所产天花粉质量最好，驰名中外，被称为"安阳花粉"。双边栝楼主产于四川，产地比较分散，除北部高原外，中、低山区及平原均有生产，又以绵阳、德阳、简阳、峨眉及乐山等地产量较大，有栽培品也有野生品，通常加工时剖果取籽、取皮，籽、皮分别干燥为瓜蒌子及瓜蒌皮。

（2）除正品瓜蒌外，同属的其他一些植物也常作瓜蒌使用，如《中华本草》还记载有全缘栝楼 *Trichosanthes ovigera* Bl.、长果栝楼 *Trichosanthes kerrii* Craib、红花栝楼 *Trichosanthes rubriflos* Thorel ex Cayla 和短序栝楼 *Trichosanthes baviensis* Gagnep.。两广地区南方栝楼 *Trichosanthes damiaoshanensis* C. Y. Cheng

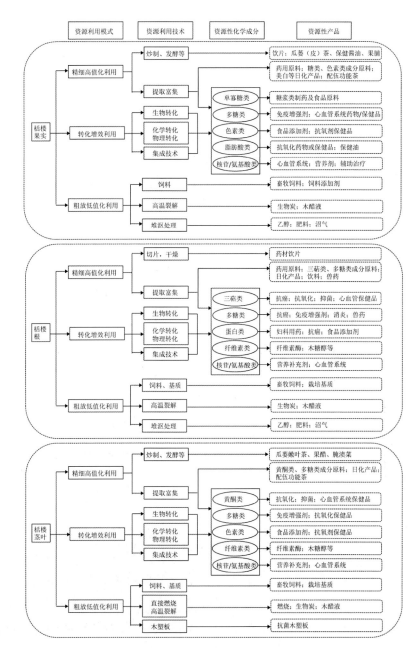

栝楼植物不同部位资源化利用策略与途径

et C. H. Yueh 的根部也常被作为地方习用品使用。

参考文献

[1] 周涛，黄璐琦，江维克. 栝楼属（葫芦科）植物的系统演化与地理分布 [J]. 植物科学学报，2015，33（3）：414-423.

[2] 樊磊，刘宣东，周艾莉. 涟水县栝楼产业发展现状、对策及几种立体套种（养）模式 [J]. 江苏农业科学，2018，46（15）：114-116.

[3] 张秀云，周凤琴. 中药栝楼本草学考证 [J]. 山东中医药大学学报，2013，37（4）：319-321.

[4] 郭庆梅，周凤琴，李定格，等. 瓜蒌的名称、原植物和产地的本草考证[J]. 中医研究，2006，3：28-29.

[5] 金国虔，居明乔，吴闯，等. 江苏省沿海野生栝楼资源分布特点与评价[J]. 中国现代中药，2015，17（7）：651-655.

[6] 李真，韩丽丽，管仁伟，等. 瓜蒌的资源、质量与栽培现状分析[J]. 中医研究，2010，23（12）：11-14.

[7] 张荣超，辛杰，郭庆梅. 基于主成分分析的栝楼优良品系筛选研究[J]. 四川农业大学学报，2016，34（1）：91-96.

[8] 和焕香，郭庆梅. 瓜蒌化学成分和药理作用研究进展及质量标志物预测分析[J]. 中草药，2019，50（19）：4808-4820.

[9] 张黄琴，刘培，董玲，等. 栝楼植物不同部位资源化利用策略与途径[J]. 中国现代中药，2019，21（1）：45-53.

[10] 中药材商品规格等级：瓜蒌：T/CACM 1021.152—2018[S]. 北京：中华中医药学会，2018.

[11] 滕勇荣，张永清. 瓜蒌化学成分研究进展[J]. 山东中医药大学学报，2011，35（1）：85-86.

[12] 刘金娜，温春秀，刘铭，等. 瓜蒌的化学成分和药理活性研究进展[J]. 中药材，2013，36（5）：843-848.

[13] 李爱峰，孙爱玲，柳仁民，等. 栝楼果皮化学成分研究[J]. 中药材，2014，37（3）：428-431.

[14] 徐启祥. 瓜蒌提取物的制备及其抗心肌缺血—再灌注损伤作用的研究[D]. 芜湖：皖南医学院，2018.

[15] 高兆慧. 瓜蒌皮干预大鼠急性心肌缺血药效学研究[D]. 济南：山东中医药大学，2015.

[16] 李赤翎. 一种瓜蒌子油及其提取工艺：200710034702.1[P]. 2008-10-15.

[17] 孙武，桑宏庆，胡鹏丽，等. 一种瓜蒌抗氧化黄色素的提取工艺：201910226020.3[P]. 2019-06-14.

[18] 辛杰，郭庆梅，张波，等. 一种瓜蒌瓤美白霜及其制备工艺：201810599368.2[P]. 2018-09-21.

[19] 廖祥儒，李韵雅，梁金溪. 一种瓜蒌等发酵制备酵素饮料的方法：201610481580.X[P]. 2016-11-23.

[20] 柴欣，朱霖，戚爱棣，等. 栝楼属植物化学成分研究进展[J]. 辽宁中医药大学学报，2013（1）：66-70.

[21] 吴波，曹红，陈思维，等. 瓜蒌提取物对缺血缺氧及缺血后再灌注损伤心肌的保护作用[J]. 沈阳药科大学学报，2000，17（6）：450-451.

[22] 李明明，黄芳，韩林涛，等. 瓜蒌薤白白酒汤对大鼠心肌缺血再灌注损伤的保护作用[J]. 中国实验方剂学杂志，2013，19（16）：188-192.

[23] 段金廒，宿树兰，郭盛，等. 中药资源产业化过程废弃物的产生及其利用策略与资源化模式[J]. 中草药，2013，44（20）：2787-2797.

[24] 侯宗坤，高振秋，杨丽，等. 瓜蒌籽油提取工艺优化及其抗氧化活性研究[J]. 食品工业科技，2017，38（6）：261-265.

[25] 翟明安. 一种瓜蒌低糖发酵饮品：201711065762.X[P]. 2018-03-30.

[26] 李爱峰，张永清，柳仁民，等. 一种从栝楼果皮中分离纯化腺嘌呤及6-异次黄嘌呤核苷的方法：201310476504.6[P]. 2014-01-08.

[27] 刘鹏，王梦倩，柳晓微. 栝楼瓤天然防腐剂的制备方法：201610688773.2[P]. 2017-01-18.

[28] 周子童. 一种栝楼黄色素提取工艺：201410341181.4[P]. 2016-01-27.

[29] 杨保成，谢书轩，张晓忠. 一种栝楼黄色素的提取方法：201310033406.5[P]. 2013-05-08.

[30] 王新新. 瓜蒌多糖的提取、纯化及其抗氧化、斑马鱼心脏保护活性研究[D]. 泰安：山东农业大学，2016.

[31] 江曙，刘培，段金廒，等. 基于微生物转化的中药废弃物利用价值提升策略探讨[J]. 世界科学技术—中医药现代化，2014（6）：1210-1216.

[32] 马燕. 栝楼根丸对2型糖尿病大鼠治疗作用的研究[D]. 唐山：河北联合大学，2011.

[33] 曹丽莉，徐妍，徐水凌，等. 天花粉多糖诱导人乳腺癌MCF-7细胞凋亡及其Caspase-3和Caspase-8活化对凋亡的影响[J]. 浙江大学学报（医学版），2012，41（5）：527-534.

[34] 周玉群，郭瑞德，周莉，等. 天花粉治疗异位妊娠过程中血β-HCG浓度曲线的动态变化[J]. 中国卫生

检验杂志，2010（12）：3323-3324.

[35] 郭辉，钱俊青，张斌，等. 一种栝楼根三萜提取物及其制备方法与用途：201410104179.5[P]. 2014-07-02.

[36] 蒋瑞华. 一种治疗前列腺炎的中药组合物：02114100.2[P]. 2002-11-27.

[37] 刘飞，李佳，张永清. 栝楼雄株茎叶黄酮类化合物的分离及其清除 DPPH 能力研究 [J]. 中草药，2016，47（23）：4141-4145.

[38] 翟明安，李香华. 一种瓜蒌叶速溶粉的制备方法：201710146994.1[P]. 2017-06-23.

[39] 李爱峰，张永清，柳仁民. 一种从栝楼茎叶中分离纯化 3 种黄酮苷的方法：201310240392.4[P]. 2013-09-11.

[40] 蔡冬青，杨丽，陈艳丽，等. 栝楼藤茎多糖的提取工艺及其抗氧化活性研究 [J]. 食品科技，2016（8）：174-179.

[41] 钱骅，焦洋，赵伯涛，等. 栝楼根中 L- 瓜氨酸的提取和含量测定 [J]. 食品工业科技，2010，31（7）：287-289.

[42] YU X, TANG L, WU H, et al. Trichosanthis Fructus: botany, traditional uses, phytochemistry and pharmacology[J]. Journal of Ethnopharmacology, 2018, 224: 177-194.

[43] ZHANG H, LIU P, DUAN J, et al. Hierarchical extraction and simultaneous determination of flavones and triterpenes in different parts of *Trichosanthes kirilowii* Maxim. by ultra-high-performance liquid chromatography coupled with tandem mass spectrometry[J]. Journal of Pharmaceutical and Biomedical Analysis, 2019, 167: 114-122.

[44] ZHANG H, LIU P, DUAN J, et al. Comparative analysis of carbohydrates, nucleosides and amino acids in different parts of *Trichosanthes kirilowii* Maxim. by (ultra) high-performance liquid chromatography coupled with tandem mass spectrometry and evaporative light scattering detector methods[J]. Molecules, 2019, 24（7）: 1440.

[45] LI A, SUN A, LIU R, et al. An efficient preparative procedure for main flavonoids from the peel of *Trichosanthes kirilowii* Maxim. using polyamide resin followed by semi-preparative high performance liquid chromatography[J]. Journal of Chromatography B, 2014, 965: 150-157.

[46] XU Y, CHEN G, LU X, et al. Chemical constituents from *Trichosanthes kirilowii* Maxim.[J]. Biochemical Systematic Ecology, 2012, 43（8）: 114-116.

[47] SHU S H, XIE G Z, GUO X L, et al. Purification and characterization of a novel ribosome-inactivating protein from seeds of *Trichosanthes kirilowii* Maxim.[J]. Protein Expression and Purification, 2009, 67（2）: 120-125.

[48] ZHOU G, PENG Y, ZHAO L, et al. Biotransformation of total saponins in siraitia fructus by human intestinal microbiota of normal and type 2 diabetic patients: comprehensive metabolites identification and metabolic profile elucidation using LC-Q-TOF/MS[J]. Journal of Agriculture Food Chemistry, 2017, 65（8）: 1518-1524.

[49] KIMURA Y, AKIHISA T, YASUKAWA K, et al. Structures of five hydroxylated sterols from the seeds of *Trichosanthes kirilowii* Maxim.[J]. Chemical & Pharmaceutical Bulletin, 1995, 43（10）: 1813-1817.

[50] YE X, NG C C, NG T B, et al. Ribosome-inactivating proteins from root tubers and seeds of *Trichosanthes kirilowii* and other trichosanthes species[J]. Protein Peptide Letter, 2016, 23（8）: 699-706.

[51] MONDAL A. A novel extraction of trichosanthin from *Trichosanthes kirilowii* roots using three-phase partitioning and its in vitro anticancer activity[J]. Pharmceutical Biology, 2014, 52（6）: 677-680.

[52] ALLEN J G, COLEGATE S M, MITCHELL A A, et al. The bioactivity-guided isolation and structural

identification of toxic cucurbitacin steroidal glucosides from stemodia kingii[J]. Phytochem Analysis, 2006, 17 (4): 226-235.

[53] KAUSAR H, MUNAGALA R, BANSAL S S, et al. Cucurbitacin B potently suppresses non-small-cell lung cancer growth: Identification of intracellular thiols as critical targets[J]. Cancer Letter, 2013, 332 (1): 35-45.

（刘 培）

菊科 Compositae 苍术属 *Atractylodes*

苍术
Atractylodes lancea (Thunb.)

| 药 材 名 | 苍术（药用部位：根茎。别名：茅术、南苍术、京苍术）。

| 本草记述 | 有关"术"的记载最早见于战国时期的《尔雅》，载"术，山蓟、杨枹蓟"。东汉时期，《神农本草经》将"术"列为上品，"一名山蓟，生山谷"。至晋代《南方草木状》云："药有乞力伽，术也。濒海所产。"南北朝时期陶弘景首次将"术"分为白术和苍术，所著《名医别录》载："术，味甘，无毒。"另一著作《本草经集注》记载："术，味苦，甘，温，无毒。主风寒，湿痹……郑山即南郑也，今处处有，以蒋山、白山、茅山者为胜。"茅山即为今江苏句容。据陶弘景《真诰》云："山（茅山之积金岭）出好术，并杂药。"此为茅苍术无疑。至北宋晚期，《本草图经》有曰："术今处处有之，以茅山、高山者为佳。"寇宗奭《本草衍义》中首次出现苍术一名，言："苍术：其长如大拇指，肥实，皮色褐，气味辛烈，须米浴浸洗，再换泔浸二日，去上粗皮。"明代《本草蒙筌》

载："苍术，出茅山第一。"至清代，《本草崇原》对苍术的植株形态及药性功能的描述更为详尽，言："苍术近根之叶，作三五叉，其上叶则狭而长，色青光润。苍术根如老姜状，皮色苍褐，肉色黄，老则有朱砂点。"

古代苍术均用野生种，茅苍术或茅术是茅山苍术的简称，是在长期大量临床实践的基础上，从众多分布地区中筛选出来的道地药材。茅山苍术的质量和疗效优异，为历代医家推崇和肯定，《圣济总录》的交感丹、《瑞竹堂经验方》的苍术丸、《万历积善堂集验方》的苍术散，以及《普济方》等方书均指明用茅山苍术，《清宫医案》的许多处方中则简称茅苍术或茅术。《乾坤生意》的固真丹则指明用金州苍术（陕西安康）；王缪《是斋百一选方》的固元丹指明要用茅山苍术。由上述可知，茅山地区应是茅苍术的道地产区。

| 形态特征 | 多年生草本。根茎结节状，横走。叶互生，卵状披针形至椭圆形，长 3 ~ 8 cm，宽 1 ~ 3 cm，先端渐尖，基部渐狭，不裂或下部叶常 3 裂，裂片先端尖，先端裂片极大，卵形，两侧裂片较小，基部楔形，无柄或有柄。头状花序生于茎枝先端；叶状苞片 1 列，羽状深裂，裂片刺状；总苞圆柱形，总苞片 5 ~ 8 层，卵形至披针形，有纤毛；花多数，两性或单性，多异株；花冠筒状，白色或稍带红色，上部略膨大，先端 5 裂；两性花有多数羽状分裂的冠毛；单性花一般为雌花，具 5 线状退化雄蕊。果实为倒卵圆形或长圆形，外皮灰褐色，被黄白色或棕黄色柔毛，冠毛长 0.5 ~ 0.8 cm。花期 8 ~ 10 月，果期 9 ~ 11 月。

| 资源情况 | 一、生态环境

多生于向阳或半阴半阳的山坡灌木林荒坡草丛中。土壤以排水良好、地下水位低、结构疏松、富含有机质的偏酸性砂壤土为宜。适宜生长温度为 15 ~ 28 ℃，茅

苍术种子萌发适宜温度为 15 ~ 25 ℃。茅苍术喜凉爽、湿润气候，耐寒，幼苗能耐 −10 ℃左右的低温，怕强光和高温。茅苍术被公认为茅山地区的道地药材，道地产区句容、金坛属北亚热带季风气候，四季分明，气候温和，雨水充沛，日照充足，年平均气温 15.1 ℃，最热月 7 月，平均气温 29.6 ℃，平均年降水量 1 018.6 mm，降水主要集中在夏季，6 ~ 8 月的降水量占全年降水量的 45% 左右，而夏季又以 7 月降水量为最多，年平均无霜期 229 天。茅山地区在 8 月中下旬至 9 月中旬气候较为干燥，气温也较高，对茅苍术根茎的生长及药效成分挥发油的形成均较为有利。

茅山地处长江沿岸，为宁镇丘陵的组成部分，土壤母质为长江冲积物。茅山主要为旱坡地，土壤为砂壤土，通气条件好，易耕作。茅苍术适宜生长于丘陵山区偏北坡或半阴半阳坡的灌木林和灌木杂草林，该处坡度为 30° ~ 50°，群落盖度适中，有适当的荫蔽和支撑，更有利于茅苍术的生长。茅苍术主要生长在山地常绿、落叶阔叶混交林下，群落结构有乔木、灌木及草本 3 层，但以生长在灌木林和灌木杂草林中的长势最好。茅苍术对磷、钾有明显的富集能力。成土母质多为花岗岩、石英岩和石灰岩。

二、分布区域

茅苍术为江苏著名道地药材，主要分布于句容、金坛、润州、溧水、江宁、栖霞、溧阳、高淳、宜兴、浦口、六合等地。

三、蕴藏量

江苏茅苍术历史最高收购量为 1976 年的 16 000 kg，以后逐年下降，1983 年收购量仅为 4 500 kg。根据第三次全国中药资源普查估测，江苏地区茅苍术的野生资源蕴藏量约为 30 000 kg。第四次全国中药资源普查初步估测，江苏地区茅苍术的野生资源蕴藏量约为 5 000 kg。

四、栽培历史与产地

古本草文献中不分苍术与白术，统称为术。南北朝时期陶弘景《本草经集注》载："今处处有，以蒋山（今南京紫金山）、白山（今江宁县东三十里，与蒋山相连）、茅山（今句容境）者为胜。"《茅山志》所载的古人咏茅山诗中曾有"茅术栽成自可餐"的描述，茅山地区应是茅苍术的道地产区。茅苍术因历史上主要产于江苏茅山（句容、金坛等地）而得名，明代以来就被作为贡品。近年来，因长期的无序采挖、缺乏相应的保护措施，加之生态环境不断恶化，茅山地区野生茅苍术资源濒临枯竭。20 世纪 80 年代以来，道地茅苍术药材商品锐减，已无法满足市场需求。目前市场流通的茅苍术（南苍术）主要产自湖北（罗田、英山)、河南(信阳)和安徽(舒城)。近年来,江苏正在逐渐恢复茅苍术生产,句容、金坛、新北等地都建立了茅苍术种植基地,但茅苍术的市场占有率仍然很少。

五、栽培面积与产量

近年来,江苏在句容、金坛的茅山区域建立了近 450 亩的茅苍术种植基地,年产量 60 t 左右。此外,湖北、河南、安徽等部分地区已有大量的栽培,目前湖北茅苍术栽培面积近 5 250 亩,年产量 700 t 左右,河南(信阳)栽培面积近 900 亩,年产量 80 t 左右。

六、规范化生产技术

1. 选地整地

宜选择通风凉爽、半阴半阳、排水良好、地下水位低的坡地种植;露地栽培与玉米间作可适当遮阴。避免在低洼地等易积水、潮湿的地块种植。土壤以偏酸性的砂壤土为宜。生地、开荒地最佳,熟地要用生石灰消毒处理,每亩撒生石灰 50 kg,忌连作。选好地后,先在田地施基肥,每亩施磷肥 50 kg、复合肥 50 kg,或腐熟透的农家肥。随后进行 2 次深耕、耙平,且间隔时间不得低于 2 周。根据地块大小,做宽 80 ~ 120 cm、高 40 cm、沟宽 30 cm 的高畦,以保证雨后沟中无水。

2. 繁殖方法

常见的繁殖方法有种子繁殖和分株繁殖。

(1)种子繁殖。在 5 月初进行,种子不需处理。苗床选择向阳山地或农田地块为好,播种前施基肥再耕,细耙整平,做成宽 1.1 m 的床,进行条播或撒播。①条播:在床面横向开沟,沟距 20 ~ 30 cm,沟深为 3 cm,把种子均匀撒于沟中,然后覆土压紧即可。②撒播:直接在床面上均匀撒上种子,覆上 2 ~ 3 cm 厚的土。每亩用种量 4 ~ 5 kg,播后应在上面盖一层杂草,经常浇水保持土壤湿度,苗出齐后去掉盖草。苗高 3 cm 左右时进行间苗,10 cm 左右即以行株距 30 cm×15 cm 进行定植,栽后覆土压紧并浇水。一般在阴雨天或午后定植易成活。

(2)分株繁殖。在 4 月初芽刚要萌发时,将老苗连根茎挖出,去掉泥土,将根茎切成 3 ~ 5 段,每小段带 1 ~ 3 个芽,切好的种茎需用多菌灵或甲基硫菌灵 800 倍液浸泡消毒 20 分钟,泡完后取出,自然吹干表皮水分后播种,避免暴晒。穴栽,行株距与上同。

3. 田间管理

(1)中耕除草,培土遮阴。幼苗期应勤松土除草,定植后应注意中耕除草。4

月进行多次清除杂草，同时结合松土、培土，进行 4 ~ 5 次清沟排渍。7 月入伏天后避免除草，保证行间通风、无明显草虫害即可。可适当在苍术行间薄薄盖上一层草，以起到遮阴、保湿、抗旱、防杂草重生的作用。9 月出伏天后进行多次清除杂草，保持行间通风。

（2）浇水。播种后要及时浇水，保持床面湿润，生长后期可停止浇水。

（3）追肥。一般每年追肥 2 ~ 3 次，结合培土，防止倒伏。第 1 次追肥在 5 月，每亩施清粪水约 1 000 kg；第 2 次施肥在 6 月苗生长盛期，每亩施人粪尿约 1 250 kg，也可每亩施用硫酸铵 5 kg；第 3 次追肥则应在 7 月末至 8 月初开花前，每亩施人粪尿 1 000 ~ 1 500 kg，同时加施适量草木灰和过磷酸钙。

（4）摘蕾。7 ~ 8 月出蕾期，对于非留种地的苍术植株应及时摘除花蕾，以利地下部分生长。注意雨天或有露水时严禁摘蕾。

4. 病虫害防治

病害主要有根腐病、黑斑病、轮纹病、枯萎病、白绢病，多于 5 ~ 9 月发生，除可加强田间管理进行预防外，还可利用甲基硫菌灵、多菌灵、代森锰锌等化学药剂进行土壤消毒、种子处理、叶面喷洒，并结合对根和根颈部病害、发病中心灌根等措施进行防治；夏季雨季注意排水，选择排水良好的土地，另根腐病发病期可用 50% 甲基硫菌灵 800 倍液喷施浇灌；一旦发现病株，带土连根拔起，集中深埋或烧毁，并在病株穴中撒施生石灰消毒。虫害主要是蚜虫、小地老虎。田间发生期要清除枯枝和落叶，深埋或烧毁；用 50% 的杀螟松 1 000 ~ 2 000 倍液或 40% 的乐果乳油 1 500 ~ 2 000 倍液进行喷洒防治，每 7 天喷 1 次，直至无虫。

| **采收加工** | 翌年公历 10 月中旬（寒露）至 12 月底选晴天采挖，抖去根上泥土。挑选根茎较大、健康无病虫害、易于切制的家种新产品留作种苗，其余则及时摊晒数天，注意翻动，早晒晚收，使根须干燥，撞去须根。

| **药材性状** | 本品呈不规则连珠状或结节状圆柱形，略弯曲，偶有分枝，长 3 ~ 10 cm，直径 1 ~ 2 cm。表面灰棕色，有皱纹、横曲纹及残留须根，先端具茎痕或残留茎基。质坚实，断面黄白色或灰白色，散有多数橙黄色或棕红色油室（朱砂点），暴露稍久，可析出白色细针状结晶。气香特异，味微甘、辛、苦。

| **品质评价** | 国内茅苍术商品均为统货，统货标准：呈不规则连珠状或结节状圆柱形，略弯曲，或呈不规则结节状团块状；直径不小于 1.5 cm，允许有少量 1.2 cm 以上品；

茅苍术药材

质坚实，表面灰棕色，断面黄白色或灰白色，散有多数橙黄色或棕红色油室（朱砂点）；干燥，无霉、虫、杂、根须、芦头、空泡、焦煳、走油（质软品）、明显皮损出霜品。

茅山茅苍术相较于其他产区茅苍术，质优主要体现在：朱砂点多而色深；味较浓；挥发油含量较高；苍术酮和苍术素的含量明显高于非道地茅苍术，而 β- 桉叶醇和茅术醇的含量则低于非道地茅苍术。茅苍术是在长期大量临床实践的基础上为历代医家推崇和肯定，而其他产地的苍术不具备或达不到医者期望的疗效，这显然与其独特的道地性特征有关。

| 功效物质 | 茅苍术的主要化学成分类型为倍半萜类、烯炔类、糖苷类、三萜及甾体类、芳香苷类等，药理活性研究表明这些成分具有保肝、抗菌、抗病毒、抗肿瘤、中枢抑制及促进胃肠道蠕动、抗溃疡、抑制胃酸分泌等作用。

一、倍半萜类

茅苍术中主要的倍半萜类成分包括茅术醇、β- 榄香烯、β- 桉叶醇、榄香醇、白术内酯 A、β- 石竹烯、γ- 榄香烯、愈创醇、芹烷二烯酮、苍术酮、α- 芹油烯、β-芹油烯、马兜铃酮以及苍术内酯 I 、II、III 等。

二、聚乙炔类

茅苍术中主要的聚乙炔类成分为苍术素、（1Z）- 苍术素、乙酰苍术素醇、（1Z）-苍术素醇、苍术素醇。

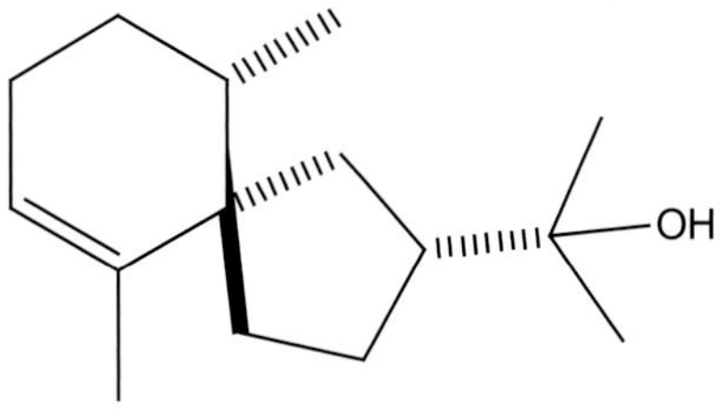

茅术醇化学结构 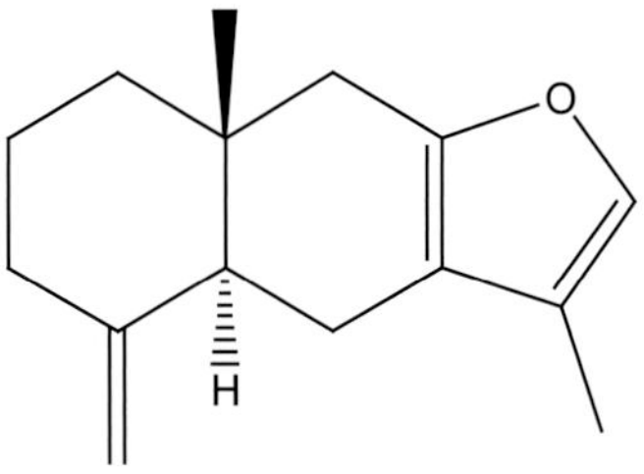　　　苍术酮化学结构

三、糖苷类

已从茅苍术中分离鉴定出倍半萜苷类 21 个（包括 11 个愈创木烷型倍半萜和 10 个桉叶烷型倍半萜），包括单萜苷化合物 4 个、芳香族苷化合物 9 个、半萜苷化合物 2 个、核苷化合物 2 个、烯炔衍生苷化合物 2 个、烷烃苷化合物 1 个和黄酮苷 1 个。

四、三萜及甾体类

茅苍术的三萜结构主要为四环三萜和五环三萜。有研究从茅苍术中分离得到 6 种三萜类化合物并对其化学结构进行了分析。

五、其他类

除上述化合物外，茅苍术中还含有蛇床子素、呋喃甲醛、氨基酸、香豆素衍生物等其他水溶性化合物及豆甾醇、伪蒲公英甾醇乙酸酯等脂溶性化合物。

| 功能主治 | 辛、苦，温。归脾、胃、肝经。燥湿健脾，祛风散寒，明目。用于湿阻中焦，脘腹胀满，泄泻，水肿，脚气痿躄，风湿痹痛，风寒感冒，夜盲，眼目昏涩。

| 用法用量 | 内服煎汤，3 ~ 9 g。

| 传统知识 | 基于文献梳理和中药资源普查过程中调查走访收集的传统用药知识，记录于此。

（1）治疗妇科疾病（如不孕症、多囊卵巢综合征、原发性痛经等）：茅苍术配伍丹参、山药、熟地黄，为 5 ~ 25 g。

（2）治疗消化系统疾病（如胆囊炎、胆石症、胆汁反流性胃炎、胃下垂等）：茅苍术配伍当归、生地黄、赤芍，为 9 ~ 25 g。

（3）治疗代谢综合征、糖尿病、黄疸、脂肪肝、皮肤病（如过敏性荨麻疹、湿疹）：茅苍术配伍苍术、茵陈、生大黄、栀子、陈皮，为 5 ~ 50 g。

（4）治疗类风湿性关节炎、痛风性关节炎：茅苍术配伍熟地黄、淫羊藿、薏苡仁、土茯苓，为 12 ~ 15 g。

（5）治疗游走性舌炎：茅苍术配伍升麻、菊花、金银花，各为 3 g。

| 资源利用 | 一、在医药领域中的应用

茅苍术以干燥根茎入药,具有行气解郁、活血祛瘀、辟秽、止痉、退热、止痒、止痛、生津止渴及通便功能,古代含苍术的复方主要用于虚损、疮疡、月经不调、疟疾、诸痛、时气、跌打损伤、痞满等病证。传统中药市场中,载入药典的苍术成方制剂主要包括藿香正气水、藿香正气口服液、藿香正气软胶囊、二妙丸、九圣散、九味羌活口服液、九味羌活丸、九味羌活颗粒、三妙丸、小儿百寿丸、中华跌打丸、午时茶颗粒、风湿马钱片、如意金黄散、妙济丸、纯阳正气丸、国公酒、狗皮膏、保济丸、前列舒丸、祛风舒筋丸、颈复康颗粒、越鞠丸、痧药等。此外,苍术、艾叶及桉叶联合熏蒸可用于儿科病房空气消毒。

二、在保健食品中的应用

苍术已被列入可用于保健食品的物品中,如在饼干、饮料中按一定比例加入苍术粉或其提取物,可起到健脾益胃的保健功效。

三、在化工领域中的应用

苍术的全草可用于制植物农药杀虫剂、杀菌剂。苍术全草 14 g,加水 250 ml,烧开煮 6 分钟,过滤后喷洒,可防治蚜虫;苍术全草燃烧产生的烟雾可用于防治仓库害虫;施用 5% 的苍术根茎粉剂,可抑制立枯病的发生;苍术 20 倍水煮液,可抑制秆锈病病原菌夏孢子的发芽。

四、在畜牧业中的应用

苍术可应用于饲料、兽药中,主要功效是燥湿健脾、祛风散寒、明目。在鸡饲料中加入 2% ~ 5% 的苍术干粉(苍术晾干粉碎而成的粉),并加入适当钙剂,对鸡传染性支气管炎、传染性喉气管炎、鸡痘、鸡传染性鼻炎及眼病等可起到良好的预防作用,还能提高增重和产蛋量。此外,饲料中添加适量的苍术还有一定的防霉效果。

| 附 注 | 茅苍术是江苏著名道地药材,被公认为优质的苍术品种。近年来,由于各种人为因素的影响及自身的生物学特性,茅苍术的分布区域及种群数量呈现明显衰退倾向,甚至已出现濒危趋势。究其原因主要有:不合理的采挖、开垦采矿、造林使茅苍术的生存环境受到严重破坏,导致茅苍术易枯萎倒伏,影响其再生能力;茅苍术属异花授粉植物,两性花和单性花异株,且单性花多为雌花,雌蕊往往很难受精,影响结子;自然条件下,茅苍术需要依赖传粉媒介给雌蕊授粉,观察发现野外生长的茅苍术两性花的花期比雌花的花期早,往往在雌花花期授粉的最佳时期,两性花已进入终花期,这给异花授粉增加了困难,大大降低了受精率,使得坐果率极低;多数野生茅苍术种群在群落内明显处于劣势,属衰

退种群；野生茅苍术在花果期常遇干旱等逆境，造成植株提前枯萎。此多种因素均在很大程度上限制了茅苍术种群的发展，导致茅山丘陵地区茅苍术的年收购量大幅度下降，严重影响茅苍术的市场供应。为了满足茅苍术的市场需求，进一步发挥本地主产的优势，建议茅苍术主产区的县乡两级政府，根据实际情况综合考虑药材资源、旅游资源及矿山资源的合理利用，通过调研制订茅苍术野生药材资源合理开发利用规划和实施细则，对茅苍术所处的茅山丘陵地区进行必要的封山育药或建立茅苍术野生药材资源自然保护区，同时大力开展宣传教育工作，使群众了解封山育药的重要性和紧迫性，严禁擅自开山采矿、乱采滥挖，采挖药材时务必挖大留小，调整茅苍术的收购价格，以调动群众采药种药的积极性，确保茅苍术能源源不断地供应市场。

参考文献

[1] 郭兰萍，黄璐琦. 中国道地药材——苍术 [M]. 上海：上海科学技术出版社，2019.

[2] 戴红君，程金花，虞德容，等. 中药茅苍术研究进展 [J]. 江苏农业科学，2016，44（11）：26-28，110.

[3] 王子寿，薛红. 神农本草经 [M]. 成都：四川科学技术出版社，2008.

[4] 陶弘景，原坡. 本草经集注：第三卷 [M]. 北京：学苑出版社，2013.

[5] 徐春波. 本草古籍常用道地药材考 [M]. 北京：人民卫生出版社，2007.

[6] 陈蒙，林龙飞，刘宇灵，等. 经典名方中"术"的本草考证 [J]. 中草药，2019，50（13）：3237-3245.

[7] 侯芳洁，巢建国. 茅苍术的种质资源调查及品质评价 [D]. 南京：南京中医药大学，2008.

[8] 钱士辉，段金廒，杨念云，等. 江苏省地产地道中药资源的生产现状与开发利用（上）[J]. 中国野生植物资源，2002，21（1）：35-40.

[9] 冯维希，谷巍，孔令婕，等. 不同产地茅苍术 HPLC 指纹图谱研究 [J]. 南京中医药大学学报，2010，26（6）：434-435，483.

[10] 刘晓宁，侯芳洁，谷巍，等. 不同产地苍术挥发油特征性成分分析 [J]. 南京中医药大学学报，2009，25（1）：51-53.

[11] 李孟洋，巢建国，谷巍，等. 高温胁迫对不同产地茅苍术光合特性及生理指标的影响 [J]. 南方农业学报，2015，46（9）：1651-1657.

[12] 陆奇杰，巢建国，谷巍，等. 铜胁迫对茅苍术 3 种药效成分积累及其生物合成 2 种关键酶基因表达的影响 [J]. 中草药，2019，50（3）：710-715.

[13] 李孟洋，巢建国，谷巍，等. 不同产地茅苍术对淹水胁迫的生理生化响应及耐淹性的 TOPSIS 综合评价 [J]. 生态学杂志，2016，35（2）：407-414.

[14] 邓爱平，李颖，吴志涛，等. 苍术化学成分和药理的研究进展 [J]. 中国中药杂志，2016，41（21）：3904-3913.

[15] 赵晋，邓金宝，黎雄，等. 苍术聚炔类化学成分研究 [J]. 中药新药与临床药理，2015，26（4）：525-528.

[16] 蒋玲，谷巍，巢建国，等. 濒危药用植物茅苍术法呢基焦磷酸合酶基因克隆及其表达分析 [J]. 中草药，2017，48（4）：760-766.

[17] WANG H X, LIU C M, LIU Q. Three types of sesquiterpenes from rhizomes of *Atractylodes lancea*[J]. Phytochemistry, 2008, 69: 2088.

[18] KITAJIMA J, KAMOSHITA A, ISHIKAWA T. Glycosides of *Atractylodes lancea*[J]. Chemical Pharmacology

Bulliton, 2003, 51（6）: 673.

[19] DUAN J A, WANG L Y, QIAN S H. A new cytotoxic prenylated dihydrobenzofuran derivative and other chemical constituents from the rhizomes of *Atractylodes lancea* DC.[J]. Archives of Pharmacal Research, 2008, 31（8）: 965.

[20] RESCH M, STEIGE A, CHEN Z L. 5-Lipoxygenase and cyclooxygen-ase-1 inhibitory active compounds from Atractylodes lancea[J]. Journal of Natural Products, 1998, 61（3）: 347.

（巢建国　谷　巍）

菊科 Compositae 菊属 Chrysanthemum

菊花
Chrysanthemum morifolium Ramat.

| 药 材 名 |

菊花（药用部位：头状花序。别名：苏北菊、甘菊、真菊）。

| 本草记述 |

菊花最早记载于《神农本草经》，被列入上品，名为鞠华，"生川泽及田野"，说明秦汉时期就有了菊花的药用记载，且为野生资源。《本草经集注》记载："菊有两种，一种茎紫，气香而味甘，叶可做羹食者，为真；一种青茎而大，作蒿艾气，味苦不堪食者，名苦薏，非真……南阳郦县最多。今近道处处有，取种之便得。又有白菊，茎叶都相似，惟花白，五月取。"说明南北朝时期已能区分菊花及其近缘植物，并有了人工栽种记录，且药用菊花分为"味甘之菊"和"白菊"。宋代菊花的人工栽培高度发展，《本草图经》引唐代《天宝单方药图》云"白菊，颍川人呼为回蜂菊""然菊之种类颇多，有紫茎而气香……味甚甘，此为真""南阳菊亦有两种：白菊，叶大似艾叶……其黄菊，叶似蒿蒿，花蕊都黄"。《本草衍义》记载："菊花，近世有二十余种，惟单叶花小而黄绿，叶色深小而薄，应候而开着是也。《月令》所谓菊有黄花者也。又邓州白菊，单叶者亦入

菊。"回蜂菊很可能为今菊科植物山菊 *Chrysanthemum zawadskii* (Herb.) Tzvel.，"紫茎而气香……味甚甘"之菊及"南阳白菊与黄菊"分别对应甘菊及邓州白与邓州黄，可见宋代已有人工栽培的药用菊花。

《本草纲目》称："菊之品凡百种，宿根自生，茎叶花色，品品不同。宋人刘蒙泉、范致能、史正志皆有菊谱，亦不能尽收也。"表明宋代菊花的栽培技术已日臻成熟，栽培区域不断扩大，品种已相当丰富，明显多于宋代以前的菊花品种。《本草纲目》又记载："其茎有株、蔓、紫、赤、青、绿之殊，其叶有大、小、厚、薄、尖、秃之异，其花有千叶单叶、有心无心、有子无子、黄白红紫、间色深浅、大小之别……大抵惟以单叶味甘者入药，《菊谱》所载甘菊，邓州黄、邓州白是矣。甘菊始生于山野，今则人皆栽种之。"《本草蒙筌》曰："家园内味甘茎紫，谓甘菊，堪收。"由此可见，菊花在明代已被广泛种植，并逐渐替代野生资源用于医药实践活动。清代《本草纲目拾遗》记载有"杭州钱塘所属良渚桧葬地方，乡人多种菊为业"，又称"甘菊即茶菊，出浙江、江西者佳……产于亳州者不可用（作茶菊）……近日杭州笕桥、安徽池州、绍兴新昌唐公市、湖北皆产入药"。《本草从新》记载："甘菊花，家园所种，杭产者良。"《本草害利》云："杭州黄白茶菊，微苦者次之。"

由此可知，宋、元时期菊花的人工栽培和选育极大地丰富了我国菊花的品种，并提供了优良的种质资源，而明、清时期菊花的人工栽培处于繁盛时期，也是我国药用菊花道地产区形成的重要阶段，逐渐形成了怀菊、杭菊、滁菊、贡菊、亳菊、福白菊、祁菊、济菊、川菊等主流菊花品种。1949 年以来，药用菊花的栽培区域逐渐迁移并形成新兴产区，如江苏射阳洋马自 19 世纪 60 年代后期以来不断探索药用菊花的栽培、加工技术，逐渐形成了"苏菊"这一新兴品种，且"洋马菊花"已被原国家工商行政管理总局商标局备案注册了国家地理标志产品。

| 形态特征 | 多年生草本，高 60 ~ 150 cm。茎直立，分枝或不分枝，被柔毛。叶互生；有短柄；叶片卵形至披针形，长 5 ~ 15 cm，羽状浅裂或半裂，基部楔形，下面被白色短柔毛。头状花序直径 2.5 ~ 20 cm，大小不一，单个或数个集生于茎枝先端，或腋生；总苞片多层，外层绿色，条形，边缘膜质，外面被柔毛；舌状花白色、红色、紫色或黄色，多位于边缘，中央多为管状花。瘦果不发育或具 4 棱，无毛。花期 9 ~ 11 月。栽培品种极多，头状花序多变化，形色各异。人工矮化栽培者：50 ~ 60 cm；茎直立，后期呈半匍匐状，分枝能力强，被柔毛；叶绿色，单叶互生，卵形或披针形，长约 5 cm，羽状浅裂或半裂，有短柄，叶下面被白

色短柔毛；头状花序顶生或腋生，直径 2.5 ~ 5 cm，总苞半球形，外层苞片绿色，条形，有白色绒毛，边缘膜质，中层苞片阔卵形，内层苞片长椭圆形或长圆形，花托小，凸出，呈半球形，舌状花雌性，着生花序边缘，长 2 ~ 3 cm，宽 3 ~ 6 mm，白色或黄色，无雄蕊，雌蕊 1，花柱短，柱头 2 裂，管状花两性，位于花须中央，黄色，花冠管状，先端 5 裂，聚药雄蕊 5，雌蕊 1，子房下位，长圆形，花柱线形；瘦果柱状，无冠毛；花期 10 ~ 11 月。

| **资源情况** | 我国菊花栽培历史较久，药材来源基本为栽培种。

一、生态环境

菊花我国南北各地均产，分布广泛，可生于平原、丘陵或山区，产于河南武陟、温县、博爱者称"怀菊"，产于安徽亳州涡阳、阜阳太和及河南商丘者称"亳菊"，产于安徽滁州全椒者称"滁菊"，产于安徽歙县、浙江德清者称"贡菊"，产于浙江嘉兴、桐乡、海宁、崇福、吴兴、湖州市郊的茶菊和黄菊统称"杭菊"。菊花喜光、喜湿、畏旱、怕涝、生长周期长，不同品种有其独特的习性，故四大名菊的生态环境各不相同。其中，杭菊分布的杭嘉湖平原，湿度较大，无霜期最长；滁菊分布的江淮丘陵，纬度居中，温度、降水量、无霜期均介于中间；亳菊分布的淮北平原，温度低、降水量少、无霜期短；怀菊分布的豫西北黄沁河冲积平原一带，温度最低、无霜期最短、降水量最少。

苏菊主要分布在江苏射阳一带的沿海滩涂，此处地势平坦，湿度较大，无霜期长，适宜苏菊的生长。苏菊的代表性生境特点为土壤盐、碱成分含量高。苏菊自引种以来，经过 50 多年的适应和逆境驯化造就了其优良的药用品质。

二、栽培历史与产地

《名医别录》记载菊"生雍州",是最早记载菊花产地的典籍,雍州今为陕西凤翔。《证类本草》记载:"南阳郦县最多,今近道处处有。"南阳及南阳郦县今为河南南阳。《本草图经》记载:"(白菊)元生南阳山谷及田野中,颍川人呼为回蜂菊,汝南名茶苦蒿,上党及建安郡、顺政郡并名羊欢草,河内名地薇蒿。诸郡皆有。"颍川、汝南及河内今均属于河南,上党今为山西长治,建安郡今属福建,顺政郡今为陕西略阳。《本草衍义》记载:"邓州白菊者入药。"邓州今为河南邓州。随着宋代政治、经济中心南移,菊花产区亦随之迁移至湖北、安徽、浙江、江西一带。至宋元时期,菊花的人工栽培较为繁盛,选育出大量栽培品种。明清时期,菊花已经普遍移栽至园中,以做菜或药用,栽培区域不断扩大,并逐渐形成了菊花的主流品种。

民国时期《药物出产辨》收录的菊花分为白杭菊、黄杭菊、黄菊和白菊,分别分布于安徽亳州、河南怀庆(今河南焦作、济源及新乡的原阳)、广东潮州、浙江杭州。《增订伪药条辨》称"杭州钱塘所属各乡,多种菊为业""菊花种类甚杂,惟黄菊产杭州、海宁等处""白滁菊出安徽滁州者""苏州浒墅关出为杜菊""海宁出者,名白茶菊""江西南昌府出,名淮菊""厦门出者曰洋菊"。随着经济发展及城市化进程的加快,菊花的栽培区域进一步发生改变,出现一大批新兴产区,如江苏射阳已逐渐取代浙江桐乡成为"大白菊""小白菊"和"大黄菊"的主要产区。苏菊最初由名医王长春引种至盐城洋马,历经50多年的发展,依托于南京农业大学、南京中医药大学、江苏省中国科学院植物研究所、中国科学院南京土壤研究所等高校和科研院所的技术优势,在土壤改良、品种选育、栽培种植、采收加工、商品贮藏、非药用部位资源循环利用等方面位于全国药用菊花的前列。

现代药用与茶用菊花的主要产地及应用见表2-1-5。

表2-1-5　现代药用与茶用菊花的主要产地及应用

品种	栽培类型	主要产地	主要用途
亳菊	小亳菊(亳菊)、大亳菊(大马牙)	亳州谯城、涡阳	药用为主,兼顾茶用
滁菊	滁菊(全菊)	滁州南谯、全椒	茶用为主(经历了由药用到茶用的转变)
贡菊	中熟品系(传统的"贡菊")	安徽歙县、休宁	茶用为主,兼顾药用
	晚熟品系[贡菊王(皇)]	安徽歙县许村	茶用为主,兼顾药用
	药菊(黄药菊)	安徽歙县	茶用为主,兼顾药用
	脱毒贡菊(七月菊)	安徽休宁、徽州、黄山、黟县	茶用为主,兼顾药用

续表

品种	栽培类型	主要产地	主要用途
怀菊	小怀菊、大怀菊	河南武陟、温县、沁阳、博爱	药用为主
杭白菊	珍珠菊	河南温县	茶用为主
	湖菊	浙江桐乡、江苏射阳	茶用为主，兼顾药用
	小白菊（"小洋菊"）	江苏射阳	茶用为主，兼顾药用
	大白菊（"大洋菊"）	浙江桐乡、江苏射阳	茶用为主，兼顾药用
杭黄菊	大黄菊	江苏射阳	药用为主
	小黄菊	浙江桐乡	药用为主
福白菊	白菊、金菊	湖北麻城	茶用为主
祁菊	传统的白菊花、改良的黄菊花	河北安国、博野、定州、蠡县、巨鹿	药用为主
济菊	济菊（嘉菊）	山东嘉祥、山东禹城	茶用为主（经历了由药用到茶用的转变）
川菊	川菊	四川中江	药用为主

三、栽培面积与产量

近年来菊花主产区范围有扩大趋势，其中药用菊花的种植中心已向江苏北部的盐城及湖北转移。目前，以江苏、安徽、河南及湖北的菊花产量较大，江苏射阳拥有全国最大的规模化菊花生产基地，且部分菊花品种（如金丝皇菊）已向高海拔地区（如西藏拉萨、贵州、青海等地）引种栽培。近年来，药用菊花的栽培面积与产量逐年攀升，形成了江苏射阳、浙江桐乡和湖北麻城等菊花主产区。据统计，2017 年苏菊、杭白菊、福白菊的产量分别为 7 000 t、5 000 t 和 4 000 t；安徽亳州的亳菊和黄山的贡菊的产量分别为 9 000 t 和 8 000 t。

苏菊的主流栽培品种为苏白菊和苏黄菊。其中，苏白菊由洋白菊 1、2、3 号组成，洋白菊 1 号又名早熟菊，为北京菊引种；洋白菊 2 号又名中熟菊或红心菊；洋白菊 3 号又名晚熟菊，由红心菊脱毒而成的无菌菊。苏黄菊又名射阳大黄菊。此外，苏菊尚有小香菊、黄山贡菊、婺源黄菊、金丝皇菊等茶用菊栽培类型。苏白菊的洋白菊 1、2、3 号的种植面积均较大，各约占 31.3%，苏黄菊占 5%，其他占 1%。各栽培类型的产量及单价略有差异，并在一定程度上影响当地主流栽培类型，苏白菊产量为每亩 160 kg 左右，单价为每千克 35 ~ 45 元；苏黄菊产量为每亩 180 ~ 200 kg，单价为每千克 30 元；小香菊、黄山贡菊、婺源黄菊、金丝皇菊产量为每亩 50 kg 左右，单价为每千克 100 元。苏白菊通货中米菊（未开放花蕾）、胎菊和朵菊的比例分别为 5%、50% 和 45%。

四、规范化生产技术

1. 栽培种植

菊花喜温暖湿润气候，喜光，忌遮阴，耐寒，稍耐旱，怕水涝，喜肥。最适生长温度 20 ℃左右，在 0 ~ 10 ℃下能生长，花期可耐 −4 ℃的低温，根可耐 −17 ~ −16 ℃的低温。对土壤的要求不严，以地势高燥、背风向阳、疏松肥沃、含丰富的腐殖质、排水良好、pH 6 ~ 8 的砂壤土或壤土栽培为宜。忌连作，可与旱玉米、桑、蚕豆、油菜、大蒜、小麦间套作。黏重土、低洼积水地不宜栽种。药用菊花连作障碍的因素主要有土壤微生物群落失衡、土壤酶活性的变化、土壤中营养元素失调及菊花分泌物的自毒作用等，轮作换茬、增施生物有机肥料、采取嫁接措施及使用微生物菌剂和土壤调理剂对缓解菊花连作障碍均有一定的效果。怀菊的相关研究表明，采用小麦、玉米、大豆秸秆作为绿肥回田，并于种植前 20 天采用棉隆、乙蒜素、多菌灵进行土壤消毒，后施加木霉菌、硅酸盐菌剂和基肥，深耕 20 ~ 30 cm，使土肥混合均匀，浅耕细耙，平整做垄，垄宽 40 cm，沟宽 30 cm，沟深 20 cm，可为无公害菊花栽培技术提供参考。

目前苏菊皆采用地下茎蘖芽培育种苗，留种地选择未经压条的地块，离地 3 ~ 4 cm 处割茎，堆上松土与草木灰，泥灰厚度应高出茎 10 ~ 15 cm。翌年开春发叶前，每亩施农肥 3 000 ~ 4 000 kg。4 月中下旬，按照 1.2 m×0.3 m 的密度定植，每穴 2 株。待菊苗长至 30 cm 左右时压条，压条方法是把枝条向行间两边揿倒着地，在离菊苗基部约 10 cm 处用泥块加压，然后在揿倒的枝条上，每隔 6 ~ 10 cm 用泥压实，使之节节生根，待新梢长到 30 cm 左右时再进行压条，通过反复压条、摘心，达到每亩有效苗数 12 万株左右，压条时间不晚于 7 月底。摘心次数的多少、摘心的长短，要根据土地肥力高低、群体大小及个体生长情况而定，灵活掌握。摘心能促使群体与个体协调发展，花期整齐，稳产高产。

一般苗高 10 ～ 15 cm 时摘心,次数为 2 ～ 3 次,摘心最迟不晚于 8 月底。

2. 繁殖方法

多采用扦插繁殖或分株繁殖。

(1)扦插繁殖。4 月下旬至 6 月上旬截取健壮母株的幼枝作插穗,随剪随插,插穗长 12 ～ 15 cm,按行距 24 cm 开沟,沟深 14 cm,每隔 15 ～ 20 cm 扦插 1 株,覆土压实,浇水。扦插后要遮阴,经常浇水保湿,松土除草,每隔半月施人粪尿 1 次,经 15 ～ 20 天生根,待生长健壮后即可移栽。

(2)分株繁殖。11 月选优良植株,收花后割除残茎,培土越冬。4 月下旬至 5 月上旬,待新苗长至 15 cm 高时,选择阴天,挖掘母株,将健壮带有白根的幼苗,适当切去过长的根,按行株距 40 cm×40 cm 开穴,每穴栽 1 ～ 2 株,剪去先端,填土压实,浇水。

3. 田间管理

生长期间需中耕除草 3 ～ 4 次,中耕宜浅不宜深,每隔半月 1 次,最后 2 次中耕除草要结合培土进行。苗高 20 ～ 25 cm 时进行第 1 次打顶,第 2 次在 6 月底,第 3 次不迟于 7 月上旬。菊花喜肥,但应控制施氮肥,以免徒长,遭病虫为害。一般在幼苗成活后施稀人粪尿或尿素,开始分枝时施人畜粪及腐熟饼肥,9 月施浓粪肥,增加过磷酸钙,施肥应该集中在生长中期。生长前期少浇水,遇旱浇水,9 月孕蕾期注意防旱。雨季要排除积水,以防烂根。

4. 病虫害防治

病害有叶枯病、根腐病、白粉病、霜霉病、黄萎病等。叶枯病为害叶片,发病初期可用 1 ∶ 1 ∶ 100 波尔多液或 65% 代森锌可湿性粉剂 500 倍液喷雾防治。根腐病 6 月下旬至 8 月上旬发病,可用 50% 退菌特可湿性粉剂 500 倍液灌注防治。虫害有棉蚜、大青叶跳甲、菊天牛、瘿螨、斜纹夜蛾、地老虎等,生产中需加强田间管理,可引入天敌或使用诱虫灯诱杀,优先使用生物制剂进行防治。

| 采收加工 |　　11 月初花开待花瓣平展、由黄转白而心略带黄时,选晴天露水干后或午后分批采收,切忌堆放,需及时干燥或薄摊于通风处。苏菊已逐渐选育出适宜当地栽培种植及加工的类型,使传统采收加工时期由 1 个月延长至 3 个月,可减轻人工采摘和干燥加工的压力。洋白菊 1 号花期为 9 月 15 日—10 月 15 日,洋白菊 2 号花期为 10 月 15 日—11 月 15 日,洋白菊 3 号花期为 11 月 1 日—11 月 30 日,苏黄菊花期为 11 月 20 日—12 月 15 日。此外,茶菊中小香菊、黄山贡菊花期为 11 月 15 日—12 月 10 日,婺源黄菊、金丝皇菊花期为 11 月 10 日—12 月 5 日。传统菊花采摘均为纯手工,采收效率低,且易将不同开放程度的菊花混在一起。

　　而苏菊的采收工具为带柄的镂空铲筐，一手持柄将其深入苏菊花序下，另一手按住铲筐敞口处轻轻一提即可一次性采摘多数开放的花朵，未开放花蕾则从铲筐镂空处漏下从而不被采摘。使用采收工具并结合园艺修剪等管理措施，可使采收效率提高4～5倍，也形成了苏菊采收的特色技术。

　　加工方法因各地产的药材品种不同而异，古代以阴干为主，如《名医别录》《千金翼方》《本草图经》均记载："正月采根，三月采叶，五月采茎，九月采花，十一月采实，皆阴干。"直至出现了焙干之法，加工方法才逐渐多样化起来。《本草纲目拾遗》载："徽人茶铺多买焙干作点茶用。"阴干适用于小面积生产，待花大部分开放，选晴天，割下花枝，捆成小把，悬吊通风处，经30～40天，待花干燥后摘下，略晒。至今，射阳洋马仍保留少量的阴干工艺，用于制作干花。

现代菊花的加工方法主要有晒干、蒸晒、硫黄熏蒸、烘房干燥、热风干燥等，不同产地、不同品种的菊花加工方法不同。不同产地经过长期的实践，根据各自不同的环境形成了各具特色的产地加工方法，这也为菊花道地药材的形成起到了一定的推动作用。晒干：将鲜菊花薄铺于蒸笼内，厚度不超过 3 朵花，待水沸后，将蒸笼置锅上蒸 3 ~ 4 分钟，倒至晒具内晒干，不宜翻动。烘干：将鲜菊花铺于烘筛上，厚度不超过 3 cm，用 60 ℃烘干。贡菊、亳菊、怀菊于秋末冬初花盛开时采收，采后将鲜花放在烘架上用炭火烘干，烘时要轮流更换，不宜一次烘干。滁菊于秋末冬初花盛开时割取花枝，扎成束，倒挂晾至半干时摘取花朵，用硫黄熏后晒干。杭白菊于霜降前后花盛开时采收，置蒸笼内隔水蒸，蒸时要注意时间长短，时间过长易蒸烂黏结，过短花色不白，均影响质量，蒸好后，放在通风竹匾上晾干。杭黄菊（汤黄菊）与杭白菊的采收方式相同，但部分采用烘法干燥，将鲜花置烘架上，用炭火烘，经常轮流更换，不宜一次烘干，以免烘焦，此法在通常遇多雨天气时采用，但商品甚少见。

研究表明，不同的干燥加工方法对苏菊品质有重要影响，尤其影响苏菊酚酸类和挥发油类活性成分的含量。目前，苏菊的干燥方法主要采用现代蒸汽杀青结合热风干燥烘干。首先，采摘的鲜花需晾晒，之后 170 ~ 180 ℃的高温蒸汽杀青 10 秒以破坏其中容易引起褐变的生物酶体系。杀青后的菊花置于 60 ℃的热风烘箱里烘 4 小时以去除表面水分。首次干燥后的菊花放置 24 小时使其内部水分充分扩散至表面，后进一步 60 ℃烘干 4 小时以去除大部分水分，当菊花含水量低于 16% 时，即可进仓贮藏。

| 药材性状 | 　本品苏白菊碟形或扁球形，直径 2.5 ~ 4 cm，常数个相连成片。舌状花类白色或黄色，平展或微折叠，彼此粘连，通常无腺点；管状花多数，外露。苏黄菊呈碟形或扁球形，直径 2.5 ~ 4 cm，常数个相连成片。舌状花黄色，平展或微折叠，彼此粘连，通常无腺点；管状花多数，外露。

苏白菊药材　　　　　　　　　　　苏黄菊药材

| 品质评价 |　明代《本草品汇精要》记载："花叶甘美者为好。"清代《本草崇原》记载："生于山野田泽，开花不起楼子，色只黄白二种，名茶菊者，方可入药，以味甘者为胜。"清代《本草从新》记载："家园所种，杭产者良。有黄、白两种，单瓣味甘者入药。"《增订伪药条辨》记载有"菊花种类甚杂，惟黄菊产杭州、海宁等处，味苦兼甜，香气甚雅，有蒸、晒二种……城头菊，野生城墙阴处，色黄，朵较少，浙名野菊花，亦蒸晒为善。味苦性凉，香气亦佳""白滁菊出安徽滁州者……气芬芳，味先微苦后微甘。口含后，香气甚久不散为最佳。出浙江德清县者，花瓣阔而糙，蕊心微黄，蒂大柄脐凹陷，气味香不浓，为略次""白菊，河南出者为亳菊，蒂绿，千瓣细软，无心蕊，气清香，味苦微甘为最佳。苏州浒墅产出为杜菊，色白味甘，又出单瓣，亦佳。海宁出者，名白茶菊，色白瓣粗，心蕊黄，味甜，多茶叶店买，亦佳"。《中华人民共和国药典》规定，以完整、色鲜艳、清香气浓者为佳。参照中药商品规格等级规定，苏菊以花朵均匀，碎朵率 ≤ 5%，潜汤花、花梗、枝叶 ≤ 1% 为选货；以花朵欠均匀，碎朵率 ≤ 30%，潜汤花、花梗、枝叶 ≤ 3% 为统货。

采用加权平均法，以总黄酮、绿原酸、木犀草苷、3,5-*O*- 二咖啡酰基奎宁酸、槲皮素含量为指标来评价菊花样品的质量，结果表明，不同品种菊花中总黄酮含量存在较大差异，苏菊、杭菊、亳菊、滁菊、怀菊中总黄酮的质量分数为 6.67% ~ 12.41%，其中以苏白菊和滁菊的总黄酮含量较高，分别为 12.41%、10.49%，亳州引种的杭菊的总黄酮含量较低，为 6.67%；木犀草苷以杭菊的含量较高，为 0.54%，以亳州引种的杭菊的含量较低，为 0.15%；3,5-*O*- 二咖啡酰基奎宁酸以滁菊的含量较高，为 3.83%，以杭菊和亳州引种的杭菊的含量较低，分别为 1.38%、1.37%；槲皮素以白怀菊的含量较高，为 0.22%，以浙江桐乡产的胎菊和杭菊的含量较低，分别为 0.03%、0.02%。各样品质量排序为滁菊 > 苏菊（胎菊）> 亳菊（大亳菊）> 亳菊（小亳菊）、杭菊 > 白怀菊、黄怀菊 > 杭菊（胎菊）> 杭菊（亳州引种）。滁菊样品得分最高，其次为苏菊，而亳州引种的杭菊得分最低。

杭菊自引种至射阳以来，经过长期的盐、碱逆境驯化，植株内稳定地合成并积累了较高含量的黄酮类和酚酸类抗逆成分以适应当地的土壤条件。江苏地区独特的光、热、水、气等生态因子，土壤微生态结构，及独特的栽培种植方式共同造就了苏菊的优良品质，体现了苏菊的道地性。同为原产浙江桐乡的杭菊，引种至亳州后的得分最低，由此可知菊花不可盲目引种，需与当地的诸生物因子和非生物因子相适应。苏菊既充分保留了较高含量的药用活性成分，又保留了杭菊口感佳的茶菊本色，药用和茶用皆宜。

| **功效物质** | 苏菊主要含有黄酮类、酚酸类、挥发油类等化学成分，目前开发利用较多的资源性化学成分主要为黄酮类和酚酸类成分。

一、黄酮类

苏菊中已发现的黄酮类成分主要有山柰酚、槲皮素、芹菜素、木犀草素、香叶木素、金合欢素、异泽兰黄素、猫眼草黄素、猫眼草酚 C、猫眼草酚 D、木犀草素 -7-*O*-*β*-D- 葡萄糖苷、木犀草素 -7-*O*-*β*-D- 葡萄糖醛酸苷、芹菜素 -7-*O*-*β*-D- 葡萄糖苷、金合欢素 -7-*O*-*β*-D- 葡萄糖苷、槲皮素 -3-*O*-*β*-D- 葡萄糖苷、蒙花苷、芹菜素 -7-*O*-*β*-D- 新橙皮糖苷等。对苏白菊各部位黄酮类成分进行含量测定，结果显示：花序、叶、茎、根中黄酮类成分的含量分别为 9.90% ~ 12.10%、9.94% ~ 18.66%、3.98% ~ 5.41%、5.88% ~ 8.02%。对苏白菊不同开放程度的花序进行总黄酮含量测定，结果显示：米菊、胎菊和朵菊中总黄酮含量依次增加，分别为 5.40%±0.56%、5.82%±0.54%、7.73%±0.68%。部分黄酮类化合物在防治心血管疾病、抗肿瘤、抗疟、抗氧化、抗菌消炎、降血糖、降血脂、降血压等方面有着潜在的疗效，极具开发价值。

二、酚酸类

苏菊中酚酸类资源性化学成分主要包括绿原酸、蜂斗菜酚、紫丁香苷、奎宁酸、咖啡酸、3,4-*O*- 二咖啡酰基奎宁酸、3,5-*O*- 二咖啡酰基奎宁酸、鞣花酸等，具有抗氧化、抗炎及抑菌活性。不同品种菊的花序及茎叶中酚酸类成分含量存在较大差异，苏白菊绿原酸含量较高，为 1.10%，杭菊绿原酸含量较低，为 0.52%；祁菊茎叶中酚酸类成分含量较高，滁菊茎叶和杭白菊茎叶中酚酸类成分含量相对较低。

三、挥发油类

挥发油类成分是苏菊发挥辛凉解表作用的重要物质基础，研究发现苏菊挥发油类主要由烃类、萜类、芳香化合物、醇类、酮类、酯类、醛类、醚类等成分组成，如菊油环酮、龙脑、乙酸龙脑酯、桉叶油、*β*- 榄香烯、樟脑、1,8- 桉叶素、菊醇等。菊花单萜类挥发油成分以桉叶素、樟脑、龙脑、芳樟醇等化合物为主，我国八大主流菊花的挥发油含量由高到低依次为济菊、祁菊、滁菊、黄菊、杭菊、怀菊、亳菊、贡菊，挥发油类成分具有抑菌、抗炎等活性。不同开放程度及不同加工阶段的菊花挥发油类成分含量相差较大：通常而言随着开放程度的增加，米菊、胎菊和朵菊中挥发油类成分的总量逐渐下降；随着加工阶段的进行，鲜品菊花、杀青菊花和成品菊花中挥发油类成分的总量逐渐下降。

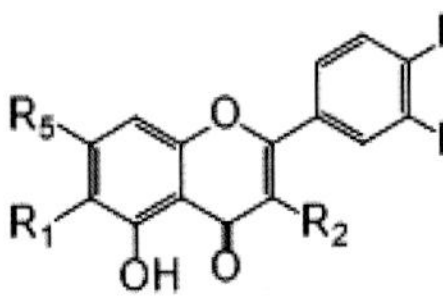

R₁=R₄=H，R₂=R₃=R₅=OH，山奈酚
R₁=H，R₂=R₃=R₄=R₅=OH，槲皮素
R₁=R₂=R₄=H，R₃=R₅=OH，芹菜素
R₁=R₂=H，R₃=R₄=R₅=OH，香叶木素
R₁=R₂=R₄=H，R₃=OCH₃，R₅=OH，金合欢素
R₁=R₃=R₄=OCH₃，R₂=H，R₅=OH，异泽兰黄素
R₁=R₂=R₅=OCH₃，R₃=OH，猫眼草黄素
R₁=R₂=R₅=OCH₃，R₃=R₄=OH，猫眼草酚 D
R₂=R₄=R₅=OCH₃，R₁=R₃=OH，猫眼草酚 C

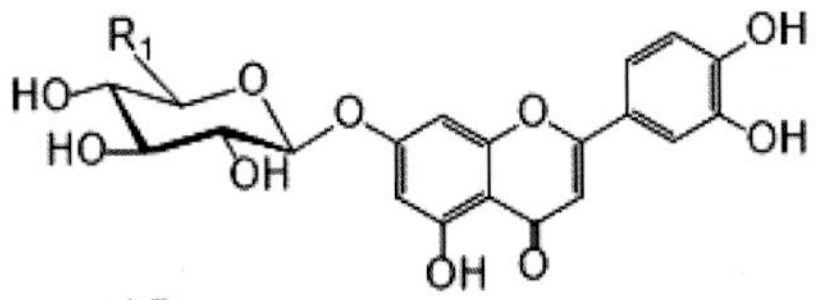

R₁=CH₂OH，木犀草素 -7-O-β-D- 葡萄糖苷
R₁=COOH，木犀草素 -7-O-β-D- 葡萄糖醛酸苷

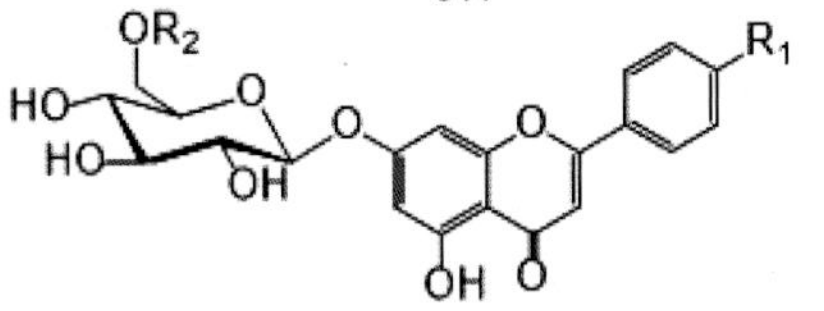

R₁=OH，R₂=H，芹菜素 -7-O-β-D- 葡萄糖苷
R₁=OCH₃，R₂=H，金合欢素 -7-O-β-D- 葡萄糖苷

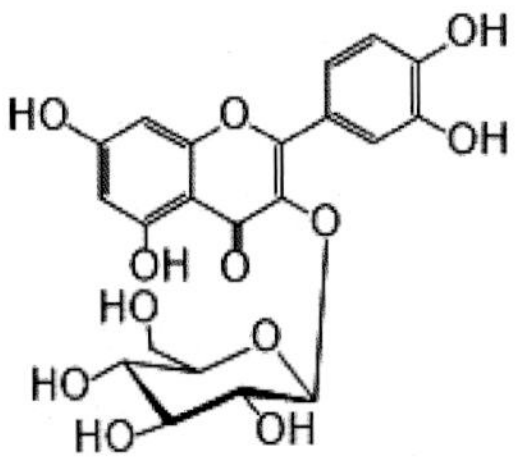

槲皮素 -3-O-β-D- 葡萄糖苷

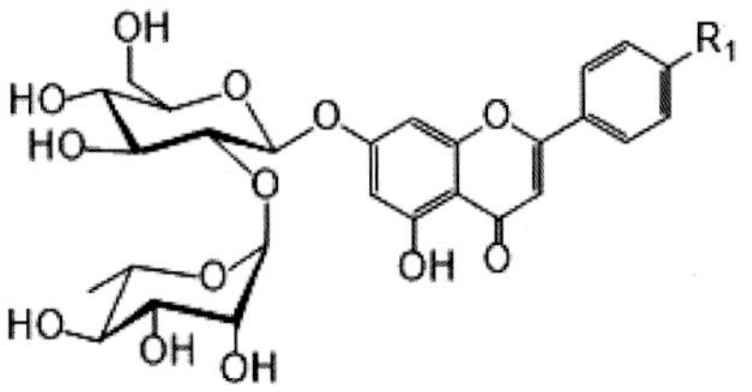

R₁=OCH₃，蒙花苷
R₁=OH，芹菜素 -7-O-β-D- 新橙皮糖苷

苏菊黄酮类化合物化学结构

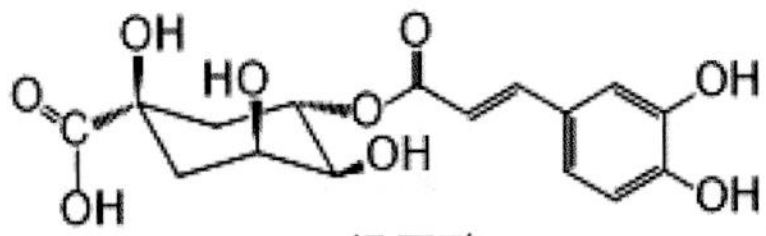

绿原酸 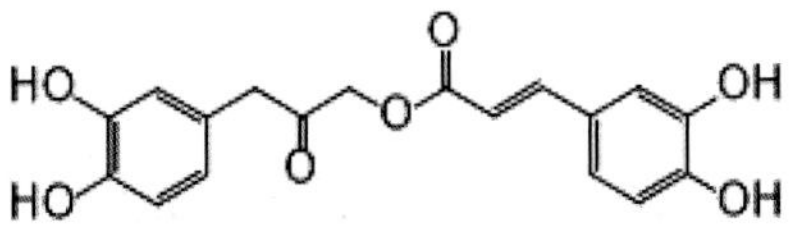　　petasiphenol

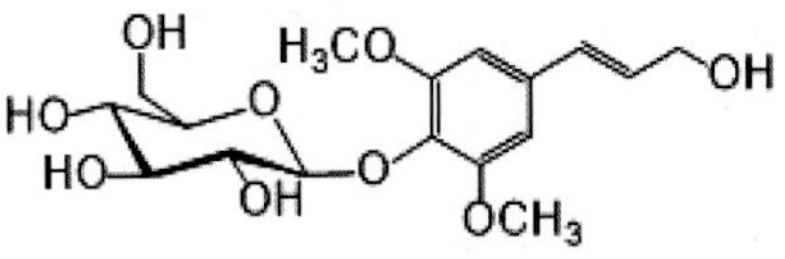

紫丁香苷 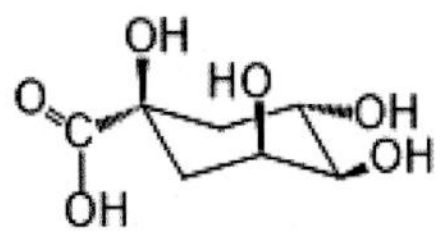　　奎宁酸 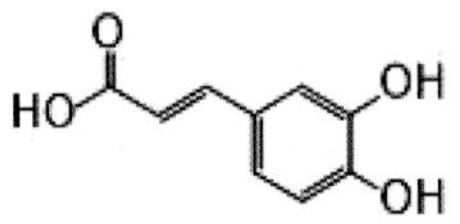　　咖啡酸

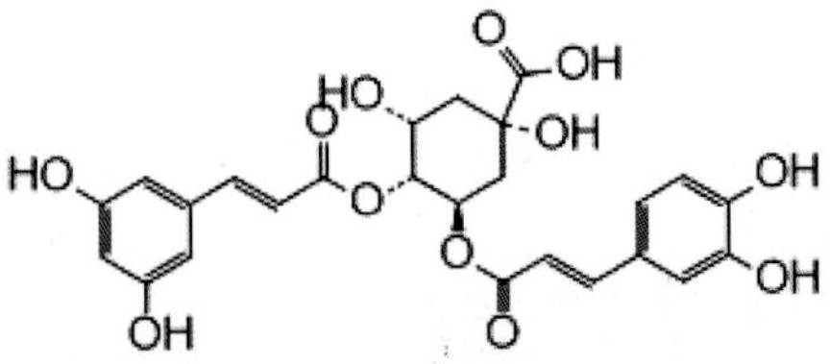

3,4-O- 二咖啡酰基奎宁酸 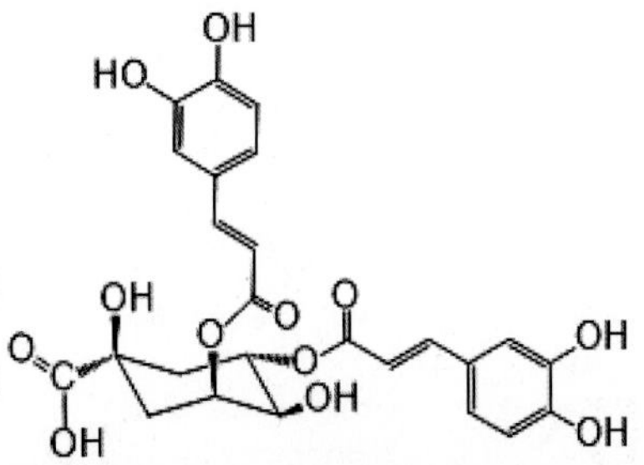　　3,5-O- 二咖啡酰基奎宁酸 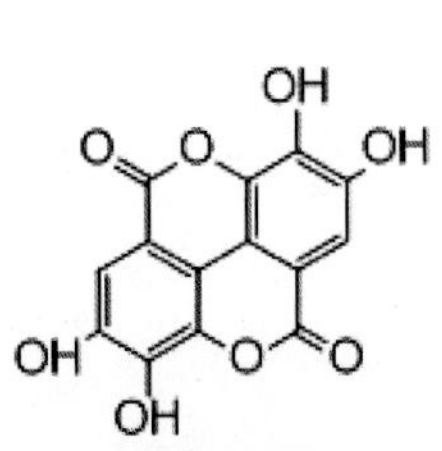　　鞣花酸

苏菊酚酸类化合物化学结构

四、氨基酸类

苏菊几乎包括所有类型的游离氨基酸类成分，苏白菊米菊中 8 种必需氨基酸、13 种非必需氨基酸的含量及二者之和均高于胎菊和朵菊，苏白菊米菊和朵菊中必需氨基酸含量分别为 0.27%±0.01% 和 0.15%±0.01%，非必需氨基酸的含量分别为 1.95%±0.04% 和 0.87%±0.07%，总氨基酸含量分别为 2.22%±0.05% 和 1.02%±0.08%。不同开放程度的花序中的总游离氨基酸含量均显著高于茎叶。

五、核苷酸类

苏菊中主要包括次黄嘌呤、鸟嘌呤、腺嘌呤、胞苷酸、2′- 脱氧腺苷 -5′- 单磷酸等 19 种核苷类成分。苏白菊不同开放程度的菊花中，总核苷酸含量以米菊最高，胎菊和朵菊含量相当，三者含量分别为 0.29%±0.02%、0.15%±0.01%、0.15%±0.02%。

六、三萜及甾醇类

苏菊中三萜类成分主要为乌苏烷型、羽扇豆烷型、齐墩果烷型、蒲公英烷型等类型，如羽扇豆醇、α- 香树脂醇等。甾醇类成分主要为胡萝卜苷、β- 谷甾醇、蒲公英甾醇、棕榈酸 16β,22α- 二羟基伪蒲公英甾醇酯、棕榈酸 16β,28- 二羟基羽扇醇酯、棕榈酸 16β- 羟基伪蒲公英甾醇酯、伪蒲公英甾醇等。

七、无机元素类

对苏白菊不同开放程度的菊花及茎叶进行分析发现：钾元素在所有金属元素中含量最高，尤其以米菊中的钾含量为最高，为 3.19%±0.07%，朵菊中钾含量最低，为 2.20%±0.07%；同时，钾、钠、钙、镁四种常量元素在朵菊中的含量也最低。苏菊呈现出高钾低钠的特点，这有利于维持机体的酸碱平衡及正常血压，可能与苏菊"主头风目眩"的功效及防治高血压的生物活性相关；朵菊中钠和钙元素含量最低，茎叶中钠和钙元素含量最高，可能与苏菊主治心绞痛等心脏疾病而茎叶侧重于治疗疔痈肿毒有关。苏菊在开放过程中常量元素钾、钠、钙、镁的含量持续降低，而铁元素的含量持续增加，朵菊中铁含量最高，为 0.05%±0.01%，此可能为苏菊"久服利血气"的依据。

八、其他类

此外，苏菊中尚包含蛋白质、脂肪酸等资源性化学成分。苏白菊的米菊、胎菊和朵菊中总蛋白质含量依次下降，分别为 28.95%±2.27%、23.20%±1.95% 和 17.26%±1.48%。

| 功能主治 | 甘、苦，微寒。归肺、肝经。散风清热，平肝明目，清热解毒。用于风热感冒，头痛眩晕，目赤肿痛，眼目昏花，疮痈肿毒。

| 用法用量 | 内服煎汤，5～10 g；或入丸、散剂；或泡茶。外用适量，煎汤洗；或捣敷。

| 传统知识 | 基于文献梳理和中药资源普查过程中调查走访收集的传统用药知识，记录于此。

（1）治疗病后生翳：白菊花、蝉蜕等分。为散，每用二至三钱，入蜜少许，煎汤服。

（2）治疗疔：白菊花四两，甘草四钱。煎汤服，顿服，渣再煎服。

（3）治疗膝风：陈艾、菊花，做护膝，久用。

| 资源利用 | 一、在医药领域中的应用

检索《马丁代尔大药典》可知，白菊花可作为抗偏头痛药。菊花为中医临床常用药，历代本草含有菊花的方剂有辛凉解表、清气分热、清热解毒、清脏腑热、补阴、平息内风、清热祛湿之用，如桑菊饮、芎菊上清丸、菊花决明散等。检索国家市场监督管理总局网站可知：已有批准文号的含有菊花的药品共计 43 项，其中，生产企业数目最多的品种为杞菊地黄丸、桑菊感冒片和杞菊地黄口服液；复方配伍以薄荷（薄荷脑）、连翘、桔梗、泽泻、地黄、桑叶、枸杞子、苦杏仁、山楂等为主，这与《本草纲目》引用徐之才的《雷公药对》"术及枸杞根、桑根白皮、青葙叶为之使"的记载相吻合。自古以来菊花常与薄荷、连翘、桔梗、苦杏仁、芦根等辛凉解表药配伍，用于感冒、咳嗽、咽喉肿痛及头目不利等症状；此外，菊花常与地黄、枸杞子、泽泻、茯苓、牡丹皮配伍应用，多见于杞菊地黄组合，用于肝肾阴虚所致眼目昏花；菊花与山楂的配伍多见于现代研究，主要用于降血压药品的开发。目前，菊花舒心片正在中国中医科学院西苑医院开展Ⅱb期临床试验，主要适应证为冠心病稳定型心绞痛。

二、在保健食品中的应用

检索国家市场监督管理总局网站可知，已有批准文号的含有菊花的保健食品共计 25 项，菊花已被用于开发具有提高免疫力、辅助降血压、清咽、辅助降血脂、抗疲劳、缓解视疲劳和抗辐射等功效的保健食品。菊花自古就是具有代表性的药食两用大宗品种。《食疗本草》指出甘菊"其叶，正月采，可作羹"。《本草纲目》记载菊"嫩叶及花皆可炸食""饮菊潭水多长寿"。晋代傅玄《菊赋》中云菊"服之者长寿，食之者通神"。唐代元结《菊圃记》又道菊花"在药品是良药，为蔬菜是佳蔬"。清代顾仲《养小录》载甘菊苗的烹制法为"汤焯、拌食，拖以山药粉油炸，香美"。菊花气味芬芳，可烹制出多种佳肴，如广州的腊肉菊花饼、菊花蛇羹，杭州的菊花咕噜肉、菊花肉丝，北京的菊花鱼球、菊药肉，安徽的菊花鸡丝等。

苏菊含有丰富的氨基酸、核苷酸、维生素、糖类等营养成分，射阳鹤乡菊海景

区发展中药种植和旅游观光的同时，还发展了菊花宴等餐饮业。此外，苏菊的主要种植区域已新选育出紫香菊等食用栽培类型，生食或烹饪后均质地顺滑、无涩口感。市场上有菊花鲜花饼、菊花果冻、菊花龟苓膏等保健食品，此外，国家工业和信息化部已将杭白菊浸膏认定为食品添加剂，并颁布了轻工标准。

三、在饮品中的应用

自汉唐起，我国即有重阳节饮菊花酒的习俗，《本草纲目》引用了《天宝单方药图》中白菊花酒的制法，"春末夏初，收白菊花软苗，阴干捣末，空腹取一方寸匕和无灰酒服之"。《本草从新》指出甘菊花具有多种用途，"点茶、酿酒、作枕俱佳"，目前盐城有射阳大米和苏菊共发酵的菊花酒产品出售。此外，苏白菊是凉茶王老吉和加多宝的主要原料之一。同时，用菊花和普洱茶制作而成的菊普作为高档饮品，深受消费者喜爱，如天士力集团打造的帝泊洱菊普茶珍。苏菊提炼成膏后，配白糖粉可制作成菊花晶，并可在此基础上添加多种功能性元素形成多样的产品，如添加维生素 A、维生素 D 及钙和锌后制成的 AD 钙加锌菊花晶，是婴幼儿优质营养辅食；添加双歧因子的菊花晶可以改善肠道功能，促进消化，帮助吸收；以多维蜂蜜配伍的菊花晶，可以补充多种维生素，常服可有效保护心血管和肝脏。

四、在日化用品中的应用

含菊花的化妆品主要包括菊花清爽面膜、菊花清香泡沫洁面奶、菊花护发膜、菊花洗发水和菊花润发乳。市场上尚有菊花纯露、菊花调理水等产品，具有舒缓减压、调理肌肤的功效。此外，苏菊挥发油可用于香水、香氛、眼膜、眼霜及枕头、香囊、足浴粉、牙膏、空气清新剂等日化用品中。苏菊富含绿原酸和木犀草素，而绿原酸已被收录于国家药品监督管理局发布的《已使用化妆品原料目录（2021 年版）》，木犀草素也已被收录入《国际化妆品原料字典和手册（第十二版）》以及《国际化妆品原料标准中文名称目录（2010 年版）》。除直接开发利用外，苏菊还可作为化妆品的原料来源。

五、资源循环利用

除了作为主要药用部位的花序外，菊茎、叶和根在历代本草中也有大量药用、食用、饮用等记载。《本草乘雅半偈》中指出菊花"久服利血气，轻身耐老延年。茎叶根实并同"。《本草纲目》中关于菊的用药部位指出"有全用者，枸杞、甘菊之类是也"，同时详细论述了菊"其苗可蔬，叶可啜，花可饵，根实可药，囊之可枕，酿之可饮，自本至末，罔不有功"。《本草纲目拾遗》和《寿世良方》分别记载了白菊花叶组方可治疗红丝疔和白菊花叶连根可治疗疔毒及一切无名肿毒。《本草崇原》指出"《本经》气味主治，概茎叶花实而言，今时只用花矣"。上述典籍记载表明菊花在我国具有悠久的药食两用历史，且其茎、叶、根、实具有类似功效。

苏菊在采收及加工花序时会产生大量根、茎、叶及脱落的花瓣等废弃物，这些废弃物不仅富含氨基酸、核苷酸、维生素和多糖类等营养物质，而且含有具有清热解毒、抗菌消炎等功效的挥发油、黄酮类、酚酸类等成分，可作为轻化工原料。苏菊采收后地上茎叶仍富含大量挥发性成分，采用水蒸气蒸馏法、有机溶剂萃取法、超临界二氧化碳萃取法等可以获取苏菊茎叶挥发油及其纯露，用于制作药皂、洗手液、爽肤水等日化用品。提取挥发油后的残草可分别采用水和乙醇回流提取，并通过进一步精制获得水提物中的多糖类部位和总醇提物中的萜类、黄酮类、酚酸类等部位。研究显示，在整个植株中苏菊叶的黄酮类和酚酸类成分含量最高，黄酮类和酚酸类成分具有显著的抗菌消炎活性，对于急性感染性肠炎及慢性肠道炎症性疾病具有显著效果。

对苏菊各部位多糖类成分含量进行测定，结果显示：花序、叶、茎、根中总多糖的含量分别为 7.74% ~ 8.57%、4.25% ~ 6.99%、21.21% ~ 35.92%、26.07% ~ 38.09%。不同品种菊茎叶中总多糖含量存在较大差异，其中，苏白菊茎叶中总多糖和中性多糖的含量较高，分别为 7.03%±0.29% 和 4.98%±0.04%。有研究表明苏白菊茎叶多糖能够有效调节肠道菌群的结构和功能，可通过增加肠道短链脂肪酸的丰度、对抗炎症因子等途径治疗各种原因引发的结肠炎；同时，苏白菊茎叶的水提物和乙醇提取物可以改善内毒素所致动物粪便中芳香氨基酸含量下降、短链脂肪酸数目减少、能量供应短缺等代谢紊乱，使机体的代谢功能趋于正常。这与《名医别录》中"疗腰痛去来陶陶，除胸中烦热，安肠胃，利五脉，调四肢"的记载吻合，故苏菊茎叶、根等可替代抗生素应用于饲料添加剂或兽药的开发中。尤其当今抗生素耐受形势严峻，已严重威胁人类健康，寻找天然产物、传统药物资源的替代品或减少食源性动物养殖中抗生素的使用是全社会追求和努力的方向之一。2019 年中国中药协会中兽药与饲料专业委员会成立，这为苏菊茎叶、根的替代抗生素研究提供了发展契机。

提取黄酮类、酚酸类和多糖类成分后的苏菊茎叶药渣，经产酶微生物发酵可生产纤维素酶用于纺织、制造业。同时，不能被微生物分解的木脂素和纤维素类成分可用于制备木塑板材。最终的下脚料可通过高温煅烧方式制备生物炭，与一定的菌剂复配可制备碳基肥还田，改善苏菊种植的连作障碍，提高土壤肥力，恢复土壤微生态结构和功能，以便生产优质苏菊药材，从而形成闭合的资源循

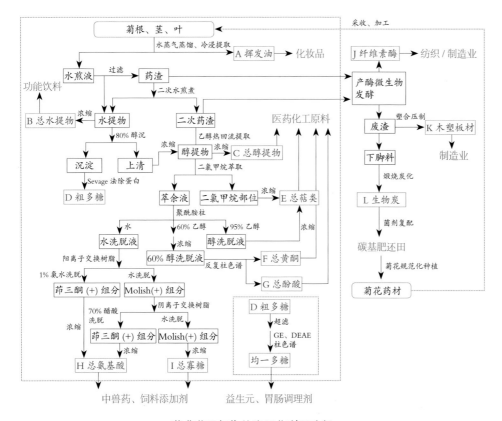

菊非药用部位的资源化利用途径

环利用回路，实现苏菊产业的绿色发展。

| 附 注 | （1）江苏在药用菊选育、引种过程中，同时引种了紫香菊作为食用菊，金丝皇菊、婺源黄菊、黄山贡菊、小香菊等作为茶用菊；此外，还大量引种了钟山、栖霞、雨花、南农系列的地被菊、插花菊等作为观赏菊，用于园艺、切花、干花等。

（2）苏白菊不同栽培类型的菊花中黄酮类化学成分及含量也有差异，对红心菊、长瓣菊、大白菊、小白菊 4 个主要栽培类型的花、茎、叶中木犀草素、金合欢素 -7-O-β-D- 葡萄糖苷和金合欢素 -7-O-（6″-O- 鼠李糖）-β-D- 葡萄糖苷进行含量测定，结果发现：上述 3 种黄酮类化学成分在 4 种栽培类型中的含量相差较大，红心菊的花、茎、叶中金合欢素 -7-O-β-D- 葡萄糖苷和金合欢素 -7-O-（6″-O- 鼠李糖）-β-D- 葡萄糖苷的含量均高于其他品种的相应部位，由此表明红心菊相比其他 3 种更适宜作为苏白菊的栽培类型。

（3）菊花苗、菊花叶、菊花根在本草中均有记载，现代应用较少，因此未被药典收录。

菊花苗最早见于《得配本草》，《玉函方》中又名玉英，4 ～ 6 月采收，阴干或鲜用，茎中含赤霉素、细胞激肽、游离氨基酸类、核苷酸类等成分。《本草求原》载菊花苗"甘微苦，凉""清肝胆热，益肝气，明目去翳；治头风眩晕欲倒"。菊花苗主要药用于头风眩晕、阴肿，食用可清目宁心。

菊花叶最早收录于《名医别录》，《玉函方》中又名容成，7～10月采摘，鲜用或晒干，叶中含有游离氨基酸类、核苷酸类、酚酸类和黄酮类成分。《食疗本草》称菊花叶"主头风，目眩，泪出，去烦热，利五脏"；《日华子本草》称其可"明目"；《本草求原》载其"辛、甘、平"，可"清肺，平肝胆。治五疗、疮疗毒、痈疽、恶疮"。菊花叶主要药用于红丝疗、疗毒及无名肿毒，且生用更妙。

菊花根最早见于《本草正》，《玉函方》称长生，9～12月采挖，鲜用或晒干，根中含有大量多糖类成分，最高可达30%，此外，尚含有细胞激肽、黄酮类等成分。《本草正》称其"善利水，捣汁和酒服之，大治癃闭"；《本草纲目拾遗》称其可"治疗肿，喉疗，喉癣"。菊花根味苦、甘，性寒，可利小便、清热解毒，用于癃闭、咽喉肿痛、痈肿疗毒，鲜用可用于小便闭及吹乳。

参考文献

[1] 道地药材：杭白菊：T/CACM 1020.18—2019[S]. 北京：中华中医药学会，2019.

[2] 中药材商品规格等级：菊花：T/CACM 1021.115—2018[S]. 北京：中华中医药学会，2018.

[3] 中国科学院中国植物志编辑委员会. 中国植物志：第七十六卷 第一分册[M]. 北京：科学出版社，1983.

[4] 常相伟，魏丹丹，陈栋杰，等. 药用与茶用菊花资源形成源流与发展变化[J]. 中国现代中药，2019，21（1）：116-124.

[5] 索风梅，陈士林，余华，等. 中国四大名菊的产地适宜性研究[J]. 世界科学技术—中医药现代化（中药研究），2011，13（2）：332-339.

[6] 王旭，李西文，陈士林，等. "四大怀药"地黄、牛膝、山药、菊花的无公害栽培体系研究[J]. 世界中医药，2018，12（13）：2941-2949.

[7] 朱玲英，段金廒，沈红，等. 菊花、茎、叶中黄酮类化合物的测定[J]. 中成药，2007，29（5）：781-783.

[8] 朱琳，郭建明，杨念云，等. 菊非药用部位化学成分的分布及其动态积累研究[J]. 中草药，2014，45（3）：425-431.

[9] 魏丹丹，段金廒，宿树兰，等. 菊茎叶提取物改善肠功能失调的代谢组学研究[J]. 中草药，2019，50（13）：3084-3093.

[10] 魏丹丹，常相伟，郭盛，等. 菊花及菊资源开发利用及资源价值发现策略[J]. 中国现代中药，2019，21（1）：37-44.

[11] 郭巧生，钱大玮，何先元，等. 药用白菊花4个栽培类型内在质量的比较研究[J]. 中国中药杂志，2002，27（12）：896-898.

[12] 国家中医药管理局《中华本草》编委会. 中华本草：第7册[M]. 上海：上海科学技术出版社，1999.

[13] 南京中医药大学. 中药大辞典[M]. 上海：上海科学技术出版社，2006.

[14] 陶金华，段金廒，钱大玮，等. 菊属药用植物资源化学研究进展[J]. 中国现代中药，2016，18（9）：1212-1220.

[15] ZHANG J, DING A W, LI Y B, et al. Two new flavonoid glycosides from *Chrysanthemum morifolium*[J]. Chinese Chemical Letters, 2006, 17 (8) : 1051-1053.

[16] TAO J H, DUAN J A, QIAN Y Y, et al. Investigation of the interactions between *Chrysanthemum morifolium* flowers extract and intestinal bacteria from human and rat[J]. Biochemical Chromatography, 2016, 30: 1807-1819.

[17] TAO J H, DUAN J A, JIANG S, et al. Polysaccharides from *Chrysanthemum morifolium* Ramat ameliorate colitis rats by modulating the intestinal microbiota community[J]. Oncotarget, 2017, 8 (46) : 80790-80803.

[18] TAO J H, DUAN J A, ZHANG W, et al. Polysaccharides from *Chrysanthemum morifolium* Ramat ameliorate colitis rats via regulation of the metabolic profiling and NF-κB/TLR4 and IL-6/JAK2/STAT3 signaling pathways[J]. Frontiers in Pharmacology, 2018, 9: 746.

（魏丹丹　严　辉　宿树兰）

菊科 Compositae 泽兰属 *Eupatorium*

林泽兰
Eupatorium lindleyanum DC.

| **药 材 名** | 野马追（药用部位：地上部分。别名：白鼓钉、化食草、毛泽兰）。

| **本草记述** | 野马追在历代本草中未见有记载，最早被收载于 1977 年版《中华人民共和国药典》，"味苦，性平；归肺经；具有化痰止咳平喘之功效"；并被收录于 1989 年版《江苏省中药材标准》。相传在江苏泗洪，战争中遗弃了一匹病马，病马在觅食过程中食用林泽兰后便恢复了健康，又重新追上了所在的部队。后盱眙、泗洪等地民间便以此作为清热解毒的草药，当地群众将其命名为野马追。

| **形态特征** | 多年生草本，高 30 ~ 150 cm。地下具短根茎，根茎四周丛生须根，支根纤细，淡黄白色。茎直立，上部分枝，淡褐色或带紫色，散生紫色斑点，被粗毛，幼时尤密。叶对生；无柄或几无柄；叶片条状

披针形，长 5 ~ 12 cm，宽 1 ~ 2 cm，不裂或基部 3 裂，边缘有疏锯齿，两面粗糙，无毛，或下面有细柔毛，或仅沿脉有细柔毛，但下面有黄色腺点，基出脉 3，脉在下面隆起。头状花序，含 5 筒状两性花；总苞钟状；总苞片淡绿色或带紫红色，先端急尖。瘦果长 2 ~ 3 mm，有腺点，无毛；冠毛污白色，比花冠筒短。花果期 5 ~ 12 月。

| **资源情况** |

一、生态环境

喜生于湿润山坡、草地或溪旁，怕旱。

二、分布区域

野马追作为江苏特产中药材，主产于江苏淮安及句容、金坛、溧水，甘肃、山东、湖南等地也有分布。

三、蕴藏量

野马追的市场需求量较大，但因其生长的道地性和生态环境的破坏，野生资源已日渐枯竭，目前主要依靠人工栽培来满足市场需求。

四、栽培历史与产地

江苏盱眙从 1973 年开始进行试种，亩产干药 1 000 ~ 1 500 kg。

五、栽培面积与产量

调查结果显示，盱眙王店现栽培面积 2 000 余亩，黄花塘栽培面积 500 余亩，亩产 300 ~ 350 kg，种植户生产积极性很高，生产势头较好。

六、规范化生产技术

1. 选地

种植时宜选择潮湿、含腐殖质较多的土壤。药用地上部分收割后，地下根翌年仍可发出新苗。一次栽种可以连续收获多年，一般栽种后第 2 ~ 3 年收获量最高。

2. 播种

秋末及时采收成熟种子，选出饱满者贮藏于通风阴凉处过冬。翌年清明前后取种子与细土拌匀，撒于整理好的苗床内。用扫帚轻轻拍击床面，使种子落入土壤缝中即可，不宜太深。苗床要经常保持湿润，不可泼水浇，防止床面板结影响出苗率。待苗长至 15 cm 左右时即可移栽。

3. 分株定植

春天将野马追老根旁萌发的幼苗连根挖出，直接定植。分株的方法简单，成活率高，在原有栽种的地区常用此法扩大种植面积。

4. 田间管理

野马追抗病力强，病虫害发生较少。为提高产量可追肥 2 次，第 1 次在移栽成活后用人粪尿在根旁浇灌，第 2 次在 7 月中下旬每亩可用圈肥 1 500 kg 加尿素 7.5 ~ 10 kg 混匀后撒于株旁，培土覆盖。野马追开花后需水量相对较少，灌水不宜过勤。

| **采收加工** | 秋季花初开时采割，晒干，扎成捆。采割时要注意保持植株完整，不要碰落叶子。原药拣除泥土和杂质，切去残根，喷淋清水，润透，切成长 0.5 ~ 1 cm 的小段，晒干，方可入药使用。

很多研究表明，不同物候期对药用植物中化学成分的积累有明显的影响。总黄酮是野马追制剂中的一个控制性成分，故对物候期变化对野马追中总黄酮含量的影响情况进行了研究，结果发现：播种移栽后 65 ~ 70 天采收的野马追中总黄酮含量最高，此时正值头状花序初开之时；花开之后，总黄酮含量快速下降。因此野马追作为药材，应在植株生长旺盛而花刚开时采割为宜。野马追还含有挥发油、生物碱等活性成分，如能同时测定多种成分的含量变化规律，研究会更有意义。

| **药材性状** | 本品茎呈圆柱形，长 30 ~ 90 cm，直径可达 0.5 cm；表面黄绿色或紫褐色，具纵棱，密被灰白色茸毛，嫩枝尤甚；质硬，易折断，断面纤维性，髓部白色，有的老枝中空。叶对生，无柄；叶片皱缩，完整叶片展平后 3 全裂，似轮生，裂片条状披针形，中间裂片较长，边缘具疏锯齿，上表面绿褐色，下表面黄绿色，具黄色腺点。头状花序顶生，常再排成紧密的伞房花序或大型的复伞房花序。气微，味微苦、涩。

野马追药材

| 品质评价 | 以叶多、色绿、带初开的花者为佳。野马追主要含有黄酮类成分，可采用 HPLC
法，以槲皮素、山柰酚、棕矢车菊素为评价指标，建立野马追药材的含量测定
方法。

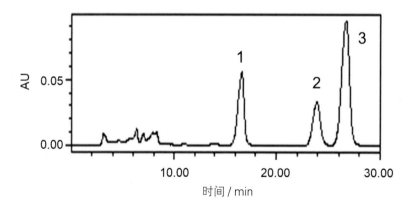

1—槲皮素；2—山柰酚；3—棕矢车菊素。

野马追药材 HPLC 图

| 功效物质 | 迄今为止，从野马追中发现的化学成分类型主要包括倍半萜类、黄酮类、三萜类、
挥发油类、有机酸类等，其中，有关倍半萜类的研究最多。

一、倍半萜类

野马追中发现的倍半萜类化合物较多，大体可以分为愈创木烷型、吉马烷型、

杜松烷型、桉烷型 4 类。

1. 愈创木烷型倍半萜类

野马追中有 13 种该类化合物，分别为：林泽兰内酯 A、林泽兰内酯 B、林泽兰
内酯 C、林泽兰内酯 D、林泽兰内酯 E、林泽兰内酯 F、林泽兰内酯 G、林泽兰
内酯 H、林泽兰内酯 I、林泽兰内酯 J、华泽兰内酯 C、华泽兰内酯 E、白头婆素 D。

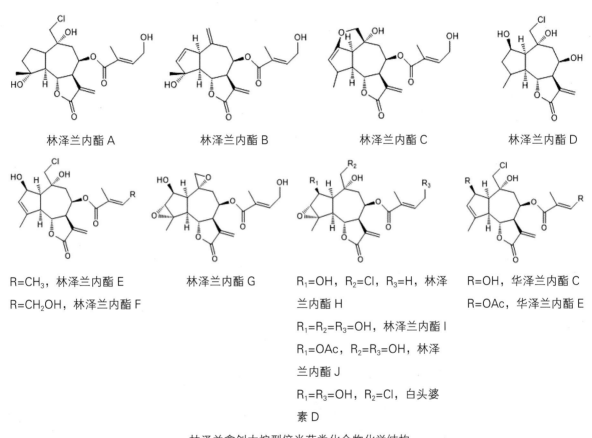

林泽兰内酯 A　　　　　林泽兰内酯 B　　　　　林泽兰内酯 C　　　　　林泽兰内酯 D

R=CH₃，林泽兰内酯 E　　林泽兰内酯 G　　　R₁=OH，R₂=Cl，R₃=H，林泽　　R=OH，华泽兰内酯 C
R=CH₂OH，林泽兰内酯 F　　　　　　　　　兰内酯 H　　　　　　　　R=OAc，华泽兰内酯 E

R₁=R₂=R₃=OH，林泽兰内酯 I

R₁=OAc，R₂=R₃=OH，林泽
兰内酯 J

R₁=R₃=OH，R₂=Cl，白头婆
素 D

林泽兰愈创木烷型倍半萜类化合物化学结构

2. 吉马烷型倍半萜类

此类化合物是野马追倍半萜类化合物中最为普遍的，有 21 种，分别为：尖佩兰
内酯 A（1）、尖佩兰内酯 B（2）、尖佩兰内酯 C（3）、尖佩兰内酯 D（4）、野
马追内酯 A（5）、野马追内酯 B（6）、野马追内酯 C（7）、野马追内酯 D（8）、
野马追内酯 E（9）、3β- 乙酰氧基 -8β-（4′- 羟基 - 巴豆酰基）-14- 羟基 - 木香烷
内酯（10）、3β- 乙酰氧基 -8β-（4′- 氧代巴豆酰基）-14- 羟基 - 向日葵烷内酯（11）、
3β- 乙酰氧基 -8β-（4′- 氧代巴豆酰基）-14- 羟基 - 木香烷内酯（12）、山兰内酯
B（13）、3β- 乙酰氧基 -8β-（4′- 羟基巴豆酰氧基）- 木香烃内酯（14）、8β- 巴豆
酰氧基 -2,3- 裂环 -6βH,7αH,4Z,11（13）- 向日葵二烯 -3,10β；6,12- 二内酯 -2- 酸

（15）、8β-（4′-羟基巴豆酰氧基）-3β,14-二羟基-6βH,7αH-1（10）Z,4Z,11（13）-大根香叶三烯-6,12-内酯（16）、8β-巴豆酰氧基-3β,14-二羟基-6βH,7αH-1（10）Z,4E,11（13）-大根香叶三烯-6,12-内酯（17）、2α-羟基泽兰内酯（18）、3-去乙酰尖佩兰内酯 A（19）、向日葵精（20）、林泽兰内酯 L（21）。

3. 杜松烷型倍半萜类

从野马追中分离得到 1 个此类化合物：林泽兰内酯 M。

4. 桉烷型倍半萜类

从野马追中分离得到 1 个此类化合物：林泽兰内酯 K。

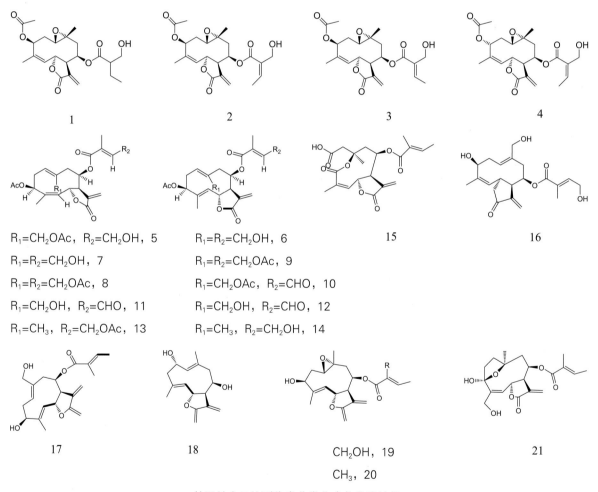

R₁=CH₂OAc，R₂=CH₂OH，5
R₁=R₂=CH₂OH，7
R₁=R₂=CH₂OAc，8
R₁=CH₂OH，R₂=CHO，11
R₁=CH₃，R₂=CH₂OAc，13

R₁=R₂=CH₂OH，6
R₁=R₂=CH₂OAc，9
R₁=CH₂OAc，R₂=CHO，10
R₁=CH₂OH，R₂=CHO，12
R₁=CH₃，R₂=CH₂OH，14

CH₂OH，19
CH₃，20

林泽兰吉马烷型倍半萜类化合物化学结构

二、黄酮类

野马追富含黄酮类化合物。采用可见分光光度法测定野马追中总黄酮含量，结果显示：野马追中总黄酮含量约为 2%。从野马追中分离得到的黄酮类成分主要包括棕矢车菊素、山奈酚、槲皮素、黄芪苷、三叶豆苷、金丝桃苷、芦丁等。

三、三萜类

野马追中发现的三萜类化合物主要为五环三萜类，如蒲公英甾醇乙酸酯、伪蒲公英甾醇、蒲公英甾醇棕榈酸酯、齐墩果酸乙酸酯等。

| 功能主治 | 化痰止咳平喘。用于痰多咳嗽气喘。

| 用法用量 | 内服煎汤，30～60 g。

| 传统知识 | 野马追来自民间整理发现的传统经验知识中，主要应用于治疗慢性支气管炎，代表性的验方有：野马追 30～60 g，煎汤服；白鼓钉 30 g，或配苏子、旋覆花各 9 g。

野马追药材及其治病疗疾的经验主要来自江苏盱眙，后经发展形成稳定的方剂，在当地医院作为院内制剂使用，名为"复方野马追糖浆"，处方组成及制剂工艺为：野马追 500 g，麻黄（制）40 g，桔梗 100 g，半夏（制）150 g，甘草 50 g。上五味，加水煎煮 2 次，每次 2 小时，合并煎液，静置 24 小时，滤过，滤液浓缩至适量；另取蔗糖 600 g，加水适量，煮沸，滤过，滤液加入酒石酸 0.6 g，与上述药液混匀，浓缩至适量，加入苯甲酸钠 3 g，滤过，加水至 1 000 ml，即得。本品为棕褐色的黏稠状，味甜、微苦，用于慢性支气管炎、痰多咳喘，口服，1 次 15 ml，每日 3 次。

| 资源利用 | 随着复方野马追糖浆的市场认可度不断提升，又开发出"野马追片"，制剂工艺为：取野马追 5 000 g，粉碎成粗粉，用 80% 乙醇加热回流提取 3 次，每次 3 小时，合并提取液，滤过，滤液蒸去乙醇，趁热保湿滤过，浓缩成稠膏状，减压干燥，加辅料适量，制成颗粒，压制成 1 000 片，包糖衣，即得。本品为糖衣片，除去糖衣后，显棕褐色，味苦、涩，具有化痰、止咳平喘的功效。用于慢性支气管炎、痰多咳喘，口服，每次 3～4 片，每日 3 次，小儿酌减。

目前，临床上已应用有野马追片剂、颗粒剂、糖浆剂等多种制剂品种，还有以野马追为君药的复方野马追颗粒、胶囊等产品。此多种成药主要用于急慢性支气管炎、支气管哮喘、上呼吸道感染、劳伤咳嗽、吐血咯血等呼吸系统疾病和高血压疾病的治疗。临床应用观察发现，野马追注射液治疗钩端螺旋体病具有退热显著、缓解症状快、治愈时间短的特点。同时，野马追糖浆用于小儿咳喘性疾病也安全有效。

参考文献

[1] 国家中医药管理局《中华本草》编委会. 中华本草: 第7册 第二十一卷[M]. 上海: 上海科学技术出版社, 1999.

[2] 苏桂云, 刘国通. 野马追的加工与鉴别[J]. 首都医药, 2014, 21 (7): 51.

[3] 郑柏勤. 物候期变化对野马追药材总黄酮含量的影响[J]. 科技经济导刊, 2016 (30): 104.

[4] 钱士辉, 段金廒, 杨念云, 等. 江苏省地产地道中药资源的生产现状与开发利用 (上) [J]. 中国野生植物资源, 2002, 21 (1): 35-40.

[5] 姚杏明. 野马追人工栽培方法简介[J]. 中草药通讯, 1978 (8): 29.

[6] 吴双庆, 夏龙, 姚士, 等. 野马追的化学成分与药理作用研究进展[J]. 中国药房, 2013, 24 (15): 1426-1428.

[7] 罗敏敏. 野马追药材的质量标准研究和野马追内酯的分离纯化工艺研究[D]. 长沙: 中南大学, 2012.

[8] 杨念云, 田丽娟, 钱士辉, 等. 野马追地上部分的化学成分研究 (Ⅱ) [J]. 中国天然药物, 2005, 3 (4): 224-227.

[9] 陈健, 姚成. 野马追中总黄酮的测定[J]. 南京师范大学学报 (工程技术版), 2004, 4 (2): 16-18.

[10] 钱士辉, 杨念云, 段金廒, 等. 野马追中黄酮类成分的研究[J]. 中国中药杂志, 2004, 29 (1): 50-52.

[11] 肖晶, 王刚力, 魏锋, 等. 野马追化学成分的研究[J]. 中草药, 2004, 35 (8): 855-856.

[12] 杨念云, 钱士辉, 段金廒, 等. 野马追地上部分的化学成分研究 (Ⅰ) [J]. 中国药科大学学报, 2003, 34 (3): 220-221.

[13] 吴双庆. 野马追的化学成分研究[D]. 苏州: 苏州大学, 2012.

[14] 肖晶, 卢卫斌, 庄明蕊, 等. 用色质联用仪分析鉴定野马追挥发油的化学成分[J]. 分析仪器, 2004 (3): 21-24.

[15] 陈健. 野马追提取物化学成分的GC/MS分析研究[J]. 金陵科技学院学报, 2004, 20 (1): 30-33.

[16] 王晔, 肖晶, 肖新月, 等. 野马追的微量元素研究[J]. 微量元素与健康研究, 2002, 19 (3): 28-29.

[17] 陈健, 姚成. 柱前衍生化RP-HPLC测定中药野马追中的氨基酸[J]. 林产化工通讯, 2003, 37 (5): 7-9.

[18] 颜乾麟. 野马追治疗钩端螺旋体病32例[J]. 江苏中医药, 1987 (9): 9.

[19] 袁梅芳. 应用野马追糖浆治疗小儿咳喘性疾病[J]. 中华现代临床医学杂志, 2005, 2 (9): 22.

[20] HUO J, YANG S P, DING J, et al. Cytotoxic sesquiterpene lactones from *Eupatorium lindleyanum*[J]. Journal of Natural Products, 2004, 67 (9): 1470-1475.

[21] ITO K, SAKAKIBARA Y, HARUNA M, et al. Four new germacranolides from *Eupatorium lindleyanum* DC.[J]. Chemicals Letter, 1979 (12): 1469-1472.

[22] YANG N Y, DUAN J A, SHANG EX, et al. Analysis of sesquiterpene lactones in *Eupatorium lindleyanum* by HPLC-PDA-ESI-MS/MS[J]. Phytochemistry Analysis, 2010, 21 (2): 144-149.

[23] HUO J, YANG S P, DING J, et al. Two new cytotoxic sesquiterpenoids from *Eupatorium lindleyanum* DC.[J]. Journal of Integrative Plant Biology, 2006, 48 (4): 473-477.

[24] YE G, HUANG X Y, LI Z X, et al. A new cadinane type sesquiterpene from *Eupatorium lindleyanum* (Compositae)[J]. Biochemical Systematics and Ecology, 2008, 36 (9): 741-744.

（钱大玮　钱士辉）

菊科 Compositae 蒲公英属 *Taraxacum*

蒲公英 *Taraxacum mongolicum* Hand.-Mazz.

| **药 材 名** | 蒲公英（药用部位：全草。别名：婆婆丁、黄花地丁、华花郎）。

| **本草记述** | 蒲公英入药始载于《新修本草》，"蒲公草，叶似苦苣，花黄，断有白汁，人皆啖之"。《本草纲目》记载："蒲公英主治妇人乳痈和水肿，水煮汁饮及封之立消。解食毒，散滞气，清热毒，化食毒，消恶肿。"《滇南本草》记载："敷诸疮肿毒，疥癞癣疮；祛风，消诸疮毒，散瘰疬结核；止小便血，治五淋癃闭，利膀胱。"《医林纂要探源》记载："蒲公英，能化热毒，解食毒，消肿核，疗疔毒乳痈，皆泻火安土之功。通乳汁，以形用也。固齿牙，去阳明热也。"《本草求真》记载："蒲公英，能入阳明胃、厥阴肝，凉血解热，故乳痈、乳岩为首重焉。缘乳头属肝，乳房属胃，乳痈、乳岩，多因热盛血滞，用此直入二经，外敷散肿臻效，内消须同夏枯草、贝母、

连翘、白芷等药同治。"历代医学专著均给予蒲公英高度评价，民间以之治疗疮毒、脑膜炎、流行性感冒、肝胆病。蒲公英除药用外，还有很好的美容功效。《本草纲目》载："年未及八十者服之，须发返黑，齿落更生；年少服之，至老不衰。"蒲公英与香附可配伍成还少丹，服之令人回春。现代研究证明，蒲公英具有广谱抗菌作用，对金黄色葡萄球菌、溶血性链球菌、脑膜炎球菌、伤寒杆菌、铜绿假单胞菌、结核分枝杆菌、白喉棒状杆菌、志贺菌属均有较强的杀灭作用，对真菌、病毒也有较好的抑制作用。另外，蒲公英还具有抗肿瘤、抗内毒素、利胆保肝、提高机体免疫力和镇咳祛痰等作用。

| 形态特征 | 多年生草本，含白色乳汁，高 10 ~ 25 cm。根深长，单一或分枝。叶根生，排成莲座状；叶片矩圆状披针形、倒披针形或倒卵形，先端尖或钝，基部狭窄，下延成叶柄状，边缘浅裂或不规则羽状分裂，裂片牙齿状或三角状，全缘或具疏齿，绿色，或在边缘带淡紫色斑，被白色丝状毛。花茎上部密被白色丝状毛；头状花序单一，顶生，全部为舌状花，两性；总苞钟状，总苞片多层，外层较短，卵状披针形，先端尖，有角状突起，内层线状披针形，先端呈爪状；花冠黄色，长 1.5 ~ 1.8 cm，宽 2 ~ 2.5 mm，先端平截，5 齿裂；雄蕊 5，着生于花冠管上，花药合生成筒状，包于花柱外，花丝分离，白色，短而稍扁；雌蕊 1，子房下位，长椭圆形，花柱细长，柱头 2 裂，有短毛。瘦果倒披针形，长 4 ~ 5 mm，宽约 1.5 mm，外具纵棱，有多数刺状突起，先端具喙，着生白色冠毛。花期 4 ~ 5 月，果期 6 ~ 7 月。

| 资源情况 | 一、生态环境
生于山坡草地、路旁、河岸沙地、田野间或盐碱地带。全国大部分地区均有分布。
二、分布区域
蒲公英在江苏分布较广，省内各区域均有分布。
三、蕴藏量
根据样方调查结果，蒲公英在江苏各地均常见，单位面积蕴藏量约为 6 920（kg/km^2）。
四、栽培历史与产地
宋代《本草图经》记载："蒲公草，旧不著所出州土，今处处平泽田园中皆有之。"明代《本草纲目》将蒲公英由过去本草的草部移入菜部，曰："地丁，江之南北颇多，他处亦有，岭南绝无。"明代《救荒本草》曰："生田野中。"明代《野菜谱》曰："一名蒲公英。四时皆有，惟极寒天。"民国时期《药物出产辨》载：

"各省均有，但以江苏省镇江府来者为正。"

通过总结《中国植物志》《中国药材学》《中华本草》《现代中药材商品通鉴》《500味常用中药材的经验鉴别》《中华人民共和国药典中药材及原植物彩色图鉴》《金世元中药材传统鉴别经验》等现代专著，发现蒲公英全国各地均有生产，多自产自销，主产于河北、山东、河南等。

五、栽培面积与产量

中药资源普查发现江苏泗阳、睢宁等地有在杨树林下套种栽培蒲公英，泗阳庄圩、临河、卢集、李口等地蒲公英栽培面积约 2 500 亩。

六、规范化生产技术

蒲公英适应性强，喜光、耐寒、耐热、耐瘠，抗病能力强，很少发生病虫害，我国绝大部分地区均可栽培。

1. 采种

采集野生蒲公英种子。采种时选择叶片肥大、叶多色绿、锯齿较深、根茎粗壮的植株。在夏季，待花托由绿变黄时，于每天上午八九点钟将花剪下，放室内后熟 1 天，待花序全部散开，再阴干 1 ~ 2 天，用手搓掉冠毛，晒干。蒲公英的留种采集应有固定的种子圃地。

蒲公英肉质直根的培育：用作生产体芽菜的肉质直根可以直接到野外采集，亦可人工培育。

2. 选地整地

选择疏松、肥沃、湿润、排水良好的砂壤土种植。深翻 20 ~ 25 cm，整平耙细，做成长 10 ~ 20 cm、宽 1.2 ~ 1.5 m、高 15 cm 的畦或宽 45 cm 的小垄种植。每亩施有机肥 4 000 ~ 4 500 kg、过磷酸钙 15 kg，均匀地撒入畦内。

3. 播种

将种子置于 50 ℃水中浸种，后于 25 ℃下催芽。种子无休眠期，从春季到秋季可随时在露地播种，冬季可温室播种。露地播种在畦面或垄上可采用条播和撒播 2 种方式。①条播：在畦面上按行距 25 ~ 30 cm 开浅横沟，播幅约 10 cm，种子播下后覆土 1 cm，然后稍加压实。②撒播：在平畦上撒播，每亩用种量 1 kg 左右，播种后盖草保温保湿，出苗时揭去盖草，7 ~ 10 天即可出苗。温室播种在 11 月下旬至 12 月上旬进行育苗移栽。若大棚或中小拱棚栽培，可于翌年 2 ~ 3 月扣上农膜，3 月下旬采收新芽，此时市价较高，可增加收入。

4. 田间管理

蒲公英生长期间应经常进行中耕松土除草，以后每 10 天左右中耕除草 1 次，直至封垄。封垄后可人工拔草，并进行间苗、定苗，间苗株距为 3 ~ 5 cm，定苗株距为 8 ~ 10 cm。温室内撒播株距 6 cm。保持土壤湿润和土壤地力是蒲公英生长的关键。每次间苗和收割后，结合浇水施 1 次速效氮肥。收割后 3 ~ 4 天内不浇水，以防烂根。生长期间应追施 1 ~ 2 次尿素和磷酸二氢钾，每次每亩施尿素 10 ~ 14 kg、磷酸二氢钾 5 ~ 6 kg。经常浇水保持土壤湿润。秋播者应在入冬前浇封冻水、施越冬肥，每亩畦面上施有机肥 2 500 kg、过磷酸钙 20 kg。春节返青后，可结合浇水每亩施尿素 10 ~ 15 kg、过磷酸钙 8 kg。

研究表明，蒲公英种子对碳酸钠胁迫具有一定的耐受能力，碱性盐对蒲公英出苗的胁迫作用大于中性盐，增大混合盐碱溶液浓度对蒲公英出苗的胁迫作用大于增大溶液中碱性盐浓度。该特性为充分利用盐碱地进行蒲公英的种植奠定了理论基础，可开辟一条人工栽植蒲公英以改造利用盐碱地的途径，具有重大的生态意义。

| 采收加工 | 春季至秋季花初开时采挖，除去杂质，洗净，晒干。

| 药材性状 | 本品呈皱缩卷曲的团块。根略呈圆锥状，弯曲，长 4 ~ 10 cm；表面棕褐色，皱缩，根头部有棕色或黄白色的毛茸，或已脱落。叶基生，多皱缩破碎，完整叶片呈倒披针形，绿褐色或暗灰色，先端尖或钝，边缘浅裂或羽状分裂，基部渐狭，下延成柄状，下表面主脉明显。花茎 1 至数条，顶生头状花序，总苞片多层，内面 1 层较长，花冠黄褐色或淡黄白色。有的可见多数具白色冠毛的长椭圆形瘦果。气微，味微苦。

蒲公英药材

| 品质评价 | 一、药材品质评价沿革

1963 年版《中华人民共和国药典》规定，以叶多、灰绿色、根完整、无杂草泥土者为佳。1977 年版《中华人民共和国药典》规定，以叶多、色绿、根长者为佳。《中华本草》载："以叶多、色灰绿、根完整、无杂质者为佳。"《500 味常用中药材的经验鉴别》载："以叶多、色灰绿、根粗长者为佳。"2006 年版《中药大辞典》载："以叶多、色灰绿、根完整、无杂质者为佳。"

蒲公英产地遍布全国，目前主产于黑龙江、吉林、辽宁、内蒙古、河北、山西、陕西、甘肃、青海、山东、江苏、安徽、浙江、福建北部、台湾、河南、湖北、湖南、广东北部、四川、贵州、云南等省区。品质"以叶多、色灰绿、根完整、无杂质者为佳"。

二、不同产地、不同采收期、不同部位蒲公英资源性化学成分分析评价

利用 HPLC 色谱法对河南不同产地、不同采收时间、不同部位的 54 批蒲公英样品进行测定分析，发现不同样品之间成分差异不大，可互相替代；不同产地各成分含量差异较大，以土质肥沃的平原地区为好；采收时间以春季花果期最佳，春季随着花的开放，咖啡酸、绿原酸含量呈逐渐上升趋势，花果期采集的样品咖啡酸、绿原酸含量最高，而秋季样品各成分相对含量均降低，因此，蒲公英最好在春季花果期采集，质量好，且春季资源丰富，易于采集；不同部位成分含量不一致。

三、商品规格

根据生长栽培模式不同将蒲公英划分为野生蒲公英和栽培蒲公英 2 种规格，见表 2-1-6。野生蒲公英采收时多挖取全草，根较完整。当前药材市场药农采收栽

培蒲公英时往往只割取地上部分，而不采挖根，因此栽培蒲公英商品主要是叶，而没有根。2 种蒲公英在性状和质量上差异较大。

表 2-1-6　蒲公英商品规格等级划分

规格等级	性状描述	
	共同点	区别点
野生蒲公英	干货。呈皱缩卷曲的团块。叶基生，多皱缩破碎，完整叶片呈倒披针形，绿褐色或暗灰绿色，先端尖或钝，边缘浅裂或羽状分裂，基部渐狭，下延成柄状，下表面主脉明显。花茎 1 至数条，顶生头状花序，总苞片多层，内面 1 层较长，花冠黄褐色或淡黄白色。可见多数具白色冠毛的长椭圆形瘦果。气微，味微苦	根呈圆锥状，多弯曲，长 3 ～ 7 cm；表面棕褐色，抽皱；根头部有棕褐色或黄白色的毛茸，有的已脱落。叶片较小，头状花序较多
栽培蒲公英		无根，叶片较大，头状花序较少

| 功效物质 |　蒲公英中含有多种类型的化学成分，主要功效物质包括黄酮类、甾醇类、萜类、多糖类、有机酸类、色素类等。

一、黄酮类

蒲公英叶中富含黄酮类物质，以木犀草素 -7- 葡萄糖苷为主，总黄酮含量为 5% ～ 8%。该类成分具有抗炎、抗氧化、清除自由基、防治糖尿病并发症等作用。

二、甾醇类与萜类

蒲公英根中主要含有蒲公英甾醇、蒲公英赛醇、ψ- 蒲公英甾醇、β- 香树脂醇、豆甾醇、谷甾醇等。研究发现蒲公英甾醇可显著抑制脂多糖诱导小鼠 RAW264.7 细胞一氧化氮和前列腺素 E_2 的生成，发挥体外抗炎作用。此外，蒲公英甾醇能有效预防哮喘和内毒素血症的发生与发展。

蒲公英根及地上部分含有蒲公英桉烷内酯、蒲公英内酯苷、蒲公英吉玛酸苷、二氢蒲公英吉玛酸苷、ψ- 蒲公英甾酸乙酸酯、β- 谷甾醇及其葡萄糖苷。

蒲公英萜醇具有抗炎、抗肿瘤、抗糖尿病肾病、抗阿尔茨海默病等作用；还可显著抑制人胃腺癌细胞 AGS 的生长，该作用通过阻滞细胞周期于 G2/M 期和促进细胞凋亡而实现，乙酰蒲公英萜醇的作用稍弱于蒲公英萜醇。

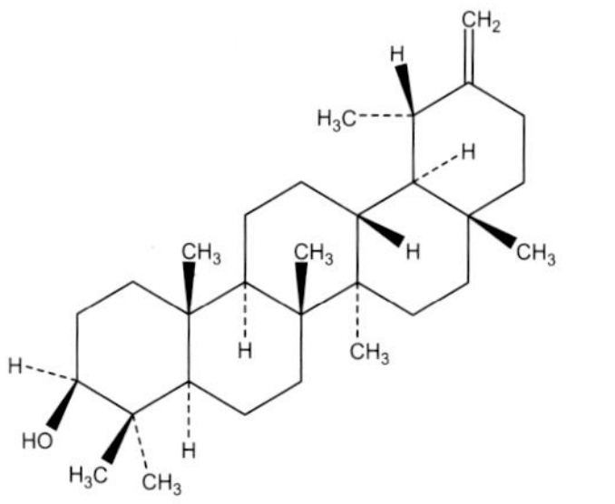

蒲公英甾醇化学结构

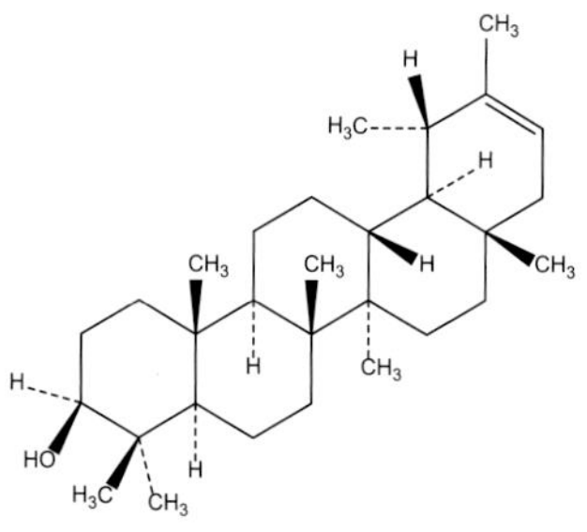

ψ－蒲公英甾醇化学结构

三、多糖类

蒲公英根中含有菊糖。地上部分的热水浸出物中可得到多糖，蒲公英多糖具有广泛的药理活性，如抗肿瘤、抗突变、抗氧化、抗疲劳、提高免疫、保肝等。研究发现，蒲公英 T-1 是一种氨基糖链状物质，有促进排卵作用，可使下丘脑黄体生成激素释放激素、脑垂体黄体生成激素释放激素增加，由此认定其作用部位为下丘脑—脑垂体系；还可进一步使神经传导递质、去甲肾上腺素、多巴胺、5- 羟色胺增加，这些物质与阿尔茨海默病的症状有密切联系。

四、有机酸类

蒲公英中含有咖啡酸、绿原酸、阿魏酸、对羟基苯乙酸、棕榈酸、蜡酸、蜂花酸、油酸、亚油酸、亚麻酸等有机酸类成分。

五、色素类

蒲公英花中含有的天然食用色素，主要包括蒲公英黄素、毛茛黄素、菊黄素，以及 β- 胡萝卜素、α- 胡萝卜素、叶黄素等类胡萝卜素成分，属于植物营养素。蒲公英黄素可用于饮料、点心、糖果等保健食品，以及化妆品、医药产品的着色等。

| 功能主治 | 苦、甘，寒。归肝、胃经。清热解毒，消肿散结，利尿通淋。用于疔疮肿毒，乳痈，瘰疬，目赤，咽痛，肺痈，肠痈，湿热黄疸，热淋涩痛等。

| 用法用量 | 内服煎汤，9 ~ 15 g。外用适量，鲜品捣敷；或煎汤熏洗。

| 传统知识 | 基于文献梳理和中药资源普查过程中调查走访收集的传统用药知识，记录于此。

（1）治疗热毒疮：蒲公英五钱，青天葵二钱，地丁三钱，金银花五钱，甘菊三钱。清水 3 碗，煎成 1 碗服。

（2）治疗乳痈：蒲公英（洗净细锉）、忍冬藤同煎浓汤，入少酒佐之，服罢，随手欲睡，是其功也。

（3）治疗急性乳腺炎：蒲公英二两，香附一两。每日 1 剂，煎服 2 次。

（4）治疗产后不自乳儿，蓄积乳汁，结作痈：蒲公英捣敷肿上，日三四度易之。

（5）治疗瘰疬结核，痰核绕项而生：蒲公英三钱，香附一钱，羊蹄根一钱五分，山慈菇一钱，大蓟独根二钱，虎掌草二钱，小一枝箭二钱，小九牯牛一钱。煎汤，点水酒服。

（6）治疗疳疮疔毒：蒲公英捣烂覆之，别更捣汁，和酒煎服，取汗。

（7）治疗急性结膜炎：蒲公英、金银花。将二药分别水煎，制成 2 种滴眼水。

每日滴眼 3 ~ 4 次，每次 2 ~ 3 滴。

（8）治疗肝炎：蒲公英干根六钱，茵陈蒿四钱，柴胡、生山栀、郁金、茯苓各三钱，煎服。或用蒲公英干根、天名精各一两，煎服。

（9）治疗慢性胃炎，胃溃疡：蒲公英干根、地榆根各等分。研末，每服二钱，每日 3 次，生姜汤送服。

（10）治疗胃弱，消化不良，慢性胃炎，胃胀痛：蒲公英（研细粉）一两，橘皮（研细粉）六钱，砂仁（研细粉）三钱。混合共研，每服二至三分，每日数回，食后开水送服。

| **资源利用** | 一、在医药领域中的应用

蒲公英为临床常用中药，具有清热解毒、消肿散结、利尿通淋的功效，常用于热毒疮疖、无名肿痛、痈疽恶疮、瘰疬痰核等，内服外敷，皆有良效。内用多用于治疗热毒、瘟毒、胃炎、腮腺炎、扁桃体炎、肾盂肾炎等，多与清热解毒、泻火燥湿药同用。外用多用于疔疮肿毒的熏洗和外敷。

单味蒲公英水煎剂可治胆囊炎、乳痈、骨髓炎，外敷熏洗可治沙眼；与忍冬藤同用，可治乳痈；与地榆同用，可治胃炎、胃溃疡；与荆芥、青黛同用，可治腮腺炎；与瓜蒌同用，可治乳痈、肠痈、阑尾炎；与菊花、决明子同用，可治肝火上炎的目赤红肿；与土茯苓同用，可治热毒湿浊郁滞所致的口干口苦、便结尿赤；与双花、连翘、紫花地丁、野菊花、赤芍同用，可治痰热郁肺；与板蓝根同用，可治咽喉肿痛；与车前草、忍冬藤同用，可治热淋；与茵陈、栀子同用，可治湿热黄疸；与夏枯草同用，可治瘰疬、痰核。此外，蒲公英在临床上还用于脑血管后遗症、面瘫、上呼吸道感染、肠炎、结膜炎、睑缘炎、睑腺炎、膀胱炎等的治疗。

蒲公英是清热解毒的传统药物。近年来研究证明其有良好的抗感染作用，现已研发出多种剂型的制剂产品，并广泛应用于临床各科。目前，蒲公英的制剂产品主要有蒲地蓝消炎口服液、蒲公英口服液、蒲公英片、蒲公英颗粒、蒲公英胶囊、蒲公英泡腾片、蒲公英注射剂、蒲公英喷雾剂等，其中，蒲地蓝消炎口服液为江苏济川药业集团生产，以蒲公英为主要组成药味，具有清热解毒、抗炎消肿的功效，用于疔肿、腮腺炎、咽炎、扁桃体炎等。

二、在保健食品中的应用

蒲公英作为食药兼用品种，具有较高的营养和保健价值。明代徐光启《农政全书》载蒲公英"苗初塌地生，叶似苦苣菜……茎叶折之皆有白汁。味微苦。采苗叶煮熟，油盐调食"。蒲公英全草可食部分达 80%，全株富含蛋白质、蒲公英类固醇、

豆甾醇、胆碱及多种维生素等，已成为开发保健食品的主要原料。蒲公英作为滋补剂在北美和东欧得到了广泛应用，蒲公英提取物已被美国食品药品监督管理局（FDA）批准为一类基本上认可安全（GRAS）的食物成分。蒲公英提取物在多种食品中作为香料使用，如含酒精（如苦汁酒）和不含酒精的饮料、冰冻甜品、糖果、烘烤食品、糕点、小麦制品等。日本使用蒲公英开发功能性饮料，该饮料具有丰富的营养价值，且具有免疫调节、生理结构调整、防病治病及抑制人体老化作用。

三、在畜牧业中的应用

蒲公英不仅具有较高的营养价值，还具有独特的药用保健功能，是一种天然畜禽饲料添加剂，能够有效防治多种畜禽传染性疾病，并且不存在药物残留问题，在抗生素替代及畜禽产品开发中有着广阔的应用前景。蒲公英具有清热、解毒、消炎的功效，在治疗家畜乳房炎、家畜产后缺乳及调理家畜胃肠道疾病等方面效果显著。

四、在日化用品中的应用

蒲公英水煎剂或提取物具有清热利湿、解毒疗疮的功效，应用到化妆品中可以有效清洁皮肤，且因其含有多种氨基酸等营养物质，还能够滋养皮肤，促进皮肤新陈代谢，防止皮肤色素沉着，已被广泛应用于洁面露、粉刺露、营养露等化妆品中。蒲公英提取液还可用于生产保健牙膏、奶液及香皂等。

五、在其他领域中的应用

从蒲公英根中可提取橡胶用于制作轮胎，因此，蒲公英可作为天然橡胶的资源。有其他国家将蒲公英用于评估环境中工业铝废物和放射性核污染情况。此外，蒲公英纤维是一种尚未开发利用的新型纤维材料，有长刺，和羽毛纤维结构类似，其 10 ~ 15 mm 的纤维长度不适合加工纺纱。但蒲公英纤维产量较大，加上具有纤维本身蓬松的特点，可用作填充物。

| 附　注 | 碱地蒲公英 *Taraxacum sinicum* Kitag.、东北蒲公英 *Taraxacum ohwianum* Kitam.、异苞蒲公英 *Taraxacum heterolepis* Nakai et H. Koidz.、亚洲蒲公英 *Taraxacum asiatisc* Dadlst.［*Taraxacum leucanthum* (Ledeb.) Ledeb.］、红梗蒲公英 *Taraxacum erpyhropodium* Kitag. 等同属多种植物的全草也作蒲公英药用。

参考文献

[1] 付娆，张海洋，梁晓艳，等. 蒲公英对 NaCl 单盐和海水复合盐胁迫的生理响应 [J]. 山东农业科学，2020，52（2）：33-37.
[2] 许先猛，董文宾，卢军，等. 蒲公英的化学成分和功能特性的研究进展 [J]. 食品安全质量检测学报，

2018, 9（7）：1623-1627.

[3] 中药材商品规格等级：蒲公英：T/CACM 1021.180—2018[S]. 北京：中华中医药学会，2018.

[4] 赵守训，杭秉倩. 蒲公英的化学成分和药理作用[J]. 中国野生植物资源，2001，20（3）：1-3.

[5] 邹传宗，王红娟，李纪纲，等. 蒲公英对急性高尿酸血症大鼠肾脏的保护作用[J]. 中国民族民间医药，
2020，29（3）：10-12.

[6] 孙冰. 蒲公英人工栽培技术[J]. 特种经济动植物，2020，23（2）：33.

[7] 路其祥. 干旱胁迫对蒲公英抗性生理生化指标的影响[D]. 邯郸：河北工程大学，2020.

[8] 孙博，李西文，朱广伟，等. 基于传统煎药工艺的蒲公英饮片标准汤剂制备及质量评价方法研究[J]. 中
华中医药学刊，2020：1-14.

[9] 田华，黄毓娟. 蒲公英多糖对幽门螺杆菌相关性胃炎大鼠胃黏膜炎性反应及 MAPK/ERK 通路的影响[J]. 现
代中西医结合杂志，2019，28（35）：3877-3880.

[10] 刘学超，关键，张国梁，等. 蒲公英甾醇对人舌癌 CAL-27 细胞增殖的影响及机制[J]. 微量元素与健康研究，
2020，39（2）：39-41.

[11] 侯荣荣，杜峰涛，邹星月，等. 蒲公英的活性物质及其应用研究进展[J]. 安徽农学通报，2019，25（22）：
27-28，53.

[12] 谢士敏，刘英男，刘子皓，等. 蒲公英水提液抗病毒有效部位筛选及体外抗病毒作用观察[J]. 山东医药，
2019，59（33）：39-43.

[13] 原琦，张凤，桑玉新，等. 超高效液相色谱－串联质谱法同时测定蒲公英中 4 种有效成分的含量[J]. 国
际药学研究杂志，2019，46（7）：552-556.

[14] 李贺赟，曾方兴，朱瑞雪，等. 蒲公英的临床应用及其用量[J]. 吉林中医药，2019，39（10）：1291-
1293.

[15] 夏琴，张新选. HPLC 法测定蒲公英中绿原酸和咖啡酸的含量[J]. 西北药学杂志，2019，34（4）：462-
465.

[16] 何雨柔，黄玉迪，林培伟，等. 蒲公英抗肿瘤作用的研究进展[J]. 肿瘤药学，2019，9（3）：370-374.

[17] 张良华，衣建平. 蒲公英功能性成分的提取及生物活性研究综述[J]. 食品安全导刊，2019（18）：155-
156.

[18] 于双双. 蒲公英在妇科相关领域的实验研究及临床应用[J]. 世界科学技术—中医药现代化，2019，21（6）：
1232-1237.

[19] 许卫锋，王子华. 蒲公英提取物改善大鼠类风湿性关节炎的作用机制[J]. 现代食品科技，2019，35（7）：
30-35.

[20] 苏楠楠. 蒲公英萜类成分及其活性研究[D]. 延边：延边大学，2019.

[21] 刘婷，张继秀，李先哲，等. 蒲公英的开发与利用[J]. 沈阳药科大学学报，2019，36（5）：450-458.

[22] 饶志威，杜光，姜琼，等. 蒲公英根多糖的研究进展[J]. 海峡药学，2019，31（5）：34-36.

[23] 薛学亭. 蒲公英红茶加工过程中主要活性成分的变化与品质控制[D]. 泰安：山东农业大学，2019.

[24] 赵娣，李爽，徐婧. 蒲公英总黄酮改善 Aβ25-35 诱导的阿尔茨海默病大鼠记忆功能障碍的观察[J]. 中国药
物评价，2019，36（1）：41-45.

[25] 鲁雪林，吴哲，王秀萍，等. 盐碱地蒲公英种植技术的研究[J]. 安徽农学通报，2019，25（1）：57-
59，154.

[26] 王萌，王帅伟，隋欣儒，等. 蒲公英水提物对小鼠应激性肝损伤的保护作用研究[J]. 延边大学农学学报，
2018，40（4）：22-25，42.

[27] 赵利娟，高文雅，顾欣如，等. 蒲地蓝消炎口服液化学成分鉴定及归属研究[J]. 中国中药杂志，2019，44
（8）：1573-1587.

[28] 刘珊珊，刘亚琼. 蒲公英根类咖啡产品工艺优化及特性分析[J]. 食品科技，2018，43（9）：134-141.

[29] 杨超，闫庆梓，唐洁，等. 蒲公英挥发油成分分析及其抗炎抗肿瘤活性研究 [J]. 中华中医药杂志，2018，33（7）：3106-3111.

[30] 王一婷. 蒲公英根化学成分及其抗氧化活性研究 [D]. 延边：延边大学，2018.

[31] 刘馨宇. 蒲公英甾醇对小鼠酒精性和免疫性肝损伤保护作用及机制研究 [D]. 延边：延边大学，2018.

[32] YANG Y, WANG Y X, ZENG W Q, et al. A strategy based on liquid-liquid-refining extraction and high-speed counter-current chromatography for the bioassay-guided separation of active compound from *Taraxacum mongolicum*[J]. Journal of Chromatography A, 2020: 1614.

[33] LIU J, LI X M, SHI D D, et al. Effect of quality control on the proliferation of the extract from *Taraxacum mongolicum* Hand.-Mazz. in Lactobacillus plantarum.[J]. Biomedical Chromatography, 2019, 33（12）.

[34] Functional Foods; Study results from university of Lodz broaden understanding of functional foods [dandelion (*Taraxacum Officinale* L.) root components exhibit anti-oxidative and antiplatelet action in an in vitro study[J]. Food Weekly News, 2019.

（宿树兰　严　辉）

香蒲科 Typhaceae 香蒲属 Typha

水烛
Typha angustifolia L.

| 药 材 名 | 蒲黄（药用部位：花粉。别名：蒲棒粉、蒲厘花粉、蒲花）。

| 本草记述 | 蒲黄首见于《神农本草经》，被列为上品。《神农本草经》谓："（蒲黄）主心腹膀胱寒热，利小便，止血，消瘀血。"《本草汇言》中有"蒲黄血之上者可清，血之下者可利，血之滞者可行，血之行者可止"的记载；《本草分经》中有蒲黄"生用性滑，行血消瘀"的记载。《药性论》谓："通经脉，止女子崩中不住，主痢血，止鼻衄，治尿血，利水道。"《日华子本草》谓："治（颠）扑血闷，排脓，疮疖，妇人带下，月候不匀，血气心腹痛，妊孕人下血坠胎，血运血癥，儿枕急痛，小便不通，肠风泻血，游风肿毒，鼻洪吐血，下乳，止泄精，血痢。破血消肿生使，补血止血炒用。"《本草纲目》谓："凉血，活血，止心腹诸痛。"《神农本草经疏》谓："治癥结，五劳七伤，

停积瘀血，胸前痛即发吐衄。"近代医家谓蒲黄可治经闭腹痛、产后瘀阻作痛、跌扑血闷、疮疖肿毒。

| **形态特征** | 株高 1 ~ 3 m。叶片线形，宽 4 ~ 9 mm，下部背面凸起，横切面半圆形，叶鞘抱茎，鞘口两侧有膜质叶耳。雌雄穗状花序远离；雄花序短于雌花序，花序轴被褐色柔毛，具叶状苞片 1 ~ 3，花后脱落；雌花序长 15 ~ 30 cm，基部具一常宽于叶片的叶状苞片，花后脱落；雄花雄蕊 3，有时 2 或 4，合生，花药长约 2 mm；雌花具小苞片；柱头窄条形或披针形，长 1.3 ~ 1.8 mm，花柱长 1 ~ 1.5 mm，子房纺锤形，长约 1 mm，具褐色斑点，子房柄纤细，长约 5 mm，不孕雌花子房倒圆锥形，生于子房柄基部的白色丝状毛与小苞片近等长，均低于柱头。小坚果长椭圆形，长约 1.5 mm，具褐色斑点，纵裂。种子深褐色。花期 6 ~ 9 月。

| **资源情况** | 一、生态环境
生于底质多为淤泥、软泥的池塘和沼泽中。河流水体两岸多垂直切割、水位不稳、底质为粗砾，因而不适合水烛香蒲生长。水烛香蒲常生长在 pH 呈微酸性的水体中，对环境温度要求不高。因植物比较高大，对水位要求较为宽泛，淹水深度

40 cm 以内最为适宜。江苏有长江、太湖、淮河和沂沭泗四大水系，湖泊沼泽众多，适合水烛香蒲的生长。

二、分布区域

我国华北、东北、西北、西南地区及长江中下游流域分布广泛，江苏各地均有分布。

三、蕴藏量

水烛香蒲主要生长在沼泽、池塘、浅滩等湿地。江苏湿地众多，全省湿地面积达 282 万 hm^2，其中自然湿地 194 万 hm^2。水烛香蒲是江苏省内常见的水生植物，既有野生也有景观栽培。

四、栽培历史与产地

在我国，香蒲属植物很早便作为水生蔬菜栽培。如《诗经·陈风·泽陂》所载"彼泽之陂，有蒲有菏"即为香蒲的栽培。《左传》记载："襄公廿九年，公享晋六卿于蒲圃""襄公四年初，季孙为已树六檟于蒲圃东门之外"，说明当时香蒲已作为园艺植物被栽培。《新修本草》区分了香蒲和菖蒲，言："根可菹者为香蒲，菖蒲为臭蒲。"李时珍则认为"香蒲有脊而柔；泥菖蒲根大，节白而疏；水菖蒲根瘦，节赤稍密，即溪荪云"。《农桑辑要》记载："四月，拣绵蒲肥旺者，广带根泥移出，于水地内栽之。次年即堪用。其水深者白长，水浅者白短。"明代的文震亨在《长物志》里记载了以香蒲植物为主的景观植物景象，"或长堤横隔，汀蒲、岸苇杂植其中，一望无际，乃称巨浸"。江苏地区主要有水烛香蒲 *Typha angustifolia* Linn.、东方香蒲 *Typha orientalis* Presl.、无苞香蒲 *Typha laxmannii* Lepech.、长苞香蒲 *Typha angustata* Bory et Chaubard 及达香蒲 *Typha davidiana* (Kronf.) Hand.-Mazz. 5 个种，其中水烛香蒲 *Typha angustifolia* Linn. 最为常见。

五、栽培面积与产量

江苏水烛香蒲主要以野生为主，栽培较少。

六、规范化生产技术

江苏香蒲资源主要为野生，对环境要求不严，适应性较强，有一定耐寒能力，喜光，不耐阴，要求土壤松软肥沃。首先，栽培时应考虑的因素主要是水深，一般水深小于 40 cm 或 40 ~ 60 cm 均无法较好发育；其次，香蒲植物不适宜生长在水流较快的水体中，栽培时每株间距不宜小于 50 cm。香蒲采用分枝繁殖。春季萌发前将地下根茎取出，切成长约 10 cm 的小段，每段带 2 ~ 3 枚芽。将根茎栽于土中后，茎芽在土中水平生长超过 30 cm 时，顶芽变曲，向上抽生新叶，向下生长出根系，形成新株。生长 3 年后，根系交错盘结，土壤肥力下降，植株长势衰退，须重新种植。盆栽时，宜用松软肥沃土壤，上面要保持 5 ~ 10 cm 深的清水层，夏季及时补给新水，并保持叶面清洁。霜降后，剪除地上部分的枯萎物，荒置于冷室越冬。

| **采收加工** | 江苏 5 ~ 7 月采收花序，由南向北时间有所推后，雄花序应选择较长且花开过半者采收，完全开放者花粉容易飘散损失，且完全开花的花粉颗粒较粗，品质相对较差。采收时直接剪下整个花序，晒干，碾碎，将花粉碾出，过筛，清除碾碎的雌花序、花蕊等杂质，即得。此种采收方式效率较高，适合大量采收，缺点是杂质含量较高，后续应过筛。如少量自用，可将纸叠成漏斗状，轻轻拍打雄花序，用纸斗接住飘散的花粉，晒干即可。

| **药材性状** | 本品为鲜黄色的细小花粉。质轻松，遇风易飞扬，黏手而不成团，入水则漂浮水面。放大镜下为扁圆形颗粒，或杂有绒毛。无臭，无味。以色鲜黄、光滑、纯净者为佳。

香蒲花粉

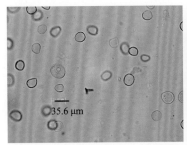

花粉粒显微照片

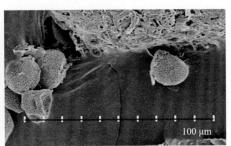

花粉粒扫描电镜照片

| **品质评价** | 《本草图经》谓："蒲黄生河东池泽，而泰州者良。"泰州即指今扬州、泰州地区。江苏湖荡、池沼、河网遍布，香蒲植物各地均有野生生长，特别是水烛香蒲。水烛香蒲集中分布于里下河地区的扬州、泰州和洪泽湖地区的淮阴，此分布区域也是江苏省内蒲黄采集的主要区域。

一、药典规定

蒲黄中主要的化学成分为黄酮类，2015 年版《中华人民共和国药典》规定，蒲黄中香蒲新苷和异鼠李素 -3-O- 新橙皮糖苷的含量不得低于 0.5%。此外，蒲黄中不同母核的黄酮类成分及核苷类成分对蒲黄质量控制和品质评价都具有重要意义。

二、水烛香蒲不同部位的黄酮类成分含量

水烛香蒲的不同部位化学成分总体相似，茎叶的香蒲新苷含量较低，而茎叶异鼠李素 -3-O- 新橙皮糖苷的含量与花粉类似。

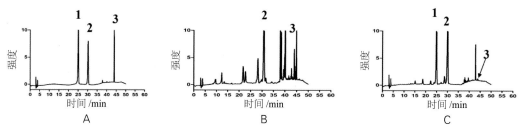

A—混合对照品 HPLC 图；B—水烛香蒲茎叶 HPLC 图；C—水烛香蒲花粉 HPLC 图；1—香蒲新苷；
2—异鼠李素 –3–O– 新橙皮糖苷；3—异鼠李素。

水烛香蒲 HPLC 图

三、水烛香蒲中黄酮化合物的动态变化

水烛香蒲中异鼠李素 -3-O- 新橙皮糖苷及异鼠李素在香蒲生长发育过程中的含量变化规律类似，都呈现先增加、后下降的趋势，特别是临近雄花序的长出，茎

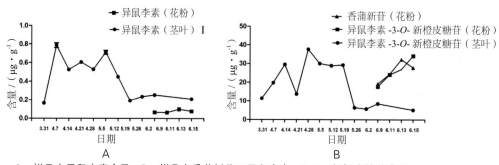

A—样品中异鼠李素含量；B—样品中香蒲新苷及异鼠李素 –3–O– 新橙皮糖苷含量。

水烛香蒲 3 月 31 日至 6 月 15 日黄酮化合物的含量动态变化图

叶内的这 2 种成分含量下降明显。

| 功效物质 | 蒲黄中主要含有黄酮类等功效成分，其中，以异鼠李素为母核的黄酮苷类既是蒲黄质量评价的重要成分，也是蒲黄活性的重要物质基础之一。香蒲新苷与异鼠李素 -3-*O*- 新橙皮糖苷经口服后，可迅速达到最高血药浓度，均具有较好的抗氧化作用。

一、黄酮类

蒲黄中所含种类和含量最多的化合物类型是黄酮类，主要有黄酮醇、黄酮、二氢黄酮和黄烷醇型，其中黄酮醇类化学成分含量相对较高。香蒲新苷和异鼠李素 -3-*O*- 新橙皮糖苷是蒲黄中含量最高的黄酮类化学成分，具有相同母核的还有异鼠李素 -3-*O*- 芸香糖苷、异鼠李素 -3-*O*- 葡萄糖苷、异鼠李素 -3-*O*-*β*- 半乳糖苷等。苷元为槲皮素的化合物有槲皮素 -3-*O*-（2G-*α*-L- 鼠李糖基）- 芸香糖苷、槲皮素 -3,3′- 二甲醚、3,3′- 二甲基槲皮素 -4′- 葡萄糖苷、槲皮素 -3-*O*- 新橙皮糖苷等，苷元为山柰酚的有山柰酚 -3-*O*- 葡萄糖苷、山柰酚 -3-*O*- 半乳糖苷、山柰酚 -3-*O*- 新橙皮糖苷、山柰酚 -3-*O*-（2G-*α*-L- 鼠李糖基）- 芸香糖苷等，儿茶素类成分有阿夫儿茶精、D- 儿茶素等，橙酮类成分有香蒲苯酞，二氢黄酮类主要为柚皮素。

R=（2- 鼠李糖）– 鼠李糖（1–6）葡萄糖，R$_1$=OCH$_3$，香蒲新苷

R= 新橙皮糖，R$_1$=OCH$_3$，异鼠李素 –3–*O*– 新橙皮糖苷

R= 鼠李糖（1–6）葡萄糖，R$_1$=OCH$_3$，异鼠李素 –3–*O*– 芸香糖苷

R= 葡萄糖，R$_1$=OH，槲皮素 –3–*O*– 新橙皮糖苷

R= 半乳糖，R$_1$=H，山柰酚 –3–*O*– 半乳糖苷

蒲黄黄酮类化合物化学结构

二、甾体类

蒲黄中的亲脂性部位中常含有甾体类化学成分，其中宽叶香蒲中含有胆甾醇、菜油甾醇、24- 亚甲基胆甾醇、异墨角藻甾醇、（20S）-4*α*- 甲基 -24- 亚甲基胆甾 -7- 烯 -3*β*- 醇、豆甾 -4- 烯 -3- 酮、豆甾烷 -4- 烯 -3,6- 二酮、豆甾 -4- 烯 -6*β*- 羟基 -3- 酮、6*α*- 羟基豆甾 -4- 烯 -3- 酮、3*β*- 羟基 - 豆甾 -5- 烯 -3- 酮。

三、有机酸类

蒲黄中含有大量的酸性化合物，主要分为脂肪酸（如亚油酸等）和酚酸类化合

物（如咖啡酸、香草酸、5-反式咖啡酰莽草酸等）。

| **功能主治** | 止血，化瘀，通淋。用于吐血，衄血，咯血，崩漏，外伤出血，经闭痛经，胸腹刺痛，跌扑肿痛，血淋涩痛。

| **用法用量** | 内服煎汤，5 ~ 10 g，包煎。外用适量，敷患处。

| **传统知识** | 对江苏 8 家中医院的 1 438 张含蒲黄的首诊处方进行调研，结果显示，蒲黄临床使用主要依据《神农本草经》所言的"止血""消瘀血"和"利小便"3 条功效。蒲黄临床主要用治血分证，包括血瘀和血热，其中，血瘀的证型有气滞血瘀、瘀血内阻、瘀阻胞宫，血热的证型则主要是阴虚血热。此外，蒲黄还用于湿热内蕴、肝肾不足等证型。江苏蒲黄临床主要用于瘀阻出血，也用于血热出血。

| **资源利用** | 一、在医药领域中的应用

现代研究表明，蒲黄具有保护血管内皮细胞、影响血液流变性、改善微循环的作用，此多种作用与其所含的以异鼠李素为主要母核的化学成分密切相关，蒲黄有望进一步开发成药物。蒲黄中富含黄酮类成分，研究表明，蒲黄总黄酮部位具有降血脂、抗动脉硬化、改善糖代谢等作用。蒲黄总提取物包括水提物及醇提物，具有抗肿瘤、调节肠道的节律性和紧张度及调节微生物等多方面的作用。含有蒲黄的复方可制备成用于寒凝血瘀型原发性痛经的外用制剂，具有很好的抗痛经、活血、抗炎活性及长效缓释作用，且对皮肤无刺激。

二、在保健食品中的应用

蒲黄是国家卫生健康委员会公布的药食两用中药品种之一，已有部分以蒲黄为原材料的食品在市场销售。蒲黄中富含黄酮类化合物，具有扩张血管、降低心肌耗氧量、阻滞血小板凝集、抗缺氧、降血糖、抗肿瘤等功效，有望成为重要的功能保健食品原料。

三、在环保领域中的应用

水烛香蒲对水体中有害物质的吸收作用可用于防治污染。但是被植物吸收的各种重金属、有机物在植物生长停滞期又会释放到水体中，造成二次污染。所以，及时收割水烛香蒲并充分利用其废弃物是十分重要的资源利用方向。水烛香蒲的全草可用于制炭，所得活性炭的比表面积可达 1 279 m^2/g，对孔雀石绿的吸附力可达 197.94 mg/g。水烛香蒲厌氧发酵的工艺条件为固体浓度 6%，沼气累积产气量可达 6 482 ml。

四、资源循环利用

1. 水烛香蒲叶

随着世界范围内能源和资源的日益紧缺，新型材料尤其是天然纤维材料的研发和应用愈发受到广泛关注。水烛香蒲叶中含有大量纤维，在新型植物纤维的应用领域具有良好的发展前景。水烛香蒲叶经脱胶处理后，得到的植物纤维可制备强化板材。除此以外，水烛香蒲叶还可用于编织手包、提篮、坐垫等工艺品。

2. 水烛香蒲花序、全草

成熟的雌花序称蒲棒，可蘸油或不蘸油用以照明，雌花序上的毛称蒲绒，几乎为纯纤维，常用作枕絮。水烛香蒲全草由于纤维含量较高，纤维质量较好，可用作造纸原料。与蚕丝等制备的香蒲被味道清香，具有防蚊等功效。经过备料、预处理、蒸煮、洗料、打浆、精制、漂白、烘干等步骤处理后，可制得以水烛香蒲为原料的粘胶纤维用浆粕，可缓解当前粘胶纤维原料短缺的现状。

以水烛香蒲为原料生产的主要产品及其资源价值见表 2-1-7。

表 2-1-7　以水烛香蒲为原料生产的主要产品及其资源价值

产品名称	利用部位/物质	资源价值
蒲黄片	干燥花粉	医药（降血脂）
复方蒲黄缓释片	干燥花粉/总黄酮	医药（治疗胃炎、消化性溃疡）
复方蒲黄注射液	干燥花粉/总黄酮	医药（缩宫止血）
复方蒲黄肠康胶囊	干燥花粉/总黄酮等提取物	医药（消炎、止血）
三花爽身粉	干燥全草	保健（抗菌、消炎、预防湿疹）
纤维增强复合材料	干燥全草/纤维	材料（增强板材强度、防湿隔热）
蒲黄茶	干燥花粉	保健（活血降脂）
蒲黄创可贴	干燥花粉	医疗保健（消炎、止血）
香蒲有机肥	干燥全草	肥料（促进植物生长）
香蒲编织物	干燥叶	农副产品（坐垫、箱包）
纸张	干燥全草	造纸（各种纸类制备原料）
保护环境	全草	环保植物（吸收重金属、总氮物，清除污染）
环境美化	全草	观赏植物（公园、湿地美观植物）

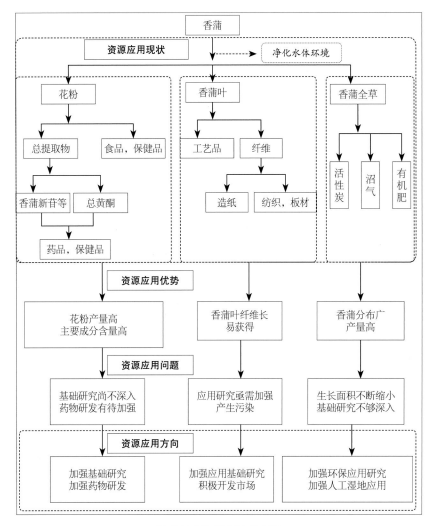

香蒲植物资源多途径利用

| **附　注** | 香蒲属植物为多年生水生草本植物，全世界约有 13 种，多为世界广布种。我国为香蒲属植物的重要分布地区之一，共有 12 种，包括 3 个我国特有种。香蒲属植物分布于江苏各地，其中，东方香蒲 *Typha orientalis* Presl. 常见于南京、南通如东地区，无苞香蒲 *Typha laxmannii* Lepech. 主要分布于如东地区，水烛香蒲 *Typha angustifolia* Linn. 全省各地均有分布，长苞香蒲 *Typha angustata* Bory et Chaubard 主要分布于徐州丰县，达香蒲 *Typha davidiana* (Kronf.) Hand.-Mazz. 主要分布于苏州、常熟等地。 |

参考文献

[1] 刘启新. 江苏植物志 5[M]. 江苏：江苏凤凰科学技术出版社，2015.

[2] 汤思文，曹昀，许令明，等. 香蒲对淹水生境的适应性模拟实验 [J]. 湿地科学，2019，17（5）：582-592.

[3] 何景彪,周凌云,王徽勤.鄂西南香蒲科、黑三棱科、眼子菜科和茨藻科植物区系特征[J].武汉植物学研究,1989,7(4):329-334.

[4] 徐新洲,陆智超,邱冰,等.江苏国家城市湿地公园功能布局适宜性评价[J].南京林业大学学报 (自然科学版),2019,4(6):152-158.

[5] 秦雪.江南传统园林水生植物造景调研与实践[D].杭州:浙江农林大学,2017.

[6] 秦丽云.江苏省湿地资源环境问题及对策分析[J].人民长江,2005,36(8):62-63.

[7] 柳骅.水生植物的净化作用及其在水体景观生态设计中的应用研究[D].杭州:浙江大学,2003.

[8] 钱士辉,段金廒,杨念云,等.江苏省地产地道中药资源的生产现状与开发利用(下)[J].中国野生植物资源,2002,21(2):12-17.

[9] 陈佩东,严辉,陶伟伟,等.我国香蒲属水生药用植物资源及其资源化利用研究[J].中国现代中药,2015,17(7):656-662.

[10] 陈佩东,孔祥鹏,李芳,等.蒲黄炒炭前后化学组分的变化及谱效相关性研究[J].中药材,2012,35(8):1221-1224.

[11] 国家中医药管理局《中华本草》编委会.中华本草:第3册[M].上海:上海科学技术出版社,1999.

[12] 黄一峰,姚映芷.江苏地区蒲黄临床应用情况初步调查与分析[J].江苏中医药,2013,45(6):64-66.

[13] 陈瑾,郝二伟,冯旭,等.蒲黄化学成分、药理作用及质量标志物(Q-marker)预测分析[J].中草药,2019,50(19):4729-4740.

[14] 倪竹南,谭莹,于村,等.保健食品中总黄酮醇苷测定方法研究[J].预防医学,2017,29(6):574-578.

[15] 王平,黄忠,陈永业,等.香蒲纤维脱胶工艺研究[J].天津工业大学学报,2014,33(2):36-39.

[16] 巢蕾,高明亮,曹雨诞,等.水烛香蒲不同部位黄酮类化合物的动态分析[J].广西植物,2021,41(5):831-842.

[17] TAO W W, YANG N, DUAN J A, et al. Simultaneous determination of eleven major flavonoids in the pollen of *Typha angustifolia* by HPLC-PDA-MS[J]. Phytochemical Analysis, 2011, 22: 455-461.

[18] TAO W W, DUAN J A, YANG N Y, et al. Determination of nucleosides and nucleobases in the pollen of *Typha angustifolia* by UPLC-PDA-MS[J]. Phytochemical Analysis, 2012, 23: 373-378.

[19] CHEN P, LIU S, DAI G, et al. Determination of typhaneoside in rat plasma by liquid chromatographytandem mass spectrometry[J]. Journal of Pharmacological Biomedical Analysis, 2012, 70: 636-639.

[20] CHEN P, CAO Y, BAO B, et al. Antioxidant capacity of *Typha angustifolia* extracts and two active flavonoids[J]. Pharmacology Biology, 2017, 55(1): 1283-1288.

[21] GAO M, BAO B, CAO Y, et al. Chemical property changes and thermal analysis during the carbonizing process of the pollen grains of Typha[J]. Molecules, 2019, 24(1): E12.

[22] MAIN A R, FEHR J, LIBER K, et al. Reduction of neonicotinoid insecticide residues in Prairie wetlands by common wetland plants[J]. Science of the Total Environment, 2017, 579: 1193-1202.

[23] HEJNA M, MOSCATELLI A, STROPPA N, et al. Bioaccumulation of heavy metals from wastewater through a *Typha latifolia* and *Thelypteris palustris* phytoremediation system[J]. Chemosphere, 2020, 241: 125018.

（陈佩东　丁安伟）

黑三棱科 Sparganiaceae 黑三棱属 Sparganium

黑三棱
Sparganium stoloniferum (Graebn.) Buch.-Ham. ex Juz.

| 药 材 名 |

三棱（药用部位：块茎。别名：京三棱、红蒲根、光三棱）。

| 本草记述 |

三棱始载于《本草拾遗》，该书载："《本经》无传。三棱总有三四种，但取根，似乌梅，有须相连，蔓如綖，作漆色。"《图经本草》云："京旧不著所出地土，今河、陕、江、淮、荆、襄间皆有之。春生苗，高三四尺，似茨蒲叶皆三棱，五六月开花似莎草，黄紫色。霜降后采根，削去皮须，黄色，微苦，以如小鲫鱼状，体重者佳。"又云："一说三棱生荆楚，字当作荆，以著其地……三棱所用皆淮南红蒲根也，泰州尤多，举世皆用之。又本草谓京三棱形如鲫鱼，黑三棱如乌梅而轻，今红蒲根至坚重，刻削而成，莫知形体。又叶扁茎圆，不复有三棱处，不知缘何名三棱也。"历史上，以三棱之名入药的植物有多种，其中以荆三棱 *Bolboschoenus yagara* (Ohwi) Y. C. Yang & M. Zhan、黑三棱 *Sparganium stoloniferum* Buch-Ham. 为最多。《救荒本草》曰："今郑州贾裕山涧水边亦有之。"依《图经本草》所述地理方位，河陕应为今河南陕县一带，郑州今属河南，江

淮是指江苏、安

徽一带，荆襄指今湖北荆州和襄阳的部分地区，荆楚是指湖南益阳及湖北荆州等地。

| 形态特征 |　多年生草本，高50～100 cm。根茎横走，下生粗而短的块茎。茎直立，圆柱形，光滑。叶丛生，2列；叶片线形，长60～95 cm，宽约2 cm，先端渐尖，基部抱茎，叶背具1纵棱。花茎由叶丛抽出，单一，有时分枝；花单性，雌雄同株，集成头状花序，有叶状苞片；雄花序位于雌花序的上部，直径约10 mm，通常2～10；雌花序直径超过12 mm，通常1～3；雄花花被片3～4，倒披针形，雄蕊3；雌花有雌蕊1，罕为2，子房纺锤形，花柱长，柱头狭披针形。聚花果

直径约2 cm，核果倒卵状圆锥形，长6～10 mm，直径4～8 mm，先端有锐尖头，花被宿存。花期6～7月，果期7～8月。

| 资源情况 |　一、生态环境

多生于水源充足、水位稳定的池塘、湖沼。喜温暖湿润气候，喜向阳、低洼、潮湿的环境。对土壤要求较低，耐寒，不怕酷热，适应性强，在腐殖质丰富的土壤中生长较好。

二、分布区域

江苏是三棱的道地产区，主要分布于南京、扬州、淮安、溧阳等地。

三、蕴藏量

江苏地处长江、淮河、沂沭泗水系下游，长江横穿江苏南部，省内有太湖、洪

泽湖等大中型湖泊及大运河各支河，河渠纵横，水网稠密。江苏丰富的水环境为黑三棱的生存提供了天然的条件，全省各地黑三棱较为常见，野生资源量约330 t。

四、栽培历史与产地

自《救荒本草》至《本草纲目》《本草述钩元》，历代本草对于三棱的描述差异较大，黑三棱 *Sparganium stoloniferum* Buch-Ham. 和荆三棱 *Bolboschoenus yagara* (Ohwi) Y. C. Yang & M. Zhan 在历史上交替出现。2015 年版《中华人民共和国药典》所收品种为黑三棱 *Sparganium stoloniferum* Buch-Ham.。历史上三棱药材均出自野生，随着市场需求的增加和野生资源的减少，开始出现人工栽培。20 世纪 80 年代，南京江浦（今浦口）大面积种植三棱，90 年代末经济转型，种植规模不断萎缩。2010 年以前，河南郑州东郊的庙张、穆李、王福李、后河王等 12 个自然村三棱种植规模较大，产量占全国产量的 50%。现浙江东阳、磐安、永康等地黑三棱种植面积最大，为三棱的主产区。

五、栽培面积与产量

目前，江苏黑三棱人工栽培面积很少，市售药材主要种植区在浙江、湖南、河南及江西等地。

六、规范化生产技术

1. 繁殖方法

在栽培方式上各地区也略有不同。根据地势做深 25 ～ 40 cm 的低床，将当年无法药用的小块茎和根茎均匀撒播或条播于苗床内，浇透水，覆盖湿土、厩肥越冬。翌年 3 月灌水，保持水深 15 ～ 20 cm，随时补肥。待苗高 20 ～ 25 cm 时即

可移栽，移栽地于早春施肥、耙平。栽苗前苗床灌水，拔出幼苗栽于净水大田中，可按行株距 30 cm×（15 ~ 20）cm 浅栽于泥中，肥沃土壤可适当加大行株距，栽后灌水 6 ~ 8 cm 深。上述为河南地区的主要种植方式。浙江地区直接将越冬的三棱按一定的行株距种于已经耙平施过肥的大田中，灌水 8 ~ 10 cm 深。

三棱主要采用块茎繁殖。翌年春季将贮存或临时挖取的块茎，按行株距 30 cm×30 cm 浅栽于泥中，每穴平放块茎 2 ~ 3 个，栽后浇灌清水，经常保持有水。

2. 田间管理

苗出齐后，须经常拔除杂草。生长期追肥 2 次，苗齐后进行第 1 次追肥，以人畜粪水为主，也可施用硫酸铵；5 ~ 6 月进行第 2 次追肥，先撒施草木灰或圈肥及过磷酸钙，施后中耕翻到土里，并实行浅水灌溉，忌断水干旱。

| 采收加工 | 冬季至翌年春季地上部分枯黄时采挖，洗净，晒至八成干时放入竹笼里，撞去须根和粗皮；或削去外皮，晒或炕至全干。因地域不同，采收时间和方法也不同。浙江地区以当年冬季采挖为主，由于雨水较多，且多为水田种植，采挖时用镰刀将块茎割下，洗去泥土，运至家中集中刮去外皮，晒干或烘干。河南地区以翌年春季采挖为主，采挖前 10 ~ 15 天排水晾地，割去地上茎叶，留茬，用锹挖出块茎，洗净，晒至八成干时放入竹笼里，撞去须根和粗皮；或削去外皮，晒或炕至全干。

| 药材性状 | 本品呈圆锥形，略扁。表面黄白色或灰黄色，有刀削痕，须根痕小点状，略呈横向环状排列。体重，质坚实。气微，味淡，嚼之微有麻辣感。湖南和湖北产三棱体型较长、较扁，与其他产地的三棱有明显区别。

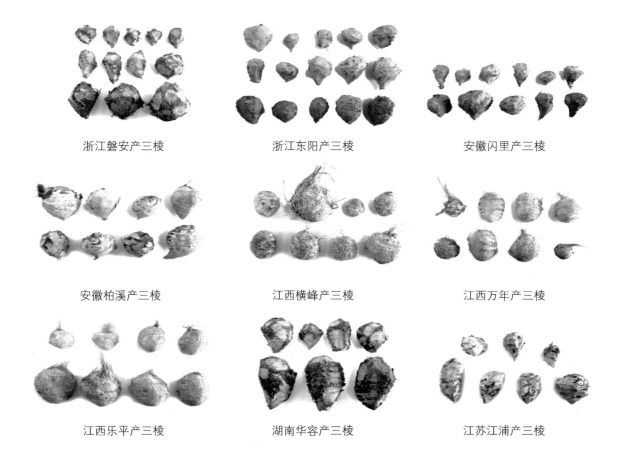

浙江磐安产三棱　　　　　　浙江东阳产三棱　　　　　　安徽闪里产三棱

安徽柏溪产三棱　　　　　　江西横峰产三棱　　　　　　江西万年产三棱

江西乐平产三棱　　　　　　湖南华容产三棱　　　　　　江苏江浦产三棱

| 品质评价 |　一、商品规格

商品以统货为主。以体重、质坚、去净外皮、表面黄白色者为佳。

二、药典规定

《中华人民共和国药典》规定，三棱水分不得过 15.0%，总灰分不得过 6.0%，按醇溶性浸出物测定法项下的热浸法测定，用稀乙醇作溶剂，醇溶性浸出物的含量不得少于 7.5%。

三、不同产地三棱醇提物 HPLC-PDA 指纹图谱的建立及品质评价

聚类分析、主成分分析（PCA）和正交偏最小二乘判别分析（OPLS-DA）的得分图结果表明，采自不同产地的三棱的化学组分存在不均等差异，样本的化学组分与产地存在一定的关联。经与对照品比对，纸纹图谱共有峰成分均属酚类，三棱中的酚类成分已被证明具有止痛、抗血小板聚集、抗氧化等药理活性，对癌症和妇科疾病也有着不错的诊疗效果。

四、UPLC-QTRAP-MS 测定不同产地三棱黄酮及酚酸类成分分析

结果表明，原儿茶酸、对羟基苯甲酸、咖啡酸、香草酸、芦丁、对香豆酸、阿魏酸和芒柄花素 8 种成分在所有样本中均可检测到，其中，芒柄花素是 8 种成

分中含量最低的，咖啡酸次之，而香草酸、对香豆酸和对羟基苯甲酸在三棱中的含量则相当高。除芒柄花素，另外 7 种成分在各组三棱样品中分布较不均匀。江苏南京三棱中的咖啡酸含量较高，浙江三棱中的对香豆酸含量较高，安徽肥东三棱中的阿魏酸和对羟基苯甲酸含量相对高，广西玉林三棱所含阿魏酸、对香豆酸、咖啡酸及原儿茶酸较少，另 4 种成分在该样本中含量也不丰富。此外，湖南三棱的芦丁含量则相对更为丰富。芒柄花素在 20 批三棱样品中的含量无显著差异。浙江磐安、河南获嘉、河南郑州和浙江长兴的样品中香草酸含量较少。

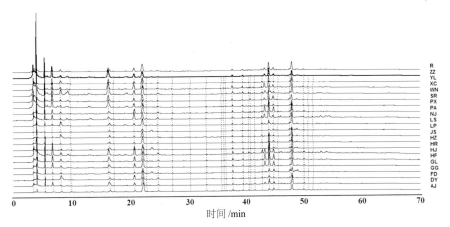

不同产地三棱醇提物 HPLC-PDA 指纹图谱

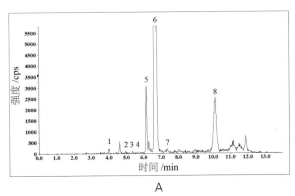

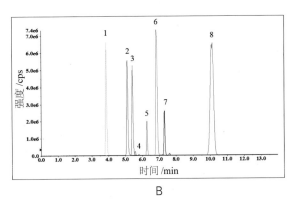

1—原儿茶酸；2—对羟基苯甲酸；3—咖啡酸；4—香草酸；5—芦丁；6—对香豆酸；7—阿魏酸；8—芒柄花素。
三棱供试品溶液（A）和混合标准品溶液（B）的总离子流图

五、不同环境三棱的品质评价

1. 水体富营养化对三棱品质的影响

对不同浓度氮磷胁迫培养的三棱植株进行相关生理生化指标测定，结果表明，富营养化水体中氮磷的浓度对三棱植株的相对生长速率、可溶性蛋白含量、叶绿素类物质含量、质膜透性，以及抗氧化酶系统中过氧化氢酶（CAT）和多酚氧化酶（PPO）活性具有显著促进作用，同时对三棱植株中可溶性多糖含量、脯氨酸含量、丙二醛含量及过氧化物酶（POD）活性具有抑制作用。

2. 重金属污染对三棱品质的影响

重金属胁迫下三棱植株的细胞结构发生了不同程度的伤害，影响了三棱植株的正常生长及次生代谢产物的积累，进而影响了三棱的产量和品质。高浓度重金属胁迫下，三棱植株的叶绿体、线粒体和细胞核解体，细胞已无法维持正常的形态，随着胁迫时间的延长，三棱植株最终会死亡。因此，有必要对三棱种植基地的土壤环境质量标准加以限定。

3. 水体农药污染对三棱品质的影响

有研究显示，不同浓度的乙氧氟草醚胁迫对三棱植株的植物抗氧化酶系统及叶绿素含量会产生一定的影响。研究结果表明，乙氧氟草醚能显著降低叶绿素含量；乙氧氟草醚对三棱植株的生理指标影响不同，植株可通过调节自身的保护酶系统和渗透调节物质来减轻乙氧氟草醚胁迫，维持植物体的正常生理代谢功能，从而表现出一定的抗胁迫能力。

4. 水体多环芳烃（PAHs）污染对三棱品质的影响

对萘污染对三棱植株生理生化指标的影响进行分析研究，结果表明，低浓度的萘污染对三棱植株的生长发育具有一定的促进作用，三棱植株对萘污染具有一定的耐受性；三棱植株对 PAHs 有较强的吸收、富集能力，且与沉积物 PAHs 的污染程度呈正相关。

| **功效物质** | 三棱药材趋于木质化，总体成分含量较低，多数成分微量存在。主要成分有：有机酸类的三棱酸、香草酸、原儿茶酸等，黄酮类的芒柄花素、山柰酚、5,7,3',5'-四羟基双氢黄酮醇 -3-*O*-*β*-D- 葡萄糖苷、芦丁、异鼠李素 -3-*O*- 芸香糖苷、鸡豆黄素等，苯丙素类的阿魏酸、结合型阿魏酸（主要有甘油酯和糖苷两种形式）、羟基桂皮酸、咖啡酸等，生物碱类的铝络合黑三棱碱三糖苷等，脂肪酸及其酯类的棕榈酸、反丁烯二酸、壬二酸、三棱酸等。结合细胞模型、动物模型筛选，现代物质基础研究发现了一些活性较强的药效物质，如呫吨骈异香豆素类成分三棱内酯 B，经活性筛选，可选择性的阻断巨噬细胞 MyD88 蛋白与 Toll 样受体 2 和 Toll 样受体 4 结合，是一种 Toll 样受体 2 和 Toll 样受体 4 拮抗剂；还能提高炎症刺激的神经元存活率，包括能降低脑出血后神经功能缺损评分、降低脑出血后脑组织含水量及减少炎性细胞因子表达。 |

| **功能主治** | 辛、苦，平。归肝、脾经。破血行气，消积止痛。用于癥瘕痞块，瘀血经闭，胸痹心痛，食积胀痛。 |

| **用法用量** | 内服煎汤，5 ~ 10 g；或入丸、散剂。

| **传统知识** | 基于文献梳理和中药资源普查过程中调查走访收集的传统用药知识，记录于此。

（1）治疗妇人女血瘕，月经不通，脐下坚结大如杯：京三棱、蓬术各二两，芫花半两，青皮一两半。用好醋一升，煮干，焙为细末，醋糊为丸，如桐子大，每服50丸，食前用淡醋汤下。

（2）治疗产后瘕块：京三棱（微煨）一两，木香半两，硇砂（细研）三分，芫花（醋拌炒干）半两，巴豆（去心、皮，纸裹压去油）一分。上药捣罗为末，研入前拌硇砂、巴豆令匀，以米醋二升，熬令减半，下诸药，慢火熬令稠可丸，即丸如绿豆大，每服，空心以醋汤下2丸。

| **资源利用** | 一、在医药领域中的应用

三棱的药用历史悠久，传统入汤剂，可治疗各种癥瘕痞块及瘀血经闭等。《日华子本草》记载："治妇人血脉不调，心腹痛，落胎，消恶血，补劳，通月经，治气胀，消扑损瘀血，产后腹痛、血运并宿血不下。"现代医学研究认为，三棱在治疗肝脾肿大、肝硬化、腹腔包块及恶性肿瘤等方面具有很好的疗效。此外，三棱在治疗妇女瘀血阻滞、月经闭止等症（可与当归、红花、牛膝等活血调经药同用），食积肿胀（常与青皮、陈皮同用），以及小儿消化不良、脘腹胀满（不思饮食可配神曲）等方面也有显著的治疗作用。常用方剂如三棱丸(《普济方》)、三棱煎（《三因方》）等。

最新研究表明，三棱的地上部分具有和块茎相似的抗凝血、抗血小板聚集和抗炎作用，虽然地上部分的药理作用弱于块茎，但仍然具有一定的活性，这为将地上部分作为替代药用资源进行开发利用提供了科学依据。

二、在环保领域中的应用

研究表明，富营养化水体中氮磷浓度对三棱植株相对生长速率、可溶性蛋白含量、叶绿素类物质含量、质膜透性，以及抗氧化酶系统中 CAT 和 PPO 活性具有显著促进作用，在一定氮磷浓度范围内可促进三棱植株中相关酶的活性及次生代谢产物的合成与积累。三棱植株可通过调节自身的保护酶系统活性和渗透调节物质来减轻水环境中乙氧氟草醚胁迫，维持植物体的正常生理代谢功能，从而表现出一定的抗胁迫能力。三棱植株对 PAHs 中萘污染有较强的耐受性。加之三棱植株发达的须根系能有效地吸附水环境中的污染物及重金属，有效降解和去除水环境中化学需氧量（COD）、氨氮（NH_4^+-N）和总磷（TP），可用于水环境的污染治理和修复。

参考文献

[1] 苏颂. 图经本草（辑复本）[M]. 胡乃长, 王致谱辑注. 福州：福建科学技术出版社, 1988.

[2] 黄官绣. 本草求真 [M]. 北京：人民卫生出版社, 1987.

[3] 李时珍. 本草纲目（校点本）：第三册 [M]. 北京：人民卫生出版社, 1979.

[4] 朱橚. 救荒本草 [M]. 上海：商务印书馆影印, 1957.

[5] 唐慎微. 重修政和经史证类备用本草 [M]. 北京：人民卫生出版社影印, 1957.

[6] 吴啟南, 徐飞, 梁侨丽, 等. 我国水生药用植物的研究与开发 [J]. 中国现代中药, 2014, 16（9）：705-716.

[7] 王新胜, 吴啟南, 陈广云, 等. 三棱化学成分与质量评价的研究进展 [J]. 中国药房, 2013, 24（15）：1417-1420.

[8] 戴仕林, 吴啟南, 殷婕. 中药三棱的现代研究进展 [J]. 中国民族民间医药, 2011, 20（1）：63-64.

[9] 梁侨丽, 孔丽娟, 吴啟南, 等. 三棱的化学成分研究 [J]. 中草药, 2012, 43（6）：1061-1064.

[10] 梁侨丽, 樊大平, 吴啟南, 等. 黑三棱内酯 B 作为 TLR2 和 TLR4 拮抗剂在制药中的应用：201110110987.9 [P]. 2011-10-19.

[11] 戴仕林, 王新胜, 吴啟南. 水生药用植物黑三棱对多环芳烃的吸收、分布和代谢研究 [J]. 中国民族民间医药, 2017, 26（23）：21-25.

[12] 许响, 谷巍, 陈娟, 等. 重金属 Hg 对黑三棱生长特性及超微结构影响研究 [J]. 南京中医药大学学报, 2015, 31（6）：579-582.

[13] 徐男, 王亮, 孙蓉, 等. 基于整合药理学平台探究三棱抗血栓形成及抗血小板聚集的分子机制 [J]. 中国实验方剂学杂志, 2019, 25（5）：192-200.

[14] 蔡卉, 韩小波, 徐静静. 加味三棱丸治疗原发性痛经模型大鼠的机理研究 [J]. 中药材, 2019, 42（3）：657-660.

[15] LIANG Q L, WU Q N, JIANG J H, et al. Characterization of sparstolonin B, a Chinese herb-derived compound, as a selective Toll-like receptor antagonist with potent anti-inflammatory properties[J]. Journal of Biological Chemistry, 2011, 286（30）：26470-26479.

[16] WU D W, LIANG Q L, ZHANG X L, et al. New isocoumarin and stilbenoid derivatives from the tubers of *Sparganium stoloniferum* (Buch.-Ham.)[J]. Natural Product Research, 2017, 31（2）：131-137.

[17] WANG X S, WU Y F, WU C Y, et al. Trace elements characteristic based on ICP-AES and the correlation of flavonoids from Sparganii rhizoma[J]. Biological Trace Element Research, 2018, 182（2）.

[18] ZHANG J W, WEI Y H. Anti-cancer effects of grailsine-al-glycoside isolated from Rhizoma sparganii [J]. BMC Complementary and Alternative Medicine, 2014, 14（1）：82-86.

[19] SANG M R, ZHANG X L, LIU Q N, et al. Comparative chemical characters of Sparganii rhizoma from different regions in China[J]. Chinese Herbal Medicines, 2018, 10（1）：86-94.

（吴啟南　戴仕林）

天南星科 Araceae 半夏属 *Pinellia*

半夏 *Pinellia ternata* (Thunb.) Breit.

| 药 材 名 | 半夏（药用部位：块茎。别名：水玉、地文、和姑）。

| 本草记述 | 半夏之名始见于《礼记·月令》，书载："仲夏之月，鹿角解，蝉始鸣，半夏生，木堇荣……五月半夏生盖当夏之半也，故名。"郑玄注："半夏，药草。"半夏入药首见于《五十二病方》，处方用名为冶半夏。《神农本草经》将半夏列为下品。陶弘景则曰："槐里属扶风，今第一出青州，吴中亦有。"明确了半夏的主产地在陕西、山东一带，江苏、安徽等地亦产。《千金翼方·药出州土》记载："半夏者产河南道谷

州、江南东道润州、江南西道宣州三处。"唐代《新修本草》云："半夏所在皆有，生平泽中者名羊眼半夏，圆白为胜，然江南者大乃径寸，南人特重之，顷来互相用，功状殊异。"指出半夏在各地均有生长，生于江南者直径较大。宋代《本草图经》曰："半夏生槐里川谷，今在处有之，以齐州者为佳。二月生苗，一茎，茎端出三叶，浅绿色，颇似竹叶而光，江南者似芍药叶；根下相重生，上大下小，皮黄肉白；五月、八月内采根，以灰二日，汤洗曝干。"历代本草与近现代著作所述半夏的植物形态、附图、采收时间、加工方法等均与 2015 年版《中华人民共和国药典》中的规定相一致。

| 形态特征 | 多年生草本，高 15 ~ 30 cm。具须根。块茎圆球形，直径 1 ~ 2 cm。叶常 1 ~ 2；叶柄长 10 ~ 20 cm，于叶柄下部及叶片基部各生 1 白色或紫色珠芽，直径 3 ~ 5 mm；幼苗常为单叶，卵状心形，长 2 ~ 3 cm，宽 2 ~ 2.5 cm；2 ~ 3 年后老叶为 3 全裂，裂片长椭圆形至披针形，中间裂片较大，长 3 ~ 10 cm，宽 2 ~ 4 cm，两侧裂片较短，先端锐尖，基部楔形，全缘或有不明显的浅波状圆齿，侧脉 8 ~ 10 对，细弱，细脉网状，密集，集合脉 2 圈。花单性同株；肉穗花序，花序梗长 25 ~ 30（~ 35）cm，长于叶柄，佛焰苞绿色或绿白色，管部圆柱状，长 6 ~ 7 cm；肉穗花序先端的附属器青紫色，长 6 ~ 10 cm，有时呈 "S" 形弯曲，伸出佛焰苞之外；雄花序长 5 ~ 7 mm，着生于肉穗花序上部，雌花序长 2 cm，着生于肉穗花序的基部，二者相距 3 ~ 8 mm。浆果卵状椭圆形或卵圆形，绿色，花柱明显。花期 5 ~ 7 月，果期 8 ~ 9 月。

| 资源情况 | 一、生态环境
半夏在我国除内蒙古、新疆、青海、西藏外的其余各地广布。常生于海拔 2 500 m 以下的山坡草地、荒地、苞谷地、田边、河边及疏林下。喜温和湿润气候，要求荫蔽度 50% 左右、半阴半阳的环境，不耐干旱及强光照射，较耐寒。

宜选疏松肥沃、排水良好的中性砂壤土栽培。春季于 8 ~ 10 ℃萌动生长，15 ℃开始萌芽出苗，15 ~ 26 ℃为最适生长温度，入夏后 30 ℃以上生长缓慢，超过 35 ℃且缺水时开始出现倒苗现象，以地下块茎度过不良气候。秋季凉爽时苗复出，继续生长，秋后低于 13 ℃时开始枯叶。泰半夏喜荫蔽，适宜在肥沃、排水良好的砂壤土中生长，根浅，怕干旱，忌高温，夏季宜在半阴半阳中生长，畏强光，在阳光直射或水分不足的条件下，易发生倒苗现象。邳半夏喜温湿、半阴半阳的环境，适宜肥沃、pH 5.5 ~ 6.5 的砂壤土，怕光直射，幼苗怕炎热和寒冷，适宜生长温度为 15 ~ 25 ℃，气温高于 26 ℃开始越夏倒苗，低于 13 ℃开始越冬枯苗。

二、分布区域

江苏为半夏道地产区，形成了特有的泰半夏与邳半夏地方道地品种，泰半夏主要分布于泰州各地，邳半夏主要分布于邳州及睢宁的古邳、姚集等地。

三、蕴藏量

江苏半夏资源较为丰富，但采野生药用者少。

四、栽培历史与产地

半夏的栽培历史久远，约从魏晋时期开始，半夏逐渐成为药用主流品种。半夏历来多以使用野生资源为主，但受旱田改水田、使用除草剂、降雨分配不均等农业生产及自然因素的影响，许多老产区半夏资源逐年减少甚至几近绝迹。为了解决半夏野生资源萎缩和市场紧缺问题，20 世纪 70 年代初开始，我国江苏、山东、湖北、河南、重庆、贵州等地区开展了半夏人工栽培的研究和实践，建立了江苏泰州（泰半夏）和邳州（邳半夏）、湖北恩施、河南南阳、四川南充、山东菏泽等半夏产区。

五、栽培面积与产量

目前，全国规模化栽培面积约有 1.1 万亩，年产量约 1 500 t，其中甘肃西和、清水产量约占全国产量的 70% 以上，河北安国、湖北荆门、贵州赫章、山西新绛也有较大面积的栽培。江苏高港、邳州为半夏的主要栽培产地，海安、射阳等地也有少量栽培，江苏栽培总面积为 600 ~ 800 亩。

六、规范化生产技术

1. 选地整地

半夏根系较短，喜荫蔽、畏强光、喜湿润、喜肥、怕积水，宜选择具有以上条件的地块种植，也可与树林或高秆作物间作套种。翻耕土地前，每亩施腐熟有机肥或土杂肥 2 500 ~ 4 000 kg、过磷酸钙 15 ~ 20 kg 作基肥，深翻 20 cm，耙

细整平，做 1 ~ 1.2 m 宽的高畦，畦间隔 30 cm。

2. 繁殖方法

半夏可采用块茎、珠芽和种子繁殖，因块茎繁殖增重快，当年即可收获，一般多采用块茎繁殖。

（1）块茎繁殖。秋季收获时，选直径 1 ~ 1.5 cm、生长健壮、无病虫害的块茎作种栽，拌以湿润的沙土，贮藏于阴凉处，以待播种。栽种时间可选秋季或春季，以春季为宜，愈早愈好，也可在秋季（9 月下旬）播种。早春解冻后，气温稳定在 10 ℃左右时，条播或撒播均可，一般多用条播。在畦上按行距 15 ~ 20 cm 开深 5 cm 的沟，将种茎交叉两行放入沟内，顶芽向上，株距 2 ~ 5 cm，播后盖腐熟农家肥，然后施腐熟人畜粪，覆土与畦面平，耧平，稍镇压，覆地膜。栽后土壤应保持一定的湿度，土壤干燥时，需及时浇水，以利出苗。

（2）珠芽繁殖。5 ~ 6 月珠芽成熟时，即可采摘作种用。开沟栽种，行株距为 15 cm×3 cm。

（3）种子繁殖。夏、秋季种子成熟时，随采随播，也可贮藏于湿沙中于翌年春季播种。采用条播，按行距 15 cm 开深 2 cm 的沟，将种子撒于沟内，覆土。

3. 田间管理

半夏植株矮小，在生长期间要经常松土除草，宜浅锄勤锄。

（1）中耕除草。出芽 1 周后即应锄草，因半夏密度稠，叶柄嫩，锄草时应小心，行间用特制小锄浅锄，深度不能超过 3 cm，株间草宜用手拔除，以防小锄损坏叶柄而倒苗。一般要除草 4 次，特别是梅雨季节更应做到田间无杂草。

（2）施肥。除施足基肥外，生长中期，尤其是小满前后，应重施珠芽肥，如腐熟的饼肥、人畜粪水等。若基肥不足，前期应每亩追施硫酸铵 10 ~ 15 kg。小暑培土前还可追肥 1 次，生长后期可以不追肥。

（3）培土。6 月以后，叶柄上的珠芽逐渐成熟落地，种子也陆续成熟并随植株的枯萎而倒地，因此 6 月初和 7 月中旬应各培土 1 次。取畦沟细土，撒于畦面，厚 1.5 ~ 2 cm，盖住珠芽和种子，用铁锹拍实。

（4）灌溉排水。半夏不耐旱，一旦缺水，叶即萎黄，继而影响块茎生长。通常半个月灌 1 次水，保持湿润，直至仲秋气温下降为止。每次灌水后可培土 1 次，这样既可防止倒苗，延长半夏的生长期，又可防止土壤板结，这是半夏田间管理的关键。封冻前灌足水，春季不用浇水。土内水分太多则会出现烂根烂茎现象，因此田间一旦积水，应立即排除。

（5）摘蕾。半夏生长期抽出的花苞应摘去，以减少营养消耗，促进地下部分的生长。由于花期不一，可分次进行。在无荫蔽的地方栽培，最好与其他作物间作，以防夏季烈日照射为害。

4. 病虫害防治

半夏的病害有叶斑病、病毒病和块茎腐烂病。叶斑病发病时叶片上有紫褐色病斑，后植株逐渐枯萎，可在发病前和发病初期用 1：1：120 波尔多液或 65% 代森锌 500 倍液喷雾防治，每 7 ~ 10 天喷 1 次，连续 2 ~ 3 次。病毒病发病时病株叶卷缩成花叶，植株矮小，畸形，可除去病株，杜绝传染源，或选无病株留种。块茎腐烂病在夏季田间积水时易发，发病后地下块茎腐烂，地上部分枯萎，可用 50% 多菌灵可湿性粉剂 300 倍液浸泡处理块茎，也可于发病初期每亩用立枯净 100 g 兑水 50 kg 喷雾防治，同时注意开沟排水。半夏的虫害有红天蛾、蚜虫、地老虎、金针虫、蛴螬等。红天蛾幼虫为害叶片，可将叶片咬成缺刻状或食光，害虫幼龄期均可用 90% 晶体敌百虫 800 ~ 1 000 倍液防治，也可人工捕捉。蚜虫也可用 40% 的乐果 1 000 倍液喷洒防治。

| 采收加工 | 种子繁殖的半夏在培育 3 年后收获，块茎和珠芽繁殖的半夏在当年或翌年采收。春、秋季选择晴天，用三齿小耙浅挖细翻，将横径 0.7 cm 以上的块茎拾起，作药或种用，小者留于土中，继续培植。

收获的半夏，堆放室内，堆放厚度 40 ~ 50 cm，堆放 15 ~ 20 天，使外皮稍腐易脱，搓去粗皮，后用筛将半夏分为大、中、小 3 级，分别装入箩筐，放在流水处，用脚踩去外皮，至呈洁白为止。后立即置于阳光下暴晒或烘干即可，如遇阴雨天，可先浸在饱和白矾水中，隔 1 ~ 2 天换 1 次，以防腐烂，待天晴再晒。操作时，如用手触摸半夏，需擦姜汁或菜油，以免中毒。

| 药材性状 | 本品呈类球形，有的稍偏斜，直径 1 ~ 1.5 cm。表面白色或浅黄色，先端有凹陷的茎痕，周围密布麻点状根痕；下面钝圆，较光滑。质坚实，断面洁白，富粉性。气微，味辛、辣、麻舌而刺喉。

| 泰半夏药材 | 半夏药材 | 邳半夏药材 |

品质评价 半夏药材以个大、质坚实、色白、粉性足者为佳。当前药材市场，按块茎直径的大小将半夏分为一等品、二等品和统货3个等级。一等品直径大于13.5 mm，每粒重不小于1.0 g，每500 g块茎数500粒以内；二等品直径12.0 ~ 13.5 mm，每粒重0.6 ~ 1.0 g，每500 g块茎数500 ~ 1 200粒；统货直径10.0 ~ 15.0 mm，每500 g块茎数大于1 200粒。半夏商品规格等级划分见表2-1-8。

表2-1-8　半夏商品规格等级划分

规格	等级	性状描述	
		共同点	区别点
选货	一等	干货。呈类球形，有的稍偏斜，直径1.2 ~ 1.5 cm，大小均匀。表面白色或浅黄色，先端有凹陷的茎痕，周围密布麻点状根痕；下面钝圆，较平滑。质坚实，断面洁白或白色，富粉性。气微，味辛、辣、麻舌而刺喉	每500 g块茎数500粒以内
	二等		每500 g块茎数500 ~ 1 200粒
统货		干货。呈类球形，有的稍偏斜，直径1 ~ 1.5 cm。表面白色或浅黄色，先端有凹陷的茎痕，周围密布麻点状根痕；下面钝圆，较平滑。质坚实，断面洁白或白色，富粉性。气微，味辛、辣、麻舌而刺喉	每500 g块茎数大于1 200粒

功效物质 半夏药材中含有生物碱类、氨基酸类、酚酸类、黄酮类、脑苷类、挥发性成分及淀粉类等化学成分。

一、生物碱类

生物碱类物质主要有1-麻黄碱、胆碱、鸟苷、葫芦巴碱、腺苷、胸苷、肌苷等，是半夏药理作用的有效成分，但含量较低。

二、氨基酸类

半夏药材含有种类丰富的氨基酸类成分，包括鸟氨酸、瓜氨酸、精氨酸、α-氨基丁酸、γ-氨基丁酸、谷氨酸、天冬氨酸、亮氨酸、赖氨酸、丝氨酸、甘氨酸、丙氨酸、脯氨酸、缬氨酸、色氨酸、β-氨基异丁酸、苏氨酸17种氨基酸，其中7种为人体必需氨基酸。

三、酚酸类

半夏尚含有尿黑酸、原儿茶醛、姜烯酚、姜酚、阿魏酸、咖啡酸、香草酸、对羟基桂皮酸及 1,2,3,4,6- 五 -O- 没食子酰葡萄糖等酚酸类物质。

四、黄酮类

从半夏块茎中分离得 6 种黄酮，即黄芩苷、黄芩苷元、6-C-β-D- 吡喃木糖 -8-C-β-D- 吡喃半乳糖 -5,7,4′- 三羟基黄酮、6-C-β-D- 吡喃半乳糖 -8-C-β-D- 吡喃木糖 -5,7,4′- 三羟基黄酮、6-C-β-D- 半乳糖 -8-C-β-D- 阿拉伯糖 -5,7,4′- 三羟基黄酮、6-β- 半乳糖 -5,7,4′- 三羟基黄酮。

R= 葡萄糖醛酸，黄芩苷
R=OH，黄芩苷元

R= 葡萄糖醛酸，黄芩苷
R=OH，黄芩苷元
R_1=β -D- 木糖，R_2=β -D- 半乳糖，6-C-β -D- 吡喃木糖 -8-C-β -D- 吡喃半乳糖 -5,7,4′- 三羟基黄酮
R_1=β -D- 半乳糖，R_2=β -D- 木糖，6-C-β -D- 吡喃半乳糖 -8-C-β -D- 吡喃木糖 -5,7,4′- 三羟基黄酮
R_1=β -D- 半乳糖，R_2=β -D- 阿拉伯糖，6-C-β -D- 半乳糖 -8-C-β -D- 阿拉伯糖 -5,7,4′- 三羟基黄酮
R_1=α -D- 阿拉伯糖，R_2=β -D- 半乳糖，6-β - 半乳糖 -5,7,4′- 三羟基黄酮

半夏黄酮类化合物化学结构

五、脑苷类

半夏块茎中分离得到一系列脑苷类化合物，其中 1-O- 葡糖基 -N-2′- 乙酰氧基棕榈酰 -4,8- 鞘氨醇、1-O- 葡糖基 -N-2′- 羟基棕榈酰 -4,8-sphingodienine 为半夏的脂溶性止吐物质，松脂苷具有抗微生物活性。

六、挥发性成分

半夏中挥发性成分有 3- 乙酰氨基 -5- 甲基异恶唑、丁基乙烯基醚、3- 甲基 - 二十烷、十六碳烯二酸等，具体见表 2-1-9，此种成分可能与半夏的镇咳祛痰功效相关。

表 2-1-9　半夏块茎中环游的挥发性化学成分

挥发油种类	挥发油
烷烃类	3-甲基-二十烷、正十八烷、2,6,20-三甲基十四烷、2-甲基癸烷、正十二烷
烯、炔烃类	1-辛烯、3-癸炔、乙烯基环己烷、十六碳烯二酸
醛酮醇醚类	丁基乙烯基醚、6-甲基-2庚酮、3-壬酮、2-十一烷酮、9-十七烷醇、顺-4-癸烯醛、1,5-正戊二醇、2-乙烯基丁烯醛、偶氮环己酮、戊醛肟
脂类	2-氯丙烯酸-甲酯、2-乙基丁酸烯丙酯、1-十二烷基烯醇乙酸酯、棕榈酸乙酯
萜类	茴香脑、α-榄香醇、β-桉叶油醇、八氢-4α-5-二甲基-3-异丙基萘、红没药烯、β-绿叶烯、金合欢烷、香橙烯、β-榄香烯、4-羟基萜品烯、香茅醛、柠檬醛、1-甲基-4-（1-甲基乙烯基）环己烯
芳香类	苯甲醛、2,6-二叔丁基-4-甲酚、异氰酸-1-萘酯、甲基菲、1,2-苯二丁醇
杂环类	2-戊硫基苯并噻吩、1-三噻烷基-2-丙酮、戊基吡喃-2-酮、2-戊基呋喃、2-（二乙基甲基）咪唑、3-乙酰氨基-5-甲基异恶唑、戊基呋喃、2-甲氧基二氢吡喃5-甲基-2氧代-2,3-二氢呋喃、糠醛、2,4-二甲基呋喃、四氢异恶唑、1,2-甲基哌嗪

| 功能主治 | 辛，温；有毒。归脾、胃、肺经。燥湿化痰，降逆止呕，消痞散结。用于湿痰寒痰，咳喘痰多，痰饮眩悸，风痰眩晕，痰厥头痛，呕吐反胃，胸脘痞闷，梅核气；外用于痈肿痰核。

| 用法用量 | 内服煎汤，3～9g，一般炮制后使用。外用适量，磨汁涂；或研末以酒调敷。

| 传统知识 | 本次中药资源普查对江苏区域传统用药经验走访调查发现，江苏区域半夏应用特色鲜明，传统知识较为丰富。

（1）治疗肺气不调，咳嗽喘满，痰涎壅塞，心下坚满，短气烦闷，风壅痰实，头目昏眩，呕吐恶心，神思昏愦，涕唾稠黏：白矾十五两，半夏三斤。捣为细末，生姜自然汁为丸，如梧桐子大。每服 20 丸，加至 30 丸，食后，临卧时生姜汤下。

（2）治疗湿痰，咳嗽，脉缓，面黄，肢体沉重，嗜卧不收，腹胀而食不消化：南星、半夏各一两，白术一两半。上为细末，糊为丸，如桐子大。每服 50～70 丸，生姜汤下。

（3）治疗湿痰喘急，止心痛：半夏不拘多少，香油炒。为末，粥丸梧子大。每服 30～50 丸，姜汤下。

（4）治疗诸呕吐，谷不得下者：半夏一升，生姜半斤。上二味，以水七升，煮取一升半，分温再服。

（5）治疗卒呕吐，心下痞，膈间有水，眩悸：半夏一升，生姜半斤，茯苓三两。上三味，以水七升，煮取一升五合，分温再服。

（6）治疗胃反呕吐：半夏二升，人参三两，白蜜一升。上三味，以水一斗二升，和蜜煮药，取二升半，温服一升，余分再服。

（7）治疗妊娠呕吐不止：干姜、人参各一两，半夏二两。上三味，末之，以生姜汁糊为丸，如梧子大。饮服 10 丸，日 3 服。

| 资源利用 |　一、在医药领域中的应用

半夏药用历史悠久，《神农本草经》记载"味辛平。主伤寒，寒热，心下坚，下气，喉咽肿痛，头眩胸张，咳逆肠鸣，止汗。"此为半夏最早的功用主治记载。现代药理研究表明，生半夏有催吐与镇吐作用，生半夏、姜半夏和明矾半夏有镇咳与祛痰作用；半夏中的生物碱与多糖类成分有抗炎作用，半夏多糖能抗衰老，半夏各种炮制品均有明显的抗肿瘤和镇静作用，半夏蛋白能抗生育和抗早孕，半夏水剂可明显抗心律失常及胃溃疡；同时半夏有明显的毒性，不同炮制品的毒性不等，主要刺激性成分为草酸钙针晶。半夏配伍可治疗咳嗽痰多、呕吐、胸脘痞痛、梅核气、头痛、眩晕、夜卧不安、瘿瘤、痰核、痈疽肿毒等，多内服，亦可外用。现代临床研究表明，半夏可用于食管及贲门癌梗阻、冠心病、宫颈柱状上皮异位、寻常疣、急性乳腺炎等的治疗。含半夏的经典验方有辰砂半夏丸、小半夏汤、橘皮半夏汤、小半夏加茯苓汤、大半夏汤、干姜人参半夏丸、半硫丸、省风汤、半夏秫米汤、半夏散及汤等。常用制剂有二陈丸、二陈合剂、半夏露、祛痰散、清肺止咳散、桃花散、千金消暑丸、小半夏合剂、半夏注射液、半硫丸等。

二、在保健食品中的应用

半夏应用广泛，日本在应用汉方的过程中，逐渐开发了含半夏的药茶、药粥等。目前，根据经典验方，研制了半夏参茶、辛夷夏茶、辛夷蚕茶、芦荟夏术茶、竹苓茶、香夏茶、小柴胡茶、育神茶、旋夏茶、白果夏茶等 20 余种半夏茶饮。药粥类以山药半夏粥最为常见，可用于脾虚胃寒、气逆上冲、呕吐、胃痛、纳食少、口淡无味、面白肢冷；另有小米半夏粥可用于失眠。

| 附　注 |　半夏属植物有 9 种，分布于东亚地区，欧洲、北美洲及澳大利亚均有归化，我国各地均产，江苏有 3 种，野生或栽培。半夏 Pinellia ternate (Thunb.) Breit.，江苏各地均有分布；掌叶半夏 Pinellia pedatisecta Schott，江苏各地均有分布，块茎作虎掌南星入药；滴水珠 Pinellia curdata N. E. Brown，江苏各地均有分布，块茎作滴水珠入药。半夏药材仅来自半夏 Pinellia ternate (Thunb.) Breit.。

参考文献

[1] 国家药典委员会．中华人民共和国药典：一部 [M]．北京：中国医药科技出版社，2015．

[2] 国家中医药管理局《中华本草》编委会．中华本草：第 8 册 [M]．上海：上海科学技术出版社，1999．

[3] 黄奭．神农本草经 [M]．北京：中医古籍出版社，1982．

[4] 苏颂. 本草图经 [M]. 尚志钧辑校. 合肥：安徽科学技术出版社，1994.

[5] 中药材商品规格等级：半夏：T/CACM 1021.100—2018[S]. 北京：中华中医药学会，2018.

[6] 道地药材：半夏：T/CACM 1020.134—2019[S]. 北京：中华中医药学会，2019.

[7] 王化东，吴发明. 我国半夏资源调查研究 [J]. 安徽农业科学，2012，40（1）：150-151，200.

[8] 左军，牟景光，胡晓阳. 半夏化学成分及现代药理作用研究进展 [J]. 辽宁中医药大学学报，2019，21（9）：26-29.

[9] 吴明开，曾令祥，朱国胜，等. 半夏规范化生产标准操作规程（SOP）[J]. 现代中药研究与实践，2009，22（6）：3-7.

[10] 唐建宁，吴建宏，许强. 半夏人工驯化与栽培技术研究进展 [J]. 农业科学研究，2005，6（3）：70-74.

[11] 石青，赵宝林. 半夏的本草考证 [J]. 陕西中医学院学报，2013，36（2）：90-92.

[12] 胡世林. 半夏的本草考证 [J]. 中国中药杂志，1989，14（11）：6-8.

[13] 孟小文. 泰半夏特征特性及高产栽培技术 [J]. 现代农业科技，2010（21）：156，161.

[14] 常庆涛，王越，戴永发，等. 泰半夏生物学特性及高产栽培技术 [J]. 江苏农业科学，2011，39（4）：309-311.

[15] 张成，李勇军，丁宁. 泰半夏与决明子套种技术 [J]. 现代农业科技，2014（19）：106-107.

[16] 周荣汉，段金廒. 植物化学分类学 [M]. 上海：上海科学技术出版社，2005.

[17] 刘启新. 江苏植物志 5[M]. 江苏：江苏凤凰科学技术出版社，2015.

[18] 王国强. 全国中草药汇编：第1卷 [M]. 3版. 北京：人民卫生出版社，2014.

（张　瑜　谈献和）

百合科 Liliaceae　百合属 *Lilium*

卷丹
Lilium lancifolium Thunb.

|药 材 名|

百合（药用部位：肉质鳞叶。别名：太湖人参、番韭、百合蒜）。

|本草记述|

百合最早见于《神农本草经》，被列为中品，书中仅描述了百合的别名和疗效，记述其生"荆州川谷"。南北朝时期陶弘景《本草经集注》将百合归为草木中品。唐代苏敬《新修本草》中首次提到百合的 2 个品种，"叶大茎长，根粗花白者"为百合，"细叶，花红色"者为细叶百合。宋代罗愿《尔雅翼》对百合名称解释为"状如白莲花"，说明百合得名于该植物的鳞茎结构和外观特征。宋代苏颂《图经本草》也提到百合的 2 个品种，"开红白花，如石榴嘴而大，根如胡蒜"者为百合，"花红黄，有黑斑点，细叶，叶间有黑子者，不堪入药"的为卷丹，其中"黑子"指珠芽。宋代寇宗奭《本草衍义》将百合描述为"淡白黄花……花心有檀色……子紫色（现指珠芽）"。可见，作者将百合与卷丹 2 个品种混为一谈。明代卢之颐《本草乘雅半偈》指出"纯白如栀……叶蒂间不着子，根肥而甘"的百合与"丹黄色，间紫黑点……不结子"的卷丹是雌雄异株。李时珍

《本草纲目》明确指出中药百合原植物应该为 3 种，即百合、卷丹、山丹，并区分各自的特点，"叶短而阔，微似竹叶，白花四垂者，百合也。叶长而狭，尖如柳叶，红花，不四垂者，山丹也。茎叶似山丹而高，红花带黄而四垂，上有黑斑点，其子先结在枝叶间者，卷丹也"；同时提到宋代寇宗奭《本草衍义》中描述的是卷丹，而非百合；且纠正了苏颂的说法，认为卷丹可入药，这具有一定的时代意义。

| 形态特征 |　多年生草本。鳞茎近宽球形，直径 4 ~ 8 cm；鳞片宽卵形，长 2 ~ 5 cm，宽 1.4 ~ 2.5 cm，白色。茎高 0.8 ~ 1.5 m，具白色绵毛。叶散生，矩圆状披针形或披针形，长 6.5 ~ 9 cm，宽 1 ~ 1.8 cm，两面近无毛，无柄，叶腋内常有珠芽。花梗长 6.5 ~ 9 cm，紫色，有白色绵毛；花下垂，花被片披针形，反卷，橙红色，密生紫黑色斑点；花柱长 4.5 ~ 6.5 cm，柱头稍膨大，3 裂。蒴果长圆形至倒卵形，长 3 ~ 4 cm。花期 6 ~ 7 月，果期 9 ~ 10 月。

| 资源情况 |　一、生态环境

多生于山沟或多砾石山地。喜凉爽潮湿的环境，日照充足且略荫蔽的环境对卷丹更为适宜。忌干旱、忌酷暑，耐寒性稍差。生长、开花温度为 16 ~ 24 ℃，低于 5 ℃或高于 30 ℃生长几乎停止。冬季夜间温度持续 5 ~ 7 天低于 5 ℃，花芽分化、花蕾发育会受到严重影响，推迟开花甚至盲花、花裂。卷丹喜肥沃、腐殖质多的深厚土壤，最忌硬黏土，以排水良好的微酸性土壤为好。

二、分布区域

江苏卷丹主要分布于江宁、南京紫金山、句容、宜兴及连云港云台山等地。

三、蕴藏量

江苏野生卷丹种群散在，蕴藏量极少。

四、栽培历史与产地

在商品经济发展比较成熟的明清时期，一些地方逐渐形成了百合生产基地。如《平凉府志》（1560）记载甘肃南部早有百合栽培，用于观赏及药用。《菏泽县志》（1907）记载山东菏泽大量栽培百合。《甘肃新通志》（1908）也提到，因百合具有可观的利润收入，种植面积甚广。关于江苏的栽培历史，明代农书《花蔬》中有"百合宜兴最多，人取其根馈客"的记述。明末清初《沈氏农书》中有吴兴栽种百合的记载，资料显示在明代晚期，太湖流域已有大面积百合栽培。百合在江苏宜兴为代表的太湖流域已有数百年的栽培历史，主要分布于江苏宜兴、吴江、南京及浙江湖州等地。宜兴产百合又称为"宜兴百合"，宜兴百合以鳞片宽厚、味浓微苦、糯性高者为优，素有"太湖人参"之美誉。目前，我国百合产地已大范围扩展，尤以江苏宜兴、浙江湖州、湖南邵阳、甘肃兰州栽培历史悠久，为我国四大百合产区。其中，江苏宜兴、浙江湖州、湖南邵阳为药用百合（亦可食用）产区，甘肃兰州为菜用百合产区。20世纪50—60年代，百合逐步被引种到湖南龙山、安徽霍山等地。

五、栽培面积与产量

据估计，宜兴适宜种植百合的山地有6万亩，渎区有4万亩。但近年来，受环境保护和社会经济等因素影响，加之渎区百合受病毒感染、龙牙百合等品种产量剧增和价格下降，宜兴百合种植面积逐年减少，目前仅有5 000余亩。目前宜兴太湖流域已没有百合种植，种植地正向沿湖丘陵山区迁移，且所产百合均以价值更高的鲜百合出售，很少加工百合药材。江苏新发展的产区有大丰、如皋、淮阴、丹徒、射阳、新沂等。目前，市场上百合药材主要以湖南龙山与安徽霍山产的为主。

六、规范化生产技术

1. 选地整地

选择土层深厚、透气性好、排水良好且近3年内未种过茄科、百合科蔬菜的水田或旱地。土壤要求呈微酸性，pH 6.5～7.0，以宜兴太湖渎区湖相沉积土（夜潮土）及山区砂土为佳。前茬作物收获后要及时进行深耕晒垡。结合整地施足基肥，基肥以充分腐熟的厩肥、饼肥等有机肥为主，化肥为辅。一般每亩施腐

熟的厩肥 3 000 ~ 5 000 kg、饼肥 100 kg、钙镁磷肥 20 kg、硫酸钾肥 10 kg，同时施入 50 kg 生石灰进行土壤消毒。施肥后要细耕平整做畦，一般畦面宽 1.5 m 左右，沟宽 25 cm，深 30 cm。

2. 播种

选用鳞片抱合紧密、鳞茎盘完好、无病虫害的百合为种球。播种前用 50% 多菌灵或 70% 甲基硫菌灵可湿性粉剂 500 倍液浸种 15 ~ 30 分钟，进行种球消毒处理。播种一般在 9 月上旬至 10 月上旬进行。播种前先在畦上开沟，沟深 5 ~ 7 cm，小沟间距 18 cm 左右，然后将百合种球种植在沟内，种植深度为沟底向下 5 ~ 6 cm，株距为 23 cm 左右，每亩种植 13 000 株左右，种植后把畦耙平。

3. 田间管理

（1）冬季管理。为有效提高土地利用率和菜田单位面积产出率，生产中可在百合畦面上套种大白菜、小白菜、萝卜等蔬菜作物，套种作物在 12 月前采收结束。套种蔬菜作物收获后应及时进行 1 次中耕除草，以疏松土壤。在套种作物收获后，进行 1 次施肥培土，每亩施腐熟厩肥 3 000 kg、饼肥 100 kg、硫酸钾 10 kg，施肥后及时盖土，至肥料基本看不见为宜。

（2）春季管理。及时进行中耕除草，应选择在晴天田爽土松时进行，中耕不宜过深，防止伤害百合芽。在春分前后，每亩用 400 ~ 500 kg 的稻草覆盖畦面，以减少杂草发生，降低土壤温度。

（3）夏季管理。进入高温、高湿季节，特别是在梅雨季节，要加强防洪防涝，疏通排水沟，及时排水。一般在小满前后，待苗长至 40 cm 左右时，选择晴天上午及时打顶，在夏至前后，采用短棒轻轻敲打百合植株，打除珠芽，从而抑制百合地上部分生长和珠芽消耗养分，促进地下鳞茎生长。

4. 虫害防治

宜兴百合主要虫害是蛴螬。按照"预防为主，综合防治"的植保方针，坚持"农业防治、物理防治为主，化学防治为辅"的原则，实行严格的轮作制度，及时清洁田园。生产中一般采用频振式杀虫灯诱杀成虫，也可每亩用 50% 辛硫磷乳油 20 ml 对水浇灌种穴以防治蛴螬。

| 采收加工 | 根据百合的不同用途，分期采收。立秋后、处暑前后采收的百合用作加工和鲜品销售；9 月上旬左右采收的百合留种用。采收后的百合应及时去掉茎秆，除净泥土和根系，放入保鲜库或堆放于干燥、通风、避光处，用于保鲜或加工。

百合的加工包括剥片、烫片、干燥。剥片为选用鳞茎肥大、新鲜、无虫蛀、品质优良的百合，剪去须根，用手从外向内剥下鳞片，或在鳞茎基部横切一刀使

鳞片分开，按外片、中片和心片分开盛装，分别用清水洗净，捞起沥干待用。烫片过程可采用煮制法或蒸制法。采用煮制法时，将上述分开盛装的鳞片分别投入沸水中，当鳞片边缘柔软，由白色变为米黄色、再变为白色略呈透明状，或背面有微裂时迅速捞出，放入清水中冷却并漂洗去除黏液，捞起沥干待晒。采用蒸制法时，应注意加热均匀，且蒸制过程中不宜揭锅观察，故需安置观察孔进行取样鉴别。传统采用晾晒法进行干燥。晾晒时将漂洗后的鳞片薄摊在晒垫上，轻轻扒开使其分布均匀。初始不可翻动鳞片，待干至五六成时应经常翻动，使上下干燥均匀直至晒干。现也采用热风烘干设备进行烘烤（约80℃），烘干后，将干片放于室内 2 ~ 3 天回软，使干品内外含水量均匀。

| **药材性状** | 本品宜兴百合呈长椭圆形，先端较尖，基部较宽，长 2 ~ 5 cm，宽 1 ~ 1.5 cm，长宽比值平均为 1.45 左右，厚 1 ~ 3 mm。有纵直脉纹 3 ~ 8，隐约现灰白色逼裂状，内面偶见纵裂。质硬脆，易折断，断面平坦，粉性足，角质样。味微苦。

宜兴百合药材

| **品质评价** | 以肉厚、质坚、色白、味苦者为佳。道地产区苏百合呈长椭圆形，长 2 ~ 5 cm，宽 1 ~ 2 cm，中部厚 1.3 ~ 3 mm。表面黄白色或淡棕黄色，有具 3 ~ 8 纵直脉纹的白色维管束，内面偶见纵裂。先端较尖，基部较宽，边缘薄，微波状，略向内弯曲。质硬脆，易折断，断面平坦，角质样。无臭，苦味较明显。

百合商品按照品种分为卷丹百合和龙牙百合 2 种规格。卷丹百合根据大小和外观性状分为选货（心材）、统货和边皮 3 个等级，心材片颜色和片形均匀，边皮片为麻色（有斑点）、带黑边等杂片，多为鳞叶外层部分，颜色和片形较差，一般作为等外品，故无卷丹百合边皮的规格等级。卷丹百合商品规格等级划分

见表 2-1-10。

表 2-1-10　卷丹百合商品规格等级划分

规格	等级	性状描述	
		共同点	区别点
选货	一等	干货。呈长卵圆形，表面黄白色至淡棕黄色，有数条纵直平行的白色维管束。先端尖，基部较宽，边缘薄，微波状，略向内弯曲。质硬而脆，断面较平坦，角质样。气微，味微苦	3.0 cm＜长度≤5.0 cm，1.5 cm＜宽度≤2.0 cm，中部厚 1.3～4 mm
	二等		2.5 cm≤长度≤3.0 cm，1.3 cm≤宽度≤1.5 cm，中部厚 1.3～4 mm
	三等		2 cm≤长度＜2.5 cm，1 cm≤宽度＜1.3 cm，中部厚 1.3～4 mm
统货	大统	干货。呈长卵圆形，表面黄白色至淡黄棕色，有的微带紫色，间有褐斑片，有数条纵直平行的白色维管束。质硬而脆，易折断，断面平坦，角质样。气微，味微苦	2.5 cm＜长度≤5.0 cm，1.4 cm＜宽度≤2.0 cm，中部厚 1.3～4 mm
	小统		2 cm≤长度≤2.5 cm，1 cm≤宽度≤1.4 cm，中部厚 1.3～4 mm

综上所述，百合的传统分级方式主要是按直径、质量大小来进行等级区分。众多学者研究表明，百合药材中传统的分级指标与某些成分含量之间存在显著的相关性，这些指标是否可以提取为分级指标，需要进一步分析处理。

| 功效物质 | 百合中含有皂苷类、酚性糖苷类、生物碱类、多糖类及氨基酸类多种成分。研究结果显示，百合中的皂苷类、酚性糖苷类及多糖是百合活性的重要物质基础。

一、皂苷类

根据苷元结构的不同，一般可分为 3 类：螺甾烷醇型、呋甾烷醇型和胆甾烷醇型。百合中的甾体皂苷以螺甾烷醇型皂苷为主。

二、糖苷类

以阿魏酰基、香豆酰基、咖啡酰基及肉桂酰基为特征基团的酚性糖苷类化合物是百合富有的一种成分。其中，由以上基团形成的一系列酚性甘油苷、王百合苷 A～L，以及它们的乙酰化衍生物，被认为是百合中苦味成分的来源。此外，百合中还发现了一系列的简单葡萄糖甘油苷，即百合苷 A～E。

三、生物碱类

秋水仙碱是百合中较早发现的一种卓酚酮类生物碱，具有较好的抗痛风、抗肝炎、抗肿瘤作用。百合中除含有秋水仙碱外，还含有 β1-澳洲茄边碱、小檗碱等生物碱。

四、多糖类

百合中含有较多的多糖类物质，包括均多糖和杂多糖，以杂多糖为主。一些百合多糖还与蛋白质结合形成糖蛋白。此外，百合中也含有果胶多糖等。

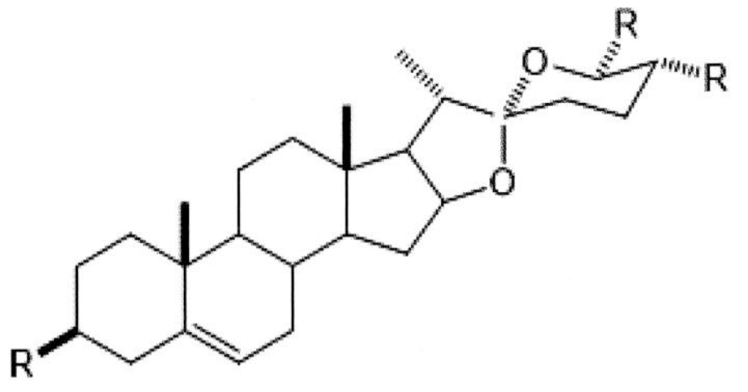

螺甾烷醇型百合皂苷化学结构

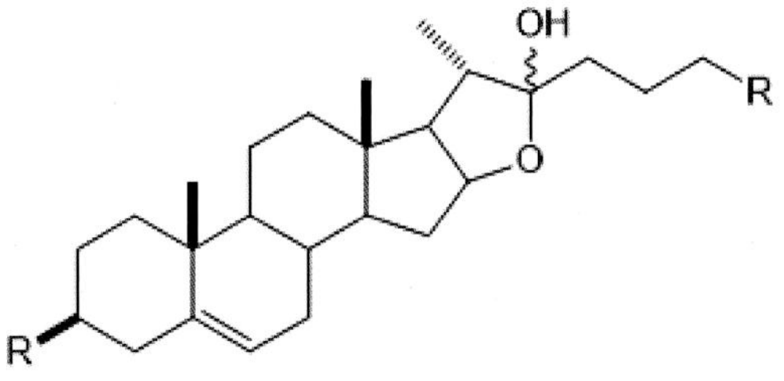

呋甾烷醇型百合皂苷化学结构

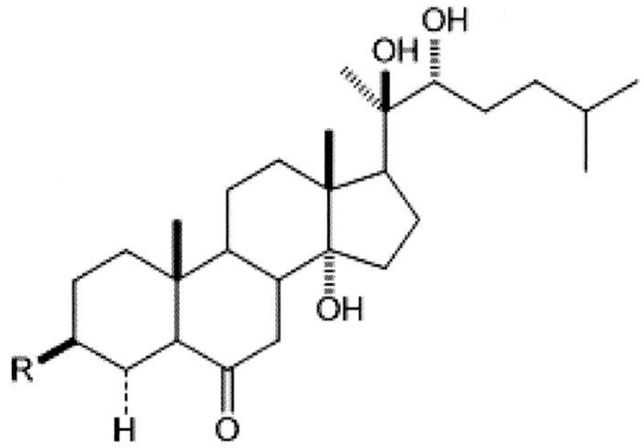

胆甾烷醇型百合皂苷化学结构

五、氨基酸类及磷脂类

卷丹、百合、细叶百合均具有 17 种以上的游离氨基酸，其中含量较高的有精氨酸、脯氨酸、谷氨酸、赖氨酸、天冬氨酸、丝氨酸、丙氨酸、缬氨酸、苯丙氨酸。

百合、卷丹中总磷脂的质量分数分别为 2.72 mg/g、3.70 mg/g，二者均含有磷脂酰胆碱（PC）、心磷脂（DPG）、磷脂酸（PA）、溶血磷脂酰胆碱（LPC）、磷脂酰肌醇（PI）、磷脂酰乙醇胺（PE）、鞘磷脂。

| **功能主治** | 甘、微苦，平。养阴润肺，清心安神。用于阴虚燥咳，劳嗽咯血，虚烦惊悸，失眠多梦，精神恍惚。

| **用法用量** | 内服煎汤，6 ~ 12 g；或入丸、散剂；或蒸食、煮粥。外用适量，捣敷。

| **传统知识** | 基于文献梳理和中药资源普查过程中调查走访收集的传统用药知识，记录于此。

（1）治疗肺热烦闷：新百合四两。用蜜半盏，拌和百合，蒸令软，时时含如枣大，咽津。

（2）治疗咳嗽不已或痰中有血：款冬花、百合（焙、蒸）等分。上为细末，炼蜜为丸，如龙眼大，每服 1 丸，食后临卧细嚼，姜汤咽下，噙化尤佳。

（3）治疗支气管扩张，咯血：百合 60 g，白及 120 g，蛤粉 60 g，百部 30 g。共为细末，炼蜜为丸，每丸重 6 g，每次 1 丸，日 3 次。

（4）治疗失音不语：百合、百药煎、杏仁（去皮、尖）、诃子、薏苡仁各等分。

上为末，鸡子清和丸弹子大，临卧嚼化 1 丸。

（5）治疗肺痈：白花百合，或煮或蒸，频食，拌蜜蒸更好。

（6）治疗神经衰弱，心烦失眠：百合 15 g，酸枣仁 15 g，远志 9 g。煎汤服。

（7）治疗疮肿不穿：野百合同盐捣泥敷之良。

| **资源利用** | 一、在医药领域中的应用

中医认为百合可用于肺痨久咳、咳唾痰血、精神恍惚等。现代医学研究表明，百合含有的秋水仙碱等多种生物碱，不仅有良好的滋补功效，而且对结核病和神经官能症及病后康复大有裨益，还可用于鼻咽癌、皮肤癌、肺癌等肿瘤的防治。

二、在保健食品中的应用

我国自古即有食用百合的传统，李时珍《本草纲目》将百合归入"菜部"，说明百合本身属于一种蔬菜。卷丹鳞茎肉质肥厚，细腻软糯，具有很高的营养价值，既可生食又可熟食，还可作为菜肴配料，与粳米等一起煮粥，具有增强体质、抑制肿瘤细胞生长、缓解放射治疗不良反应等效果。卷丹鳞茎除可作为一种简单的菜肴食品外，还可以深加工制干、制粉、制酱及制成各种罐头、糕点等人们喜爱的休闲食品。利用卷丹干鳞茎制成的卷丹营养粉，可用于生产营养丰富、老少皆宜的卷丹奶饮料和卷丹清汁饮料。卷丹鳞茎中含有大量淀粉，可用于制取高质量淀粉，以百合粉、大米粉、玉米粉或面粉配制的食品营养丰富，味道醇厚。以百合为原料生产的汽水、饮料，清澈透明，口味纯正，清凉爽口，是老少皆宜的夏令饮料。卷丹花蕾经采集后，浸泡、晾晒，可制为美容养颜的保健花茶。卷丹的花粉量大、易采集，进一步药理研究后，有望开发成保健食品。

三、观赏花卉资源价值

卷丹植株端直，花瓣橙红色并带紫黑色斑点，花朵硕大、艳丽，花姿雅致，具浓郁香味，深受人们喜爱。卷丹既可做切花，还可以与其他植株合理丛植在一起，构成极好的花卉景致。卷丹既可用做专类观赏，也可盆栽供室内观赏，是美化环境的上乘佳品。卷丹作为一种观赏植物，具有花期长、适应性强、分布广等特点，有开发成精品切花的先天优势，并且由于其花瓣为橙黄色，无须为防止花瓣被污染而对花药进行特别处理。卷丹花品位高、价格高，具备打入鲜切花市场的先天优势，同一般切花相比前景较好。

百合科植物一般是通过鳞茎繁殖，而卷丹植株产生的大量珠芽，采收后在空气中就可以生根，播种一年后就可以开花。卷丹株芽繁殖的这一特性可用来进行大规模繁殖，用于生产切花。同时还可以采用杂交、多倍体筛选、辐射等各种育种手段，培育花大、色艳、色多、观赏价值高、适应性强的卷丹园艺新品种。

| 附 注 | 2020 年版《中华人民共和国药典》收载的百合为百合科植物卷丹 *Lilium lancifolium* Thunb.、百合 *Lilium brownii* F. E. Brown var. *viridulum* Baker 或细叶百合 *Lilium pumilum* DC. 的肉质鳞茎的鳞片。百合药材市场上存在卷丹百合、龙牙百合及兰州百合 3 类商品，其中卷丹百合为药用主流商品，兰州百合仅被收载于《甘肃省中药材标准》中；市场上未发现细叶百合的商品。

参考文献

[1] 顾观光. 神农本草经 [M]. 余童蒙编译. 哈尔滨：哈尔滨出版社，2006.

[2] 陶弘景. 名医别录（辑校本）[M]. 尚志钧辑校. 北京：中国中医药出版社，2013.

[3] 苏颂. 图经本草 [M]. 胡乃长，王致谱辑注. 福州：福建科学技术出版社，1988.

[4] 唐慎微. 重修政和经史证类备用本草 [M]. 北京：人民卫生出版社，1982.

[5] 刘文泰. 本草品汇精要 [M]. 上海：上海古籍出版社，1996.

[6] 中国科学院中国植物志编委会. 中国植物志：第十四卷 [M]. 北京：科学出版社，1980.

[7] 郑虎占，董泽宏，佘靖. 中药现代研究与应用：第二卷 [M]. 北京：学苑出版社，1997.

[8] 李时珍. 本草纲目：第 1 册 [M]. 北京：人民卫生出版社，1975.

[9] 张志聪. 本草崇原 [M]. 张淼，伍悦点校. 北京：学苑出版社，2011.

[10] 吴其濬. 植物名实图考 [M]. 北京：中华书局，1963.

[11] 陈仁山，蒋淼，陈思敏，等. 药物出产辨（三）[J]. 中药与临床，2010，1（3）：62-64.

[12] 卢赣鹏. 500 味常用中药材的经验鉴别 [M]. 北京：中国中医药出版社，1999.

[13] 金世元. 金世元中药材传统鉴别经验 [M]. 北京：中国中医药出版社，2010.

[14] 冯耀南，刘明，刘俭，等. 中药材商品规格质量鉴别 [M]. 广州：暨南大学出版社，1995.

[15] 国家中医药管理局《中华本草》编委会. 中华本草：第 8 册 第二十一卷 [M]. 上海：上海科学技术出版社，1999.

[16] 王建锋，吴军，陆志新，等. 宜兴百合标准化生产技术 [J]. 长江蔬菜，2011（11）：22-23.

[17] 张贵君. 现代中药材商品通鉴 [M]. 北京：中国中医药出版社，2001.

[18] 钱士辉，段金廒，杨念云，等. 江苏省地产地道中药资源的生产现状与开发利用（上）[J]. 中国野生植物资源，2002，21（1）：35-40.

[19] 边红霞，屠鹏，张小平. 不同等级兰州百合的电学特性 [J]. 食品科学，2013，34（3）：105-108.

[20] 郝瑞杰，翟宝华. 不同直径等级百合子球的几种重要贮藏物研究 [J]. 陕西农业科学，2005（3）：15-17.

[21] 胡文彦. 江苏产宜兴百合活性研究与质量评价 [D]. 镇江：江苏大学，2012.

[22] 杨秀伟，吴云山，崔育新，等. 卷丹中新甾体皂苷的分离和鉴定 [J]. 药学学报，2002，37（11）：863-866.

[23] 周中流，石任兵，刘斌，等. 卷丹甾体皂苷和酚类成分及其抗氧化活性研究 [J]. 中草药，2011，42（1）：21-24.

[24] 高现朝，马宏伟. HPCE 法分析百合多糖的单糖组成 [J]. 中国实验方剂学杂志，2009，15（8）：27-28.

[25] 姜清华，王慧娟，徐英宏，等. 止咳平喘药浓百合剂的药效学研究 [J]. 华西药学杂志，2009，24（3）：270-271.

[26] 滕利荣，孟庆繁，刘培源. 酶法提取百合多糖及其体外抗氧化活性 [J]. 吉林大学学报（理学版），2003，41（4）：538-542.

[27] 郭秋平，高英，李卫民. 百合有效部位对抑郁症模型大鼠脑内单胺类神经递质的影响 [J]. 中成药，2009，31（11）：1669-1672.

[28] 李新华，弥曼，李汾，等. 百合多糖免疫调节作用的实验研究 [J]. 现代预防医学，2010，37（14）：2708-2709.

[29] 林美丽，刘塔斯，肖冰梅，等. RAPD 技术鉴定商品药材百合 [J]. 湖南中医药大学学报，2006，26（5）：30-32.

[30] 李玉萍，龚妍春，吴光杰，等. 百合属植物资源的分布·利用价值及其开发前景展望 [J]. 安徽农业科学，2010，38（7）：3395-3396.

[31] 汤宽泽. 花卉食疗 [M]. 上海：上海交通大学出版社，1992.

[32] 邵春昕，刘玉军. 百合科植物卷丹野生资源的保护与可持续利用 [J]. 林业资源管理，2005，15（4）：59-61.

[33] 邵晓慧，卢连华，许东升，等. 两种百合耐缺氧作用的比较研究 [J]. 山东中医药大学学报，2000，24（5）：387-388.

[34] 钟海雁，李忠海，王纯荣，等. 卷丹营养保健粉的研制 [J]. 中南林学院学报，2003，23（1）：28-31.

[35] 徐昭玺. 百种调料香料类药用植物栽培 [M]. 北京：中国农业出版社，2003.

[36] 梁松绮. 百合科（狭义）植物的分布区对中国植物区系研究的意义 [J]. 植物分类学报，1995，33（1）：27.

[37] 龙雅宜，张金政. 百合属植物资源的保护与利用 [J]. 植物资源与环境，1998，7（1）：40-44.

[38] DU F，JIANG J，JIA H，et al. Selection of generally applicable SSR markers for evaluation of genetic diversity and identity in Lilium[J]. Biochemical Systematics and Ecology，2015，61：278-285.

（钱大玮　郭　盛）

■百合科 Liliaceae ■贝母属 *Fritillaria*

浙贝母 *Fritillaria thunbergii* Miq.

| 药 材 名 |

浙贝母（药用部位：鳞茎。别名：土贝母、浙贝、象贝母）。

| 本草记述 |

贝母在我国的应用与研究已有 2 000 余年的历史，首载于《神农本草经》，被列为中品。《神农本草经》谓贝母"气味辛、平、无毒。主伤寒烦热。淋沥邪气，喉痹、乳难、金创、风痉"，但尚志钧等认为其所记载的贝母应是葫芦科植物土贝母 *Bolbostemma paniculatum* (Maxim.) Franq.，而南北朝时期的《名医别录》才是最早记载百合科贝母属植物药用的文献出处。《名医别录》谓"贝母，味苦，微寒，无毒。主治腹中结实，心下满，洗洗恶风寒，目眩项直，咳嗽上气，止烦热渴，出汗，安五脏，利筋骨"。陶弘景《本草经集注》载："今出近道。形似聚贝子，故名贝母。断谷服之不饥。"此描述应为浙贝母，且所述近道应为今江苏镇江句容茅山及其周边地区。

唐代苏敬《新修本草》记载："此叶似大蒜，四月蒜熟时采良……出润州、荆州、襄州者最佳。江南诸州亦有。"其中润州（今江苏镇江）、江南为浙贝母的产地。宋代苏颂《本草图经》云："贝母，根有瓣子，黄白色，

如聚贝子，故名贝母。二月生苗，茎细青色，叶亦青。"此记载的是百合科贝母属植物，根据产地及书中附图，产寿（今安徽寿县）、滁（今安徽滁州）、润州（今江苏镇江）者，应为浙贝母。

明代倪朱谟《本草汇言》记载："贝母，开郁、下气、化痰之药也。润肺消痰，止咳定喘，则虚劳火结之证……必以川者为妙。若解痈毒，破癥结，消实痰，敷恶疮，又以土者为佳。然川者味淡性优，土者味苦性劣，二者以区分用。"倪朱谟将浙江本地产的贝母称"土者"，四川产的称"川者"，至此，川、浙贝母始以产地冠名划分开来。清代赵学敏《本草纲目拾遗》云："浙贝出象山，俗称象贝母，皮糙味苦，独颗无瓣，顶圆心斜。"又引叶暗斋云："宁波象山所出贝母，亦分两瓣。味苦而不甜，其顶平而不尖，不能如川贝之象荷花蕊也。象贝苦寒解毒，利痰开宣肺气。儿肺家挟风火有痰者宜此。"上述川贝母、浙贝母之形态与现代所用川贝母、浙贝母完全一致，至此，川贝母与浙贝母被明确分开。

贝母药材的整个历史演进过程可以概括为从初期同名异物逐渐演变为单一类群的植物，继而又根据功效分为川贝母、浙贝母。由《本草经集注》之"今出近道"、《新修本草》之"出润州、荆州、襄州者最佳。江南诸州亦有"可知，江苏自古即为浙贝母的主产地之一。

| 形态特征 |　多年生草本。鳞茎半球形，直径 1.5 ~ 6 cm，有 2 ~ 3 肉质的鳞片。茎单一，直立，圆柱形，高 50 ~ 80 cm。叶无柄；茎下部的叶对生，罕互生，狭披针形至线形，长 6 ~ 17 cm，宽 6 ~ 15 mm；中上部的叶常 3 ~ 5 轮生，罕互生，叶片较短，先端卷须状。花单生于茎顶或叶腋，花梗长 1 ~ 1.5 cm；花钟形，俯垂；花被片 6，2 轮排列，长椭圆形，先端短尖或钝，淡黄色或黄绿色，具细微平行脉，内面有淡紫色方格斑纹，基部具腺体；雄蕊 6，花药基部着生，外向；雌蕊 1，子房 3 室，每室有多数胚珠，柱头 3。蒴果卵圆形，直径约 2.5 cm，有 6 较宽的纵翅，成熟时室背开裂；种子扁平，近类圆形，边缘具翅。花期 3 ~ 4 月，果期 4 ~ 5 月。

| 资源情况 |　一、生态环境

喜生于海拔较低的山丘荫蔽处或竹林下。喜温凉气候，既忌干旱又怕涝，稍耐寒，生长期 3 个月左右。平均气温在 17 ℃左右时，地上茎叶生长迅速，6 ~ 28 ℃时正常开花生长，高于 30 ℃或低于 4 ℃则生长停止。鳞茎在地下 5 cm 处、日平均温度 10 ~ 25 ℃时正常生长膨大。江苏南通海安及其周边地区为我国浙贝母药材的重要产地和主要种源基地。浙贝母生长期间要求日照充足，以土层深厚、肥沃、疏松、排水良好的砂壤土栽培生长较好。浙贝母江苏主产区南通及其周边沿海地区属亚热带季风气候，受海洋性气候影响，四季分明，年平均气温 16 ℃左右，最冷月 1 月，最热月 7 月，年平均日照时数 2 000 小时左右，平均年降水量 1 100 mm 左右。土壤有机质含量高，砂壤土具有独特的"夜潮"现象。

二、分布区域

浙贝母少有野生，在江苏主要分布于句容、金坛、溧阳、宜兴等。

三、蕴藏量

根据句容、宜兴、溧水、江宁等地样方调查结果，江苏野生浙贝母种群散在，蕴藏量较少。

四、栽培历史与产地

浙贝母栽培已有近 300 年历史。《浙江旧县志集成·象山县志（中）》记载："贝母乾隆志：邑产之最良者。道光志：象山出者象贝，异他处……近象产甚少，所用浙贝皆鄞小溪产。"清道光年间鄞州鄞县（现宁波市鄞州区）四明山麓樟村、鄞江桥一带大规模种植贝母，成为浙贝母的主产地。浙贝母浙江产区现以鄞州、磐安为主，东阳、永康、开化、舟山、缙云、文成、青田等均有种植。

江苏于 1959 年从浙江引进少量种茎，在海门县天补乡（现海门区天补镇）试种。1967 年江苏引种种茎超过 2 000 kg，在海门县德胜乡（现已撤销）和南通县通海乡（现通州区张芝山镇）试种。通过多年试验，江苏已总结出一套适用于本地的浙贝母栽培和加工技术，种植面积不断扩大，产量、质量稳步提高，现主要产地包括海安、海门、如东、通州、大丰等，苏州、泰州等地也有种植，江苏已成为全国浙贝母商品药材的重要产区。

此外，有研究表明江苏南通及其周边区域土壤呈碱性，全氮、全磷、有机质及水溶性钙、镁含量较高。南通产浙贝母种茎的总体营养水平较高，引入浙江地区作种贝可推迟枯萎，比浙江产区自留种高产。因此南通地区种植的浙贝母除直接销售外，还留种供浙江产区农户种植。目前江苏南通地区已成为全国浙贝母的主要种源基地。

五、栽培面积与产量

目前全国浙贝母药材以浙江、江苏产量较大，江苏省内浙贝母栽培面积逾 15 000 亩，年产药材 2 000 t、种茎 3 000 t。

六、规范化生产技术

1. 选地整地

浙贝母不宜连作，前作以禾本科和豆科作物为宜，轮作间隔时间宜 2 年以上，

有条件的地方可实行水旱轮作。选择排灌方便、土壤深厚、富含腐殖质、疏松肥沃的砂壤土种植，过黏或过砂的土壤均不宜栽植。选好地后，每亩施腐熟厩肥或堆肥 1 ~ 2 t 作基肥，翻 20 ~ 30 cm 深土层，耕细整平，做高畦，畦宽 1 ~ 2 m，畦沟宽 33 cm，深 13 ~ 16 cm。

2. 繁殖方法

浙贝母多采用鳞茎繁殖。栽培浙贝母可分为种子田和商品田 2 种。种子田待地上部分枯萎后在原地过夏，9 ~ 10 月间将鳞茎挖起，按直径大小分别栽植于种子田和商品田中。种子田随挖随栽，商品田待种子田栽完后再行栽入。按行距 20 cm 在畦上开横条沟，沟深 10 ~ 12 cm，将鳞茎按株距 13 ~ 16 cm 种植，芽头向上，将泥土覆盖其上；或将两凹面播种床间凸起部分的土向两边播种床覆盖，形成排水沟。

3. 田间管理

中耕除草要尽早进行，浙贝母未出土前和植株生长前期较宜。播种后至 12 月中旬，畦面杂草多时也可化学除草，每亩用 30% 草甘膦水剂 300 ml。出苗前后不可使用除草剂，应于晴天露水干后进行人工除草。

浙贝母是耐肥作物，对氮肥及钾肥需求量较多，追肥应选用农家肥或有机肥，分别在冬前齐苗期和摘花期进行，尤其冬季施肥量要大。浙贝母生长期需水不多，但在植株旺盛生长时期（2 月初至 4 月初）需水相对较多，但遇积水也应及时排出。

在植株顶部有 2 ~ 3 朵花开放时，选晴天露水干后进行摘花打顶，将花连同先端花梢一并摘除，以利鳞茎生长。浙贝母 5 月上旬植株枯萎至 9 月上旬再发根生长为休眠期，亦称浙贝超夏，地上植株枯萎前可套种瓜类、豆类、蔬菜等遮阴度大的作物，以降低地温。

4. 病虫害防治

浙贝母栽培过程中常见的病害主要有灰霉病、黑斑病、干腐病、软腐病等，虫害主要为金龟子（幼虫为蛴螬）等。根据病虫害发生规律和预报，采用综合防治技术，以农业防治为主，生物防治和物理防治为辅，尽量减少农药防治次数，优先使用生物农药，化学农药宜选用高效、低毒、低残留的种类。

| **采收加工** | 5 月上中旬地上茎叶枯萎后，选晴天及时收获。清理田间杂草后，用短柄二齿耙从畦边开挖，二齿耙落在两行之间，边挖边拣，不应挖破地下鳞茎。挖出后洗净，除去杂质，沥干水。将鳞茎按大小分级，较大的挖去芯芽加工成大贝，挖下的芯芽可加工成贝芯，较小的不去芯芽，加工成珠贝。

将新鲜鳞茎放入电动去皮桶内 1 ~ 2 分钟，待鳞茎脱皮 50% ~ 60% 时放入贝壳燃烧而成的灰，每 100 kg 鳞茎用壳灰 3 ~ 5 kg，后继续擦皮 2 ~ 3 分钟，待鳞茎全部拌上贝壳灰倒入箩筐晾一夜。后置于太阳下暴晒 3 ~ 4 天，然后用麻袋装起来，放置 1 ~ 3 天，让内部水分渗到表面，再晒，如此反复至干即得大贝或珠贝。部分产区也采用撞皮过程中不加贝壳灰的方法直接烘干或晒干。对较大的鳞茎，也可大小分开，趁鲜切成厚度为 3 ~ 5 mm 的厚片，晒干或烘干成浙贝片。

| **药材性状** | 本品大贝为鳞茎外层的单瓣鳞叶，略呈新月形，高 1 ~ 2 cm，直径 2 ~ 3.5 cm；外表面类白色至淡黄色，内表面白色或淡棕色，被有白色粉末。质硬而脆，易折断，断面白色至黄白色，富粉性。气微，味微苦。珠贝为完整的鳞茎，呈扁圆形，高 1 ~ 1.5 cm，直径 1 ~ 2.5 cm；表面类白色，外层鳞叶 2 瓣，肥厚，略似肾形，互相抱合，内有小鳞叶 2 ~ 3 和干缩的残茎。浙贝片为鳞茎外层的单瓣鳞叶切成的片，呈椭圆形或类圆形，直径 1 ~ 2 cm。边缘表面淡黄色，切面平坦，粉白色。质脆，易折断，断面粉白色，富粉性。

浙贝片药材　　　　　　　　　　　珠贝药材

| 品质评价 | 一般以鳞叶肥厚、质坚实、粉性足、断面色白者为佳。2015 年版《中华人民共和国药典》将浙贝母分为大贝、珠贝和浙贝片 3 类，当前药材市场主要以珠贝和浙贝片商品规格常见，大贝罕见。浙贝母商品等级主要按照大小、色泽、均匀度进行划分，共分为特级、一级、二级、统货 4 个等级，个头越大，等级越高，商品规格等级划分见表 2-1-11。2020 年版《中华人民共和国药典》规定，浙贝母按醇溶性浸出物测定法项下的热浸法测定，用乙醇作溶剂，醇溶性浸出物不得少于 8.0%，含贝母素甲和贝母素乙总量不得少于 0.08%。

浙贝母常见混淆品有皖贝母和湖北贝母，应注意区分。皖贝母多瓣，大小悬殊，先端闭合，底部突出；湖北贝母 2 瓣，大小相近，相互抱合，先端开口或闭合，底部突出或凹陷。

表 2-1-11　浙贝母商品规格等级划分

规格	等级	性状描述	
		共同点	区别点
浙贝片	特级	鳞茎外层的单瓣鳞叶切成的片，呈椭圆形或类圆形。边缘表面淡黄色或淡黄白色。质脆，易折断，断面粉白色或类白色，富粉性。气微，味微苦	直径 ≥ 3.0 cm；均匀度 ≥ 90%；边缘表面淡黄白色，断面粉白色
	一级		2.5 cm ≤ 直径 < 3.0 cm；75% ≤ 均匀度 < 90%；边缘表面淡黄白色至淡黄色，断面粉白色至类白色
	二级		2.0 cm ≤ 直径 < 2.5 cm；60% ≤ 均匀度 < 75%；边缘表面淡黄白色至淡黄色，断面粉白色至类白色
	统货		直径 < 2.0 cm；均匀度 < 60%；边缘表面淡黄色，断面类白色

续表

规格	等级	性状描述	
		共同点	区别点
珠贝	特级	完整的鳞茎，呈扁圆形。表面类白色、淡黄白色，外层鳞叶 2 瓣，肥厚，略似肾形，互相抱合，内有小鳞叶 2～3 和干缩的残茎。气微，味微苦	直径≥3.0 cm；均匀度≥90%；表面类白色
	一级		2.5 cm≤直径＜3.0 cm；75%≤均匀度＜90%；表面类白色至淡黄白色
	二级		2.0 cm≤直径＜2.5 cm；60%≤均匀度＜75%；表面类白色至淡黄白色
	统货		直径＜2.0 cm；均匀度＜60%；表面淡黄白色

有研究对 4 种不同栽培品种浙贝母（狭叶种、宽叶种、多籽种、小三子种）中贝母素甲含量进行分析，结果显示：贝母素甲含量为小三子种＞多籽种＞狭叶种＞宽叶种，4 种浙贝母栽培品种小鳞茎中贝母素甲含量均高于大鳞茎，且芯芽贝母素甲含量显著高于鳞片。

| 功效物质 | 浙贝母药材中发现的化合物类型主要包括生物碱类、二萜类、核苷类、多糖类等。目前作为资源性物质研究及应用较多的主要为生物碱类。

一、生物碱类

生物碱类成分是浙贝母含有的主要资源性化学成分，具有松弛支气管平滑肌、镇咳、平喘、祛痰、抗炎等作用，浙贝母中总生物碱含量为 0.1%～0.2%。贝母属植物所含生物碱的结构类型可分为异甾体类和甾体类两大类，前者又可分为瑟文型、介藜芦型和藜芦胺型，后者可分为茄碱型和裂环茄碱型。浙贝母中含有的生物碱以瑟文型为主，代表性化合物包括贝母素甲、贝母素乙、鄂贝啶碱、去氢鄂贝啶碱、西贝母碱、西贝母碱苷、棱砂贝母碱等。介藜芦型生物碱有贝母辛等。

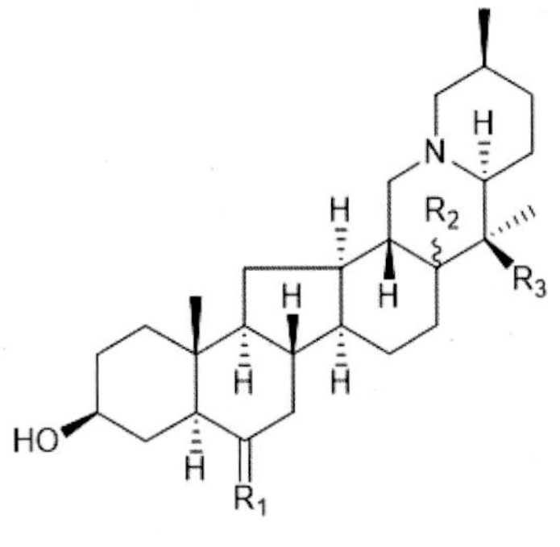

R₁=α-OH，β-H，R₂=α-H，R₃=OH，贝母素甲
R₁=O，R₂=α-H，R₃=OH，贝母素乙
R₁=β-OH，α-H，R₂=α-H，R₃=H，鄂贝啶碱
R₁=O，R₂=β-H，R₃=OH，西贝母碱
R₁=β-OH，α-H，R₂=β-H，R₃=H，棱砂贝母碱

二、二萜类

贝母属植物所含二萜类成分，其结构类型包括对映 - 贝壳杉烷类及其二聚体、半日花烷类、异石松脂烷类、阿替生烷类。其中以对映 - 贝壳杉烷类化合物为多见，如对映 -16α,17- 贝壳松二醇、对映 -16β,17- 贝壳松二醇、对映 -16α- 甲氧基 -17- 贝壳松醇、对映 -17- 降贝壳杉烷 -16- 酮等。

三、核苷类

贝母属植物鳞茎的核苷类成分主要包括胸苷、腺苷、尿苷、鸟苷、胞苷、次黄嘌呤、腺嘌呤、鸟嘌呤及尿嘧啶等，具有抗肿瘤、抗病毒、消炎等多种生物活性。

| 功能主治 | 苦，寒。归肺、心经。清热化痰止咳，解毒散结消痈。用于风热咳嗽，痰火咳嗽，肺痈，乳痈，瘰疬，疮毒等。

| 用法用量 | 内服煎汤，5 ~ 10 g；或入丸、散剂。外用适量，研末敷。不宜与川乌、制川乌、草乌、制草乌、附子同用。

| 传统知识 | 传统中医认为浙贝母长于清热化痰、泄降肺气，常用于感冒风热之咳嗽或痰热郁肺之咳嗽，前者每与疏散风热之桑叶、前胡、牛蒡子等同用，后者多与清肺化痰之桑白皮、全瓜蒌、海浮石相伍。肺痈咯吐脓血，可配鱼腥草、金荞麦、冬瓜子、桃仁等以清热解毒、化瘀排脓。浙贝母与苏子、前胡、玄参、桔梗、甘草等同用，亦治风热喉痹、痰壅气急。浙贝母善泻热化痰散结，用治痰火郁结之瘰疬、痰核，常与玄参、牡蛎配伍；治瘿瘤，常与化痰软坚之海藻、昆布等配伍；治痈疮，常与金银花、乳香、没药等配伍，以清热解毒消痈。

| 资源利用 | 一、在医药领域中的应用

浙贝母具有止咳化痰、清热散结的功效，在医药产品中常用于具有止咳化痰的成方制剂中，如乌贝散、金贝痰咳清颗粒、桔贝合剂、蛇胆贝母散、安嗽片等。贝母异甾体生物碱类成分除具有镇咳平喘作用外，尚具有降血压、镇静、减慢心率、抗菌等作用。贝母素甲、贝母素乙及贝母辛能通过抑制血管紧张素转换酶活性而产生降血压作用；鄂贝啶碱和去氢鄂贝啶碱具有抗肿瘤活性。贝母素甲、贝母素乙及鄂贝啶碱还对卡他球菌、金黄色葡萄球菌、大肠埃希菌、肺炎克雷伯菌等有抑制作用。

二、在保健食品中的应用

浙贝母常用于具有清咽润喉功效的保健食品的开发，常与胖大海、百合、苦杏仁、甘草、罗汉果、北沙参、薄荷、珍珠粉、金银花等合用。此外，还与金银花、

蒲公英、栀子、菊花等合用，用于具有去痤疮功效的保健食品的开发。

三、资源循环利用

长期以来，浙贝母都以地下鳞茎入药，茎叶及花部分常作为废物丢弃。研究显示，浙贝母的非药用部位（茎叶、花）含有与鳞茎相似的化学成分，花中贝母素甲、贝母素乙等生物碱类成分含量约占鳞茎单位重量的50%，且含有以山柰酚和槲皮素及其糖苷为代表的黄酮类，以及核苷类和氨基酸类资源性成分。药理活性研究显示，浙贝母茎叶、花均具有一定的止咳、化痰、镇痛作用，这为扩大药用部位、综合利用资源提供了依据。目前，以浙贝母花为主要原料生产的贝母花流浸膏及贝母花片已被应用于临床，主要用于咳嗽痰多、支气管炎的治疗。此外，也有报道将贝母花开发为贝母花茶等功能性茶饮。

| 附　注 | （1）贝母属植物全世界约有130种，主要分布在北半球的欧洲、亚洲及北美洲的温带地区。我国产贝母属植物高达80种、52变种、6变型，主要分布于四川、新疆、吉林、甘肃、湖北、浙江等省区。2015年版《中华人民共和国药典》收载5种贝母类药材：川贝母［卷叶贝母 *Fritillaria cirrhosa* D. Don、暗紫贝母 *Fritillaria unibracteata* Hsiao et K. C. Hsia、甘肃贝母 *Fritillaria przewalskii* Maxim.、梭砂贝母 *Fritillaria delavayi* Franch.、太白贝母 *Fritillaria taipaiensis* P. Y. Li 或瓦布贝母 *Fritillaria unibracteata* Hsiao et K. C. Hsia var. *wabuensis* (S. Y. Tang et S. C. Yue) Z. D. Liu, S. Wang et S. C. Chen］、浙贝母 *Fritillaria thunbergii* Miq.、平贝母 *Fritillaria ussuriensis* Maxim.、湖北贝母 *Fritillaria hupehensis* Hsiao et K. C. Hsia、伊贝母（新疆贝母 *Fritillaria walujewii* Regel 或伊贝母 *Fritillaria pallidiflora* Schrenk）。除此之外，各地还有部分地方习用品种。

（2）由于长期的人工筛选和自然选择已衍生出许多浙贝母品种，根据形态特征可分为以下5种主要类型：细叶浙贝（狭叶种、通种）、大叶浙贝（宽叶种、竹叶种）、轮叶浙贝、三芽浙贝（小三子种）、多芽浙贝（多籽种）。目前主要栽培的品种有狭叶种、宽叶种、多籽种，以及其选育新品种。浙贝母变种东贝母 *Fritillaria thunbergii* Miq. var. *chekiangensis* Hsiao et K. C. Hsia 的鳞茎为药材东贝的来源，常代川贝母用。

参考文献

[1] 国家中医药管理局《中华本草》编委会. 中华本草：第8册[M]. 上海：上海科学技术出版社，1999.

[2] 道地药材：浙贝母：T/CACM 1020.14—2019[S]. 北京：中华中医药学会，2019.

[3] 赵宝林，刘学医. 药用贝母品种的变迁[J]. 中药材，2011，34（10）：1630-1634.

[4] 中药材商品规格等级：浙贝母：T/CACM 1021.24—2018[S]. 北京：中华中医药学会，2018.

[5] 张彦南,陆兵,王康才,等.浙贝母主产地栽培品种与生产现状调查研究[J].中国现代中药,2012,14(10):42-45.

[6] 张彦南,王康才,张晓倩,等.不同浙贝母栽培品种贝母素甲累积规律研究[J].中国中药杂志,2015,40(3):421-423.

[7] 浙贝母生产技术规程:DB33/T 532—2014[S].杭州:浙江省质量技术监督局,2014.

[8] 叶汉明,张小春,薛瑞祥,等.苏北沿海地区贝母—大白菜—糯玉米—毛豆高效栽培模式[J].长江蔬菜,2017(23):46-48.

[9] 阮汉利,张勇慧,吴继洲.贝母属植物非生物碱成分研究进展[J].中草药,2002,33(9):858-860.

[10] 崔明超.贝母花研究进展[J].齐鲁药事,2011,30(11):661-662.

[11] 王翰华,杨晓春,崔明超.浙贝母叶与浙贝母花醇提物的止咳、化痰及平喘活性研究[J].天津医药,2016,44(10):1225-1227.

[12] 崔明超,张加余,陈少军,等.浙贝母植株各部位中生物碱和黄酮的LC-LTQ-Orbitrap MSn分析[J].中国中药杂志,2016,41(11):2124-2130.

[13] 闫精杨,刘培,江曙,等.浙贝母花期地上部分核苷类、氨基酸类及无机元素类成分分析与评价[J].中国现代中药,2016,18(8):967-973.

[14] LI H J, JIANG Y, LI P. Chemistry, bioactivity and geographical diversity of steroidal alkaloids from the Liliaceae family[J]. Natural Product Report, 2006, 23(5):735-752.

[15] LI H J, JIANG Y, LI P. Characterizing distribution of steroidal alkaloids in Fritillaria spp. and related compound formulas by liquid chromatography-mass spectrometry combined with hierarchial cluster analysis[J]. Journal of Chromatography A, 2009, 1216(11):2142-2149.

[16] ZHOU J L, LI P, LI H J, et al. Development and validation of a liquid chromatography/electrospray ionization time-of-flight mass spectrometry method for relative and absolute quantification of steroidal alkaloids in Fritillaria species[J]. Journal of Chromatography A, 2008, 1177(1):126-137.

（郭　盛　严　辉　邹立思）

黄蛭科 Haemopidae 金线蛭属 Whitmania

宽体金线蛭
Whitmania pigra Whitman

| 药 材 名 | 水蛭（药用部位：全体。别名：马蜞、马蟥、马鳖）。

| 本草记述 | 水蛭始载于《神农本草经》，被列为下品。《神农本草经》载："水蛭，味咸、平。主逐恶血；瘀血月闭，破血癥积聚，无子；利水道。生池泽。"《新修本草》记载："此物，有草蛭、水蛭。大者长尺，名马蛭，一名马蜞，并能咂牛、马、人血；今俗多取水中小者用之，大效，不必要须食人血满腹者；其草蛭，在深山草上，人行即敷着胫股，不觉，遂于肉中产育，亦大为害，山人自有疗法也。"《本草拾遗》载："水蛭本功外，人患赤白游疹及痈肿毒肿，取十余枚，令唼病处，取皮皱肉白，无不差也。冬月无蛭虫，地中掘取，暖水中养之，令

动，先洗去人皮咸，以竹筒盛蛭缀之，须臾便咬血满自脱，更用饥者。"《本草图经》载："水蛭，生雷泽池泽，今近处河池中多有之。一名蚑。此有数种：生水中者名水蛭，亦名马蟥；生山中者名石蛭；生草中者名草蛭；生泥中者名泥蛭。并能著人及牛马股胫间，唼唼其血，甚者入肉中产育，为害亦大。水蛭有长尺者，用之当以小者为佳。"《本草经集注》记录："蛭，今复有数种，此用马蟥得唼人，腹中有血者，仍干为佳，山蛭及诸小者皆不用。"《本草蒙筌》记载："水蛭，入药取水中小者，其性畏石灰与盐。"《本草纲目》谓其"咸走血，苦胜血。水蛭之咸苦，以除蓄血，乃肝经血分药，故能通肝经聚血"。《本草新编》记载："善祛积瘀坚痕。仲景夫子用之为抵当汤丸，治伤寒之瘀血发黄也。治折伤，利水道，通月信，堕妊娠，亦必用之药。蓄血不化，舍此安除乎。"

| **形态特征** | 体大型，体长 60 ～ 120 mm，宽 13 ～ 40 mm。背面暗绿色，有 5 由黑色和淡黄色斑纹间杂排列组成的纵纹。腹面两侧各有 1 淡黄色纵纹，其余部分为灰白色，杂有茶褐色斑点。体环数 107，前吸盘小。颚齿不发达，不吸血。雄、雌生殖孔分别位于第 33 ～ 34、第 38 ～ 39 环沟间。

| **资源情况** | 一、生态环境

宽体金线蛭主要栖息于水田、沟渠、湖沼、溪流中，对水质和环境要求不严，水温一般在 15 ～ 30 ℃时生长良好。10 ℃以下停止摄食，35 ℃以上影响生长。适宜生长水温为 10 ～ 30 ℃，最适水温为 22 ～ 28 ℃，繁殖快，再生能力强。吸食浮游生物、小型昆虫、软体动物及腐殖质。

二、养殖历史与产地

水蛭资源以养殖为主。江苏水蛭养殖基地主要在南京浦口、扬州宝应、淮安淮阴、宿迁沭阳、南通如皋、苏州张家港等地区。

三、养殖规模与产量

近年来由于市场供求关系变化，水蛭产量有波动，近年江苏水蛭产量约为每年 100 t。

四、规范化养殖技术

1.养殖基地

水蛭的主要养殖区域包括池塘、沟渠、水田等地，也可建造养殖池。养殖池四周埂高 1.8 m，水深 0.8 ～ 1 m，是半埋式旧水泥池（底部是泥质），池上口有檐，伸入池内约 12 cm，以防水蛭逃跑，池面上空设置防鸟网，1/3 水面上空设置遮光网。河水先抽入土池沉淀数日，再经过砂滤池过滤后流入养殖池。

2. 养殖技术

一般每亩水面可放养幼蛭 6 万～ 10 万条。可鱼蛭混养，但仅限鲢鱼类。捕捉野生水蛭作为种苗，不同品种分池饲养。每亩水面可一次性投放 20 ～ 30 kg 饲料，如各种螺类、贝类、草虾等，还可适当投放一些萍类或水草植物，既可作螺类、贝类、草虾的饲料，又可为水蛭提供活动或栖息的场所。螺蛳是水蛭喜食的活体饵料，可摄取池中的残饵和底泥中的有机营养物质，净化水质。螺蛳要分批投放，一般每 10 天投放 1 次，每次投量不能太多。初次投放在 5 月底，以后要根据水蛭摄食情况及剩余螺蛳多少增减投饵量。如气温在 18 ～ 24 ℃时，水蛭活泼、摄食量大，应加大投饵量；气温在 12 ～ 18 ℃时，应逐渐减少投饵量。如多数水蛭在水中游动不止，说明池内饲料不足，可用各种动物的血拌草粉投放。4 月下旬至 6 月中旬为产卵期，需建造产卵床。将产卵床构建在池中间，约占全池面积的10%，用河塘堤岸泥或稻田泥堆成长 10 m、宽 1.2 m、高 0.5 m 的泥墩，产卵床要露出水面 0.3 m 左右。每条水蛭一次可产出卵茧 4 个左右，经 16 ～ 25 天，每个卵茧可孵出幼蛭 13 ～ 35 条。如养殖环境好，饲养密度合适，饵料丰富，水质环境好，幼蛭在同年 9 ～ 10 月即可长成成蛭。

3. 养殖管理

应注意保持水质清洁新鲜。7 ～ 8 月气温高时要适当换水，北方冬季池水要加深一些，以防冻死水蛭。为便于水蛭栖息和产卵，池底可放一些不规则石块和树枝，水池中间应建 5 ～ 8 个高出水面 20 cm 的土台，每个土台面积约 1 m²。池埂要设放逃沟，以砖砌成，一半镶入土中，下雨时用密网拦住或在沟内撒些石灰，防止水蛭随流水逃走。

4. 病敌害防治

幼蛭入池前，用 0.1% 的高锰酸钾溶液药浴 5 分钟。螺蛳投喂前用 3% 的漂白粉溶液药浴 5 分钟，防止将有害生物及致病菌带入养殖池。高温期保持定期漂白粉杀菌消毒，防止水蛭细菌性传染病的发生。发现死蛭要及时清除，并查找原因，以便及时对症下药，控制疾病继续蔓延。严禁水蛭天敌乌鱼、鳝鱼、水鸟等进入。

| 采收加工 | 9 ～ 10 月捕捞，可用丝瓜络或草束浸动物血，晾干后放入水中诱捕，2 ～ 3 小时后提出，抖下水蛭，拣大去小，反复多次直至将池中大部分成蛭捕尽；或选择晴天把池中水位降到 20 ～ 30 cm，在水面放塑料泡沫板，第二天塑料泡沫板阴暗面会吸附水蛭，拣大去小，小水蛭留在原池继续养殖或转池养殖至越冬。捕后将水蛭洗净，用石灰或白酒将其闷死，或用沸水烫死，晒干或低温干燥。水蛭收获后的初加工方法有很多，其中使用较普遍的是吊干法。

| 药材性状 | 本品呈扁平纺锤形，由多数环节组成，长 40 ~ 100 mm，宽 5 ~ 20 mm。背部黑褐色或黑棕色，稍隆起，用水浸后可见黑色斑点排成 5 纵纹；腹面平坦，橘黄色，两侧棕黄色，前端略尖，后端钝圆，两端各具 1 吸盘，前吸盘不显著，后吸盘较大。质脆，易折断，断面胶质状。气微腥，味咸。

| 品质评价 | 2015 年版《中华人民共和国药典》规定，宽体金线蛭每克含抗凝血酶活性应不低于 3.0 U；水蛭水分不得过 18.0%，总灰分不得过 8.0%，酸不溶性灰分不得过 2.0%；铅不得过 10 mg/kg，镉不得过 1 mg/kg，砷不得过 5 mg/kg，汞不得过 1 mg/kg；每千克含黄曲霉毒素 B_1 不得过 5 μg，黄曲霉毒素 G_2、黄曲霉毒素 G_1、黄曲霉毒素 B_2、黄曲霉毒素 B_1 的总量不得过 10 μg。

宽体金线蛭（蚂蟥）分为一等、二等及统货 3 个等级，一等蚂蟥呈扁平纺锤形，长 > 7 cm，宽 > 1.5 cm，无破碎，每千克 ≤ 350 只；二等蚂蟥呈扁平纺锤形，长 4 ~ 7 cm，宽 0.5 ~ 1.5 cm，破碎率 ≤ 10%，每千克 > 350 只；统货蚂蟥大小不等，破碎率 ≤ 3%。宽体金线蛭统货性状为扁长圆柱形，有光泽，体多弯曲扭转，破碎率 ≤ 5%。

| 功效物质 | 水蛭中的主要成分为蛋白质及多肽类成分，主要可分为两大类：一类为直接作用于凝血系统的活性成分，如水蛭素、类肝素、吻蛭素、组织胺等；另一类为非凝血酶类的蛋白酶抑制剂类，如抗栓肽、裂纤酶等。此外，水蛭中还含有核苷类、蝶啶类、甾体类、糖脂类成分等。

一、水蛭素类

水蛭素是水蛭唾液中的一类重要活性成分，具有很强的抗凝血酶活性，是由 65 或 66 个氨基酸残基组成的单链多肽，相对分子质量约为 7 000 Da。水蛭素 N- 端有 3 对分子内二硫键，分别为 Cys6-Cys14、Cys16-Cys28 与 Cys22-Cys39，二硫键的结构决定了水蛭素的空间结构和抗凝血酶活性。水蛭素活性中心位于结构紧密的 N- 端，能够识别凝血酶碱性氨基酸富集位点，并与之结合。水蛭素 C- 端含有 1 个被磺酸化的酪氨酸（Tyr63）以及 1 个被糖基化的酪氨酸（Tyr45），酸性氨基酸残基能阻止凝血酶与纤维蛋白原结合，从而产生抗凝血的作用。水蛭素 N- 端 1 ~ 3 位的氨基酸可与凝血酶活性位点结合，是重要的结构序列；水蛭素还含有 Pro-Lys47-Pro 结构单元，在维持分子结构稳定性的同时，还可引导水蛭素以正确的空间方向与凝血酶结合。而水蛭素 C- 端所含有的 Asp56-Phe-Xaa-Yaa-Ile-Pro 结构单元可阻断凝血酶上的纤维蛋白原识别位点。目前已发现的水蛭素类结构均含有上述特征性结构域或结构单元，这是水蛭素抗凝血酶活性的关键。

山蛭素与水蛭素结构类似，且来源于同一家族，是由 57 个氨基酸残基组成的单链多肽，N- 端有由 3 对分子内二硫键构成的结构域，分别为 Cys10-Cys19、Cys21-Cys32 与 Cys26-Cys37，与水蛭素略有不同。尽管山蛭素的 C- 末端明显比水蛭素短，但其酸性 C- 末端亦有利于结合凝血酶。不同于水蛭素 3 位的酪氨酸（Tyr3），山蛭素的 3 位是苯丙氨酸（Phe3），因而表现出更强的抗凝血酶活性。山蛭素的核心结构域，尤其是 N- 端结构域，与天然水蛭素或重组水蛭素的不同被认为是水蛭自身自然选择优化的结果，更有利于山蛭素发挥抗凝血功效。山蛭素除了抑制凝血酶外，对血栓调节蛋白也有抑制作用。

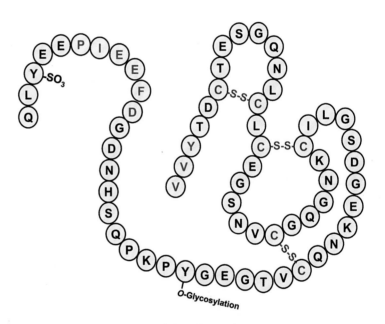

水蛭素多肽结构示意图

水蛭素样因子（HLF）是近年来发现的一类与水蛭素具有相似结构域的肽类，基于基因序列与蛋白质序列的系统发育分析表明，HLF 与水蛭素为姐妹群关系。HLF 的 N- 端含有 3 对二硫键，但缺少 Pro-Lys-Pro 与 Asp-Phe-Xaa-Yaa-Ile-Pro 结构单元。尽管 HLF 尚未表现出抗凝血酶活性，但有学者认为 HLF 的产生是水蛭为适应并与寄主体内多种生物靶点结合而发生进化的结果，其功效作用特点、作用靶点及机制有待进一步揭示。

Theromin 肽与 Therostasin 肽为高活性凝血酶抑制剂，其氨基酸序列完全不同于现有已知的凝血酶抑制剂，是由 67 个氨基酸残基组成的单链多肽，却含有 16 个 Cys，属富半胱氨酸肽类。Therostasin 肽为凝血因子 Xa 的抑制剂。Theromin

肽与 Therostasin 肽具有相似的结构域：N- 端的 12 个 Cys 可形成 6 对二硫键，而 C- 端的 4 个 Cys 可能参与形成分子间二硫键，N- 端结构具有高酸性特点，均含有高保守的 Asp-Xaa-Xaa-Gly-Cys-Yaa-Yaa-Cys-Zaa-Cys 结构单元。这些结构特征均与二者表现出良好的凝血酶抑制活性密切相关。

二、环二肽类

从宽体金线蛭中分离鉴定出一系列环二肽类化合物，包括环（L- 脯氨酸 -L- 丙氨酸）、环（L- 脯氨酸 -L- 缬氨酸）、环（L- 脯氨酸 -L- 亮氨酸）、环（L- 脯氨酸 -L- 脯氨酸）、环（L- 脯氨酸 -L- 苯丙氨酸）、环（L- 脯氨酸 -L- 酪氨酸）等。

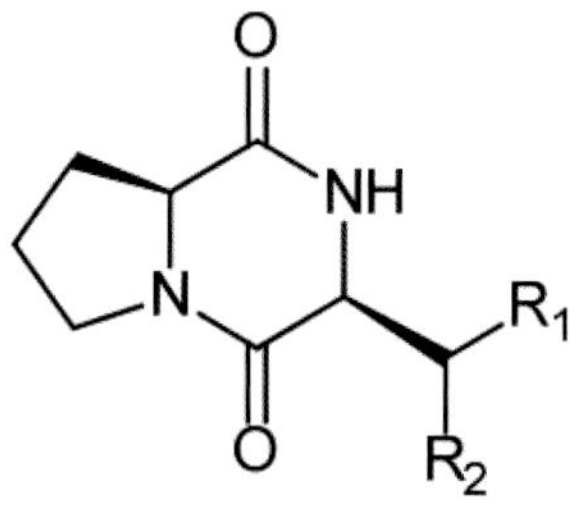

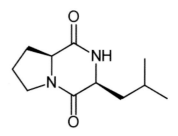

环（L− 脯氨酸 −L− 丙氨酸）R₁=R₂=H
环（L− 脯氨酸 −L− 缬氨酸）R₁=R₂=CH₃

环（L− 脯氨酸 −L− 亮氨酸）

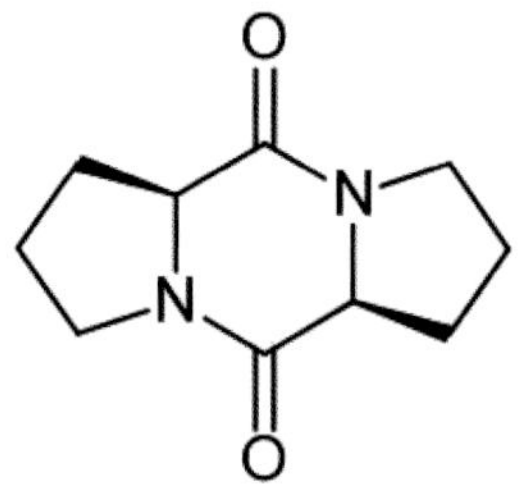

环（L− 脯氨酸 −L− 脯氨酸）

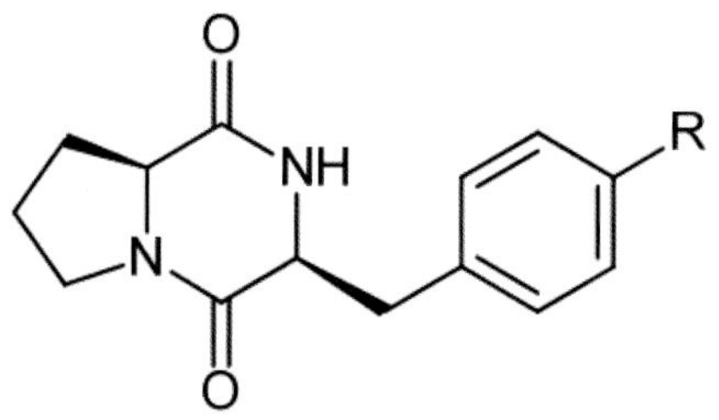

环（L− 脯氨酸 −L− 苯丙氨酸）R=H
环（L− 脯氨酸 −L− 酪氨酸） R=CH₃

水蛭环二肽类化合物化学结构

三、蝶啶类

宽体金线蛭均被报道含有蝶啶类生物碱，如 Hirudinoidine A、Hirudinoidine B、Hirudinoidine C、Hirudonucleodisulfide A、Hirudonucleodisulfide B 等。 其 中，Hirudonucleodisulfide A 与 Hirudonucleodisulfide B 具有抗缺氧活性，二者的有效中浓度（EC₅₀）分别为（27.01±2.23） μg/ml、（19.54±1.53） μg/ml，表明蝶啶类生物碱为水蛭的重要功效物质之一。

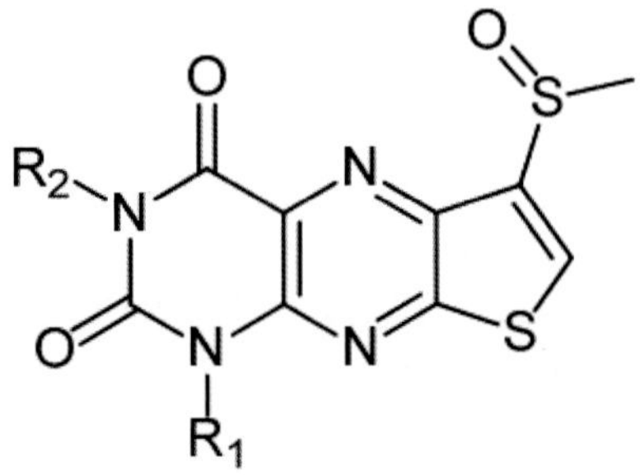

R₁=R₂=Me，Hirudinoidine A

R₁=Me，R₂=H，Hirudinoidine B

R₁=R₂=H，Hirudinoidine C

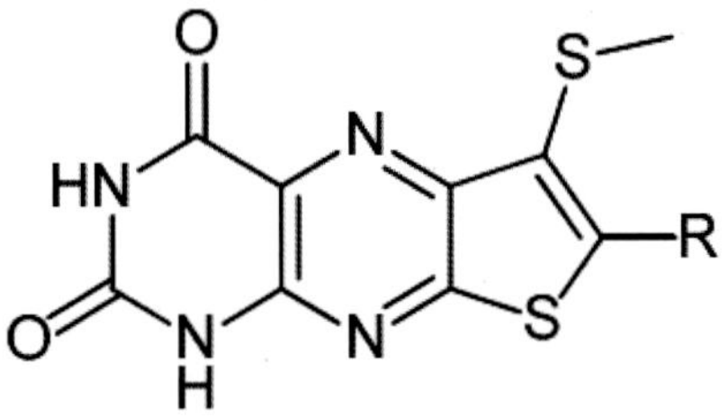

R=COOH，Hirudonucleodisulfide A

R=−CH（OH）CH₂OH，Hirudonucleodisulfide B

水蛭蝶啶类化合物化学结构

| **功能主治** | 破血逐瘀，通经消癥。用于血瘀经闭，癥瘕痞块，中风偏瘫，跌扑损伤。

| **用法用量** | 内服煎汤，3 ~ 9 g；或入丸、散剂，0.5 ~ 1.5 g，大剂量可用至 3 g。

| **传统知识** | 基于文献梳理和中药资源普查过程中调查走访收集的传统用药知识，记录于此。

（1）治疗妇人经水不利下，男子膀胱满急有瘀血：水蛭（熬）30 个，虻虫（去翅、足，熬）30 个，桃仁（去皮、尖）20 个，大黄（酒浸）三两。上四味为末，以水五升，煮取三升，去滓，温服一升。

（2）治疗妇人腹内有瘀血，月水不利，或断或来，心腹满急：桃仁（汤浸，去皮、尖、双仁，麸炒微黄）三两，虻虫（炒微黄，去翅、足）40 枚，水蛭（炒微黄）40 枚，川大黄（锉碎微炒）三两。上药捣罗为末，炼蜜和捣百余杵，丸如梧桐子大。每服，空心以热酒下 15 丸。

（3）治疗月经不行，产后恶露，脐腹作痛：熟地黄四两，虻虫（去头、翅炒）、水蛭（糯米同炒黄，去糯米）、桃仁（去皮、尖）各 50 枚。上为末，蜜丸，桐子大。每服 5 ~ 7 丸，空心温酒下。

（4）治疗漏下去血不止：水蛭治下筛，酒服一钱许，日 2 服，恶血消即愈。

（5）治疗折伤：水蛭，新瓦上焙干，为细末，热酒调下一钱，食顷，痛可，更 1 服，痛止。便将折骨药封，以物夹定之。

| **资源利用** | 在医药领域中的应用

1. 中医临床用药

"水蛭破瘀血而不伤新血，纯系水之精华生成，于气分丝毫无损，而瘀血默消于无形，真良药也"。临床上常将水蛭与其他中药组方配伍应用，疗效确切。

古今医案分析表明，水蛭临床广泛用于中风、胸痹、胸痹心痛等心脑血管疾病。水蛭粉可改善颅内动脉重度狭窄或闭塞所致脑梗死病人脑血管侧支循环的代偿，改善脑卒中的预后。以水蛭为君药的水蛭通络散剂治疗急性期缺血性脑卒中的临床效果显著，有助于病人神经功能的恢复与日常生活能力的提高，且不良反应小。

2. 中成药制剂

水蛭及含有水蛭的方剂，具有活血、化瘀、通络的功效，主要用于心脑血管疾病，如冠心病、心绞痛、高血压、急性心肌梗死、脑梗死、脑出血等。原国家食品药品监督管理总局批准的含水蛭的中成药有：脑心通胶囊、血栓心脉宁胶囊、通心络胶囊、龙生蛭胶囊、芪蛭通络胶囊、脑血康胶囊、蛭芎胶囊、脑血栓片、芪蛭降糖胶囊等。血栓心脉宁胶囊是国家中药保护品种、国家医保药物，能有效改善胸痹心痛病人中医临床证候；通心络胶囊具有稳定易损斑块、抑制心室重构、抗缺血组织细胞凋亡等作用，临床上广泛用于急性心肌梗死；脑心通胶囊是具有现代循证医学研究证据的脑心同治专利现代中成药，具有改变血液流变学指标、降脂、抗炎、抗血栓等作用，临床上用于高血压、脑出血等；龙生蛭胶囊能改善微循环的血流速度，改善缺血情况，还可扩张微血管，对脑梗死的疗效较好，龙生蛭胶囊与脑血康胶囊临床上均可用于脑梗死。

3. 水蛭素的应用

肝素是临床常用的抗凝药之一，然而应用肝素最常见的并发症是出血与血小板减少症，严重时甚至可危及生命。与肝素相比，水蛭素具有凝血作用显著且临床并发症少的特点。临床291例病人在冠状动脉成形术时用水蛭素代替肝素，结果表明水蛭素具有明显的剂量依赖性的抗凝血作用，且避免了出血并发症的产生。有研究表明，在214例急性心肌梗死病例中，给予水蛭素的病人18小时和36小时血管造影通畅程度显著高于使用肝素的病人，且未见明显的出血并发症。另有研究表明，病人在给予水蛭素后90分钟和120分钟冠状动脉通畅程度明显优于肝素组，且水蛭素组病人未见出血并发症。在静脉血栓生成的临床研究方面，水蛭素可用于预防骨科手术过程中高危病人的静脉血栓生成。重组水蛭素可用于肝素诱导的血小板减少症及预防血栓形成。

参考文献

[1] 国家中医药管理局《中华本草》编委会. 中华本草：第 25 册 [M]. 上海：上海科学技术出版社，1999.

[2] 丁立威. 水蛭产供销趋势分析 [J]. 中国现代中药，2013，15（9）：808-811.

[3] 李才根. 水蛭优质高效生态养殖技术 [J]. 科学种养，2018（5）：58-59.

[4] 刘飞.蚂蟥生长繁殖习性及其遗传多样性分子标记研究[D].南京:南京农业大学,2008.

[5] 史红专,郭巧生,陆树松,等.不同月龄蚂蟥内在品质及最佳采收期研究[J].中国中药杂志,2009,34(23):3060-3063.

[6] 张悦,邓爱平,方文韬,等.动物类矿物类菌类及其他类药材商品规格等级标准—以鹿茸水蛭灵芝等7种药材为例[J].中国现代中药,2019,21(6):731-738,752.

[7] 李桃.宽体金线蛭的化学成分研究[D].广州:暨南大学,2013.

[8] 黎希年,杨太生,周小玲,等.水蛭粉对脑梗死侧支循环代偿的临床效果研究[J].中国实用医药,2019,14(36):146-148.

[9] 李辉,徐晓丹,付成保,等.水蛭通络散剂治疗急性期缺血性中风的临床效果[J].中医中药,2019,12:149-151.

[10] MÜLLER C, HAASE M, LEMKE S, et al. Hirudins and hirudin-like factors in Hirudinidae: implications for function and phylogenetic relationships[J]. Parasitology Research, 2017, 116(1):313-325.

[11] CORRAL-RODRÍGUEZ M A, MACEDO-RIBEIRO S, PEREIRA P J, et al. Leech-derived thrombin inhibitors: from structures to mechanisms to clinical applications[J]. Journal of Medicinal Chemistry, 2010, 53(10):3847-3861.

[12] SALZET M, CHOPIN V, BAERT J, et al. Theromin, a novel leech thrombin inhibitor[J]. Journal of Biological Chemistry, 2000, 275(40):30774-30780.

[13] ZHENG Y F, HUANG X F, PENG G P. Structures of two novel heterocyclics from *Whitmania pigra*[J]. Planta Medica, 2008, 74(5):562-564.

[14] CHENG B X, LIU F, GUO Q S, et al. Identification and characterization of hirudin-HN, a new thrombin inhibitor, from the salivary glands of Hirudo nipponia[J]. PeerJ, 2019, 7:e7716.

[15] TOPOL E J, BONAN R, JEWITT D, et al. Use of a direct antithrombin, hirulog, in place of heparin during coronary angioplasty[J]. Circulation, 1993, 87(5):1622-1629.

[16] JOHNSON P H. HIRUDIN: Clinical potential of a thrombin inhibitor[J]. Annual Review of Medicine, 1994, 45:165-177.

[17] GREINACHER A, LUBENOW N. Recombinant hirudin in clinical practice, focus on Lepirudin[J]. Circulation, 2001, 103(10):1479-1484.

（刘　睿）

蚌科 Unionidae 帆蚌属 Hyriopsis

三角帆蚌
Hyriopsis cumingii (Lea)

| 药 材 名 | 珍珠（药用部位：受刺激形成的珍珠。别名：真珠、蚌珠、真珠子）、珍珠母（药用部位：贝壳。别名：珠牡、珠母、真珠母）。

| 本草记述 | 本草有关珍珠的记载如下。《本草经集注》记载："治目肤翳。"《药性论》载："治眼中翳障白膜。亦能坠痰。"《海药本草》记："主明目，除面䵟，止泄。合知母疗烦热消渴，以左缠根治小儿麸豆疮入眼。"《日华子本草》记载："安心、明目。"《开宝本草》记载："主手足皮肤逆胪，镇心，绵裹塞耳主聋，敷面令人润泽好颜色，粉点目中主肤翳障膜。"《本草纲目》记载："安魂魄，止遗精、白浊，解痘疗毒。"《本草汇言》载："镇心，定志，安魂，解结毒，化恶疮，收内溃破烂。"

文献中有关珍珠母的记载如下。《中国医学大辞典》记载："滋肝阴，清肝火。治癫狂惊痫，头眩，耳鸣，心跳，胸腹膜胀，妇女血热血崩，小儿惊搐发痉。"《饮片新参》记载："平肝潜阳，安神魄，定惊痫，消热痞、眼翳。"《吉林中草药》记载："止血。治吐血，衄血，崩漏。"

| 形态特征 | 贝壳大而扁平，壳质坚硬，外形略呈三角形。左右两壳顶紧接在一起，后背缘长，并向上凸起形成大的三角形帆状后翼，帆状部脆弱易断，前背缘短小，呈尖角状。腹缘近直线，略呈弧形。壳面不平滑，壳顶部刻有粗大的肋脉。生长线同心环状排列，距离宽。

| 资源情况 | 江苏三角帆蚌以养殖为主。

一、养殖环境

养殖三角帆蚌的水域需阳光充足、水源丰富、进排水方便，水域面积以 1 ~ 3 hm² 为宜，水位稳定，落差不超过 0.5 m，常年水位保持 2 ~ 3 m。养殖水体保持一定营养程度，生长季节水体透明度保持 20 ~ 30 cm，pH 7.0 ~ 8.5。水质需符合《无公害食品淡水养殖用水水质标准》（NY5051-2001）。土质以黏土为佳，水底淤泥厚度小于 20 cm。

二、养殖历史与产地

江苏三角帆蚌养殖基地主要在南京浦口、无锡太湖、淮安洪泽湖、泰州兴化等地。

三、养殖面积与产量

近年江苏三角帆蚌产量为每年约 6 000 t。

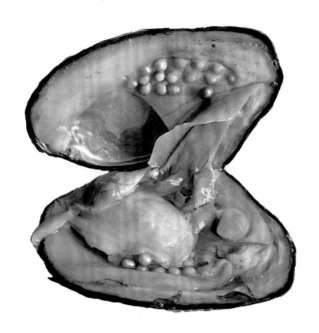

四、规范化养殖技术

1. 养殖技术

三角帆蚌可采用延绳式养殖方法，也可用网袋、网箱或网夹袋装蚌后用绳吊养。吊养架以毛竹等材料为桩，桩间用聚乙烯绳相连，绳上每间隔 2 m 左右固定一个浮子，以保证绳上吊养的三角帆蚌能浮在水面。吊养盛具采用网袋、网箱和网夹袋。网袋每袋装 2 只，网箱每箱装 10 ~ 20 只，养殖 1 年后转入网夹袋，每袋装 4 只。外荡、河流和湖泊养殖量为 9 000 ~ 12 000 只 /hm²。池塘养殖量为 15 000 ~ 18 000 只 /hm²，早期可适当较密养殖，后期随蚌体生长逐步分养，降低养殖密度。

药用珍珠为无核珍珠，生产无核淡水珍珠需要进行插核。通常一个三角帆蚌可以植入 30 ~ 50 个外套膜微块，半年至四年就可以收获珍珠。插核手术的季节以 3 ~ 5 月进行较为适宜，此时育珠蚌新陈代谢旺盛，细胞小片的存活率高，育珠蚌手术伤口愈合快，珍珠囊形成迅速，珍珠质分泌快。

2. 养殖管理

三角帆蚌的养殖方式以鱼蚌混养为宜，以鱼带蚌、以蚌净水，营养物质循环利用，可以实现少投肥或完全不投肥。池塘混养的鱼类品种宜为草鱼、鳊鱼、鲤鱼、鲫鱼、鲢鱼和鳙鱼，养殖鱼类总产量控制在 1 500 ~ 3 000 kg/hm²。养殖期每隔半个月检查蚌的生长情况，观察蚌的状态，检查养殖桩、绳、盛蚌器具等的完好情况，定期检查并及时洗刷和清除养殖器具的附着物。

瘦水池塘或新开挖池塘，在冬季干池清整后应施用腐熟有机肥料。肥水池塘和多年养殖淤泥较多的池塘根据具体情况施肥。养殖期间应做好水质调节工作，根据水质情况进行适当追肥，追肥可用腐熟的畜禽粪和无机磷肥。插核手术后的育珠蚌下塘后 7 ~ 15 天内，保持水质清新，不要追施肥料。4 ~ 10 月根据池塘水质情况每隔 15 天加注新水 1 次，必要时换去部分底层老水，保证充足的水体溶氧量。

| 采收加工 |　珍珠：人工养殖的无核珍珠，在接种后 2 ~ 3 年采收质量较好。秋末采收，采收后置于饱和盐水中浸 5 ~ 10 分钟，洗去黏液后，用清水洗净即可。

珍珠母：全年均可采收，除去肉质、泥土，入碱水中煮，后放入清水中浸洗，取出，刮去外层黑皮，晒干或烘干。

| 药材性状 |　珍珠：本品呈类球形、长圆形、卵圆形或棒形，直径 1.5 ~ 8 mm。表面类白色、浅粉红色、浅黄色、浅蓝色等，半透明，光滑或微有凹凸，具特有的彩色光泽。质坚硬，破碎面显层纹。无臭，无味。

珍珠母：本品完整者略呈不等边四角形。壳面生长轮呈同心环状排列。后背缘向上凸起，形成大的三角形帆状后翼。壳内面外套痕明显；前闭壳肌痕呈卵圆形，后闭壳肌痕略呈三角形。左、右壳均具 2 拟主齿，左壳具 2 长条形侧齿，右壳具 1 长条形侧齿；具光泽。质坚硬。气微腥，味淡。

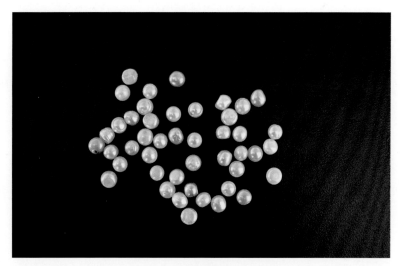

珍珠药材

| 品质评价 |　2015 年版《中华人民共和国药典》规定，珍珠的重金属及有害元素不得超标，铅不得过 5 mg/kg，镉不得过 0.3 mg/kg，砷不得过 2 mg/kg，汞不得过 0.2 mg/kg，铜不得过 20 mg/kg。珍珠与珍珠母的酸不溶性灰分均不得过 4.0%。

珍珠含有钙、钠、锰、锶、镁、铁等 12 种元素，钙元素含量最高，通过检测钙、钠、钡的含量差异可区分珍珠与珍珠母。珍珠和珍珠母碳酸钙含量分别为 93.1% 与 92.5%。构建珍珠层粉 17 种氨基酸的 HPLC 指纹图谱，能客观反映出珍珠层粉中氨基酸成分的特征性和整体性。

珍珠与珍珠层粉的碳酸钙晶型为文石，珍珠母为文石和方解石的混合晶型，基于扫描电镜法与 X- 衍射指纹图谱法，可区分珍珠、珍珠母与珍珠层粉；对于市场中加工工艺不足或认为掺假的珍珠、珍珠层粉，也可通过 X- 衍射指纹图谱法进行区别鉴定，如珍珠层粉加工过程中角质层、棱柱层是否去除完全及粉末的优劣均可判断。X- 衍射指纹图谱法提高了珍珠层粉品质评价的准确性与可信度，避免了仅通过外观颜色判断珍珠层粉优劣的弊端。

| 功效物质 |

一、蛋白质及肽类

珍珠提取液的主要成分为蛋白质类、肽类，珍珠提取液具有镇静、美白、抗氧化等作用。研究发现珍珠提取液及其不同分子量部位均具有较好的镇静、抗氧化作用，能显著减少小鼠自发活动次数，显著增强阴虚模型小鼠的抗疲劳、耐缺氧能力，缓解阴虚动物脏器功能衰竭，提高小鼠血清超氧化物歧化酶（SOD）含量；珍珠母总蛋白经分离制备的分子量 < 1 kDa 的寡肽部位能明显减少失眠小鼠的自发活动次数，提高小鼠促肾上腺皮质激素水平；以中性蛋白酶酶解珍珠粉制备的珍珠提取物可显著抑制黑色素瘤细胞的增生和黑色素的产生，抑制细胞内酪氨酸酶活性；珍珠提取物可促进成纤维细胞中 I 型前胶原蛋白合成。

二、氨基酸类

珍珠与珍珠母经全水解后均可检测到 17 种蛋白质氨基酸类成分，这些是构成珍珠蛋白质、肽类功效物质的最基本单元。

三、无机元素类

珍珠中含有丰富的无机元素，包括钙、钠、铝、铜、铁、镁、锰、钡、锌、硅、钛、锶等，以碳酸钙、碳酸镁、氧化硅、磷酸钙、氧化铝等形式存在于珍珠中。有研究报道，钙、镁、铁、锰等无机元素与珍珠、珍珠母的镇静安神、平肝潜阳功效相关。

| 功能主治 |

珍珠：安神定惊，明目消翳，解毒生肌，润肤祛斑。用于惊悸失眠，惊风癫痫，目赤翳障，疮疡不敛，皮肤色斑。

珍珠母：平肝潜阳，安神定惊，明目退翳。用于头痛眩晕，惊悸失眠，目赤翳障，视物昏花。

| **用法用量** | **珍珠**：内服入丸、散剂，0.1～0.3 g。外用适量，研末干撒、点眼或吹喉。
| | **珍珠母**：内服煎汤，10～30 g，打碎先煎；或研末，1.5～3 g；或入丸、散剂。

| **传统知识** | 基于本草文献及珍珠产区传统知识调查应用经验，汇集于此。

（1）治疗大人惊悸怔忡，癫狂恍惚，神志不宁，以及小儿气血未定，遇触即惊或急慢惊风，痫痉搐搦：珍珠（研极细末）一钱，茯苓、钩藤、半夏曲各一两，甘草、人参各六钱（同炒黄，研极细末）。总和匀，炼蜜丸龙眼核大。每服1丸，生姜汤化下。

（2）治疗小儿惊啼及夜啼不止：珍珠末、伏龙肝、丹砂各一分，麝香一钱。同研如粉，炼蜜和丸如绿豆大。候啼即温水下1丸，量大小，以意加减。

（3）治疗风痰火毒，喉痹及小儿痰搐惊风：珍珠三分，牛黄一分。上研极细，或吹或掺；小儿痰痉，以灯心调服二三分。

（4）治疗口内诸疮：珍珠三钱，硼砂、青黛各一钱，冰片五分，黄连、人中白各二钱（煅过）。上为细末，凡口内诸疮皆可掺之。

（5）治疗眼久积顽翳，盖覆瞳仁：珍珠一两，地榆（锉）三两。以水二大盏，同煮至水尽，取出珍珠，以醋浸5日后，用热水淘令无醋气，即研令极细。每以铜箸，取少许点翳上，以瘥为度。

（6）治疗风热眼中生赤脉，冲贯黑睛及有花翳：珍珠一分，龙脑半分，琥珀一分，朱砂半分，硼砂二豆大。同细研如粉。每日三五度，以铜箸取少许，点在眦上。

（7）治疗一切诸毒疽疮，穿筋溃络，烂肌损骨，破关通节，脓血淋漓，溃久不收：珍珠（研极细末）一钱，胞衣（烘燥，研极细末）1具。白蜡一两，猪脂油一两，火上共熔化，和入胞衣末、珍珠末，调匀。先以猪蹄汤淋洗毒疮净，将蜡油药，轻轻敷上，再以铅粉麻油膏药贴之。

（8）治疗肝阳上升，头晕头痛，眼花耳鸣，面颊燥热：珍珠母五钱至一两，制女贞、旱莲草各三钱。煎汤服。

（9）治疗心悸失眠：珍珠母五钱至一两，远志一钱，酸枣仁三钱，炙甘草一钱五分。煎汤服。

（10）治疗内眼疾患（晶体混浊，视神经萎缩）：珍珠母二两，苍术八钱，人参一钱。煎汤，日2次。

| **资源利用** | 一、在医药领域中的应用

珍珠入药始载于《雷公炮炙论》，具有安神定惊、明目消翳、解毒生肌、润肤祛斑的功效。珍珠、珍珠母与珍珠层粉，以及其方剂在临床应用十分广泛，可

用于解毒敛疮生肌，治疗口腔溃疡，珍珠还可用于补钙，辅助治疗骨质疏松症等。含珍珠的方剂有牛黄降压丸、安宫牛黄丸、障翳散、复方珍珠口疮颗粒、复方珍珠散、心安宁片、牛黄镇惊丸等，临床用于清热解毒、清心化痰、平肝安神、消炎止痛、退肿散结、祛翳明目等；含珍珠母的方剂有复方牛黄消炎胶囊、速效牛黄丸、清脑降压片、养血清脑颗粒、清开灵口服液、清开灵片等，临床用于镇静安神、开窍镇惊、平肝潜阳等；含珍珠层粉的方剂有胃乃安胶囊、喉疾灵胶囊、复方珍珠暗疮片、四味珍层冰硼滴眼液等，临床用于慢性胃炎、慢性咽炎及缓解视力疲劳等方面。

珍珠层可作为骨修复材料，其优势在于含有具有诱导成骨作用的有机成分，具有合适的降解性能及与人体骨组织接近的力学性能，且免疫原性低，生物相容性好。贝壳珍珠层通过与其自身的可溶有机质共同作用，促进成骨细胞增殖并诱导骨的生成，优于钛 - 羟基磷灰石复合物，应用前景广泛。

二、在保健食品中的应用

珍珠母中含有大量的碳酸钙（含量约95%），是制备补钙制剂的天然原料，经过煅制可获得氧化钙，再以有机酸中和、氨基酸螯合等可用于制备钙补充剂。以贝壳为原料制备的补钙制剂消化吸收率高，以氨基酸或酶解肽螯合后的钙制剂，具有生物利用度高、胃肠道刺激性小的优点。

三、在日化用品中的应用

珍珠粉与珍珠层粉所含成分相近，主要为钙、多种氨基酸和少量微量元素，其中角壳蛋白含有人体不能合成的单元氨基酸。贝壳珍珠层呈片状，片径 2 ~ 10 μm，厚 0.2 ~ 0.7 μm，具有良好的遮蔽效果，因而在抗紫外线、抗皱等方面效果突出。珍珠水解液是通过生物酶解的方式将珍珠中氨基酸、无机元素等多类营养成分提取制备而来，具有抗氧化、抗炎、美白、祛斑、改善皮肤细胞生理活性、增加皮肤营养供给、调节皮肤水分含量等多种功效，被广泛应用于护肤用品、日化用品等的添加剂中，安全有效。

五、在环保领域中的应用

贝壳具有丰富的天然多孔表面，因而具有一定的吸附性，珍珠母经过改性后，可广泛用于处理工业废水、生活污水、渔业养殖废水等，具有成本低、高效低耗、无二次污染等优点。

参考文献

[1] 国家中医药管理局《中华本草》编委会. 中华本草：第 25 册 [M]. 上海：上海科学技术出版社，1999.

[2] 陈学进. 褶纹冠蚌育珠蚌养殖技术 [J]. 水产养殖，2012，33（6）：43-44.

[3] 李家乐，王德芬，白志毅，等.中国淡水珍珠养殖产业发展报告[J].中国水产，2019（3）：23-29.

[4] 唐金玉.鱼蚌综合养殖池塘养殖模式优化的研究[D].杭州：浙江大学，2016.

[5] 李尚蓉，张静娴，姚帅，等.珍珠和珍珠母的微量元素测定及其比较分析[J].世界中医药，2015，10（10）：1594-1597.

[6] 乔艺涵，孟雪丹，索亚然，等.珍珠层粉氨基酸指纹图谱的构建及氨基酸含量测定的研究[J].世界科学技术—中医药现代化，2019，21（7）：1353-1363.

[7] 司玮，阿如娜，李尚蓉，等.7种海洋矿物药的比较分析研究[J].中国中药杂志，2014，39（7）：3321-3325.

[8] 乔艺涵，索亚然，孟雪丹，等.中药珍珠层粉X射线衍射指纹图谱研究[J].药物分析杂志，2019，39（5）：911-918.

[9] 戴俊，段金廒，李友宾，等.苏州产淡水珍珠生物活性评价及镇静活性物质基础研究[J].中国生化药物杂志，2008，29（5）：294-298.

[10] 戴俊.苏州产淡水珍珠的生物效应评价及产品开发[D].镇江：江苏大学，2007.

[11] 刘侗，康馨元，任伯颖，等.珍珠母超微粉蛋白及寡肽对小鼠镇静安眠作用比较[J].吉林中医药，2014，34（2）：172-176.

[12] 沈喆鸾.珍珠粉美白组分的提取工艺优化和功效研究[D].杭州：浙江工业大学，2017.

[13] 杨安全，王菁，张丽华，等.珍珠提取物的美白功效研究[J].药物生物技术，2016，23（2）：146-149.

[14] 刘渊声，黄千里，冯庆玲.珍珠层作为骨修复材料的研究进展[J].中国科技论文，2014，9（2）：168-174.

[15] 李海晏.废弃贝壳高附加值资源化利用[D].杭州：浙江大学，2012.

（刘　睿）

少棘巨蜈蚣 *Scolopendra subspinipes mutilans* L. Koch.

| 药材名 | 蜈蚣（药用部位：全体。别名：金头蜈蚣、百足虫、千足虫）。

| 本草记述 | 蜈蚣始载于《神农本草经》，被列为下品。《神农本草经》言其"主咬诸蛇虫鱼毒，温疟，去三虫"。《名医别录》记载："蜈蚣生大吴江南，赤头足者良。"说明蜈蚣产自江南地区，且以红头蜈蚣质量为佳。《重修政和经史证类备用本草》记载："今赤足者多出京口、长山、高丽山、茅山亦甚有，于腐烂草积处得之，勿令伤，暴干之，黄足者甚多，而不堪用，人多以火炙令赤以当之，非真也。"详述了蜈蚣产区在今镇江京口、句容茅山一带。《本草纲目》载："蜈蚣西南处处有之，春出冬蛰，节节有足，双须岐尾。"根据李时珍的论述可知，蜈蚣在西南亦有分布。《本草衍义》记载："蜈蚣，背光黑绿色，足赤，腹下黄。有中其毒者，大蒜涂之。"叙述了蜈

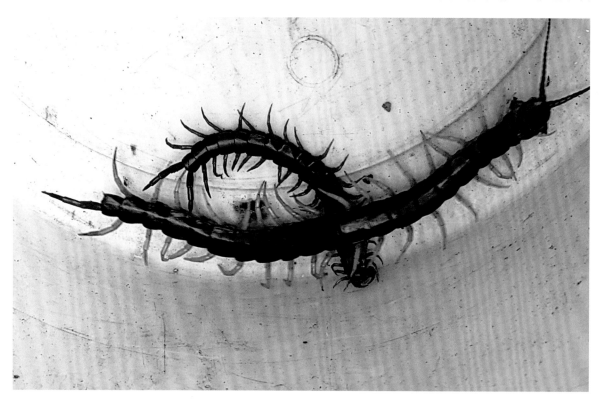

蚣的形态特点及中毒的处理。根据历代本草的记载可知，蜈蚣的道地产区主要为长江流域的江苏、浙江、湖北、湖南及四川，与现在的产区基本相符，但品种来源无法确定。

| 形态特征 | 成体体长 11 ~ 14 cm。头板和第 1 背板金黄色，自第 2 背板起墨绿色或暗绿色，末背板有时近于黄褐色，胸腹板和步足淡黄色。背板自 4 ~ 9 节起，有 2 不显著的纵沟。腹板在第 2 ~ 19 节间有纵沟。第 3、5、8、10、12、14、16、18、20 体节的两侧各具气门 1 对。头板前部的两侧各有 4 单眼，集成左、右眼群。颚肢内部有毒腺；齿板前缘具 5 小齿，内侧 3 小齿相接近。步足 21 对，最末步足最长，伸向后方，呈尾状；基侧板后端有 2 小棘；前腿节腹面外侧有 2 棘，内侧有 1 棘；背面内侧有 1 棘和 1 隅棘；隅棘先端有 2 小棘。

| 资源情况 | 一、生态环境

主要分布于我国的长江流域，喜温暖、潮湿、阴暗的环境。蜈蚣为夜行性动物，白天潜居于杂草丛中或乱石堆下，夜晚活动，觅食，为典型的肉食性动物，食性广泛，尤喜小昆虫类，也食蛙、鼠、蜥蜴及蛇类等。蜈蚣喜独居，有冬眠习性，每年秋、冬季气温低于 15 ℃时即蛰伏在石下 10 ~ 15 cm 深处的向阳、避风处。江苏地处长江中下游地区，地形以平原为主，低山丘陵集中在西南部，气候温和，雨量适中，四季分明，各地平均气温为 13 ~ 16 ℃，这样的气候条件和地理环境有利于蜈蚣的繁衍生息。蜈蚣常栖息于丘陵地带，多石少土的低山区，自然村落附近的山坡、田畔、路旁岩石间，或朽木、草丛中。

二、分布区域

《名医别录》记载："蜈蚣生大吴江南，赤头足者良。"《重修政和经史证类备用本草》记载："今赤足者多出京口，长山、高丽山、茅山。"据文献记载，江苏镇江、茅山一带历来是蜈蚣的道地产区。少棘巨蜈蚣在江苏主要分布于西南部的低山丘陵区，包括南京老山、句容茅山、溧阳瓦屋山及淮安盱眙等地。

三、蕴藏量

根据此次对南京老山、句容茅山、溧阳瓦屋山及淮安盱眙等地的实地调查，少棘巨蜈蚣在江苏常见，受人工捕捉成本较高等因素影响，产量较少，南京老山地区蜈蚣的年收购量约 5 万条。

四、养殖历史与产地

自《名医别录》有记载开始，蜈蚣药材的市场供应长期依赖野生资源。随着经济发展，产区生态环境因农药、化肥的大量使用而遭到破坏，野生蜈蚣种群数量不断减少，加上传统的人工捕捉成本不断上升，药用蜈蚣的市场供应出现缺口。20世纪80年代开始，我国逐步开展蜈蚣的养殖，主要分布在湖北、浙江、湖南等省区，江苏养殖场较少且规模较小。

五、养殖规模与产量

目前，江苏地区仅在盱眙有少量蜈蚣养殖，每年产量约20万条。全国蜈蚣养殖主要分布在湖北的宜昌、随州、荆门、襄阳等地，年产量约4 000万条。

六、规范化养殖技术

1. 养殖池地点的选择

养殖池建造地点的选择要充分考虑蜈蚣的生活习性，以背风向阳的山坡上为宜，既可避免冬季西北风的吹打和雨季积水，又有充足的阳光以保证温度。

2. 养殖池的建造

室外养殖池可用砖石水泥建造，池的大小根据具体情况而定，常砌成长方形，底部用砖砌制，既防蜈蚣遁逃，又利池内渗水，池壁要光滑，防止蜈蚣攀附外逃。池内新土可翻晒，要求土质疏松、中性偏酸、含病原物少，土厚30 cm左右，池内放置瓦片、石块，栽种灌木、小草等以利蜈蚣活动。池内构筑蜈蚣生活的栖息床，栖息床为长方形，呈塔状，用大小厚薄相同的砖块和土坯平卧砌成，外用砖块，内用土坯，在砖与砖、土坯与土坯、砖与土坯之间留有1 cm左右的缝隙，供蜈蚣出入活动，栖息床可砌成多层，冬季盖上保温物，以利蜈蚣冬眠。室内养殖可采用桶、缸等，放松土厚约10 cm，土上放瓦片、石块等以利蜈蚣活动。

3. 养殖管理

霜降气温下降时，蜈蚣逐渐停食冬眠，此时要注意池内卫生清洁，做好保温保潮工作。蜈蚣冬眠的迟早、入土的深度与气温高低有关，一般入土15~40 cm。因此，人工饲养时提高土层温度、改善蜈蚣活动环境是延长蜈蚣活动期的有效方法。至翌年惊蛰，气温转暖，蜈蚣逐渐转向浅土层，清明后完全脱离越冬期，可少量喂食，后逐渐增加。

4. 病敌害防治

绿僵病是人工饲养蜈蚣时的一种常见病，感染绿僵菌的蜈蚣部分关节的皮膜会出现小黑点并慢慢扩大，体表失去光泽，后转为绿色，食欲减退，行动呆滞，消瘦而亡。发现蜈蚣染病须及时清场，用1%~2%的甲醛消毒后换上新土。

蜈蚣的主要敌害为蚂蚁，饲养池中蜈蚣剩余的食物残渣和病死的未及时清理的蜈蚣，往往会引诱蚂蚁入池造成危害，尤其是对正在产卵孵化的母体蜈蚣和正在脱皮的蜈蚣危害最大。在养殖池周围设置水沟可预防蚂蚁从地面入侵，同时要提防蚂蚁从地下入侵，注意池内潜在的蚁穴。此外，还要提防老鼠、鸟类、鸡等天敌。

| **采收加工** | 待蜈蚣长至药用标准后，于冬、春季采捕（此时的蜈蚣未进新食，体内杂质少），捕后用两端削尖的竹片插入蜈蚣头尾，绷直晒干，如遇阴雨天用文火或烘箱烘干。

| **药材性状** | 本品呈扁平长条形，长 9 ~ 15 cm，宽 0.5 ~ 1 cm。由头部和躯干部组成，全体共 22 个环节。头部暗红色或红褐色，略有光泽，有头板覆盖，头板近圆形，前端稍突出，两侧贴有颚肢 1 对，前端两侧有触角 1 对。躯干部第 1 背板与头板同色，其余 20 个背板为棕绿色或墨绿色，具光泽，自第 4 背板至第 20 背板上常有 2 纵沟线；腹部淡黄色或棕黄色，皱缩；自第 2 节起，每节两侧有步足 1 对；步足黄色或红褐色，偶有黄白色，呈弯钩形，最末 1 对步足尾状，又称尾足，易脱落。质脆，断面有裂隙。气微腥，有特殊刺鼻的臭气，味辛、微咸。

蜈蚣药材

| 品质评价 | 传统以干燥、条长、头红、身黑绿、头足尾齐全、不断节、无虫蛀霉变、无烘焦者为佳。2015 年版《中华人民共和国药典》规定，蜈蚣的水分不得过 15.0%，总灰分不得过 5.0%，按醇溶性浸出物测定法项下的热浸法测定，用稀乙醇作溶剂，醇溶性浸出物的含量不得少于 20.0%。

| 功效物质 | 蜈蚣主要含蛋白质类、氨基酸类、生物碱类等物质。

一、蛋白质类

蜈蚣的蛋白质含量为 86.23%，主要包括蜈蚣纤溶酶、丝氨酸蛋白酶等。

二、氨基酸类

蜈蚣体内游离氨基酸比较丰富，其中含量较高的氨基酸包括谷氨酸（13.58%）、天冬氨酸（9.30%）、亮氨酸（7.53%）、丙氨酸（7.36%）、甘氨酸（7.11%）。

三、生物碱类

已发现蜈蚣药材含有的小分子化学成分为喹啉类生物碱，包括 3,8- 二羟基喹啉、2- 羟基 -7- [（4- 羟基 -3- 甲氧苯基）甲基]-3- 甲氧基 -8- 喹啉硫酸盐、3- 羟基 -4- 甲氧基喹啉 -8- 烷基硫酸盐、吲哚 -3- 乙酰胺、7,8- 二甲基异咯嗪、N- 乙酰基 -2- 苯基乙胺等。

| 功能主治 | 辛，温；有毒。归肝经。息风镇痉，攻毒散结，通络止痛。用于小儿惊风，抽搐痉挛，中风口歪，半身不遂，破伤风，风湿顽痹，疮疡，瘰疬，毒蛇咬伤。

| 用法用量 | 内服煎汤，5 ~ 10 g；或研末，0.5 ~ 1 g；或入丸、散剂。外用适量，研末撒、油浸或调敷。

| 传统知识 | 基于文献梳理和中药资源普查过程中调查走访收集的传统用药知识，记录于此。

（1）治疗中风抽掣及破伤后受风抽掣：生芪六钱，当归四钱，羌活二钱，独活二钱，全蝎二钱，全蜈蚣大者 2 条。煎汤服。

（2）治疗口眼歪斜，口内麻木：蜈蚣 3 条（1 蜜炙，1 酒浸，1 纸裹爆，并去头足），天南星 1 个（切 4 片，1 蜜炙，1 酒浸，1 纸裹爆，1 生用），半夏、白英各五钱。通为末，入麝少许。每服一钱，热酒调下，日 1 服。

（3）治疗小儿急惊：蜈蚣（全者、去足，炙为末）1 条，丹砂、轻粉等分。研匀，乳汁和丸，绿豆大，每岁 1 丸，乳汁下。

（4）治疗破伤风邪在表，寒热拘急，口噤咬牙：蜈蚣 2 条，江鳔三钱，南星、防风各二钱五分。共研细末，每用二钱，黄酒调服，日 2 服。

（5）治疗瘰疬溃疮：茶、蜈蚣，二味炙至香熟，捣筛为末，先以甘草汤洗净，敷之。

（6）治疗丹毒瘤：蜈蚣（干者）1条，白矾皂子大，雷丸1个，百部二钱。秤，同为末，醋调敷之。

（7）治疗酵耳出脓：蜈蚣末吹之。

（8）治疗趾疮，甲内恶肉突出不愈：蜈蚣1条。焙研敷之。外以南星末醋和敷四围。

| **资源利用** | 蜈蚣的药用历史悠久，《神农本草经》记载："主啖诸蛇虫鱼毒，温疟，去三虫。"《名医别录》记载："疗心腹寒热结聚，堕胎，去恶血。"《本草纲目》记载："治小儿惊痫风搐，脐风口噤，丹毒，秃疮，瘰疬，便毒，痔漏，蛇瘕、蛇瘴、蛇伤。"现代医学研究认为，蜈蚣焙干研末内服可用于结核病、急性颌下淋巴结炎。此外，蜈蚣在治疗恶性肿瘤方面有着显著疗效，对恶性肿瘤溃疡病人疗效更加明显。与全蝎配伍可治疗中风及病毒性脑炎后遗症、产后手足麻木后遗症。

参考文献

[1] 唐慎微. 重修政和经史证类备用本草[M]. 北京：人民卫生出版社，1957.
[2] 李时珍. 本草纲目[M]. 北京：人民卫生出版社，1977.
[3] 南京中医药大学. 中药大辞典[M]. 上海：上海科学技术出版社，2006.
[4] 国家中医药管理局《中华本草》编委会. 中华本草[M]. 上海：上海科学技术出版社，1999.
[5] 周永芹，韩莉. 中药蜈蚣的研究进展[J]. 中药材，2008（2）：315-319.
[6] 于金高，刘培，段金廒. 药用蜈蚣生物活性物质与毒性物质研究进展[J]. 中国现代中药，2016，18（11）：1521.
[7] 刘亚珠. 少棘蜈蚣的规范化养殖[J]. 基层中药杂志，2002（6）：46-47.
[8] 吴刚，冉永禄，凌沛深，等. 蜈蚣（*Scolopendra subspinipes mutilans* L. Koch）毒的化学组成和生物活性[J]. 生物化学杂志，1992（2）：144-149.
[9] 陈少鹏. 蜈蚣纤溶酶的提取纯化及其抗血栓研究[D]. 汕头：汕头大学，2007.
[10] 刘继红，尚娟，贾斌，等. 蜈蚣、全蝎、地龙氨基酸含量测定[J]. 郑州大学学报，2005，40（3）：483.
[11] 刘应泉，卞慕唐，李畅开. 蜈蚣蝎子油的化学成分研究[J]. 药学通报，1983，18（6）：27-28.
[12] 聂建兵. 蜈蚣化学成分分析及喹啉类物质的合成[D]. 天津：天津理工大学，2016.
[13] YOU W K, SOHN Y D, KIM K Y, et al. Purification and molecular cloning of a novel serine protease from the centipede Scolopendra subspinipes mutilans[J]. Insect Biochemistry and Molecular Biology, 2004, 34（3）：239-250.
[14] MOON S, CHO N, SHIN J, et al. Jineol, a cytotoxic Alkaloid from the Centipede Scolopendra subspinipes[J]. Journal of Natural Products, 1996, 59（8）：777-779.
[15] CHEN M Z, LI J, ZHANG F, et al. Isolation and characterization of SsmTx-I, a Specific Kv2.1 blocker from the venom of the centipede Scolopendra subspinipes mutilans L. Koch[J]. Journal of Peptide Science, 2014, 20（3）：159-164.
[16] NAOKI N, YUJI Y, TAKAFUMI N, et al. A novel quinoline alkaloid possessing a 7-benzyl group from the Centipede, Scolopendra subspinipes[J]. Chemical & Pharmaceutical Bulletin, 2001, 49（7）：930-931.

[17] DING D, GUO Y R, WU R L, et al. Two new isoquinoline alkaloids from Scolopendra subspinipes mutilans induce cell cycle arrest and apoptosis in human glioma cancer U87 cells[J]. Fitoterapia, 2016, 110: 103-109.

[18] LI A F, LIU W Z, FAN J W, et al. Quinoline alkaloids isolated from *Scolopendra subspinipes mutilans*[J]. Chinese Herbal Medicines, 2019, 11 (3): 344-346.

[19] ZHAO H X, LI Y, WANG Y Z, et al. Antitumor and immunostimulatory activity of a polysaccharide-protein complex from *Scolopendra subspinipes mutilans* L. Koch in tumor-bearing mice[J]. Food and Chemical Toxicology, 2012, 50 (8): 2648-2655.

（吴启南　戴仕林）

鳖蠊科 Polyphagidae 地鳖属 *Eupolyphaga*

地鳖

Eupolyphaga sinensis Walker

| 药 材 名 |　土鳖虫（药用部位：雌虫体。别名：地鳖虫、土元、地乌龟）。

| 本草记述 |　土鳖虫的药用在我国历代医药古籍中均有记载。土鳖虫始载于秦汉时期的《神农本草经》，被列为中品，"味咸寒，主心腹寒热，血积症瘕，破血，下血闭"。《长沙药解》载："善化瘀血，最补损伤。"《药性论》记载："治月水不通，破留血积聚。"《本草衍义》记载："乳腺不通，研一枚，水半合，滤清服。"《本草纲目》记载："行产后血积，折伤瘀血，治重舌，木舌，口疮，小儿腹痛夜啼。"《本草通玄》记载："破一切血积，跌打重伤，接骨。"《神农本草经疏》记载："治跌打扑损，续筋骨有奇效。乃厥阴经药也。咸能入血，故主心腹血积癥瘕血闭诸症，和血而营已通畅，寒热自除，经脉调匀……又治疟母为必用之药。"《分类草药性》中称："治跌打损伤，风湿筋骨痛，

消肿，吹喉症。"2015 年版《中华人民共和国药典》中记载土鳖虫的性味功效为"咸，寒；有小毒。归肝经。破血逐瘀，续筋接骨。用于跌打损伤，筋伤骨折，血瘀经闭，产后瘀阻腹痛，癥瘕痞块"。土鳖虫药用历史悠久，且现代研究表明土鳖虫具有降脂调脂、抗凝血、抗血栓、抗肿瘤、抗氧化作用，还具有促进骨折愈合、镇痛、增强人体免疫力等功效。

| **形态特征** | 虫体呈椭圆形，前端较窄，后端相对较宽，背部微隆起，背甲覆瓦状排列；紫褐色或红褐色，有光泽；雌性成虫无翅，长约 3 cm。头部小，呈倒三角形，紫褐色，具咀嚼式口器。头部先端具 1 对肾形复眼，向下有 1 对黄色单眼，单眼间距约等于复眼间距。单眼旁有 1 对丝状触角，较长且易脱落。头部不露出第 1 节前胸背板，第 2、3 节形似梯形。腹背板 9 节，第 6、7、8 节腹背板后缘弧形向内凹。肛上板横宽，具中脊，后侧中央具缺刻。生殖板横宽，隆起。胸部足 3 对，具多数刚毛，胫节上具 5 ～ 20 刺，跗节 5，具 2 爪。腹部具 9 横环节，第 1、8、9 节较小，腹面为深棕色。尾部呈扇形，具 1 对螺丝状尾须。

| **资源情况** | 一、生态环境
生活于阴暗、潮湿、腐殖质丰富的松土中，多见于粮仓下或油坊阴湿处。怕阳光，白天潜伏，夜晚活动，冬末与早春为冬眠期，夏、秋季繁殖最强。

二、分布区域
江苏各地均有分布。

三、蕴藏量
近年来由于旧房翻新、油房、粮仓等木地板改为沥青、水泥地坪，土鳖虫失去了自然生存场所，加之过度捕捉，使得土鳖虫野生资源更为匮乏。江苏土鳖虫蕴藏量约 10 t。

四、养殖历史与产地
土鳖虫全国均产，古籍记载的以野生为主。《名医别录》载："生河东川泽及沙中，人家墙壁下土中湿处。"我国从 20 世纪 60 年代开始有土鳖虫养殖，我国药用养殖土鳖虫据产地曾被分为苏土元、汉土元与金边土元，其中，苏土元主产江苏、浙江，经鉴定为地鳖 *Eupolyphaga sinensis* Walker，汉土元主产河北、河南、山东，经鉴定为冀地鳖 *Steleophaga plancyi* (Boleny)，而金边土元主产于福建、台湾、广东、广西，经鉴定为金边地鳖 *Opisthoplatia orientalis* Burmeister，此多种在少数地区也作土鳖虫药用。目前，江苏土鳖虫养殖场分布于常州、徐州、镇江等地。

五、养殖规模与产量

普查发现，目前土鳖虫在江苏有一定的养殖规模，丹阳、常州新北有较大规模的土鳖虫养殖专业合作社，年产量达 50 t，主要由药商收购或直接供应饮片厂。全国土鳖虫养殖面积达 150 hm²，年产量约 3 750 t。

六、规范化养殖技术

1. 养殖基地

土鳖虫的养殖房应选在地势较高的位置，以防止积水。养殖房可为安静处废旧、闲置的房屋，屋内光线尽量阴暗，前后开窗并设纱窗，门最好设为双层，只宜一人通过或小型手推车通过。在养殖房外开一水沟，注入水，用于防止鼠类、蛇类等天敌进入室内，也可防止土鳖虫外逃。为了便于管理、充分利用空间，养殖室内一般采用木条、竹条或不锈钢等材料做成一个 3 层的架子，养殖盆分 3 层放置，也可直接在地面砌池饲养。养殖土鳖虫的塑料盆或其他容器不宜直接接触地面，以免遭受蚂蚁等侵害。

2. 养殖技术

土鳖虫为不完全变态昆虫，整个生命周期分为卵、若虫、成虫 3 个阶段，养殖需分龄期管理。

（1）卵鞘孵化期。①孵化土的配制。土鳖虫的传统养殖土以草食动物发酵的粪便为主，为了避免螨虫危害，每个阶段都要在所用的发酵粪便中添加不同比例的泥土进行养殖。将黄壤土和沙土按 1∶1 的比例混合成孵化土，用筛子筛去土块和碎石，在阳光下暴晒 2 天后，再向孵化土中兑水，含水量为 20%～30%。②卵鞘处理。一般每 7 天收集 1 次卵，统一进行孵化，并在孵化盆或其他容器上记录好收集卵的时间。选择孵化的卵鞘时，要求为外壳鲜艳棕色，卵鞘饱满、光泽度好，内部双重排列着白色小米粒大小的受精卵。将挑选

好的卵鞘集中平摊在装有紫外线消毒灯的消毒室内消毒 30 分钟，随后进行孵化。③孵化操作。在孵化容器内覆盖 3 cm 厚的孵化土，按 1：1 的容积比例在孵化土中混入卵鞘，并拌匀，在混合好的孵化土上覆盖一层新鲜植物（如三叶鬼针草、花生藤等，可因地制宜选择新鲜植物）。根据需求不定期地向覆盖物上喷洒洁净的水，保持孵化土的湿度。

（2）若虫期与成虫期。①养殖土的配制。腐殖质含量丰富的肥土、黄壤土各 1 份，适当加入草木灰（加入的量视土的质量而定），混合后过筛去土块作为养殖土。养殖土要求 pH 6 ~ 7，土质疏松，含水量在 30% 左右。②若虫管理。卵鞘孵化出的若虫为乳白色，孵出后每 5 ~ 7 天达到一定量时，即可筛出放入养殖盆 / 或养殖池）。在养殖盆（或养殖池）内放入 5 ~ 6 cm 厚的养殖土，然后将若虫按规定的养殖密度（2 万 ~ 3 万只 /m²）轻柔均匀地混合到养殖土中。随着若虫的长大需要分盆饲养，以免因密度过大造成自相残杀或因摄食不均匀导致个体强弱不一。③成虫管理。土鳖虫 4 月龄后，雄虫逐渐羽化长翅（雌虫没有羽化过程）进入成熟阶段，此时只需留下 50% 的雄虫用于繁殖，其他可作淘汰处理。雌虫开始选种，种用要求个大体壮、反应能力强、行动敏捷、假死性好、色泽鲜艳。雌雄虫体自由交配，交配一次终身受精。一般交配后 25 ~ 30 天，雌虫开始产卵，为了防止成虫吃掉卵鞘，需定期将卵鞘筛出放入孵化容器内，最好每 7 ~ 10 天筛 1 次。④种虫管理。种虫和商品虫可以分开饲养。土鳖虫 4 月龄后，即可进行种虫和商品虫的选择。种虫养殖密度以 3 500 ~ 4 000 只 /m² 为宜，商品虫可以增加到 5 000 只 /m²。

3. 养殖管理

（1）日常管理。土鳖虫生长繁殖的适宜温度为 25 ~ 30 ℃，养殖土含水量为 20% ~ 30%。养殖环境要保持安静，减少过度喧哗，以免土鳖虫产生应激反应。室内光线不宜太强，以免影响土鳖虫的生长发育。经常检查门窗，预防老鼠、蛇、壁虎等天敌入侵。同时，注意养殖室的清洁卫生，视情况进行通风透气。养殖土上覆盖的新鲜植物，每 2 ~ 3 天更换 1 次，确保覆盖物不变质、不腐烂，以免污染土鳖虫的生活环境，天气干燥时，可略延长更换时间，天气潮湿时，则缩短更换时间。一般情况下，可通过在覆盖物上适当喷洒洁净水为土鳖虫补充水分和保持养殖土的湿度。研究表明土鳖虫养殖房环境密闭且阴暗潮湿、养殖土有机质丰富、表面相对恒温高湿（温度 25 ~ 30 ℃、湿度 70% ~ 80%）、pH 8.23 是土鳖虫最佳养殖条件，但此种环境也有利于多种螨类繁殖。如养殖环境中滋生多种肉食螨（如网真扇毛螨、普通肉食螨等），则需要采取相关措施以防肉食螨过度滋生对土鳖虫品质和数量产生不良影响。应每天早上及时清理土鳖虫吃剩的精料和青料，以及土鳖虫的蜕皮，并清洗料盘；同时，将掉在养殖土表面的饲料渣清除掉，以免诱发洋虫和螨虫，危害土鳖虫的生长发育。土鳖虫的排泄物直接排进养殖土，排泄物过多时需要更换消毒好的新鲜养殖土。土鳖虫冬眠期间不进食，偶尔有饮水现象，正常的新陈代谢已逐渐减弱，此时需要做好保暖工作，关好养殖室的门窗，适当降低养殖土的湿度，当外界温度高于养殖室内的温度时，可将门窗打开，使空气对流。

（2）饲喂管理。土鳖虫为杂食性动物，饲料以精料（麦麸、米糠等）为主、青料（青菜、果皮、瓜类等）为辅；各种鱼、肉、虾、畜禽内脏及乳类产品加工后的副产品等动物性饲料也是土鳖虫喜食的，但禁止饲喂腐烂变质的饲料。以麦麸为精料时，在饲喂前一天将麦麸通过 EM 菌进行密封发酵处理，饲喂时发酵料和麦麸按 1 ：1 的比例混合，此种饲喂方法在提高饲料利用率、降低饲料成本的同时，还可促进若虫的生长发育、提高成虫的产卵率，以及保证卵茧的质量。①若虫阶段。若虫孵出后的 3 ～ 5 天内不进食，无须投喂饲料，仅在覆盖物上喷洒洁净水即可，当小若虫颜色变为褐色时则开始进食。开食后，以定时定量的方式饲喂，尤其是精料，将其盛放在浅碟或瓦片内，放置在养殖土的覆盖物上，供若虫自由采食，随着若虫的长大而增加投喂量。青料既可放在精料碟上，也可直接放在覆盖物上。一般选择在上午 10 时左右或下午 4 时左右投料，每天投喂 1 次。若虫阶段是土鳖虫生长发育的旺盛时期，尤其是 3 月龄后的中龄若虫，生长速度较快，此时需在精料中添加骨粉等钙质含量较高的饲料，以保证若虫生长发育的营养需要。②成虫阶段。此阶段为土鳖虫配种产卵期，营养要求全面均衡，可在饲料中添加豆粉或花生麸等蛋白质含量较高的饲料，以及矿物质、维生素饲料，有利于提高产卵率。

4. 病害防治

土鳖虫的常发疾病有肠胃病、绿僵病、卵鞘霉腐病等，发病后治愈率不高，所以重在预防。土鳖虫感染肠胃病的症状为虫体无光泽、腹部胀大（所以此病又称大肚子病）、行动呆滞、食欲减退、蜕皮不畅、腹部节间膜不能收缩、粪便异常等。预防措施为在高温潮湿季节，减少饲喂青绿多汁饲料；调节养殖土湿度或更换表层养殖土；在投喂精料时添加益生菌。土鳖虫感染绿僵病的症状为虫体无光泽、腹部出现暗绿色霉状物、有斑点、体瘦干瘪、六足收缩、触角下垂、行动迟缓，生活规律异常，夜不出昼不伏，最终衰竭死于养殖土表面。预防措施为精饲料不宜拌得太湿；养殖土湿度过大时，需添加太阳暴晒过的新鲜干养殖土；打开养殖室门窗，保持通风透气。土鳖虫感染卵鞘霉腐病的症状为卵鞘发霉、内部卵粒腥臭，卵鞘锯齿口长有白色丝菌，通常与养殖土凝成块状。预防措施为将配制孵化土的土壤和孵化器皿在太阳下暴晒或消毒；高温高湿天气下，孵化土的湿度控制在 30% 左右；及时收集卵鞘，筛出小若虫。

| 采收加工 | 土鳖虫寿命可达 5 年之久，当饲养的雌虫已成熟或产卵数量明显减退时，即可采收，一般使用 8 mm 孔径的筛子将雌虫从养殖土中筛出，置沸水中烫死，后置清水中漂洗一遍，晒干或烘干。采收时选择晴朗天气，防止虫蛀发霉。

| 药材性状 | 本品呈扁平卵形，长 1.3 ~ 3 cm，宽 1.2 ~ 2.4 cm。前端较窄，后端较宽，背部紫褐色，具光泽，无翅。前胸背板较发达，盖住头部；腹背板 9 节，呈覆瓦状排列。腹面红棕色，头部较小，有丝状触角 1 对，常脱落；胸部有足 3 对，具细毛和刺；腹部有横环节。质松脆，易碎。气腥臭，味微咸。

土鳖虫药材

| 品质评价 | 一、商品规格
目前市售药用土鳖虫商品规格有清水货和统货 2 种，暂无优劣分级。清水货指经过水洗和空腹处理的土鳖虫，质量较好，一般以公斤为单位售卖。传统以完整、色紫褐者为佳。
二、质量控制
目前市场土鳖虫价格上涨，存在掺杂白矾、食盐等成分增重获利、用伪品（如东方潜龙虱等）掺杂或替代正品的现象。2020 年版《中华人民共和国药典》对于土鳖虫的质量控制主要通过含量测定的方式，规定土鳖虫含核苷类成分尿囊素（$C_4H_6N_4O_3$）应不少于 0.035%。大量研究者使用理化、性状、薄层鉴别、紫外可见吸收光谱分析等方法鉴别土鳖虫的真伪品，并测定其氨基酸、脂类、微量元素、有害元素含量，通过建立蛋白、HPLC、HPCE 指纹图谱，甚至通过 RAMP-PCR 反应体系、ISSR-PCR 反应体系等分子鉴定方法进行土鳖虫品质的研究。

三、道地性记述

土鳖虫我国各地皆产，自古以来，人们普遍认为江苏一带的土鳖虫质量最好，谓之"苏产䗪虫品质良"。《诗经·豳风·东山》云："伊威在室，蟏蛸在户。町畽鹿场，熠耀宵行。不可畏也，伊可怀也。"宋代王安石《忆昨诗示诸外弟》云："明年亲作建昌吏，四月挽船江上矶。端居感慨忽自寤，青天闪烁无停晖。男儿少壮不树立，挟此穷老将安归。吟哦图书谢庆吊，坐室寂寞生伊威。"诗中的"伊威"即为土鳖虫，入药又名䗪虫。江苏所产土鳖虫个小、体轻、腹中无泥，品质最优，称为苏土元；其他地区所产个大、体重、腹中含泥，品质较次，称大土元或汉土元。

| **功效物质** | 土鳖虫中含有蛋白质及氨基酸类、挥发油类、脂肪酸类及脂溶性成分、维生素与矿物元素等生物活性成分。

一、蛋白质及氨基酸类

土鳖虫中含有 60% 的大分子蛋白质，经人体消化吸收后分解成小分子活性多肽或氨基酸发挥功效。研究表明通过蛋白酶水解和分离纯化得到的小于 10 kDa 的地鳖肽自由基清除率高，具有抗氧化活性，对急、慢性肝损伤小鼠具有保护作用。土鳖虫多肽 F2-2 具有显著的活血化瘀作用，可抗凝血、降低血小板聚集。通过活体分离纯化可得到纤溶活性成分 EFF-1、EFF-2、EFF-3 及纤维蛋白水解酶。

二、挥发油类

已鉴定的土鳖虫挥发油组分为樟脑、萘、醋酸乙酯、2,5- 二甲基吡嗪等生物碱及芳香醛和脂肪醛等。

三、脂肪酸类及脂溶性成分

土鳖虫石油醚部位分离得到大量的油脂类物质及胆甾醇、棕榈酸、硬脂酸、油酸等小分子成分。

四、维生素与矿物元素

维生素包括脂溶性维生素 A、维生素 D、维生素 K、维生素 E 等，其中，维生素 E 含量最高，具有抗氧化作用，维生素 K 与凝血机制有关。土鳖虫中含矿物元素钙、磷、镁、钠及人体必需微量元素铁、铜、锰、锌、硒。

五、其他类

此外，尚发现土鳖虫含有尿囊素类成分，该物质具有镇静作用，外用能促进皮肤溃疡面和伤口愈合，具有生肌作用。

| **功能主治** | 咸，寒；有小毒。归肝经。破瘀血，续筋骨。用于筋骨折伤，瘀血经闭，癥瘕痞块。

| **用法用量** | 内服煎汤，3 ~ 9 g；或浸酒饮；或研末，1 ~ 1.5 g。外用适量，煎汤含漱；或研末撒；或鲜品捣敷。孕妇忌服。

| **传统知识** | 基于文献梳理和中药资源普查过程中调查走访收集的传统用药知识，记录于此。

（1）治疗跌打损伤骨折，瘀血攻心，发热昏晕，不省人事：土鳖虫（焙干去足）、乳香、没药、自然铜（醋淬）、骨碎补、大黄、血竭、硼砂、归尾各 3 g。

（2）治疗折伤，接骨：土鳖虫焙存性，为末，每服二至三钱。

（3）治疗五劳虚极羸瘦腹满、不能饮食食伤、忧伤饮伤、房室伤饥伤、劳伤经络荣卫气伤、内有干血肌肤甲错、两目黯黑，缓中补虚：大黄十分，黄芩二两，甘草三两，桃仁一升，杏仁一升，芍药四两，干地黄十两，干漆一两，虻虫一升，水蛭百枚，蛴螬一升，䗪虫半升。上十二味，末之炼蜜和丸，小豆大。酒饮服 5 丸，日 3 服。

（4）治疗瘰疮肿：干地鳖末、麝香各研少许。上二味，研匀。干掺或贴，随干湿治之。

（5）治疗跌打损伤，瘀血肿痛：当归 400 g，三七 80 g，乳香（制）80 g，冰片 20 g，土鳖虫 200 g，煅自然铜 120 g。用温黄酒或温开水送服。一次 1.5 g，日 2 次。

| **资源利用** | 一、在医药领域中的应用

土鳖虫药用历史悠久，历代本草皆有收载，临床多用于筋骨折伤、瘀血经闭、癥瘕痞块等。现代研究表明土鳖虫的资源性化学成分主要为蛋白质，含量达 60%，可提供大量人体必需氨基酸，此外还含有丰富的脂肪酸、挥发油和微量元素。土鳖虫中具活性的多肽发挥了主要药效作用，如抗凝组分多肽 F2-2、抗血栓活性蛋白及抗氧化多肽等。土鳖虫活性成分发挥着抗凝血、抗血栓、抗肿瘤、调节血脂、促进成骨分化、抗氧化、镇痛、抗菌、抗缺血缺氧及保护血管内皮细胞的作用。土鳖虫可用于制成中华跌打丸、颈复康颗粒、通心络胶囊等中成药制剂，少数还可制成土鳖虫药酒或保健品出售。

土鳖虫粉末还可进行深层加工，制成发酵土鳖虫粉，制备工艺为：取土鳖虫

干粉与白僵菌孢子粉，加少量吐温 -80，用适量灭菌水将其稀释为每毫升含 $1×10^8$ 个孢子的混悬液，取适量，拌匀润湿，在温度为 25 ~ 28 ℃、湿度为 95% 的恒温恒湿培养箱中发酵 8 天左右，待长满菌丝后停止发酵，即制得发酵土鳖虫粉。研究表明，经白僵菌发酵后，虫体内所含有的蛋白质、多糖、黄酮等成分可被白僵菌生长过程中产生的蛋白酶、糖化酶等强大酶系转化修饰成活性更强的物质，从而发挥更大的药效，可增加有效成分利用率。研究显示土鳖虫经过固体双向发酵模式加工后，除了产生具有抗肿瘤、抗病毒活性的白僵菌素、聚酮类次生代谢物质外，土鳖虫内黄酮类成分的种类和含量也发生了改变，水溶性蛋白质含量显著增加，多糖含量显著下降，表明白僵菌发酵可能将多糖类物质分解利用转化为可溶性蛋白质，从而发挥抗病毒、抗肿瘤作用。

二、在其他领域中的应用

土鳖虫是蛤蚧等多种动物喜欢捕食的昆虫饲料。蛤蚧 *Gekko gecko* (Linnaeus) 为壁虎科动物，入药具有补肺益肾、纳气定喘、助阳益精的功效，因土鳖虫对蛤蚧常发性疾病和药用有效成分的积累有积极作用，故人工饲养蛤蚧时常投喂活体土鳖虫。土鳖虫作为一种富含蛋白质的基础饲料，广泛受到饲养观赏鸟、鱼等爱好者的欢迎。

| 附　注 | 2015 年版《中华人民共和国药典》规定，药用土鳖虫的来源为地鳖 *Eupolyphaga sinensis* Walker 或冀地鳖 *Steleophaga plancyi* (Boleny)；部分地区使用赤边水䗪（东方片蠊 *Opisthoplatia orientalis* Burmeister）作为土鳖虫入药，药材习称金边土鳖、金边土元等，主要分布于福建、台湾、广东等地。

参考文献

[1] 曹莹，吴福林，王涵，等 . ICP-MS 法测定土鳖虫药材中 5 种有害元素的含量 [J]. 特产研究，2019，41（3）：109-111，117.

[2] 杨舒涵，张跃华，缪天琳，等 . 地鳖虫的人工饲养及其药用价值简述 [J]. 特种经济动植物，2019，22（5）：5-6.

[3] 金鑫 . 土鳖虫对血瘀型腰痛患者疼痛及血流动力学的影响 [J]. 航空航天医学杂志，2019，30（1）：70-72.

[4] 张震 . 土鳖虫抗高胆固醇血症模型内参基因筛选及分子机制研究 [D]. 哈尔滨：东北农业大学，2019.

[5] 孙龙，何钊，赵敏，等 . 地鳖虫 HPLC 指纹图谱研究 [J]. 环境昆虫学报，2018，40（1）：23-29.

[6] 刘阳 . 地鳖肽提取纯化及对肝损伤小鼠的保护作用及机理的研究 [D]. 北京：北京农学院，2018.

[7] 张泽峰，王晶，孙艺茹，等 . 土鳖虫醇提物制备方法及其制备物对 MC3T3-E1 成骨细胞促增殖作用活性评价 [J]. 辽宁中医药大学学报，2018，20（7）：50-54.

[8] 吴福林，周柏松，董庆海，等 . 土鳖虫的药理、药化及其临床的研究进展 [J]. 特产研究，2018，40（3）：67-74.

[9] 于春华，怀凤武，白秀娟．土鳖虫分子生药学研究进展[J]．经济动物学报，2018，22（2）：118-121，124．

[10] 张震，姜恩泽，宁方勇，等．土鳖虫抗兔高胆固醇血症模型内参基因的评估及应用[J]．东北农业大学学报，2018，49（12）：52-58．

[11] 马俊，李进庭，张泽华，等．土鳖虫人工养殖技术[J]．科学种养，2018（3）：58-59．

[12] 李宫明．地鳖虫多糖提取与抗肿瘤作用研究[D]．长春：吉林大学，2017．

[13] 王立娜，王颖，朱明珠，等．土鳖虫的活性成分及药理研究进展[J]．化工时刊，2017，31（6）：34-36．

[14] 陈昭，陈伟韬，罗文汇等．HPCE法研究土鳖虫镇痛作用与其指纹图谱的关系[J]．中成药，2016，38（5）：1074-1077．

[15] 陶宁，郭伟，王少圣，等．地鳖虫养殖环境中肉食螨种类调查及网真扇毛螨形态观察[J]．中国血吸虫病防治杂志，2016，28（4）：429-431．

[16] 王立娜，马明珠，王集会．发酵土鳖虫总黄酮含量的测定及方法学考察[J]．安徽农业科学，2016，44（21）：95-97．

[17] 张月娥，陈伟韬，罗文汇，等．基于HPCE指纹图谱的土鳖虫质量控制研究[J]．世界中医药，2016，11（3）：533-535．

[18] 汪丽，王俊淞，年寅，等．土鳖虫的化学成分研究[J]．昆明理工大学学报（自然科学版），2016，41（4）：92-99．

[19] 陈卉，王洛临，孙冬梅．土鳖虫和全蝎蛋白质和多肽类成分的膜分离浓缩[J]．中国医药工业杂志，2016，47（4）：415-418．

[20] 王鹏程，吕文纲．土鳖虫质量控制及药理作用研究进展[J]．山东中医杂志，2016，35（9）：846-848．

[21] 王立娜，马明珠，王颖等．中药土鳖虫发酵前后活性成分的含量对比[J]．湖南中医杂志，2016，32（8）：200-202．

[22] 罗情，巫秀美，郭娜娜，等．地鳖虫的化学成分和药理活性研究进展[J]．中国医药科学，2015，5（17）：41-44．

[23] 李红宁，康哲，刘萍，等．地鳖虫药用价值研究进展[J]．贵州科学，2015，33（4）：22-25，40．

[24] 谷崇高，白若雨，官佳懿，等．地鳖提取物制备和体外抗氧化活性的研究[J]．中国农学通报，2015，31（2）：67-74．

[25] 范玮，余伯阳，刘吉华．3种虫类药材蛋白指纹图谱的建立[J]．药物生物技术，2014，21（6）：511-514．

[26] 李洪，熊敏．高效液相色谱法测定土鳖虫中尿嘧啶、次黄嘌呤和尿苷含量[J]．河南中医，2014，34（8）：1634-1635．

[27] 王慧，苏双良，任慧君，等．土鳖虫DNA的RAMP-PCR反应体系的建立及优化[J]．中草药，2014，45（6）：835-839．

[28] 赵志壮，白蕙箐，王宏展，等．土鳖虫ISSR-PCR反应体系的建立及优化[J]．黑龙江畜牧兽医，2014（19）：74-76．

[29] 赵志壮．土鳖虫冻干粉对高脂血症家兔血脂及相关基因表达的影响[D]．哈尔滨：东北农业大学，2014．

[30] 黄镇林，杜清华，王宏涛，等．土鳖虫多肽F2-2的体外药效研究[J]．中医药信息，2014，31（2）：4-6．

[31] 杜清华．土鳖虫活性组分F2-2抗凝机制研究[D]．北京：北京中医药大学，2014．

[32] 葛钢锋，余陈欢，吴巧凤．土鳖虫醇提物对体外肿瘤细胞增殖的抑制作用及其机制研究[J]．中华中医药杂志，2013，28（3）：826-828．

[33] 秦仲君，李兴暖，何巍，等．土鳖虫多肽的制备工艺及抗凝血的作用研究[J]．安徽农业科学，2012，40（16）：8910-8911，8934．

[34] 刘丹，李兴暖，秦仲君，等．土鳖虫多肽的制备及免疫调节作用研究[J]．中药材，2012，35（9）：

1382–1385.

[35] 宋程，蒋益兰，唐蔚. 土鳖虫抗肿瘤的研究进展 [J]. 湖南中医杂志, 2011, 27（6）: 132–133.

[36] LIU H Y, YAN Y L, ZHANG F L, et al. The immuno-enhancement effects of tubiechong (*Eupolyphaga sinensis*) lyophilized powder in cyclophosphamide-induced immunosuppressed mice[J]. Immunology Investigation, 2019, 48（8）: 844–859.

[37] ZHAN Y Z, ZHANG H, LIN R, et al. *Eupolyphaga sinensis* Walker ethanol extract suppresses cell growth and invasion in human breast cancer cells[J]. Integrative Cancer Therapies, 2016, 15（1）: 102–112.

[38] DAI B L, QI J P, LIU R, et al. *Eupolyphaga sinensis* Walker demonstrates angiogenic activity and inhibits A549 cell growth by targeting the KDR signaling pathway[J]. Molecular Medicine Reports, 2014, 10（3）: 1590–1596.

[39] ZHANG Y M, ZHAN Y Z, ZHANG D D, et al. *Eupolyphaga sinensis* Walker displays inhibition on hepatocellular carcinoma through regulating cell growth and metastasis signaling[J]. Scientific Reports, 2014, 4（11）: 5518.

[40] WANG F X, WU N, WEI J T, et al. A novel protein from *Eupolyphaga sinensis* inhibits adhesion, migration, and invasion of human lung cancer A549 cells[J]. Biochemical Cell Biology, 2013, 91（4）: 244–251.

[41] WU B, WU X D, JIANG W. Isolation and identification of two novel attractant compounds from Chinese cockroach (*Eupolyphaga sinensis* Walker) by combination of HSCCC, NMR and CD techniques[J]. Molecules, 2013, 18（9）: 11299–11310.

[42] GE G F, YU C H, YU B, et al. Antitumor effects and chemical compositions of *Eupolyphaga sinensis* Walker ethanol extract[J]. Journal of Ethnopharmacology, 2012, 141（1）: 178–182.

[43] WANG Y, YAN H L, WANG Y P, et al. Proteomics and transcriptome analysis coupled with pharmacological test reveals the diversity of anti-thrombosis proteins from the medicinal insect *Eupolyphaga sinensis*[J]. Insect Biochemistry and Molecular Biology, 2012, 42（8）: 537–544.

[44] HU Y W, ZHU F, WANG X P, et al. Development time and body size in *Eupolyphaga sinensis* along a latitudinal gradient from China[J]. Environmental Entomology, 2011, 40（1）: 1–7.

（吴啟南）

蜜蜂科 Apidae 蜜蜂属 Apis

中华蜜蜂 *Apis cerana* Fabricius

| 药 材 名 | 蜂蜜（药材来源：所酿的蜜。别名：岩蜜、石蜜、石饴）。

| 本草记述 | 蜂蜜始载于《神农本草经》，被列为上品，有"治邪气，安五脏诸不足，益气补中、止痛解毒、除百病、和百药，久服强志轻身，不老延年"之功效，且"多服久服不伤人"。东汉末年著名医学家张仲景认为"蜂蜜可以治阳明结燥，大便不通"。《名医别录》记载："石蜜，生武都山谷、河源山谷及诸山石中。色白如膏者良。"两晋时期，郭璞在《蜜蜂赋》中写道："散似甘露，凝如割脂，冰鲜玉润，髓滑兰香。百药须之以谐和，扁鹊得之而术良。"这充分说明当时对蜂蜜和蜂蜡的性质及用途的认知已经达到一定的高度。宋代古籍记载了多种蜜源植物及蜂产品，且已经提出了单花种蜜，记有黄连蜜、梨花蜜、桧花蜜和何首乌蜜等。宋人已知南北不同的生态条件对蜜蜂选

巢酿蜜有影响，"花色不同，蜜色随异"。罗愿在《尔雅翼》中记载："今土木之蜂，亦各有蜜。北方地燥，多在土中，故多土蜜；南方地湿，多在木中，故多木蜜。"苏颂《本草图经》中记述了石蜜的产地，称："石蜜生武都山谷及河源诸山谷中，今川蜀江南岭南处处皆有之。石蜜即崖蜜也，其蜜黑色。"李时珍《本草纲目》对蜂蜜的性质和应用作了更为详尽的描写，载："蜂蜜，其入药之功有五：清热也，补中也，解毒也，润燥也，止痛也。生则性凉，故能清热；熟则性温，故能补中；甘而平和，故能解毒；柔而濡泽，故能润燥；缓可去急，故能止心腹肌肉疮疡之痛；和可致中，故能调和百药而与甘草同功。"

| 形态特征 |

中华蜜蜂简称中蜂，蜂群由工蜂、蜂王及雄蜂组成。工蜂是雌性生殖器官发育不完全的个体，体型小，体灰褐色，头、胸、背密生灰黄色的细毛；头略呈三角形，复眼1对，单眼3，触角1对，膝状弯曲，口器发达，适于咀嚼及吮吸；胸部具3节；翅2对，膜质透明；足3对，股节、胫节及跗节等处均有采集花粉的构造；腹部圆锥形，背面黄褐色，1～4节有黑色环节，末端尖锐，有毒腺、螫针，腹下有蜡板4对，内有蜡腺，分泌蜡质。蜂王体型最大，头呈心形，上颚锋利，上颚腺特别发达，喙短；翅短小，翅长与体长的比值比工蜂和雄蜂小得多；腹部特长，呈长圆锥形，占体长的3/4，可见6腹节；生殖器发达，专营生殖产卵。雄蜂是蜂群中生殖器官发育完全的雄性蜂，头比工蜂大，近似圆形，体型较工蜂粗壮，体表绒毛多而长，腹部尤甚，且体色较深；尾无毒腺和螫针；足上无采集花粉的构造；腹部无蜡板及蜡腺；此外，翅宽大，腿粗短。

工蜂　　　　　　　蜂王　　　　　　　雄蜂

| 资源情况 |

一、生态环境

野生中蜂主要生活在雨水较多、空气湿润、蜜粉源植物种类较多的山区、丘陵地域，在树洞、岩缝、土穴等防风避雨处营造巢穴，繁衍生息。江苏地处长江中下游地区，气候温和，四季分明，蜜粉源植物种类丰富，是蜜蜂繁衍的理想地区。

二、分布区域

我国除新疆以外，从东南沿海到海拔 4 000 m 的青藏高原均有野生中蜂分布，主要分布在长江以南各省区的山区和半山区。

三、蕴藏量

野生中蜂在江苏分布广泛，在意大利蜜蜂（简称意蜂）引入我国前，中蜂是江苏唯一的蜜蜂种类。随着人口的不断增加，土地不断被开发利用，出现了大面积单一农作物种植的现代农业，江苏平原地区的蜜粉源植物种类减少，再加上日益广泛使用的农药，导致江苏绝大部分地区的野生中蜂销声匿迹。目前，仅在江苏宜兴的丘陵山区与南京紫金山地区有少量野生中蜂存在。

四、养殖历史与产地

我国蜜蜂的养殖历史悠久。早在西晋时期的《博物志》中就有蜜蜂养殖的记载，云："人往往以桶聚蜂，每年一取。"陶弘景云："石蜜即崖蜜也，高山岩石间作之。色青赤，味小碱，食之心烦。其蜂黑色似虻。又木蜜呼为食蜜，悬树枝作之。色青白。树空及人家养作之者亦白，而浓厚味美。"宋代《本草图经》记载："食蜜有两种，一种在山林木上作房，一种人家作窠槛收养之。石蜜……色绿，入药胜于他蜜。"李时珍《本草纲目》对蜂的记载分类更为详尽，载："其蜂有三种：一种在林木或土穴中作房，为野蜂；一种人家以器收养者，为家蜂，并小而微黄……一种在山岩高峻处作房，即石蜜也，其蜂黑色似牛虻。"明代《天工开物》中有关于蜜蜂、蜂蜜和养蜂技术的记载，"凡酿蜜蜂普天皆有""畜家蜂者，或悬桶檐端，或置箱牖下，皆锥圆孔眼数十，俟其进入"。

江苏的养蜂历史源远流长。早在春秋时期，邳县（现邳州）就有"梁王蜂"的传说。秦汉时期以后，历代民间均有养蜂取蜜的习惯，主要用作入药医疗和营养滋补，但发展缓慢。至清代后期，江苏养蜂仍较零星分散，仅在淮北、江南和丘陵山区的少数地方，有传统养蜂习惯的农家饲养少量蜂群，且沿袭土种土法，粗放管理，生产水平低下。民国时期，随着西方蜜蜂良种和先进养蜂技术方法的引入，江苏现代养蜂业开始兴起。20 世纪 20 年代，江苏各地相继兴办养蜂场，一度出现养蜂热潮，推动了江苏养蜂业较快发展。20 世纪 20 年代后期，江苏除各地农村传统养蜂外，具有现代生产经营方式的大小蜂场已遍布无锡、苏州、南京、扬州、徐州等地，其中仅南京城区内外就有 10 多家蜂场，养蜂 2 000 箱以上，且均为意蜂。经过不断推广，至 20 世纪 70 年代，意蜂已成为江苏蜜蜂的主要当家品种，分布于全省各地，至 1987 年，意蜂蜂群已超过全省蜂群总数的 95%。

中蜂与意蜂等蜜蜂在生存空间和食物资源利用等方面的生态位上存在重叠，同域放蜂会出现种间竞争现象，且西方蜜蜂体型大、数量多，对中蜂造成了强大的竞争压力，迫使养殖者改变原有的采集模式和采集习惯，从而导致中蜂的种群数量不断缩减，蜂种品质不断下降，分布区域进一步缩小，最终影响其生存。1984 年，江苏养蜂总数已达 23.4 万群，而中蜂下降到不足 1 万群。1990 年，江苏中蜂饲养数不足 1 000 群，连 1984 年统计的中蜂饲养比较多的宜兴，也由原来的 576 群下降至 160 群。早在 1988 年，相关学者就已基于中蜂和西方蜜蜂的种间竞争现象，提出应采取相关措施保护我国本土中蜂资源的建议。且随着经济发展，人们对绿色食品和本土传统食品越来越推崇，本土蜂种所产蜂蜜的价格一般比引入品种所产蜂蜜的价格高。近年来，以中蜂蜂蜜为代表的高价中蜂蜂产品受到消费者的喜爱，这使中蜂养殖者的积极性得到提高，中蜂数量也因此有所回升。

江苏是全国最早成立蜂业行业组织的省份，且在蜜蜂养殖过程中逐渐形成了以市场为导向，以效益为中心，依靠龙头企业带动和科技进步，对蜜蜂养殖实行区域化布局、专业化生产、一体化经营、社会化服务和企业化管理，贸工农一体化、产加销一条龙的经营方式和产业组织形式。涌现出"老山蜂蜜""南京九蜂堂""惠生堂""保和堂""庆缘康蜂蜜""百福缘""圣贝特蜂产品""双威牌蜂蜜"等蜂业品牌，这些品牌所属企业集生产、加工、销售为一体，保证了蜜源质量，提高了产品研发能力，奠定了江苏品牌蜂蜜的基础。其中，南京老山药业股份有限公司作为国际标准化组织食品技术委员会蜂产品分委员会秘书处的承担单位，在国际蜂蜜舞台上发挥着重要作用。

目前，江苏中蜂养殖的分布范围较广，东部的启东、海门，最北部的赣榆，西部的盱眙，南部的吴中、相城、宜兴等地均有分布，但半数以上集中在长江下游的沿江地区和南部丘陵山区。

五、养殖规模与产量

我国是世界第一养蜂大国，蜂群饲养数量、蜂产品产量及出口量均稳居世界首位。中蜂和意蜂是我国养殖数量最多的 2 种蜜蜂，其他种类蜜蜂数量很少，我国约有中蜂 300 多万群，意蜂 600 多万群。根据我国养蜂学会 2018 年相关统计数据，我国年产蜂蜜 47.9 万 t、蜂王浆 3 000 t、蜂蜡 6 000 t、蜂花粉 4 000 t、蜂胶 350 t。中蜂蜂蜜年产量为 5 万 ~ 10 万 t，意蜂蜂蜜年产量约 40 万 t。

六、规范化养殖技术

1. 养殖技术

江苏在长期的养蜂实践中，总结出充分利用本地蜜源、关王度夏、节省饲料及配合饲料饲喂、提早繁殖蜂群等一系列养蜂技术，并在全省推广。从定地放蜂到转地放蜂再到定地与小转地放蜂相结合，江苏逐渐形成了科学的四季饲养管理方式。

（1）春季。定地、小转地蜂群的饲养管理，依次为适时加脾、双王同巢、防治疾病、组织生产群、培育蜂王、生产王浆、采收蜂蜜、脱收花粉、筑造新脾、防止农药中毒、防止产生分蜂热、更换老蜂王、防止盗蜂。

（2）夏季。依次为留足饲料、防止盗蜂、选好瓜花场地、生产王浆、防治蜂螨、抓好繁殖、防暑降温、防治敌害。

（3）秋季。依次为培育越冬蜂、防止盗蜂、贮藏花粉、熏蒸巢脾、幽闭蜂王、饲喂蜂群、控制飞翔、检查蜂王。

（4）冬季。依次为检查评定蜂群、喂足饲料、箱外观察、适当保温、保持蜜蜂安静、避免阳光刺激、整理巢脾、抓紧繁殖。

2. 养殖管理

（1）产蜜蜂群的组织与管理。在当地主要蜜源流蜜期前40天开始培育适龄采集蜂，蜜源不充足时奖励饲喂。在主要流蜜期前准备大量贮蜜用的巢脾。在流蜜期前15天，从辅助群提出封盖子脾，调入生产群。在流蜜期开始前调整蜂群，将未封盖子脾放入巢箱，适当加入空巢脾、卵虫脾、粉脾和巢础框。其余封盖子脾放入继箱，补加空脾。

（2）采蜜群的管理。流蜜初期，在每天拂晓前用该蜜源的蜜水饲喂采蜜群，每群100～200g，以引导蜜蜂提前上花采蜜。当主要蜜源流蜜期12天左右且以后没有主要蜜源时，在流蜜期前10天开始限制蜂王产卵，直至蜜源结束，以便工蜂集中力量采蜜和酿蜜，夺取蜂蜜高产；当主要流蜜期在30天以上仍有主要蜜源时，适当限制蜂王产卵，采取采蜜繁殖并举的饲养方式。

（3）其他管理。选用符合生产需要的优良高产蜂种和健康蜂群；饲养强群，生产成熟蜂蜜；选择无污染的蜜源地区放蜂；使用国家允许的无污染的高效低毒蜂药防治病虫害，严格遵循休药期的管理；使用符合食品卫生要求的装蜜容器；采收蜂蜜时要保证环境卫生。

采收加工 采收蜂蜜所需的各种机具必须无毒、无异味，使用前必须清洗消毒。选用不锈钢、全塑或木质的无污染分蜜机，选用不锈钢割蜜刀，一定不能选用铁桶或有生锈部位的分蜜机或割蜜刀。采收的蜜脾应该完全封盖。采收应在上午进行,尽可能避开采集高峰期和不良天气,操作时气温以不低于 14 ℃为宜。采收后需用 60 目以上的筛网将蜂尸等杂质滤出。

近年来,蜂蜜加工工艺不断发展,多数国家的加工流程逐步趋向一致,主要的工艺技术有浓缩技术、净化技术、树脂吸附脱除技术。浓缩技术是目前最常用、最成熟的技术,方法为加工前先粗滤,再精滤,通过加热或稀释降低其黏度,提高滤速,同时又要保证其热敏成分最大变化极限,在 55 ~ 60 ℃下加热原料蜜 25 ~ 30 分钟,加热时应不时搅拌,使蜂蜜受热均匀,逐步融化,防止糊化产生胶状结块;搅拌使蜂蜜温度降至 40 ℃左右时,多道过滤蜂蜜,以除去杂质和较大颗粒晶体,应尽量在密封装置中采用机械加压过滤,以缩短加热时间,减少风味和营养的损失。

| **药材性状** | 本品为半透明、带光泽、浓稠的液体,白色至淡黄色或橘黄色至黄褐色,放久或遇冷渐有白色颗粒状结晶析出。气芳香,味极甜。

| **品质评价** | 一、药典规定

2015 年版《中华人民共和国药典》规定,蜂蜜含果糖($C_6H_{12}O_6$)和葡萄糖($C_6H_{12}O_6$)的总量不得少于 60.0%、果糖与葡萄糖含量比值不得小于 1.0、5-羟甲基糠醛不得过 0.004%、蔗糖和麦芽糖均不得过 5.0%、水分不得过 24.0%。蜂蜜采收时天气温度、湿度不同,蜜源植物不同,蜂蜜的成熟程度不同,水分含量差异较大。水分的多少直接影响蜂蜜的质量和成熟程度,对于同种蜂蜜来说,水分含量越低,成熟度就越高,质量也相对较好。

二、国家标准

《食品安全国家标准 蜂蜜》(GB 14963—2011)对蜂蜜的蜜源植物、感官要求、理化指标做出了规定。蜜蜂采集植物的花蜜、分泌物或蜜露应安全无毒，不得来源于雷公藤 *Tripterygium wilfordii* Hook. f.、博落回 *Macleaya cordata* (Willd.) R. Br.、狼毒 *Stellera chamaejasme* L. 等有毒蜜源植物。感官要求应符合表 2-1-12 的规定。理化指标应符合表 2-1-13 的规定。

表 2-1-12　蜂蜜的感官要求

项目	要求	检验方法
色泽	依蜜源品种不同，从水白色（近无色）至深色（暗褐色）	按 SN/T 0852 的相应方法检测
滋味、气味	具有特有的滋味、气味，无异味	
状态	常温下呈黏稠流体状，或部分至全部结晶	在自然光下观察状态，检查其有无杂质
杂质	不得含有蜜蜂肢体、幼虫、蜡屑及正常视力可见杂质（含蜡屑巢蜜除外）	

表 2-1-13　蜂蜜的理化指标

项目		指标	检验方法
果糖和葡萄糖 /（g·100 g⁻¹）		≥ 60	GB/T 18932.22
蔗糖 /（g·100 g⁻¹）	桉树蜂蜜，柑橘蜂蜜，紫苜蓿蜂蜜，荔枝蜂蜜，野桂花蜜	≤ 10	
	其他蜂蜜	≤ 5	
锌（Zn）/（mg·kg⁻¹）		≤ 25	GB/T 5009.14

三、行业标准

《中华人民共和国供销合作行业标准　蜂蜜》（GH/T 18796-2012）中，依蜂蜜所含水分不同，将其分为一级品和二级品 2 个等级。因荔枝蜂蜜、龙眼蜂蜜、柑橘蜂蜜、鹅掌柴蜂蜜、乌桕蜂蜜相较于其他蜂蜜水分含量略高，故等级划分中将上述蜂蜜与其他蜂蜜区分开。对于一级品，规定荔枝蜂蜜、龙眼蜂蜜、柑橘蜂蜜、鹅掌柴蜂蜜、乌桕蜂蜜等的含水量 ≤ 23%，而其他蜂蜜的含水量 ≤ 20%；对于二级品，规定荔枝蜂蜜、龙眼蜂蜜、柑橘蜂蜜、鹅掌柴蜂蜜、乌桕蜂蜜等的含水量 ≤ 26%，其他蜂蜜的含水量 ≤ 24%。该规定对于二级品荔枝蜂蜜、龙眼蜂蜜、柑橘蜂蜜、鹅掌柴蜂蜜、乌桕蜂蜜等的含水量要求低于《中华人民共和国药典》。

| **功效物质** | 蜂蜜中的主要成分为糖类，另外还含有蛋白质、氨基酸、黄酮类、酚类、有机酸类及矿物质等多种营养物质，这些营养物质的含量和组成与蜜源植物、地域差异、天气条件、蜂种和酿造过程等因素有关。

一、糖类

蜂蜜中糖类占蜂蜜总质量的 70% ~ 80%，水分占 10% ~ 20%。在蜂蜜的糖类组成中，单糖约占 75%，二糖占 10% ~ 15%，此外还有少量多糖。蜂蜜中存在的糖类决定了蜂蜜的能量值、黏度、吸湿性和颗粒化等特性。蜂蜜中的单糖主要是葡萄糖和果糖，二者占蜂蜜总可溶性固形物的 65% ~ 80%，蜂蜜中的二糖包括蔗糖、麦芽糖、异麦芽酮糖、松二糖、异麦芽糖、昆布二糖、曲二糖、黑曲霉糖、龙胆糖和海藻糖，三糖包括麦芽三糖、吡喃葡糖基蔗糖、松三糖、1-蔗果三糖、异葡糖基麦芽糖、异麦芽三糖、潘糖等。不同植物来源的蜂蜜中糖类的含量存在一定差异。

二、蛋白质及氨基酸类

蜂蜜中蛋白质含量为 0.1% ~ 3.3%，主要来自花粉和蜜蜂咽下腺分泌的王浆主蛋白（MRJPs），其中 MRJPs 是蜂蜜中水溶性蛋白的主要成分。蜂蜜中的脯氨酸占总氨基酸的 50% ~ 85%，主要来自蜂蜜酿造过程中蜜蜂唾液腺的分泌物。脯氨酸的含量可作为衡量蜂蜜成熟程度的指标之一，成熟蜂蜜中脯氨酸含量不能低于 180 mg/kg，同时也可作为糖浆掺假的检测指标之一。蜂蜜中的一部分蛋白质是酶类，如 α-葡萄糖苷酶、β-葡萄糖苷酶、过氧化氢酶、酸性磷酸酶、淀粉酶、蔗糖酶和葡萄糖氧化酶。葡萄糖氧化酶催化底物葡萄糖产生葡萄糖酸和过氧化氢，过氧化氢是大多数蜂蜜的主要抑菌物质。蜂蜜中酶类的活性大都不太稳定，加热和长时间储存会使蜂蜜中酶的活性显著下降。

三、黄酮类

黄酮是一类重要的抗氧化成分。蜂蜜中的黄酮类主要来源于植物花粉、花蜜和蜂胶，多以配基和糖苷黄酮的形式出现，其中，黄酮类化合物主要有木犀草素、白杨素、芹菜素、三粒小麦黄酮、杨芽黄素、黄芩素、汉黄芩素；二氢黄酮类化合物有乔松素、橙皮素；黄酮醇类化合物有山柰酚、槲皮素、异鼠李素、山杨梅酮、高良姜素、非瑟酮、桑色素；异黄酮类化合物主要有染料木素、柚皮素、儿茶素和短叶松素。蜂蜜中黄酮的含量受蜜源植物、地理因素、气候特征等条件的影响较大，因此，黄酮的含量也逐渐成为检测蜂蜜质量和区分蜜种的一项重要参考指标。

四、酚类

蜂蜜中含有丰富的酚类物质，包括没食子酸、香草酸、咖啡酸、丁香酸、香豆素酸、阿魏酸、鞣花酸、绿原酸、3-羟基苯甲酸、迷迭香酸、4-羟基苯甲酸、杨梅素、松叶黄素、松属素等。酚类物质含量与蜂蜜的总抗氧化能力呈正相关，蜂蜜中酚类物质的存在使蜂蜜具有良好的生物学活性，此外，酚类物质也可作为蜂蜜植物来源的标记物。

五、有机酸类

蜂蜜中有机酸的存在是蜂蜜具有微量酸味的原因，蜂蜜中含有约 0.57% 的有机酸。蜂蜜中的有机酸有的直接来源于花蜜，有些则来源于蜜蜂消化酶转化为糖类过程中的产物，包括乳酸、甲酸、丁酸、酒石酸、丙酮酸、乙酸、柠檬酸、草酸、葡萄糖酸、琥珀酸、苹果酸、马来酸、α-酮戊二酸、葡萄糖 -6- 磷酸、焦谷氨酸和乙醇酸。其中，葡萄糖酸是最常见的一种，它是由葡萄糖在葡萄糖氧化酶的作用下产生的。有机酸可用于蜂蜜植物来源和地理来源的鉴别，这些有机酸与蜂蜜的颜色、风味和酸度、pH、电导率等化学性质相关。

六、矿物质

蜂蜜中富含矿物质元素，其中钾、钙、钠、镁含量较高，此外还含有大量微量元素，如锰、铜、硒、锶、镍、钴等，有的可被人体直接吸收利用，促进智力、造血系统、骨骼、神经系统等的发育。

七、其他类

此外，蜂蜜中还包括维生素类、色素类、甾醇和磷脂类等物质。

| **功能主治** | 甘，平。归肺、脾、大肠经。补中，润燥，止痛，解毒，生肌敛疮。用于脘腹虚痛，肺燥干咳，肠燥便秘，乌头类药物中毒；外用于疮疡不敛，烫火伤。

| **用法用量** | 内服冲调，15 ~ 30 g；或入丸、膏剂。外用适量，涂敷。

| **传统知识** | 基于文献梳理和中药资源普查过程中调查走访收集的传统用药知识，记录于此。

（1）治疗慢性便秘：蜂蜜一两八钱，黑芝麻一两五钱。芝麻蒸熟捣如泥，搅入蜂蜜，用热开水冲化，日 2 次分服。

（2）治疗胃及十二指肠溃疡：蜂蜜一两八钱，生甘草三钱，陈皮二钱。水适量，先煎甘草、陈皮，去渣，冲入蜂蜜。日 3 次分服。

（3）治疗咳嗽：白蜜一斤，生姜（取汁）二斤。上二味，先秤铜挑，知斤两讫，纳蜜复秤知数，次纳姜汁，以微火煎令姜汁尽，唯有蜜斤两在，止。日服如枣大，含 1 丸，日 3 服。禁一切杂食。

（4）治疗上气咳嗽，喘息，喉中有物，唾血：杏仁、生姜汁各二升，糖、蜜各一升，猪膏药二合。上五味，先以猪膏煎杏仁黄，出之，以纸拭令净，捣如膏，合姜汁、蜜、糖等，合煎令可丸。服如杏核 1 枚，日夜 6 ~ 7 服，渐渐加之。

（5）治疗阳阴病，自汗出，若发汗，小便自利者，此为津液内竭，虽鞕不可攻之，当须自欲大便：食蜜七合。于铜器内，微火煎，当须凝如饴状，搅之勿令焦着，欲可丸，并手捻作挺，令头锐，大如指，长二寸许，当热时急作，冷则鞭。以纳谷道中，以手急抱，欲大便时乃去之。

（6）治疗口疮：蜜浸大青叶含之。

（7）治疗热油烧痛：白蜜涂之。

（8）治疗黯：白蜜和茯苓，涂上。

| 资源利用 | 一、在医药领域中的应用

我国蜂蜜药用历史悠久，诸多古代医药学专著中均有关于蜂蜜的点评或处方记载。现代药理研究表明，蜂蜜具有抗菌、消炎的作用，蜂蜜中较高的糖分浓度、少量的过氧化氢和多酚类化合物均可以抑制细菌的生长。蜂蜜的临床应用极其广泛，自古即有大量关于蜂蜜治疗疾病的记载，偏方、验方更是数不胜数。现代医学研究表明，蜂蜜可以治疗便秘、胃及十二指肠溃疡等胃肠道疾病；保护肝脏，促进肝细胞再生；消炎润肺，止咳祛痰；改善心肌功能；改善神经系统功能紊乱；治疗感染性创伤及烧伤等疾病。另有报道指出，蜂蜜可预防肿瘤复发，治疗足癣，以及结膜炎、角膜炎等眼部疾病，长期服用可预防肾结石、尿路结石。蜂蜜还可作为中药炮制辅料，此应用可追溯至1 800多年前汉代张仲景所著的《金匮要略》，其中即有蜜水炮制乌头的记载。我国第一部炮制专著《雷公炮炙论》中也有关于蜂蜜炮制的论述。现代制药中主要将蜂蜜作为辅料对药材进行炮制和蜜丸制作。

二、在保健食品中的应用

蜂蜜是药食同源的天然保健品，不仅可以直接食用，还可以加工后再食用。市面上常见的蜂蜜食品有蜂蜜奶酪、蜂蜜干粉、固体蜂蜜、蜂蜜酒、蜂蜜啤酒、牛奶蜂蜜、蜂蜜柚子茶、蜂蜜饼干、蜂蜜薯片、蜂蜜蛋糕等。蜂蜜在食品工业中的应用更加广泛，可作为营养增补剂、甜味剂、增稠剂、澄清剂和稳定剂等使用。

三、在美容产品中的应用

中医药美容养颜历史悠久,用蜂蜜作为美容材料进行美容的方法众多,疗效显著。早在1 700年前晋代郭璞《蜜蜂赋》中就有记载"灵娥御之（蜂蜜）以艳颜",即指晋代女子直接用天然蜂蜜抹面的记载。《肘后方》《千金要方》中有用白蜜和茯苓涂面的记载，此法具有增白皮肤、祛斑的功效。蜂蜜美容的使用方法有内服与外用2种。内服蜂蜜是人们常用的保健养生方法。外用蜂蜜是颜面美容广泛使用的方法，包括直接涂抹美容法、蜂蜜洗面法、蜂蜜面膜美容法、蜂蜜洗浴美容法等。蜂蜜在化妆品中使用也很广泛，是多种面部清洁剂、润唇剂、

化妆品、护肤品的原料。

四、在其他领域中的应用

蜂蜜不仅可作为天然营养食品和保健医药品，蜜蜂在采蜜的过程中还能为农作物授粉，提高农产品的产量和质量。研究表明，通过蜜蜂授粉，可使水稻增产 5% ~ 8%，油菜增产 10% 以上，大豆增产 18.7% ~ 20.1%，温室桃增产41.5% ~ 64.6%，西瓜增产 29.3% ~ 32.8%。

| 附　注 | 　（1）我国的蜜蜂区系由自然分布于我国境内的 5 种蜜蜂属和 9 种无刺蜂属蜜蜂组成。我国引进西方蜜蜂已近百年，经长期适应生态条件的自然选择和人工培育，西方蜜蜂已逐渐本土化，尤其是新疆黑蜂和东北黑蜂已形成地方性品种，因此，西方蜜蜂也是我国蜜蜂区系的成员之一。

综上，我国共有 6 种蜜蜂属蜜蜂：黑小蜜蜂 *Apis andreniformis* Smith、小蜜蜂 *Apis florea* Smith、黑色大蜜蜂 *Apis laboriosa* Smith、大蜜蜂 *Apis dorsata* Fabricius、中华蜜蜂 *Apis cerana* Fabricius、意大利蜜蜂 *Apis mellifera* Linnaeus。

（2）中蜂为我国本土蜂种，颜色偏黑，分蜂性强，不利条件下常弃巢迁飞，难以维持强群，性情暴躁，不采集树胶，不适宜进行蜂王浆生产，喜欢啃咬旧脾，容易盗蜂，不便进行现代养蜂生产操作，但其对我国当地环境的适应性极好，具有意蜂无法替代的生态学价值。

参考文献

[1] 国家中医药管理局《中华本草》编委会. 中华本草 [M]. 上海：上海科学技术出版社，1999.

[2] 黄奭. 神农本草经 [M]. 北京：中医古籍出版社，1982.

[3] 苏颂. 本草图经 [M]. 尚志钧辑校. 合肥：安徽科学技术出版社，1994.

[4] 李时珍. 本草纲目 [M]. 北京：人民卫生出版社，1982.

[5] 张婷婷，常萍，侯远鑫，等. 蜂蜜的历史沿革与现代应用 [J]. 中国中医药现代远程教育，2010，8（11）：264-265.

[6] 顾雪竹，李先端，钟银燕，等. 蜂蜜的现代研究及应用 [J]. 中国实验方剂学杂志，2007，13（6）：70-73.

[7] 和绍禹，匡海鸥，刘意秋，等. 中国蜜蜂资源及自然地理区划研究 [J]. 云南农业大学学报，1999（3）：289-293.

[8] 龚磊，吴昌奇，张闰仁，等. 中蜂的形态特征和部分生物学特性的初步研究 [J]. 作物研究，2010，24（3）：195-197.

[9] 梁锦英，赖友胜. 中华蜜蜂外部形态描述（一）[J]. 蜜蜂杂志，1984（1）：25-27，2.

[10] 胥保华. 蜜蜂属内蜂种的分类、地理分布、形态特征和生物学特性 [J]. 山东农业大学学报（自然科学版），2000（3）：265-268.

[11] 何明. 江苏的中蜂资源亟待保护 [J]. 蜜蜂杂志，2007（3）：16.

[12] 何卫星. 南京也有野生中蜂 [J]. 蜜蜂杂志，2007（7）：30.

[13] 张泉生. 江苏中蜂的形态特征和生物学特性 [J]. 江苏农业科学, 1986（6）: 39-40.

[14] 陈瑞杰. "土蜂蜜"的前生今世考 [J]. 中国蜂业, 2014, 65（1）: 53-54.

[15] 张言政. 中蜂蜂蜜与意蜂蜂蜜蜂种来源真实性研究 [D]. 杭州: 浙江大学, 2019.

[16] 蜜蜂饲养技术规范: NY/T 1160—2015[S]. 北京: 中华人民共和国农业部, 2015.

[17] 蜜蜂生产技术规范: NY/T 639—2002[S]. 北京: 中华人民共和国农业部, 2002.

[18] 蜂产品加工技术管理规范: NY/T 1241—2006[S]. 北京: 中华人民共和国农业部, 2006.

[19] 食品安全国家标准: 蜂蜜: GB 14963—2011[S]. 北京: 中华人民共和国卫生部, 2011.

[20] 中华人民共和国供销合作行业标准: 蜂蜜: GH/T 18796—2012[S]. 北京: 中华全国供销合作总社, 2012.

[21] 杜小如, 杜建中, 李珺, 等. 熊猫牌蜂蜜采集技术规程 [J]. 现代农业技术, 2016（11）: 312-313.

[22] 武文洲. 国内外蜂蜜加工工艺应用进展 [J]. 现代食品, 2016（15）: 67-68.

[23] 王绍芬, 张锦华, 王胤晨, 等. 蜂蜜的营养成分及抗氧化作用概述 [J]. 贵州畜牧兽医, 2019, 43（6）: 62-64.

[24] 王丽, 罗红霞, 句荣辉, 等. 蜂蜜营养成分、抗氧化成分及有毒有害物质研究进展 [J]. 食品工业, 2014, 35（10）: 227-230.

[25] 于泽浩. 蜂蜜成熟过程中成分变化的研究 [D]. 福州: 福建农林大学, 2017.

[26] 陈晶. 华东地区中华蜜蜂和意大利蜜蜂遗传多样性研究 [D]. 扬州: 扬州大学, 2008.

[27] 季福标, 张大隆. "苏王 1 号"种蜂王的选育与推广 [J]. 中国养蜂, 2003（5）: 26.

[28] 张大隆, 仇兴光. 江苏蜜蜂生产技术的发展 [C]// 江苏省昆虫学会. 纪念六足学会创建八十周年、江苏省昆虫学会四十周年论文集粹. [出版者不详], 2000: 90-94.

[29] 蒲军华. 四川省青川县中蜂产业发展研究报告 [D]. 雅安: 四川农业大学, 2015.

[30] 胡元强, 冯四海. 推进蜂业产业化, 生产优质蜜 [J]. 蜜蜂杂志, 2000（2）: 25-26.

[31] 吴雪芹, 张锦华, 袁扬, 等. 蜂蜜的抑菌作用及机理研究进展 [J]. 贵州畜牧兽医, 2019, 43（6）: 57-60.

[32] 郭娜娜, 王凯, 彭文君. 蜜蜂人工饲料及其营养价值研究进展 [J]. 中国蜂业, 2019, 70（8）: 14-17.

[33] 许鑫, 楚世峰, 陈乃宏. 蜂蜜的药用价值研究进展 [J]. 神经药理学报, 2018, 8（6）: 52.

[34] 张华. 博物志 [M]. 重庆: 重庆出版社, 2007.

[35] ALVAREZ-SUAREZ J M, TULIPANI S, ROMANDINI S, et al. Contribution of honey in nutrition and human health: a review[J]. Mediterranean Journal of Nutrition & Metabolism, 2010, 3（1）: 15-23.

[36] ARIAS M C, SHEPPARD W S. Phylogenetic relationships of honey bees (Hymenoptera: Apinae: Apini) inferred from nuclear and mitochondrial DNA sequence data[J]. Molecular Phylogentics and Evolution, 2005, 37（1）: 25-35.

[37] SOARES S, GRAZINA L, MAFRA I, et al. Towards honey authentication: differentiation of *Apis mellifera* subspecies in European honeys based on mitochondrial DNA markers[J]. Food Chemistry, 2019, 283: 294-301.

[38] SIMON A, SOFKA K, WISZNIEWSKY G, et al. Wound care with antibacterial honey (Medihoney) in pediatric hematology-oncology[J]. Supportive Care in Cancer, 2006, 14（1）: 91-97.

（张 丽 李 琳）

中华大蟾蜍 *Bufo bufo gargarizans* Cantor

| 药 材 名 | 蟾酥（药用部位：分泌物。别名：蛤蟆酥、蛤蟆浆、癞蛤蟆浆）。

| 本草记述 | 蟾酥始载于唐代《药性论》，原名"蟾酥眉脂"，"脑疳，以奶汁调，滴鼻中"。《日华子本草》载："治虫牙，和牛酥摩；治腰肾冷，并助阳气，以吴茱萸苗汁调敷腰眼并阴囊。"《本草衍义》始有蟾酥之名，云："眉间有白汁，谓之蟾酥。以油单（纸）裹眉裂之，酥出单（纸）上，入药用。"《本草纲目》曰："取蟾酥不一：或以手捏眉棱，取白汁于油纸上及桑叶上，插背阴处，一宿即自干白，安置竹筒内盛之。"上述记载的蟾酥采制方法及蟾酥的性状，与现今蟾酥一致，其原动物蟾蜍始载于《名医别录》。《中华大辞典》记载蟾酥为蟾蜍科动物中华大蟾蜍 *Bufo gargarizans* Cantor 或黑眶蟾蜍 *Bufo melanosticutus* Schneider 等耳后腺及皮肤腺分泌的白色浆液。

| 形态特征 | 体长一般在 10 cm 以上，体粗壮，头宽大于头长，吻端圆，吻棱显著；鼻孔近吻端；眼间距大于鼻间距；鼓膜明显，无犁骨齿，上下颌亦无齿。前肢长而粗壮，指、趾略扁，指侧微有缘膜而无蹼，指长由长到短依次为 3、1、4、2，指关节下瘤多成对，常突 2，外侧者大。后肢粗壮而短，胫跗关节前达肩部，左右跟部不相遇，趾侧有缘膜，蹼常发达，内跖变形长而大，外跖突小而圆。皮肤极粗糙，头顶部较平滑，两侧有大而长的耳后膜，其余部分满布大小不等的圆形瘰疣，排列较规则的为头部的瘰疣，斜行排列几与耳后腺平行。生殖季节雄性背面多为黑绿色，体侧有浅色的斑纹；雌性背面色较浅，瘰疣乳黄色，有时自眼后沿体侧有斜行之黑色纵斑，腹面乳黄色，有棕色或黑色细花纹。雄性个体较小，内侧 3 指有黑色"婚垫"，无声囊。

| 资源情况 | 一、生态环境

喜隐蔽于泥穴、潮湿石下、草丛内、水沟边等阴暗地带，怕阳光直射。因皮肤易失水分，故白天多潜伏隐蔽，夜晚出来活动。16 ～ 28 ℃为生长发育最适温度，冬季气温在 10 ℃以下时，会进入冬眠期。春季气温回升到 10 ℃以上时结束冬眠，开始活动，捕食昆虫，繁殖产卵。

二、分布区域

江苏全省的农田、野外、沟渠、草地边均有分布。

三、蕴藏量

江苏北部和中部地区的中华大蟾蜍资源相对丰富。近年来由于水体污染和生存环境遭到破坏，成体中华大蟾蜍数量逐年减少。

四、养殖历史与产地

道地中药代表了优质优效。吴越之地，河道密布，人口聚集，易滋生病原微生物，历史上曾暴发多次大规模瘟疫，如烂喉痧病（猩红热）。在我国近代百年间，该病曾广泛流行，危害极大。《烂喉丹痧辑要》记载："雍正癸丑年间以来，有烂喉痧一证，发于冬春之际，不分老幼，遍相传染。发则壮热烦渴，丹密肌红，宛如锦纹，咽喉疼痛肿烂，一团火热内炽。"江南医家最早药用蟾酥治疗时邪疠毒，多个以蟾酥为主药的经典处方和制剂至今闻名于世。江苏为蟾蜍的道地产区，自古即有养殖。

五、养殖规模与产量

蟾蜍全国均有养殖，基地规模数十亩至数百亩不等，主要分布在江苏、山东、吉林、安徽、四川、湖北等地。江苏南通及射阳、沛县、常熟等地均有蟾蜍幼体繁育基地，面积约 1 000 亩；以有机稻田加蟾蜍养殖为主要模式的散养基地面积有 1 万～ 2 万亩，年产优质蟾酥 0.5 ～ 2 t。

六、规范化养殖技术

1. 养殖技术

（1）种蟾饲养。从本地选育种蟾，或蝌蚪、幼蟾经专门培育而成种蟾。种蟾进入饲养池，经 2 ～ 3 天适应后，开始摄食。投喂泥鳅、黄粉虫、小鱼、蝇蛆、动物内脏等动物性饲料，饲料日投喂量为种蟾的 2%～ 4%。投饵量应根据天气和前一天的吃食情况灵活掌握。种蟾饲养池每 2 ～ 3 天换 1/2 左右的水；发现病蟾及时隔离治疗。产卵后应及时收集卵块，用光滑硬质容器将卵块（连同水草）轻轻移入同一孵化池，孵化池每天换 1/4 左右的水，避免阳光强烈直晒，大雨时应遮盖孵化池。孵化 10 ～ 15 天的蝌蚪，转入蝌蚪池，喂熟蛋黄、黄豆浆；15 日龄后，逐步投喂豆渣、麸皮、鱼粉、鱼糜、配合饲料等。蝌蚪变态适宜的水温为 18 ～ 24 ℃；变态早期适量增加动物性饵料，促进变态；尾部吸收时，需减少投饵，加设饵料台。

（2）幼蟾与成蟾饲养。刚变态的幼蟾宜以蝇蛆、黄粉虫幼虫、蚯蚓、小鱼苗、小虾类等小型动物活体做饵料。一般一周后幼蟾训练食用配合饲料和非活体饲料。

2. 养殖管理

蟾蜍的越冬方式有越冬池越冬、洞穴越冬、塑料薄膜大棚越冬等。越冬场地避风向阳，静避，湿润；越冬池水深 50 ~ 100 cm，池底应有 10 ~ 20 cm 厚的淤泥。

3. 病害防治

以预防为主，一般措施为严格进行清塘，蝌蚪、幼蟾入塘前，严格进行消毒；入塘后，每半个月泼洒适量漂白粉和生石灰 1 次。高温季节，每日饲料中按每千克蟾体重拌入 50 g 大头蒜或 0.2 g 大蒜素粉，连续 4 ~ 6 天。为防治蝌蚪、蟾蜍的病害，可用稀释的高锰酸钾溶液浸浴处理。

| **采收加工** | 长江流域以南，蟾蜍每年 4 月开始繁殖，5 ~ 10 月采浆，其中 7 ~ 8 月是高峰期。利用色谱-串联质谱技术对 57 种蟾蜍甾烯进行靶向测定，评估不同采收季节和干燥加工方法对蟾酥质量的影响。研究发现，4 ~ 11 月于江苏盐城采收的蟾酥鲜浆中，游离型蟾蜍甾烯含量整体呈现先上升后下降的趋势，6 ~ 8 月含量最高。总体而言，采收于夏季和秋初的蟾酥产量高且品质优。自然阴干、冷冻干燥、减压干燥和热烘干等加工方法对蟾酥中甾烯水平有影响。

| **药材性状** | 本品呈扁圆团块状或片状，红棕色或棕褐色。团块状质坚，不易折断，断面棕褐色；片状质脆，易折断，断面红棕色，半透明。角质状，微有光泽。气微腥，味初苦而后有持久麻舌感。

| **品质评价** | 一、不同产地及批次蟾酥中蟾蜍甾烯化学成分的动态评价

蟾酥中富含蟾蜍甾烯、色胺、多肽和蛋白质类成分。采用色谱预分离结合高分辨质谱技术，在蟾酥化学物质组的水平上，筛选并鉴定了影响蟾酥体外抗肿瘤活性的质量标志物群，进而构建含量测定策略对不同产地及批次的蟾酥进行质量评价，根据 8 种蟾蜍甾烯的含量，特别是 3 种成分（华蟾毒精、酯蟾毒配基和沙蟾毒精）的相对水平，能有效识别蟾酥的优劣品及掺伪品。研究发现不同产地和批次的蟾酥质量差异较大，江南地区中华蟾酥所含蟾蜍甾烯类组分的种类和含量均显著高于南部省份的黑眶蟾蜍和西南地区的华西大蟾蜍（见表 2-1-14）。对于同品种中华大蟾蜍而言，不同产地蟾酥的化学成分也具显著差异，江苏产蟾酥所含甾烯成分的种类多，总甾烯（尤其是华蟾毒精和酯蟾毒配基）含量高。此外，有研究发现蟾蜍皮肤暴露于农药（溴氰菊酯）和重金属（铅、汞）等污染物中，蟾蜍甾烯组分水平具有明显改变，药材品质也显著降低。

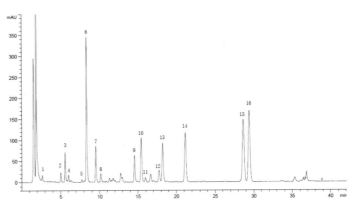

6—沙蟾毒精；7—日蟾毒它灵；9—远华蟾毒配基；10—蟾毒它灵；
13—华蟾毒它灵；14—蟾毒灵；15—酯蟾毒配基；16—华蟾毒配基。

蟾酥药材的 HPLC-UV 分析图谱

表 2-1-14　不同蟾酥的基原物种、分布、成分含量与产量

基原物种	主要分布	药典收载	质控成分含量	产量
中华大蟾蜍	晋、冀、鲁、豫、陕等华北及北方地区	是	6%～12%	中
黑眶蟾蜍	闽、粤、桂、湘、琼等南方地区	是	2%左右	中
华西大蟾蜍	川、黔等西南地区	否	2%～3%	大
岷山蟾蜍	青、甘、藏等西北及高原地区	否	5%左右	小

二、药典规定

2020 年版《中华人民共和国药典》规定，蟾酥按干燥品计算，含蟾毒灵（$C_{24}H_{34}O_4$）、华蟾酥毒基（$C_{26}H_{34}O_6$）和酯蟾毒配基（$C_{24}H_{32}O_4$）的总量不得少于 7.0%。

| 功效物质 |　现代研究表明，蟾酥中蟾蜍甾烯类化合物具有抗炎作用，能抑制链球菌外毒素提取物诱导的淋巴细胞 PBMCs 炎症。蟾蜍甾烯类化合物对肿瘤细胞增殖有抑制作用，对 10 余种肿瘤细胞体外增殖抑制的 IC_{50} 为 10～100 ng/ml，母核含 14-OH 的化合物活性较优。研究发现蟾酥中色胺类组分对小鼠热板和福尔马林诱导的炎性刺激疼痛有显著抑制作用。此外，有研究利用蛋白质组学技术，从蟾酥中鉴定到一些肿瘤细胞亲和肽，该类物质具有抗肿瘤细胞增殖的活性。因此，蟾酥中所含蟾蜍甾烯类、色胺类和多肽类组分是药材整体取效的功效物质基础。蟾酥中相关功效物质的取代基团见表 2-1-15。

表 2-1-15　蟾酥中相关功效物质的取代基团

化合物	骨架	R	n
bufalin	A	R_1=CH₃, R_2=R_3=R_4=R_5=R_6=R_7=R_8=R_9=H	—
gamabufotalin	A	R_1=CH₃, R_2=R_4=R_5=H, R_3=α-OH	—

续表

化合物	骨架	R	n
bufotalin	A	$R_1=CH_3$, $R_2=R_3=R_4=H$, $R_5=\beta$-OAc	—
hellebrigenin	A	$R_1=CHO$, $R_2=OH$, $R_3=R_4=R_5=H$	—
telocinobufagin	A	$R_1=CH_3$, $R_2=OH$, $R_3=R_4=R_5=H$	—
resibufogenin	A	$R_0=R_2=R_3=R_5=H$, $R_1=CH_3$	—
resibufagin	A	$R_0=R_2=R_3=R_5=H$, $R_2=CHO$	—
cinobufagin	A	$R_0=R_2=R_3=H$, $R_1=CH_3$, $R_5=\beta$-OAc	—
cinobufotalin	A	$R_0=R_3=H$, $R_1=CH_3$, $R_2=OH$, $R_5=\beta$-OAc	—
arenobufagin	A	$R_1=R_2=R_3=R_4=R_5=H$	—
3-(N-succinyl argininyl) resibufogenin	B	$R_1=CH_3$, $R_2=R_3=H$	2
3-(N-pimeloyl argininyl)bufalin	B	$R_1=CH_3$, $R_2=R_3=R_4=R_5=H$	5
3-(N-suberoyl argininyl)bufalin	B	$R_1=CH_3$, $R_2=H$, $R_3=OAc$	2
3-(N-suberoyl argininyl) desacetylcinobufagin	B	$R_1=CH_3$, $R_2=H$, $R_3=OH$	6
3-(N-succinyl argininyl) gamabufotalin	B	$R_1=CH_2OH$, $R_2=H$, $R_3=OAc$	2
3-(N-succinyl argininyl) telocinobufagin	B	$R_1=CH_3$, $R_2=OH$, $R_3=R_4=R_5=H$	6
3-(N-suberoyl argininyl) hellebrigenin	B	$R_1=CHO$, $R_2=OH$, $R_3=R_4=R_5=H$	6
5-hydroxytryptamine	C	$R_1=OH$, $R_2=NH_2$	—
bufotenine	C	$R_1=OH$, $R_2=N(CH_3)_2$	—
bufotenine N-oxide	C	$R_1=OH$, $R_2=NOCH_3$	—
bufobutanoic acid	C	$R_1=OH$, $R_2=NHCO(CH_2)_2COOH$	—
bufotenidine	C	$R_1=O^-$, $R_2=N(CH_3)_3^+$	—

| **功能主治** | 辛，温；有毒。归心经。解毒，止痛，开窍醒神。用于痈疽疔疮，咽喉肿痛，中暑神昏，痧胀腹痛吐泻。

| **用法用量** | 内服入丸、散剂，0.015 ~ 0.03 g。外用适量。

| **传统知识** | 江苏是名贵中药蟾酥的道地产区，民间应用经验较为丰富。

（1）治疗蜜蜂蜇伤：新鲜蟾酥直接涂于伤口。

（2）治疗乳蛾：煅烧后的食盐漱口，蟾酥涂敷于患处（用量＜ 0.015 g）。

（3）治疗落枕：鲜蟾酥外敷。

（4）治疗牙痛：蟾酥、胡椒各 1 g，研匀，取粟米用药棉包裹置于痛处。

（5）治疗失活牙髓：蟾酥 4 g，盐酸可卡因 2 g。甘油适量、研膏适量放于髓孔处，加棉球用沾固粉暂封。

（6）治疗疔疮：蟾酥饼贴之或蟾酥丸涂患处。

| 资源利用 |　一、在医药领域中的应用

蟾酥是我国传统名贵中药之一，药用历史悠久，蟾蜍药用首载于《神农本草经》，"味辛，寒。主邪气，破癥坚血，痈肿，阴疮。服之不患热病"。蟾酥具有解毒止痛、开窍醒神、消肿止痛的功能，用于痈疽疔疮、咽喉肿痛等。近年来研究发现蟾酥还有抗肿瘤、抗感染、强心、抗白血病等作用。临床上蟾酥类制剂以丸剂和丹剂为主，包括救心丸、六神丸、六灵解毒丸、生力雄丸、麝香保心丸、肖金丹和梅花点舌丹等，注射剂有蟾酥注射液、得力生注射液等，广泛用于肿瘤辅助干预和病毒感染、心脏疾病的治疗。一些临床报道蟾酥制剂对于病毒性肺炎有较好的治疗作用。但蟾酥超量使用有毒，可导致心律失常。近年来研究者致力于开发新型蟾酥制剂，改善活性成分的体内分布，以增强疗效、降低毒性。祖国医学重视方剂配伍方式以提高安全性，指导复方新药开发，推动了蟾酥的临床合理用药。

二、在畜牧业中的应用

蟾酥作为兽药（注射液、口服液），可用于家禽感染性疾病的治疗，特别是病毒性感染。鸡马立克病是由马立克病毒（MDV）引起的一种鸡淋巴组织增生性传染病，是对养禽业具有重要威胁的病害。研究显示蟾酥注射液具有良好的抑制 MDV 的作用，且作为马立克疫苗的免疫佐剂和免疫增强剂，有较好的防治效果。此外，蟾酥注射液对鸡胚接种抗鸡新城疫病毒有较好的抑制作用。

| 附　　注 |　（1）本种的近缘动物花背蟾蜍 *Bufo raddei* Strauch，体长至 8 cm，头宽大于头长，无黑色角质棱；雌性背面淡绿色，花斑酱色，瘰粒上有土红色点；雄性背面榄黄色，有不规则花斑，瘰粒较多，灰色，其上有红点；雌、雄两性腹面均为乳白色，通常无斑点。分布于东北、华北地区。制取的蟾酥民间亦供药用。

（2）不同基原的蟾酥蟾蜍甾烯类成分差异显著，本种以蟾毒灵、华蟾酥毒基和酯蟾毒配基 3 种成分含量较高为特征，黑眶蟾蜍 *Bufo melanosticutus* Schneider、华西蟾蜍 *Bufo gargarizans andrewsi* Schmidt 中的华蟾酥毒基含量显著偏低；黑眶蟾蜍 *Bufo melanosticutus* Schneider 中去乙酰华蟾毒它灵为其特有成分。

（3）当前本种的野生资源日益减少，优质蟾酥供不应求，难以满足医疗工业的需求。蟾酥资源的可持续利用与开发已成为相关制药工业发展面临的关键问题，研发出蟾酥的代用品意义重大。

参考文献

[1]　中国科学院中国动物志编辑委员会．中国动物志：两栖纲中卷 [M]．北京：科学出版社，2009．

[2] 龚燕. 蟾酥注射液原料药质量控制体系的建立 [D]. 南京：南京中医药大学，2012.

[3] 闫文丽. 不同产地蟾酥的品质评价研究 [D]. 南京：南京中医药大学，2012.

[4] 张屏. 同基原蟾酥类的 HPLC 指纹图谱研究 [D]. 沈阳：沈阳药科大学，2006.

[5] 马宏跃，段金廒，周婧，等. 基于人体等效剂量的蟾酥量—效关系探讨 [J]. 中国临床药理学与治疗学，2009，14（6）：655-658.

[6] 王子月，王洪兰，周婧，等. 利用 UPLC-TQ/MS 比较蟾酥鲜品和蟾酥商品化学成分 [J]. 中国中药杂志，2015，40（7）：113-116.

[7] 周婧，何溶溶，蒋洁君，等. 中药配伍减毒研究思路与方法——以蟾酥、牛黄为例 [J]. 南京中医药大学学报，2018，34（4）：330-333.

[8] 王子月，周婧，马宏跃，等. 基于 NanoLC LTQ Orbitrap 高分辨质谱技术对蟾酥鲜品的蛋白质研究 [J]. 中国药学杂志，2017，52（8）：58-63.

[9] 王佳佳，周婧，马宏跃，等. 铅暴露对中华大蟾蜍耳后腺分泌蟾蜍甾烯的影响 [J]. 生态毒理学报，2017，12（1）：210-216.

[10] 于洋. 蟾酥注射液的免疫调节作用及其预防马立克氏病的应用研究 [D]. 长春：吉林大学，2010.

[11] 许湘红. 蟾酥注射液治疗儿童病毒性肺炎疗效观察 [J]. 临床军医杂志，2017，45（7）：755-756.

[12] 周广生. 中药蟾酥注射液鸡胚接种抗鸡新城疫病毒的试验研究 [J]. 云南畜牧兽医，2009，2：14-15.

[13] 马宏跃，李念光，段金廒. 一种蟾毒色胺及其季铵盐的合成方法和在制备镇痛、抗炎药物中的应用：201911259232.8[P]. 2020-02-11.

[14] MA H, ZHOU J, GUO H, et al. A strategy for the metabolomics-based screening of active constituents and quality consistency control for natural medicinal substance toad venom[J]. Analytica Chimica Acta, 2018, 1031: 108-118.

[15] ZHOU J, ZHAO H, CHEN L, et al. Effect of exposure to deltamethrin on the bufadienolide profiles in *Bufo bufo gargarizans* venom determined by ultra-performance liquid chromatography-triple quadrupole mass spectrometry[J]. RSC Advance, 2019, 9（3）：1208-1213.

[16] HUO Y, XV R, MA H, et al. Identification of <10 KD peptides in the water extraction of Venenum Bufonis from *Bufo gargarizans* using Nano LC-MS/MS and De novo sequencing[J]. Journal of Pharmaceutical and Biomedical Analysis, 2018, 157: 156-164.

[17] ZHOU J, GONG Y, MA H, et al. Effect of drying methods on the free and conjugated bufadienolide content in toad venom determined by ultra-performance liquid chromatography-triple quadrupole mass spectrometry coupled with a pattern recognition approach[J]. Journal of Pharmaceutical and Biomedical Analysis, 2015, 114: 482-487.

（马宏跃）

鳖
Trionyx sinensis Wiegmann

| 药 材 名 | 鳖甲（药用部位：背甲。别名：上甲、鳖壳、甲鱼壳）。

| 本草记述 | 鳖甲始载于《神农本草经》，被列为中品，"味咸，平。主心腹症瘕坚积、寒热，去痞、息肉、阴蚀、痔、恶肉"。《本草图经》附江陵府鳖，其形背甲无纹，头尖吻长，眼小尾短，可以判定为鳖科鳖属动物。《本草纲目》集解云："鳖，甲虫也，水居陆生，穿脊连胁，与龟同类。四缘有肉裙，故曰龟，甲里肉；鳖，肉里甲。"

| 形态特征 | 水陆两栖卵生爬行类动物，体呈椭圆形或近卵圆形，成体全长30 ~ 40 cm。头尖，吻长，形成短管状吻突；鼻孔位于吻突前端，

上下颌缘覆有角质硬鞘，无齿，眼小；瞳孔圆形，鼓膜不明显，颈部长可超过70 mm，颈基部无颗粒状疣，头、颈可完全缩入甲内。背、腹甲均无角质板而被有革质软皮，边缘具柔软、较厚的结缔组织，俗称"裙边"。背面皮肤有凸起的小疣，呈纵行棱起，背部中央稍凸起，椎板 8 对，肋板 8 对，无臀板，边缘无缘板相连。背部骨片没有完全骨质化，肋骨与肋板愈合，其末端突出于肋板外侧。四肢较扁平，前肢 5 指；内侧 3 指有外露的爪；外侧 2 指的爪全被皮肤包裹而不外露，后肢趾爪生长情况亦同，指、趾间具蹼而发达。雄性体较扁而尾较长，末端露出于裙边；雌性尾粗短，不露出裙边。泄殖肛孔纵裂。头颈部上面橄绿色，下面黄色，下颌至喉部有黄色斑纹，两眼前后有黑纹，眼后头顶部有 10 余黑点。体背橄绿色或黑棕色，具黑色斑，腹部肉黄色，两侧裙边处有绿色大斑纹，近尾部有 2 团豌豆大的绿色斑纹。前肢上面橄绿色，下面淡黄色；后肢上面色较浅。尾部正中为橄绿色，余皆为淡黄色。

| 资源情况 |

一、生态环境

生活于江河、湖沼、池塘、水库等水流平缓、鱼虾繁生的淡水水域，也常出没于大山溪中，在安静、清洁、阳光充足的水岸边活动较频繁。喜晒太阳或乘凉风。体色随栖息的环境而变化，主要用肺呼吸，水陆两栖。性胆怯，喜安静，杂食性，但喜食动物的饵料，如鱼虾及其他动物的内脏等。水温在 25 ~ 33 ℃时，摄食旺盛，生长迅速，水温低于 15 ℃时停止摄食，低于 12 ℃时，伏于水底泥中冬眠。

二、分布区域

除新疆、青海、西藏等地未见报道外，我国各地均有分布。

三、蕴藏量

江苏水网纵横，湿地资源及滩涂面积广阔，为水陆两栖性爬行动物鳖提供了良好的生存繁衍条件。因此，江苏的鳖资源较为丰富，约为 1 000 t。

四、养殖历史与产地

《名医别录》记载鳖"生丹阳（今江苏南京及溧阳、句容，以及安徽当涂等地区）"，可见此时鳖甲主产于长江下游地区。《食疗本草》载："其甲岳州昌江者为上。"岳州昌江即今岳阳平江。《新唐书·地理志》载："岳州巴陵郡（今岳阳、益阳北部及常德东部）……土贡苎布、鳖甲。"可见湖南出产的鳖甲质量较好，被选作贡品。《本草图经》曰："鳖生丹阳池泽，今处处有之，以岳州沅江（今益阳沅江）其甲有九肋者为胜。"明确了岳州沅江所产质量最佳。《本草蒙筌》载："深潭生，岳州胜。"《本草品汇精要》《本草纲目》皆以岳州为胜。《药物出产辨》载："各省均出，以长江扬子江一带为多。"《药材资料汇编》载其主产于湖北、

湖南、安徽、江苏（常州、无锡、南京及兴化、淮阴、洪泽、如东、高邮、吴中、相城、如皋）、江西、四川、广东、广西等地。鳖甲的道地产区在湖南，主产于以洞庭湖为核心的湖南岳阳、益阳、常德以及周边接壤或临近的洞庭湖区内。

五、养殖面积与产量

鳖在我国分布较广，主产于我国湖北、湖南、江苏、安徽、河南、江西等省。江苏有太湖、洪泽湖及长江流域、京杭大运河、里下河地区等，为鱼鳖养殖提供了有利条件。淮安淮阴国云特种水产养殖专业合作社养殖水域约 220 亩，投放鳖种苗 10 000 尾；扬州北湖甲鱼养殖专业合作社养殖水域约 300 亩，年产量近 30 万只。

六、规范化养殖技术

1. 养殖基地

选择水源良好、无污染、环境安静处。鳖喜静怕声，喜阳怕风，喜洁怕脏。建池要选择环境幽静、避风向阳、排灌水方便的池塘作为养殖基地。

2. 养殖技术

鳖为雌雄异体，夏季是鳖的繁殖季节，交配后每年 5 ~ 8 月为产卵期。雌鳖常于晚上在岸边的松软泥沙滩上掘穴产卵，然后用沙覆平，每穴 7 ~ 30 枚。自然孵化期为 50 ~ 60 天，可人工采卵孵化，温度控制在 26 ~ 36 ℃，湿度控制在

75%～85%，则孵化期可缩短为40～50天，孵化率高达90%。亲鳖池堤岸上应设产卵场，产卵场的土质以疏松、挖洞不塌陷为度，以便于亲鳖钻洞产卵，池底要有疏松的土层，以便于鳖在软泥中栖息和过冬。出壳后的小鳖越冬后即可发育成幼鳖。

3. 养殖管理

鳖有自相残食的习性，因此需按大小分级饲养，饲养密度不可过大。稚鳖期饲料要求营养丰富，易消化，以蚯蚓、熟蛋黄、动物下脚料为好。池水3～5日更换1次。幼鳖、成鳖期摄食量大，5～10月每日投饵2次。亲鳖按雌、雄4∶1或3∶1放养，加强秋后的营养，有利于提前发情、交配、产卵。土池用内壁光滑、坚固耐用的材料围挡各个养殖池。围栏设施高出堤面40～50 cm，竖直埋入土中15～20 cm，池塘四角处围成弧形。水泥壁池池壁先端用水泥板或砖块向内压檐10～15 cm。池塘进、排水口处安装金属或聚乙烯的防逃拦网。上述措施用于防止鳖逃跑。

4. 病害防治

（1）保持良好的养殖环境。每亩鳖池投放螺、蚬等活饵50～100 kg，夏季在鳖池中圈养水浮莲或凤眼莲，圈养面积不超过水面的1/5。

（2）清塘消毒。排干池水，检修防逃设施，保持池底有厚20 cm左右的软泥；每亩鳖池施用生石灰100～150 kg，化浆后全池泼洒，再暴晒7～10天。

（3）池水消毒。除冬眠期间外，每月1次，用含有效氯28％以上的漂白粉1 mg/L或生石灰30～40 mg/L化浆全池遍洒，二者交替使用。

（4）工具消毒。养殖工具要保持清洁，并每周使用浓度为 100 mg/L 的高锰酸钾溶液浸洗 3 分钟。

（5）饲料消毒。对于投饲的动、植物饲料，洗净后用浓度为 20 mg/L 的高锰酸钾溶液浸泡 15 ~ 20 分钟，再用淡水漂洗后投喂。

（6）食台消毒。每周 1 次用含氯制剂溶液泼洒食台与周边水体，其浓度为全池遍洒浓度的 2 ~ 3 倍。

| **采收加工** | 全年均可捕捉，以秋、冬季为多，捕捉后杀死，置沸水中烫至背甲上的硬皮可剥落时取出，剥取背甲，除去残肉，晒干。

| **药材性状** | 本品呈椭圆形或卵圆形，背面隆起，长 10 ~ 15 cm，宽 9 ~ 14 cm。外表面黑褐色或墨绿色，略有光泽，具细网状皱纹和灰黄色或灰白色斑点，中间有 1 纵棱，两侧各有 8 个左右对称的横凹纹，外皮脱落后，可见锯齿状嵌接缝。内表面类白色，中部有凸起的脊椎骨，颈骨向内卷曲，两侧各有 8 肋骨，伸出边缘。

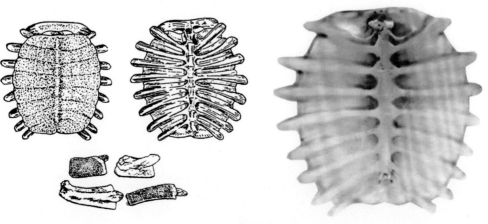

鳖甲药材

质坚硬。气微腥，味淡。

| 品质评价 | 一、商品规格

统货：一般以块大、甲厚、无残肉、无腥臭者为佳。

二、药典规定

2015 年版《中华人民共和国药典》规定，鳖甲水分不得过 12.0%；按醇溶性浸出物测定法项下的热浸法测定，用稀乙醇作溶剂，醇溶性浸出物不得少于 5.0%。

| 功效物质 | 鳖甲的化学成分主要为氨基酸类、寡肽、多糖、碘质、维生素 D 及微量元素等，具有保肝、补血、抗肿瘤等作用。

一、氨基酸类

鳖甲富含 15 种常见的氨基酸，高浓度的脯氨酸和甘氨酸是鳖甲中氨基酸的特征性成分，可作为鳖甲质量控制的参考指标。

二、蛋白质及肽类

鳖甲所含蛋白质及肽类物质可能是其发挥抗肝纤维化作用的功效物质。

三、多糖

鳖甲多糖含有氨基半乳糖、氨基葡萄糖、甘露糖、半乳糖醛酸、半乳糖、葡萄糖、葡萄糖醛酸和戊糖等，其中含量最高的单糖是半乳糖。多糖可能是鳖甲保健功效的活性因子。

四、微量元素

鳖甲中含有多种微量元素，包括锌、铁、锰、钴、铜、砷、铬、硒等。

五、其他类

此外，鳖甲中还含丰富的动物胶原、角质、碘质、维生素 D 等。

| 功能主治 | 咸，微寒。归肝、肾经。滋阴潜阳，退热除蒸，软坚散结。用于阴虚发热，骨蒸劳热，阴虚阳亢，头晕目眩，虚风内动，手足瘛疭，经闭，癥瘕，久疟疟母。

| 用法用量 | 内服煎汤，9 ~ 24 g，先煎。

| 传统知识 | 江苏鳖资源丰富，积累了诸多有益健康的使用方法及经验方剂，记述于此。

（1）治疗男女骨蒸劳瘦：鳖甲 1 枚，以醋炙黄，入胡黄连二钱，为末，青蒿煎汤服方寸匕。

（2）治疗骨蒸夜热劳瘦，骨节烦热，或咳嗽有血：鳖甲一斤，北沙参四两，怀熟地、麦冬各六两，白茯苓三两，陈广皮一两。水 50 碗，煎 10 碗，渣再煎，滤出清汁，微火熬成膏，炼蜜四两收，每早晚各服数匙，白汤调下。

（3）治疗老疟久不断：先炙鳖甲，捣末，方寸匕，至时令 3 服尽。

（4）治疗温疟：知母、鳖甲（炙）、常山各二两，地骨皮三两，竹叶（切）一升，石膏四两。上以水七升，煮二升五合，分温 3 服。忌蒜、热面、猪、鱼。

（5）治疗吐血不止：鳖甲（锉作片子）一两，蛤粉（鳖甲相和，于铫内炒香黄色）一两，熟干地黄一两半。上三味捣为细散，每服二钱匕，食后腊茶清调下。

（6）治疗石淋：鳖甲杵末，以酒服方寸匕，日 2～3 服，下石子瘥。

（7）治疗上气喘急，不得睡卧，腹胁有积气：鳖甲（涂醋炙令黄）一两，杏仁（去皮尖，麸炒微黄）半两，赤茯苓一两，木香一两。上药捣筛为散，每服五钱，以水一中盏，入生姜半分，煎至六分，温服。

（8）治疗小儿痫：鳖甲炙令黄，捣为末，取一钱，乳服，亦可蜜丸如小豆大服。

（9）治疗肠痈内痛：鳖甲烧存性，研，水服一钱，日 3 服。

（10）治疗痈疽不敛，不拘发背一切疮：鳖甲烧存性，研掺。

（11）治疗痔，肛边生鼠乳，气壅疼痛：鳖甲（涂醋炙令黄，去裙襕）三两，槟榔二两。上药捣细罗为散，每于食前，以粥饮调下二钱。

| 资源利用 |　一、在医药领域中的应用

鳖甲的药用历史悠久，李时珍在《本草纲目》中总结了明代以前对鳖的应用，鳖甲"咸，平，无毒……除老疟疟母，阴毒腹痛，劳复食复，斑痘烦喘，小儿惊痫，妇人经脉不通，难产，产后阴脱，丈夫阴疮石淋，敛溃痈"。鳖甲药用很广，《中药大辞典》记载了有代表性的 22 个选方及其应用。近年来有报道，鳖甲散可治疗腰痛，鳖甲三七汤可治疗前列腺炎，升麻鳖甲汤可治疗急性白血病，青蒿鳖甲汤可治疗肺结核性发热及其他发热，柴金鳖甲汤可治疗乳腺增生，加减鳖甲丸可治疗肝硬化腹水，鳖甲软肝片可治疗肝纤维化、肝硬化，鳖甲煎丸可治疗慢性肝病、疟母及各种癥瘕积聚之症等。此外，鳖甲可熬胶，鳖甲胶为鳖甲经煎熬、浓缩制成的固体胶，其药用价值较高，滋阴补血之力尤胜，适用于劳热骨蒸、往来寒热、温疟、劳疟、疟母、腰痛、胁坚、血瘕、痔核、妇人经闭、产难、小儿惊痫、斑痘、肠痈、疮肿等病症。鳖甲胶 50 g，加黄芩、柴胡、大黄等研细末为丸服，可治久痢不止和三日疟。

二、在保健品中的应用

鳖甲作为药食两用物质，具有增强免疫、抗疲劳、耐缺氧、保护肝脏、防辐射、抗突变、增加骨密度等功能，已被开发应用于保健品中。例如，葆春露口服液，主要由鳖甲、核桃仁、黄芪、枸杞子、当归等组成，具有健脑安神、活血通络、

促进血液循环、增强体表新陈代谢、润肤美容、延缓衰老等作用；祛痘淡斑美白草本涂剂，由鳖甲、浙贝、夏枯草、百合、葛根组成，可通过补养血脉、行气活血、消癥散结增加皮肤的新陈代谢，修复皮肤，祛痘、淡斑、美白。此外，鳖肉可用于保健食品和药膳中，凡羸瘦无力、气怯喘促、久痢脱肛者，皆可以之作补益食品。

三、在化工领域中的应用

鳖甲是一种坚硬又富有韧性的多尺度层状超混杂复合材料，内、外密质层结构紧密，中间松质层为封闭的孔隙网状结构，孔隙网状结构周围缠绕着胶原纤维。鳖甲肋板外密质层的外层中相互交替存在四小层按不同方向明显定向排列的细小棒状羟基磷灰石晶体和四小层片层状羟基磷灰石晶体，内密质层含平行于肋骨方向排列的丝状胶原纤维。后期可以肋板微结构为仿生对象并结合颈板的微结构特征，设计和开发具有实用价值的高强轻量型仿生复合材料，推广其在交通运输、建筑、日常生活用品以及航天、国防等领域的应用。

| 附 注 | （1）鳖甲的易混淆品为缘板鳖 *Lissemys punctata scutata* (Schoepff) 和印度缘板鳖 *Lissemys punctata punctata* (Schoepff) 的背甲。缘板鳖的主要特征是：倒卵圆形，明显上宽下窄，呈猴脸状；表面密布颗粒状的点状突起；第1后缘板明显小于第2后缘板；腹面肋骨不伸出肋板之外（幼体肋骨伸出肋板之外）。印度缘板鳖则第1后缘板明显大于第2后缘板，余同缘板鳖。此外，分布于广东、广西、贵州、云南等省区的山瑞鳖 *Trionyx steindacheneri* Siebenrock 的背甲亦有混作鳖甲用。山瑞鳖的背甲呈椭圆形，形体与鳖相似而较大，全体含黑色素，长 7 ~ 36 cm，宽 6 ~ 21 cm。脊背中部有 1 纵向浅凹沟，颈板拱形凸起，第 1 对肋板间具 1 椎板。背甲主含骨胶原、肽类、多种氨基酸及大量钙、磷等。值得注意的是，有些饭馆、餐厅里甲鱼汤食后的残骸，即为鳖整体骨架（背甲除外）拆散的各种大小骨骼，有时被伪充鳖甲药用，应注意鉴别。

（2）此前研究认为，鳖甲混伪品还包括鼋 *Pelochelys cantorii* Gray 和斑鳖 *Rafetus swinhoei* Gray，但目前斑鳖已几乎灭绝，鼋于 1994 年被列入濒危物种，二者已难以进入药材市场。

参考文献

[1] 国家中医药管理局《中华本草》编委会. 中华本草：第 3 册 [M]. 上海：上海科学技术出版社，1999.
[2] 黄奭. 神农本草经 [M]. 北京：中医古籍出版社，1982.
[3] 苏颂. 本草图经 [M]. 尚志钧辑校. 合肥：安徽科学技术出版社，1994.
[4] 李时珍. 本草纲目 [M]. 北京：人民卫生出版社，1982.

[5] 陶弘景. 名医别录 [M]. 尚志钧辑校. 北京：中国中医药出版社，2013.

[6] 谭其骧. 中国历史地图集 [M]. 北京：中国地图出版社，1982.

[7] 孟诜. 食疗本草译注 [M]. 张鼎增补，郑金生，张同君译注. 上海：上海古籍出版社，2007.

[8] 陈嘉谟. 本草蒙筌·本草经典补遗 [M]. 上海：上海中医药大学出版社，1997.

[9] 刘文泰. 本草品汇精要（校注研究本）[M]. 曹晖校注. 北京：华夏出版社，2004.

[10] 陈仁山，蒋淼，陈思敏，等. 药物出产辨（二十）[J]. 中药与临床，2014，5（2）：97.

[11] 张明心. 药材资料汇编 [M]. 北京：中国商业出版社，1999.

[12] 道地药材：鳖甲：T/CACM 1020.137—2019[S]. 北京：中华中医药学会，2019.

[13] 杨萍，唐业忠，王跃招. 中国鳖属的分类历史简述 [J]. 四川动物，2011，30（1）：156-159.

[14] 沈志刚，陈德富，周瑞琼，等. 中华鳖池塘养殖技术规范：GB/T 26876—2011[S]. 北京：国家质量监督检验检疫总局，2011.

[15] 王柳萍. 高职"十三五"规划教材 中药商品学 [M]. 北京：中国中医药出版社，2018.

[16] 温欣，周洪雷. 鳖甲化学成分和药理药效研究进展 [J]. 西北药学杂志，2008，23（2）：122-124.

[17] 李彬，郭力城. 鳖甲的化学成分和药理作用研究概况 [J]. 中医药信息，2009，26（1）：25-27.

[18] 张晔，吕金朋，孙佳明，等. 鳖甲抗肝纤维化研究进展 [J]. 吉林中医药，2018，38（6）：673-675.

[19] 乔建卫，王慧铭. 鳖甲的药用现状 [J]. 浙江中西医结合杂志，2009，19（1）：45-46.

[20] 康廷国. "十三五"规划教材 中药鉴定学 [M]. 北京：中国中医药出版社，2016.

[21] 刘彦，刘承初. 甲鱼的营养价值与保健功效研究 [J]. 上海农业学报，2010，26（2）：93-96.

[22] 周后恩，王家俊，刘亚平，等. 鳖甲的显微结构与成分分析 [J]. 浙江理工大学学报，2012，29（2）：277-282.

[23] 邵玉刚. 中华鳖的药用价值和综合利用 [J]. 中国保健营养（上旬刊），2013，23（12）：7432.

[24] 南京中医药大学. 中药大辞典 [M]. 上海：上海科学技术出版社，2006.

[25] 崔璀，吕颖捷. 鳖甲及其配伍药对现代药理学研究与临床应用述评 [J]. 中医药学报，2018，46（3）：114-116.

[26] 李彬，郭力城. 鳖甲临床应用研究概况 [J]. 云南中医中药杂志，2009，30（1）：66-67.

[27] 胡本祥，孙理军. 葆春露口服液及其制备工艺：93120209.4[P]. 1995-08-02.

[28] 蔡明华. 祛痘淡斑美白草本涂剂及其制备方法：201310341257.9[P]. 2015-02-11.

[29] 程素倩，袁媛，刘富艳，等. 特异性PCR方法鉴别鳖甲药材和饮片 [J]. 中国中药杂志，2018，43（23）：4569-4574.

[30] 高学敏，张德芹，钟赣生，等. 中华人民共和国药典中药材及饮片彩色图鉴：第6卷 [M]. 太原：山西科学技术出版社，2015.

[31] BAILLIE J, HILTON-TAYLOR C, STUART S. 2004 IUCN red list of threatened species[M]. Switzerland：Gland Press，2004.

（张　丽　刘　晨）

麋鹿
Elaphurus davidianus Milne-Edwards

| 药 材 名 | 麋角（药用部位：雄性的骨化角。别名：麋角、四不像角）。

| 本草记述 | 麋角是麋鹿生长过程中成年的骨化角，首见于南北朝时期陶弘景《名医别录》，"治痹，止血，益气力"，是历代本草与方书中多见记载的麋鹿源药材。《本草经集注》《新修本草》《证类本草》《本草品汇精要》亦有上述记载。缪希雍《神农本草经疏》谓："麋属阴，好游泽畔。其角冬至解者，阳长则阴消之义也……麋角入血益阴，荣养经络，故主之也。"李时珍《本草纲目》亦载："补阳以鹿角为胜，补阴以麋角为胜。"《食疗本草》记载其"补虚劳，填髓""治丈夫冷气，及风，筋骨疼痛。若卒心痛，一服立差""令人赤白如玉，益阳道""浆水磨泥涂面，令人光华，赤白如玉可爱"。现代著名医家沈仲圭曾以麋角胶伍用紫河车胶、龟甲胶等创制"加味四圣膏"，

治肺结核。肺结核属中医"痨瘵"，阴虚内热为主要病机，也足证麋角补阴血之论断。故《中华本草》做出了"温肾壮阳，填精补髓，强筋骨，益血脉。主治肾阳不足，虚劳精亏，腰膝酸软，筋骨疼痛，血虚证"的总结性论断。

| 形态特征 |　体长约 2 m，高约 1 m。雄者重约 200 kg，雌者重约 140 kg。尾长约 30 cm。脸似马而非马，角似鹿而非鹿，尾似驴而非驴，蹄似牛而非牛，故曰"四不像"。雄者具角，雌者无。角无眉叉，角的主枝分为前、后叉，前枝向上再分叉，后枝长而直，在后枝远端 1/3 处有 1～4 不等的小叉。四肢粗大，主蹄宽大能分开，主蹄间有腱膜，侧蹄显著。冬季毛淡褐色，背部稍密，腹部较稀，夏季毛棕红色，密度较冬季稀，鼻孔上方有 1 白色斜纹。幼兽两腹部有白色斑点，生后 3 个月消失。

本种属我国特有种，清代已饲养于北京南苑，无野生，后被运至海外，我国绝迹。20 世纪 80 年代我国从英国重引进本种，饲养于北京和江苏两地，为国家 I 级保护动物。

| 资源情况 |　一、生态环境

喜温暖潮湿的沼泽地、湿地。适宜生活温度为 −12～38 ℃，适宜生态环境为土壤肥沃，水质良好，牧草丰盛。

二、养殖历史与产地

麋鹿原产于我国长江、黄河中下游沼泽地带，以长江中下游为主要分布区。西起山西襄汾北到辽宁康平，在朝鲜和日本也发现过麋鹿化石。后由于自然气候变化、人类的猎杀及动物本身的特化，汉末近乎绝种。元代时，蒙古士兵捕捉残余的麋鹿运到北方以供游猎。到 19 世纪中叶，只有北京南海子皇家猎苑有 200～300 头。19 世纪末 20 世纪初，麋鹿在我国消失。1956 年 4 月 26 日，北京动物园首次从英国乌邦寺引回 4 头麋鹿，后多次从国外重引入麋鹿，使麋鹿的基础种群得到了有效发展。

随着我国国力不断增强，麋鹿种群数量逐年增长。近 30 年来，我国政府开展了麋鹿迁地保护和在原生地恢复野生种群工作。截至 2019 年，世界麋鹿总数达 8 500 头，分布于 6 大洲 25 个国家 219 个饲养点。我国有麋鹿 7 600 多头，分布于 23 个省、市的自然保护区、动物园、公园及研究中心等 70 个饲养点，现雄、雌麋鹿比例为 1∶1.17。其中，湖北石首有 1 600 头，北京南海子有 160～180 头，泰州溱湖有 100 头，杭州临安有 98 头。江苏大丰麋鹿达 5 016 头，占全国麋鹿总数的 66%，占世界麋鹿总数的 59%，大丰麋鹿已发展成世界最大的麋鹿种群，江苏大丰拥有世界最大的麋鹿种质资源库（基因库）。大丰有野生麋鹿 1 350 头，占全国（近 2 000 头）的 67.5%，是世界最大的野生麋鹿种群。

三、养殖面积与产量

江苏大丰麋鹿国家级自然保护区总面积为 78 000 km²，其中核心区 2 668 km²，为我国规模最大的麋鹿饲养点。随着江苏大丰麋鹿国家级自然保护区麋鹿种群的重引入及不断繁殖壮大，麋鹿角的拾取量呈逐年递增趋势。

| 采收加工 | 冬、春季雄性麋鹿骨质角脱落后拾取，洗净，晾干。

| 药材性状 | 本品呈分枝状，角无眉叉，有主干枝和后枝，主干枝长 25.8 ~ 67 cm，后枝长 19.9 ~ 69 cm，多有小叉。基部盘状，具不规则瘤状突起，习称"珍珠盘"，周

边常有稀疏小孔洞。角基部脱落断面会有突出和凹陷。表面灰褐色、灰黄色或略有发白，无毛，有光泽，部分角枝的沟垄明显，主枝上端有骨刺。质坚硬，断面外围灰白色或微带淡褐色，中部多呈灰褐色或青灰色，具蜂窝状孔。倒置时能够三足鼎立，是鹿科动物中独一无二的。

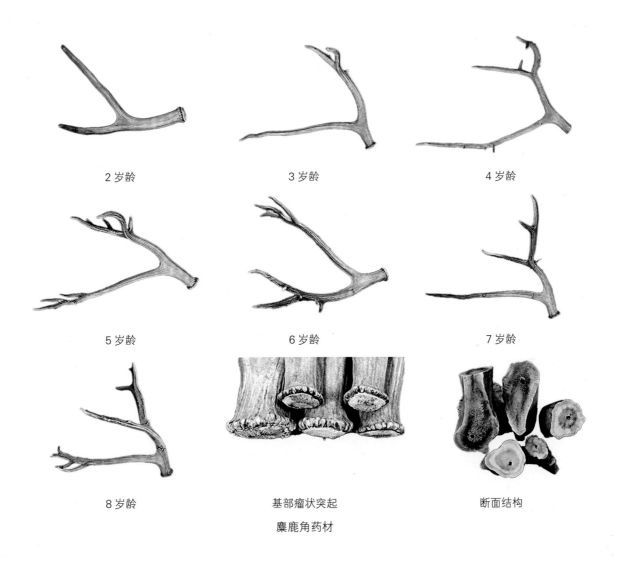

2 岁龄　　　　　　3 岁龄　　　　　　4 岁龄

5 岁龄　　　　　　6 岁龄　　　　　　7 岁龄

8 岁龄　　　　　基部瘤状突起　　　　断面结构

麋鹿角药材

| **品质评价** | 麋鹿角药材为自然脱落的骨化角，以角形端正、骨重、具光泽者为佳。基于所含骨胶原、骨多糖、小分子营养物质含量及其生物产量综合评判，以 2 ～ 8 岁龄青壮年成兽角品质优。

| **功效物质** | 麋鹿角的成分主要有氨基酸类、核苷及碱基类、多糖类、无机元素类和脂肪酸类等，其角水提取物主要有蛋白质与多肽类。上述物质为目前麋鹿角研究利用较多的资源性化学成分。

一、氨基酸类

麋鹿角所含氨基酸的种类有苯丙氨酸、亮氨酸、缬氨酸、丙氨酸、甘氨酸、谷氨酸、天冬氨酸、精氨酸及赖氨酸等（＞70%），以及含量较低的色氨酸、甲硫氨酸、γ-氨基丁酸、羟脯氨酸、谷氨酰胺等。麋鹿角缬氨酸和色氨酸的含量显著高于梅花鹿角。不同鹿龄的角中，二龄角中甘氨酸含量较高，几乎不含组氨酸和胱氨酸；三、四龄角中各类氨基酸的含量均等；五龄角中丙氨酸、谷氨酸、胱氨酸和色氨酸含量最高；五龄以上角各类氨基酸含量最低。各部位氨基酸总量以6～8岁龄尖部最高，3岁龄尖部最低。3个部位（基部、中部、尖部）的平均总氨基酸含量以6～8岁龄最高并与2岁龄接近，5岁龄次之，3岁龄和4岁龄含量最低，其中，3岁龄和4岁龄麋鹿角中，总氨基酸含量从基部到尖部依次递减。氨基酸是生物体中重要的生命物质，也是组成酶和蛋白质的基本单元。同时，也是合成神经递质的前体，具有营养作用，而且在生物体内还具有许多其他重要的生物功能，如色氨酸在生物体内与脑的正常代谢有密切的关系等。

二、核苷及碱基类

麋鹿角含有17种核苷及碱基类成分，其中，尿苷的含量较高，大于70%。麋鹿角核苷及碱基总含量在不同鹿龄及角的不同部位中差异较大。含量最高的为2岁龄尖部，最低的为3岁龄尖部。3个部位（基部、中部、尖部）的平均总含量为2岁龄＞5岁龄＞6～8岁龄＞3岁龄＞4岁龄。2岁龄与6～8岁龄麋鹿角中，核苷及碱基总含量从基部到尖部依次递增，而4岁龄麋鹿角的核苷及碱基总含量从基部到尖部逐渐降低。作为生物体中重要的生命物质，核苷及碱基类成分不仅是构成DNA和RNA的基本成分，而且还具有许多其他重要的生理功能和活性，如抗肿瘤、抗病毒、抗血小板聚集、抗心律失常、抗氧化、抗惊厥等。

三、多糖类

不同鹿龄麋鹿角中均以中性多糖含量为最高，氨基己糖次之，酸性多糖含量相对较低。3种多糖在3个部位（基部、中部、尖部）的平均含量均以2岁龄麋鹿角为最高，其中氨基己糖和中性多糖含量与宁夏产马鹿角接近，酸性多糖低于宁夏产马鹿角。3种多糖总含量以2岁龄麋鹿角为最高，5岁龄次之，6～8岁龄与5岁龄接近，3岁龄、4岁龄含量相对较低。

四、无机元素类

麋鹿角中总共含44种无机元素，其中26种为麋鹿角的特征元素。5种宏量元素中，麋鹿角中钙与磷含量最高，钠、钾、镁含量次之；微量元素中以锌、铁、硅、铝、锶、钡含量较为丰富。2岁龄角中钙、铁、锶、铜、铝、锌等元素的含量均高于其他龄角，4 岁龄角中含量相对较低。各部位中，角尖部钡、铍、铅、铁的平均总含量最高，其他元素差异不明显。现代研究表明，中药疗效不仅与有机化学成分有关，而且与无机元素的种类和含量也有密切的联系。

五、脂肪酸类

麋鹿角中含有 18 种脂肪酸，其中饱和脂肪酸 11 种、单不饱和脂肪酸 5 种、多不饱和脂肪酸 2 种。含量最高的为反油酸，含量最低的是顺 -11,14- 二十碳二烯酸。麋鹿角除油酸、反亚油酸和顺 -11,14- 二十碳二烯酸低于马鹿角外，其余脂肪酸含量均远远高于马鹿角。麋鹿角不同部位中，脂肪酸种类基本一致，基部含量较高，中部和尖部含量明显下降，其中，反油酸、棕榈酸、硬脂酸是区别麋鹿角基部和中（尖）部的主要因素。反油酸是多不饱和脂肪酸，是油酸的一种单不饱和反型异构体，一般反刍类动物脂肪含有反油酸，麋鹿角 4 岁龄基部反油酸的含量最高；油酸以麋鹿角 4 岁龄基部的含量最高；棕榈酸以 6 岁龄基部的含量最高。

六、蛋白质与多肽类

在麋鹿角的水提取物中，除氨基酸、核苷类、氨基己糖等成分外，还鉴定出 360 个肽段，经与相关数据库比对，这些多肽主要来源于胶原蛋白与血红蛋白。体外实验发现，麋鹿角水溶性蛋白具有促进成骨细胞分化、神经营养因子表达、免疫细胞增殖等活性。

| 功能主治 | 甘，温。归肾经。温肾壮阳，填精补髓，强筋骨，益血脉。用于肾阳不足，虚劳精亏，腰膝酸软，筋骨疼痛，血虚证。

| 用法用量 | 内服煎汤，6 ～ 9 g；或入丸、散剂。

| 传统知识 | 麋鹿是我国特有种，主要分布于长江沿岸区域，脱落鹿角早已成为一味保健养生药材，除本草多有记载外，民众也积累了一些经验用法，收录于此。

（1）聪耳明目，补心神安脏腑，填骨髓，理腰脚，能久立，发白更黑，貌老还少：麋角（炙令黄为散，与诸药同制之）1 条，槟榔、通草、秦艽、人参、甘草、菟丝子、肉苁蓉各二两。用于肾精亏虚所致的视物昏花、耳聋失聪、忧思善忘、腰脚无力、须发早白等。

（2）治疗胞痹，补益：生百合三两，赤茯苓（去黑皮）二两，麋角（屑）三两，麦冬（去心焙，一两半），肉苁蓉（酒浸，切，焙，一两半），黄芪（剉，一两），薏苡仁（二合）。酒浸上七味，细剉如麻豆，每服五钱匕，用水一盏半，煎至八分，去滓温服。用于肾阳亏虚的小便淋沥不尽。

（3）补虚损，生精血，祛风湿，明目聪耳，强健腰脚，和悦阴阳：鹿角削细，加真酥一两，酒一升，慢火炒干，取四两；又用麋角削细，加真酥二两、米醋一升，慢火炒干，取半两；另取苍耳子（酒浸一宿，焙干）半斤，山药、白茯苓、黄芪（蜜炙）各四两，当归（酒浸、焙）五两，肉苁蓉（酒浸、焙）、远志（去心）、人参、沉香各二两，熟附子一两。各药通为末，加酒煮糯米糊做成丸子，如梧子大。每服 50 丸，温酒或盐汤送下。

（4）治疗真元虚损，精血不足证：麋鹿角十斤，龟板五斤，人参十五两，枸杞子三十两。共熬胶，初服酒服 4.5 g，渐加至 9 g，空心时服用。

| **资源利用** | 麋鹿角为麋鹿每年自然脱落的产物，随着我国麋鹿种群的不断壮大，已具备深入开展麋鹿角相关基础及应用研究的条件，争取早日恢复麋鹿角新资源药材地位，服务我国健康事业。目前围绕麋鹿角"温肾壮阳，益阴补髓，强筋骨，益血脉"的传统功效已开展了诸多研究和积累。

一、医药保健价值的现代认知

1. "温肾壮阳"功效生物活性评价研究

在氢化可的松阳虚大鼠模型上，麋鹿角全粉、麋鹿角水提取物与麋鹿角水提药渣不同部位均具有增加氢化可的松致"肾阳虚"大鼠体重的效果，显著改善相应指标，显示出"补阳"功效，并与纠正下丘脑-垂体-靶腺轴（肾上腺皮质轴、甲状腺轴、性腺轴）的功能紊乱、调节免疫有关。麋鹿角水提药渣的效果优于麋鹿角全粉与水提取物。在雄性小鼠房劳肾阳虚模型上，麋鹿角能明显改善"房事不节，劳倦过度"致小鼠肾阳虚的症状，提高小鼠肾脏、睾丸及附睾、包皮腺和精囊腺脏器指数，显著提高模型小鼠的交配能力及精子密度、精子活率、精子存活率，降低精子畸形率。比较全粉、水提取物、醇提取物与水提取药渣等不同部位的作用，以麋鹿角醇提取物作用趋势最强。亦有研究发现，麋鹿角醇提取液能增加幼鼠睾丸的重量，提高幼鼠促黄体生成素的水平，说明其具有一定的促性腺激素样作用；但无法提高附性器官指数及血清睾酮水平，说明其不具有雄性激素样作用。

比较麋鹿角与鹿角在"补阳"方面的功效差异，发现在氢化可的松阳虚小鼠模型上，麋鹿角和鹿角均可明显延长小鼠冰水浴游泳时间，鹿角组小鼠游泳时间延长更为显著；而在耐缺氧实验中，只有鹿角能够显著延长缺氧小鼠生存时间，麋鹿角作用微弱，无显著性差异，提示鹿角改善氢化可的松小鼠模型"阳虚"症状方面的作用优于麋鹿角。

2. "利补阴血"功效生物活性评价研究

基于古代医家麋鹿角"利补阴血"的记载，研究发现在甲状腺素并利血平致"阴虚"小鼠与大鼠模型上，麋鹿角全粉、水提取物皆能增加"阴虚"模型动物体重，上调胸腺和脾脏指数，可见其"补阴"功效与调节机体抗氧化能力、内分泌和免疫系统等功能状态密切相关，醇提取物的活性优于水提取物。

在乙酰苯肼联合环磷酰胺诱导的小鼠骨髓抑制"血虚证"模型上，麋鹿角全粉及麋鹿角水提药渣低、中剂量组均具有恢复模型小鼠外周白细胞数量的作用，麋鹿角水提取物对红细胞数量也有恢复作用。麋鹿角全粉、麋鹿角水提取物及麋鹿角水提药渣均能促进血虚证小鼠骨髓细胞由 G0/G1 期向 S 期转化，促进骨髓细胞 DNA 的合成及造血祖细胞的增殖，从而改善造血功能，恢复骨髓损伤。比较麋鹿角与鹿角在"利补阴血"方面的功效差异，发现在甲状腺素致"阴虚"小鼠模型上，麋鹿角能够显著降低模型小鼠过高的体温，减少饮食量，明显降低耗氧量，延长缺氧状态下小鼠的存活时间，显著改善"阴虚"症状，而鹿角仅在降低体温方面有一定的作用，对其余指标的影响则很微弱，提示麋鹿角在改善甲状腺素模型小鼠"阴虚"症状方面较鹿角具有明显优势，也与古籍的记载相符。

3. "强筋健骨"功效生物活性评价研究

在切除卵巢致雌性骨质疏松大鼠模型上，麋鹿角全粉、水提取物及水提药渣均能显著增加大鼠股骨密度及骨矿物质含量，升高血清碱性磷酸酶（AKP）水平，研究认为麋鹿角抗骨质疏松作用是水提取物和水提药渣综合作用的结果。在泼尼松龙致骨质疏松斑马鱼模型上，麋鹿角水提取物及其不同分子量段均能增加斑马鱼头部骨骼骨矿物质含量和骨密度，阻止斑马鱼骨量丢失，且作用优于乙醇提取物，这进一步证实，水提取物是麋鹿角抗斑马鱼骨质疏松的活性部位。利用细胞学研究亦发现，麋鹿角水提取物与分子量 3 000 ~ 10 000 的超滤产物能显著促进大鼠成骨细胞的增殖，以及成骨细胞分化标志基因与 COL1A1 的表达，提示麋鹿角水提取物具有促进骨生成与分化的能力。

4. 抗衰老功效生物活性评价研究

基于麋鹿角方剂常用于老年病病人，所以针对麋鹿角的抗衰老作用，也有较多研究。在 D- 半乳糖致亚急性衰老小鼠模型上，麋鹿角全粉、麋鹿角水提取物及麋鹿角水提药渣能显著提高模型小鼠肝脏、肾脏及脑组织的抗氧化酶活性，抑制脑组织内血清单胺氧化酶（MAO）活性，显示出较好的抗亚急性衰老作用，麋鹿角水提药渣也有类似作用。麋鹿角乙醇提取物能提高衰老小鼠学习与记忆能力，增加脾淋巴细胞转化刺激指数，升高血清中白细胞介素 -2（IL-2）和 γ 干扰素（IFN-γ）的浓度，增强免疫功能。在果蝇模型上，麋鹿角水提取物也可显著延长果蝇平均寿命，显示出较好的延缓衰老作用。

二、特种经济动物的驯化养殖与资源化利用

随着野生环境条件下麋鹿种群的快速恢复及适生区域承载压力的加剧，麋鹿资源保护与利用关系问题亟待解决。回顾我国和世界梅花鹿、马鹿等鹿科特色经济动物由野生驯化为人工养殖给人类带来的健康福利，以及创造的巨大财富，麋鹿资源如何实现可持续健康发展，是不能回避的现实问题。

1. 优化麋鹿野生种群质量

麋鹿遗传多样性的保护与种群质量提高优化是麋鹿资源可持续发展的基础。我国野生麋鹿种群中，石首、洞庭湖、盐城野生麋鹿种群都是北京南海子麋鹿群的后裔，大丰野生麋鹿种群为英国伦敦动物学会 7 家动物园、公园麋鹿的后裔。麋鹿种群内繁殖，近交系数较高，易导致麋鹿遗传多样性不足。现已发现，各麋鹿种群内不规则形状鹿角数量逐年增多，且出现麋鹿个体夏季脱角的异常状况。因此，实施麋鹿种群间的基因交流，尤其是远缘群间个体交换，对于提高麋鹿种群质量，实现资源可持续利用至关重要。

2. 实现麋鹿人工驯化与规范化养殖

麋鹿人工规范化养殖是恢复麋鹿药用地位与实现资源化利用的关键。以梅花鹿为例，规范化养殖不仅使传统药用鹿茸与鹿角的药源得以保证，还实现了茸血、角盘、皮、尾、鞭、肉、骨、筋、脂、胎的全利用。从历代本草记载和临床应用可知，麋鹿源药材与鹿源药材相比别具特色。现代关于麋鹿茸与麋鹿角的研究亦可证实，麋鹿资源具有特别的价值。通过借鉴梅花鹿的人工养殖经验，实现麋鹿的规范化养殖，不仅可以使古之常用的麋鹿角与麋鹿茸重新恢复药用地位，还可参照梅花鹿的资源全利用经验，挖掘麋鹿未被发现的价值，拓展中药入药品种。应明确麋鹿作为我国重要的药用经济动物资源的战略定位，大力发展麋鹿药用资源的规范化与规模化养殖；系统深入研究麋鹿入药部位功效物质基础，揭示其药用价值和不可替代性，促进我国麋鹿资源向保护与利用并重、社会效益与经济效益兼顾的多元模式协调健康发展，使其在大健康产业的发展中拥有一席之地。

参考文献

[1] 国家中医药管理局《中华本草》编委会. 中华本草：第 7 册 [M]. 上海：上海科学技术出版社，1999.

[2] 刘睿，段金廒，钱大玮，等. 我国麋鹿资源及其可持续发展的思考 [J]. 世界科学技术—中医药现代化，

2011, 13（2）：213-220.

[3] 李锋涛，段金廒，钱大玮，等. 我国麋鹿药用资源的发展与研究现状及其资源产业化的思考[J]. 中草药，2015，46（8）：1237-1242.

[4] 朱悦，赵明，钱大玮，等. 麋鹿资源古代利用状况与现代研究进展[J]. 中国现代中药，2019，21（9）：1157-1168.

[5] 李锋涛，段金廒，钱大玮，等. 麋鹿角中多糖类成分资源化学分析评价[J]. 中国实验方剂学杂志，2016，22（1）：22-26.

[6] 翟燕娟，朱悦，钱大玮，等. 麋鹿角中脂肪酸的分析研究[J]. 药物分析杂志，2016，36（5）：790-797.

[7] 翟燕娟. 麋鹿角水溶性蛋白质部位及其活性评价研究[D]. 镇江：江苏大学，2016.

[8] 王丽娟，刘训红，丁玉华，等. 麋角超细粉体表征及其水溶性蛋白质溶出度研究[J]. 南京中医药大学学报，2010，26（2）：132-134.

[9] 彭蕴茹，汪银银，方泰惠. 麋鹿角的传统功效与现代研究[C]// 第七届全国药用植物和植物药学术研讨会暨新疆第二届药用植物学国际学术研讨会论文集. ［出版者不详］，2007：257-259.

[10] 汪银银，彭蕴茹，方泰惠. 麋鹿角的传统功效与现代研究[J]. 现代中药研究与实践，2007，22（2）：30-32.

[11] 汪银银，彭蕴茹，方泰惠，等. 麋鹿角与鹿角对于阴阳虚证模型小鼠选择性作用的实验研究[J]. 江苏中医药，2008（1）：84-86.

[12] 李锋涛，段金廒，钱大玮，等. 麋鹿角对D-半乳糖诱导小鼠衰老模型抗衰老作用[J]. 南京中医药大学学报，2014，30（3）：235-238.

[13] 秦红兵，杨朝晔，熊存全，等. 麋鹿角醇提液对衰老小鼠的抗氧化作用[J]. 时珍国医国药，2009，20（10）：2451-2452.

[14] 秦红兵，杨朝晔，成海龙，等. 麋鹿角乙醇提取液对实验性衰老模型小鼠认知功能衰退的改善[J]. 中国新药与临床杂志，2009，28（7）：505-508.

[15] 秦红兵，杨朝晔，于广华，等. 麋鹿角醇提取液改善衰老小鼠免疫功能[J]. 江苏医药，2009，35（12）：1464-1467.

[16] 杨朝晔，秦红兵，朱清. 麋鹿角醇提液对衰老小鼠细胞因子的影响[J]. 时珍国医国药，2010，21（4）：773-774.

[17] 杨朝晔，秦红兵，成海龙，等. 麋鹿角醇提液对衰老小鼠行为及免疫功能的影响[J]. 中华中医药杂志，2010，25（2）：221-225.

[18] Li F T, DUAN J A, QIAN D W, et al. Comparative analysis of nucleosides and nucleobases from different sections of Elaphuri davidiani cornu and Cervi cornu by UHPLC-MS/MS[J]. Journal of Pharmaceutical Biomedical Analysis, 2013, 83: 10-18.

[19] ZHAI Y J, ZHU Z H, ZHU Y, et al. Characterization of collagen peptides in Elaphuri davidiani cornu aqueous extract with proliferative activity on osteoblasts using nano-liquid chromatography in tandem with Orbitrap mass spectrometry[J]. Molecules, 2017, 22 (1): 166.

（赵 明 刘 睿）

鹿科 Cervidae 鹿属 Cervus

梅花鹿
Cervus nippon Temminck

药 材 名	鹿茸（药用部位：雄鹿未骨化密生茸毛的幼角。别名：花鹿茸、马鹿茸）、鹿角（药用部位：已骨化的角或锯茸后翌年春季脱落的角基。别名：斑龙角）。
本草记述	鹿茸首载于《神农本草经》，被列为中品。《本草图经》曰："《本经》不载所出州土，今有山林处皆有之，四月角欲生时取其茸，阴干。以形如小紫茄子者为上，或云茄子茸太嫩，血气犹未具，不若分歧如马鞍形者有力。"并附郓州鹿及砍茸图。郓州即今河南信阳，其图示鹿之背部有斑点，即为今之梅花鹿。沈括《梦溪笔谈》曰："北方戎狄（我国北方民族地区）中有麋、麖、麈、驼麈极大而色苍，尻黄而无斑，亦鹿之类。角大而有文，莹莹如玉，其茸亦可用。"《本草纲目》谓："鹿，处处山林中有之。马身羊尾，头侧而长，高脚

而行速。牡者有角，夏至则解。大如小马，黄质白斑。"由上可知，《梦溪笔谈》所载为今之马鹿，李时珍言之鹿为今之梅花鹿，与现代药材鹿茸的来源一致。

| 形态特征 | 体长 1.5 m 左右，体重 100 kg 左右；眶下腺明显，耳大直立，颈细长。四肢细长，后肢外侧踝关节下有褐色跖腺，主蹄狭小，侧蹄小。臀部有明显的白色臀斑，尾短。雄鹿有分叉的角，长全时有 4～5 叉，眉叉斜向前伸，第二枝与眉叉较远，主干末端再分 2 小枝。冬毛栗棕色，白色斑点不显。鼻面及颊部毛短，毛尖沙黄色。从头顶起沿脊椎到尾部有一深棕色的背中线。白色臀斑有深棕色边缘。腹毛淡棕色，鼠蹊部白色。四肢外侧同体色，内侧色稍淡。夏毛薄，无绒毛，红棕色，白斑显著，在脊背两旁及体侧下缘排列成纵行，有黑色的背中线。腹面白色，尾背面黑色，四肢色较体色为浅。

| 资源情况 | 一、生态环境
野生梅花鹿生活在森林、灌丛和林缘草地，具有季节性垂直迁徙习性，夏季鹿群多于高山地带活动，冬季多到低山区的河谷或向阳山坡越冬。

二、分布区域
我国有 6 个梅花鹿亚种，包括华南梅花鹿、四川梅花鹿、东北梅花鹿、华北梅花鹿、山西梅花鹿和台湾梅花鹿，其中华北、山西和台湾 3 个亚种在野外已经灭绝。据统计，2016 年我国野生梅花鹿的数量大约为 2 000 只，其种群呈岛屿化分布。其中，华南梅花鹿主要分布在江西、浙江、安徽；四川梅花鹿主要分布在四川若尔盖、九寨沟及甘肃迭部，其中铁布梅花鹿自然保护区及周边地区拥有世界上最大的野生梅花鹿种群，目前梅花鹿数量约占全国总数的一半；东北梅花鹿饲养种群较大，但野生种群数量较少。

三、蕴藏量
野生梅花鹿原生于我国东北林海和南方部分山区，由于捕捉猎杀过度，致使其数量极少，在我国已属高度濒危动物，1988 年被列为国家 I 级保护动物。近年来，部分保护区由于保护措施得力，生态环境良好，野生梅花鹿种群数量已由不足 1 000 只扩大到现在的 2 000 只左右，其中，华南梅花鹿有 400 余只，四川梅花鹿有约 1 050 只，东北梅花鹿有 400 余只。

四、养殖历史与产地
我国对梅花鹿的饲养和利用历史悠久。先秦时期，我国劳动人民即药用猎捕到的鹿产品。最早的中药学专著《神农本草经》及明代李时珍所著《本草纲目》均对鹿茸有详细的记载。我国是世界上最早养殖鹿的国家，但真正以经济目的进行饲养始于清代。根据历史资料考察，1733 年吉林就已开始养殖鹿，起初仅是为了获得鹿茸，后也用以繁殖后代。我国大规模的驯养繁殖鹿是在 1949 年以后，目的是满足国内中医药和保健品生产的需要。

我国鹿资源丰富，拥有世界优良的梅花鹿品种，鹿业发展势头良好。鹿茸主产于黑龙江、吉林、辽宁、四川、青海、内蒙古、新疆等地。东北三省的气候条件适于梅花鹿的养殖，东北三省是梅花鹿的主要产区，亦是我国鹿茸的主要供应区，其中吉林是我国梅花鹿鹿茸产量最大的省份。

江苏地处长江中下游平原，具有明显的沿海暖温带与亚热带过渡性的气候特点，气候温和，雨量充沛，光温水配合良好，且季节协调、宜农宜牧，可为梅花鹿养殖提供充足的饲草资源。近年来，江苏陆续有上规模的鹿场出现，养殖的鹿品种除饲养在自然保护区的麋鹿外，主要为从吉林等地引进或地方自繁的梅花鹿。

五、养殖面积与产量

目前国内外市场对梅花鹿的需求量巨大，超过 50 万只，对梅花鹿鹿茸及其他鹿产品的需求量亦很大，国际市场鹿茸年缺口约 500 t。据商务部发布《2011 年中药材重点品种流通分析报告》，2011 年我国生产鹿茸 206 t，出口 78 t，远远无法满足市场的需求。

我国先后在适宜梅花鹿生长的地区引进梅花鹿，梅花鹿养殖规模逐步扩大，养殖区域也逐渐从北部向南部扩散。江苏、浙江等地区目前已存有相应规模的梅花鹿养殖场。南京中医药大学组织人员调查了大部分江苏梅花鹿养殖场的规模情况，对江苏梅花鹿的养殖规模进行了初步的统计，见表 2-1-16。

表 2-1-16 江苏主要梅花鹿养殖场的规模与位置

养殖场	存栏量 / 只	位置
归径养鹿场	314	宜兴市离墨山
仪征市旺锦梅花鹿养殖场	150	仪征市青山镇龙山风景区内
淮安博里镇梅花鹿养殖场	60	淮安市淮安区博里镇
华宏特种养殖有限公司	55	江阴市周庄镇华宏村双桥路 580 号
润盛梅花鹿养殖场	40	苏州市吴中区太湖中间的小岛

六、规范化养殖技术

1. 养殖技术

梅花鹿为季节性发情的动物，秋季配种，幼鹿 2 周岁时性成熟。每年 9 ~ 11 月时，公鹿变得膘肥体壮，颈围粗，毛色暗，阴囊下垂，性暴好斗，常与其他公鹿争偶。母鹿在此时期可发情 3 ~ 4 次，每次持续 18 ~ 36 小时。鹿的配种方式有以下 4 种。

（1）群公群母式：即将 25 ～ 30 只参配母鹿与 3 ～ 5 只种公鹿组成配种群，直到 11 月底配种结束再分开。

（2）单公群母式：即将 1 只优良种公鹿与 15 ～ 20 只母鹿组群配种，但要每隔一段时期中间替换种公鹿。

（3）单公单母定时放对式：即每日早、晚将公鹿拨入母鹿群中与发情母鹿交配，配后即将公鹿拨出。

（4）人工授精：包括采精、精液稀释和输精 3 个步骤，此种方式可以充分利用优良种公鹿进行配种，每只发情母鹿要复配 2 ～ 3 次以保证高受胎率。

妊娠期为 235 天左右。每年 5 ～ 6 月为产仔期。产前要做好准备工作，并对个别难产母鹿进行接产，梅花鹿多为每胎 1 仔，双仔率仅占 5% ～ 15%。初生子鹿要食用初乳以提高成活率。

2. 养殖管理

梅花鹿从野生变为家养，驯化是技术关键。驯化工作要从早期发育阶段开始，如人工哺乳、幼鹿训练等，以使其成年后更好地接受人工饲养管理，使鹿茸优质高产及提高后裔的繁殖成活率。梅花鹿以各种粮、豆类及农副产品为精饲料，以农作物茎、叶及多种树木枝叶、青草为粗饲料。青贮玉米秸是人工养鹿的重要饲料，此外还需每天补给适量的食盐和维生素。为保证营养全面，要力求饲料多样化，公鹿生茸期、母鹿哺乳期和育成期幼鹿要多投给精饲料。在驯化的基础上，可将公鹿、母鹿和育成鹿分别组成放牧群并引导到牧场上去，可大幅度降低饲养成本，提高生产力。放牧管理主要防止鹿只逃失，收茸期管理主要防止鹿茸伤损，配种管理主要防止公鹿伤亡，产仔期管理主要对难产鹿进行接产。日常管理中建立起完整的定时、定量、定点投料给水的饲喂制度和每天清扫圈舍、定期消毒等环境卫生制度，并严格执行，防止各种灾害给鹿群造成损失。

3. 病害防治

养鹿人员要每天对鹿只的活动情况、采食、饮水、排便等进行细致观察，对发病鹿提倡早发现、早治疗，鹿病基本上可分为疫病和普通病 2 类。疫病危害大，主要有梅花鹿结核病、梅花鹿坏死杆菌病、布鲁氏菌病和血尿病等，可通过定期接种疫苗进行预防。普通病主要有食毛症、饲料中毒、寄生虫病等，主要通过改善饲养管理以阻断病源，并对病鹿进行对症治疗来解决。

| 采收加工 |　**鹿茸：** 每年可采收两茬。头茬茸包括"二杠锯茸"和"三杈锯茸"，以及计划地少量的"二杠砍茸"和"三杈砍茸"（砍茸是将鹿杀死取下连同头骨的鹿茸，价格昂贵，为高档产品）。我国传统的鹿茸加工方法为水煮法，近年来又研究

出微波及远红外线法，加工产品也分为"带血茸"和"排血茸"2种。二茬茸和幼鹿"初角茸"骨化程度较高，加工也较简单，属低档产品。

鹿角： 分砍角和退角两种。于冬季或早春连脑骨一起砍下，或自基部锯下，洗净，风干，称"砍角"；春末拾取的自然脱落者，称"退角"。

| 药材性状 |　**鹿茸：** 本品呈圆柱状分枝，具1个分枝者习称"二杠"，主枝习称"大挺"，长17～20 cm，锯口直径4～5 cm，距锯口约1 cm处分出侧枝，习称"门庄"，长9～15 cm，直径较大挺略小。外皮红棕色或棕色，多光润，密被红黄色或棕黄色的细茸毛，上端较密，下端较疏；分岔间具1灰黑色筋脉，皮茸紧贴。锯口黄白色，外围无骨质，中部密布细孔。具2个分枝者习称"三岔"，大挺长23～33 cm，直径较二杠小，略呈弓形，微扁，枝端略尖，下部多有纵棱筋及凸起的疙瘩。皮红黄色，茸毛较稀而粗。体轻。气微腥，味微咸。二茬茸与头茬茸相似，但挺长而不圆或下粗而上细，下部有纵棱筋。皮灰黄色，茸毛较粗糙，锯口外围往往骨化。质较重。无腥气。鹿茸饮片为类圆形或椭圆形薄片，表面粉白色或浅棕色。中间有蜂窝状细孔，外皮无骨质或略具骨质，周边粗糙，红棕色或棕色。质坚脆。气微腥，味微咸。角尖部称"蜡片"或"血片"，蜡片表面浅棕色或浅黄白色，半透明，微显光泽；中部称"粉片"，表面黄白色或粉白色，中间有极小的蜂窝状细孔；下部称"骨片"，表面灰白色或灰棕色，中间有明显的蜂窝状细孔。

鹿角： 本品通常分成3～4枝，全长30～60 cm，直径2.5～5 cm。侧枝多向两旁伸展，第一枝与珍珠盘相距较近，第二枝与第一枝相距较远，主枝末端分

整个鹿茸药材

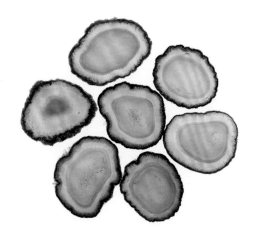

鹿茸药材——蜡片

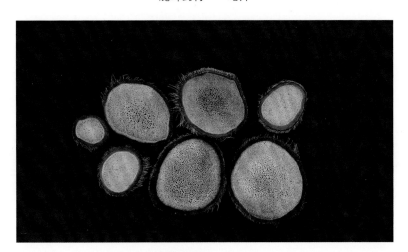

鹿茸药材——粉片

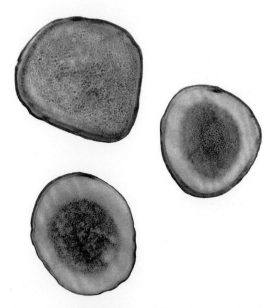

鹿茸药材——骨片

成 2 小枝。表面黄棕色或灰棕色，枝端灰白色。枝端以下具明显凸起的疙瘩，纵向排成"苦瓜棱"，顶部灰白色或灰黄色，有光泽。鹿角脱盘又称鹿花盘，呈盔状或扁盔状，直径 3 ~ 6 cm（珍珠盘直径 4.5 ~ 6.5 cm），高 1.5 ~ 4 cm。表面灰褐色或灰黄色，有光泽。底面平，蜂窝状，多呈黄白色或黄棕色。珍珠盘周边常有稀疏细小的孔洞。上面略平或呈不规则的半球形。质坚硬，断面外圈骨质，灰白色或类白色。

| 品质评价 | 整只鹿茸以茸体饱满、挺圆、质嫩、毛细、皮色红棕、体轻、底部无棱角者为佳，而细、瘦、底部起筋、毛粗糙、体重者为次。鹿茸根据鹿种、取茸方式、加工方法和茸型可划分成多种类型与规格。按鹿种可分为花鹿茸（黄毛茸）、马鹿茸（青毛茸）；按取茸方式与加工方法可分为"锯茸""砍头茸""带血茸""排血茸"等；按茸型可分为"花二杠""花三权""花初角茸""花再生茸""马莲花""马三权""马四权""马五权""马初角茸""马再生茸"等。鹿茸饮片炮制前按切制的部位可分为"蜡片""血片""粉片""骨片"等，根据加工过程又可分为"带血片""排血片"。鹿茸饮片商品规格等级划分见表 2-1-17。

表 2-1-17　鹿茸饮片商品规格等级划分

规格	等级	性状描述
蜡片	一等	呈类圆形或不规则形，黄棕色至褐棕黄色。茸皮表面褐色，切面黄棕色至褐棕黄色，厚 1 ~ 3 mm，边缘平整或呈不规则波状
血片	一等	厚约 1 mm，呈蜜脂色，微红润，片面光滑
粉片	二等	黄棕色至黄白色，厚约 1.5 mm，片面光滑，有细孔，周皮紫黑色，有腥气
骨片	三等	淡黄棕色或褐棕色，中心子眼粗，外侧骨膘较厚，边缘为齿状缘，坚硬

| 功效物质 | **鹿茸：**总氨基酸含量超过 50%，含有甘氨酸、赖氨酸、精氨酸、天冬氨酸、谷氨酸、脯氨酸、丙氨酸、亮氨酸等。鹿茸乙醚提取物含有胆甾醇肉豆蔻酸酯、胆甾醇油酸酯、胆甾醇棕榈酸酯、胆甾醇硬脂酸酯、对 - 羟基苯甲醛、胆甾醇、胆甾 -5- 烯 -3β- 醇 -7- 酮、胆甾 -5- 烯 -3β,7α- 二醇、胆甾 -5- 烯 -3β,7β- 二醇等。鹿茸正丁醇提取物含有尿嘧啶、次黄嘌呤、尿素、尿嘧啶核苷、烟酸、肌酐等成分。鹿茸中含有精脒、精胺、腐胺等多胺类物质，此类物质是刺激核酸和蛋白质合成的有效成分。分析表明，鹿茸尖部多胺类物质含量较高，其中精脒含量丰富；鹿茸的中部和根部随骨化程度的增强，精脒含量逐渐减少，而腐胺和精胺含量逐渐增加；在整个鹿茸中，尖部所占重量百分比较小，因此腐胺含量最多，精脒次之，精胺最少。鹿茸中尚含有硫酸软骨素 A 等酸性多糖类物质和雌酮、神经髓鞘磷脂、神经节苷脂、雌二醇、前列腺素 E$_1$、前列腺素 E$_2$、前列

腺素 $F_{1\alpha}$、前列腺素 $F_{1\beta}$、神经酰胺，以及钙、磷、镁等 20 种元素。

鹿角：含有丰富的胶质（25%）、磷酸钙（50% ~ 60%），以及碳酸钙及氮化物等，这与其传统功效密切相关。此外还含有氨基酸类成分，包括天冬氨酸、苏氨酸、丝氨酸、谷氨酸、脯氨酸、甘氨酸、丙氨酸、缬氨酸、亮氨酸、异亮氨酸、苯丙氨酸、赖氨酸、组氨酸、精氨酸等。

| 功能主治 |　**鹿茸：**甘、咸，温。归肾、肝经。壮肾阳，益精血，强筋骨，调冲任，托疮毒。用于肾阳不足，精血亏虚，阳痿滑精，宫冷不孕，羸瘦，神疲，畏寒，眩晕，耳鸣，耳聋，腰脊冷痛，筋骨痿软，崩漏带下，阴疽不敛。

鹿角：咸，温。归肾、肝经。温肾阳，强筋骨，行血消肿。用于肾阳不足，阳痿遗精，腰脊冷痛，阴疽疮疡，乳痈初起，瘀血肿痛。

| 用法用量 |　**鹿茸：**内服研粉冲服，1 ~ 3 g；或入丸剂；或浸酒服。

鹿角：内服煎汤，5 ~ 10 g；或研末，1 ~ 3 g；或入丸、散剂。外用适量，磨汁涂；或研末撒；或研末调敷。熟用偏于补肾益精，生用偏于散血消肿。

| 传统知识 |　鹿茸以其壮肾阳、益精血、强筋骨、调冲任、托疮毒的功效为人所熟知，鹿角同样也具有温肾助阳、行血消肿的功效。一直以来，鹿茸和鹿角均作为补阳的上品广泛使用。

| 资源利用 |　梅花鹿在食用和医用方面都具有很高的价值，全身可食用、药用的部位多达 28处。鹿肉富含种类齐全的氨基酸和特殊的活性物质；鹿皮则是制作高档名贵皮革服装的最佳原料；鹿筋、鹿心、鹿肉是豪华宴席上的高档名肴。且梅花鹿性情温顺，毛色和形态美丽，具有很高的观赏价值。

一、在医药领域中的应用

梅花鹿的鹿茸和鹿角广泛应用于中药方剂中，具有促进生长发育、增强机体免疫力和抗衰老等多种作用。此外，还可促进伤口、骨折的愈合，促进红细胞的新生等。常用的中药复方有鹿茸汤、鹿角丸等。

二、在保健食品中的应用

鹿肉肉质细嫩鲜美，瘦肉多而结缔组织少，可用于烹制多种菜肴。鹿肉含有较丰富的蛋白质、脂肪、无机盐、糖和一定量的维生素，且易于被人体消化吸收。李时珍云："鹿之一身皆益人，或煮，或蒸，或脯，同酒食之良。大抵鹿乃仙兽，纯阳多寿之物，能通督脉，又食良草，故其肉、角有益无损。"鹿肉性温和，有补脾益气、温肾壮阳的功效，属于纯阳之物，补益肾气之功为所有肉类之首。

三、在日化用品中的应用

梅花鹿的鹿皮柔软、结实、美观，可以用来做高档轿车的座皮、沙发座皮、皮帽子、皮鞋、皮夹克等，应用范围较广泛，但由于梅花鹿养殖规模相对较小，皮料也较为珍贵，近年来，欧美市场上流行用鹿皮来做室内装饰。

参考文献

[1] 国家中医药管理局《中华本草》编委会. 中华本草：第9册 [M]. 上海：上海科学技术出版社，1999.

[2] 黄奭. 神农本草经 [M]. 北京：中医古籍出版社，1982.

[3] 苏颂. 本草图经 [M]. 尚志钧辑校. 合肥：安徽科学技术出版社，1994.

[4] 李时珍. 本草纲目 [M]. 北京：人民卫生出版社，1982.

[5] 赵海平，张国坤，姚梦杰，等. 不同产地梅花鹿鹿茸矿物质元素含量测定与道地性分析 [J]. 中国现代中药，2019，21（9）：1267-1272，1278.

[6] 刘雪莹，赵雨，何慧楠，等. 不同产地梅花鹿鹿茸药材中5种核苷类成分的含量测定及聚类分析 [J]. 中国药房，2018，29（14）：1945-1949.

[7] 潘福民. 辽北梅花鹿冬季饲养管理技术 [J]. 现代农业研究，2019（12）：62-63.

[8] 王霞. 梅花鹿养殖技术要点 [N]. 山西科技报，2019-12-03（A07）.

[9] 宋国翠，吕艳晶. 关于加强梅花鹿种源保护措施探讨 [J]. 吉林畜牧兽医，2019，40（10）：43.

[10] 李可可，许学林，游丝，等. 我国南方梅花鹿福利养殖现状及应对措施 [C]// 世界动物福利科学大会论文集. [出版者不详]，2019：285-287.

[11] 卢斌山. 特种经济动物养殖——以梅花鹿为例 [J]. 甘肃畜牧兽医，2019，49（4）：33-35，39.

[12] 郁兵，王波. 陕西梅花鹿养殖产业现状和前景展望 [J]. 西安文理学院学报（自然科学版），2018，21（5）：68-70，82.

[13] 杨勇. 浅谈梅花鹿的养殖技术及疾病防治 [J]. 南方农业，2018，12（17）：141，143.

[14] 李光玉，鲍坤，张旭，等. 中国特种经济动物养殖产业发展综述 [J]. 农学学报，2018，8（1）：140-144.

[15] 曾德芳，杨菲菲，梁爽，等. 湖北省梅花鹿养殖产业发展现状、问题及对策 [J]. 黑龙江畜牧兽医，2017（24）：189-192.

[16] 王春玲. 兴隆山自然保护区梅花鹿资源现状与保护对策 [J]. 绿色科技，2017（18）：49-50.

[17] 潘雨浓. 人工培育梅花鹿的养殖及产品利用 [J]. 畜牧兽医科技信息，2017（6）：127-128.

[18] 陈上. 海藻糖衍生物DMBT对湿性老年黄斑变性的作用及机制研究 [D]. 济南：山东大学，2017.

[19] 周其超，李芳，李志杰，等. 浅谈西南地区梅花鹿林下生态养殖 [J]. 中国畜牧兽医文摘，2017，33（5）：105-107.

[20] 靳莉，李旭，杨东. 云南省梅花鹿产业现状调查及发展建议 [J]. 贵州农业科学，2017，45（5）：74-79.

[21] 郭晓晗. 中药鹿茸的真伪鉴定及鹿茸饮片的质量等级评价方法研究 [D]. 北京：中国食品药品检定研究院，2018.

[22] 郑博文. 敦化地区梅花鹿养殖产业调查分析与研究报告 [D]. 延边：延边大学，2016.

[23] 杨果平. 茸鹿养殖：效益与风险并存 [N]. 中国中医药报，2017-08-31（006）.

[24] 孙伟杰，吕程，杨重晖，等. 基于指纹图谱和多指标定量测定的鹿茸饮片质量控制研究 [J]. 中草药，

2019, 50（22）：5448-5454.

[25]刘雪莹. 不同规格鹿茸饮片质量分析研究 [D]. 长春：长春中医药大学，2019.

[26]何慧楠. 鹿茸药材质量评价研究 [D]. 长春：长春中医药大学，2019.

（赵　明）

水牛
Bubalus bubalis Linnaeus

| 药 材 名 | 水牛角（药用部位：角。别名：牛角尖、沙牛角）。

| 本草记述 | 水牛角始载于《名医别录》，被列为中品，"疗时气寒热头痛"。《陆川本草》记载："辛咸、寒。凉血解毒，止衄。治热病昏迷，麻痘斑疹，吐血，衄血，血热，溺赤。"《日华子本草》记载："煎，治热毒风并壮热。"《本草纲目》记载："苦，寒，无毒。水牛者燔之……治淋破血。"《四川中药志》记载："治风热头痛，喉头红肿，小儿惊风及吐血。"《全国中草药汇编》记载："清热镇惊，凉血止血。主治热病惊厥，高热，神昏，谵语，吐血，衄血，斑疹，血小板减少性紫癜，精神分裂症，小儿夏季热。"

| 形态特征 | 大型平均体重超过 600 kg，平均体高超过 135 cm；小型平均体重低

于 500 kg，平均体高低于 126 cm。头向前伸，额部凸起；眼大，稍突出；口方大；鼻孔大，鼻镜宽，呈黑色（白水牛为肉色）；角基近方形，向左右平伸成新月形或弧形；全身被毛为深灰色或浅灰色，随着年龄的增长，毛色逐渐由浅灰色变成深灰色或暗灰色。

江苏水牛以海子水牛和山区水牛为主。海子水牛体型健硕，背部平直，额宽而突，背宽胸深，肌肉丰满，四肢强健，前肢直立，后肢呈适度弧形，蹄圆而色黑，质地致密，牛角色深，蹄色黑亮；角型大多向后成环抱形，环抱角有大、中、小之分，最大的环抱角左右两角弯曲处的最大距离约 1 m，也有两角向左右成直线平伸，角长约 60 cm，角尖向后略弯，形似扁担，而被称为"扁担角"。山区水牛体型中等，被毛多为石板青色；头部适中，眼大有神，角大，向后上方平弯；颈粗壮、较短，前躯鬐甲高长，背腰宽平，胸宽，腹大而不下垂，尻部倾斜，尾根低而粗，尾长不过飞节；四肢粗壮，蹄小质坚。

| 资源情况 | 江苏的自然条件适宜水牛的生存繁衍，经过长期的驯化养殖，水牛已成为当地重要的役畜和肉品资源，在江苏的农业区广为养殖。

一、生态环境

江苏海子水牛生长于江苏北部广袤的沿海滩涂、草滩，生长区域东临黄海，北至滨海、响水两县，南及如东。成陆较久的滩涂，因长期受雨水淋洗，土壤盐碱成分逐渐减少，植被由原来的盐碱植物转变为种类繁多的杂草，其中大部分为食草家畜喜食的营养成分较高的野生禾本科、豆科植物。海子水牛以白茅草为主要饲料，不需精养就可长成大型健壮良种水牛。该区域为黄海沉积平原，地势低平，土质以砂土、黏土为主。砂土地带为海子水牛产区，土壤含盐碱较高，部分资料表明土壤 pH 为 7.7 ~ 7.9，盐分含量为 0.14% ~ 0.88%，土层含盐量为 0.12% ~ 0.25%。该区域属亚热带向暖温带的过渡区，季风盛行，四季分明，光照充足，气候湿润，雨量适中，宜林宜农，宜牧宜渔；春季冷暖干湿多变，夏季炎热多雨，秋季天高气爽，冬季寒冷干燥。全年盛行东南风，年平均气温 13.7 ~ 14.4 ℃，平均年降水量 1 000 mm 左右，平均湿度 78%，最小湿度 5%。

江苏山区水牛主要分布于北部山区、六合和南部山区各县，这些地带有大面积的草山草坡与湖荡，草滩和秸秆丰富，属于江淮副热带大陆性季风气候区，气候温和，雨水充沛，牧草茂盛，品种繁多。山区水牛的生长区域以盱眙最具代表性，该地区属北亚热带边缘季风气候区，年平均气温 14.6 ℃，平均年降水量 980 mm 左右，雨水集中在 6 ~ 8 月，年平均风速 2.4 m/s。西临淮河，北濒洪泽湖，水源充沛，土质主要为黏土，低洼地区多为砂壤土和淤土。

二、养殖历史与产地

江苏海子水牛主要分布在东部的如东、大丰和东台等地成陆较久的草滩地带，经多年繁衍，分布范围不断扩大，向北分布到射阳、滨海、响水，直至连云港的云台山麓，向南分布至海安、海门、启东等沿海地带，徐州、宿迁、泰州和常州亦有零星分布。江苏山区水牛主要分布于北部山区、六合和南部山区各县，集中于盱眙。

三、养殖面积与产量

全国水牛存栏量约 2 300 万头，江苏水牛存栏量约 2 万头。

四、规范化养殖技术

注意饲料搭配、合理放养、疾病防治等方面。应注意扩大种群规模，有效保持群体的遗传多样性，同时注意避免种群世代间波动，适当延长世代间隔。

| 采收加工 | 全年均可采收，采收后，水煮，除去角塞，干燥。加工包括镑片和锉粉，取水牛角药材，洗净，用温水浸泡，捞出，镑片；取水牛角药材，洗净，干燥后锉成粗粉。

| 药材性状 | 本品呈稍扁平而弯曲的锥形，长短不一。表面棕黑色或灰黑色，一侧有数条横向的沟槽，另一侧有密集的横向凹陷条纹。上部渐尖，有纵纹，基部略呈三角形，中空。角质，坚硬。气微腥，味淡。水牛角粉末为灰褐色，不规则碎块呈淡灰白色或灰黄色。纵断面可见细长梭形纹理，有纵长裂纹，布有微细灰棕色色素颗粒；横断面梭形纹理平行排列，并弧状弯曲似波峰样，有众多黄棕色色素颗粒。

水牛角镑片

水牛角粉

水牛角药材

整个水牛角

不同年龄水牛角

水牛角基部

水牛角尖部纵纹

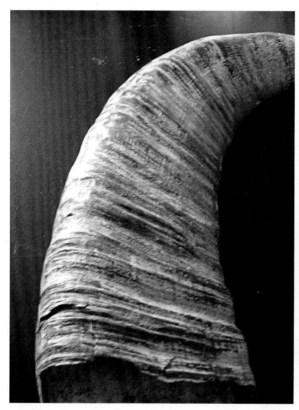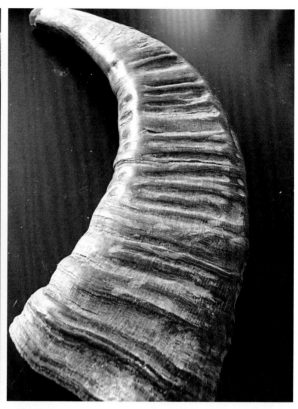

水牛角横向凹陷与沟槽

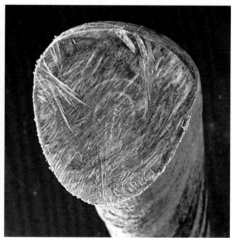

水牛角横断面

| 品质评价 | 基于含巯基（-SH）类成分含量评价水牛角品质

水牛角硫及半胱氨酸（Cys）含量较高与其角蛋白的二硫键结构（-S-S-）密切相关。水牛角在煎煮或体内消化液的作用下易释放含Cys的肽段，即含有-SH的肽段，这些肽类成分为水牛角重要的功效物质，可以把含-SH的肽段的含量作为水牛角品质评价指标，有研究检测出水牛角中游离-SH的含量为

18.3 ~ 38.3 μmol/g。

| **功效物质** | 水牛角、羚羊角、牦牛角等角类动物药为皮肤衍化组织，蛋白质、肽类为其重要的功效物质。由于具有相似的组织结构特点，角类动物药的物质构成亦相似，其中以角蛋白等结构蛋白为主的蛋白质类成分占 90% 以上。

一、蛋白质类

水牛角的蛋白质类成分主要包括 I 型角蛋白、II 型角蛋白、角蛋白相关蛋白、桥粒黏蛋白、连接蛋白等结构蛋白，核糖体蛋白、延伸因子等细胞质蛋白，以及 γ- 谷氨酰转移酶、蛋白质二硫键异构酶、肽基脯氨酰顺反异构酶等酶类。

二、肽类

水牛角经煎煮或口服后在消化液的作用下会产生多肽类成分，这些肽类成分主要为水牛角蛋白质的非特异性降解片段，如水牛角提取物中发现的肽段 TTTSSSSRKGYKH、SSTVRFV、STTTSHRTKH、FVSTTTSHRTKH、GKIISSREHVQPL、GKVVSTHEQIVRTKN 等。水牛角提取液 < 3 kDa 分子量部位为水牛角解热效应部位，并从中鉴定出 824 个肽段，这些肽类成分可显著降低发热大鼠血浆中白细胞介素 -1β、肿瘤坏死因子 -α、前列腺素 E_2、环磷酸腺苷等炎症因子水平，是水牛角的关键功效物质。这些肽类功效物质主要来源于角蛋白的特定区域。

角类动物药煎煮液、仿生提取液中以变性蛋白类、多肽类、寡肽类等物质为主。这些成分多源于角蛋白的 N- 和 C- 末端序列，且由于煎煮或酶解过程中角蛋白 -S-S- 结构发生断裂，从而转变成游离 -SH，这些成分多含有 -SH 结构。角类动物药提取液中含 -SH 的肽类物质为重要特征性物质，可能与角类动物药的传统功效密切相关。有研究表明，大鼠连续灌胃给予水牛角提取液，可显著提升大鼠血浆中 -SH 水平。

无论是基于多维色谱的系统分离纯化，还是基于 shotgun 技术的混合多肽快速鉴定策略，水牛角提取液中均发现含 -SH 肽类成分，如 YEDCTDCGN、TCGSYRALPAF、PYSCCLPTLSYR 等，这些肽类构成了水牛角一类特殊的功效物质。

三、核苷与碱基类

水牛角中含有 14 种核苷与碱基类成分：胸腺嘧啶、胸苷、脱氧尿苷、腺嘌呤、次黄嘌呤、尿苷、腺苷、脱氧肌苷等。水牛角总核苷与碱基类成分的含量为 123.36 ~ 233.22 μg/g，在水牛角浓缩粉、水牛角水煎液及水牛角活性部位中均检测出核苷类成分，提示核苷与碱基类成分可能为水牛角重要的功效物质。

四、其他类

水牛角尚含有多种无机元素、牛磺酸、胆固醇、氨基己糖等成分。

| 功能主治 | 清热，解毒，凉血，定惊。用于热病头痛，高热神昏，发斑发疹，吐血，衄血，瘀热发黄，小儿惊风，咽喉肿痛，口舌生疮。

| 用法用量 | 内服煎汤，一般 15 ~ 30 g，大剂量可用 60 ~ 120 g，先煎 3 小时以上；或研末，3 ~ 9 g，水牛角浓缩粉 1.5 ~ 3 g。外用适量，研末掺或调敷。

| 传统知识 | 基于文献梳理和中药资源普查过程中调查走访收集的传统用药知识，记录于此。

（1）治疗血上逆心，烦闷刺痛：水牛角，烧末，酒服方寸匕。

（2）治疗石淋，破血：牛角烧灰，酒服方寸匕，日 5 服。

（3）治疗小儿高热：将水牛角研成细末，每次 10 g，每日 3 次。

（4）治疗出血：水牛角及蹄甲，洗净后，放入密闭容器里焚烧炭化，研成细粉过筛。内出血，每次 2 g，每日 3 次，口服；外出血，撒于患处。

（5）治疗蜂蜇人：牛角烧灰，苦酒和，涂之。

（6）治疗喉痹肿塞欲死：沙牛角，烧，刮取灰，细筛，和酒服枣许大，水调亦得。又小儿饮乳不快觉似喉痹者，亦取此灰涂乳上，咽下。

（7）治疗赤秃发落：牛角、羊角（烧灰）等分。猪脂调涂。

| 资源利用 | 一、在医药领域中的应用

水牛角药用历史悠久。现代研究表明，水牛角具有解热、镇静、抗惊厥、强心等作用。2015 年版《中华人民共和国药典》收载水牛角、水牛角浓缩粉，以及含有二者的成方制剂共 45 个，常用方剂有安宫牛黄丸、清开灵颗粒、紫雪散、牛黄降压丸、小儿金丹片等。临床上水牛角的方药或中成药可治疗或辅助治疗发热、炎症、出血、惊厥、紫癜、银屑病等。此外，自 20 世纪 60—70 年代始，犀角资源出现紧缺，20 世纪 90 年代犀角被禁用。为解决药用资源短缺的问题，中医临床方剂中多以水牛角或水牛角浓缩粉替代犀角使用，取得了较好的临床效果。例如，来源于《备急千金要方》的犀角地黄汤，主要具有凉血散瘀、清热解毒的功效，是治疗温病血分证的代表方剂，现均以水牛角或水牛角浓缩粉替代犀角使用，用于过敏性紫癜、难治性皮肤病等效果明显。

二、在生物材料领域中的应用

水牛角具有良好的抗拉、抗压、抗剪切与抗扭转的特性，且不破坏红细胞，不引起溶血与凝血现象，组织相容性好，可应用于生物材料领域。有研究报道，

使用水牛角材料修补颅骨缺损，手术后病人未出现明显发热、头皮下积液等情况，且术后半年水牛角材料无松动、翘起，头皮无破溃感染等。水牛角作为颅骨缺损修复材料具有生物相容性好、易塑形、价格低廉等特点。

| 附　注 | （1）基于 DNA 条形码鉴别水牛角

基于水牛角 *COI* 基因序列的 DNA 条形码技术，可实现水牛角市售药材的真伪辨别，以保证临床用药的安全与疗效。

（2）基于宏微量元素类、氨基酸类、胆固醇等成分评价水牛角品质

对水牛角、牦牛角、羚羊角等多种动物角中的 35 种宏微量元素、18 种水解氨基酸，以及牛磺酸、胆固醇、氨基己糖等成分进行系统测定，结果表明：水牛角硫、钙、磷、钾、钠、铁含量较高，其中硫含量最高（28.1 mg/g），聚类分析结果表明，水牛角在宏微量元素组成方面与牦牛角接近；水牛角谷氨酸、精氨酸、半胱氨酸、亮氨酸、酪氨酸等水解氨基酸含量较高，水牛角在氨基酸组成方面与广角、牦牛角接近；水牛角牛磺酸含量与犀角、广角相近，低于羚羊角与牦牛角；水牛角甾类成分的 HPLC 指纹图谱与牦牛角、犀角较为接近；水牛角游离蛋白质的含量均低于其他角类动物的角，与水牛角水溶性蛋白质类成分不易溶出释放有关；水牛角水溶性成分的 HPLC 指纹图谱与犀角、广角的相似性最高，但水牛角色谱峰高与峰面积均低于犀角、广角，这说明水牛角在多成分的系统组成与组合上与犀角、广角接近，但含量低于犀角、广角，这与临床上用水牛角替代犀角、广角使用时需要加大剂量相吻合。综上，通过多成分、多指标的系统比较与评价，可实现水牛角品质的综合评价。

（3）角类动物药蛋白质在消化液的作用下释放的成分是重要的功效物质。基于仿生提取法制备角类动物药提取液，采用人工胃液与人工肠液分别提取羚羊角、牦牛角与犀角的功效物质，每个提取步骤重复 3 次，获得相应的提取液。以镇静和解热功效评价不同提取部位及药渣。结果发现，在镇静功效方面，羚羊角人工胃液与人工肠液提取液均表现出显著的镇静作用；牦牛角的人工胃液提取液表现出一定的镇静作用，而牦牛角人工肠液提取液的镇静作用显著提高，且牦牛角药渣仍具有镇静作用，说明牦牛角在肠道内才释放功效物质，起效速度较羚羊角慢；犀角的人工胃液与人工肠液提取液持续发挥镇静作用，说明犀角镇静功效起效快且持续时间长。在解热功效方面，羚羊角与犀角的人工胃液提取液表现出解热作用，牦牛角的人工肠液提取液具有解热作用，表明牦牛角需待被人工肠液消化后，解热功效物质方得以释放起效。

（4）角类动物药经胃肠道消化液降解后会释放出肽类成分，这些肽类成分表现

出显著的解热、镇静作用。有研究表明，羚羊角与山羊角在仿生提取模式下，经人工胃液与人工肠液处理后，释放出大量肽段，其中58%的肽段来源于角蛋白。以角蛋白KRT34（W5Q494）为例，仿生提取肽类主要来源于KRT34的Phe78～Leu100、Val144～Ile175、Asn242～Glu279与Glu299～Glu320 4个区域。由此可知，角蛋白仿生提取条件下获得的肽类成分为角类动物药发挥解热、镇静传统功效的重要效应物质。

（5）研究显示，大鼠连续灌胃给予山羊角提取液，可显著提升大鼠血浆中游离-SH与总-SH水平；口服给予大剂量山羊角提取液后30分钟，大鼠血浆中游离-SH含量即达最大值（10.16 mmol/L±1.18 mmol/L），8小时后大鼠血浆中游离-SH含量降至正常大鼠水平。该研究说明口服给予山羊角提取液后，山羊角提取液中的-SH可以某种方式转移进入大鼠血浆。

参考文献

[1] 国家中医药管理局《中华本草》编委会. 中华本草：第27册[M]. 上海：上海科学技术出版社，1999.

[2] 郭文场，周淑荣，刘佳贺. 中国水牛种质资源和开发利用（1）[J]. 特种经济动植物，2010，13（8）：9-11.

[3] 苗永旺，李大林，霍金龙，等. 中国水牛的遗传多样性与起源分化[J]. 中国牛业科学，2008，34（4）：16-20.

[4] 程广凤，陆爱华，刘德权，等. 海子水牛的保种与开发利用[J]. 中国牛业科学，2008，34（5）：60-62.

[5] 崔保威，王复龙，崔昱清，等. 我国水牛产业现状简析[J]. 肉类研究，2013，27（11）：37-40.

[6] 孙莉，赵言文. 江苏省畜禽遗传资源现状分析及保护对策[J]. 江西农业学报，2007，19（11）：73-76.

[7] 裴岩. 水牛角轮的研究[J]. 畜牧与兽医，1995，27（2）：62-63.

[8] 孙辰晨. 海子水牛、山区水牛种质特性以及遗传多样性比较研究[D]. 扬州：扬州大学，2008.

[9] 刘旭朝，周丽思，刘金欣，等. 基于COI序列的水牛角及其易混伪品DNA条形码鉴定研究[J]. 药学学报，2017，52（3）：494-499.

[10] 王斐，段金廒，钱大玮，等. 犀角及羚羊角替代资源的寻找与评价研究（Ⅰ）[J]. 南京中医药大学学报，2005，21（3）：163-165.

[11] 王斐，段金廒，钱大玮，等. 犀角及羚羊角替代资源的寻找与评价研究（Ⅱ）[J]. 南京中医药大学学报，2007，23（1）：36-39.

[12] 王斐. 犀角及羚羊角替代资源的研究与评价[D]. 镇江：江苏大学，2005.

[13] 王春雪，刘睿，钱大玮，等. 角类中药的游离巯基含量测定[J]. 中国中药杂志，2019，44（5）：35-38.

[14] 段金廒，刘睿，钱大玮，等. 一类具有抗氧化活性的角类多肽、其分离方法及用途：200910233784.1[P]. 2010-04-14.

[15] 刘睿，段金廒，吴皓，等. 水牛角中水溶性物质化学组成分析与鉴定研究[J]. 药学学报，2015，50（5）：594-598.

[16] 张全彬，周群飞，单光华，等. 水牛角材料的力学性能与生物学评价[J]. 生物医学工程学杂志，2014，31（6）：1298-1304.

[17] 杨汝明，黄兴敏，沈春生. 水牛角用于颅骨成形15例[J]. 人民军医，1991（11）：48-49.

[18] LIU R, DUAN J A, GUO S, et al. Development of a fingerprint method for animal horns classification

by liquid chromatography coupled with hierarchical clustering analysis[J]. Journal of Liquid Chromatography & Related Techonolgies, 2012, 35（2）：205-214.

[19] LIU R, HUANG Q, ZHU Z H, et al. Further evidence for sustainable alternatives to replace threatened animal horn based on quantitative proteomic analysis[J]. Electrophoresis, 2019, 39（24）：3185-3190.

[20] LIU R, HUANG Q, DUAN J A, et al. Peptidome characterization of the antipyretic fraction of Bubali Cornu aqueous extract by nano liquid chromatography with orbitrap mass spectrum detection[J]. Journal of Separation Science, 2017, 40（2）：587-595.

[21] LIU R, WANG F, HUANG Q, et al. Available sustainable alternatives replace endangered animal horn based on their proteomic analysis and bio-effect evaluation[J]. Scientific Reports, 2016, 6（1）：36027.

[22] LIU R, DUAN J A, CHAI C, et al. Hydrophilic interaction ultra-high performance liquid chromatography coupled with triple-quadrupole mass spectrometry for determination of nucleosides and nucleobases in animal horns[J]. Journal of Liquid Chromatography & Related Technologies, 2015, 38（12）：1185-1193.

[23] LIU R, ZHU Z H, QIAN D W, et al. Comparison of the peptidome released from keratins in Saiga antelope horn and goat horn under simulated gastrointestinal digestion[J]. Electrophoresis, 2019, 40（20）：2759-2766.

[24] LIU R, WANG M, DUAN J A, et al. Purification and identification of three novel antioxidant peptides from Cornu Bubali (water buffalo horn)[J]. Peptides, 2010, 31（5）：786-793.

[25] ZHANG Q B, LI C, PAN Y T, et al. Microstructure and mechanical properties of horns derived from three domestic bovines[J]. Materials Science and Engineering C, 2013, 33（8）：5036-5043.

（刘　睿）

芒硝 Natrii Sulfas

| **药 材 名** | 芒硝（药材来源：经加工精制而成的结晶体。别名：芒消、马牙消、英消）。 |

| **本草记述** | 芒硝始载于《名医别录》，"生于朴消"。《雷公炮炙论》云："芒消是朴消中炼出形似麦芒者。"由于古代硝石与朴硝有混同现象，且硝石一名芒消，从而导致了文献记载的混乱。如《本草经集注》记载："按《神农本经》无芒消，只有消石，名芒消尔。后名医别载此说，其治与硝石正同，疑此即是消石。"《新修本草》则把三种硝（硝石、朴硝、芒硝）混为一种，仍保持硝石一名芒消之说，认为"今炼粗恶朴硝，淋取汁煎炼作芒消，即是硝石"。不知芒硝有同名异物。《开宝本草》在叙述芒硝的炼制法及其形态的同时，指出了《新修本草》的错误："唐注以此为消石同类，深为谬矣。"《嘉 |

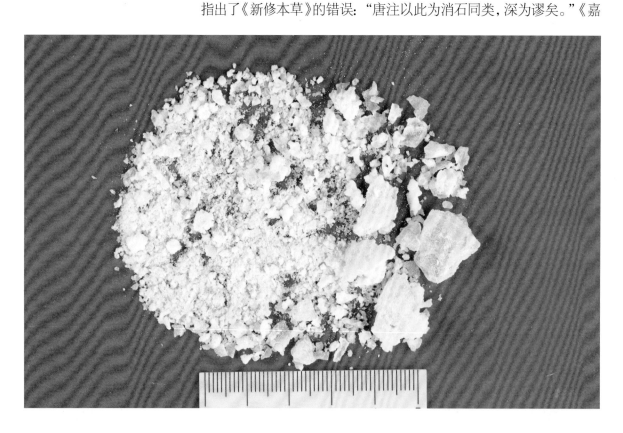

祐本草》云："旧注说朴消、消石、芒消等，互有得失，乃云不合重有芒消条也。夫朴消，一名消石朴，即炼朴消成消石，明矣，故有消石条焉。又消石，一名芒消，即明芒消，亦是炼朴消而成也。凡药虽为一体，盖同出而异名，修炼之法既殊，主治之功遂别矣。"《本草图经》云："今医方家所用亦不复能究其所来，但以未炼成块，微青色者为朴消，炼成盆中上有芒者为芒消，亦谓之盆消，其芒消底澄凝者为消石。"即仍以芒消之"底澄凝者"为消石。《证类本草》云："（朴消）一名消石朴者。消即是本体之名；石者，乃坚白之号；朴者，即未化之义也。以其芒消、英消皆从此出，故为消石朴也。其英消，即今俗间谓之马牙消者，是也。"直至《本草纲目》云："煎炼入盆，凝结在下，粗朴者为朴消，在上有芒者为芒消，有牙者为马牙消。"

综上所述，《名医别录》另立芒消即朴消的炼制品，为精制硫酸钠结晶，与"一名芒消"之消石不是同一物质。由于天然产出的硝石（硝酸钾）很少有完好晶形，且多为霜华，个体似针状，经过炼制、重结晶，亦可是芒状晶体。古人从形色命名，故有消石一名芒消之说。后世有些本草不分来源，不明实质，导致两种芒消混称难辨，一直延续到宋代。古代本草对朴消、芒消与消石的记述比较混乱。古代本草中的"朴消""芒消""消石"即今"朴硝""芒硝""硝石"。

| **形态特征** | 晶体结构属单斜晶系。晶体呈短柱状或针状，有时为板条状或似水晶的假六方棱柱状。通常为致密或疏松的块状，或呈皮壳状、被膜或盐华。无色透明，多为白色及带浅黄色、灰白色或绿色、蓝色等色调，含有机质者发黄。条痕为白色，半透明至近透明，新鲜断面具玻璃样光泽，风化面无光泽；致密集合体表面不平，呈蜡状、油脂状光泽。一组解离完全。断口贝壳状。硬度 1.5 ~ 2。性脆，易碎为粉末状。纯者相对密度 1.49。失水者密度增大。味凉而微带苦、咸。极易溶于水。在干热条件下风化失水转化为白色粉末状无水芒硝。

| **资源情况** | 一、地质环境

江苏产芒硝分无水芒硝和钙芒硝，以无水芒硝为主。纯度较高的无水芒硝集中分布在洪泽湖凹陷盆地中；钙芒硝则与岩盐伴生，主要分布在淮安盐硝矿中。淮安盐硝矿成矿于现代盐湖矿床，成矿时代分别为古近纪和晚白垩世。整个矿区位于扬子地台东北缘的洪泽湖—盐城拗陷带内，该拗陷带西起洪泽湖区，向东呈喇叭状展布，北以淮安至响水口断裂为界，南以洪泽—建湖隆起的北界断裂为界，在此拗陷内又可划分出 10 个次级的凹陷和凸起。芒硝主矿区即位于次级洪泽湖凹陷中，面积约 82 km²（含部分水域面积）。

江苏淮安芒硝矿区主要分布于地下 2 000 m 以下的深部。岩性为含膏盐碎屑岩及碳酸盐岩。据含矿性和岩石组合差异，这套含盐系可划分为下膏盐亚段、下盐亚段、中淡化亚段、上盐亚段、上膏盐亚段 5 部分。芒硝主要产于下盐亚段。硫酸钠的平均品位约为 84%。

二、分布区域

芒硝分布在我国多个省区，地下芒硝矿主要分布在江苏。江苏的芒硝矿主要分布于淮安淮阴、洪泽及淮安。

三、蕴藏量

江苏淮安拥有丰富的芒硝矿藏，芒硝矿主要位于淮阴区的高家堰镇和洪泽区的西顺河镇，是我国东部至今发现的唯一大型芒硝矿藏，芒硝储量达 20 亿 t，约占全国总储量的 10%。

对江苏淮安高家堰镇小滩村南风集团淮安元明粉有限公司调研可知，矿区面积 1.77 km²，芒硝生产规模约每年 28 万 t（一厂），剩余开采量约可采 20 年。对上海太平洋化工（集团）淮安元明粉有限公司调研可知，该公司主要产品芒硝、元明粉工业盐、化工产品及原料等的产量每年约 45 万 t。

| 采收加工 | 全年均可采制，但以秋、冬季为佳，气温低易结晶。加工方法：取天然芒硝加水溶解，放置，使杂质沉淀，过滤，滤液加热浓缩，放冷即析出芒硝结晶，取出晾干。如结晶不纯，可重复处理，直至得到洁净的芒硝结晶。南风集团淮安元明粉有限公司的开采流程是利用钻井水溶法将深埋在地下 2 000 m 的芒硝溶解，

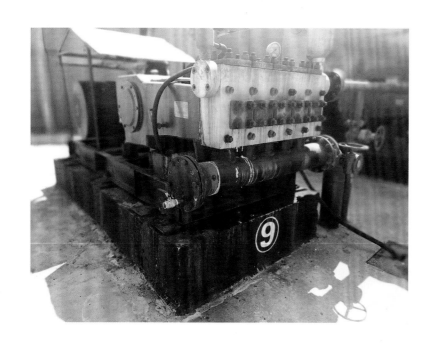

上升溢出，进行加工提纯，即水源→泵→清水罐→注水泵→注水井（管）→无水芒硝矿层（溶矿）→采卤井（管）卤水罐→加工厂。

| **药材性状** | 本品为棱柱状、长方形或不规则形的块状及粒状。无色透明或类白色半透明。质脆，易碎，断面具玻璃样光泽。气微，味咸。

| **品质评价** | 芒硝以无色、透明块状结晶、清洁、无杂质者为佳。芒硝的主要成分为含水硫酸钠。2010 年版《中华人民共和国药典》规定，芒硝按干燥品计算，含硫酸钠不得少于 99.0%，测定方法主要为重量法和离子色谱法。同时，芒硝在常温下

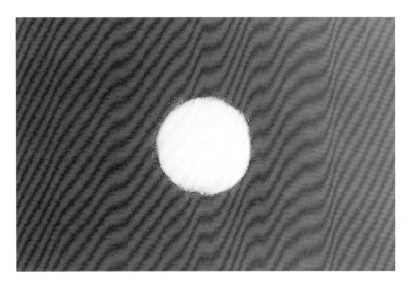

芒硝药材

逐渐失去结晶水，通常为含水硫酸钠和硫酸钠的混合物。电感耦合等离子体发射光谱结果表明，芒硝中镁、钾、钙、铁等元素的含量亦较高。研究表明，以芒硝中钠、镁、钾、钙、铜、铁、铝、锰、锶、砷、钛、铅、钡、锂、铬、镍、硒、铷等 20 种无机元素建立其指纹图谱，可用于芒硝的质量评价。

| **功效物质** | 芒硝中的主要成分为含水硫酸钠，此外尚含有氯化钠、硫酸钙、硫酸镁及锶、铁、铝、钛、硅等元素。

| **功能主治** | 咸、苦，寒。归胃、大肠经。泻下通便，润燥软坚，清火消肿。用于实热积滞，腹满胀痛，大便燥结，肠痈肿痛；外用于乳痈，痔疮肿痛。

| **用法用量** | 6 ~ 12 g，一般不入煎剂，待汤剂煎得后，溶入汤液中服用。外用适量，研末吹喉；或水化罨敷、点眼、调搽、熏洗。

| **传统知识** | 基于文献梳理和中药资源普查过程中调查走访收集的传统用药知识，记录于此。

（1）治疗小儿鹅口疮：研细马牙消搽于舌上，每日 3 ~ 5 次。

（2）治疗痔疮肿痛：芒硝 30 g（或加马齿苋 60 g），煎汤熏洗。

（3）治疗漆性皮炎：将芒硝 20 ~ 100 g 放入容器内，以适量开水冲搅溶化，用毛巾浸湿擦洗患处，每日 3 ~ 4 次。

（4）治疗小便不通：芒硝 3 g，研细，以龙眼肉包裹，细嚼咽下。

（5）治疗皮下瘀血肿，静脉炎，乳腺炎及回乳：取芒硝适量，用凉水搅拌均匀，敷于患处（以能敷满患处、厚度约 0.25 cm 为宜），用布裹好，药干燥时可掸以凉水，使布保持湿润，每日换药 1 次。

| 资源利用 |　一、在医药领域中的应用

芒硝的药用历史悠久，《名医别录》载："主五脏积聚，久热胃闭，除邪气，破留血，腹中痰实结搏，通经脉，利大小便及月水，破五淋，推陈致新。"芒硝内服可泻下攻积，且性寒能清热，味咸能润燥软坚，对实热积滞、大便燥结者尤为适宜。常与大黄相须使用，以增强泻下通便之功。常用方剂有：芒硝汤、芒硝丸、大承气汤、大陷胸汤、柴胡加芒硝汤、芒硝猪胆膏等。芒硝中含有大量硫酸根离子及部分镁离子，能使小肠内保持较高的渗透压，阻止小肠对水分的吸收，刺激小肠运动，因此具有泻下的功效。芒硝外用有清热消肿的功效，可治疗咽喉痛、口舌生疮、目赤肿痛、痈疮肿痛，还可用于乳腺炎、痔疮等。此外，芒硝还能刺激网状内皮系统增强吞噬能力以加快淋巴生成，具有提高抗病能力及消肿止痛的功效。

二、在化工领域中的应用

芒硝是化工、轻工工业的重要原料，以芒硝为原料可制多种含钠化学品。化工工业上用于制硫酸钠（即元明粉）、硫化碱、硫酸铵、硫酸及硫酸钡等重要化工原料。芒硝亦是造纸、印染、油漆、橡胶、人造纤维、污水处理等方面的重要原料。此外，有研究以芒硝制硝酸钠、亚硫酸钠、柠檬酸钠等，以及将硫酸钠和过氧化氢做成复合材料，替代过碳酸钠、过硼酸钠等作为漂白剂或灭菌剂等。近年来，还有些厂家用芒硝来制取硫酸钾肥料。

参考文献

[1] 国家中医药管理局《中华本草》编委会. 中华本草 [M]. 上海：上海科学技术出版社，1999.

[2] 黄奭. 神农本草经 [M]. 北京：中医古籍出版社，1982.

[3] 陶弘景. 名医别录（辑校本）[M]. 尚志钧辑校. 北京：人民卫生出版社，1986.

[4] 李时珍. 本草纲目 [M]. 北京：商务印书馆，1957.

[5] 陈嘉谟. 本草蒙筌 [M]. 北京：人民卫生出版社，1988.

[6] 江苏新医学院. 中药大辞典 [M]. 上海：上海科学技术出版社，1977.

[7] 刘玉琴. 矿物药 [M]. 呼和浩特：内蒙古人民出版社，1989.

[8] 陈友山，陈玲. 硝石、朴硝（芒硝）的本草考证 [J]. 时珍国药研究，1997，8（2）：101-103.

[9] 吴东阳，郝二伟，覃文慧，等. 《神农本草经》海洋中药品种考证 [J]. 中草药，2019，50（23）：5696-5705.

[10] 卜正国. 江苏省淮安市元明粉行业现状和发展趋势 [J]. 盐业与化工，2014，43（1）：9-13.

[11] 田甜. 经方硝类药物考辨及应用规律研究 [D]. 北京：北京中医药大学，2010.

[12] 李沁，吴春敏，邹义栩，等. 矿物药芒硝中无机元素的 ICP-MS 分析 [J]. 药物分析杂志，2013，33（11）：1887-1892.

[13] 王斌，王玉胜. 芒硝类药材炮制历史沿革初考 [J]. 中药材，1990，13（8）：26-27.

[14] 火跃芳. 浅述芒消火消的鉴别及应用 [J]. 时珍国药研究, 1998, 9 (3): 250.

[15] 孟乃昌. 唐、宋、元、明应用消石的历史 [J]. 扬州师院学报 (自然科学版), 1983 (2): 37-48.

[16] 田甜, 肖相如. 陶弘景所载硝类药物辨析 [J]. 辽宁中医杂志, 2010, 37 (5): 904-906.

[17] 陈榆, 何景和. 消石、芒消、朴消之厘定 [J]. 中药通报, 1987, 12 (2): 3-6.

[18] 赵匡华, 赵宇彤. 中国古代试辨硝石与芒硝的历史 [J]. 自然科学史研究, 1994, 13 (4): 336-349.

[19] 孟乃昌. 中国用硝的历史 [J]. 中药材, 1985 (3): 43-44.

[20] 朱培, 李小明, 周绍荣, 等. 淮安盐盆钙芒硝矿及其综合利用的探讨 [J]. 中国井矿盐, 2018, 49 (1): 20-23.

[21] 应帮智, 张卫华, 张振凌. 中药芒硝药理作用的研究 [J]. 现代中西医结合杂志, 2003, 12 (20): 16-17.

[22] 暴梅佳. 中药芒硝药理作用的研究 [J]. 临床医药文献电子杂志, 2019, 6 (30): 166, 179.

[23] 黄修海, 张登科, 毕超, 等. 冰片、硭硝外敷配合综合疗法治疗急性重症胰腺炎临床观察 [J]. 中国实用内科杂志, 2001, 21 (10): 631-632.

[24] 高德云, 李有才, 李厚金. 淮安芒硝资源开发现状与发展对策 [J]. 地质学刊, 2001, 25 (1): 50-53.

[25] 徐翠云. 江苏淮阴芒硝资源开发现状与发展对策 [J]. 中国非金属矿工业导刊, 2001 (4): 14-16.

[26] 申军. 我国芒硝矿产资源及其加工业的现状与发展 [J]. 化工矿物与加工, 2003 (2): 3-6.

[27] LU Y Y, HAO C Y, HE W B, et al. Experimental research on preventing mechanical phlebitis arising from indwelling needles in intravenous therapy by external application of mirabilite[J]. Experimental and Therapeutic Medicine, 2018, 15 (1): 276-282.

[28] DUTTA S, NATH K. Feasibility of forward osmosis using ultra low pressure RO membrane and Glauber salt as draw solute for wastewater treatment[J]. Journal of Environmental Chemical Engineering, 2018, 6 (4): 5635-5644.

（刘圣金）

蛭石片岩 Vermiculite Schist

| 药 材 名 |

金礞石（药材来源：风化物。别名：礞石、酥酥石、烂石）。

| 本 草 记 述 |

清代以前，未见金礞石的记载。金礞石首见于《目经大成》。该书云："诗曰：滚痰丸，大黄芩，金礞石，海南沉。"这里描述的是礞石滚痰丸的处方组成，此处的"金礞石"是指当时的"礞石"。这是现今发现的关于"金礞石"的最早文字记载。金礞石作为独立药材并以正名被收录始于《药材学》，后1963年版《中华人民共和国药典》也以金礞石为正名收载之，此后，各种药物书籍相继收载。

早期礞石商品药材在外观上具有多样性，如《本草品汇精要》的"礞石，今齐（今山东泰山以北）鲁（今山东泰山以南）山中有之，青色微有金星"、《本草纲目》的"江北（今湖北蕲春一带）诸山往往有之，以盱山出者为佳。有青、白二种，以青者为佳。坚细而青黑，打开中有白星点，煅后则星黄如麸金"。人们在口述手书相传过程中，为方便起见，就在"礞石"二字之前加上颜色定语，色"青"者以"青礞石"谓之，色"黄"者以"金礞石"称之。因二者功效相似，故常混用，统

称为"礞石"。《本草从新》记载："甘咸有毒，体重沉坠，色青入肝。制以硝石，能平肝下气，为治顽痰癖结之神药。"《本草蒙筌》记载："颜色微绿，出自山东。欲辨假真，须依法制。敲碎小颗粒，贮倾银罐中。搀半焰硝（石二两，硝二两），盐泥固济。武火煅一炷香，取出色若雌黄。软脆易擂，方为不假。"

| 形态特征 | 单斜晶系，主要由鳞片状矿石组成，次要矿物为水黑云母，含有少量普通角闪石、石英。鳞片细小，断面层状，显微镜下薄片明显定向排列。为鳞片变晶结构；片状构造。片岩色较淡，呈淡棕色或棕黄色。具金黄色光泽。质较软，易碎，碎片主呈小鳞片状。结晶粗大的蛭石状如黑云母，但无弹性；焙烧时能爆裂成蛭虫状，而不同于黑云母。硬度 1 ~ 1.5，｛ 001 ｝解理完全，薄片具挠性。密度约为 2.3。加热时由于层间水分子的气化所形成的蒸汽压，可使蛭石急剧膨胀而发生层裂，形成蛭虫状，密度迅速下降到 0.6 ~ 0.9。

| 资源情况 | 一、地质环境

江苏连云港东海的蛭石矿床依据成因可分为 2 种类型，即伟晶岩型矿床和沉积变质型矿床。蛭石矿床产于含蛭石伟晶岩脉中，围岩主要为片麻状榴辉岩、黑云斜长片麻岩和角闪片岩等。产在榴辉岩中的伟晶岩脉主要由石英、蛭石（二者占 95% 以上）组成。伟晶岩型矿床中蛭石矿含矿率一般在 50% 左右，蛭石呈古铜色片状集合体，一般直径 2 ~ 5 cm，有些超过 10 cm，膨胀倍数 5.4 ~ 5.8，容重 111 ~ 156 kg/m³，导热系数 0.1106 ~ 0.1320 w/（m·K），达到 II 级品标准。

二、分布区域

连云港东海是江苏蛭石的唯一产地，已经发现的矿产地主要在青新庄、小李庄、小官庄、朱官庄、埠后、陈朱沟和毛北等地。发现矿体 15 条，其中以埠后、毛北为最多。埠后蛭石片度大都小于 2 mm，膨胀倍数达 10。

三、蕴藏量

连云港东海埠后矿区储量 32.7 万 t，已经开发利用，建有蛭石矿。

| 采收加工 |　全年均可采挖，除去杂石和泥沙，晒干，打碎。

| 药材性状 |　本品为鳞片状集合体，呈不规则块状或碎片，碎片直径 0.1 ~ 0.8 cm；块状者直径 2 ~ 10 cm，厚 0.6 ~ 1.5 cm，无明显棱角。棕黄色或黄褐色，带有金黄色或银白色光泽。质脆，用手捻之，易碎成金黄色闪光小片。具滑腻感。气微，味淡。

金礞石药材

| 品质评价 | 以色金黄、质脆易碎、滑腻感强、无杂质者为佳。有研究通过测定金礞石的热膨胀率和热膨胀容，建立红外光谱特征图谱等来评价金礞石的质量。

| 功效物质 | 金礞石主要成分为含铁、钾、镁、铝的硅酸盐，另含钙、锰、锑、钛、镍、铬、钡、锶等元素。

| 功能主治 | 甘、咸，平。归肺、心、肝经。坠痰下气，平肝镇惊。用于顽痰胶结，咳逆喘急，癫痫发狂，烦躁胸闷，惊风抽搐。

| 用法用量 | 内服多入丸、散剂，3 ~ 6 g；或煎汤，10 ~ 15 g，布包先煎。

| 传统知识 | 基于文献梳理和中药资源普查过程中调查走访收集的传统用药知识，记录于此。
（1）治疗实热顽痰，癫痫惊悸，或咳喘痰稠，大便秘结：金礞石（煅）40 g，沉香 20 g，黄芩 320 g，熟大黄 320 g。以上四味，粉碎成细粉，过筛，混匀，水泛丸，干燥即得。
（2）治疗顽痰壅塞，咳喘痰稠，大便秘结，精神分裂，狂躁：金礞石（煅）60 g，沉香 30 g，黄芩 22 g，熟大黄 100 g，大黄流浸膏 380 ml。除大黄浸膏外，其余四味粉碎成细粉，过筛，混匀，将大黄浸膏浓缩至适量，与细粉混匀，制粒，干燥，压制成 1 000 片。

| 资源利用 | 一、在医药领域中的应用
在古代，金礞石和青礞石入药不分，临床上多以丸、散入药。现代医学研究发现，金礞石可治疗咳嗽咳痰、癫痫、抑郁症、精神障碍、中风等。常用制剂为礞石滚痰丸，在藏药中应用也较多，如八味金礞石散、八宝惊风散、婴宁散、红灵散、武红灵散等。
二、在功能性复合材料中的应用
对江苏连云港东海白塔埠镇蛭石工业园区东海县金鑫保温材料厂的调研发现，该公司主要经营原矿物的开采及粗加工，加工后的制品主要用于保温材料的生产及育苗的保温。
蛭石在功能性复合材料中的应用主要包括以下 5 个方面。①储热保温材料。由于蛭石及膨胀蛭石具有多孔道结构，可以装载一定量的相变材料，而相变材料在相变过程中吸收或释放大量热量，因此蛭石具有储热的功能。采用膨胀蛭石装载脂肪酸类低共熔混合物，制备相变温度范围为 19.09 ~ 25.64 ℃，相变前热值为 61.03 ~ 72.05 J/g 的复合相变储热材料经 5 000 次热循环后，仍具有良好的

储热性能。蛭石经过高温煅烧体积可迅速膨胀 6～20 倍，形成多孔、低密度、低导热系数的膨胀蛭石。膨胀后的蛭石具有良好的保温隔热性能，与其他材料混合加工后可制备出性能更优良的保温隔热材料。蛭石基的保温材料被广泛应用于建筑、冶金、化工、农业等领域。②催化材料。把催化剂负载于多孔蛭石中，可以增加催化剂与反应物的接触面积，增加化学反应速率。③环境材料。蛭石及改型后的复合功能体可以应用到重金属土壤修复和污水处理等环境领域，基本原理是利用其层间域的水分子和阳离子与污染环境体系中的阳离子进行交换，从而达到环境治理的目的。④抗菌材料。新疆蛭石经过酸化、热化、钠化处理后，采用离子交换法制备了纳米银／蛭石复合抗菌材料，通过抑菌环法测试产品对大肠埃希菌和金黄色葡萄球菌的抗菌活性，表明载银蛭石具有很强的抗菌性能。⑤隔声材料。蛭石在高温下膨胀形成的膨胀蛭石具有较好的吸声性能，声波在蛭石中传播时，会在蛭石的不同层间进行多次反射、透射，从而使能量衰减。

三、在农业中的应用

现代育苗技术一般采用先育苗后移栽的方式，对基质的需求量较大。蛭石化学成分较为复杂，为具有独特空间结构的铁镁质铝硅酸盐矿物，与土壤混合后可以改善土壤结构，有利于提高土壤的保肥保水能力，有利于土壤中微生物的生长，因此，可以用于农业的育苗生产中。蛭石离子交换性能强，孔穴较为发达，能够有效缓冲氮等矿物质营养对植物的不利影响。蛭石是育苗基质生产中常见的性质调节物质，能够显著提升基质育苗质量。

参考文献

[1] 中华人民共和国卫生部药政管理局，中国药品生物制品检定所．现代实用本草 [M]．北京：人民卫生出版社，2000．

[2] 刘文泰．本草品汇精要 [M]．北京：商务印书馆，1936．

[3] 李时珍．本草纲目 [M]．北京：商务印书馆，1957．

[4] 陈嘉谟．本草蒙筌 [M]．北京：人民卫生出版社，1988．

[5] 中国医学科学院药物研究所．中药志：第四册 [M]．北京：人民卫生出版社，1961．

[6] 国家药典委员会．中华人民共和国药典：一部 [M]．北京：中国医药科技出版社，2015．

[7] 国家中医药管理局《中华本草》编委会．中华本草 [M]．上海：上海科学技术出版社，1999．

[8] 洪连明．江苏东海县毛北金红石矿区中－北矿段矿床地质特征与成矿机理 [J]．四川地质学报，2017，37（4）：621-624．

[9] 李传常，杨立新，肖桂雨，等．蛭石改型及其功能化研究进展 [J]．硅酸盐通报，2017，36（4）：1203-1208．

[10] 王栋，郭啸，王益群，等．中药金礞石热膨胀率与热膨胀容测定方法的研究 [J]．药物分析杂志，2011，31(7)：1389-1392．

[11] 王栋，王永禄，郭啸，等．中药金礞石红外指纹图谱相似度分析 [J]．光谱学与光谱分析，2011，31（10）：

2715-2718.

[12] 王栋，刘卉，王伯涛. 金礞石人工胃液和水溶性浸出物及其主要元素分析 [J]. 中国实验方剂学杂志，2011，17（12）：58-61.

[13] 王益群，郭啸，王栋，等. 矿物药金礞石和青礞石中铁元素的价态分析 [J]. 中华中医药杂志，2013，28（6）：1864-1866.

[14] 王栋，刘卉，王伯涛. 矿物药金礞石的红外光谱分析 [J]. 分析测试学报，2011，30（5）：577-581.

[15] 孟桂花，吴建宁，但建明，等. 载银蛭石抗菌剂的制备及抗菌性能研究 [J]. 无机盐工业，2012，44（7）：22-24.

[16] WI S, YANG S, PARK J H, et al. Climatic cycling assessment of red clay/perlite and vermiculite composite PCM for improving thermal inertia in buildings[J]. Building and Environment, 2020, 167: 1-12.

[17] HUANG X, CEN D C, WEI R, et al. Synthesis of porous Si/C composite nanosheets from vermiculite with a hierarchical structure as a high-performance anode for lithium-ion battery.[J]. ACS Applied Materials & Interfaces, 2019, 11（30）：26854-26862.

（刘圣金）

微晶高岭石 Montmorillonite

| **药 材 名** | 蒙脱石（药材来源：含水硅酸镁钙。别名：胶岭石、微晶高岭石、甘土）。 |

| **本草记述** | 古代本草中均未见有关蒙脱石的记载。蒙脱石即始载于《本草拾遗》的矿物药甘土，属于铝类矿物药，主要来源于以蒙脱石为主要成分的黏土岩膨润土。蒙脱石较早见于 1955 年刘乃隆在第二期《地质知识》上发表的《论矿物命名的原则》一文。

《本草拾遗》谓："甘土无毒，主去油垢，水和涂之，洗腻服如灰，及主草叶诸菌毒，热汤末和之。出安西（今新疆北部）及东京（今洛阳）龙门，土底澄取之。"所述的性能和用途与黏土矿物膨润土相符，故认为古代正品为膨润土。由此，古代本草所记载的甘土当为可用于吸附诸菌毒和油垢的特定黏土，其特性与今以硅酸盐类蒙脱 |

石为主要组分的膨润土基本一致。

| **形态特征** | 晶体结构属单斜晶系，常呈隐晶质土状块体，有时为小鳞片状、球粒状。白色、粉红色，有时微带浅绿色、灰色、黄绿色、黄色、棕色等，脂肪至土块光泽，条痕白色。硬度 1 ~ 2，柔软，有滑感。比重 2 ~ 2.7。

| **资源情况** | 一、地质环境

蒙脱石是由火山凝结岩等火成岩在碱性环境中蚀变而成的膨润土的主要组成部分，常与伪变化的火山玻璃、火山碎屑矿物、方石英、水云母、高岭石、沸石及黄铁矿等一同产出。也可由热液蚀变形成，或产生于金属矿脉周围、温泉或间歇泉附近。在海相沉积物、冲积沉积物及湖成黏土沉积物中也可产出，盐岩、石膏及石灰岩中也有发现。

二、分布区域

江苏膨润土（主要成分为蒙脱石）矿藏资源丰富，已经发现的矿产地有南京六合、常州金坛、淮安盱眙、镇江丹徒和句容等。

三、蕴藏量

据江苏矿物学会数据，已探明江苏膨润土储量为 18.7 万 t。发现矿体 15 条，其中淮安盱眙资源最丰富、产量最大。

| **采收加工** | 全年均可采挖，除去杂质。

| **药材性状** | 本品为不规则扁斜块状或斜棱状的小块体，大小不一。青灰色、灰绿色或浅红色，微带光泽。体重。质松易碎，用指甲即可刻画下粉末。具强吸水性，舐之有吸力。遇水膨胀成糊状物。具滑腻感。微有土腥气，味淡。

| **品质评价** | 以色白、具滑腻感、吸水力强者为佳。

| **功效物质** | 蒙脱石矿物是一种由颗粒极细的含水硅酸盐构成的层状黏土矿物，成分组成有二氧化硅（35.95% ~ 53.95%）、氧化镁（0.23% ~ 25.89%）、氧化铝（0.14% ~ 29.9%）、水（11.96% ~ 26.0%）、三氧化二铁（0.03% ~ 29.0%）及氧化钾、氧化钠、氧化锂、氧化镍、铬酸、氧化锌、氧化铜等。
蒙脱石涩肠止泻功能主要与其物理结构有关，蒙脱石矿物结构是由 3 层片状构成，上、下层为硅氧四面体，中间层为铝氧八面体。蒙脱石矿物晶体结构层之间含可交换阳离子而具有较高的离子交换容量，且层间作用力较弱，晶粒较为细小，易形成较薄的单晶片，因而矿物比表面积较大，具有较高的吸附能力。

| **功能主治** | 淡，平。健脾燥湿，收敛止泻。用于腹泻。

| **用法用量** | 内服温开水调饮，9 ~ 18 g。外用适量，研成粉末加适量水混悬后清洗患处；或调敷患处。

| **传统知识** | 基于文献梳理和中药资源普查过程中调查走访收集的传统用药知识，记录于此。
（1）治疗泻下：蒙脱石粉适量，用温开水调饮，每次 200 ~ 400 ml。
（2）治疗伤口出血：蒙脱石粉适量，撒于伤口处即可。

| **资源利用** | 一、在医药领域中的应用
我国唐代医学名著《本草拾遗》中记载："甘土无毒，主治草药及诸菌毒，热汤调节器末服之。"甘土即为膨润土，其主要成分蒙脱石是由两层硅氧四面体夹一层铝氧八面体构成的 2∶1 型结构层和水化阳离子层相互叠置而成的层状硅酸盐矿物，具有良好的阳离子交换性、吸水膨胀性和剥离分散性。其层纹状结构及非均匀性电性分布特性，对消化道内的一些病毒、细菌及毒素具有较强的选择性吸附作用。蒙脱石作为内服制剂，主要是作为消化道黏膜保护剂，其强烈的遮盖性和吸附性能与黏膜壁结合，从而提高黏膜对内外源刺激因子的反应阈值，具体表现在能够提高消化道黏液的质和量，增强黏膜屏障，帮助恢复

再生消化道上皮细胞，固定清除多种攻击因子，包括胃酶、胆盐、细菌毒素及侵袭性细菌等。同时，蒙脱石还具有平衡正常菌群、提高消化道免疫功能的作用。蒙脱石的保护作用从食管直至直肠，包括整个消化道，且不吸收入血，不影响正常的进食和排便，故临床上多用于腹泻、食管炎、慢性胃炎、消化性溃疡、肠易激综合征等疾病的治疗。

二、在化工领域中的应用

以天然膨润土（主要成分为蒙脱石）为原料，用酸溶液进行活化，可得到酸性膨润土；将金属卤化物等负载到膨润土载体上可制得新型固体酸催化剂；以黏土矿物膨润土作母体，通过多羟基铝、锆、硅等交联剂插层可制成大孔径、高比表面积的层柱多孔材料，并可通过对层柱黏土结构的调控来改善其催化性能；以膨润土作为包裹剂，将氮、磷、钾肥在不同分散剂中进行包裹处理，对氮、钾肥等易溶肥有良好的缓释作用，而对磷肥等难溶肥有促释作用。膨润土基复合材料在催化、环保和材料等领域中显示了广阔的应用前景。

三、在建筑工程中的应用

在建筑工程中，蒙脱石可代替价格较高的白炭黑作为橡胶的填料。有研究在橡胶中加入有机改性蒙脱石，结果发现加入有机改性蒙脱石的橡胶，各项性能均得到明显提升。原因是蒙脱石经过有机改性后，表面积增大，层电荷提高，活性增强，可以与橡胶很好地混合，在一定程度上能实现化学键结合，形成的产品性能也随之增加。另外，钙基蒙脱石在遇水后自身体积会膨胀并具有疏水性，因此用钙基蒙脱石做成的防水材料，具有永久性、高度密实性、自保水性能好、对人体无害等优点。我国北京、南京等地的地铁工程中已有用蒙脱石做防水材料的应用实例。

四、在环保领域中的应用

蒙脱石具有很高的离子交换性、吸附性和可塑性，在环境污染治理领域发挥着巨大的作用。以天然膨润土或改性膨润土为吸附剂，可吸附废水中的重金属离子、非极性有机物、极性有机物及各类有毒和难生物降解的有机物等。利用有机改性蒙脱石，进行含双酚 A 的废水吸附试验，结果表明，蒙脱石对废水中双酚 A 的去除率可高达 94.56%。以溴化十六烷基三甲铵作为改性剂改性蒙脱石，进行含铬工业废水的污染治理试验，结果表明，改性蒙脱石对铬的去除率超过 98.0%。蒙脱石对垃圾渗滤液也有一定的吸附作用，可用作填埋池的防渗材料，应用在城市垃圾的处理过程中。

参考文献

[1] 国家中医药管理局《中华本草》编委会. 中华本草 [M]. 上海：上海科学技术出版社，1999.

[2] 黄奭. 神农本草经 [M]. 北京：中医古籍出版社，1982.

[3] 陶弘景. 名医别录 [M]. 尚志钧辑校. 北京：中国中医药出版社，2013.

[4] 陶弘景. 本草经集注 [M]. 北京：学苑出版社，2013.

[5] 陈藏器. 本草拾遗 [M]. 安徽：科学技术出版社，2011.

[6] 寇宗奭. 本草衍义 [M]. 北京：中国医药科技出版社，2019.

[7] 苏颂. 本草图经 [M]. 尚志钧辑校. 合肥：安徽科学技术出版社，1994.

[8] 刘文泰. 本草品汇精要 [M]. 北京：科学技术出版社，2019.

[9] 李时珍. 本草纲目 [M]. 北京：人民卫生出版社，1982.

[10] 江民权. 小儿腹泻采用蒙脱石散与妈咪爱联合治疗的效果评价 [J]. 基层医学论坛，2020，24（2）：217-218.

[11] 朱虹嘉，孙宁. 蒙脱石应用现状及改性技术研究进展 [J]. 河南化工，2019，36：3-5.

[12] 刘慧，李元元. 有机改性蒙脱石研究进展 [J]. 科技资讯，2018，18：79-80.

[13] 朱润良，曾淳，周青，等. 改性蒙脱石及其污染控制研究进展 [J]. 矿物岩石地球化学通报，2017，36（5）：698-705.

[14] 焦林宏，汪永丽，马娅，等. 膨润土的改性及在重金属废水处理中的研究进展 [J]. 化学工程与装备，2018（12）：248-249.

[15] 周婷婷，张晓丹，刘克爽，等. 我国膨润土资源的利用与研究进展 [J]. 矿产保护与利用，2017（3）：106-111.

[16] 王晓艳. 我国膨润土的开发应用现状及发展前景 [J]. 安徽化工，1995（1）：5-10.

[17] 翟永功，次向明，邹星，等. 药用蒙脱石粘土的矿物组成与化学成分分析 [J]. 中草药，2002，33（4）：291-293.

[18] 白慧东，徐建国，尚靖，等. 膨润土的药用状况 [J]. 新疆中医药，2006（2）：75-78.

[19] 周春晖，童东绅. 膨润土基化工和环境新材料的开发与应用研究 [J]. 中国非金属矿工业导刊，2009（1）：9-15.

[20] 广西壮族自治区卫生厅. 广西中药材标准：第二册 [S]. 南宁：广西科学技术出版社，1996.

[21] 云南省食品药品监督管理局. 云南省中药材标准：第一册 [S]. 昆明：云南美术出版社，2005.

[22] LEBER W. A new suspension form of smectite for the treatment of acute diarrhoea: a randomized comparative study[J]. Pharmatherapeutica, 1988（5）: 256-260.

[23] ZHOU C H, GE Z H, LI X N, et al. Gallery-templated synthesis of titanium/silicon-containing mesoporous montmorillonite based catalytic materials[J]. Chinese Chemical Letter, 2003, 14（6）: 1285-1288.

（刘圣金）